書籍発行後も最新のデータに更新！

食品添加物インデックスデータベース
登録方法

本書には、「Ⅱ　索引編」の内容をインターネット上でデータ検索、閲覧できる「食品添加物インデックスデータベース」を無料でご利用いただけるライセンスが付与されています（2025年12月31日まで）。

データベースの内容は本書発行以降も、制度改正等にあわせて適時更新されるため、常に最新の食品添加物の情報にアクセスすることが可能です。

データベースのご利用にはお客様情報の登録が必要ですので、以下の手順に沿ってご登録ください。

【ご登録手順】

1　食品添加物インデックスPLUS（第６版）商品サイトへ

①裏面のシールをはがします。データベース登録用のシリアル番号が記載されています。

②中央法規出版株式会社のホームページ（https://www.chuohoki.co.jp/）にアクセスしてください。トップページ下部の「食品添加物インデックスPLUS」のバナーより、商品ページへ進み、ページ中央の「データベースに登録」をクリックしてください。

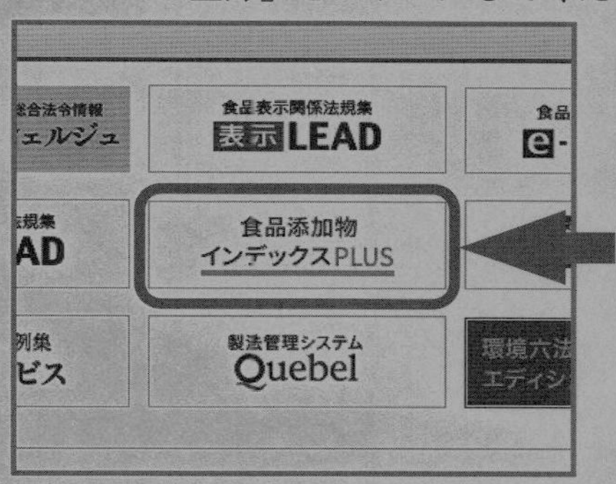

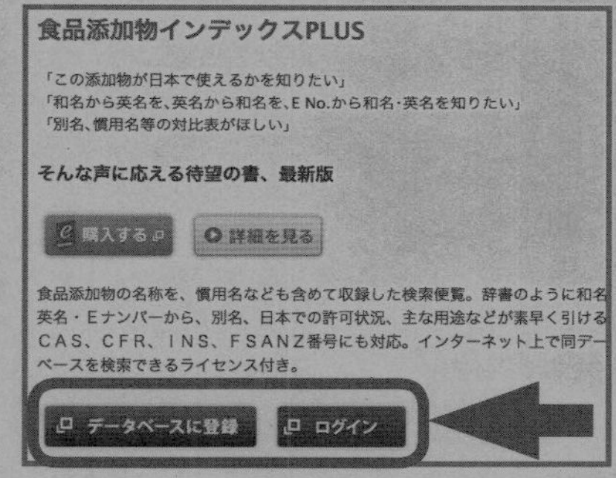

2　お客様情報の登録画面へ

①お客様情報の登録画面より、会社名、連絡先、担当者名、メールアドレス、裏面に記載されたシリアル番号を入力し、「次へ」をクリックしてください。

②メールマガジンの要否及びパスワードを入力してください。その他、前画面で入力した内容、使用許諾契約書をご確認の上、「同意して申込」をクリックしてください。

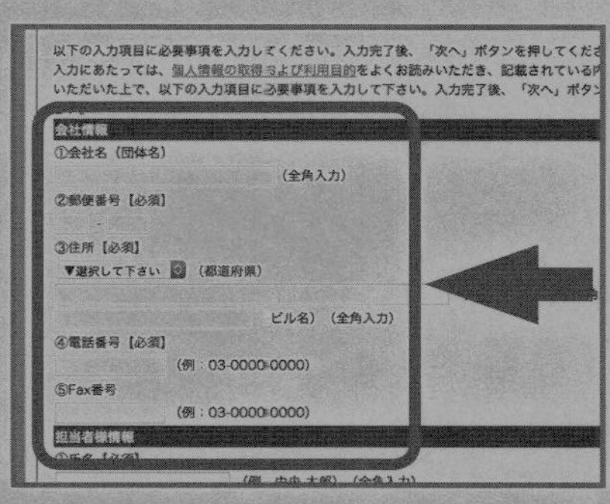

3　登録完了メール受信

お客様情報をご登録いただくと、登録したE-mailアドレス宛に、ログイン用のユーザーIDやご登録内容を記載したお申し込み完了メールが届きます。登録内容に誤りがないか、ご確認ください。

※登録内容に変更がある場合は、本メールに記載された「登録内容修正」のリンク先より修正をお願い致します。

4　データベースへログイン

下記のいずれかより、データベースにログインしてください。

①登録完了メールの最後に記載された「食品添加物インデックスへのアクセスはこちらから」

②表面の「1　食品添加物インデックスPLUS（第6版）商品サイトへ」で記した商品サイト内の「データベースに登録」の横にある「ログイン」

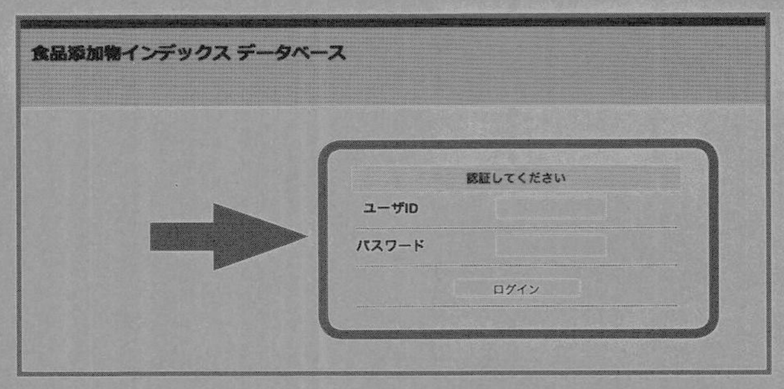

お申し込み完了メールに記載されたユーザーIDと、お客様が設定したパスワードをご入力いただくと、食品添加物インデックスのデータベースへログインすることができます。

内容は書籍発行後も随時更新します。最新の法令情報を収録した食品添加物インデックスデータベースをご活用ください。

※データベースをご利用になるにはインターネットに接続できる環境が必要です。インターネットに接続する料金はお客様自身のご負担となります（登録・閲覧はPCから行ってください）

※データベースの利用期限は、2025年12月31日までです。

※登録できるのは、書籍１冊（シリアル番号１つ）につきお一人様となります。

※登録時に付与されるID、パスワードの管理には十分ご留意ください。ご本人様以外の第三者が同じIDを使うと、ご本人様がお使いになれない場合があります。また、別途ご請求させていただく場合があります。

※データベースの内容は、弊社インターネット商品「食品表示コンシェルジュ」に収載されている同データベースと同一のものです。

シリアル番号

「食品添加物インデックスデータベース」
シリアル番号
ゆっくりはがしてください

食品添加物インデックスPLUS 第6版

和名・英名・E No. 検索便覧

編著　公益社団法人　日本輸入食品安全推進協会

中央法規

序

わが国の食料事情は，経済構造の変革が人口の都市への集中化，工業化等を加速し，食料生産の基盤である農漁業構造を大きく変化させ，その結果，食料の供給元は海外の生産拠点へとシフトし，また技術供与等による合弁事業等も盛んになり，多種多様な食品が世界各国から輸入されるようになりました。

その現状は，農林水産省による「供給熱量総合食料自給率表」に見られる，40％という主要先進国の中では桁外れに低い自給率，及び厚生労働省が公表する「輸入食品監視統計」による「食品等輸入届書」の届出件数が，ここ数年，前年対比110％前後の伸びを示し，2001（平成13）年においては約160万件という高い数字を示していることからも推測できます。

食品に関係する営業者にとって，食品添加物に起因するリスクは常に潜在しております。前述の監視統計でも，食品衛生法第6条違反（指定外添加物の使用），及び同第7条違反（添加物の使用基準違反等）の両者で，毎年の違反件数全体の半分以上を占めております。また，2002（平成14）年5月にはアセトアルデヒド等の指定外添加物を原料とした香料が長年にわたり製造販売されていた事実が表面化し，食品業界に多大な経済損失を蒙らせたこと，さらに6月には海外で食塩の固結防止剤として汎用されているフェロシアン化物がわが国では指定外添加物として法制上違反となり，製品回収等で市場を混乱させ，また国際的には貿易障害をも引き起こすことが予測されたため，厚生労働省は該品の指定に向けて必要措置を急ぐとともに，同省の「薬事・食品衛生審議会食品衛生分科会」に今後の基本姿勢として「国際的に汎用され，安全でかつ必要性が高いと思われるものについて積極的に安全性等の評価を行い，指定の方向で検討する」ことを提示し承認されています。今後の成り行きが注目されます。

本書は「この添加物が日本で使えるか使えないかを知りたい」，「英名から和名を，また和名から英名を知りたいが容易に検索できる本がない」，「別名，慣用名等の対比表がほしい」等の声に応えるために，一冊に整理収録して出版する初めての試みです。

そのために，一般の成書とは異なり，利便性を考慮して必要な情報を英和辞典や和英辞典のように索引できるよう編集してありますので，食品関係営業者のみならず，勉学の諸子のご参考にもなるものと期待しております。

最後になりましたが，本書の作成，チェック等にご尽力いただきました関係者の皆様に深く感謝申し上げます。

2002年10月

社団法人　日本輸入食品安全推進協会

「食品添加物インデックスPLUS 第6版」の発刊にあたって

全世界を混乱に巻き込んだ新型コロナウィルスの騒動は，４年の歳月を経て，やっと平常の状態に戻りつつあるも，この間，輸入食品に携わる事業者にとっては，海外渡航の制限やリモートワークによる就業スタイルの見直し，ライフサイクルの変化等新たな対応に直面し大変なご苦労をされたことは想像に難くありません。

これまで増加の一途を辿った輸入食品の輸入量についてもコロナ禍の影響を大きく受けることとなり，令和４年度の輸入重量はコロナ禍前の平成30年度の3,417万トンに比べると3,192万トンと6.6％の落ち込みとなりました。

一方，法違反件数については，202,671件の検査のうち，781件の法違反が見つかり，このうち食品添加物に起因する違反件数は107件と依然として高い件数を示しています。また，食の安全に関する消費者の意識調査によると，食中毒や残留農薬など不安要素が挙げられる中で「輸入食品」と「食品添加物」が相変わらず上位を占めており輸入食品に携わる事業者にとって残念な結果であります。

このような中，本書の編纂にあたっては，食品添加物について遵守すべき我が国の法的措置をわかりやすく事業者に提供することを目的として，「海外で使用される食品添加物の日本での使用可否を知りたい」，「英名から和名を，和名から英名を検索したい」，「別名，慣用名等の対比表がほしい」などの要望に応えて平成14年に初版を発刊しました。

初版発刊以降，平成18年の改訂版では日本の法令上の名称を赤色刷りで明確にし，また食薬区分上の食品添加物該当品を収載，平成21年には「ENo.」のほかに「CASNo.」と「CFRNo.」を収載，平成24年には本書の内容をデータベース化し，ネット閲覧での検索を可能にしました。

平成27年の第２版では「EU FLNo.」，「FDA CFRNo.」を追加収載し，令和元年の第４版では「中華人民共和国国家標準 GB2710-2014」から引用した中国食品添加物の対比表を収載したほか，日本の食品添加物の定義に相当するFDAのPartに収載されている全品目（一部除外）を追加収載しました。令和３年の第５版では中国の食品添加物に付されている「CNSNo.」を「ENo.（含FLNo.）」及び「CFRNo.」と対比できるように本欄に収載し利便性を図りました。

今回の第６版の発刊にあたっては，従前の基本姿勢を踏襲し，令和５年８月１日現在の日本の法令上の取扱いに関する諸情報（含CASNo.）を網羅し，関連する「ENo.」，「EU FLNo.」，「FDA CFRNo.」についても同日現在までの改正を含めて最新情報としております。

本書をご利用いただくことにより日本は元よりEU，FDA，Codex，中国の食品添加物に対する理解の一助となり，食品の安全性確保に向けて社会的責任を果たされるとともに企業活動に寄与されますことを祈念し本書発刊の挨拶といたします。

令和５年10月

公益社団法人 日本輸入食品安全推進協会

目　次

巻頭　食品添加物インデックスデータベース登録方法

序

「食品添加物インデックス PLUS 第 6 版」の発刊にあたって

I　解説編

II　索引編

資料

本書は，令和 5 年 8 月 1 日現在における食品衛生法，同法施行規則，その他関連する厚生労働省告示・通知などに基づき編集しております。最新の許可状況については，厚生労働省及び消費者庁発表による資料等でご確認ください。

I
解説編

1　日本，米国，EU における食品添加物に関する定義及び法的規制方法について

食品添加物とは一般に，食品を製造したり，加工したり，保存したりするときに用いるものをいう。FAO／WHO 合同食品規格計画＜コーデックス(CODEX)＞*では以下のように定義されている。

> 「食品添加物」とは，それ自体は食物として通常摂取されず，かつ栄養価の有無を問わず，食品の代表的な原材料として使用されないもので，当該食品の製造，加工，調理，処理，充填，包装，輸送又は保存のとき，その物質又はその副産物がその食品の構成成分となり又は他の方法により，その食品の特性に影響を及ぼす技術的（官能的なものを含む）目的をもって，若しくは相応の効果を期待し，（直接又は間接的に）意図的に食品に添加されるものをいう。

＊ CODEX――FAO（国連食糧農業機関）と WHO（世界保健機関）が合同で進めている国際食品規格計画により国際的に採択された食品の規格・基準・指針・規範等を総称する。こうして作成された CODEX は，勧告規格として加盟国に受諾を勧告されるが，1994 年に設立された WTO（世界貿易機関）の「SPS 協定（衛生植物検疫措置協定）」により，各国の規格基準等の，CODEX 規格への調和推進が，従来より一層強く求められている。

なお，食品添加物分野では，JECFA（FAO/WHO Joint Expert Committee on Food Additives，合同食品添加物専門家委員会）と称するアドバイザリーグループがあり，専門家として科学的，技術的観点から CODEX の関連部会に規格基準設定に関し勧告する。

以上は，食品添加物の定義に関する一般的概念であるが，実際の定義は国によって大分異なっている。世界的にみて食品添加物の体系には三つの大きな流れがある。

第一の体系は前述の国際食品規格計画に従ったもので，EU の加盟国がこの様式をとっている。

第二の体系は米国のもので，1958 年に大改定された連邦食品薬品及び化粧品法（Federal Food, Drug and Cosmetic Act）を基本にした独特のシステムである。具体的な運用規程は，連邦法規集（Code of Federal Regulations）の Title 21 に定められている。

第三の体系は日本のもので，食品衛生法を基本としている。

以下，日本，米国，EU における法的規制の体系を概説する。

(1)　日本における法的規制

食品衛生法第 4 条［定義］では「この法律で添加物とは，食品の製造の過程において又は食品の加工若しくは保存の目的で，食品に添加，混和，浸潤その他の方法によって使用する物をいう。」と定められている。法律では「添加物」となっているが，添加物と食品添加物は同義語と考えてよい。添加物の英名は“Additives”（または“Food Additives”）である。同じ添加物であっても医薬品添加物（医薬品添加剤ともいう）の場合は“Pharmaceutical Excipients”であって英名が異なることに注意が必要である（飼料添加物の場合は食品と同様に“Additives”を使用する）。

なお，令和 2 年 4 月 28 日厚生労働省告示第 196 号の英語版にて，「器具若しくは容器包装又はこれらの原材料一般の規格」について，「合成樹脂の原材料であって，これに含まれる物質についての規格（基ポリマー及び添加剤等）」の英名では，食品添加物と同じく「Additives」が使われているが，和名では「添加物と添加剤」に区別されている。

食品衛生法による食品添加物の定義は1995（平成７）年に改められ（平成７年法律第101号），現在に至っている。

食品衛生法第４条［定義］関係条文抜粋
② この法律で添加物とは，食品の製造の過程において又は食品の加工若しくは保存の目的で，食品に添加，混和，浸潤その他の方法によって使用する物をいう。
③ この法律で天然香料とは，動植物から得られた物又はその混合物で，食品の着香の目的で使用される添加物をいう。

食品添加物は以下の４種類に分類される。

(i) 指定添加物

食品衛生法第12条では，食品添加物は天然・合成の区別なく，厚生労働大臣が薬事・食品衛生審議会の意見を聴いて定めたものであると規定している。これを指定添加物という。現在，未指定添加物を指定する制度については，2002（平成14）年７月食塩の固結防止剤として諸外国で広く使用されているものの日本では未指定であった「フェロシアン化物」を指定添加物として指定する必要性を契機に，「国際的に安全性が確認され，かつ汎用されている未指定添加物の指定」についての考え方が指定制度としてスタートした。具体的には① JECFA で安全性が確認されたもの，②米国及びＥＵで広く認められ国際的に必要性が高いと判断されるものは，従来の企業による申請制度に代わり国が積極的に推進することになった。

この方針に従い，業界の要望等を聴取し上記の選定基準を満たす46品目（β-カロテンが対象より除外されたため，45品目を対象としてきたが，2018（平成30）年10月24日の食品衛生分科会で，アルミニウム化合物３品目について取組みを中断することとし，計42品目を検討対象としている。），香料については54品目を対象に新規指定に向けて作業が推進されている。従って2023（令和５）年８月１日現在，指定済品は41品目（未指定１品目「カルミン」着色料），香料の指定済品は54品目（全品指定済）となり，2023（令和５）年８月１日現在総数475品目の食品添加物が指定されている。添加物名は食品衛生法施行規則第12条，別表第１に記載されている。

指定添加物は大別して使用基準のあるものとないものに分けられる。

(ア) 使用基準のあるもの

食品添加物の安全性，有効性を総合的に検討し，使用対象食品，使用量，使用目的，使用条件などを限定する場合がある。このような場合に設けられる基準を使用基準という。食品衛生法第13条で，厚生労働大臣が使用基準，成分規格等を定める権限が明示されており，具体的な規格基準として「食品，添加物等の規格基準（昭和34年12月28日厚生省告示第370号）」が告示されその後随時改正されている。

(イ) 使用基準のないもの

使用基準のない添加物については原則的にはいかなる食品にも量的制限はなく使用できるが，使用基準の定められていない添加物でも「食品表示基準について（平成27年３月30日消食表第139号）」（最終改正：令和５年６月29日消食表第343号）により，用途が示されているものがある。また，使用制限がないとはいえ，食品添加物の使用は必要最小限にとどめるべきであることは，一般原則からいって守らなければならないのはいうまでもない。

また，食品の種類によっては添加物の使用基準が特段定められていない場合でも，一切の使用が禁止（または制限）されているものもある（牛乳，加工乳，クリーム，冷凍果実飲料，生食用冷凍鮮魚介類，生鮮野菜類等）。

食品添加物公定書について

前述のとおり，食品衛生法第13条では，厚生労働大臣は添加物の成分等についての規格，ならびに添加物の製造，加工，使用，調理もしくは保存の方法について基準を定めることができるとされている。これらの内容は先の「食品，添加物等の規格基準」に収録されているが，別途「食品添加物公定書」にもまとめられている（現在の公定書は第9版である）。「食品添加物公定書」は，食品衛生法第21条にて厚生労働大臣がこれを作成するよう規定されており，これにより食品添加物の規制等について周知徹底を図ることとなっている。この公定書の英名は“Japanese Standards of Food Additives”でありJSFAの略称で国際的にも通用する。指定された添加物はそのほとんどについて規格・試験法などが定められ前述の厚生省告示第370号の「添加物各条」に収録されているが，希釈過酸化ベンゾイル，合成膨脹剤，水溶性アナトーのように製剤の形で収録されているものもあれば，二酸化ケイ素のように二酸化ケイ素と微粒二酸化ケイ素に分けて規格が作られているものもある。逆に，二酸化塩素や二酸化硫黄のように指定添加物でありながら，いまだ規格が作成されていないものもある。

なお，医薬品の日本薬局方については5年に1回改定すると定められており，その間は制定薬局方が有効であるが（追補が出ることはある），食品添加物の規格，基準などは年に何回も改正されるのでup-to-dateな規格等については，そのつど前述の厚生省告示第370号の「食品，添加物等の規格基準」を参照する必要がある。

(ii)　既存添加物

1995（平成7）年の食品衛生法の大幅な改正以前の旧法では，食品添加物の指定制度は合成添加物についてのみ実施されており，天然添加物には指定制度がなかった。

このため，様々な天然添加物が使われており，新法の施行により，従来の天然添加物をどうするかが大きな課題となった。この点については，新法施行の時点で現に流通し使用されていた天然添加物については，長期にわたる使用実績があり，人の健康確保に問題があるなどの個別具体的な知見が報告されていないことから，これらには指定制度を適用しないことを定め，「既存添加物」として区別することになった。平成8年4月16日厚生省告示第120号に基づく既存添加物名簿には489品目が掲載されていた。なお，これに関連して3頁(イ)項に記載の「食品表示基準について」（平成27年3月30日消食表第139号）に「既存添加物名簿収載品目リスト」も告示されており，リストには用途も示されているので，表示において用途名を併記する場合（甘味料など8用途については併記が義務づけられている）には注意が必要である。

既存添加物にも使用基準が設けられているものが少なくない（アナトー色素などの着色料，カオリン，ケイソウ土などのろ過助剤ほか）。また，品質の確保のための規格の設定及び安全性の確認作業も精力的に続けられ2023（令和5）年8月1日現在では，総数357品目の既存添加物で成分規格が制定されている品目は約60％にのぼっている。今後も安全性確認作業は計画的に進められることになっている。

なお，2003（平成15）年5月30日に既存添加物名簿に関する食品衛生法の規定が改正され，健康を損なうおそれがあると認めるときは名簿から消除できること，並びに当該添加物が現に販売の用に供されていないと認めるときは，当該既存添加物の名称を記載した表（消除予定添加物名簿）を作成し，公示した後，特に異論がなければ名簿から消除できることになった。アエロモナスガム，イチジク葉抽出物，エルウィニアミツエンシスガム，エンジュサポニン，エンテロバクターガム等38品目が流通の実態がないとの理由から2004（平成16）年2月26日に消除予定添加物名簿に掲載公示された後，同年12月24日に名簿から削られ，2005（平成17）年2月25日から適用された。これにより既存添加物名簿の番号は451番までとなった。

また第2弾として，アオイ花抽出物，アーモンドガム，クルクリン，トウモロコシ色素等42品目が前記と同様の理由から消除予定添加物名簿として2006（平成18）年9月12日公示され，6か月間の名簿の訂正の申し出期間を経て2007（平成19）年8月3日に32品目が名簿から消除された。

また第3弾として同様の手続を経て2011（平成23）年5月6日，N-アセチルグルコサミン，オリゴグルコサミン等55品目が消除されたが，うち2品目の抽出物は成分基原の一部のみが削除されたので既存添加物名簿から名称が消除されたのは実質53品目である。これにより2019（令和元）年8月1日現在既存添加物名簿番号の末番は365となった。

その後，「平成30年度消除予定添加物名簿（平成31年2月28日厚生労働省告示第45号）」として公示された既存添加物が10品目あり，2019（令和元）年8月27日まで訂正申出書を受け付け，2020（令和2）年2月26日厚生労働省告示第42号にて9品目が告示されたが，うち1品目は製造基準の削除であり，添加物番号の消除対象は8品目なので，2023（令和5）年8月1日現在の番号は357である。

(iii) 天然香料

(i)に示したとおり，食品添加物は原則として指定を受けなければならないが，天然香料については例外的にこの規定から除外されている。天然香料とは，植物性の原料や動物性の原料から得られたもの，またはこれらの混合物で，2023（令和5）年8月1日現在，オレンジ，ジャスミン，魚など612の天然香料基原物質が3頁(イ)項に記載の「食品表示基準について」中の別添添加物2－2のリストに収録されている。天然香料は長年にわたり食品の着香の目的に使用されてきたものであり，使用量もごくわずかであるので，特に安全性の証明は必要としないことになっている。

(iv) 一般に食品として飲食に供されている物であって添加物として使用される品目（一般飲食物添加物）

これは食品と食品添加物の共通の品目であって，食品の素材として使われることもあるが，食品添加物として使われることもある品目ということで，指定を受ける必要はない。イカスミ色素（着色料），アマチャ抽出物（甘味料），ホエイソルト（調味料），寒天（製造用剤）などであって，2023（令和5）年8月1日現在72品目がリストアップされている。食品添加物として使用する場合には3頁(イ)項に記載の「食品表示基準について」中の別添添加物2－3のリストに用途が示されているので参照されたい。また，カゼインのように成分規格が定められているものもある。

食品衛生法関係条文抜粋（〔　〕内は編者による補足）

〔添加物等の販売等の禁止〕

第12条　人の健康を損なうおそれのない場合として※厚生労働大臣が薬事・食品衛生審議会の意見を聴いて定める場合〔規第12条〕を除いては，添加物（天然香料及び一般に食品として飲食に供されている物であって添加物として使用されるものを除く。）並びにこれを含む製剤及び食品は，これを販売し，又は販売の用に供するために，製造し，輸入し，加工し，使用し，貯蔵し，若しくは陳列してはならない。

〔人の健康を損なうおそれのない添加物〕

規第12条　法第12条の規定により人の健康を損なうおそれのない添加物を別表第1のとおりとする。

〔食品又は添加物の基準・規格の制定〕

第13条　※厚生労働大臣は，公衆衛生の見地から，薬事・食品衛生審議会の意見を聴いて，販売の用に供する食品若しくは添加物の製造，加工，使用，調理若しくは保存の方法につき基準を定め，又は販売の用に供する食品若しくは添加物の成分につき規格を定めることができる。

②　前項の規定により基準又は規格が定められたときは，その基準に合わない方法により食品若しくは添加物を製造し，加工し，使用し，調理し，若しくは保存し，その基準に合わない方法による食品若しくは添加物を販売し，若しくは輸入し，又はその規格に合わない食品若しくは添加物を製造し，輸入し，加工し，使用し，調理し，保存し，若しくは販売してはならない。

〔食品添加物公定書の作成〕

第21条　※厚生労働大臣及び内閣総理大臣は，食品添加物公定書を作成し，第13条第1項〔食品又は添加物の基準及び成分の規格〕の規定により基準又は規格が定められた添加物及び食品表示法第4条第1項の規定により基準が定められた添加物につき当該基準及び規格を収載するものとする。

※令和5年5月26日法律第36号が公布され，令和6年4月1日より，食品衛生基準行政に関する権限が，厚生労働大臣から内閣総理大臣に移管されます。

(2)　米国における法的規制

(i)　食品添加物

連邦食品・薬品・化粧品法（Federal Food, Drug and Cosmetic Act）では「食品添加物とは，その目的とする使用法によって，直接又は間接に，食品の一部になるか又は食品の性質に影響を与えるような結果をもたらすか，結果をもたらすことを期待される物質であり（食品の生産，製造，パッキング，加工，調製，処理，包装，輸送又は保存のために使用することを目的とする物質，及び同様な目的に使用することを目的とする放射能の線源物質を含む），このような物質が，その安全性を評価するための科学的訓練と経験のある専門家の間で，科学的手続きを経て，その目的とする使用法によって安全であるということを十分に示したと一般的に認められないもの（あるいは1958（昭和33）年1月1日以前において，食品に対して通常の使用に際して科学的手続きあるいは経験を通じて使用されていたもの）をいう」と定められている。大変難しい定義の仕方であるが，要するに「食品添加物は本来安全なものであるとはいえない。したがってその使用に当たっては，注意しなければならない」という趣旨を定義づけているものである。このため，食品添加物の安全性を確認するための食品医薬品庁（FDA：Food and Drug Administration）の機能が著しく強化されており，FDA が認可しなければ使用できないことになっている。

食品添加物の詳細は連邦法規集（CFR：Code of Federal Regulations）Title 21 の Part 170 から Part 173 に示されている（GRAS 物質は後述）。Part 172 に食品に直接添加する食品添加物の各論として保存料（酸化防止剤を含む），コーティング剤・カプセル剤，栄養強化剤・特別用途食品の添加剤，固結防止剤，調味料，ガムベース・増粘剤，その他の各種用途添加物が収録されている。Part 173 は食品への使用が認められた副次食品添加物であって，食品処理用のポリマー（ポリビニルポリピロリドン，イオン交換樹脂等），酵素製剤・微生物，溶剤などが含まれている。

なお，後述するが，アメリカでは着色料は食品添加物とは別扱いになっている。

(ii) GRAS 物質

食品添加物における安全性の証明は，あらかじめ，科学的評価が行われているもの，または非常に古くから経験的に食品に使用されているものについてはそれを免除されており，安全と認められている。このように普遍的にその安全性が確認されている物質（Substances Generally Recognized as Safe）はその頭文字をとって GRAS 物質と呼ばれている。GRAS リストは CFR の Part 182 及び 184 に収録されている。GRAS 物質としてはスパイス類，天然・合成香料，精油，固結防止剤，増粘安定剤，酸味料，栄養強化剤，乳化剤，その他食品素材に属するものを含めて多数収録されている。

〔参考〕

米国には CFR Title 21 Part 182，184，186（186 は間接添加物扱いのため本書では対象外）に収録されている GRAS 物質のほかに，FDA が所管する法令「US Federal Food，Drug and Cosmetic Act」の「Chapter 2 Section 201(S) 食品添加物の定義」に則り，民間の専門家によって安全性が評価された添加物を「GRAS 物質」として FDA に届出る制度がある。

しかし，FDA はこれらの物質について認可，不認可を判断するものではなく，FDA が同意しない物質も含まれており，すべてが届出者の責任で GRAS 物質として運用されている。

この制度のなかで古くから活用してきた「米国食品香料製造者協会（FEMA)」が一般に広く知られているが，本書では FDA が認定した CFR No.が付された添加物だけを対象とし，この制度による添加物は対象外とする。

(iii) 間接食品添加物

アメリカでは，たとえば食品容器，包材または製造機械に使用したため，それらと接触した食品に移行して成分となる可能性のある物質を間接食品添加物という。接着剤やコーティング剤の成分も含まれ，CFR 21 の Part 174 から 178 にかけては，1 万種類以上の物質が示されており，CFR Part 186 には GRAS 物質も示されているが，わが国では器具及び容器包装の添加剤として扱われており，食品添加物には含めない。

(iv) 着色料

着色料は食品添加物と分離して，医薬品用，化粧品用と合わせて CFR Part 70 から 82 に収録されている。検定不要のものは食用色素としてはアナトーエキス，β-カロテン，ブドウ果皮抽出物など 36 種類が Part 73 Subpart A-Foods に収録されている（2023（令和 5）年 8 月 1 日現在）。

要検定の着色料は食用品は FD & C Blue No.1 など 9 種類が Part 74 Subpart A-Foods に収録されている（同上現在）。

色素レーキについては永久リストとは別の要検定の暫定リストの Part 82 Subpart B-Foods, Drugs and Cosmetics のなかで「82.51 Lakes（FD & C)」としてまとめて収録されており，検定に合格した原末を使用することが要請されている。

最後に，わが国では食品添加物行政は厚生労働省（参考：表示については消費者庁）の管轄であるが，アメリカの連邦食品・薬品・化粧品法は FDA 長官以外にも農務省（USDA）長官並びに環境保護庁（EPA）長官の役割も規定しているのが特徴である。

下記に CFR, Title 21 に盛り込まれている関連 Part の目次を抜粋する（日本語訳は『新食品添加物マニュアル，第 4 版』日本食品添加物協会出版，平成 25 年 8 月出版より）。

CFR，Title 21 の関連 Part 目次

Subchapter A－General
Part 70－着色料
Part 71－着色料の申請
Part 73－検定免除の着色料リスト
  Subpart A－食品用
Part 74－要検定の着色料リスト
  Subpart A－食品用
Part 80－着色料の検定
Part 81－食品，医薬品及び化粧品に用いる暫定着色料の一般規格並びに使用基準
Part 82－要検定の暫定着色料リスト及び規格
  Subpart A－一般規定
  Subpart B－食品，医薬品，化粧品用

Subchapter B－Food for Human Consumption
Part 170－食品添加物
Part 171－食品添加物申請
Part 172－人間が摂取する食品に直接添加が認められた食品添加物
  Subpart A－一般規定
  Subpart B－食品用保存料
  Subpart C－被覆，被膜及び関連物質
  Subpart D－特殊食餌用及び栄養添加物
  Subpart E－固結防止剤
  Subpart F－香料及び関連物質
  Subpart G－ガム，チューインガムベース及び関連物質
  Subpart H－その他特定用途の添加物
  Subpart I－多目的添加物
Part 173－人間が摂取する食品に認められた副次的直接食品添加物
  Subpart A－食品処理用のポリマー及び助剤
  Subpart B－酵素製剤及び微生物
  Subpart C－溶媒，潤滑剤，離型剤及び関連物質
  Subpart D－特殊用途の添加物
Part 174－間接食品添加物：一般規定
Part 175－間接食品添加物：接着剤及び被膜剤成分
Part 176－間接食品添加物：紙及び板紙成分
Part 177－間接食品添加物：ポリマー
Part 178－間接食品添加物：補助剤，加工助剤及び消毒剤
Part 179－食品の製造，加工及び取扱いにおける照射
Part 180－追加試験中，暫定的に食品あるいは食品と接触するものへの使用が認められた添加物
  Subpart A－一般規定
  Subpart B－食品添加物の個別の要件
Part 181－既認可の食品成分
Part 182－GRAS 物質
  Subpart A－一般規定
  Subpart B－多目的 GRAS 食品物質
  Subpart C－固結防止剤
  Subpart D－合成保存料
  Subpart E－乳化剤（Reserved）
  Subpart F－［削除 1996 年］

Subpart G－キレート剤	Subpart A－一般規程
Subpart H－安定剤類	Subpart B－GRAS 確認済の個別の物質リスト
Subpart I－栄養成分	
Part 184－GRAS 確認済の直接食品物質	Part 186－GRAS 確認済の間接食品物質

(3) EU における法的規制

EU の食品添加物に関する規制は指令（Directive）89／107EEC（Concerning Food additives authorized for use in foodstuffs intended for human consumption）を基本としている。EU における食品添加物の定義は，基本的には冒頭に述べたコーデックスの定義に同じであるが，コーデックスでは「食品の栄養価の保持・増進のために添加される物質は含めない」となっている。EU には特にそのような規定はないが，この基本指令をうけて次の 3 種類の指令が出されている。

1　着色料指令（94／36／EC）

2　甘味料指令（94／34／EC）

3　甘味料，着色料以外の食品添加物指令（95／2／EC）

これらの指令には付属書が添付されており，許可された添加物名が E No.（E 100 番から始まる）でリストアップされている。この E No. には香料，抽出溶剤等の加工助剤，いわゆる栄養強化剤の一部およびガムベースは含まれない。

4　その後，香料について，2012 年 10 月 2 日付 EU 官報 L267（Official Journal of the European Union, L267）にて，これまで法的に規制されていなかった香料を EU 委員会実施規則（Commission Implementing Regulation（EU）No.872/2012 of 1 October 2012）により法的に規制し，採諾された香料リストを「Union list of flavouring substances」として告示した。

この規則の適用は 2013 年 4 月 22 日とし，このリストにない香料は 18 か月経過後（2014 年 10 月 22 日）使用禁止になった。

(4) 今後の方向性

以上解説したとおり，日・米・EU における食品添加物の定義ならびに規制は異なるのが実情である。コーデックスの定義は冒頭に述べたとおりであるが，FAO／WHO ではこれに基づいて国際食品規格集（Codex Alimentarius）の下での食品添加物一般基準（GSFA：General Standards for Food Additives）を作成することになった。GSFA は食品添加物の使用に関する一般原則，食品添加物の分類名称と国際番号システム，国際食添勧告規格等よりなる。Codex の食品添加物の国際番号システム（International Numbering System for Food Additives：INS No.）（1989 年 CAC で承認）は基本的には E No.と同番号であるが，INS No.を付した食品添加物は必ずしも CAC の「JECFA（添加物専門委員会）」が安全性を評価した添加物だけとは限らず，各国の提案に基づいた包装食品の表示上の番号であるため E No.にない番号もリストアップされている（参考：資料 2）。現在力を入れているのは食品添加物の使用対象食品についてのコーデックス食品分類（CFCS：Codex Food Categorization System）の改定作業である。わが国としては，日本固有の食品（味噌，しょう油，海藻類，魚肉ねり製品など）が CFCS に反映されるように努力している。現在の基準案は日本の提案に基づくものも少なくない。

（参考）

2019年3月6日，厚生労働省と東京大学の共催で「Codexにおける日本の貢献と今後の課題」と題するシンポジウムが開催され，2名の著者による開催報告が「食品衛生研究 Vol.69，No.9（2019）」に掲載されている。この報告書では3点の項目についての課題が提示され，そのひとつが間接的ではあるが本書の出版目的にかかる内容の課題に触れていると判断されるので，以下に本文を付記する。

「（前略）3点目として，SDGs時代（持続可能な開発目標）におけるコーデックスの存在意義である。周知のとおりコーデックスの基本目的は，「『公正な食品貿易』を確保しつつ消費者の健康を保護すること」である。一方で，SDGs時代の新しい社会や消費者の価値観は，多様な目的（環境保護，気候変動，無駄の削減，動物福祉）に国連全体・国際社会全体としてセクター横断的に取り組んでいくべきことを要請する。そうしたなか，コーデックスが現状の限定的なスコープにとどまっていていいのか，どのような存在意義を見出していくべきなのか，という非常に重要な問題提起もあった。」

松尾真紀子，渡邉敬浩「シンポジウム：コーデックスにおける日本の貢献と今後の課題」『食品衛生研究』Vol.69，No.9，20（2019）より

2 編集方針

(1) 準拠する資料とリストアップする範囲

(i) 食品衛生法施行規則第 12 条に基づく，「別表第 1 」に掲げられている和名および和名別名

(ii) 昭和 34 年 12 月 28 日厚生省告示第 370 号（最終改正：令和 5 年 7 月 26 日厚生労働省告示第 240 号）に基づく「食品，添加物等の規格基準——第 2　添加物——D　成分規格・保存基準各条」の項目に掲げられている英名，無水・水和物の有無及び CAS No.（後述）

＊この告示には前項(i)に掲げられている和名別名，及び成分規格・保存基準が定められていない添加物に該当する英名は掲げられていないが，「厚生労働省行政情報」として「公益財団法人　日本食品化学研究振興財団」が web サイトで公開している英名を法令名と見なす。

(iii) 平成 8 年 4 月 16 日厚生省告示第 120 号（最終改正：令和 2 年 2 月 26 日厚生労働省告示第 42 号）に基づく「既存添加物名簿」に掲げられている和名。英名は下記(iv)による。

(iv) 消費者庁次長通知（平成 27 年 3 月 30 日消食表第 139 号）による「食品表示基準について」（最終改正：令和 5 年 7 月 26 日消食表第 411 号）

備考：食品表示基準（平成 27 年 3 月 20 日内閣府令第 10 号）の制定に併い，新たに制定された。

別添　添加物 1 − 1 ：規則第 12 条に基づく「別表第 1 」に掲げる添加物の物質名の表示において，簡略名を用いることができる添加物及びその簡略名（収載しない）

別添　添加物 1 − 2 ：同種の機能の添加物を併用した場合における簡略名の例（収載しない）

注：通知にはその他別添　添加物 1 − 3， 1 − 4， 1 − 5， 1 − 6 があるが，これらは本書では取り上げない表示関連事項である。

別添　添加物 2 − 1 ：既存添加物名簿収載品目リスト（すべて収載）

別添　添加物 2 − 2 ：天然香料基原物質リスト（収載しない）

別添　添加物 2 − 3 ：一般に食品として飲食に供されている物であって添加物として使用される品目リスト（すべて収載）

収載する名称は，上記の別添 2 − 1， 2 − 3 のうち

(ア) 品名欄に掲げられている名称及び別名（ともに和名）

(イ) 備考欄に掲げられている英名

＊別添 2 − 1 の品名欄に掲げられている名称（細目名及び別名除く）は前項(iii)の「既存添加物名簿」にて告示されたものである。

＊別添 2 − 1 及び 2 − 3 の「簡略名又は類別名」欄に掲げられている名称は表示にかかわるものであるため，本書では収載しない。

＊和名別名として複数以上掲げられている品名でも，その備考欄の英名は一部を除き一つしか掲げられていない。本書ではこのような場合，索引時の便宜性を考慮し，成分名称，基原物質の名称，理化学辞典等の各種辞典等を参照し，可能な限り英名を考慮する。ただし，無理に英名化することを避け，数種の和名でも一つの英名を適用することとする。

例：本通知の「別添 2－1」による記載

ステビア抽出物	Stevia extract
ステビアエキス	
ステビオシド	
レバウジオシド	

⬇

例：本書による記載

ステビア抽出物	Stevia extract
ステビアエキス	Stevia ext.
ステビオサイド	Stevioside
ステビオシド	Steviol glycocides
ステビオグルコシド	Rebaudioside
レバウジオシド	
レバウディオサイド	

(v) 厚生労働省医薬食品局食品安全部基準審査課長通知（平成 19 年 8 月 17 日食安基発第 0817001 号，最終改正：令和元年 5 月 31 日薬生食基発 0531 第 1 号）による「『医薬品的効能効果を標ぼうしない限り医薬品と判断しない成分本質（原材料）』の食品衛生法上の取扱いの改正について」

リスト　1　植物由来物等（収載しない）
　　　　2　動物由来物等（収載しない）
　　　　3　その他（化学物質等）

(1) 「食品添加物に該当する」リスト

(ア)指定添加物扱い 40 品目，(イ)既存添加物扱い 60 品目がリスト化されている。このうち既存添加物扱いの 6 品目のみを収載する。収載しないその他の品目は，前述の(i)及び(iii)にて収載済みと判断

(2) 「新たに食品添加物として指定を受ける必要がある」リスト

リスト 9 品目すべてを収載

(3) 「一般に食品として飲食に供されるものであって添加物として使用される物」リスト

リスト 32 品目すべてを収載（リノール酸及びリノレン酸は「脂肪酸類」として前述の(i)に，並びに「高級脂肪酸」として同(iii)に収録ずみであり，各々の備考に本件を追記）

(4) 「食品添加物に該当する可能性が考えられるため，その使用目的，食経験等の資料を厚生労働省（宛先，通知に同じ）に提出し指導を受ける」リスト

リスト 30 品目すべてを収載（石こうは「硫酸カルシウム」として同(i)にて収録済みであり，備考に本件を追記）

(vi) 類又は誘導体として指定されている 18 項目の香料に関するリスト（令和 4 年 12 月 27 日薬生食基発 1227 第 1 号，薬生食監発 1227 第 1 号）（以降，本書では「香料リスト」と呼称する）

類又は誘導体として指定されている 18 項目の香料の具体的品目が取り上げられているので参照のこと。またその旨を該当欄の備考に記載。なお，本リストに記載されていない香料については，通知文書の別紙により本省に照会すること。

(vii) E No. と添加物名

このリストは，EU 官報である Official Journal of the European Communities による「着色料指令（94/36/EC，1994 年 6 月 30 日採択）」「甘味料指令（94/34/EC，1994 年 6 月 30 日採択）」「着色料と甘味料以外の食品添加物指令（95/2/EC，1995 年 2 月 20 日採択）」の各付属書にて EU が

許可している添加物英名とその E No. である。制定された E No.は前述の官報や「Commission Regulation（EU）」により随時 E No.の新規設定と削除が行われている。

＊本書では，EU 官報に記載されている英名の他，利便性を考慮し前述の方針に基づき英名別名も取り上げている。

(viii)（EU）FL No.と香料添加物名

このリストは，EU 官報である Official Journal of the European Union L267（2012 年 10 月 2 日付）にて告示された EU 委員会実施規則（Commission Implementing Regulation (EU) No. 872/2012 of 1 October 2012）による「香料リスト，Union list of flavouring substances」に採用されている「FL No.」である。施行日は 2013 年 4 月 22 日，経過措置期間は施行後 18 か月（2014 年 10 月 22 日まで）である。その後はこのリストにない香料は使用禁止となり，EU 各国の行政当局は，リストにない香料を含む食品を撤去し，EU 委員会及び関係メンバー国に「食品，飼料に関する EU の緊急警報システム，「EU's Rapid Alert System for food and feed （RASFF）」に知らせる義務を有する。収載香料品目数は評価未了品を含め，約 2,500 品目がリスト化されている。

この品目のなかには「香料」及び「香料特性」を有する食品成分（Flavourings and certain food ingredients with flavouring properties）が含まれている。

「FL No.」は European Food Safety Authority（EFSA）が各香料品目を評価する際に割り当てた番号であり「EU flavouring information system」を意味する “FLAVIS” に由来しており，表示目的を意図した No.ではないとされている。

備考：Union list 全体の構成は “Regulation (EC) No.1334/2008 of the European Parliament and of the Council of 16 Dec.2008” の付属書 1 に規定されており，Part A から Part F まで 6 種の異なるカテゴリー別のリストに分類されている。

Part A：フレーバリング物質《Flavouring substances》
Part B：フレーバリング・プレパレーション《Flavouring preparations》
Part C：サーマル・プロセス・フレーバリング《Thermal process flavourings》
Part D：フレーバー・プリカーサー《Flavouring precursor》
Part E：その他のフレーバリング《Other flavourings》
Part F：基原物質《Source materials》

現在公開されている個別品目リストは Part A：Union list of flavouring substances のみである。Part B～F は経過措置期間が終了し，2016 年 10 月 22 日に施行されているが各 Part の個別品目（物質）リストは発表されておらず（ただし，Part E の個別品目として，「FL No.21.001，Pyroligneous distillate」が 2018 年 9 月 18 日 Commission Regulation（EU）2018/1246 で制定された。なお，この物質は 80 以上の成分の混合物とされている。），前述の “Regulation (EC) No. 1334/2008” の “Article 3 Definition” に適用される物質の基準が定められ，また “Article 8 Flavourings and food ingredients with flavouring properties for which evaluation and approval are not required” として，評価・認可の不要条項が記載されているので参照されたい。

(ix) 米国 CFR による添加物名

本書は，Code of Federal Regulations（CFR，米国連邦法規集）の Title21 として収録されている下記の Part に掲げられている添加物英名をリストアップする（8 頁の「CFR, Title21 の関連 Part 目次」参照）。

・Part73：Listing of color additives exempt from certification（検定免除の着色料リスト）下記 Subpart

Subpart A：食品（除 Sec.73.1）

・Part74：Listing of color additives subject to certification（要検定の着色料リスト）下記 Subpart

Subpart A：食品（全 Sec.）

・Part82：Listing of certified provisionally listed colors and specifications（要検定の暫定着色料リスト及び規格） 下記 Subpart

Subpart B：食品，医薬品，化粧品（除 Sec.82.50　82.51）

・Part172：Food additives permitted for direct addition to food for human consumption（人間が摂取する食品に直接添加が認められた食品添加物）下記 Subpart

Subpart B：食品保存料（全 Sec.）

Subpart C：コーティング，フィルム及び関連物質（全 Sec.）

Subpart D：特殊ダイエタリー及び栄養強化剤（全 Sec.）

Subpart E：固結防止剤（全 Sec.）

Subpart F：香料及び関連物質（全 Sec.）

Subpart G：ガム，チューイングガム及び関連物質（全 Sec.）

Subpart H：その他特殊用途添加物（全 Sec.）

Subpart I ：多目的添加物（全 Sec.）

・Part173：Secondary direct food additives permitted in food for human consumption（人間が摂取する食品に認められた副次的直接食品添加物）下記 Subpart

Subpart A：食品処理用のポリマー物質及び助剤（除 Sec. 173.5，173.10，173.20，173.21，173.40）

Subpart B：酵素製剤及び微生物（除 Sec. 173.160，173.165）

Subpart C：溶媒、潤滑油、離型剤及び関連物質（除 Sec. 173.280）

Subpart D：特殊用途添加物（除 Sec. 173.310, 173.315, 173.320, 173.322, 173.357）

註：Subpart D の No.173.340 Deforming agents は，シリコーン樹脂の備考欄に記載あり

・Part182：Substances generally recognized as safe（GRAS 物質）下記 Subpart

Subpart B：多目的 GRAS 食品物質（全 Sec.）

Subpart C：固結防止剤（全 Sec.）

Subpart D：合成保存料（全 Sec.）

Subpart G：キレート剤（全 Sec.）

Subpart H：安定剤（全 Sec.）

Subpart I ：栄養成分（全 Sec.）

註：Subpart E：乳化剤，及び Subpart F：ダイエタリーサプリメントは現在「Reserved」として個別品目のリスト化なし

・Part184：Direct food substances affirmed as generally recognized as safe （GRAS 確認済物質リスト）下記 Subpart

Subpart B：GRAS 確認済個別物質リスト（全 Sec.）

＊食品容器等で食品と接触して食品に移行する可能性のある物質は米国では「間接食品添加物」として，Part 174 から 178，及び Part 186 に掲げられているが，これらは日本では食品添加物には含めていないので収載しない。

(x) CFR No.

(ix)項に記述した米国 CFR の Title 21 の関連 Part に収録されている Subpart 別の個別添加物に付されている個別番号を CFR No.として取り上げる。この番号が付されている添加物は，米国食品医薬品庁（FDA）が使用を認めている添加物である。ただし，両国における法体系が違うので品名を含めて必ずしも一致するものではない。例えば，果物の防かび剤として日本では指定添加物として指定されている「アゾキシストロビン」「オルトフェニルフェノール {OPP}」及び「オルトフェニルフェノールナトリウム {OPP-Na}」，「イマザリル」，「ジフェニル」，「ジフェノコナゾール」，「チアベンダゾール {TBZ}」，「ピリメタニル」，「フルジオキソニル」，「プロピコナゾール」は米国では収穫後使用する農薬 {ポストハーベスト} と見なされており，本書が収録する Title 21 の各 Part {(ix)項} には収録されていない（これらは Environmental Protection Agency（EPA）が所管する「Title40-Part180」に収録されている（ただし，「ジフェニル」は収録されていない））。従って，CFR No.欄はブランクになっているが，備考欄にその旨を記載した。なお，香料・スパイス類等は収録対象外なのでブランクになっている。

参考：CFR の Title は各分野別に 50Title に分類されている。

(xi) FAO/WHO 合同食品添加物専門家委員会（JECFA）により評価を受けた食品添加物。

JECFA Food Additive Index（OnLine Edition：“Combined Compendium of Food Additive Specifications”）2013 年 5 月 15 日現在でリストップされている一部食品添加物（担体,溶剤などを除く）を収載した。

(xii) 前項(i)から(xii)項に掲げられている名称のほか，その物質について比較的一般に用いられていると見られるその他の呼称についても広範囲に収載する。

(xiii) CAS No.〔CAS Registry Number：CAS Reg. No.)〕

CAS 番号または CAS 登録番号と称し米国化学会が運営管理する CAS（Chemical Abstracts Service）と称する化学物質を特定するための登録システムにより，一つの化学物質に付与される固有の番号である。一つの化学物質にいろいろな呼称が使用される場合，その化学物質の同一性を確認する場合に便利であり，厚生省告示第 370 号「食品，添加物等の規格基準」による個別の「添加物の成分規格」にも［ ］で示されている。

例

亜塩素酸ナトリウム

Sodium Chlorite

$NaClO_2$ 分子量 90.44

Sodium chlorite［7758-19-2］

CAS No.はハイフンにより三つの部分に分かれているが，番号自体に化学的な意味はない。しかし,各部分の数字の桁数にはルールがあり前記の例のとおり下記ルールに則り付与されている。

・左の部分は 6 桁までの数字

・真ん中の部分は 2 桁の数字

・右の部分は 1 桁の数字

であり，最大 9 桁の数字から成り立っている。

本書に収録したCAS No.は，次の資料に準拠する。

・前述(1)－(ii)厚生省告示第370号（最終改正：令和5年7月26日厚生労働省告示第240号）に基づく「D　成分規格・保存基準各条」に示されているCAS No.

・15911の化学商品2011年版（化学工業日報社出版）

備考：上記二つの資料でCAS No.が一致した場合はその番号を，また一致しない場合は告示に収載されている番号を記載する（前記(1)－(vi)を含む）。なお，告示に番号が収載されていない添加物にはあえて番号を記載しない。情報源により誤ったCAS No.が付されているケースが見受けられるためである。

(xiv)　中国CNS号

中国CNS号は「E no.，INS No.，CFR No.」に相当する「食品安全国家标准」として制定公布された『食品添加剂使用标准 GB2760』に収載されている「GB規格コード」である。GBの呼称は『国家 Guo jia』と『标准 Biao Zhum』のピンイン表記の頭文字に由来しており，食品分野に限らず全ての行政分野で定められている「強制国家標準」である。中国ではGB以外に地方標準，業界標準等多岐にわたる標準が存在しているので実務面での配慮を要するが，これらには「GB/T」の記号が付されており容易に区別でき，GBの強制国家標準ではなく「推奨国家標準」と位置づけられている。

「GB2760-2014」の構成は前言に続き「食品添加剤の使用原則，使用可能な添加剤品目と使用基準」に類する規定が「付A～付F」に盛り込まれている。ただし，品目がピンイン順で記されており，一般の日本人読者は検索不能と判断し，本書の資料4（927頁）では容易に検索できるよう「a，b，c表」に区分して各品目に対比する関連情報を付記して編集している。

ただし，本書の収録対象である「日本の指定及び既存添加物」，「EUのE no.」，「米国FDAのCFR No.」の該当範囲に記されていない「中国CNS号独自の添加剤」は国際汎用添加物とは認められないと判断し収録対象に取り上げない。

また，GB2760原本に収載されているA～C表の個別添加剤の取り扱い方については資料4を参照されたい。なお，2023（令和5）年8月1日現在は「GB2760-2014」（2014年版）が最新である。

（参考）食品分野でのGB強制国家標準はGB2760の他に下記のGBなどがある。

GB14880：栄養強化剤の使用規格
GB2762　：食品中の汚染物質の残留基準
GB2763　：食品中の残留農薬基準
GB7718　：包装食品の表示に適用される全規格

(2)　凡例

(i)　検索時の便宜性を考慮し，前述(1)で取り決めた範囲の添加物とその名称を第1編「和名五十音順」，第2編「英名アルファベット順」，第3編「E No.順」に網羅する。

＊次の化学構造式で始まる添加物の索引は下記による。

①　「di, tri, ……」，「*trans*，*cis*」はそのまま索引する。

②　「α, β, γ……」，「DL，D，L」，「*dℓ*，*d*，*ℓ*」，「*o*，*m*，*p*」は，それらを除いて索引する。

(ii)　「主な用途」は主に準拠する資料によるが，細分化しすぎている場合は，代表する名称に統一する。したがって，使用目的として考えられるすべての用途名を記載するものではない。

(iii) 前述「(1)準拠する資料とリストアップする範囲」の(iv)で記載したとおり，本書は表示にかかわる事項は考慮しないことを編集方針としているため，食品表示法第4条第1項の規定に基づく消費者庁次長通知（平成27年3月30日消食表第139号）による「食品表示基準について」により，表示上規定されている添加物の物質名（簡略名を含む），添加物の用途名併記にかかわる用途名名称等を，すべての場合に満たすものではなく，利便性を考慮し，可能な限りの和名・英名の別名や慣用名を収載したものである。

(iv) 許可の状況

令和5年8月1日現在における日本の「食品衛生法」，「同法施行規則」，「厚生労働省令および告示」，「厚生労働省通知」に基づき，下記のとおり判定する。

ただし，「厚生労働省告示」で定められている個々の添加物の成分規格と対比して判定するものではない。したがって，食品添加物自体として輸入する場合は，個々の添加物の成分規格に適合していることを確認すること。

◎印：食品添加物として指定または既存添加物名簿として告示されている食品添加物であり，しかも使用対象食品，使用量，使用制限等の「使用基準」が前述(1)－(ii)項の厚生省告示第370号で定められていないため，自由に使用できるもの，及び食品素材扱いと見なされ，自由に使用できるもの

○印：食品添加物として指定または既存添加物名簿として告示されているが，前述の「使用基準」が定められているので，この基準内でのみ使用できるもの

×印：食品添加物として指定または既存添加物名簿として告示されていないため一切使用できないもの

※印：使用目的，使用対象食品，原料等によって許可，不許可が分かれる場合があるので，使用基準・商品説明等の記載内容に留意して判断する必要があるもの
また，医薬品の範囲に関する基準（食薬区分）についての通知により，事前に厚生労働省の判断を受けるよう指導されている品目（12頁及び資料1参照）

指定：「規則別表第1」にリストアップされている指定添加物（根拠法令：食品衛生法施行規則第12条：「食品衛生法第12条の規定により人の健康を損なうおそれのない添加物を別表第1のとおりとする」）

既存：「既存添加物名簿」にリストアップされている添加物（根拠法令：平成8年4月16日厚生省告示第120号，最終改正：令和2年2月26日厚生労働省告示第42号）

(v) 色文字表記（電子版の色文字表記は電子版に記載）

(1) 指定添加物

前述(1)－(i)，(ii)に掲げられている和名及び英名であることを示す。

ただし，「別表第1」に掲げられている〔別名〕は除く。また，類別名称の指定添加物（例：エステル類等）の英名はこの(1)－(ii)に掲げられていないが本書では掲げられているものとみなし，色文字表記とする。

例：「別表第1」L-アスコルビン酸（別名ビタミンC）

和　名 Japanese name	和名別名 Japanese name	英名，英名別名 English name
L-アスコルビン酸	アスコルビン酸 ビタミンC	**L-Ascorbic acid** Ascorbic acid Vitamin C

(2) 既存添加物（含，一般飲食物添加物）

前述(1)－(iii)に掲げられている和名，及び同(iv)－別添２－１，別添２－３に掲げられている和名（別名除く）並びに同(iv)－(イ)に掲げられている英名であることを示す。

例：「既存添加物名簿」アマシードガム

和　名 Japanese name	和名別名 Japanese name	英名，英名別名 English name
アマシードガム（アマの種子から得られた，多糖類を主成分とするものをいう。）	アマシードガム抽出物	**Linseed extract** **Linseed gum**
アマシードガム抽出物	**アマシードガム**（アマの種子から得られた，多糖類を主成分とするものをいう。）	**Linseed extract** **Linseed gum**

(vi) 黒文字表記

前項(iii)に記載のとおり，消費者庁次長通知による「食品表示基準に基づく添加物の表記等」を根拠とするものではなく，利便性を考慮し可能な限り和名・英名の同義語や慣用名であることを示す。

(vii) 備考欄

特記すべき事項について記入する。

(ア) 香料で「○，指定」として記載されている品名を「別表第１」による「類別名」として判断し難い場合，その「類別名」を記載する（記載のないものは，品名・別名のいずれかの化学名が「別表第１」にリストアップされている）。

例：品名が「セバシン酸ジブチル」の備考欄には「エステル類」と記載

(イ) 許可状況として「○，指定」と記載されている添加物のうち，「使用制限」が対象食品別ではなく汎用的に用途が制限されている添加物について（例：着香の目的以外に使用不可，最終食品の完成前に除去しなければならない等），その要点を記載する。

また，(EU) FL No.に記載されている品名に相当する「(日本) 香料リスト SEQ No.」を両者の「CAS No.」が一致している場合は同一品と見なし，記載する。

(ウ) 一般飲食物添加物：前述(1)－(iv)「別添３：一般に食品として飲食に供されている物であって添加物として使用される品目リスト」に収載されている品名は「一般飲食物添加物」と記載する。

(エ) (1)－(ii)項に示す厚生省告示第370号の「D　成分規格・保存基準各条」に定められている水和物の有無を記載する。無水物のみが定められているものは特記しない。

例：グルコン酸亜鉛

告示成分規格の nH_2O は，$n = 3$ 又は 0

(viii) CFR No.

CFR No.は前述の編集方針の(1)－(x)項に記述したとおり，米国食品医薬品庁（FDA）が使用を認めている添加物である。このうち，本書８頁に記載する収録範囲内の全Section No.とその品目（一部特殊品目を除く）を取り上げる。

CFR No.欄の（　）内は，CFRの各番号に記載されている添加物の英名，及びPartの区分を示す。

(ix) CAS No.

CAS No.は前述の編集方針の(1)－(xiii)項に記述したとおり，その化学物質固有の記号であり同一性を確認する場合の便利性を考慮して収録したものであるため，本書では「日本の許可状況が◎，○」の添加物のみを対象とし，かつ告示にCAS No.が収載されている添加物のみにCAS No.を記した（(1)－(vi)記載の類又は誘導体として指定されている18項目の香料に関するリストに収録されているCAS No.を含む）。また，CAS No.欄の（　）内は水和物を示す。備考欄にnH_2Oが特記されていないものは無水物のみであり，（　）にその旨を特記しない（(vii)備考欄(エ)参照）。

(x) E No.がなくINS No.がある添加物

許可状況が◎，○，※の添加物のみを対象にその旨を備考に記載する。

II

索引編

第 1 編

和名五十音順

(in order of Japanese syllabary)

色文字：法令上の指定添加物名（除く別名）　red：Name on Ministerial Ordinance of Designated Food Additives
色文字：法令上の既存添加物名（除く別名）　red：Name on Ministerial Notification of Existing Food Additives

和　名 Japanese name	和名別名 Japanese name	英名，英名別名 English name	許可状況 Legal/Illegal	主な用途 Main uses
アイコサペンタエン酸(EPA)	アイコサペントエン酸(EPA) イコサペンタエン酸(EPA) イコサペント酸(EPA) エイコサペンタエン酸(EPA) エイコサペントエン酸(EPA)	Eicosapentaenoic acid(EPA) Icosapentaenoic acid(EPA)	◎	特別用途食品
アイコサペントエン酸(EPA)	アイコサペンタエン酸(EPA) イコサペンタエン酸(EPA) イコサペント酸(EPA) エイコサペンタエン酸(EPA) エイコサペントエン酸(EPA)	Eicosapentaenoic acid(EPA) Icosapentaenoic acid(EPA)	◎	特別用途食品
アウレオバシジウム培養液(アウレオバシジウムの培養液から得られた，β-1,3-1,6-グルカンを主成分とするものをいう。)		**Aureobasidium cultured solution**	◎，既存	増粘安定剤
亜鉛塩類(グルコン酸亜鉛及び硫酸亜鉛に限る。)	**グルコン酸亜鉛** **硫酸亜鉛**	**Zinc gluconate** **Zinc salts (Limited to Zinc gluconate and Zinc sulfate)** **Zinc sulfate**	○，指定	強化剤
亜塩素酸水		**Chlorous acid water**	○，指定	漂白剤 殺菌料
亜塩素酸ナトリウム		**Sodium chlorite**	○，指定	漂白剤 殺菌料
アカキャベツ色素	ムラサキキャベツ色素	**Red cabbage color**	○	着色料
アカゴメ色素		**Red rice color**	○	着色料
アカシアガム	**アラビアガム**(アカシアの分泌液から得られた，多糖類を主成分とするものをいう。) セネガルガム	**Acacia gum** Acacia(gum arabic) **Arabic gum** **Gum Arabic** Senegal gum	◎，既存	増粘安定剤 乳化剤
アカダイコン色素		**Red radish color**	○	着色料
アカビート色素	**ビートレッド**(ビートの根から得られた，イソベタニン及びベタニンを主成分とするものをいう。) ベタニン	**Beet red** Beet red color Beetroot red Betanin	○，既存	着色料
アガラーゼ		**Agarase**	◎，既存	酵素
アクチニジン		**Actinidin**	◎，既存	酵素
アグロバクテリウムスクシノグリカン(アグロバクテリウムの培養液から得られた，スクシノグリカンを主成分とするものをいう。)		**Agrobacterium succinoglycan**	◎，既存	増粘安定剤
アクロレイン		Acrolein	×	製造用剤
アコニチン酸		Aconitic acid	○，指定	香料

◎：許可（使用基準なし） Legal（Accepted with no standard of use）　×：使用不可　Illegal（Prohibited）
○：許可（使用基準あり） Legal（Accepted with standard of use）　※：個別判断を要するもの　Required individual special judgement
指定：Designated Food Additives　既存：Existing Food Additives

EU E No.	EU FL No.	CAS No.	CFR No.	CNS 号.	備考 Remarks
					資料1により食品素材扱いとする品目
					資料1により食品素材扱いとする品目
		(7水和物) 7446-20-0	(Zinc sulfate として) 182.8997	00.018	発泡性酒類を製造する際のイーストフード及び母乳代替食品以外の食品に使用してはならない 告示成分規格の nH_2O は，n =7 CNS 号00.018は**硫酸亜鉛**に限る
					平成25年2月1日省令別表第1に新規指定 最終食品の完成前に分解し，又は除去しなければならない 製造基準あり
		7758-19-2	(Acidified sodium chlorite solutions として) 173.325		最終食品の完成前に分解し，又は除去しなければならない
					一般飲食物添加物
				08.111	一般飲食物添加物
E414			(Acacia(gum arabic)として) 172.780 (GRAS 物質(同上)として) 184.1330	20.008	
				08.117	一般飲食物添加物
E162				08.101	
	08.033	499-12-7	184.1007		**脂肪酸類** 着香の目的以外に使用してはならない 類又は誘導体として指定されている18項目の香料リストのSEQ No.86(解説編2-(1)-(vi)参照) EU FL No.08.033の名称は「Prop-1-ene-1,2,3-tricarboxylic acid」

色文字：法令上の指定添加物名（除く別名）　red：Name on Ministerial Ordinance of Designated Food Additives
色文字：法令上の既存添加物名（除く別名）　red：Name on Ministerial Notification of Existing Food Additives

和　名 Japanese name	和名別名 Japanese name	英名，英名別名 English name	許可状況 Legal/Illegal	主な用途 Main uses
亜酸化窒素	一酸化二窒素 酸化窒素 酸化二窒素 笑気	Dinitrogen monooxide Dinitrogen oxide Laughing gas Nitrogen oxide Nitrous oxide	○，指定	噴射剤（プロペラント）
アシッドレッド	食用赤色106号	Acid Red Food Red No. 106	○，指定	着色料
アジピン酸	1,4-ブタンジカルボン酸 ヘキサン二酸	Adipic acid 1,4-Butanedicarboxylic acid Hexanedioic acid	◎，指定	製造用剤 水素イオン濃度調整剤（pH 調整剤） 膨脹剤 酸味料
アジピン酸アンモニウム		Ammonium adipate	×	製造用剤 水素イオン濃度調整剤（pH 調整剤）
アジピン酸カリウム		Potassium adipate	×	水素イオン濃度調整剤（pH 調整剤） 調味料
アジピン酸カルシウム		Calcium adipate	×	水素イオン濃度調整剤（pH 調整剤） 酸味料
アジピン酸ナトリウム		Sodium adipate	×	水素イオン濃度調整剤（pH 調整剤） 調味料
アジピン酸マグネシウム		Magnesium adipate	×	水素イオン濃度調整剤（pH 調整剤） 酸味料
亜硝酸カリウム		Potassium nitrite	×	保存料 発色剤
亜硝酸ナトリウム		Monosodium salt of nitrous acid Nitrous acid sodium salt Sodium nitrite	○，指定	発色剤
亜硝酸ナトリウム（くん製チャブ加工時に用いる）		Sodium nitrite used in processing smoked chub	×	保存料 発色剤
アシラーゼ		Acylase	◎，既存	酵素
アズキ色素		Azuki color	○	着色料
アズキ全草抽出物	ルチン（抽出物）（アズキの全草，エンジュのつぼみ若しくは花又はソバの全草から得られた，ルチンを主成分とするものをいう。）	Azuki extract Rutin(extract)	◎，既存	強化剤 酸化防止剤 着色料
アスコルビン酸	L-アスコルビン酸 ビタミンC	L-Ascorbic acid Ascorbic acid Vitamin C	◎，指定	品質改良剤 膨脹剤 強化剤 酸化防止剤
L-アスコルビン酸	アスコルビン酸 ビタミンC	L-Ascorbic acid Ascorbic acid Vitamin C	◎，指定	品質改良剤 膨脹剤 強化剤 酸化防止剤

◎：許可（使用基準なし） Legal（Accepted with no standard of use）
○：許可（使用基準あり） Legal（Accepted with standard of use）
指定：Designated Food Additives 既存：Existing Food Additives
×：使用不可 Illegal（Prohibited）
※：個別判断を要するもの Required individual special judgement

EU E No.	EU FL No.	CAS No.	CFR No.	CNS 号.	備 考 Remarks
E942		10024-97-2	184.1545		ホイップクリーム類（乳脂肪分又は乳脂肪代替食品（植物性脂肪分，ゼラチン，卵白，寒天等）を主原料として泡立てた食品）以外の食品に使用してはならない また，一般的に容易に販売されているカートリッジ式容器に入れた**亜酸化窒素**は，成分規格外としてその使用は認められない
		3520-42-1			
E355		124-04-9	184.1009	01.109	
E357					
E356					
E249				09.004	
E250		7632-00-0	(Sodium nitrite として) 172.175 (Sodium nitrite and potassium nitrite として) 181.34	09.002	CFR No.の Part 181.34は特別に収載
			172.177		Chub は淡水魚ウグイ属 **亜硝酸ナトリウム**は指定添加物であるが，使用基準違反
					一般飲食物添加物
					着色料の目的では○,既存 **ルチン（抽出物）**参照
E300		50-81-7	(Chemical preservatives として) 182.3013 (Nutrients として) 182.8013	04.014	CNS 号04.014は ascorbic acid（L-なし）
E300		50-81-7	(Chemical preservatives として) 182.3013 (Nutrients として) 182.8013	04.014	CNS 号04.014は ascorbic acid（L-なし）

あ

色文字：法令上の指定添加物名（除く別名）　red：Name on Ministerial Ordinance of Designated Food Additives
色文字：法令上の既存添加物名（除く別名）　red：Name on Ministerial Notification of Existing Food Additives

和　名 Japanese name	和名別名 Japanese name	英名，英名別名 English name	許可状況 Legal/Illegal	主な用途 Main uses
アスコルビン酸オキシダーゼ	アスコルベートオキシダーゼ ビタミンＣオキシダーゼ	Ascorbate oxidase Vitamin C oxidase	◎，既存	酵素
アスコルビン酸カリウム		Potassium ascorbate	×	強化剤 酸化防止剤
L-アスコルビン酸カルシウム		Calcium L-ascorbate	◎，指定	製造用剤 強化剤
L-アスコルビン酸2-グルコシド		L-Ascorbic acid 2-glucoside	◎，指定	強化剤 酸化防止剤
アスコルビン酸ステアリン酸エステル	L-アスコルビン酸ステアリン酸エステル ビタミンＣステアレート	L-Ascorbyl stearate Ascorbyl stearate Vitamin C stearate	◎，指定	強化剤 酸化防止剤
L-アスコルビン酸ステアリン酸エステル	アスコルビン酸ステアリン酸エステル ビタミンＣステアレート	L-Ascorbyl stearate Ascorbyl stearate Vitamin C stearate	◎，指定	強化剤 酸化防止剤
アスコルビン酸第一鉄		Ferrous ascorbate	×	強化剤
アスコルビン酸ナトリウム	L-アスコルビン酸ナトリウム ビタミンＣナトリウム	Sodium ascorbate Sodium L-ascorbate Vitamin C sodium	◎，指定	品質改良剤 強化剤 酸化防止剤
L-アスコルビン酸ナトリウム	アスコルビン酸ナトリウム ビタミンＣナトリウム	Sodium ascorbate Sodium L-ascorbate Vitamin C sodium	◎，指定	品質改良剤 強化剤 酸化防止剤
アスコルビン酸パルミチン酸エステル	L-アスコルビン酸パルミチン酸エステル ビタミンＣパルミテート	L-Ascorbyl palmitate Ascorbyl palmitate Vitamin C palmitate	◎，指定	強化剤 酸化防止剤
L-アスコルビン酸パルミチン酸エステル	アスコルビン酸パルミチン酸エステル ビタミンＣパルミテート	L-Ascorbyl palmitate Ascorbyl palmitate Vitamin C palmitate	◎，指定	強化剤 酸化防止剤
アスコルベートオキシダーゼ	アスコルビン酸オキシダーゼ ビタミンＣオキシダーゼ	Ascorbate oxidase Vitamin C oxidase	◎，既存	酵素
アスタキサンチン		Astaxanthin	※	特別用途食品
アスタキサンチンジメチルジコハク酸塩		Astaxanthin dimethyldisuccinate	×	着色料
アスパラギナーゼ		Asparaginase	◎，指定	製造用剤 酵素
L-アスパラギン	アスパラギン酸アミド L-α-アミノサクシナミン酸	L-α-Aminosuccinamic acid L-Asparagine	◎，既存	強化剤 調味料

◎：許可（使用基準なし） Legal（Accepted with no standard of use）
○：許可（使用基準あり） Legal（Accepted with standard of use）
指定：Designated Food Additives　既存：Existing Food Additives
×：使用不可 Illegal（Prohibited）
※：個別判断を要するもの Required individual special judgement

EU E No.	EU FL No.	CAS No.	CFR No.	CNS 号.	備考 Remarks
E302		(2水和物) 5743-28-2	182.3189	04.009	告示成分規格の nH_2O は n ＝2 目的とする効果を得るうえで必要とされる量を超えないこと CNS 号04.009は calcium ascorbate（L-なし）
		129499-78-1			
E304(ii)		25395-66-8			
E304(ii)		25395-66-8			
			184.1307a		
E301		134-03-2	182.3731	04.015	CNS 号04.015は sodium ascorbate（L-なし）
E301		134-03-2	182.3731	04.015	CNS 号04.015は sodium ascorbate（L-なし）
E304(i)		137-66-6	(Ascorbyl palmitate として) 182.3149	04.011	CNS 号04.011は ascorbyl palmitate（L-なし） E304（ｉ）は（L-）のみを指定
E304(i)		137-66-6	(Ascorbyl palmitate として) 182.3149	04.011	CNS 号04.011は ascorbyl palmitate（L-なし） E304（ｉ）は（L-）のみを指定
			73.35		資料1により，既存添加物扱いと思料されるが，指定されていない添加物に該当する場合があることに留意 CFR No.73.30は着色料としてあり
			73.37		CFR は混合安定剤の一成分として魚類飼料用のみに使用
					平成26年11月17日省令別表第１に新規指定 厚生労働省告示第409号（平成26年11月17日）：本品は糸状菌「Aspergillus niger ASP-72株」を用いて生産されたものに限るとの定義あり 使用基準は設定しないものの，その使用にあたっては，適切な製造工程管理を行い，食品中で目的とする効果を得る上で必要とされる量を超えないものとすることの特記あり （参考）本品は食品加工の際に生成するアクリルアミドを低減する目的で使用される 「組換え DNA 技術応用食品及び添加物の安全性審査の手続きを経た添加物」としての告示あり。詳細は厚労省 HP 参照
		(無水物) 70-47-3	(Amino acids, L-Asparagine として) 172.320		告示成分規格の nH_2O は n ＝1

あ

色文字：法令上の指定添加物名（除く別名）　red：Name on Ministerial Ordinance of Designated Food Additives
色文字：法令上の既存添加物名（除く別名）　red：Name on Ministerial Notification of Existing Food Additives

和　名 Japanese name	和名別名 Japanese name	英名，英名別名 English name	許可状況 Legal/Illegal	主な用途 Main uses
L-アスパラギン酸	L-α-アミノコハク酸	L-α-Aminosuccinic acid L-Aspartic acid	◎，既存	強化剤 調味料
アスパラギン酸アミド	L-アスパラギン L-α-アミノサクシナミン酸	L-α-Aminosuccinamic acid L-Asparagine	◎，既存	強化剤 調味料
L-アスパラギン酸ナトリウム		Monosodium L-aspartate	◎，指定	強化剤 調味料
L-α-アスパルチル-L-フェニルアラニンメチルエステル	アスパルテーム メチル-L-α-アスパルチル-L-フェニルアラニンメチルエステル	Aspartame Methyl L-α-aspartyl-L-phenylalaninate	◎，指定	甘味料
アスパルテーム	L-α-アスパルチル-L-フェニルアラニンメチルエステル メチル-L-α-アスパルチル-L-フェニルアラニンメチルエステル	Aspartame Methyl L-α-aspartyl-L-phenylalaninate	◎，指定	甘味料
アスパルテーム-アセスルファム塩		Salt of aspartame-acesulfame	×	甘味料
アスベスト		Asbestos	×	製造用剤
アスペルギルステレウス糖たん白質（アスペルギルステレウスの培養液から得られた，糖タンパク質を主成分とするものをいう。）	ムタステイン	Aspergillus terreus glycoprotein Mutastein	◎，既存	製造用剤
アセスルファムK	アセスルファムカリウム	Acesulfame K Acesulfame potassium	○，指定	甘味料
アセスルファムカリウム	アセスルファムK	Acesulfame K Acesulfame potassium	○，指定	甘味料
アセチル化アジピン酸架橋デンプン	アセチル化二デンプンアジピン酸 加工デンプン	Acetylated distarch adipate Modified starch	◎，指定	増粘安定剤 ゲル化剤 糊料
アセチル化酸化デンプン	加工デンプン	Acetylated oxidized starch Modified starch	◎，指定	増粘安定剤 ゲル化剤 糊料
アセチル化デンプン	加工デンプン 酢酸デンプン	Acetylated starch Modified starch Starch acetate	◎，指定	増粘安定剤 ゲル化剤 糊料
アセチル化二デンプンアジピン酸	アセチル化アジピン酸架橋デンプン 加工デンプン	Acetylated distarch adipate Modified starch	◎，指定	増粘安定剤 ゲル化剤 糊料
アセチル化二デンプンリン酸エステル	アセチル化リン酸架橋デンプン 加工デンプン	Acetylated distarch phosphate Modified starch	◎，指定	増粘安定剤 ゲル化剤 糊料
アセチル化モノグリセライド	グリセリン脂肪酸エステル	Acetylated monoglyceride Glycerol esters of fatty acids	◎，指定	製造用剤 増粘安定剤 乳化剤 ガムベース
アセチル化リン酸架橋デンプン	アセチル化二デンプンリン酸エステル 加工デンプン	Acetylated distarch phosphate Modified starch	◎，指定	増粘安定剤 ゲル化剤 糊料

◎：許可（使用基準なし） Legal（Accepted with no standard of use）
○：許可（使用基準あり） Legal（Accepted with standard of use）
指定：Designated Food Additives　既存：Existing Food Additives
×：使用不可 Illegal（Prohibited）
※：個別判断を要するもの Required individual special judgement

EU E No.	EU FL No.	CAS No.	CFR No.	CNS 号.	備考 Remarks
		56-84-8	(Amino acids, L-Aspartic acid として) 172.320		
		(無水物) 70-47-3	(Amino acids, L-Asparagine として) 172.320		告示成分規格の nH_2O は n = 1
		(1水和物) 3792-50-5	(Amino acids sodium salt として) 172.320		
E951		22839-47-0	172.804	19.004	
E951		22839-47-0	172.804	19.004	
E962				19.021	日本では，**アセスルファムカリウム**が省令別表第1にリストアップされているのでカリウム塩との単純混合物の場合は使用可(化学的結合品は×)
E950		55589-62-3	172.800	19.011	
E950		55589-62-3	172.800	19.011	
E1422			(Food starch-modified として) 172.892	20.031	適切な製造工程管理を行い，食品中で目的とする効果を得る量を超えないこと
E1451		68187-08-6	(Food starch-modified として) 172.892		適切な製造工程管理を行い，食品中で目的とする効果を得る量を超えないこと
E1420		9045-28-7	(Food starch-modified として) 172.892	20.039	適切な製造工程管理を行い，食品中で目的とする効果を得る量を超えないこと
E1422			(Food starch-modified として) 172.892	20.031	適切な製造工程管理を行い，食品中で目的とする効果を得る量を超えないこと
E1414		68130-14-3	(Food starch-modified として) 172.892	20.015	適切な製造工程管理を行い，食品中で目的とする効果を得る量を超えないこと
E471			(Acetylated monoglycerides として) 172.828 (Mono-and diglycerides として) 184.1505		
E1414		68130-14-3	(Food starch-modified として) 172.892	20.015	適切な製造工程管理を行い，食品中で目的とする効果を得る量を超えないこと

色文字：法令上の指定添加物名（除く別名）　　red：Name on Ministerial Ordinance of Designated Food Additives
色文字：法令上の既存添加物名（除く別名）　　red：Name on Ministerial Notification of Existing Food Additives

和　名 Japanese name	和名別名 Japanese name	英名，英名別名 English name	許可状況 Legal/Illegal	主な用途 Main uses
N-アセチルグルコサミン		*N*-Acetylglucosamine	※	特別用途食品
アセチルベンゼン	アセトフェノン ヒプノン 1-フェニルエタノン フェニルメチルケトン	Acetophenone Acetylbenzene Hypnone Phenyl methyl ketone 1-Phenylethanone	○，指定	香料
N-アセチル-L-メチオニン		*N*-Acetyl-L-methionine	×	強化剤
アセチルリシノール酸メチル		Methyl acetyl ricinolate	×	ガムベース
アセトアルデヒド	エタナール エチルアルデヒド 酢酸アルデヒド	Acetaldehyde Acetic aldehyde Ethanal Ethyl aldehyde	○，指定	香料
アセト酢酸エチル	3-オキソブタン酸エチル 3-オキソブタン酸エチルエステル	Ethyl acetoacetate Ethyl-3-oxobutanoate 3-Oxobutanoic acid, ethyl ester	○，指定	香料
アセト酢酸ゲラニル		Geranyl acetoacetate	○，指定	香料
アセトフェノン	アセチルベンゼン ヒプノン 1-フェニルエタノン フェニルメチルケトン	Acetophenone Acetylbenzene Hypnone Phenyl methyl ketone 1-Phenylethanone	○，指定	香料
α-アセトラクタートデカルボキシラーゼ		α-Acetolactate decarboxylase	◎，既存	酵素
アセトン	β-ケトプロパン ジメチルケトン 2-プロパノン	Acetone Dimethylketone β-Ketopropane 2-Propanone	○，指定	製造用剤
アセトン過酸化物	過酸化アセトン	Acetone peroxide	×	製造用剤 漂白剤
亜セレン酸ナトリウム	亜セレン酸ナトリウム・５水和物	Disodium selenite pentahydrate Sodium selenite	○，指定	強化剤

◎：許可（使用基準なし） Legal（Accepted with no standard of use）
○：許可（使用基準あり） Legal（Accepted with standard of use）
指定：Designated Food Additives　既存：Existing Food Additives
×：使用不可 Illegal（Prohibited）
※：個別判断を要するもの Required individual special judgement

EU E No.	EU FL No.	CAS No.	CFR No.	CNS 号.	備考 Remarks
					資料1により食品添加物に該当する可能性が考えられるが，事前に判断を受けるよう指導されている品目
	07.004	98-86-2			着香の目的以外に使用してはならない
			172.372		CFRは乳幼児用及び硝酸塩／亜硝酸塩含有食品を除く
	05.001	75-07-0			着香の目的以外に使用してはならない
	09.402	141-97-9			着香の目的以外に使用してはならない
	09.405	10032-00-5			**エステル類** 着香の目的以外に使用してはならない 類又は誘導体として指定されている18項目の香料リストのSEQ No.998(解説編2-(1)-(vi)参照)
	07.004	98-86-2			着香の目的以外に使用してはならない
			(Recombinant Bacillus subtilis,組換え由来として) 173.115		CFRは組換え品なので，わが国の既存添加物と一致しない
	07.050	67-64-1	173.210		ガラナ飲料を製造する際のガラナ豆の成分を抽出する目的及び油脂の成分を分別する目的以外に使用してはならない。また最終食品の完成前に除去しなければならない EUでは香料特性のある食品成分としてFL No.あり 類又は誘導体として指定されている18項目の香料リストのSEQ No.45(解説編2-(1)-(vi)参照)
			172.802		
		（5水和物）26970-82-1			平成28年9月26日　省令別表第1に新規指定 告示成分規格の nH_2O は n ＝5 使用にあたっては，適切な製造工程管理を行い，食品中で目的とする効果を得る上で必要とされる量を超えないものとすることの特記あり 使用基準として，厚生労働大臣の承認を受けた調製粉乳，調製液状乳を除き，母乳代替食品100kcal当たりの亜セレン酸ナトリウムの含有量がセレンとして5.5μg以下でなければならない旨の特記あり （参考）厚生労働大臣の承認を受けた調製粉乳，調製液状乳及び母乳代替品とは，調製粉乳，調製液状乳及び母乳代替食品（乳及び乳製品の成分規格等に関する省令別表の二乳等の成分規格並びに製造，調理及び保存の方法の基準の部(五)　乳等の成分又は製造若しくは保存の方法に関するその他の規格又は基準の款(6)の規定による厚生労働大臣の承認を受けたもの）

色文字：法令上の指定添加物名（除く別名）
色文字：法令上の既存添加物名（除く別名）

red：Name on Ministerial Ordinance of Designated Food Additives
red：Name on Ministerial Notification of Existing Food Additives

和　名 Japanese name	和名別名 Japanese name	英名，英名別名 English name	許可状況 Legal/Illegal	主な用途 Main uses
亜セレン酸ナトリウム・５水和物	亜セレン酸ナトリウム	Disodium selenite pentahydrate Sodium selenite	○，指定	強化剤
アゾキシストロビン		Azoxystrobin	○，指定	防かび剤
アゾジカルボンアミド		Azodicarbonamide	×	製造用剤 漂白剤
アゾルビン	カルモイシン	Azorubine Carmoisine	×	着色料
アップルエッセンス	アップルオイル イソ吉草酸イソアミル	Apple essence Apple oil Isoamyl isovalerate Isoamyl isovalerianate	○，指定	香料
アップルオイル	アップルエッセンス イソ吉草酸イソアミル	Apple essence Apple oil Isoamyl isovalerate Isoamyl isovalerianate	○，指定	香料
5'-アデニル酸	アデノシン5'-一リン酸 5'-AMP	Adenosine 5'-monophosphate 5'-Adenylic acid 5'-AMP	◎，既存	強化剤
アデノシン5'-一リン酸	5'-アデニル酸 5'-AMP	Adenosine 5'-monophosphate 5'-Adenylic acid 5'-AMP	◎，既存	強化剤
アドバンテーム		Advantame	◎，指定	甘味料
アナトー色素（ベニノキの種子の被覆物から得られた，ノルビキシン及びビキシンを主成分とするものをいう。）	ノルビキシン ビキシン	Annatto extract Bixin Norbixin	○，既存	着色料

◎：許可（使用基準なし） Legal（Accepted with no standard of use）
○：許可（使用基準あり） Legal（Accepted with standard of use）
指定：Designated Food Additives　既存：Existing Food Additives
×：使用不可 Illegal（Prohibited）
※：個別判断を要するもの Required individual special judgement

EU E No.	EU FL No.	CAS No.	CFR No.	CNS 号.	備考 Remarks
		（5水和物）26970-82-1			平成28年9月26日　省令別表第１に新規指定 告示成分規格の nH_2O は n ＝5 使用にあたっては，適切な製造工程管理を行い，食品中で目的とする効果を得る上で必要とされる量を超えないものとすることの特記あり 使用基準として，厚生労働大臣の承認を受けた調製粉乳，調製液状乳を除き，母乳代替食品100kcal 当たりの亜セレン酸ナトリウムの含有量がセレンとして5.5μｇ以下でなければならない旨の特記あり （参考）厚生労働大臣の承認を受けた調製粉乳，調製液状乳及び母乳代替品とは，調製粉乳，調製液状乳及び母乳代替食品（乳及び乳製品の成分規格等に関する省令別表の二乳等の成分規格並びに製造，調理及び保存の方法の基準の部(五)乳等の成分又は製造若しくは保存の方法に関するその他の規格又は基準の款(6)の規定による厚生労働大臣の承認を受けたもの）
		131860-33-8	180.507（Title40 Part180）		平成25年3月12日省令別表第1に新規指定 CFR では，本書に関連する「Title21」ではなく pre- and post-harvest 関連の「Title40 Part 180.507」に収録されている
			172.806	13.004	
E122				08.013	
	09.463	659-70-1			着香の目的以外に使用してはならない EU FL No.09.463の名称は「3-Methylbutyl 3-methylbutyrate」
	09.463	659-70-1			着香の目的以外に使用してはならない EU FL No.09.463の名称は「3-Methylbutyl 3-methylbutyrate」
		61-19-8			
		61-19-8			
E969		714229-20-6	172.803		平成26年6月18日省令別表第１に新規指定 E969は「Commission Regulation（EU）No.497/2014 of 14 May 2014」で新規制定
E160b（ⅰ） E160b（ⅱ）			（Annatto extract として） 73.30	08.144	フリーのビキシン，ノルビキシンは既存添加物名簿のアナトー色素の扱い 従来の E160b（ⅰ），（ⅱ），（ⅲ）は2021年1月2日削除され，新たな下記分類区分にて改定された．（Commission Regulation（EU）2020/771 of 11 June 2020による） E160b（ⅰ）：Annatto bixin （Ⅰ）Solvent-extracted bixin （Ⅱ）Aqueous-processed bixin E160b（ⅱ）：Annatto norbixin （Ⅰ）Solvent-extracted norbixin （Ⅱ）Alkali-processed norbixin，acid-precipitated （Ⅲ）Alkali-processed norbixin，not acid-precipitated

色文字：法令上の指定添加物名（除く別名） red：Name on Ministerial Ordinance of Designated Food Additives
色文字：法令上の既存添加物名（除く別名） red：Name on Ministerial Notification of Existing Food Additives

和　名 Japanese name	和名別名 Japanese name	英名，英名別名 English name	許可状況 Legal/Illegal	主な用途 Main uses
アニシルアセトン	パラメトキシベンジルアセトン	Anisyl acetone *p*-Methoxybenzyl acetone	○，指定	香料
アニスアルデヒド	オーベピン パラメトキシベンズアルデヒド	Anisaldehyde Anisic aldehyde Aubepine *p*-Methoxybenzaldehyde	○，指定	香料
亜二チオン酸ナトリウム	次亜硫酸ナトリウム ハイドロサルファイト	Hydrosulfite Sodium dithionite Sodium hydrosulfite Sodium hyposulfite	○，指定	保存料 酸化防止剤 漂白剤
アノクソマー		Anoxomer	×	保存料 酸化防止剤
β-アポ-8'-カロテナール		β-Apo-8'-carotenal	○，指定	着色料
β-アポ-8'-カロテン酸エチルエステル（C30）		Ethyl ester of β-apo-8'-carotenic acid（C30）	×	着色料
β-アポ-8'-カロテン酸メチルエチルエステル		Carotenoic acid, β-apo-8'-methyl and ethyl esters	×	着色料
アマシードガム（アマの種子から得られた，多糖類を主成分とするものをいう。）	アマシードガム抽出物	Linseed extract Linseed gum	◎，既存	増粘安定剤
アマシードガム抽出物	アマシードガム（アマの種子から得られた，多糖類を主成分とするものをいう。）	Linseed extract Linseed gum	◎，既存	増粘安定剤
アマチャエキス	アマチャ抽出物	Amacha extract Hydrangea leaves extract	◎	甘味料
アマチャ抽出物	アマチャエキス	Amacha extract Hydrangea leaves extract	◎	甘味料
アマランス	食用赤色2号	Amaranth Food Red No. 2	○，指定	着色料
アマランスアルミニウムレーキ	食用赤色2号アルミニウムレーキ	Amaranth aluminium lake Food Red No. 2 aluminium lake	○，指定	着色料
アマンドール（LF）	アマンドール（RP） 合成ビターアーモンドオイル ベンズアルデヒド ベンゼンカルボナール ベンゼンメチラール	Amandol（LF） Amandol（RP） Benzaldehyde Benzene carbonal Benzene methylal Benzoic aldehyde Bitter almond oil synthetic	○，指定	香料
アマンドール（RP）	アマンドール（LF） 合成ビターアーモンドオイル ベンズアルデヒド ベンゼンカルボナール ベンゼンメチラール	Amandol（LF） Amandol（RP） Benzaldehyde Benzene carbonal Benzene methylal Benzoic aldehyde Bitter almond oil synthetic	○，指定	香料
アミド化ペクチン		Amidated pectin	×	糊料

◎：許可（使用基準なし） Legal（Accepted with no standard of use）
○：許可（使用基準あり） Legal（Accepted with standard of use）
指定：Designated Food Additives　既存：Existing Food Additives
×：使用不可 Illegal（Prohibited）
※：個別判断を要するもの Required individual special judgement

EU E No.	EU FL No.	CAS No.	CFR No.	CNS 号.	備考 Remarks
	07.029	104-20-1			**ケトン類** 着香の目的以外に使用してはならない 類又は誘導体として指定されている18項目の香料リストのSEQ No.188(解説編2-(1)-(vi)参照) EU FL No.07.029の名称は「4-(4-Methoxyphenyl) butan-2-one」
	05.015	123-11-5			着香の目的以外に使用してはならない EU FL No.05.015の名称は「4-Methoxybenzaldehyde」
		7775-14-6		05.006	
			172.105		CFR は1, 4-Benzenediol, 2-(1, 1-Dimethylethyl)-polymer などの混合体
E160e		1107-26-2	73.90	08.018	平成26年6月18日省令別表第1に新規指定 E No,160e 及び INS No,160e の正式名は β-Apo-8'-carotenal(C30)
					E160f は「Commission Regulation (EU) No.1129/2011 of 11 Nov. 2011」で削除
				20.020	
				20.020	
					一般飲食物添加物
					一般飲食物添加物
E123		915-67-3		08.001 08.130	省令別表第1のリスト名は「**食用赤色2号及びそのアルミニウムレーキ, Food Red No. 2 and its Aluminium lake**」だが,本書では各単品もリスト名としマークした CNS 号08.130は natural amaranthus red
E123				08.001	省令別表第1のリスト名は「**食用赤色2号及びそのアルミニウムレーキ, Food Red No. 2 and its Aluminium lake**」だが,本書では各単品もリスト名としマークした
	05.013	100-52-7			着香の目的以外に使用してはならない
	05.013	100-52-7			着香の目的以外に使用してはならない
E440(ii)					

色文字：法令上の指定添加物名（除く別名）　red：Name on Ministerial Ordinance of Designated Food Additives
色文字：法令上の既存添加物名（除く別名）　red：Name on Ministerial Notification of Existing Food Additives

和　名 Japanese name	和名別名 Japanese name	英名，英名別名 English name	許可状況 Legal/Illegal	主な用途 Main uses
2-アミノ-3-イミダゾールプロピオン酸	L-ヒスチジン	2-Amino-3-imidazole propionic acid L-Histidine	◎，既存	強化剤 調味料
L-α-アミノイソカプロン酸	L-ロイシン	L-α-Aminoisocaproic acid L-Leucine	◎，既存	強化剤 調味料
(3-アミノ-3-カルボキシプロピル）ジメチルスルホニウム塩化物		(3-Amino-3-carboxypropyl)dimethylsulfonium chloride	○，指定	香料
L-α-アミノ-δ-グアニジノ吉草酸	L-アルギニン	L-α-Amino-δ-guanidinovaleric acid L-Arginine	◎，既存	強化剤 調味料
2-アミノグルコース	キトサミン グルコサミン	2-Amino glucose Chitosamine Glucosamine	◎，既存	製造用剤 増粘安定剤
L-α-アミノコハク酸	L-アスパラギン酸	L-α-Aminosuccinic acid L-Aspartic acid	◎，既存	強化剤 調味料
L-α-アミノサクシナミン酸	L-アスパラギン アスパラギン酸アミド	L-α-Aminosuccinamic acid L-Asparagine	◎，既存	強化剤 調味料
アミノ配糖体3'-ホスホトランスフェラーゼ II		Aminoglycoside 3'-phosphotransferase II	×	酵素
1-アミノブタン	1-ブタンアミン ブチルアミン	1-Aminobutane 1-Butanamine Butylamine	○，指定	香料
γ-アミノブタン酸	γ-アミノ酪酸 ギャバ GABA	γ-Aminobutanoic acid γ-Aminobutyric acid GABA	◎	特別用途食品
2-アミノプロパン酸	2-アミノプロピオン酸 DL-α-アミノプロピオン酸 DL-アラニン	DL-Alanine DL-α-Aminopropionic acid 2-Aminopropanic acid 2-Aminopropionic acid	◎，指定	強化剤 調味料
3-アミノプロパン酸	3-アミノプロピオン酸 β-アラニン	β-Alanine 3-Aminopropanoic acid 3-Aminopropionic acid	※	特別用途食品
L-2-アミノプロパン酸	L-2-アミノプロピオン酸 L-α-アミノプロピオン酸 L-アラニン	L-Alanine L-α-Aminopropionic acid L-2-Aminopropanoic acid L-2-Aminopropionic acid	◎，既存	強化剤 調味料
2-アミノプロピオン酸	2-アミノプロパン酸 DL-α-アミノプロピオン酸 DL-アラニン	DL-Alanine DL-α-Aminopropionic acid 2-Aminopropanic acid 2-Aminopropionic acid	◎，指定	強化剤 調味料
3-アミノプロピオン酸	3-アミノプロパン酸 β-アラニン	β-Alanine 3-Aminopropanoic acid 3-Aminopropionic acid	※	特別用途食品
DL-α-アミノプロピオン酸	2-アミノプロパン酸 2-アミノプロピオン酸 DL-アラニン	DL-Alanine DL-α-Aminopropionic acid 2-Aminopropanic acid 2-Aminopropionic acid	◎，指定	強化剤 調味料

◎：許可（使用基準なし） Legal（Accepted with no standard of use）
○：許可（使用基準あり） Legal（Accepted with standard of use）
指定：Designated Food Additives　　既存：Existing Food Additives
×：使用不可 Illegal（Prohibited）
※：個別判断を要するもの Required individual special judgement

EU E No.	EU FL No.	CAS No.	CFR No.	CNS 号.	備考 Remarks
		71-00-1	（Amino acids, L-Histidine として） 172.320		
E641		61-90-5	（Amino acids, L-Leucine として） 172.320		E641は卓上甘味料錠剤用の Tableting aid として「Commission Regulation（EU）2015/649 of 24 April 2015」で新規制定
	17.015	3493-12-7			着香の目的以外に使用してはならない 平成24年12月28日省令別表第1に新規指定 EU FL No.17.015の名称は「DL Metylmethinoninesulphonium chloride」
		74-79-3	（Amino acids, L-Arginine として） 172.320		
		9055-00-9			
		56-84-8	（Amino acids, L-Aspartic acid として） 172.320		
		（無水物） 70-47-3	（Amino acids, L-Asparagine として） 172.320		告示成分規格の nH_2O は n ＝1
			173.170		
	11.003	109-73-9			着香の目的以外に使用してはならない
					資料1により食品素材扱いとする品目
		302-72-7	（DL-Alanine として） 172.540		E No. はないが INS No.639あり
		107-95-9			資料1により食品添加物に該当する可能性が考えられるが，事前に判断を受けるよう指導されている品目
		56-41-7	（Amino acids, L-Alanine として） 172.320	12.006	
		302-72-7	（DL-Alanine として） 172.540		E No. はないが INS No.639あり
		107-95-9			資料1により食品添加物に該当する可能性が考えられるが，事前に判断を受けるよう指導されている品目
		302-72-7	（DL-Alanine として） 172.540		E No. はないが INS No.639あり

色文字：法令上の指定添加物名（除く別名）　red：Name on Ministerial Ordinance of Designated Food Additives
色文字：法令上の既存添加物名（除く別名）　red：Name on Ministerial Notification of Existing Food Additives

和　名 Japanese name	和名別名 Japanese name	英名，英名別名 English name	許可状況 Legal/Illegal	主な用途 Main uses
L-2-アミノプロピオン酸	L-2-アミノプロパン酸 L-α-アミノプロピオン酸 L-アラニン	**L-Alanine** L-α-Aminopropionic acid L-2-Aminopropanoic acid L-2-Aminopropionic acid	◎，既存	強化剤 調味料
L-α-アミノプロピオン酸	L-2-アミノプロパン酸 L-2-アミノプロピオン酸 L-アラニン	**L-Alanine** L-α-Aminopropionic acid L-2-Aminopropanoic acid L-2-Aminopropanoic acid	◎，既存	強化剤 調味料
アミノペプチダーゼ		**Aminopeptidase**	◎，既存	酵素
γ-アミノ酪酸	γ-アミノブタン酸 ギャバ GABA	γ-Aminobutanoic acid γ-Aminobutyric acid GABA	◎	特別用途食品
5-アミノレブリン酸リン酸塩		5-Aminolevulinic acid・phosphate	※	特別用途食品
α-アミラーゼ	液化アミラーゼ カルボヒドラーゼ G3分解酵素	**α-Amylase** Carbohydrase Endo-amylase	◎，既存	製造用剤 保存料 酵素
β-アミラーゼ	カルボヒドラーゼ	**β-Amylase** Carbohydrase	◎，既存	酵素
アミルアセテート	酢酸アミル	Amylacetate	○，指定	香料

◎：許可（使用基準なし） Legal（Accepted with no standard of use）
○：許可（使用基準あり） Legal（Accepted with standard of use）
指定：Designated Food Additives 既存：Existing Food Additives
×：使用不可 Illegal（Prohibited）
※：個別判断を要するもの Required individual special judgement

EU E No.	EU FL No.	CAS No.	CFR No.	CNS 号.	備考 Remarks
		56-41-7	(Amino acids, L-Alanine として) 172.320	12.006	
		56-41-7	(Amino acids, L-Alanine として) 172.320	12.006	
			(*Lactococcus lactis* 由来として) 184.1985		「組換えDNA技術応用食品及び添加物の安全性審査の手続きを経た添加物」としての告示あり。詳細は厚労省HP参照
					資料1により食品素材扱いとする品目
					資料1により食品添加物に該当する可能性が考えられるが，事前に判断を受けるよう指導されている品目
			(Carbohydrase and cellulase derived from *Aspergillus niger* として) 173.120 (Carbohydrase derived from *Rhizopus oryzae* として) 173.130 (Mixed carbohydrase and protease enzyme product として) 184.1027 (Amylase enzyme preparation from *Bacillus stearothermophilus* として) 184.1012 (Bacterially-derived carbohydrase enzyme preparation として) 184.1148		「組換えDNA技術応用食品及び添加物の安全性審査の手続きを経た添加物」としての告示あり。詳細は厚労省HP参照 E No.はないがINS No.1100あり
			(Carbohydrase and cellulase derived from *Aspergillus niger* として) 173.120 (Carbohydrase derived from *Rhizopus oryzae* として) 173.130 (Mixed carbohydrase and protease enzyme product として) 184.1027 (Amylase enzyme preparation from *Bacillus stearothermophilus* として) 184.1012 (Bacterially-derived carbohydrase enzyme preparation として) 184.1148		E No.はないがINS No.1100あり 「組換えDNA技術応用食品及び添加物の安全性審査の手続きを経た添加物」としての告示あり。詳細は厚労省HP参照
	09.021	628-63-7			**エステル類** 着香の目的以外に使用してはならない 類又は誘導体として指定されている18項目の香料リストのSEQ No.141（解説編2-(1)-(vi)参照）

色文字：法令上の指定添加物名（除く別名）　red：Name on Ministerial Ordinance of Designated Food Additives
色文字：法令上の既存添加物名（除く別名）　red：Name on Ministerial Notification of Existing Food Additives

和　名 Japanese name	和名別名 Japanese name	英名，英名別名 English name	許可状況 Legal/Illegal	主な用途 Main uses
アミルアルコール	ブチルカルビノール 1-ペンタノール ペンチルアルコール	Amylalcohol Butyl carbinol 1-Pentanol Pentyl alcohol	○，指定	香料
α-アミルシンナミックアルデヒド	α-アミルシンナムアルデヒド	α-Amylcinnamaldehyde α-Amylcinnamic aldehyde	○，指定	香料
α-アミルシンナムアルデヒド	α-アミルシンナミックアルデヒド	α-Amylcinnamaldehyde α-Amylcinnamic aldehyde	○，指定	香料
n-アミルブチロラクトン	アルデヒドC-18 ノナラクトン γ-ノナラクトン γ-ノニルラクトン	Aldehyde C-18 n-Amylbutyrolactone γ-Nonalactone Nonalactone γ-Nonylactone	○，指定	香料
アミログルコシダーゼ	グルコアミラーゼ 糖化アミラーゼ	γ-Amylase Amyloglucosidase Glucoamylase	◎，既存	酵素
アミロース		Amylose	◎	増粘安定剤
アミロペクチン		Amylopectin	◎	増粘安定剤
アラゴナイト	石灰石 炭酸カルシウム 炭酸カルシウムⅠ	Aragonite Calcite Calcium carbonate Calcium carbonate Ⅰ Lime stone	◎，指定	製造用剤 膨脹剤 強化剤 ガムベース 着色料 イーストフード
DL-アラニン	2-アミノプロパン酸 2-アミノプロピオン酸 DL-α-アミノプロピオン酸	DL-Alanine DL-α-Aminopropionic acid 2-Aminopropanic acid 2-Aminopropionic acid	◎，指定	強化剤 調味料
L-アラニン	L-2-アミノプロパン酸 L-2-アミノプロピオン酸 L-α-アミノプロピオン酸	L-Alanine L-α-Aminopropionic acid L-2-Aminopropanoic acid L-2-Aminopropionic acid	◎，既存	強化剤 調味料
β-アラニン	3-アミノプロパン酸 3-アミノプロピオン酸	β- Alanine 3-Aminopropanoic acid 3-Aminopropionic acid	※	特別用途食品
アラビアガム(アカシアの分泌液から得られた，多糖類を主成分とするものをいう。)	アカシアガム セネガルガム	Acacia gum Arabic gum Gum Arabic Senegal gum Acacia(gum arabic)	◎，既存	増粘安定剤 乳化剤
アラビノガラクタン		Arabino galactan	◎，既存	増粘安定剤
L-アラビノース		L-Arabinose	◎，既存	甘味料
アリシン		Allicin	※	特別用途食品
アリテーム		Alitame	×	甘味料

◎：許可（使用基準なし） Legal（Accepted with no standard of use）
○：許可（使用基準あり） Legal（Accepted with standard of use）
指定：Designated Food Additives　既存：Existing Food Additives
×：使用不可 Illegal（Prohibited）
※：個別判断を要するもの Required individual special judgement

EU E No.	EU FL No.	CAS No.	CFR No.	CNS 号.	備考 Remarks
	02.040	71-41-0			着香の目的以外に使用してはならない
	05.040	122-40-7			着香の目的以外に使用してはならない
	05.040	122-40-7			着香の目的以外に使用してはならない
	10.001	104-61-0			着香の目的以外に使用してはならない EU FL No.10.001の名称は「Nonano-1,4-lactone」
			(Amyloglucosidase derived from *Rhizopus niveus* として) 173.110		「組換え DNA 技術応用食品及び添加物の安全性審査の手続きを経た添加物」としての告示あり。詳細は厚労省 HP 参照 E No.はないが INS No.1100あり
					食品扱い
					食品扱い
E170		(炭酸カルシウムとして) 471-34-1	(Calcium carbonate として) 73.70 184.1191 (Ground limestone として) 184.1409	13.006	平成29年6月23日告示第226号により，使用基準は削除するものの，その使用に当たっては，適切な製造工程管理を行い，食品中で目的とする効果を得る上で必要とされる量を超えてないものとする指導に改正された CFR No. 73.70は2019年版で追加 令和2年12月4日厚生労働省告示第381号にて「昭和34年厚生省告示第370号」に定められている「**炭酸カルシウム**」の成分規格上の名称を「**炭酸カルシウムⅠ**」と改め，新たに「**炭酸カルシウムⅡ**」が新設された．(**炭酸カルシウムⅡ**参照)
		302-72-7	(DL-Alanine として) 172.540		E No.はないが INS No.639あり
		56-41-7	(Amino acids, L-Alanine として) 172.320	12.006	
		107-95-9			資料1により食品添加物に該当する可能性が考えられるが，事前に判断を受けるよう指導されている品目
E414			(Acacia(gum arabic)として) 172.780 (GRAS 物質(同上)として) 184.1330	20.008	
			172.610		E No.はないが INS No.409あり
		87-72-9			
					資料1により食品添加物に該当する可能性が考えられるが，事前に判断を受けるよう指導されている品目
				19.013	

色文字：法令上の指定添加物名（除く別名）　red：Name on Ministerial Ordinance of Designated Food Additives
色文字：法令上の既存添加物名（除く別名）　red：Name on Ministerial Notification of Existing Food Additives

和　名 Japanese name	和名別名 Japanese name	英名，英名別名 English name	許可状況 Legal/Illegal	主な用途 Main uses
亜硫酸カリウム		Potassium sulfite	×	製造用剤 保存料 酸化防止剤 漂白剤
亜硫酸カルシウム		Calcium sulfite	×	保存料 強化剤 酸化防止剤
亜硫酸水素アンモニウム水		Ammonium hydrogen sulfite water	○，指定	製造用剤 保存料 酸化防止剤
亜硫酸水素カリウム	酸性亜硫酸カリウム 重亜硫酸カリウム	Acid potassium sulfite Potassium bisulfite Potassium hydrogen sulfite	○，指定	保存料 酸化防止剤
亜硫酸水素カルシウム		Calcium hydrogen sulfite	×	製造用剤 保存料 強化剤
亜硫酸水素ナトリウム	酸性亜硫酸ソーダ 酸性亜硫酸ナトリウム 重亜硫酸ナトリウム	Acidic sulfite of soda Acidic sulfite of sodium Sodium bisulfite Sodium hydrogen sulfite	○，指定	製造用剤 保存料 酸化防止剤
亜硫酸ソーダ	亜硫酸ナトリウム	Sodium sulfite Sulfite of soda	○，指定	製造用剤 保存料 酸化防止剤 漂白剤
亜硫酸ナトリウム	亜硫酸ソーダ	Sodium sulfite Sulfite of soda	○，指定	製造用剤 保存料 酸化防止剤 漂白剤
アルカリ処理デンプン	加工デンプン	Alkaline treated starch Modified starch	◎	増粘安定剤 ゲル化剤 糊料
L-アルギニン	L-α-アミノ-δ-グアニジノ吉草酸	L-α-Amino-δ-guanidinovaleric acid L-Arginine	◎，既存	強化剤 調味料
L-アルギニンL-グルタミン酸塩		L-Arginine L-glutamate	◎，指定	強化剤 調味料
アルギン酸	昆布類粘質物	Alginic acid	◎，既存	増粘安定剤 ゲル化剤
アルギン酸アンモニウム		Ammonium alginate	◎，指定	増粘安定剤 乳化剤 ゲル化剤 糊料

◎：許可（使用基準なし） Legal（Accepted with no standard of use）
○：許可（使用基準あり） Legal（Accepted with standard of use）
指定：Designated Food Additives 既存：Existing Food Additives
×：使用不可 Illegal（Prohibited）
※：個別判断を要するもの Required individual special judgement

EU E No.	EU FL No.	CAS No.	CFR No.	CNS 号.	備考 Remarks
E226					
					令和3年1月15日省令別表第1に新規指定 使用にあたっては，適切な製造工程管理を行い，食品中で目的とする効果を得る上で必要とされる量を超えないものとする特記あり 製造用剤はぶどう酒の発酵助成剤 その他使用基準についての特記あり
E228		（ピロ亜硫酸カリウムとして） 16731-55-8	（Potassium bisulfite として） 182.3616 （Potassium metabisulfite として） 182.3637		省令別表第1のリスト名は**ピロ亜硫酸カリウム**（別名，亜硫酸水素カリウム又はメタ重亜硫酸カリウム）
E227					
E222		（ピロ亜硫酸ナトリウムとして） 7681-57-4	（Sodium bisulfite として） 182.3739 （Sodium metabisulfite として） 182.3766	05.005	省令別表第1のリスト名は**ピロ亜硫酸ナトリウム**（別名，亜硫酸水素ナトリウム，メタ重亜硫酸ナトリウム又は酸性亜硫酸ソーダ）
E221		（7水和物） 10102-15-5 （無水物） 7757-83-7	182.3798	05.004	告示成分規格の nH_2O は n ＝7又は0
E221		（7水和物） 10102-15-5 （無水物） 7757-83-7	182.3798	05.004	告示成分規格の nH_2O は n ＝7又は0
			（Food starch-modified として） 172.892		食品扱い E No.はないが INS No.1402あり
		74-79-3	（Amino acids，L-Arginine として） 172.320		
		4320-30-3			
E400		9005-32-7	（Alginic acid として） 184.1011		
E403		9005-34-9	184.1133		

色文字：法令上の指定添加物名（除く別名）　red：Name on Ministerial Ordinance of Designated Food Additives
色文字：法令上の既存添加物名（除く別名）　red：Name on Ministerial Notification of Existing Food Additives

和　名 Japanese name	和名別名 Japanese name	英名，英名別名 English name	許可状況 Legal/Illegal	主な用途 Main uses
アルギン酸カリウム		Potassium alginate	◎，指定	増粘安定剤 乳化剤 ゲル化剤 糊料
アルギン酸カルシウム		Calcium alginate	◎，指定	強化剤 増粘安定剤 乳化剤 ゲル化剤 糊料
アルギン酸ナトリウム		Sodium alginate	◎，指定	増粘安定剤 乳化剤 ゲル化剤 糊料
アルギン酸プロピレングリコールエステル		Propane-1,2-diol alginate Propylene glycol alginate	○，指定	増粘安定剤 乳化剤 糊料
アルギン酸リアーゼ		Alginate lyase	◎，既存	酵素
アルゴン	アルゴンガス	Argon	◎，指定	製造用剤
アルゴンガス	アルゴン	Argon	◎，指定	製造用剤
アルデヒドC-10	カプリックアルデヒド カプリンアルデヒド カプルアルデヒド デカナール *n*-デカナール デシルアルデヒド *n*-デシルアルデヒド	Aldehyde C-10 Capraldehyde Capric aldehyde Caprin aldehyde Decanal *n*-Decanal Decyl aldehyde *n*-Decyl aldehyde	○，指定	香料
アルデヒドC-14	ウンデカラクトン γ-ウンデカラクトン ウンデシルラクトン パーシコール ピーチアルデヒド	Aldehyde C-14 Peachaldehyde Persicol Undecalactone γ-Undecalactone Undecyl lactone	○，指定	香料
アルデヒドC-18	*n*-アミルブチロラクトン ノナラクトン γ-ノナラクトン γ-ノニルラクトン	Aldehyde C-18 *n*-Amylbutyrolactone γ-Nonalactone Nonalactone γ-Nonylactone	○，指定	香料
アルテミシアシードガム	サバクヨモギシードガム（サバクヨモギの種皮から得られた，多糖類を主成分とするものをいう。） サバクヨモギ種子多糖類	Artemisia seed gum Artemisia seed polysaccharide Artemisia sphaerocephala seed gum	◎，既存	製造用剤 増粘安定剤
アルファリポ酸	チオクト酸 リポ酸	Lipoic acid α-Lipoic acid Thioctic acid	◎	特別用途食品

◎：許可（使用基準なし） Legal（Accepted with no standard of use）
○：許可（使用基準あり） Legal（Accepted with standard of use）
指定：Designated Food Additives　既存：Existing Food Additives
×：使用不可 Illegal（Prohibited）
※：個別判断を要するもの Required individual special judgement

EU E No.	EU FL No.	CAS No.	CFR No.	CNS 号.	備考 Remarks
E402		9005-36-1	184.1610	20.005	
E404		9005-35-0	184.1187		
E401		9005-38-3	184.1724	20.004	
E405			172.858	20.010	
E938		7440-37-1			令和元年6月6日省令別表第1に新規指定 適切な製造工程管理を行い，食品中で目的とする効果を得る量を超えないこと 小分け等の加工を行ったものは添加物製剤とみなされる
E938		7440-37-1			令和元年6月6日省令別表第1に新規指定 適切な製造工程管理を行い，食品中で目的とする効果を得る量を超えないこと 小分け等の加工を行ったものは添加物製剤とみなされる
	05.010	112-31-2			着香の目的以外に使用してはならない
	10.002	104-67-6			着香の目的以外に使用してはならない
	10.001	104-61-0			着香の目的以外に使用してはならない EU FL No.10.001の名称は「Nonano-1,4-lactone」
				20.037	
					資料1により食品素材扱いとする品目 本成分の使用にあたっては，過剰摂取しないよう情報提供をすることの指導あり

色文字：法令上の指定添加物名（除く別名）　red：Name on Ministerial Ordinance of Designated Food Additives
色文字：法令上の既存添加物名（除く別名）　red：Name on Ministerial Notification of Existing Food Additives

和　名 Japanese name	和名別名 Japanese name	英名，英名別名 English name	許可状況 Legal/Illegal	主な用途 Main uses
アルブミン		Albumin	◎	特別用途食品
アルミニウム	アルミ末	Aluminium Aluminium powder	◎，既存	製造用剤 着色料
アルミノケイ酸ナトリウム	ケイ酸アルミニウムナトリウム	Sodium aluminium silicate Sodium aluminosilicate Sodium silicoaluminate	×	製造用剤
アルミノケイ酸ナトリウムカルシウム水和物		Sodium calcium aluminosilicate, hydrated Sodium calcium silicoaluminate, hydrated	×	製造用剤
アルミ末	アルミニウム	Aluminium Aluminium powder	◎，既存	製造用剤 着色料
アルラレッド AC	食用赤色40号	Allura Red AC FD & C Red No. 40 Food Red No. 40	○，指定	着色料
アルラレッド AC アルミニウムレーキ	食用赤色40号アルミニウムレーキ	Allura Red AC aluminium lake Food Red No. 40 aluminium lake	○，指定	着色料
アルロースエピメラーゼ	プシコースエピメラーゼ	Allulose epimerase Psicose epimerase	◎，指定	製造用剤 酵素
アンスラニル酸メチル	アントラニル酸メチル	Methyl 2-aminobenzoate Methyl anthranilate	○，指定	香料
安息香		Benzoe tonkinensis	×	香料
安息香酸	ベンゼンカルボン酸	Benzencarboxylic acid Benzene formic acid Benzoic acid Dracylic acid Phenylformic acid	○，指定	保存料
安息香酸カリウム		Potassium benzoate	×	保存料
安息香酸カルシウム		Calcium benzoate	×	保存料 強化剤
安息香酸ナトリウム		Sodium benzoate	○，指定	保存料
安息香酸ベンジル		Benzyl benzoate	○，指定	香料
アントシアナーゼ		Anthocyanase	◎，既存	酵素
アントシアニジン		Anthocyanidin	※	特別用途食品
アントシアニン類	エノシアニン ブドウ果皮色素(アメリカブドウ又はブドウの果皮から得られた，アントシアニンを主成分とするものをいう。) ブドウ色素	Anthocyanins Enocianin Grape skin color Grape skin extract	○，既存	着色料

◎：許可（使用基準なし） Legal（Accepted with no standard of use）
○：許可（使用基準あり） Legal（Accepted with standard of use）
指定：Designated Food Additives 既存：Existing Food Additives
×：使用不可 Illegal（Prohibited）
※：個別判断を要するもの Required individual special judgement

EU E No.	EU FL No.	CAS No.	CFR No.	CNS 号.	備考 Remarks
					資料1により食品素材扱いとする品目
E173					着色料の目的では○,既存
E554			182.2727		
			182.2729		
E173					着色料の目的では○,既存
E129		25956-17-6	74.340	08.012	省令別表第1のリスト名は「**食用赤色40号及びそのアルミニウムレーキ, Food Red No. 40 and its Aluminium lake**」だが,本書では各単品もリスト名としマークした CNS 号08.012は allura red（AC なし）
E129				08.012	省令別表第1のリスト名は「**食用赤色40号及びそのアルミニウムレーキ, Food Red No. 40 and its Aluminium lake**」だが,本書では各単品もリスト名としマークした CNS 号08.012は allura aluminum lake（red AC なし）
		1618683-38-7			令和2年3月31日省令別表第1に新規指定 プシコースエピメラーゼの使用にあたっては，それを使用した食品の適切な製造工程管理を行い，目的とする効果を得る上で必要とされる量を超えないものとすること 「組換え DNA 技術応用食品及び添加物の安全性審査の手続きを経た添加物」としての告示あり．詳細は厚労省 HP 参照
	09.715	134-20-3			着香の目的以外に使用してはならない
					ベトナム自生樹から得られる安息香酸等から成る芳香性の樹脂であり，安息香酸を含む数種類の化学成分を含む 日本ではエゴノキ抽出物（別名：安息香）は平成23年5月6日食安発0506第1号にて既存添加物から消除されているが，本品はベトナム自生樹から得られた安息香であり消除された安息香とは異なる（特記）
E210		65-85-0	184.1021	17.001	
E212					
E213					
E211		532-32-1	184.1733	17.002	
	09.727	120-51-4			**エステル類** 着香の目的以外に使用してはならない 類又は誘導体として指定されている18項目の香料リストの SEQ No.216(解説編2-(1)-(vi)参照)
					資料1により食品添加物に該当する可能性が考えられるが，事前に判断を受けるよう指導されている品目
E163			(Grape skin extract(enocianina)として) 73.170 (Vegetable juice として) 73.260	08.135	E163の正式名称は Anthocyanins(アントシアニン類)

色文字：法令上の指定添加物名（除く別名）　red：Name on Ministerial Ordinance of Designated Food Additives
色文字：法令上の既存添加物名（除く別名）　red：Name on Ministerial Notification of Existing Food Additives

和名 Japanese name	和名別名 Japanese name	英名，英名別名 English name	許可状況 Legal/Illegal	主な用途 Main uses
アントラニル酸ジメチル	*N*-メチルアンスラニル酸メチル メチル安息香酸2-メチルアミノ ***N*-メチルアントラニル酸メチル**	Dimethyl anthranilate 2-Methylamino methylbenzoate **Methyl *N*-methylanthranilate**	○，指定	香料
アントラニル酸メチル	アンスラニル酸メチル	Methyl 2-aminobenzoate **Methyl anthranilate**	○，指定	香料
アンモニア		**Ammonia**	◎，指定	製造用剤
アンモニアカラメル	カラメル **カラメルIII**（でん粉加水分解物，糖蜜又は糖類の食用炭水化物にアンモニア化合物加えて熱処理して得られたものをいう。ただし，「カラメルIV」を除く。）	Ammonia caramel Caramel **Caramel III（Ammonia caramel）** Caramel color class III	◎，既存	製造用剤 着色料
アンモニア水	水酸化アンモニウム	Ammonia water Ammonium hydroxide Aqueos ammonia	◎，指定	製造用剤
アンモニウムイソバレレート		Ammonia-isovaleric acid（1/3） **Ammonium isovalerate**	○，指定	香料
アンモニウムフォスファチド類	ホスファチジン酸のアンモニウム塩類	Ammonium phosphatides Ammonium salts of phosphatidic acid	×	乳化剤
アンモニウムミョウバン	焼アンモニウムミョウバン **硫酸アルミニウムアンモニウム**	**Aluminum ammonium sulfate** Ammonium alum	○，指定	製造用剤 膨脹剤
イオウ（ただしメチルサルフォニルメタンを除く）		Sulfur（except Methylsulfurylmethane） Sulphur（except Methylsulphurylmethane）	※	特別用途食品
イオウ（メチルサルフォニルメタンとして）		Sulfur（as Methylsulfurylmethane） Sulphur（as Methylsulphurylmethane）	◎	特別用途食品
イオノン	ヨノン	**Ionone**	○，指定	香料
イオン交換樹脂		**Ion exchange resin**	○，指定	製造用剤
イカスミ色素		**Sepia color**	○	着色料
イコサペンタエン酸（EPA）	アイコサペンタエン酸（EPA） アイコサペントエン酸（EPA） イコサペント酸（EPA） エイコサペンタエン酸（EPA） エイコサペントエン酸（EPA）	Eicosapentaenoic acid（EPA） Icosapentaenoic acid（EPA）	◎	特別用途食品
イコサペント酸（EPA）	アイコサペンタエン酸（EPA） アイコサペントエン酸（EPA） イコサペンタエン酸（EPA） エイコサペンタエン酸（EPA） エイコサペントエン酸（EPA）	Eicosapentaenoic acid（EPA） Icosapentaenoic acid（EPA）	◎	特別用途食品
イースト-麦芽抽出物		Yeast-malt sprout extract	◎	香料 着香料

◎：許可（使用基準なし） Legal（Accepted with no standard of use）　×：使用不可 Illegal（Prohibited）
○：許可（使用基準あり） Legal（Accepted with standard of use）　※：個別判断を要するもの Required individual special judgement
指定：Designated Food Additives　既存：Existing Food Additives

EU E No.	EU FL No.	CAS No.	CFR No.	CNS 号.	備考 Remarks
	09.781	85-91-6			着香の目的以外に使用してはならない
	09.715	134-20-3			着香の目的以外に使用してはならない
E527		7664-41-7	（Ammonium hydroxide として） 184.1139		E527は Ammonium hydroxide
E150c			(検定免除の着色料のカラメルとして) 73.85 (GRAS 物質のカラメルとして) 182.1235	08.110	着色料の目的では○,既存
E527		（アンモニアとして） 7664-41-7	（Ammonium hydroxide）として 184.1139		省令別表第１のリスト名は「**アンモニア,Ammonia**」 E527は Ammonium hydroxide
	16.001	1449430-58-3			平成27年7月29日省令別表第１に新規指定 着香の目的以外に使用してはならない 「(EU) FL No,16.001」は「CAS No,7563-33-9」に対応し，告示の「CAS No,1449430-58-3」と異なる
E442				10.033	
E523		(12水和物) 7784-26-1 (無水物) 7784-25-0	(Aluminum ammonium sulfate として) 182.1127	06.005	告示成分規格の nH_2O は n ＝12,10,4,3,2,又は0
				05.007	資料1により食品添加物に該当する可能性が考えられるが，事前に判断を受けるよう指導されている品目 CNS 号05.007は添加物扱いの漂白剤，防腐剤
					資料1により食品素材扱いとする品目
		8013-90-9			着香の目的以外に使用してはならない (EU)FLNo.なし
			173.25		最終食品の完成前に除去しなければならない
					一般飲食物添加物
					資料1により食品素材扱いとする品目
					資料1により食品素材扱いとする品目
			172.590		食品扱い

あい

色文字：法令上の指定添加物名（除く別名）　red：Name on Ministerial Ordinance of Designated Food Additives
色文字：法令上の既存添加物名（除く別名）　red：Name on Ministerial Notification of Existing Food Additives

和名 Japanese name	和名別名 Japanese name	英名，英名別名 English name	許可状況 Legal/Illegal	主な用途 Main uses
イソアスコルビン酸	エリソルビン酸	Erythorbic acid Isoascorbic acid	○，指定	品質改良剤 酸化防止剤
イソアスコルビン酸ナトリウム	エリソルビン酸ナトリウム	Sodium erythorbate Sodium isoascorbate	○，指定	品質改良剤 酸化防止剤
イソアミラーゼ	枝切り酵素	Debranching enzyme Isoamylase	◎，既存	酵素
イソアミルアミン	イソペンチルアミン	Isoamylamine Isopentylamine	○，指定	香料
イソアミルアルコール	イソペンチルアルコール 3-メチル-1-ブタノール	Isoamyl alcohol Isopentyl alcohol 3-Methyl-1-butanol	○，指定	香料
イソアミルガレート		Isoamyl gallate	×	酸化防止剤
イソアルファー苦味酸（ホップの花から得られた，イソフムロン類を主成分とするものをいう。）	イソアルファー酸	Iso-α-bitter acid	◎，既存	苦味料
イソアルファー酸	イソアルファー苦味酸（ホップの花から得られた，イソフムロン類を主成分とするものをいう。）	Iso-α-bitter acid	◎，既存	苦味料
イソオイゲノール		Isoeugenol	○，指定	香料
イソ吉草酸アリル		Allyl isovalerate	○，指定	香料
イソ吉草酸イソアミル	アップルエッセンス アップルオイル	Apple essence Apple oil Isoamyl isovalerate Isoamyl isovalerianate	○，指定	香料
イソ吉草酸エチル		Ethyl isovalerate Ethyl isovalerianate	○，指定	香料
イソキノリン		Isoquinoline	○，指定	香料
イソサフロール		Isosafrole	×	香料
イソチオシアネート類（毒性が激しいと一般に認められるものを除く。）		Isothiocyanates (except harmful substances)	○，指定	香料
イソチオシアン酸アリル	揮発ガイシ油 2-プロペンイソチオシアネート	Allyl isosulfocyanate Allyl isothiocyanate 2-Propene isothiocyanate Volatile oil of mustard	○，指定	香料
イソバレルアルデヒド	3-メチルブタナール 3-メチルブチルアルデヒド	Isovaleraldehyde 3-Methylbutanal 3-Methylbutyraldehyde	○，指定	香料
イソブタナール	イソブチルアルデヒド 2-メチルプロパナール	Isobutanal Isobutyraldehyde 2-Methyl propanal	○，指定	香料
イソブタノール		Isobutanol	○，指定	香料
イソブタン	トリメチルメタン	Isobutane Trimethylmethane	×	製造用剤

◎：許可（使用基準なし） Legal（Accepted with no standard of use）
○：許可（使用基準あり） Legal（Accepted with standard of use）
指定：Designated Food Additives　既存：Existing Food Additives
×：使用不可 Illegal（Prohibited）
※：個別判断を要するもの Required individual special judgement

EU E No.	EU FL No.	CAS No.	CFR No.	CNS 号.	備考 Remarks
E315		89-65-6	182.3041	04.004	魚肉ねり製品(魚肉すり身を除く)及びパンにあっては,栄養の目的に使用してはならない その他の食品は酸化防止の目的以外に使用してはならない
E316		(無水物) 6381-77-7		04.018	魚肉ねり製品(魚肉すり身を除く)及びパンにあっては栄養の目的に使用してはならない その他の食品は酸化防止の目的以外に使用してはならない 告示成分規格の nH_2O は n ＝1 CNS 号04.018は sodium D-isoascorbate
	11.001	107-85-7			着香の目的以外に使用してはならない EU FL No.11.001の名称は「3-Methylbutylamine」
	02.003	123-51-3			着香の目的以外に使用してはならない
	04.004	97-54-1			着香の目的以外に使用してはならない
	09.489	2835-39-4			**エステル類** 着香の目的以外に使用してはならない 類又は誘導体として指定されている18項目の香料リストのSEQ No.112(解説編2-(1)-(vi)参照)
	09.463	659-70-1			着香の目的以外に使用してはならない EU FL No.09.463の名称は「3-Methylbutyl 3-methylbutyrate」
	09.447	108-64-5			着香の目的以外に使用してはならない
	14.001	119-65-3			着香の目的以外に使用してはならない
					着香の目的以外に使用してはならない 類又は誘導体として指定されている18項目の香料リスト(解説編2-(1)-(vi)参照)
	12.025	57-06-7			着香の目的以外に使用してはならない
	05.006	590-86-3			着香の目的以外に使用してはならない
	05.004	78-84-2			着香の目的以外に使用してはならない
	02.001	78-83-1			着香の目的以外に使用してはならない
E943b					

色文字：法令上の指定添加物名（除く別名）　red：Name on Ministerial Ordinance of Designated Food Additives
色文字：法令上の既存添加物名（除く別名）　red：Name on Ministerial Notification of Existing Food Additives

和　名 Japanese name	和名別名 Japanese name	英名，英名別名 English name	許可状況 Legal/Illegal	主な用途 Main uses
イソブチルアミン		Isobutylamine	○，指定	香料
イソブチルアルデヒド	イソブタナール 2-メチルプロパナール	Isobutanal Isobutyraldehyde 2-Methyl propanal	○，指定	香料
α-イソブチルフェネチルアルコール	イソブチルベンジルカルビノール ベンジルイソブチルカルビノール	Benzyl isobutyl carbinol Isobutyl benzyl carbinol α-Isobutylphenethyl alcohol 4-Methyl-1-phenyl-2-pentanol	○，指定	香料
イソブチルベンジルカルビノール	α-イソブチルフェネチルアルコール ベンジルイソブチルカルビノール	Benzyl isobutyl carbinol Isobutyl benzyl carbinol α-Isobutylphenethyl alcohol 4-Methyl-1-phenyl-2-pentanol	○，指定	香料
イソフラキシジン		Isofraxidin	※	特別用途食品
イソプロパノール	イソプロピルアルコール 2-プロパノール プロパン-2-オール	Isopropanol Isopropyl alcohol Propan-2-ol 2-Propanol	○，指定	香料
イソプロピルアミン	2-プロパンアミン	Isopropylamine 2-Propanamine	○，指定	香料
イソプロピルアルコール	イソプロパノール 2-プロパノール プロパン-2-オール	Isopropanol Isopropyl alcohol Propan-2-ol 2-Propanol	○，指定	香料
イソペンチルアミン	イソアミルアミン	Isoamylamine Isopentylamine	○，指定	香料
イソペンチルアルコール	イソアミルアルコール 3-メチル-1-ブタノール	Isoamyl alcohol Isopentyl alcohol 3-Methyl-1-butanol	○，指定	香料
イソマルチトール	イソマルト パラチニット	Isomalt Isomaltitol Palatinit	◎	製造用剤 甘味料 光沢剤
イソマルト	イソマルチトール パラチニット	Isomalt Isomaltitol Palatinit	◎	製造用剤 甘味料 光沢剤
イソマルトデキストラナーゼ		Isomaltodextranase	◎，既存	酵素
L-イソロイシン		L-Isoleucine	◎，指定	強化剤 調味料
イタコン酸	メチレンコハク酸	Itaconic acid Methylenesuccinic acid	×	酸味料
一酸化二窒素	亜酸化窒素 酸化窒素 酸化二窒素 笑気	Dinitrogen monooxide Dinitrogen oxide Laughing gas Nitrogen oxide Nitrous oxide	○，指定	噴射剤（プロペラント）

◎：許可（使用基準なし） Legal（Accepted with no standard of use）
○：許可（使用基準あり） Legal（Accepted with standard of use）
指定：Designated Food Additives 既存：Existing Food Additives
×：使用不可 Illegal（Prohibited）
※：個別判断を要するもの Required individual special judgement

EU E No.	EU FL No.	CAS No.	CFR No.	CNS 号.	備考 Remarks
	11.002	78.81.9			令和元年6月6日省令別表第1に新規指定 着香の目的以外に使用してはならない 小分け等の加工を行ったものは添加物製剤とみなされる
	05.004	78-84-2			着香の目的以外に使用してはならない
	02.065	7779-78-4			**芳香族アルコール類** 着香の目的以外に使用してはならない 類又は誘導体として指定されている18項目の香料リストのSEQ No.1374(解説編2-(1)-(vi)参照)
	02.065	7779-78-4			**芳香族アルコール類** 着香の目的以外に使用してはならない 類又は誘導体として指定されている18項目の香料リストのSEQ No.1374(解説編2-(1)-(vi)参照)
					資料1により食品添加物に該当する可能性が考えられるが，事前に判断を受けるよう指導されている品目
	02.079	67-63-0	173.240		着香及び食品成分の抽出の目的以外に使用してはならない 抽出の目的で使用する場合の留意事項についての指導あり（平成25年12月4日食安発1204第2号）
	11.018	75.31.0			令和元年6月6日省令別表第1に新規指定 着香の目的以外に使用してはならない 小分け等の加工を行ったものは添加物製剤とみなされる
	02.079	67-63-0	173.240		着香及び食品成分の抽出の目的以外に使用してはならない 抽出の目的で使用する場合の留意事項についての指導あり（平成25年12月4日食安発1204第2号）
	11.001	107-85-7			着香の目的以外に使用してはならない EU FL No.11.001の名称は「3-Methylbutylamine」
	02.003	123-51-3			着香の目的以外に使用してはならない
E953					食品扱い
E953					食品扱い
		73-32-5	(Amino acids.L-Isoleucine として) 172.320		
					令和2年2月26日告示第42号により既存添加物名簿から消除
E942		10024-97-2	184.1545		ホイップクリーム類（乳脂肪分又は乳脂肪代替食品（植物性脂肪分，ゼラチン，卵白，寒天等）を主原料として泡立てた食品）以外の食品に使用してはならない また，一般的に容易に販売されているカートリッジ式容器に入れた**亜酸化窒素**は，成分規格外としてその使用は認められない

色文字：法令上の指定添加物名（除く別名）　red：Name on Ministerial Ordinance of Designated Food Additives
色文字：法令上の既存添加物名（除く別名）　red：Name on Ministerial Notification of Existing Food Additives

和　名 Japanese name	和名別名 Japanese name	英名，英名別名 English name	許可状況 Legal/Illegal	主な用途 Main uses
EDTA カルシウム二ナトリウム	エチレンジアミン四酢酸カルシウム二ナトリウム	Calcium disodium EDTA Calcium disodium ethylenediaminetetraacetate Calcium ethylenediamine disodium tetraacetate	○，指定	製造用剤 酸化防止剤
EDTA-2Na	EDTA 二ナトリウム エチレンジアミン四酢酸二ナトリウム	Disodium edetate Disodium EDTA Disodium ethylenediaminetetraacetate Ethylenediaminetetraacetic acid, disodium salt	○，指定	製造用剤 酸化防止剤
EDTA 二ナトリウム	EDTA-2Na エチレンジアミン四酢酸二ナトリウム	Disodium edetate Disodium EDTA Disodium ethylenediaminetetraacetate EDTA-2 Na Ethylenediaminetetraacetic acid, disodium salt	○，指定	製造用剤 酸化防止剤
イナワラ灰抽出物（イネの茎又は葉の灰化物から抽出して得られたものをいう。）	ワラ灰抽出物	Rice straw ash extract	◎，既存	製造用剤
イヌラーゼ	イヌリナーゼ	Inulase Inulinase	◎，既存	酵素
イヌリナーゼ	イヌラーゼ	Inulase Inulinase	◎，既存	酵素
イヌリン		Inulin	◎	特別用途食品
イノシット	イノシトール	Inosite Inositol	◎，既存	強化剤
	イノシトール	Inosite Inositol	※	特別用途食品
イノシトールヘキサリン酸	フィチン酸（米ぬか又はトウモロコシの種子から得られた，イノシトールヘキサリン酸を主成分とするものをいう。）	Inositol hexaphosphate Phytic acid	◎，既存	製造用剤 酸味料
イノシトール	イノシット	Inosite Inositol	※	特別用途食品
	イノシット	Inosite Inositol	◎，既存	強化剤
イノシン酸	5'-イノシン酸	5'-Inosinic acid Inosinic acid	×	調味料
5'-イノシン酸	イノシン酸	5'-Inosinic acid Inosinic acid	×	調味料
イノシン酸カリウム		Potassium inosinate	×	調味料
イノシン酸カルシウム	5'-イノシン酸カルシウム	Calcium inosinate Calcium 5'-inosinate	×	強化剤 調味料
5'-イノシン酸カルシウム	イノシン酸カルシウム	Calcium inosinate Calcium 5'-inosinate	×	強化剤 調味料
5'-イノシン酸ナトリウム	イノシン酸二ナトリウム 5'-イノシン酸二ナトリウム	Disodium inosinate Disodium 5'-inosinate Sodium 5'-inosinate	◎，指定	調味料

◎：許可（使用基準なし） Legal（Accepted with no standard of use）
○：許可（使用基準あり） Legal（Accepted with standard of use）
指定：Designated Food Additives　既存：Existing Food Additives
×：使用不可 Illegal（Prohibited）
※：個別判断を要するもの Required individual special judgement

EU E No.	EU FL No.	CAS No.	CFR No.	CNS 号.	備　考 Remarks
E385		（無水物） 62-33-9	(Calcium disodium EDTA として) 172.120	04.020	告示成分規格の nH_2O は n ＝2
		（2水和物） 6381-92-6	172.135	18.005	本品は最終食品の完成前に**エチレンジアミン四酢酸カルシウムニナトリウム**にしなければならない 告示成分規格の nH_2O は n ＝2 E No.はないが INS No.386あり
		（2水和物） 6381-92-6	172.135	18.005	本品は最終食品の完成前に**エチレンジアミン四酢酸カルシウムニナトリウム**にしなければならない 告示成分規格の nH_2O は n ＝2 E No.はないが INS No.386あり
					資料1により食品素材扱いとする品目
		(myo-inositol として) 87-89-8	(Inositol or myo-inositol として) 184.1370		
		(myo-inositol として) 87-89-8	(Inositol or myo-inositol として) 184.1370		資料1により，既存添加物扱いと思料されるが，指定されていない添加物に該当する場合があることに留意 資料1のイノシトールは D-chiro-イノシトールを含む
				04.006	
		(myo-inositol として) 87-89-8	(Inositol or myo-inositol として) 184.1370		資料1により，既存添加物扱いと思料されるが，指定されていない添加物に該当する場合があることに留意 資料1のイノシトールは D-chiro-イノシトールを含む
		(myo-inositol として) 87-89-8	(Inositol or myo-inositol として) 184.1370		
E630					日本では**5'-イノシン酸ニナトリウム**が指定添加物となっている
E630					日本では**5'-イノシン酸ニナトリウム**が指定添加物となっている
E633					
E633					
E631		4691-65-0	(Disodium inosinate として) 172.535	12.003	

色文字：法令上の指定添加物名（除く別名）　red：Name on Ministerial Ordinance of Designated Food Additives
色文字：法令上の既存添加物名（除く別名）　red：Name on Ministerial Notification of Existing Food Additives

和　名 Japanese name	和名別名 Japanese name	英名，英名別名 English name	許可状況 Legal/Illegal	主な用途 Main uses
イノシン酸二カリウム	5'-イノシン酸二カリウム	Dipotassium inosinate Dipotassium 5'-inosinate	×	調味料
5'-イノシン酸二カリウム	イノシン酸二カリウム	Dipotassium inosinate Dipotassium 5'-inosinate	×	調味料
イノシン酸二ナトリウム	5'-イノシン酸ナトリウム 5'-イノシン酸二ナトリウム	Disodium inosinate Disodium 5'-inosinate Sodium 5'-inosinate	◎，指定	調味料
5'-イノシン酸二ナトリウム	5'-イノシン酸ナトリウム イノシン酸二ナトリウム	Disodium inosinate Disodium 5'-inosinate Sodium 5'-inosinate	◎，指定	調味料
イマザリル		Imazalil	○，指定	防かび剤
陰イオンメタクリル酸塩共重合物		Anionic methacrylate copolymer	×	コーティング剤
インジゴカルミン	食用青色2号	FD & C Blue No.2 Food Blue No.2 Indigo carmine Indigotine	○，指定	着色料
インジゴカルミンアルミニウムレーキ	食用青色2号アルミニウムレーキ	Food Blue No.2 aluminium lake Indigo carmine aluminium lake	○，指定	着色料
インダントレンブルー RS		Indanthrene Blue RS	×	着色料
インディアンレッド	酸化鉄(III) 三酸化二鉄 三二酸化鉄 赤色酸化第二鉄 ベンガラ	Ferric oxide red Ferric oxide(III) Hematite maghemite Indian red Iron oxides and hydroxides Iron sesquioxide Iron trioxide Red iron oxide Rouge Vitriol red	○，指定	着色料
インドール		Indole	○，指定	香料
インドール誘導体		Indole derivatives	○，指定	香料
インベルターゼ	サッカラーゼ シュークラーゼ スクラーゼ	Invertase Saccharase Sucrase	◎，既存	酵素
ウェランガム(アルカリゲネスの培養液から得られた，多糖類を主成分とするものをいう。)	ウェラン多糖類	Welan gum Welan polysaccharide	◎，既存	増粘安定剤

◎：許可（使用基準なし） Legal（Accepted with no standard of use）
○：許可（使用基準あり） Legal（Accepted with standard of use）
指定：Designated Food Additives　既存：Existing Food Additives
×：使用不可 Illegal（Prohibited）
※：個別判断を要するもの Required individual special judgement

EU E No.	EU FL No.	CAS No.	CFR No.	CNS 号.	備 考 Remarks
E632					
E632					
E631		4691-65-0	(Disodium inosinate として) 172.535	12.003	
E631		4691-65-0	(Disodium inosinate として) 172.535	12.003	
		35554-44-0	180.413（Title40 Part180）		CFR では，本書に関連する「Title21」ではなく pre- and post-harvest 関連の「Title40 Part 180.413」に収録されている
E1207					サプリメントのコーティング剤 E1207は「Commission Regulation（EU）No.816/2013 of 28 Aug. 2013」で新規制定
E132		860-22-0	(要検定リストとして) 74.102 (要検定暫定リストとして) 82.102	08.008	省令別表第1のリスト名は「**食用青色2号及びそのアルミニウムレーキ，Food Blue No.2 and its Aluminium lake**」だが，本書では各単品もリスト名としマークした
E132			(Lakes(FD & C)として) 82.51	08.008	省令別表第1のリスト名は「**食用青色2号及びそのアルミニウムレーキ，Food Blue No.2 and its Aluminium lake**」だが，本書では各単品もリスト名としマークした CNS 号08.008は indigotine aluminum lake（carmine なし）
E172		(三二酸化鉄として) 1309-37-1	(Synthetic iron oxide として) 73.200		省令別表第1の**三二酸化鉄**以外は不可 E172は「Commission Regulation（EU）No.510/2013 of 3 June 2013」で新規制定
	14.007				着香の目的以外に使用してはならない 省令別表第1のリスト名は「**インドール及びその誘導体，Indole and its derivatives**」だが，本書では各単品もリスト名としマークした 類又は誘導体として指定されている18項目の香料リスト（解説編2-(1)-(vi)参照）
					着香の目的以外に使用してはならない 省令別表第1のリスト名は「**インドール及びその誘導体，Indole and its derivatives**」だが，本書では各単品もリスト名としマークした 類又は誘導体として指定されている18項目の香料リスト（解説編2-(1)-(vi)参照）
E1103					

色文字：法令上の指定添加物名（除く別名）　red：Name on Ministerial Ordinance of Designated Food Additives
色文字：法令上の既存添加物名（除く別名）　red：Name on Ministerial Notification of Existing Food Additives

和　名 Japanese name	和名別名 Japanese name	英名，英名別名 English name	許可状況 Legal/Illegal	主な用途 Main uses
ウェラン多糖類	ウェランガム（アルカリゲネスの培養液から得られた，多糖類を主成分とするものをいう。）	Welan gum Welan polysaccharide	◎，既存	増粘安定剤
ウグイスカグラ色素		Uguisukagura color	○	着色料
ウコン	ターメリック	Turmeric	○	着色料
ウコン色素（ウコンの根茎から得られた，クルクミンを主成分とするものをいう。）	クルクミン ターメリック色素	Curcumin Turmeric oleoresin	○，既存	着色料
ウッドシュガー	キシロース D-キシロース	Wood sugar Xylose D-Xylose	◎，既存	甘味料
うに殻焼成カルシウム	焼成カルシウム（うに殻，貝殻，造礁サンゴ，ホエイ，骨，又は卵殻を焼成して得られた，カルシウム化合物を主成分とするものをいう。）	Calcinated calcium Calcinated sea urchin shell calcium	◎，既存	製造用剤 強化剤
5'-ウリジル酸ナトリウム	5'-ウリジル酸二ナトリウム	Disodium 5'-uridylate Sodium 5'-uridylate	◎，指定	調味料
5'-ウリジル酸二ナトリウム	5'-ウリジル酸ナトリウム	Disodium 5'-uridylate Sodium 5'-uridylate	◎，指定	調味料
ウルシロウ（ウルシの果実から得られた，グリセリンパルミタートを主成分とするものをいう。）		Urushi wax	◎，既存	ガムベース 光沢剤
ウルトラマリン	ウルトラマリンブルー	Ultramarine Ultramarine blue	×	着色料
ウルトラマリンブルー	ウルトラマリン	Ultramarine Ultramarine blue	×	着色料
ウレアーゼ		Urease	◎，既存	酵素
ウーロンチャ抽出物	チャ抽出物（チャの葉から得られた，カテキン類を主成分とするものをいう。） 緑茶抽出物	Green tea extract Oolong tea extract Tea extract	◎，既存	製造用剤 酸化防止剤
ウンデカラクトン	アルデヒドC-14 γ-ウンデカラクトン ウンデシルラクトン パーシコール ピーチアルデヒド	Aldehyde C-14 Peachaldehyde Persicol Undecalactone γ-Undecalactone Undecyl lactone	○，指定	香料
γ-ウンデカラクトン	アルデヒドC-14 ウンデカラクトン ウンデシルラクトン パーシコール ピーチアルデヒド	Aldehyde C-14 Peachaldehyde Persicol Undecalactone γ-Undecalactone Undecyl lactone	○，指定	香料
ウンデシルラクトン	アルデヒドC-14 ウンデカラクトン γ-ウンデカラクトン パーシコール ピーチアルデヒド	Aldehyde C-14 Peachaldehyde Persicol Undecalactone γ-Undecalactone Undecyl lactone	○，指定	香料

◎：許可（使用基準なし） Legal（Accepted with no standard of use）
○：許可（使用基準あり） Legal（Accepted with standard of use）
指定：Designated Food Additives　　既存：Existing Food Additives
×：使用不可 Illegal（Prohibited）
※：個別判断を要するもの Required individual special judgement

EU E No.	EU FL No.	CAS No.	CFR No.	CNS 号.	備考 Remarks
				08.136	一般飲食物添加物
			(Turmeric として) 73.600	08.102	一般飲食物添加物 CNS 号08.102は添加物扱いの着色料
E100			(Turmeric oleoresin として) 73.615	08.132	国際的には純度の違いで Curcumin と Turmeric oleoresin に分類
		(D-キシロースとして) 58-86-6			
					焼成カルシウム参照
		3387-36-8			告示以外の CAS No.は(無水物)7545-48-4
		3387-36-8			告示以外の CAS No.は(無水物)7545-48-4
			73.50		
			73.50		
			(Urease enzyme preparation from *Lactobacillus fermentum* として) 184.1924		
	10.002	104-67-6			着香の目的以外に使用してはならない
	10.002	104-67-6			着香の目的以外に使用してはならない
	10.002	104-67-6			着香の目的以外に使用してはならない

色文字：法令上の指定添加物名（除く別名）　red：Name on Ministerial Ordinance of Designated Food Additives
色文字：法令上の既存添加物名（除く別名）　red：Name on Ministerial Notification of Existing Food Additives

和　名 Japanese name	和名別名 Japanese name	英名，英名別名 English name	許可状況 Legal/Illegal	主な用途 Main uses
雲母		Mica	※	特別用途食品
雲母ベース真珠様光沢色素		Mica-based pearlescent pigments	×	着色料
エイコサペンタエン酸(EPA)	アイコサペンタエン酸(EPA) アイコサペントエン酸(EPA) イコサペンタエン酸(EPA) イコサペント酸(EPA) エイコサペントエン酸(EPA)	Eicosapentaenoic acid(EPA) Icosapentaenoic acid(EPA)	◎	特別用途食品
エイコサペントエン酸(EPA)	アイコサペンタエン酸(EPA) アイコサペントエン酸(EPA) イコサペンタエン酸(EPA) イコサペント酸(EPA) エイコサペンタエン酸(EPA)	Eicosapentaenoic acid(EPA) Icosapentaenoic acid(EPA)	◎	特別用途食品
HEDP	エチドロン酸 1-ヒドロキシエチリデン-1, 1-ジホスホン酸	Etidronic acid 1-Hydroxyethylidene-1, 1-diphosphonic acid	○，指定	殺菌料
HMB	ビス-3-ヒドロキシ-3-メチルブチレートモノハイドレート 3-ヒドロキシ-3-メチル酪酸	bis(3-Hydroxy-3-methylbutyrate) monohydrate 3-Hydroxy-3-methylbutyric acid	※	特別用途食品
HPC	ヒドロキシプロピルセルロース	HPC Hydroxypropyl cellulose Low-substituted hydroxypropyl cellulose（L-HPC）	◎，指定	製造用剤 増粘安定剤 乳化剤 糊料
5'-AMP	5'-アデニル酸 アデノシン5'-一リン酸	Adenosine 5'-monophosphate 5'-Adenylic acid	◎，既存	強化剤
液化アミラーゼ	α-アミラーゼ カルボヒドラーゼ G3分解酵素	α-Amylase Carbohydrase Endo-amylase	◎，既存	製造用剤 保存料 酵素
エキソマルトテトラオヒドロラーゼ	G4生成酵素	Exomaltotetraohydrolase	◎，既存	酵素
SAIB	ショ糖酢酸イソブチレート ショ糖酢酸イソ酪酸エステル ショ糖脂肪酸エステル	SAIB Sucrose acetate isobutyrate Sucrose esters of fatty acids Sucrose fatty acid esters	◎，指定	乳化剤 ガムベース

◎：許可（使用基準なし） Legal（Accepted with no standard of use）
○：許可（使用基準あり） Legal（Accepted with standard of use）
指定：Designated Food Additives　既存：Existing Food Additives
×：使用不可 Illegal（Prohibited）
※：個別判断を要するもの Required individual special judgement

EU E No.	EU FL No.	CAS No.	CFR No.	CNS 号.	備考 Remarks
					資料1により食品添加物に該当する可能性が考えられるが，事前に判断を受けるよう指導されている品目
			73.350		
					資料1により食品素材扱いとする品目
					資料1により食品素材扱いとする品目
		2809-21-4	（Peroxyacids の混合成分の1つとして） 173.370		殺菌料は過酢酸製剤用キレート剤 平成28年10月6日省令別表第1に新規指定 過酢酸製剤として使用する場合以外に使用してはならない
					資料1により食品添加物に該当する可能性が考えられるが，事前に判断を受けるよう指導されている品目
E463 E463a		9004-64-2	172.870		E463a：Low Substituted Hydroxypropyl cellulose（L-HPC）は「Commission Regulation（EU）2018/1461 of 28 Sept 2018」で新規制定
		61-19-8			
			（Carbohydrase and cellulase derived from *Aspergillus niger* として） 173.120 （Carbohydrase derived from *Rhizopus oryzae* として） 173.130 （Mixed carbohydrase and protease enzyme product として） 184.1027 （Amylase enzyme preparation from *Bacillus stearothermophilus* として） 184.1012 （Bacterially-derived carbohydrase enzyme preparation として） 184.1148		「組換えDNA技術応用食品及び添加物の安全性審査の手続きを経た添加物」としての告示あり。詳細は厚労省HP参照 E No.はないがINS No.1100あり
					「組換えDNA技術応用食品及び添加物の安全性審査の手続きを経た添加物」としての告示あり。詳細は厚労省HP参照
E444 E473			（Sucrose acetate isobutyrate, SAIB として） 172.833 （Sucrose fatty acid esters として） 172.859	10.001	E444：Sucrose acetate isobutyrate E473：Sucrose esters of fatty acids

色文字：法令上の指定添加物名（除く別名）　red：Name on Ministerial Ordinance of Designated Food Additives
色文字：法令上の既存添加物名（除く別名）　red：Name on Ministerial Notification of Existing Food Additives

和　名 Japanese name	和名別名 Japanese name	英名，英名別名 English name	許可状況 Legal/Illegal	主な用途 Main uses
SAPP	酸性ピロリン酸ナトリウム 重リン酸二ナトリウム ピロリン酸ナトリウム ピロリン酸二水素二ナトリウム	Acidic disodium pyrophosphate Disodium dihydrogen pyrophosphate Disodium diphosphate Disodium pyrophosphate SAPP Sodium acid pyrophosphate	◎，指定	水素イオン濃度調整剤（pH 調整剤） 膨脹剤 かんすい 乳化剤 結着剤
SOD	スーパーオキシドディスムターゼ	Superoxide dismutase	※	特別用途食品
エステラーゼ		Esterase	◎，既存	酵素
エステルガム	ロジンエステル	Ester gum Glycerol esters of wood rosins Rosin ester	○，指定	チューインガム基礎剤
エステル類		Esters	○，指定	香料
エストラゴール	エスドラゴール	Esdragole Estragole	○，指定	香料
エスドラゴール	エストラゴール	Esdragole Estragole	○，指定	香料
枝切り酵素	イソアミラーゼ	Debranching enzyme Isoamylase	◎，既存	酵素
エタナール	アセトアルデヒド エチルアルデヒド 酢酸アルデヒド	Acetaldehyde Acetic aldehyde Ethanal Ethyl aldehyde	○，指定	香料
エタノール	エチルアルコール	Ethanol Ethyl alcohol	◎	製造用剤
エタンディオイック酸	シュウ酸	Ethanedioic acid Oxalic acid	○，指定	製造用剤
エチドロン酸	HEDP 1-ヒドロキシエチリデン-1, 1-ジホスホン酸	Etidronic acid HEDP 1-Hydroxyethylidene-1, 1-diphosphonic acid	○，指定	殺菌料
エチルアルコール	エタノール	Ethanol Ethyl alcohol	◎	製造用剤
エチルアルデヒド	アセトアルデヒド エタナール 酢酸アルデヒド	Acetaldehyde Acetic aldehyde Ethanal Ethyl aldehyde	○，指定	香料
2-エチル-3,5-ジメチルピラジン		2-Ethyl-3,5-dimethylpyrazine	○，指定	香料

◎：許可（使用基準なし） Legal（Accepted with no standard of use）
○：許可（使用基準あり） Legal（Accepted with standard of use）
指定：Designated Food Additives　　既存：Existing Food Additives

×：使用不可 Illegal（Prohibited）
※：個別判断を要するもの Required individual special judgement

EU E No.	EU FL No.	CAS No.	CFR No.	CNS 号.	備　考 Remarks
E450(i)		7758-16-9	(Sodium acid pyrophosphate として) 182.1087	15.008	E450(i)は Disodium diphosphate
					資料1により食品添加物に該当する可能性が考えられるが，事前に判断を受けるよう指導されている品目
			(Esterase-lipase derived from *Mucor miehei* として) 173.140		
E445			(Glycerol ester of rosin として) 172.735	10.013	チューインガム基礎剤の目的以外に使用してはならない E445は Glycerol esters of wood rosins
					着香の目的以外に使用してはならない 類又は誘導体として指定されている18項目の香料リスト(解説編2-(1)-(vi)参照)
		140-67-0			**フェノールエーテル類** 着香の目的以外に使用してはならない 類又は誘導体として指定されている18項目の香料リストのSEQ No.721(解説編2-(1)-(vi)参照)
		140-67-0			**フェノールエーテル類** 着香の目的以外に使用してはならない 類又は誘導体として指定されている18項目の香料リストのSEQ No.721(解説編2-(1)-(vi)参照)
	05.001	75-07-0			着香の目的以外に使用してはならない
			184.1293		一般飲食物添加物
		(2水和物) 6153-56-6			最終食品の完成前に除去しなければならない 告示成分規格の nH_2O は n =2
		2809-21-4	(Peroxyacids の混合成分の1つとして) 173.370		殺菌料は過酢酸製剤用キレート剤 平成28年10月6日省令別表第1に新規指定 過酢酸製剤として使用する場合以外に使用してはならない
			184.1293		一般飲食物添加物
	05.001	75-07-0			着香の目的以外に使用してはならない
					着香の目的以外に使用してはならない 別表第1の名称は3,5と3,6の混合物だが，本書では単品も指定添加物扱いとした (参考 (EU)FL No. 14.024) (参考 CAS No. 13925-07-0)

え

色文字：法令上の指定添加物名（除く別名）　red：Name on Ministerial Ordinance of Designated Food Additives
色文字：法令上の既存添加物名（除く別名）　red：Name on Ministerial Notification of Existing Food Additives

和　名 Japanese name	和名別名 Japanese name	英名，英名別名 English name	許可状況 Legal/Illegal	主な用途 Main uses
2-エチル-3,5-ジメチルピラジン及び2-エチル-3,6-ジメチルピラジンの混合物		2-Ethyl-3(5 or 6)-dimethylpyrazine Mixture of 2-ethyl-3,5-dimethylpyrazine and 2-ethyl-3,6-dimethylpyrazine	○，指定	香料
2-エチル-3,6-ジメチルピラジン		2-Ethyl-3,6-dimethylpyrazine	○，指定	香料
エチルセルロース		Ethyl cellulose	×	製造用剤 糊料
エチル-α-トルイル酸	フェニル酢酸エチル	Ethyl phenylacetate Ethyl-α-toluate	○，指定	香料
エチルバニリン	エチルプロカテチュリックアルデヒド エチルワニリン エトバン バニロム ボルボナール	Bourbonal Ethovan Ethyl procatechuric aldehyde Ethylvanillin Vanirom	○，指定	香料
エチルヒドロキシエチルセルロース		Ethylhydroxyethyl cellulose	×	増粘安定剤 乳化剤 糊料
エチルピラジン	2-エチルピラジン	Ethylpyrazine 2-Ethylpyrazine	○，指定	香料
2-エチルピラジン	エチルピラジン	Ethylpyrazine 2-Ethylpyrazine	○，指定	香料
3-エチルピリジン		3-Ethylpyridine	○，指定	香料
エチルフェニルアクリレート	ケイ皮酸エチル	Ethyl cinnamate Ethyl phenylacrylate	○，指定	香料
エチルプロカテチュリックアルデヒド	エチルバニリン エチルワニリン エトバン バニロム ボルボナール	Bourbonal Ethovan Ethyl procatechuric aldehyde Ethylvanillin Vanirom	○，指定	香料
2-エチル-1-ヘキサノール		2-Ethyl-1-hexanol	○，指定	香料
エチルマルトール		Ethyl maltol	○，指定	香料
エチルメチルケトン	2-ブタノール ブタン-2-オール	Butane-2-ol 2-Butanol Ethyl methyl ketone	×	香料
エチルメチルセルロース	メチルエチルセルロース	Ethyl methyl cellulose Methyl ethyl cellulose	×	製造用剤 増粘安定剤 乳化剤 糊料

◎：許可（使用基準なし） Legal（Accepted with no standard of use）　×：使用不可 Illegal（Prohibited）
○：許可（使用基準あり） Legal（Accepted with standard of use）　※：個別判断を要するもの Required individual special judgement
指定：Designated Food Additives　既存：Existing Food Additives

EU E No.	EU FL No.	CAS No.	CFR No.	CNS 号.	備考 Remarks
	14.100	（混合物） 27043-05-6			着香の目的以外に使用してはならない 日本の指定名称に相当する(EU)FL No.14.100の CAS No.は「55031-15-7」
					着香の目的以外に使用してはならない 別表第1の名称は3,5と3,6の混合物だが，本書では単品も指定添加物扱いとした （参考 (EU)FL No. 14.100) （参考 CAS No. 55031-15-7)
E462			172.868		
	09.784	101-97-3			着香の目的以外に使用してはならない
	05.019	121-32-4			着香の目的以外に使用してはならない
	14.022	13925-00-3			着香の目的以外に使用してはならない
	14.022	13925-00-3			着香の目的以外に使用してはならない
	14.061	536-78-7			着香の目的以外に使用してはならない 平成25年8月6日省令別表第1に新規指定
	09.730	103-36-6			着香の目的以外に使用してはならない
	05.019	121-32-4			着香の目的以外に使用してはならない
	02.082	104-76-7			**脂肪族高級アルコール類** 着香の目的以外に使用してはならない 類又は誘導体として指定されている18項目の香料リストのSEQ No.922(解説編2-(1)-(vi)参照)
	07.047	4940-11-8			**ケトン類** 着香の目的以外に使用してはならない 類又は誘導体として指定されている18項目の香料リストのSEQ No.850(解説編2-(1)-(vi)参照) E No.にはないがINS No.637あり
E465			172.872		

え

色文字：法令上の指定添加物名（除く別名）　red：Name on Ministerial Ordinance of Designated Food Additives
色文字：法令上の既存添加物名（除く別名）　red：Name on Ministerial Notification of Existing Food Additives

和　名 Japanese name	和名別名 Japanese name	英名，英名別名 English name	許可状況 Legal/Illegal	主な用途 Main uses
2-エチル-3-メチルピラジン		2-Ethyl-3-methylpyrazine	○，指定	香料
2-エチル-5-メチルピラジン		Ethyl-5-methylpyrazine	○，指定	香料
2-エチル-6-メチルピラジン	2-エチル-6-メチルピラジンと2-エチル-5-メチルピラジンの混合物	2-Ethyl-6-methylpyrazine Mixture of 2-ethyl-6-methylpyrazine and 2-ethyl-5-methylpyrazine	○，指定	香料
2-エチル-6-メチルピラジンと2-エチル-5-メチルピラジンの混合物	2-エチル-6-メチルピラジン	2-Ethyl-6-methylpyrazine Mixture of 2-ethyl-6-methylpyrazine and 2-ethyl-5-methylpyrazine	○，指定	香料
5-エチル-2-メチルピリジン		5-Ethyl-2-methylpyridine	○，指定	香料
エチルラウロイルアルギニン酸塩		Ethyl lauroyl arginate	×	保存料
エチルワニリン	エチルバニリン エチルプロカテチュリックアルデヒド エトバン バニロム ボルボナール	Bourbonal Ethovan Ethyl procatechuric aldehyde Ethylvanillin Vanirom	○，指定	香料
エチレンオキサイド		Ethylene oxide	×	製造用剤 保存料
エチレンジアミン四酢酸カルシウム二ナトリウム	EDTA カルシウム二ナトリウム	Calcium disodium EDTA Calcium disodium ethylenediaminetetraacetate Calcium ethylenediamine disodium tetraacetate	○，指定	製造用剤 酸化防止剤
エチレンジアミン四酢酸鉄ナトリウム		Sodium iron EDTA	×	強化剤
エチレンジアミン四酢酸二ナトリウム	EDTA-2Na EDTA 二ナトリウム	Disodium edetate Disodium EDTA Disodium ethylenediaminetetraacetate EDTA-2 Na Ethylenediaminetetraacetic acid, disodium salt	○，指定	製造用剤 酸化防止剤
エーテル類		Ethers	○，指定	香料
エトキシキン	1,2-ジヒドロ-6-エトキシ-2,2,4-トリメチルキノリン	1,2-dihydro-6-ethoxy-2,2,4-trimethylquinoline Ethoxyquin	×	酸化防止剤
エトキシル化モノ及びジグリセリド		Ethoxylated mono-and diglycerides	×	乳化剤
エトバン	エチルバニリン エチルプロカテチュリックアルデヒド エチルワニリン バニロム ボルボナール	Bourbonal Ethovan Ethyl procatechuric aldehyde Ethylvanillin Vanirom	○，指定	香料

◎：許可（使用基準なし） Legal（Accepted with no standard of use）
○：許可（使用基準あり） Legal（Accepted with standard of use）
指定：Designated Food Additives 既存：Existing Food Additives
×：使用不可 Illegal（Prohibited）
※：個別判断を要するもの Required individual special judgement

EU E No.	EU FL No.	CAS No.	CFR No.	CNS 号.	備考 Remarks
	14.006	15707-23-0			着香の目的以外に使用してはならない
	14.017	13360-64-0			着香の目的以外に使用してはならない
		36731-41-6			着香の目的以外に使用してはならない 平成24年12月28日省令別表第1に新規指定 告示「添加物成分規格」の定義は2-エチル-6-メチルピラジンと2-エチル-5-メチルピラジンの混合物と規定されている。これをJECFAの呼称に基づき2-エチル-6-メチルピラジンの単品名として指定している （EU）FL No.なし（告示品は混合物）
		36731-41-6			着香の目的以外に使用してはならない 平成24年12月28日省令別表第1に新規指定 告示「添加物成分規格」の定義は2-エチル-6-メチルピラジンと2-エチル-5-メチルピラジンの混合物と規定されている。これをJECFAの呼称に基づき2-エチル-6-メチルピラジンの単品名として指定している （EU）FL No.なし（告示品は混合物）
	14.066	104-90-5			着香の目的以外に使用してはならない
E243					E243は「Commission Regulation（EU）No.506/2014 of 15 May 2014」で新規制定
	05.019	121-32-4			着香の目的以外に使用してはならない
E385		（無水物） 62-33-9	（Calcium disodium EDTAとして） 172.120	04.020	告示成分規格の nH_2O は n ＝2
		（2水和物） 6381-92-6	172.135	18.005	本品は最終食品の完成前に**エチレンジアミン四酢酸カルシウムニナトリウム**にしなければならない 告示成分規格の nH_2O は n ＝2 E No.はないがINS No.386あり
					着香の目的以外に使用してはならない 類又は誘導体として指定されている18項目の香料リスト（解説編2-(1)-(vi)参照）
			172.140	17.010	CFRはチリパウダー，パプリカ，南極オキアミミールなどの着色料の酸化防止剤
			172.834		
	05.019	121-32-4			着香の目的以外に使用してはならない

色文字：法令上の指定添加物名（除く別名）　red：Name on Ministerial Ordinance of Designated Food Additives
色文字：法令上の既存添加物名（除く別名）　red：Name on Ministerial Notification of Existing Food Additives

和　名 Japanese name	和名別名 Japanese name	英名，英名別名 English name	許可状況 Legal/Illegal	主な用途 Main uses
エナント酸アリル	ヘプタン酸アリル	Allyl heptanoate Allyl oenanthate	○，指定	香料
エナント酸エチル	ヘプタン酸エチル	Ethyl heptanoate Ethyl oenanthate	○，指定	香料
エノシアニン	アントシアニン類 ブドウ果皮色素（アメリカブドウ又はブドウの果皮から得られた，アントシアニンを主成分とするものをいう。） ブドウ色素	Anthocyanins Enocianin Grape skin color Grape skin extract	○，既存	着色料
エピクロロヒドリン		Epichlorohydrin	×	製造用剤
エポキシ化大豆油		Epoxidized soybean oil	×	製造用剤
1,8-エポキシパラメンタン	1,8-オキシドパラメンタン カエプトール シネオール 1,8-シネオール ユーカリプトール	Cajeputol Cineole 1,8-Cineole 1,8-Epoxy-*p*-menthane Eucalyptol *p*-Menthane-1,8-oxide 1,8-Oxido-*p*-menthane	○，指定	香料
MSP	塩基性リン酸ナトリウム 酸性リン酸ナトリウム 第一リン酸ナトリウム リン酸一ナトリウム リン酸二水素一ナトリウム リン酸二水素ナトリウム	Monobasic sodium phosphate Monosodium dihydrogen phosphate Monosodium phosphate Primary sodium orthophosphate Sodium acid phosphate Sodium biphosphate Sodium dihydrogen phosphate Sodium phosphate, monobasic	◎，指定	製造用剤 水素イオン濃度調整剤（pH 調整剤） 膨脹剤 調味料 かんすい 乳化剤
エリスリトール		Erythritol	◎	製造用剤 調味料 甘味料
エリスロシン	食用赤色3号	Erythrosine FD & C Red No.3 Food Red No.3	○，指定	着色料
エリスロシンアルミニウムレーキ	食用赤色3号アルミニウムレーキ	Erythrosine aluminium lake Food Red No.3 aluminium lake	○，指定	着色料
エリソルビン酸	イソアスコルビン酸	Erythorbic acid Isoascorbic acid	○，指定	品質改良剤 酸化防止剤
エリソルビン酸ナトリウム	イソアスコルビン酸ナトリウム	Sodium erythorbate Sodium isoascorbate	○，指定	品質改良剤 酸化防止剤

◎：許可（使用基準なし） Legal（Accepted with no standard of use）
○：許可（使用基準あり） Legal（Accepted with standard of use）
指定：Designated Food Additives　既存：Existing Food Additives
×：使用不可 Illegal（Prohibited）
※：個別判断を要するもの Required individual special judgement

EU E No.	EU FL No.	CAS No.	CFR No.	CNS 号.	備考 Remarks
	09.097	142-19-8			**エステル類** 着香の目的以外に使用してはならない 類又は誘導体として指定されている18項目の香料リストのSEQ No.106(解説編2-(1)-(vi)参照)
	09.093	106-30-9			着香の目的以外に使用してはならない
E163			(Grape skin extract(enocianina)として) 73.170 (Vegetable juice として) 73.260	08.135	E163の正式名称は Anthocyanins(アントシアニン類)
			172.723		
	03.001	470-82-6			着香の目的以外に使用してはならない
E339(i)		(2水和物) 13472-35-0 (無水物) 7558-80-7	(Sodium acid phosphate として) 182.6085 (Sodium phosphate (mono-, di-, and tribasic)として) 182.1778 182.6778 182.8778	15.005	告示成分規格の nH_2O は n ＝2又は0
E968				19.018	食品扱い
E127		(無水物) 16423-68-0	74.303	08.003	省令別表第1のリスト名は「**食用赤色3号及びそのアルミニウムレーキ, Food Red No. 3 and its Aluminium lake**」だが,本書では各単品もリスト名としマークした 告示成分規格の nH_2O は n ＝1
E127				08.003	省令別表第1のリスト名は「**食用赤色3号及びそのアルミニウムレーキ, Food Red No. 3 and its Aluminium lake**」だが,本書では各単品もリスト名としマークした
E315		89-65-6	182.3041	04.004	魚肉ねり製品(魚肉すり身を除く)及びパンにあっては,栄養の目的に使用してはならない その他の食品は酸化防止の目的以外に使用してはならない
E316		(無水物) 6381-77-7		04.018	魚肉ねり製品(魚肉すり身を除く)及びパンにあっては栄養の目的に使用してはならない その他の食品は酸化防止の目的以外に使用してはならない 告示成分規格の nH_2O は n ＝1 CNS 号04.018は sodium D-isoascorbate

え

色文字：法令上の指定添加物名（除く別名）　red：Name on Ministerial Ordinance of Designated Food Additives
色文字：法令上の既存添加物名（除く別名）　red：Name on Ministerial Notification of Existing Food Additives

和　名 Japanese name	和名別名 Japanese name	英名，英名別名 English name	許可状況 Legal/Illegal	主な用途 Main uses
エルゴカルシフェロール	カルシフェロール ビタミンD_2	Calciferol Ergocalciferol Vitamin D_2	◎，指定	強化剤
エルダーベリー色素		Elderberry color	○	着色料
エレミ樹脂(エレミの分泌液から得られた，β-アミリンを主成分とするものをいう。)		Elemi resin	◎，既存	増粘安定剤 ガムベース
エロー AB	オイルエロー AB 旧食用黄色2号	Oil Yellow AB Yellow AB	×	着色料
エロー OB	オイルエロー OB 旧食用黄色3号	Oil Yellow OB Yellow OB	×	着色料
塩安	塩化アンモニウム ロシャ(硇砂)	Ammonium chloride Ammonium muriate Chloride of ammonia Muriate of ammonia Sal-ammoniac Salmiac	◎，指定	製造用剤 膨脹剤 イーストフード
塩化亜鉛		Zinc chloride	×	強化剤
塩化アンモニウム	塩安 ロシャ(硇砂)	Ammonium chloride Ammonium muriate Chloride of ammonia Muriate of ammonia Sal-ammoniac Salmiac	◎，指定	製造用剤 膨脹剤 イーストフード
塩化カリウム		Muriate of potash Potassium chloride	◎，指定	調味料
塩化カルシウム		Calcium chloride	○，指定	製造用剤 強化剤 豆腐用凝固剤
塩化ジメチルジアルキルアンモニウム		Dimethyldialkylammonium chloride	×	殺菌料
塩化セチルピリジニウム		Cetylpyridinium chloride	×	抗菌剤
塩化第一スズ（無水および二水和物）		Stannous chloride (anhydrous and dihydrated)	×	製造用剤 酸化防止剤
塩化第二鉄	塩化鉄(III)	Ferric chloride Iron trichloride Iron(III) chloride	◎，指定	強化剤
塩化鉄(III)	塩化第二鉄	Ferric chloride Iron trichloride Iron(III) chloride	◎，指定	強化剤

◎：許可（使用基準なし） Legal（Accepted with no standard of use）
○：許可（使用基準あり） Legal（Accepted with standard of use）
指定：Designated Food Additives　既存：Existing Food Additives
×：使用不可 Illegal（Prohibited）
※：個別判断を要するもの Required individual special judgement

EU E No.	EU FL No.	CAS No.	CFR No.	CNS 号.	備考 Remarks
		50-14-6	（直接添加物 Vit D_2として） 172.379 （直接添加物 Vit D_2 bakers extract として） 172.381 （直接添加物 Vit D_2 mushroom powder として） 172.382 （GRAS 物質の Vit D_2, D_3として） 184.1950		
					一般飲食物添加物
	16.048	12125-02-9	184.1138		E No.はないが INS No.510あり EU では香料特性のある食品成分として FL No.あり
			182.8985		
	16.048	12125-02-9	184.1138		E No.はないが INS No.510あり EU では香料特性のある食品成分として FL No.あり
E508		7447-40-7	184.1622	00.008	
E509		（2水和物） 10035-04-8 （無水物） 10043-52-4	184.1193	18.002	食品の製造又は加工上必要不可欠な場合及び栄養の目的以外に使用してはならない 告示成分規格の nH_2O は n ＝2,1,1/2,1/3,又は0
			173.400		
			173.375		
E512			172. 180 184.1845		E512は二水和物のみ CFR No.172.180はガラス容器詰めアスパラガスの色調維持用として，無水・水和物の区別なし
		10025-77-1	184.1297		
		10025-77-1	184.1297		

色文字：法令上の指定添加物名（除く別名）　red：Name on Ministerial Ordinance of Designated Food Additives
色文字：法令上の既存添加物名（除く別名）　red：Name on Ministerial Notification of Existing Food Additives

和　名 Japanese name	和名別名 Japanese name	英名，英名別名 English name	許可状況 Legal/Illegal	主な用途 Main uses
塩化マグネシウム		Magnesium chloride	◎，指定	製造用剤 強化剤 イーストフード 豆腐用凝固剤
塩化マグネシウム含有物	粗製海水塩化マグネシウム（海水から塩化カリウム及び塩化ナトリウムを析出分離して得られた，塩化マグネシウムを主成分とするものをいう。）	Crude magnesium chloride (sea water) Magnesium chloride	◎，既存	製造用剤
塩化マンガン		Manganese chloride	×	製造用剤
塩化メチレン		Methylene chloride	×	製造用剤
塩基性リン酸ナトリウム	MSP 酸性リン酸ナトリウム 第一リン酸ナトリウム リン酸一ナトリウム リン酸二水素一ナトリウム リン酸二水素ナトリウム	Monobasic sodium phosphate Monosodium dihydrogen phosphate Monosodium phosphate MSP Primary sodium orthophosphate Sodium acid phosphate Sodium biphosphate Sodium dihydrogen phosphate Sodium phosphate, monobasic	◎，指定	製造用剤 水素イオン濃度調整剤（pH 調整剤） 膨脹剤 調味料 かんすい 乳化剤
塩基性リン酸ナトリウムアルミニウム		Sodium aluminium phosphate, basic	×	膨脹剤 乳化剤
塩酸		Chlorohydric acid Hydrochloric acid	○，指定	製造用剤 水素イオン濃度調整剤（pH 調整剤）
塩酸キニーネ		Quinine hydrochloride	×	香料
エンジュ抽出物	ルチン（抽出物）（アズキの全草，エンジュのつぼみ若しくは花又はソバの全草から得られた，ルチンを主成分とするものをいう。）	Enju extract Japanese pagoda tree extract Rutin (extract)	◎，既存	強化剤 酸化防止剤 着色料
塩水湖水低塩化ナトリウム液（塩水湖水から塩化ナトリウムを析出分離して得られた，アルカリ金属塩類及びアルカリ土類金属塩類を主成分とするものをいう。）		Sodium chloride-decreased brine (saline lake)	◎，既存	調味料
塩素		Chlorine	×	製造用剤 漂白剤
塩素酸カリウム		Potassium chlorate	×	漂白剤
えん麦ガム		Oat gum	×	増粘安定剤
オイゲノール		Eugenic acid Eugenol	○，指定	香料
オイルエロー AB	エロー AB 旧食用黄色2号	Oil Yellow AB Yellow AB	×	着色料
オイルエロー OB	エロー OB 旧食用黄色3号	Oil Yellow OB Yellow OB	×	着色料

◎：許可（使用基準なし） Legal（Accepted with no standard of use）
○：許可（使用基準あり） Legal（Accepted with standard of use）
指定：Designated Food Additives　既存：Existing Food Additives
×：使用不可 Illegal（Prohibited）
※：個別判断を要するもの Required individual special judgement

EU E No.	EU FL No.	CAS No.	CFR No.	CNS 号.	備考 Remarks
E511		(6水和物) 7791-18-6	(Magnesium chloride として) 184.1426	18.003	告示成分規格の nH_2O は n ＝6
			(Magnesium chloride として) 184.1426		塩化マグネシウム参照
			184.1446		
			173.255		
E339(i)		(2水和物) 13472-35-0 (無水物) 7558-80-7	(Sodium acid phosphate として) 182.6085 (Sodium phosphate (mono-, di-, and tribasic)として) 182.1778 182.6778 182.8778	15.005	告示成分規格の nH_2O は n ＝2又は0
E507		7647-01-0	182.1057	01.108	最終食品の完成前に中和又は除去しなければならない 平成26年4月24日告示第225号により，①生食用鮮魚介類，生食用かき及び冷凍食品（生食用冷凍鮮魚介類に限る。以下「生食用鮮魚介類等」という。）の加工基準において，次亜塩素酸ナトリウムに加え，次亜塩素酸水及び水素イオン濃度調整剤として用いる塩酸の使用が認められた，②容器包装詰加圧加熱殺菌食品の製造基準において，次亜塩素酸ナトリウムに加え次亜塩素酸水の使用が認められた。 同日付部長通知による運用上の注意事項としては，次亜塩素酸水及び塩酸については，①既に食品添加物として定められている使用基準の適用を受ける，②塩酸については，生食用鮮魚介類等に対し，次亜塩素酸ナトリウムの使用等に伴い水素イオン濃度調整剤として使用することは認められるが，生食用鮮魚介類等の加工時に塩酸を直接使用することは認められない
		(ルチン3水和物) 250249-75-3			着色料の目的では○，既存 ルチン（抽出物）参照
					E No.はないが INS No.925あり
	04.003	97-53-0			着香の目的以外に使用してはならない

えお

色文字：法令上の指定添加物名（除く別名）　red：Name on Ministerial Ordinance of Designated Food Additives
色文字：法令上の既存添加物名（除く別名）　red：Name on Ministerial Notification of Existing Food Additives

和　名 Japanese name	和名別名 Japanese name	英名，英名別名 English name	許可状況 Legal/Illegal	主な用途 Main uses
黄血塩	黄血カリ フェロシアン化カリウム フェロシアン化物 ヘキサシアノ鉄(II)酸カリウム	Ferrocyanides Potassium ferrocyanide Potassium hexacyanoferrate(II) Yellow prussiate of potash	○，指定	食塩固結防止剤
黄血カリ	黄血塩 フェロシアン化カリウム フェロシアン化物 ヘキサシアノ鉄(II)酸カリウム	Ferrocyanides Potassium ferrocyanide Potassium hexacyanoferrate(II) Yellow prussiate of potash	○，指定	食塩固結防止剤
黄血ソーダ	フェロシアン化ナトリウム フェロシアン化物 ヘキサシアノ鉄(II)酸ナトリウム	Ferrocyanides Sodium ferrocyanide Sodium hexacyanoferrate(II) Yellow prussiate of soda	○，指定	食塩固結防止剤
オウロウ	ハクロウ及びオウロウ ビースワックス ベースワックス ミツロウ（ミツバチの巣から得られた，パルミチン酸ミリシルを主成分とするものをいう。）	Bees wax Bees wax, white and yellow Bees wax, yellow	◎，既存	ガムベース 光沢剤
オキシ塩化リン		Phosphorus oxychloride	×	製造用剤
オキシジヒドロシトロネラール	シトロネラールヒドレート ヒドロキシシトロネラール	Citronellalhydrate Hydroxycitronellal Oxydihydrocitronellal	○，指定	香料
オキシステアリン		Oxystearin	×	製造用剤 乳化剤
1,8-オキシドパラメンタン	1,8-エポキシパラメンタン カエプトール シネオール 1,8-シネオール ユーカリプトール	Cajeputol Cineole 1,8-Cineole 1,8-Epoxy-*p*-menthane Eucalyptol *p*-Menthane-1,8-oxide 1,8-Oxido-*p*-menthane	○，指定	香料
L-オキシプロリン	4-ヒドロキシ-2-ピロリジンカルボキシル酸 L-γ-ヒドロキシ-α-ピロリジンカルボキシル酸 L-ヒドロキシプロリン ヒドロキシ-L-プロリン	L-Hydroxyproline Hydroxy-L-proline 4-Hydroxy-2-pyrrolidinecarboxylic acid L-γ-Hydroxy-α-pyrrolidinecarboxylic acid L-Oxyproline	◎，既存	強化剤 調味料
3-オキソブタン酸エチル	アセト酢酸エチル 3-オキソブタン酸エチルエステル	Ethyl acetoacetate Ethyl-3-oxobutanoate 3-Oxobutanoic acid, ethyl ester	○，指定	香料
3-オキソブタン酸エチルエステル	アセト酢酸エチル 3-オキソブタン酸エチル	Ethyl acetoacetate Ethyl-3-oxobutanoate 3-Oxobutanoic acid, ethyl ester	○，指定	香料
オクタコサノール		Octacosanol	※	特別用途食品

◎：許可（使用基準なし） Legal（Accepted with no standard of use）　×：使用不可 Illegal（Prohibited）
○：許可（使用基準あり） Legal（Accepted with standard of use）　※：個別判断を要するもの Required individual special judgement
指定：Designated Food Additives　既存：Existing Food Additives

EU E No.	EU FL No.	CAS No.	CFR No.	CNS 号.	備考 Remarks
E536		（3水和物） 13943-58-3		02.001	省令別表第1のリスト名は「**フェロシアン化物**(フェロシアン化カリウム, フェロシアン化カルシウム及びフェロシアン化ナトリウムに限る。), **Ferrocyanide compounds** (Limited to Potassium ferrocyanide, Calcium ferrocyanide and Sodium ferrocyanide)」だが, 本書では各単品もリスト名としマークした 告示成分規格の nH_2O は n＝3
E536		（3水和物） 13943-58-3		02.001	省令別表第1のリスト名は「**フェロシアン化物**(フェロシアン化カリウム, フェロシアン化カルシウム及びフェロシアン化ナトリウムに限る。), **Ferrocyanide compounds** (Limited to Potassium ferrocyanide, Calcium ferrocyanide and Sodium ferrocyanide)」だが, 本書では各単品もリスト名としマークした 告示成分規格の nH_2O は n＝3
E535		（10水和物） 13601-19-9	（Yellow prussiate of sodaとして） 172.490	02.008	省令別表第1のリスト名は「**フェロシアン化物**(フェロシアン化カリウム, フェロシアン化カルシウム及びフェロシアン化ナトリウムに限る。), **Ferrocyanide compounds** (Limited to Potassium ferrocyanide, Calcium ferrocyanide and Sodium ferrocyanide)」だが, 本書では各単品もリスト名としマークした 告示成分規格の nH_2O は n＝10
E901			（Beeswax（yellow and white）として） 184.1973	14.013	
	05.012	107-75-5			着香の目的以外に使用してはならない EU FL No.05.012の名称は「3,7-Dimethyl-7-hydroxyoctanal」
			172.818	00.017	
	03.001	470-82-6			着香の目的以外に使用してはならない
		51-35-4			
	09.402	141-97-9			着香の目的以外に使用してはならない
	09.402	141-97-9			着香の目的以外に使用してはならない
					資料1により食品添加物に該当する可能性が考えられるが, 事前に判断を受けるよう指導されている品目

お

色文字：法令上の指定添加物名（除く別名）　red：Name on Ministerial Ordinance of Designated Food Additives
色文字：法令上の既存添加物名（除く別名）　red：Name on Ministerial Notification of Existing Food Additives

和　名 Japanese name	和名別名 Japanese name	英名，英名別名 English name	許可状況 Legal/Illegal	主な用途 Main uses
オクタナール	*n*-オクチリックアルデヒド オクチルアルデヒド *n*-オクチルアルデヒド カプリルアルデヒド	Capryl aldehyde Caprylic aldehyde Octanal Octyl aldehyde *n*-Octyl aldehyde *n*-Octylic aldehyde	○，指定	香料
オクタフルオロシクロブタン		Octafluorocyclobutane	×	製造用剤
オクタン酸	カプリル酸	Caprylic acid Octanoic acid	○，指定	香料 過酢酸製剤用界面活性剤
オクタン酸エチル	カプリル酸エチル	Ethyl caprylate Ethyl octanoate	○，指定	香料
n-オクチリックアルデヒド	オクタナール オクチルアルデヒド *n*-オクチルアルデヒド カプリルアルデヒド	Capryl aldehyde Caprylic aldehyde Octanal Octyl aldehyde *n*-Octyl aldehyde *n*-Octylic aldehyde	○，指定	香料
オクチルアルデヒド	オクタナール *n*-オクチリックアルデヒド *n*-オクチルアルデヒド カプリルアルデヒド	Capryl aldehyde Caprylic aldehyde Octanal Octyl aldehyde *n*-Octyl aldehyde *n*-Octylic aldehyde	○，指定	香料
n-オクチルアルデヒド	オクタナール *n*-オクチリックアルデヒド オクチルアルデヒド カプリルアルデヒド	Capryl aldehyde Caprylic aldehyde Octanal Octyl aldehyde *n*-Octyl aldehyde *n*-Octylic aldehyde	○，指定	香料
オクテニルコハク酸修飾アラビアガム		Octenyl succinic acid modified gum arabic	×	乳化剤
オクテニルコハク酸デンプンナトリウム	加工デンプン	Modified starch Starch sodium octenyl succinate	◎，指定	増粘安定剤 乳化剤 ゲル化剤 糊料
オクラ抽出物		Okra extract	◎	増粘安定剤
オゾケライト	セレシン	Ceresin Ozokerite	◎，既存	ガムベース
オゾン		Ozone	◎，既存	製造用剤
オーチル		Orchil	×	着色料

◎：許可（使用基準なし） Legal（Accepted with no standard of use）
○：許可（使用基準あり） Legal（Accepted with standard of use）
指定：Designated Food Additives 既存：Existing Food Additives
×：使用不可 Illegal（Prohibited）
※：個別判断を要するもの Required individual special judgement

EU E No.	EU FL No.	CAS No.	CFR No.	CNS 号.	備考 Remarks
	05.009	124-13-0			着香の目的以外に使用してはならない
			173.360		
	08.010	124-07-2	(Fatty acids として) 172.860 (Caprylic acid として) 184.1025 （Peroxyacids の混合成分の１つとして） 173.370		平成28年10月6日省令別表第１に新規指定 着香の目的及び過酢酸製剤として使用する場合以外に使用してはならない 類又は誘導体として指定されている18項目の香料リストのSEQ No.2019(解説編2-(1)-(vi)参照)
	09.111	106-32-1			着香の目的以外に使用してはならない
	05.009	124-13-0			着香の目的以外に使用してはならない
	05.009	124-13-0			着香の目的以外に使用してはならない
	05.009	124-13-0			着香の目的以外に使用してはならない
E423					E423は「Commission Regulation（EU）No.817/2013 of 28 Aug. 2013」で新規制定
E1450			(Food starch-modified として) 172.892	10.030	適切な製造工程管理を行い，食品中で目的とする効果を得る量を超えないこと
					一般飲食物添加物
			(副次的直接添加物として) 173.368 (GRAS 物質として) 184.1563		

色文字：法令上の指定添加物名（除く別名）　red：Name on Ministerial Ordinance of Designated Food Additives
色文字：法令上の既存添加物名（除く別名）　red：Name on Ministerial Notification of Existing Food Additives

和　名 Japanese name	和名別名 Japanese name	英名，英名別名 English name	許可状況 Legal/Illegal	主な用途 Main uses
オーツ麦レシチン		Oat lecithin	×	乳化剤
OPP	オルトフェニルフェノール	*o*-Phenylphenol	○，指定	防かび剤
OPP-Na	オルトフェニルフェノールナトリウム	Sodium orthophenyl phenol Sodium *o*-phenylphenate	○，指定	防かび剤
オーベピン	アニスアルデヒド パラメトキシベンズアルデヒド	Anisaldehyde Anisic aldehyde Aubepine *p*-Methoxybenzaldehyde	○，指定	香料
オーラミン		Auramine	×	着色料
オリゴガラクチュロン酸		Oligogalacturonic acid	◎，既存	製造用剤
オリゴグルコサミン	キトサンオリゴ糖	Chitosan oligosaccharide Oligoglucosamine	※	特別用途食品
オリゴ糖		Oligosaccharide	◎	特別用途食品
γ-オリザノール（米ぬか又は胚芽油から得られた，ステロールとフェルラ酸及びトリテルペンアルコールとフェルラ酸のエステルを主成分とするものをいう。）		γ-Oryzanol	◎，既存	酸化防止剤
オリーブ茶		Olive tea	○	着色料 苦味料
オルセイン		Orcein	×	着色料
オルトヒドロ安息香酸メチル	サリチル酸メチル 冬緑油	Methyl-*o*-hydroxybenzoate Methyl salicylate Synthetic wintergreen oil	○，指定	香料
オルトフェニルフェノール	OPP	OPP *o*-Phenylphenol	○，指定	防かび剤
オルトフェニルフェノールナトリウム	OPP-Na	OPP-Na Sodium orthophenyl phenol Sodium *o*-phenylphenate	○，指定	防かび剤
オルトリン酸	リン酸	Orthophosphoric acid Phosphoric acid	◎，指定	水素イオン濃度調整剤（pH 調整剤） 酸味料

◎：許可（使用基準なし） Legal（Accepted with no standard of use）
○：許可（使用基準あり） Legal（Accepted with standard of use）
指定：Designated Food Additives　既存：Existing Food Additives
×：使用不可 Illegal（Prohibited）
※：個別判断を要するもの Required individual special judgement

EU E No.	EU FL No.	CAS No.	CFR No.	CNS 号.	備考 Remarks
E322a			（Lecithin として） 184.1400		E322a は「Commission Regulation（EU）No.2022/1037 of 29 June 2022」で新規指定 日本の既存添加物名簿に定められた「基原植物」に該当しないので許可状況は×
		90-43-7	180.129（Title40 Part180）		省令別表第1のリスト名は「**オルトフェニルフェノール及びオルトフェニルフェノールナトリウム，*o*-Phenylphenol and Sodium *o*-Phenylphenate**」だが，本書では各単品もリスト名としマークした CFR では，本書に関連する「Title21」ではなく pre- and post-harvest 関連の「Title40 Part 180．129」に「*o*-Phenylphenol and its sodium salt」として収録されている E No.はないが INS No.231あり
		（無水物） 132-27-4	180.129（Title40 Part180）		省令別表第1のリスト名は「**オルトフェニルフェノール及びオルトフェニルフェノールナトリウム，*o*-Phenylphenol and Sodium *o*-phenylphenate**」だが，本書では各単品もリスト名としマークした 告示成分規格の nH_2O は n ＝4 CFR では，本書に関連する「Title21」ではなく pre- and post-harvest 関連の「Title40 Part 180．129」に「*o*-Phenylphenol and its sodium salt」として収録されている E No.はないが INS No.232あり
	05.015	123-11-5			着香の目的以外に使用してはならない EU FL No.05.015の名称は「4-Methoxybenzaldehyde」
					資料1により食品添加物に該当する可能性が考えられるが，事前に判断を受けるよう指導されている品目
					資料1により食品素材扱いとする品目
					一般飲食物添加物 苦味料等の目的では◎
	09.749	119-36-8			着香の目的以外に使用してはならない
		90-43-7	180.129（Title40 Part180）		省令別表第1のリスト名は「**オルトフェニルフェノール及びオルトフェニルフェノールナトリウム，*o*-Phenylphenol and Sodium *o*-Phenylphenate**」だが，本書では各単品もリスト名としマークした CFR では，本書に関連する「Title21」ではなく pre- and post-harvest 関連の「Title40 Part 180．129」に「*o*-Phenylphenol and its sodium salt」として収録されている E No.はないが INS No.231あり
		（無水物） 132-27-4	180.129（Title40 Part180）		省令別表第1のリスト名は「**オルトフェニルフェノール及びオルトフェニルフェノールナトリウム，*o*-Phenylphenol and Sodium *o*-phenylphenate**」だが，本書では各単品もリスト名としマークした 告示成分規格の nH_2O は n ＝4 CFR では，本書に関連する「Title21」ではなく pre- and post-harvest 関連の「Title40 Part 180．129」に「*o*-Phenylphenol and its sodium salt」として収録されている E No.はないが INS No.232あり
E338		7664-38-2	182.1073	01.106	

色文字：法令上の指定添加物名（除く別名）　red：Name on Ministerial Ordinance of Designated Food Additives
色文字：法令上の既存添加物名（除く別名）　red：Name on Ministerial Notification of Existing Food Additives

和　名 Japanese name	和名別名 Japanese name	英名，英名別名 English name	許可状況 Legal/Illegal	主な用途 Main uses
オルニチン		Ornithine	◎	特別用途食品
オレイン酸（トール油脂肪酸由来）		Oleic acid derived from tall oil fatty acids	○，指定	香料
オレイン酸アルミニウム		Aluminium salts of oleic acid	×	製造用剤 乳化剤
オレイン酸カリウム		Potassium salts of oleic acid	×	製造用剤 乳化剤
オレイン酸カルシウム		Calcium salts of oleic acid	×	製造用剤 乳化剤
オレイン酸ナトリウム		Sodium oleate	○，指定	被膜剤
オレイン酸の塩類(カルシウム,カリウム,ナトリウム)		Salts of oleic acids(calcium,potassium,sodium)	※	製造用剤 乳化剤
オレイン酸マグネシウム		Magnesium salts of oleic acid	×	製造用剤 乳化剤
オレイン酸硫酸ブチル		Sulfated butyl oleate	×	製造用剤
オレガノ抽出物(オレガノの葉から得られた,カルバクロール及びチモールを主成分とするものをいう。)		Oregano extract	◎，既存	製造用剤
オレストラ		Olestra	◎，指定	乳化剤 ガムベース
オレンジB		Orange B	×	着色料
オレンジ色素(アマダイダイの果実又は果皮から得られた,カロテン及びキサントフィルを主成分とするものをいう。)		Orange color	○，既存	着色料
オロト酸（フリー体，カリウム塩，マグネシウム塩に限る）		Orotic acid (Limited to Free base, Potassium salt and Magnesium salt)	※	特別用途食品

◎：許可（使用基準なし） Legal（Accepted with no standard of use）
○：許可（使用基準あり） Legal（Accepted with standard of use）
指定：Designated Food Additives　既存：Existing Food Additives
×：使用不可 Illegal（Prohibited）
※：個別判断を要するもの Required individual special judgement

EU E No.	EU FL No.	CAS No.	CFR No.	CNS 号.	備考 Remarks
					資料1により食品素材扱いとする品目
			172.862		CFR は精製トール油脂肪酸から分離された純オレイン酸 **脂肪酸類** 着香の目的以外に使用してはならない
E470a					E470a は脂肪酸のナトリウム，カリウム，カルシウム塩 **オレイン酸ナトリウム**及び**ステアリン酸カルシウム**以外は不可
E470a					E470a は脂肪酸のナトリウム，カリウム，カルシウム塩 **オレイン酸ナトリウム**及び**ステアリン酸カルシウム**以外は不可
E470a		143-19-1	(Salts of fatty acids として) 172.863		果実及び果菜の表皮の被膜剤以外に使用してはならない E470a は脂肪酸のナトリウム，カリウム，カルシウム塩 **オレイン酸ナトリウム**及び**ステアリン酸カルシウム**以外は不可
E470a			(Salts of fatty acids として) 172.863		E470a は脂肪酸のナトリウム，カリウム，カルシウム塩 **オレイン酸ナトリウム**及び**ステアリン酸カルシウム**以外は不可
E470b					E470b は脂肪酸のマグネシウム塩 **ステアリン酸マグネシウム**以外は不可
			172.270		CFR は干しブドウの水分調整
			(Olestra として) 172.867		**ショ糖脂肪酸エステル** CFR：Olestra is a mixture of octa-, hepta-, and hexa-esters of sucrose with fatty acids
			74.250		CFR の主成分は Disodium salt of 1-(4-sulfophenyl)-3-ethylcarboxy-4-(4-sulfonaphthylazo)-5-hydro-xypyrazole
				08.143	
					資料1により食品添加物に該当する可能性が考えられるが，事前に判断を受けるよう指導されている品目

色文字：法令上の指定添加物名（除く別名）　red：Name on Ministerial Ordinance of Designated Food Additives
色文字：法令上の既存添加物名（除く別名）　red：Name on Ministerial Notification of Existing Food Additives

和　名 Japanese name	和名別名 Japanese name	英名，英名別名 English name	許可状況 Legal/Illegal	主な用途 Main uses
貝殻焼成カルシウム	焼成カルシウム（うに殻，貝殻，造礁サンゴ，ホエイ，骨，又は卵殻を焼成して得られた，カルシウム化合物を主成分とするものをいう。）	Calcinated calcium Calcinated shell calcium	◎，既存	製造用剤 強化剤
貝殻未焼成カルシウム	未焼成カルシウム（貝殻，真珠の真珠層，造礁サンゴ，骨又は卵殻を乾燥して得られた，カルシウム塩を主成分とするものをいう。）	Non-calcinated calcium Non-calcinated shell calcium	◎，既存	強化剤
海藻セルロース		Seaweed cellulose	◎	増粘安定剤
海藻灰抽出物（褐藻類の灰化物から得られた，ヨウ化カリウムを主成分とするものをいう。）		Seaweed ash extract	◎，既存	製造用剤
カウチョック	ゴム（パラゴムの分泌液から得られた，ポリイソプレンを主成分とするものをいう。ただし，「低分子ゴム」を除く。）	Caoutchouc Rubber	◎，既存	ガムベース
カウベリー色素		Cowberry color	○	着色料
カエプトール	1,8-エポキシパラメンタン 1,8-オキシドパラメンタン シネオール 1,8-シネオール ユーカリプトール	Cajeputol Cineole 1,8-Cineole 1,8-Epoxy-*p*-menthane Eucalyptol *p*-Menthane-1,8-oxide 1,8-Oxido-*p*-menthane	○，指定	香料
カオリン	ケイ酸アルミニウム 高陵土 白陶土 不溶性鉱物性物質	Aluminium silicate China clay Kaolin Porcelain clay Water-insoluble mineral substances	○，既存	製造用剤
カカオ色素（カカオの種子から得られた，アントシアニンの重合物を主成分とするものをいう。）	ココア色素	Cacao color	○，既存	着色料
カカオバター代替品（ココナッツ油，パーム核油または両者から作られたもの）		Cocoa butter substitute from coconut oil, palm kernel oil, or both oils	◎	被膜剤
化学石こう	焼石こう 石こう 天然石こう 硫酸カルシウム	Calcium sulfate Chemical gypsum Gyps Gypsum Natural gypsum Plaster of Paris	○，指定	膨脹剤 強化剤 イーストフード 豆腐用凝固剤 膨張剤
	焼石こう 石こう 天然石こう 硫酸カルシウム	Calcium sulfate Chemical gypsum Gyps Gypsum Natural gypsum Plaster of Paris	※	特別用途食品
カキ色素（カキの果実から得られた，フラボノイドを主成分とするものをいう。）		Japanese persimmon color	○，既存	着色料
柿渋	柿タンニン 柿抽出物	Persimmon extract Tannin of persimmon Tannin(extract)	◎，既存	製造用剤

◎：許可（使用基準なし） Legal（Accepted with no standard of use）
○：許可（使用基準あり） Legal（Accepted with standard of use）
指定：Designated Food Additives　既存：Existing Food Additives
×：使用不可 Illegal（Prohibited）
※：個別判断を要するもの Required individual special judgement

EU E No.	EU FL No.	CAS No.	CFR No.	CNS 号.	備考 Remarks
					焼成カルシウム参照
					未焼成カルシウム参照
					一般飲食物添加物
				08.105	一般飲食物添加物
	03.001	470-82-6			着香の目的以外に使用してはならない
					食品の製造又は加工上必要不可欠な場合以外に使用してはならない 不溶性鉱物性物質の名称は，省令別表第1及び告示既存添加物名簿に記載されていないが，告示「食品，添加物等の規格基準－F 使用基準」にその名称があるので既存添加物名簿名扱いとする 食品添加物別名（和名）については，列記した食品添加物に類似する不溶性鉱物性物質も含まれる E559：Aluminium silicate（Kaolin）は「Commission Regulation（EU）No.380/2012 of 3 May 2012」で削除
			172.861		CFR はショ糖，ビタミン剤等の被膜剤および一般食品との混合 食品扱い
E516		（2水和物） 7778-18-9	（Calcium sulfate として） 184.1230	18.001	食品の製造又は加工上必要不可欠な場合及び栄養の目的以外に使用してはならない 告示成分規格の nH_2O は n ＝2 石こう参照
E516					石こうは資料1により食品添加物に該当する可能性が考えられるが，事前に判断を受けるよう指導されている品目 石こう参照
			（Tannic acid として） 184.1097		タンニン（抽出物）参照 E No.はないが INS No.181あり

色文字：法令上の指定添加物名（除く別名）　red：Name on Ministerial Ordinance of Designated Food Additives
色文字：法令上の既存添加物名（除く別名）　red：Name on Ministerial Notification of Existing Food Additives

和　名 Japanese name	和名別名 Japanese name	英名，英名別名 English name	許可状況 Legal/Illegal	主な用途 Main uses
柿タンニン	柿渋 柿抽出物 タンニン（抽出物）（カキの果実、五倍子、タラ末、没食子又はミモザの樹皮から得られた、タンニン及びタンニン酸を主成分とするものをいう。） タンニン酸（抽出物）	Persimmon extract Tannin of persimmon Tannin(extract)	◎，既存	製造用剤
柿抽出物	柿渋 柿タンニン	Persimmon extract Tannin of persimmon Tannin(extract)	◎，既存	製造用剤
架橋カルボキシメチルセルロースナトリウム		Cross-linked sodium carboxy methyl cellulose	×	製造用剤
架橋セルロースガム		Cross-linked cellulose gum	※	製造用剤
加工セルロース		Modified celluloses	※	増粘安定剤 糊料
加工デンプン	アセチル化アジピン酸架橋デンプン アセチル化二デンプンアジピン酸	Acetylated distarch adipate Modified starch	◎，指定	増粘安定剤 ゲル化剤 糊料
	アセチル化酸化デンプン	Acetylated oxidized starch Modified starch	◎，指定	増粘安定剤 ゲル化剤 糊料
	アセチル化デンプン 酢酸デンプン	Acetylated starch Modified starch Starch acetate	◎，指定	増粘安定剤 ゲル化剤 糊料
	アセチル化二デンプンリン酸エステル アセチル化リン酸架橋デンプン	Acetylated distarch phosphate Modified starch	◎，指定	増粘安定剤 ゲル化剤 糊料
	アルカリ処理デンプン	Alkaline treated starch Modified starch	◎	増粘安定剤 ゲル化剤 糊料
	オクテニルコハク酸デンプンナトリウム	Modified starch Starch sodium octenyl succinate	◎，指定	増粘安定剤 乳化剤 ゲル化剤 糊料
	酵素処理デンプン	Enzymatically treated starch Modified starch	◎	増粘安定剤 ゲル化剤 糊料
	酸化デンプン	Modified starch Oxidized starch	◎，指定	増粘安定剤 ゲル化剤 糊料
	酸処理デンプン	Acid treated starch Modified starch	◎	増粘安定剤 ゲル化剤 糊料
	デンプンアルミニウムオクテニルコハク酸塩	Modified starch Starch aluminium octenyl succinate	×	増粘安定剤 ゲル化剤 糊料
	デンプングリコール酸ナトリウム	Modified starch Sodium carboxymethylstarch	○，指定	増粘安定剤 ゲル化剤 糊料

◎：許可（使用基準なし） Legal（Accepted with no standard of use）
○：許可（使用基準あり） Legal（Accepted with standard of use）
指定：Designated Food Additives　既存：Existing Food Additives
×：使用不可 Illegal（Prohibited）
※：個別判断を要するもの Required individual special judgement

EU E No.	EU FL No.	CAS No.	CFR No.	CNS 号.	備考 Remarks
			(Tannic acid として) 184.1097		タンニン（抽出物）参照 E No.はないがINS No.181あり
			(Tannic acid として) 184.1097		タンニン（抽出物）参照 E No.はないがINS No.181あり
E468					日本ではメチルセルロース,カルボキシメチルセルロースナトリウム及びカルボキシメチルセルロースカルシウムが指定添加物として認められている
					日本ではメチルセルロース,カルボキシメチルセルロースナトリウム及びカルボキシメチルセルロースカルシウムが指定添加物として認められている
E1422			(Food starch-modified として) 172.892	20.031	適切な製造工程管理を行い,食品中で目的とする効果を得る量を超えないこと
E1451		68187-08-6	(Food starch-modified として) 172.892		適切な製造工程管理を行い, 食品中で目的とする効果を得る量を超えないこと
E1420		9045-28-7	(Food starch-modified として) 172.892	20.039	適切な製造工程管理を行い,食品中で目的とする効果を得る量を超えないこと
E1414		68130-14-3	(Food starch-modified として) 172.892	20.015	適切な製造工程管理を行い,食品中で目的とする効果を得る量を超えないこと
			(Food starch-modified として) 172.892		食品扱い E No.はないがINS No.1402あり
E1450			(Food starch-modified として) 172.892	10.030	適切な製造工程管理を行い,食品中で目的とする効果を得る量を超えないこと
			(Food starch-modified として) 172.892		食品扱い
E1404			(Food starch-modified として) 172.892	20.030	適切な製造工程管理を行い,食品中で目的とする効果を得る量を超えないこと
			(Food starch-modified として) 172.892	20.032	食品扱い
E1452					
		9063-38-1	(Food starch-modified として) 172.892	20.012	告示成分規格にCAS NO.の記載がないが特記

か

色文字：法令上の指定添加物名（除く別名）　**red**：Name on Ministerial Ordinance of Designated Food Additives
色文字：法令上の既存添加物名（除く別名）　**red**：Name on Ministerial Notification of Existing Food Additives

和　名 Japanese name	和名別名 Japanese name	英名，英名別名 English name	許可状況 Legal/Illegal	主な用途 Main uses
	デンプンリン酸エステルナトリウム	Modified starch Sodium starch phosphate	×	増粘安定剤 ゲル化剤 糊料
	焙焼デキストリン	Dextrin, roasted starch Modified starch	◎	増粘安定剤 ゲル化剤 糊料
	ヒドロキシプロピル化リン酸架橋デンプン ヒドロキシプロピル二デンプンリン酸エステル	Hydroxy propyl cross-link starch phosphate **Hydroxypropyl distarch phosphate** Modified starch	◎，指定	増粘安定剤 ゲル化剤 糊料
	ヒドロキシプロピルデンプン	**Hydroxypropyl starch** Modified starch	◎，指定	増粘安定剤 ゲル化剤 糊料
	漂白デンプン	Bleached starch Modified starch	◎	増粘安定剤 ゲル化剤 糊料
	リン酸架橋デンプン	**Distarch phosphate** Modified starch	◎，指定	増粘安定剤 ゲル化剤 糊料
	リン酸化デンプン	Modified starch **Monostarch phosphate**	◎，指定	増粘安定剤 ゲル化剤 糊料
	リン酸モノエステル化リン酸架橋デンプン	Modified starch **Phosphated distarch phosphate**	◎，指定	増粘安定剤 ゲル化剤 糊料
花こう斑岩	麦飯石	Bakuhanseki **Granite porphyry**	○，既存	製造用剤 特別用途食品
加工ユーケマ藻類	**カラギナン**（イバラノリ，キリンサイ，ギンナンソウ，スギノリ又はツノマタの全藻から得られた，ι-カラギナン，κ-カラギナン及びλ-カラギナンを主成分とするものをいう。） カラギーナン カラゲナン カラゲーナン カラゲニン **精製カラギナン** **ユーケマ藻末**	**Carrageenan** **Powdered red algae** **Processed eucheuma algae** Processed eucheuma seaweed **Processed red algae** **Purified carrageenan** **Refined carrageenan** **Semirefined carrageenan**	◎，既存	増粘安定剤 ゲル化剤
過酢酸	ペルオキシ酢酸	Acetic peroxide Acetyl hydroperoxide **Peracetic acid** Peroxyacetic acid	○，指定	殺菌料
過酢酸製剤		Peracetic acid composition Peracetic acid formulation Peracetic acid solutions	○，指定	殺菌料
過酢酸ナトリウム		Sodium peracetate	×	保存料
過酢酸由来活性酸素		Active oxygen obtained from peracetic acid	×	製造用剤

◎：許可（使用基準なし） Legal（Accepted with no standard of use）
○：許可（使用基準あり） Legal（Accepted with standard of use）
指定：Designated Food Additives 既存：Existing Food Additives
×：使用不可 Illegal（Prohibited）
※：個別判断を要するもの Required individual special judgement

EU E No.	EU FL No.	CAS No.	CFR No.	CNS 号.	備考 Remarks
				20.013	平成21年6月4日省令別表第1より削除（特記）
			（Food starch-modified として） 172.892 （Dextrin として） 184.1277		食品扱い
E1442		53124-00-8	（Food starch-modified として） 172.892	20.016	適切な製造工程管理を行い，食品中で目的とする効果を得る量を超えないこと
E1440		9049-76-7	（Food starch-modified として） 172.892	20.014	適切な製造工程管理を行い，食品中で目的とする効果を得る量を超えないこと
			（Food starch-modified として） 172.892		食品扱い E No.はないがINS No.1403あり
E1412		55963-33-2	（Food starch-modified として） 172.892	20.034	適切な製造工程管理を行い，食品中で目的とする効果を得る量を超えないこと
E1410		63100-01-06	（Food starch-modified として） 172.892		適切な製造工程管理を行い，食品中で目的とする効果を得る量を超えないこと
E1413			（Food starch-modified として） 172.892	20.017	適切な製造工程管理を行い，食品中で目的とする効果を得る量を超えないこと
					不溶性鉱物性物質に包含される。不溶性鉱物性物質扱いの使用は○ 麦飯石は資料1により既存添加物扱いとする品目にもリストアップされている
E407 E407a			（Carrageenan として） 172.620 （Chondrus extract（carra-gee-nin）として） 182.7255	20.007	EU では，E407:Carrageenan，E407a：Processed eucheuma seaweed に分かれている
		79-21-0	（Peroxyacids の混合成分の1つとして） 173.370		平成28年10月6日省令別表第1に新規指定 過酢酸製剤として使用する場合以外に使用してはならない
					「過酢酸製剤」は製剤であるため，省令別表第1には記載されていないが，告示の「食品，添加物等の規格基準」には盛り込まれている

色文字：法令上の指定添加物名（除く別名）　red：Name on Ministerial Ordinance of Designated Food Additives
色文字：法令上の既存添加物名（除く別名）　red：Name on Ministerial Notification of Existing Food Additives

和　名 Japanese name	和名別名 Japanese name	英名，英名別名 English name	許可状況 Legal/Illegal	主な用途 Main uses
カーサマス赤色素	ベニバナ赤色素(ベニバナの花から得られた，カルタミンを主成分とするものをいう。)	Carthamus red	○，既存	着色料
カーサマス黄色素	ベニバナ黄色素(ベニバナの花から得られた，サフラーイエロー類を主成分とするものをいう。)	Carthamus yellow	○，既存	着色料
過酸化アセトン	アセトン過酸化物	Acetone peroxide	×	製造用剤 漂白剤
過酸化カルシウム		Calcium peroxide	×	製造用剤
過酸化酸類		Peroxyacids	※	抗菌剤
過酸化水素		Hydrogen dioxide **Hydrogen peroxide** Hydroperoxide	○，指定	保存料 漂白剤 殺菌料
過酸化ベンゾイル	ジベンゾイルパーオキサイド BPO	**Benzoyl peroxide** BPO Dibenzoyl peroxide	○，指定	小麦粉処理剤
カシアガム(エビスグサモドキの種子を粉砕して得られた，多糖類を主成分とするものをいう。)	カッシャガム	Cassia gum	◎，既存	増粘安定剤
果汁	フルーツジュース	Fruit juice	○	着色料

◎：許可（使用基準なし） Legal（Accepted with no standard of use）
○：許可（使用基準あり） Legal（Accepted with standard of use）
指定：Designated Food Additives　既存：Existing Food Additives
×：使用不可 Illegal（Prohibited）
※：個別判断を要するもの Required individual special judgement

EU E No.	EU FL No.	CAS No.	CFR No.	CNS 号.	備考 Remarks
				08.103	
			172.802		
			173.370		CFR No.173.370は，数種類の過酸化酸類の混合物
		7722-84-1	（直接添加物の Silver nitrate and hydrogen peroxide solution として） 172.167 （副次的直接添加物の Hydrogen peroxide として） 173.356 （ＧＲＡＳ物質の Hydrogen peroxide として） 184.1366 （Peroxyacids の混合成分の1つとして） 173.370		釜揚げしらす及びしらす干しにあっては，その1kg につき0.005g 以上残存しないように使用しなければならない。その他の食品にあっては，最終食品の完成前に分解し，又は除去しなければならない
			184.1157		E No.はないが INS No.928あり ミョウバン，リン酸のカルシウム塩類，硫酸カルシウム，炭酸カルシウム，炭酸マグネシウム及びデンプンのうち1種又は2種以上を配合して希釈過酸化ベンゾイルとして使用する場合以外に使用してはならない
E427				20.045	
			73.250		一般飲食物添加物 通知上の果汁の種類： ウグイスカグラ エルダーベリー オレンジ カウベリー グースベリー クランベリー サーモンベリー ストロベリー ダークスイートチェリー チェリー チンブルベリー デュベリー パイナップル ハクルベリー ブドウ ブラックカーラント ブラックベリー プラム ブルーベリー ベリー ボイセンベリー ホワートルベリー

色文字：法令上の指定添加物名（除く別名）　red：Name on Ministerial Ordinance of Designated Food Additives
色文字：法令上の既存添加物名（除く別名）　red：Name on Ministerial Notification of Existing Food Additives

和　名 Japanese name	和名別名 Japanese name	英名，英名別名 English name	許可状況 Legal/Illegal	主な用途 Main uses
か焼マグネシア	酸化マグネシウム 死焼マグネシア マグネシア マグネシアクリンカー	Calcined magnesia Deadburned magnesite Magnesia Magnesia clinker Magnesium oxide	◎，指定	製造用剤 強化剤
カセイカリ	水酸化カリウム	Caustic potash Potassa Potassium hydrate Potassium hydroxide	○，指定	製造用剤
カセイソーダ	水酸化ナトリウム	Caustic soda Soda lye Sodium hydrate Sodium hydroxide White caustic	○，指定	製造用剤
カゼイン	酸カゼイン	Acid casein Acidified casein Casein	◎	製造用剤
カゼインナトリウム		Sodium caseinate	◎，指定	製造用剤 増粘安定剤 乳化剤
カタラーゼ		Catalase	◎，既存	酵素
過炭酸ナトリウム		Sodium percarbonate	×	保存料
カッシアエキス	ジャマイカカッシア抽出物（ジャマイカカッシアの幹枝又は樹皮から得られた，クアシン及びネオクアシンを主成分とするものをいう。）	Jamaica quassia extract Quassia extract	◎，既存	苦味料
カッシャガム	カシアガム（エビスグサモドキの種子を粉砕して得られた，多糖類を主成分とするものをいう。）	Cassia gum	◎，既存	増粘安定剤
活性炭（含炭素物質を炭化し，賦活化して得られたものをいう。）		Activated carbon Active carbon	◎，既存	製造用剤
活性白土		Activated acid clay	○，既存	製造用剤
褐藻		Brown algae	◎	増粘安定剤
褐藻抽出物	褐藻粘質物	Kelp extract	◎	増粘安定剤
褐藻粘質物	褐藻抽出物	Kelp extract	◎	増粘安定剤
ガティガム（ガティノキの分泌液から得られた，多糖類を主成分とするものをいう。）		Gum ghatti	◎，既存	増粘安定剤

◎：許可（使用基準なし） Legal（Accepted with no standard of use）
○：許可（使用基準あり） Legal（Accepted with standard of use）
指定：Designated Food Additives　既存：Existing Food Additives
×：使用不可 Illegal（Prohibited）
※：個別判断を要するもの Required individual special judgement

EU E No.	EU FL No.	CAS No.	CFR No.	CNS 号.	備考 Remarks
					マルベリー モレロチェリー ラズベリー レッドカーラント レモン ローガンベリー
E530		1309-48-4	(Magnesium oxide として) 184.1431		
E525		1310-58-3	184.1631	01.203	最終食品の完成前に中和又は除去しなければならない
E524		(1水和物) 12200-64-5 (無水物) 1310-73-2	184.1763		最終食品の完成前に中和又は除去しなければならない 告示成分規格の nH_2O は n ＝1又は0
					一般飲食物添加物
		9005-46-3	182.1748	10.002	
			(Catalase derived from *Micrococcus lysodeikticus* として) 173.135 (Catalase(bovine liver)として) 184.1034		
E427				20.045	
			184.1120		食品扱い
			(Kelp として) 172.365		一般飲食物添加物
			(Kelp として) 172.365		一般飲食物添加物
		9000-28-6	184.1333		E No.はないが INS No.419あり

か

色文字：法令上の指定添加物名（除く別名）　red：Name on Ministerial Ordinance of Designated Food Additives
色文字：法令上の既存添加物名（除く別名）　red：Name on Ministerial Notification of Existing Food Additives

和　名 Japanese name	和名別名 Japanese name	英名，英名別名 English name	許可状況 Legal/Illegal	主な用途 Main uses
カテキン		Catechin	◎，既存	酸化防止剤
果糖		Fructose Fruit sugar	◎	特別用途食品
カードラン（アグロバクテリウム又はアルカリゲネスの培養液から得られた，β-1,3-グルカンを主成分とするものをいう。）		Curdlan	◎，既存	製造用剤 増粘安定剤
カフェイン（抽出物）（コーヒーの種子又はチャの葉から得られた，カフェインを主成分とするものをいう。）		Caffeine(extract)	◎，既存	苦味料
カフェー酸3-メチルエーテル	4-ヒドロキシ-3-メトキシケイ皮酸 フェルラ酸	Caffeic acid 3-methyl ether Ferulic acid 4-Hydroxy-3-methoxycinnamic acid	◎，既存	酸化防止剤
	4-ヒドロキシ-3-メトキシケイ皮酸 フェルラ酸	Caffeic acid 3-methyl ether Ferulic acid 4-Hydroxy-3-methoxycinnamic acid	※	特別用途食品
カプサンチン	カプシカム色素 カプソルビン トウガラシ色素（トウガラシの果実から得られた，カプサンチン類を主成分とするものをいう。） パプリカ色素	Capsanthin Capsicum color Capsorubin Paprika color Paprika oleoresin	○，既存	着色料
カプシカム色素	カプサンチン カプソルビン トウガラシ色素（トウガラシの果実から得られた，カプサンチン類を主成分とするものをいう。） パプリカ色素	Capsanthin Capsicum color Capsorubin Paprika color Paprika oleoresin	○，既存	着色料
カプシカム水性抽出物	トウガラシ水性抽出物（トウガラシの果実から抽出して得られた，水溶性物質を主成分とするものをいう。） パプリカ水性抽出物	Capsicum water-soluble extract Paprika water-soluble extract	◎，既存	製造用剤
カプソルビン	カプサンチン カプシカム色素 トウガラシ色素（トウガラシの果実から得られた，カプサンチン類を主成分とするものをいう。） パプリカ色素	Capsanthin Capsicum color Capsorubin Paprika color Paprika oleoresin	○，既存	着色料
カプリックアルデヒド	アルデヒドC-10 カプリンアルデヒド カプルアルデヒド デカナール *n*-デカナール デシルアルデヒド *n*-デシルアルデヒド	Aldehyde C-10 Capraldehyde Capric aldehyde Caprin aldehyde Decanal *n*-Decanal Decyl aldehyde *n*-Decyl aldehyde	○，指定	香料
カプリルアルデヒド	オクタナール *n*-オクチリックアルデヒド オクチルアルデヒド *n*-オクチルアルデヒド	Capryl aldehyde Caprylic aldehyde Octanal Octyl aldehyde *n*-Octyl aldehyde *n*-Octylic aldehyde	○，指定	香料

◎：許可（使用基準なし） Legal（Accepted with no standard of use）
○：許可（使用基準あり） Legal（Accepted with standard of use）
指定：Designated Food Additives　既存：Existing Food Additives
×：使用不可 Illegal（Prohibited）
※：個別判断を要するもの Required individual special judgement

EU E No.	EU FL No.	CAS No.	CFR No.	CNS 号.	備考 Remarks
					資料1により食品素材扱いとする品目
		54724-00-4	172.809	20.042	E No.はないがINS No.424あり
	16.016	（1水和物） 5743-12-4 （無水物） 58-08-2	182.1180	00.007	告示成分規格の nH_2O は n=1又は0 FL No.16.016はCAS No.58-08-2に対応
					資料1により既存添加物扱いと思料されるが，指定されていない添加物に該当する場合があるので留意する
E160c			(Paprika oleoresin として) 73.345	00.012 08.106 08.107	日本は橙色～赤色を呈するカロテノイド色素として総合しているがCNS号は3区分あり，CNS号00.012はpaprika oleoresin，CNS号08.106はpaprika red，CNS号08.107はpaprika orange
E160c			(Paprika oleoresin として) 73.345	00.012 08.106 08.107	日本は橙色～赤色を呈するカロテノイド色素として総合しているがCNS号は3区分あり，CNS号00.012はpaprika oleoresin，CNS号08.106はpaprika red，CNS号08.107はpaprika orange
E160c			(Paprika oleoresin として) 73.345	00.012 08.106 08.107	日本は橙色～赤色を呈するカロテノイド色素として総合しているがCNS号は3区分あり，CNS号00.012はpaprika oleoresin，CNS号08.106はpaprika red，CNS号08.107はpaprika orange
	05.010	112-31-2			着香の目的以外に使用してはならない
	05.009	124-13-0			着香の目的以外に使用してはならない

色文字：法令上の指定添加物名（除く別名）
色文字：法令上の既存添加物名（除く別名）

red：Name on Ministerial Ordinance of Designated Food Additives
red：Name on Ministerial Notification of Existing Food Additives

和　名 Japanese name	和名別名 Japanese name	英名，英名別名 English name	許可状況 Legal/Illegal	主な用途 Main uses
カプリル酸	オクタン酸	Caprylic acid Octanoic acid	○，指定	香料 過酢酸製剤用界面活性剤
カプリル酸アルミニウム		Aluminium salts of caplylic acid	×	製造用剤 乳化剤
カプリル酸エチル	オクタン酸エチル	Ethyl caprylate Ethyl octanoate	○，指定	香料
カプリル酸カリウム		Potassium salts of caprylic acid	×	製造用剤 乳化剤
カプリル酸カルシウム		Calcium salts of caprylic acid	×	製造用剤 乳化剤
カプリル酸ナトリウム		Sodium salts of caprylic acid	×	製造用剤 乳化剤
カプリル酸マグネシウム		Magnesium salts of caprylic acid	×	製造用剤 乳化剤
カプリンアルデヒド	アルデヒドC-10 カプリックアルデヒド カプルアルデヒド デカナール *n*-デカナール デシルアルデヒド *n*-デシルアルデヒド	Aldehyde C-10 Capraldehyde Capric aldehyde Caprin aldehyde Decanal *n*-Decanal Decyl aldehyde *n*-Decyl aldehyde	○，指定	香料
カプリン酸アルミニウム		Aluminium salts of capric acid	×	製造用剤 乳化剤
カプリン酸エチル	デカン酸エチル	Ethyl caprate Ethyl decanoate	○，指定	香料
カプリン酸カリウム		Potassium salts of capric acid	×	製造用剤 乳化剤
カプリン酸カルシウム		Calcium salts of capric acid	×	製造用剤 乳化剤
カプリン酸ナトリウム		Sodium salts of capric acid	×	製造用剤 乳化剤
カプリン酸マグネシウム		Magnesium salts of capric acid	×	製造用剤 乳化剤

◎：許可（使用基準なし） Legal（Accepted with no standard of use）
○：許可（使用基準あり） Legal（Accepted with standard of use）
指定：Designated Food Additives　　既存：Existing Food Additives
×：使用不可 Illegal（Prohibited）
※：個別判断を要するもの Required individual special judgement

EU E No.	EU FL No.	CAS No.	CFR No.	CNS 号.	備考 Remarks
	08.010	124-07-2	（Fatty acids として） 172.860 （Caprylic acid として） 184.1025 （Peroxyacids の混合成分の1つとして） 173.370		平成28年10月6日省令別表第1に新規指定 着香の目的及び過酢酸製剤として使用する場合以外に使用してはならない 類又は誘導体として指定されている18項目の香料リストのSEQ No.2019（解説編2-(1)-(vi)参照）
	09.111	106-32-1			着香の目的以外に使用してはならない
E470a					E470a は脂肪酸のナトリウム，カリウム，カルシウム塩 **オレイン酸ナトリウム**及び**ステアリン酸カルシウム**以外は不可
E470a					E470a は脂肪酸のナトリウム，カリウム，カルシウム塩 **オレイン酸ナトリウム**及び**ステアリン酸カルシウム**以外は不可
E470a					E470a は脂肪酸のナトリウム，カリウム，カルシウム塩 **オレイン酸ナトリウム**及び**ステアリン酸カルシウム**以外は不可
E470b					E470b は脂肪酸のマグネシウム塩 **ステアリン酸マグネシウム**以外は不可
	05.010	112-31-2			着香の目的以外に使用してはならない
	09.059	110-38-3			着香の目的以外に使用してはならない
E470a					E470a は脂肪酸のナトリウム，カリウム，カルシウム塩 **オレイン酸ナトリウム**及び**ステアリン酸カルシウム**以外は不可
E470a					E470a は脂肪酸のナトリウム，カリウム，カルシウム塩 **オレイン酸ナトリウム**及び**ステアリン酸カルシウム**以外は不可
E470a					E470a は脂肪酸のナトリウム，カリウム，カルシウム塩 **オレイン酸ナトリウム**及び**ステアリン酸カルシウム**以外は不可
E470b					E470b は脂肪酸のマグネシウム塩 **ステアリン酸マグネシウム**以外は不可

か

色文字：法令上の指定添加物名（除く別名）　　**red**：Name on Ministerial Ordinance of Designated Food Additives
色文字：法令上の既存添加物名（除く別名）　　**red**：Name on Ministerial Notification of Existing Food Additives

和　名 Japanese name	和名別名 Japanese name	英名，英名別名 English name	許可状況 Legal/Illegal	主な用途 Main uses
カプルアルデヒド	アルデヒドC-10 カプリックアルデヒド カプリンアルデヒド **デカナール** *n*-デカナール デシルアルデヒド *n*-デシルアルデヒド	Aldehyde C-10 Capraldehyde Capric aldehyde Caprin aldehyde **Decanal** *n*-Decanal Decyl aldehyde *n*-Decyl aldehyde	○，指定	香料
カプーレ	**ベネズエラチクル**（ベネズエラチクルの分泌液から得られた，アミリンアセタート及びポリイソプレンを主成分とするものをいう。）	**Venezuelan chicle**	◎，既存	ガムベース
カプロン酸	*n*-カプロン酸 **ヘキサン酸** 1-ペンタンカルボン酸	Caproic acid *n*-Caproic acid **Hexanoic acid** 1-Pentanecarboxylic acid	○，指定	香料
***n*-カプロン酸**	カプロン酸 **ヘキサン酸** 1-ペンタンカルボン酸	Caproic acid *n*-Caproic acid **Hexanoic acid** 1-Pentanecarboxylic acid	○，指定	香料
カプロン酸アリル	**ヘキサン酸アリル**	Allyl caproate **Allyl hexanoate**	○，指定	香料
カプロン酸エチル	カプロン酸エーテル **ヘキサン酸エチル**	Caproic ether Capronic ether Ethyl caproate Ethyl capronate **Ethyl hexanoate**	○，指定	香料
カプロン酸エーテル	カプロン酸エチル **ヘキサン酸エチル**	Caproic ether Capronic ether Ethyl caproate Ethyl capronate **Ethyl hexanoate**	○，指定	香料
カーボンブラック（炭化水素由来）		Carbon black (Hydrocarbon sources)	×	着色料
過マンガン酸カリウム		Potassium permanganate	×	製造用剤
カラギナン（イバラノリ，キリンサイ，ギンナンソウ，スギノリ又はツノマタの全藻から得られた，ι-カラギナン，κ-カラギナン及びλ-カラギナンを主成分とするものをいう。）	**加工ユーケマ藻類** カラギーナン カラゲナン カラゲーナン カラゲニン **精製カラギナン** **ユーケマ藻末**	**Carrageenan** **Powdered red algae** **Processed eucheuma algae** Processed eucheuma seaweed **Processed red algae** **Purified carrageenan** **Refined carrageenan** **Semirefined carrageenan**	◎，既存	増粘安定剤 ゲル化剤

◎：許可（使用基準なし） Legal（Accepted with no standard of use）
○：許可（使用基準あり） Legal（Accepted with standard of use）
指定：Designated Food Additives 既存：Existing Food Additives
×：使用不可 Illegal（Prohibited）
※：個別判断を要するもの Required individual special judgement

EU E No.	EU FL No.	CAS No.	CFR No.	CNS 号.	備考 Remarks
	05.010	112-31-2			着香の目的以外に使用してはならない
	08.009	142-62-1	(Fatty acids として) 172.860		着香の目的以外に使用してはならない 令和元年6月19日政令第31号により毒物及び劇物に指定され，その食品衛生法上の取扱いについて，同日付で基準審査課のQ&Aが出されている
	08.009	142-62-1	(Fatty acids として) 172.860		着香の目的以外に使用してはならない 令和元年6月19日政令第31号により毒物及び劇物に指定され，その食品衛生法上の取扱いについて，同日付で基準審査課のQ&Aが出されている
	09.244	123-68-2			着香の目的以外に使用してはならない
	09.060	123-66-0			着香の目的以外に使用してはならない
	09.060	123-66-0			着香の目的以外に使用してはならない
				00.001	
E407 E407a			(Carrageenan として) 172.620 (Chondrus extract(carra-gee-nin)として) 182.7255	20.007	EU では，E407:Carrageenan，E407a：Processed eucheuma seaweed に分かれている

色文字：法令上の指定添加物名（除く別名）　red：Name on Ministerial Ordinance of Designated Food Additives
色文字：法令上の既存添加物名（除く別名）　red：Name on Ministerial Notification of Existing Food Additives

和　名 Japanese name	和名別名 Japanese name	英名，英名別名 English name	許可状況 Legal/Illegal	主な用途 Main uses
カラギーナン	加工ユーケマ藻類 カラギナン（イバラノリ，キリンサイ，ギンナンソウ，スギノリ又はツノマタの全藻から得られた，ι-カラギナン，κ-カラギナン及びλ-カラギナンを主成分とするものをいう。） カラゲナン カラゲーナン カラゲニン 精製カラギナン ユーケマ藻末	Carrageenan Powdered red algae Processed eucheuma algae Processed eucheuma seaweed Processed red algae Purified carrageenan Refined carrageenan Semirefined carrageenan	◎，既存	増粘安定剤 ゲル化剤
カラギナン塩		Salts of carrageenan	×	ガムベース
α-ガラクトシダーゼ	メリビアーゼ	α-Galactosidase Melibiase	◎，既存	酵素
β-ガラクトシダーゼ	β-D-ガラクトシドガラクトハイドロラーゼ ラクターゼ	β-Galactosidase β-D-Galactoside galactohydrolase Lactase	◎，既存	酵素
β-D-ガラクトシドガラクトハイドロラーゼ	β-ガラクトシダーゼ ラクターゼ	β-Galactosidase β-D-Galactoside galactohydrolase Lactase	◎，既存	酵素
カラゲナン	加工ユーケマ藻類 カラギナン（イバラノリ，キリンサイ，ギンナンソウ，スギノリ又はツノマタの全藻から得られた，ι-カラギナン，κ-カラギナン及びλ-カラギナンを主成分とするものをいう。） カラギーナン カラゲーナン カラゲニン 精製カラギナン ユーケマ藻末	Carrageenan Powdered red algae Processed eucheuma algae Processed eucheuma seaweed Processed red algae Purified carrageenan Refined carrageenan Semirefined carrageenan	◎，既存	増粘安定剤 ゲル化剤
カラゲーナン	加工ユーケマ藻類 カラギナン（イバラノリ，キリンサイ，ギンナンソウ，スギノリ又はツノマタの全藻から得られた，ι-カラギナン，κ-カラギナン及びλ-カラギナンを主成分とするものをいう。） カラギーナン カラゲナン カラゲニン 精製カラギナン ユーケマ藻末	Carrageenan Powdered red algae Processed eucheuma algae Processed eucheuma seaweed Processed red algae Purified carrageenan Refined carrageenan Semirefined carrageenan	◎，既存	増粘安定剤 ゲル化剤

◎：許可（使用基準なし） Legal（Accepted with no standard of use）
○：許可（使用基準あり） Legal（Accepted with standard of use）
指定：Designated Food Additives　　既存：Existing Food Additives
×：使用不可 Illegal（Prohibited）
※：個別判断を要するもの Required individual special judgement

EU E No.	EU FL No.	CAS No.	CFR No.	CNS 号.	備 考 Remarks
E407 E407a			(Carrageenan として) 172.620 (Chondrus extract(carra-gee-nin)として) 182.7255	20.007	EU では,E407:Carrageenan,E407a：Processed eucheuma seaweed に分かれている
			172.626		
			(Alpha-Galactosidase de-rived from *Mortierella vinaceae* var. *raffinoseutilizer* として) 173.145		
			(Lactase enzyme prepara-tion from *Candida pseudotropicalis* として) 184.1387 (Lactase enzyme prepara-tion from *Kluyveromyces lactis* として) 184.1388	00.023	「組換え DNA 技術応用食品及び添加物の安全性審査の手続きを経た添加物」としての告示あり。詳細は厚労省 HP 参照
			(Lactase enzyme prepara-tion from *Candida pseudotropicalis* として) 184.1387 (Lactase enzyme prepara-tion from *Kluyveromyces lactis* として) 184.1388	00.023	「組換え DNA 技術応用食品及び添加物の安全性審査の手続きを経た添加物」としての告示あり。詳細は厚労省 HP 参照
E407 E407a			(Carrageenan として) 172.620 (Chondrus extract(carra-gee-nin)として) 182.7255	20.007	EU では,E407:Carrageenan,E407a：Processed eucheuma seaweed に分かれている
E407 E407a			(Carrageenan として) 172.620 (Chondrus extract(carra-gee-nin)として) 182.7255	20.007	EU では,E407:Carrageenan,E407a：Processed eucheuma seaweed に分かれている

色文字：法令上の指定添加物名（除く別名）　red：Name on Ministerial Ordinance of Designated Food Additives
色文字：法令上の既存添加物名（除く別名）　red：Name on Ministerial Notification of Existing Food Additives

和　名 Japanese name	和名別名 Japanese name	英名，英名別名 English name	許可状況 Legal/Illegal	主な用途 Main uses
カラゲニン	加工ユーケマ藻類 カラギナン（イバラノリ，キリンサイ，ギンナンソウ，スギノリ又はツノマタの全藻から得られた，ι-カラギナン，κ-カラギナン及びλ-カラギナンを主成分とするものをいう。） カラギーナン カラゲナン カラゲーナン 精製カラギナン ユーケマ藻末	Carrageenan Powdered red algae Processed eucheuma algae Processed eucheuma seaweed Processed red algae Purified carrageenan Refined carrageenan Semirefined carrageenan	◎，既存	増粘安定剤 ゲル化剤
カラシ抽出物（カラシナの種子から得られた，イソチオシアン酸アリルを主成分とするものをいう。）		Mustard extract	◎，既存	製造用剤
カラメル	アンモニアカラメル カラメルⅠ（でん粉加水分解物，糖蜜又は糖類の食用炭水化物を熱処理して得られたものをいう。ただし，「カラメルⅡ」，「カラメルⅢ」及び「カラメルⅣ」を除く。） カラメルⅡ（でん粉加水分解物，糖蜜又は糖類の食用炭水化物に亜硫酸化合物を加えて熱処理して得られたものをいう。ただし，「カラメルⅣ」を除く。） カラメルⅢ（でん粉加水分解物，糖蜜又は糖類の食用炭水化物にアンモニア化合物加えて熱処理して得られたものをいう。ただし，「カラメルⅣ」を除く。） カラメルⅣ（でん粉加水分解物，糖蜜又は糖類の食用炭水化物に亜硫酸化合物及びアンモニウム化合物を加えて熱処理して得られたものをいう。） コースティックサルファイトカラメル サルファイトアンモニアカラメル プレーンカラメル	Ammonia caramel Caramel I (Plain caramel) Caramel II (Sulfite caramel) Caramel III (Ammonia caramel) Caramel IV (Sulfite ammonia caramel) Caramel color class I Caramel color class II Caramel color class III Caramel color class IV Caustic sulfite caramel Plain caramel Sulfite ammonia caramel	◎，既存	
カラメルⅠ（でん粉加水分解物，糖蜜又は糖類の食用炭水化物を熱処理して得られたものをいう。ただし，「カラメルⅡ」，「カラメルⅢ」及び「カラメルⅣ」を除く。）	カラメル プレーンカラメル	Caramel Caramel I (Plain caramel) Caramel color class I Plain caramel	◎，既存	製造用剤 着色料
カラメルⅡ（でん粉加水分解物，糖蜜又は糖類の食用炭水化物に亜硫酸化合物を加えて熱処理して得られたものをいう。ただし，「カラメルⅣ」を除く。）	カラメル コースティックサルファイトカラメル	Caramel Caramel II (Sulfite caramel) Caramel color class II Caustic sulfite caramel	◎，既存	製造用剤 着色料
カラメルⅢ（でん粉加水分解物，糖蜜又は糖類の食用炭水化物にアンモニア化合物加えて熱処理して得られたものをいう。ただし，「カラメルⅣ」を除く。）	アンモニアカラメル カラメル	Ammonia caramel Caramel color class III Caramel Caramel III (Ammonia caramel)	◎，既存	製造用剤 着色料
カラメルⅣ（でん粉加水分解物，糖蜜又は糖類の食用炭水化物に亜硫酸化合物及びアンモニウム化合物を加えて熱処理して得られたものをいう。）	カラメル サルファイトアンモニアカラメル	Caramel Caramel IV (Sulfite ammonia caramel) Caramel color class IV Sulfite ammonia caramel	◎，既存	製造用剤 着色料

◎：許可（使用基準なし） Legal（Accepted with no standard of use）
○：許可（使用基準あり） Legal（Accepted with standard of use）
指定：Designated Food Additives　既存：Existing Food Additives
×：使用不可 Illegal（Prohibited）
※：個別判断を要するもの Required individual special judgement

EU E No.	EU FL No.	CAS No.	CFR No.	CNS 号.	備考 Remarks
E407 E407a			(Carrageenan として) 172.620 (Chondrus extract(carra-gee-nin)として) 182.7255	20.007	EU では，E407:Carrageenan，E407a：Processed eucheuma seaweed に分かれている
					詳細は該当の添加物参照のこと
E150a			(検定免除の着色料のカラメルとして) 73.85 (GRAS 物質のカラメルとして) 182.1235	08.108	着色料の目的では○，既存
E150b			(検定免除の着色料のカラメルとして) 73.85 (GRAS 物質のカラメルとして) 182.1235	08.151	着色料の目的では○，既存
E150c			(検定免除の着色料のカラメルとして) 73.85 (GRAS 物質のカラメルとして) 182.1235	08.110	着色料の目的では○，既存
E150d			(検定免除の着色料のカラメルとして) 73.85 (GRAS 物質のカラメルとして) 182.1235	08.109	着色料の目的では○，既存

色文字：法令上の指定添加物名（除く別名）　red：Name on Ministerial Ordinance of Designated Food Additives
色文字：法令上の既存添加物名（除く別名）　red：Name on Ministerial Notification of Existing Food Additives

和　名 Japanese name	和名別名 Japanese name	英名，英名別名 English name	許可状況 Legal/Illegal	主な用途 Main uses
カラヤガム（カラヤ又はキバナワタモドキの分泌液から得られた，多糖類を主成分とするものをいう。）	ステルキュリアガム	Karaya gum Sterculia gum	◎，既存	増粘安定剤 乳化剤
ガーリック誘導体		Garlic and its derivatives	×	香料
カリミョウバン	ミョウバン 焼ミョウバン 硫酸アルミニウムカリウム	Alum Alum, exsiccated Aluminum potassium sulfate Potassium alum	○，指定	製造用剤 膨脹剤
過硫酸アンモニウム	ペルオキシ二硫酸アンモニウム ペルオキソ二硫酸アンモニウム	Ammonium peroxodisulfate Ammonium peroxydisulfate Ammonium persulfate	○，指定	小麦粉処理剤
過硫酸カリウム		Potassium persulfate	×	製造用剤
カルシウムサッカラート	サッカリンカルシウム	Calcium saccharin Saccharate of lime	○，指定	甘味料
カルシフェロール	エルゴカルシフェロール ビタミン D_2	Calciferol Ergocalciferol Vitamin D_2	◎，指定	強化剤
カルナウバロウ（ブラジルロウヤシの葉から得られた，ヒドロキシセロチン酸セリルを主成分とするものをいう。）	カルナウバワックス ブラジルワックス	Brazil wax Carnauba wax	◎，既存	ガムベース 光沢剤
カルナウバワックス	カルナウバロウ（ブラジルロウヤシの葉から得られた，ヒドロキシセロチン酸セリルを主成分とするものをいう。） ブラジルワックス	Brazil wax Carnauba wax	◎，既存	ガムベース 光沢剤
L-カルニチン		L-Carnitine	◎	特別用途食品
カルバミド	尿素	Carbamide Urea	×	製造用剤 イーストフード
カルボキシペプチダーゼ		Carboxypeptidase	◎，既存	酵素
カルボキシメチルセルロース		Carboxy methyl cellulose	×	製造用剤 増粘安定剤 糊料
カルボキシメチルセルロースカルシウム	繊維素グリコール酸カルシウム	Calcium carboxymethylcellulose Calcium cellulose glycolate	○，指定	製造用剤 増粘安定剤 糊料
カルボキシメチルセルロース酵素加水分解物		Enzymatically hydrolyzed carboxy methyl cellulose (Enzymatically hydrolyzed cellulose gum)	×	製造用剤 増粘安定剤 糊料
カルボキシメチルセルロースナトリウム	繊維素グリコール酸ナトリウム	Sodium carboxymethylcellulose Sodium cellulose glycolate	○，指定	製造用剤 増粘安定剤 糊料

◎：許可（使用基準なし） Legal（Accepted with no standard of use）
○：許可（使用基準あり） Legal（Accepted with standard of use）
指定：Designated Food Additives　既存：Existing Food Additives
×：使用不可 Illegal（Prohibited）
※：個別判断を要するもの Required individual special judgement

EU E No.	EU FL No.	CAS No.	CFR No.	CNS 号.	備考 Remarks
E416		9000-36-6	184.1349	18.010	
			184.1317		
E522		（12水和物） 7784-24-9 （無水物） 10043-67-1	（Aluminum potassium sulfate として） 182.1129	06.004	告示成分規格の nH_2O は n＝12,10,6,3,2又は0
		7727-54-0	（Bleached agent of food starch-modefied として） 172.892		E No.はないが INS No.923あり
E954(iii)		6381-91-5	（Saccharin, ammonium・calcium・sodium saccharin として） 180.37		CFR No.の Part 180.37は特別に収録 平成24年12月28日省令別表第1に新規指定 告示成分規格の nH_2O は n＝3 1/2
		50-14-6	（直接添加物 Vit D_2として） 172.379 （直接添加物 Vit D_2 bakers extract として） 172.381 （直接添加物 Vit D_2 mushroom powder として） 172.382 （GRAS 物質の Vit D_2, D_3 として） 184.1950		
E903		8015-86-9	184.1978	14.008	
E903		8015-86-9	184.1978	14.008	
					資料1により食品素材扱いとする品目 本成分の使用にあたっては，過剰摂取しないよう情報提供をするとの指導あり
E927b			184.1923		
					「組換え DNA 技術応用食品及び添加物の安全性審査の手続きを経た添加物」としての告示あり。詳細は厚労省 HP 参照
E466					E466には **Sodium carboxymethylcellulose** も含まれる
		9050-04-8			
E469					
E466		9004-32-4	182.1745	20.003	E466には Carboxymethylcellulose カルボキシメチルセルロースも含まれるが，これは不可

色文字：法令上の指定添加物名（除く別名）　red：Name on Ministerial Ordinance of Designated Food Additives
色文字：法令上の既存添加物名（除く別名）　red：Name on Ministerial Notification of Existing Food Additives

和　名 Japanese name	和名別名 Japanese name	英名，英名別名 English name	許可状況 Legal/Illegal	主な用途 Main uses
カルボヒドラーゼ	α-アミラーゼ 液化アミラーゼ G3分解酵素	α-Amylase Carbohydrase Endo-amylase	◎，既存	製造用剤 保存料 酵素
	β-アミラーゼ	β-Amylase Carbohydrase	◎，既存	酵素
カルボマー		Carbomer Carbomer homopolymer Polyacrylic acid polymers	×	増粘安定剤
***d*-カルボン**		*d*-Carvone	○，指定	香料
***ℓ*-カルボン**		*ℓ*-Carvone	○，指定	香料
カルミン	カルミン酸のアルミニウム及びカルシウムレーキ	Aluminium calcium lakes of carminic acid Carmine	×	着色料
カルミン酸色素	コチニール色素(エンジムシから得られた，カルミン酸を主成分とするものをいう。)	Carminic acid Cochineal extract	○，既存	着色料

◎：許可（使用基準なし） Legal（Accepted with no standard of use）
○：許可（使用基準あり） Legal（Accepted with standard of use）
指定：Designated Food Additives　既存：Existing Food Additives
×：使用不可 Illegal（Prohibited）
※：個別判断を要するもの Required individual special judgement

EU E No.	EU FL No.	CAS No.	CFR No.	CNS 号.	備考 Remarks
			(Carbohydrase and cellulase derived from *Aspergillus niger* として) 173.120 (Carbohydrase derived from *Rhizopus oryzae* として) 173.130 (Mixed carbohydrase and protease enzyme product として) 184.1027 (Amylase enzyme preparation from *Bacillus stearothermophilus* として) 184.1012 (Bacterially-derived carbohydrase enzyme preparation として) 184.1148		「組換えDNA技術応用食品及び添加物の安全性審査の手続きを経た添加物」としての告示あり。詳細は厚労省HP参照 E No.はないがINS No.1100あり
			(Carbohydrase and cellulase derived from *Aspergillus niger* として) 173.120 (Carbohydrase derived from *Rhizopus oryzae* として) 173.130 (Mixed carbohydrase and protease enzyme product として) 184.1027 (Amylase enzyme preparation from *Bacillus stearothermophilus* として) 184.1012 (Bacterially-derived carbohydrase enzyme preparation として) 184.1148		E No.はないがINS No.1100あり 「組換えDNA技術応用食品及び添加物の安全性審査の手続きを経た添加物」としての告示あり。詳細は厚労省HP参照
E1210					E1210は「Commission Regulation（EU）2023/440 of 28 Feb. 2023」で新規制定
	07.146	2244-16-8			**ケトン類** 着香の目的以外に使用してはならない 類又は誘導体として指定されている18項目の香料リストのSEQ No.344(解説編2-(1)-(vi)参照)
	07.147	6485-40-1			**ケトン類** 着香の目的以外に使用してはならない 類又は誘導体として指定されている18項目の香料リストのSEQ No.345(解説編2-(1)-(vi)参照)
E120			(Cochineal extract：Carmine として) 73.100	08.145	日本で，**コチニール色素**(主色素カルミン酸)は既存添加物として使用が認められているが，「CFRNo.73.100 Carmine」は，アルミニウム若しくはアルミニウム・カルシウムレーキ色素であり認められていない CNS 号08.145は carmine cochineal
E120			(Cochineal extract：Carmine として) 73.100	08.145	日本で，**コチニール色素**(主色素カルミン酸)は既存添加物として使用が認められているが，「CFRNo.73.100 Carmine」はアルミニウム若しくはアルミニウム・カルシウムレーキ色素であり認められていない CNS 号08.145は carmine cochineal

か

色文字：法令上の指定添加物名（除く別名）　red：Name on Ministerial Ordinance of Designated Food Additives
色文字：法令上の既存添加物名（除く別名）　red：Name on Ministerial Notification of Existing Food Additives

和　名 Japanese name	和名別名 Japanese name	英名，英名別名 English name	許可状況 Legal/Illegal	主な用途 Main uses
カルミン酸のアルミニウム及びカルシウムレーキ	カルミン	Aluminium calcium lakes of carminic acid Carmine	×	着色料
カルミン類		Carmines	×	着色料
カルモイシン	アゾルビン	Azorubine Carmoisine	×	着色料
β-カロチン	**β-カロテン**	**β-Carotene**	○，指定	強化剤 着色料
β-カロチン（*Blakeslea trispora* 由来）	β-カロテン（*Blakeslea trispora* 由来）	β-Carotenes from *Blakeslea trispora*	○，指定	強化剤 着色料
β-カロテン	β-カロチン	**β-Carotene**	○，指定	強化剤 着色料
β-カロテン（*Blakeslea trispora* 由来）	β-カロチン（*Blakeslea trispora* 由来）	β-Carotenes from *Blakeslea trispora*	○，指定	強化剤 着色料
カロテン（植物）		Carotene (vegetable) Plant Carotenes	※	着色料

◎：許可（使用基準なし） Legal（Accepted with no standard of use）
○：許可（使用基準あり） Legal（Accepted with standard of use）
指定：Designated Food Additives　既存：Existing Food Additives
×：使用不可 Illegal（Prohibited）
※：個別判断を要するもの Required individual special judgement

EU E No.	EU FL No.	CAS No.	CFR No.	CNS 号.	備考 Remarks
E120			（Cochineal extract：Carmine として） 73.100	08.145	日本で，コチニール色素(主色素カルミン酸)は既存添加物として使用が認められているが，「CFRNo.73.100 Carmine」は，アルミニウム若しくはアルミニウム・カルシウムレーキ色素であり認められていない CNS 号08.145は carmine cochineal
			（Cochineal extract：Carmine として） 73.100		日本で，コチニール色素(主色素カルミン酸)は既存添加物として使用が認められているが，「CFRNo.73.100 Carmine」は，アルミニウム若しくはアルミニウム・カルシウムレーキ色素であり認められていない
E122				08.013	
E160a(i)		7235-40-7	(検定免除着色料の carrot oil として) 73.300 (検定免除着色料の β-Carotene として) 73.95 (GRAS 物質の Beta-Carotene として) 184.1245	08.010	「E160a Carotenes」には化学的合成品と天然抽出品がある。本書は「Official Journal of the EU」に記載の定義内容により，「E160a (i) β-Carotene は化学的合成品」，「E160a (ii) Plant Carotenes は天然抽出品」と判断
E160a (iii)		7235-40-7	(検定免除着色料の carrot oil として) 73.300 (検定免除着色料の β-Carotene として) 73.95 (GRAS 物質の Beta-Carotene として) 184.1245		指定添加物「βカロテン」扱い 平成17年3月24日厚生労働省基準審査課発出文書「β-カロテン（*Blakeslea trispora* 由来）の取り扱いについて」による（*Blakeslea trispora* は真菌（俗称かび）） E160a（iii）：Beta-Carotene from *Blakeslea trispora*
E160a(i)		7235-40-7	(検定免除着色料の carrot oil として) 73.300 (検定免除着色料の β-Carotene として) 73.95 (GRAS 物質の Beta-Carotene として) 184.1245	08.010	「E160a Carotenes」には化学的合成品と天然抽出品がある。本書は「Official Journal of the EU」に記載の定義内容により，「E160a (i) β-Carotene は化学的合成品」，「E160a (ii) Plant Carotenes は天然抽出品」と判断
E160a (iii)		7235-40-7	(検定免除着色料の carrot oil として) 73.300 (検定免除着色料の β-Carotene として) 73.95 (GRAS 物質の Beta-Carotene として) 184.1245		指定添加物「βカロテン」扱い 平成17年3月24日厚生労働省基準審査課発出文書「β-カロテン（*Blakeslea trispora* 由来）の取り扱いについて」による（*Blakeslea trispora* は真菌（俗称かび）） E160a（iii）：Beta-Carotene from *Blakeslea trispora*
E160a(ii)			(検定免除着色料の carrot oil として) 73.300 (検定免除着色料の β-Carotene として) 73.95 (GRAS 物質の Beta-Carotene として) 184.1245		日本ではデュナリエラ，ニンジン，パーム油の抽出カロテンが既存添加物として使用が認められている 「E160a Carotenes」には化学的合成品と天然抽出品がある。本書は「Official Journal of the EU」に記載の定義内容により，「E160a (i) β-Carotene は化学的合成品」，「E160a (ii) Plant Carotenes は天然抽出品」と判断

色文字：法令上の指定添加物名（除く別名）　red：Name on Ministerial Ordinance of Designated Food Additives
色文字：法令上の既存添加物名（除く別名）　red：Name on Ministerial Notification of Existing Food Additives

和　名 Japanese name	和名別名 Japanese name	英名，英名別名 English name	許可状況 Legal/Illegal	主な用途 Main uses
カロテン類(海藻)		Carotenes(algae)	※	着色料
カロブガム	カロブビーンガム(イナゴマメの種子の胚乳を粉砕し，又は溶解し，沈殿して得られたものをいう。) ローカストビーンガム	Carob bean gum Carob gum Locust bean gum	◎，既存	増粘安定剤 乳化剤
カロブ色素(イナゴマメの種子の胚芽を粉砕して得られたものをいう。)		Carob germ Carob germ color	◎，既存	製造用剤 着色料
カロブビーンガム(イナゴマメの種子の胚乳を粉砕し，又は溶解し，沈殿して得られたものをいう。)	カロブガム ローカストビーンガム	Carob bean gum Carob gum Locust bean gum	◎，既存	増粘安定剤 乳化剤
カワラヨモギ抽出物(カワラヨモギの全草から得られた，カピリンを主成分とするものをいう。)		Rumput roman extract	◎，既存	保存料
還元麦芽糖	マルチトール	Maltitol Reducing malt sugar Reducing maltose	◎	製造用剤 特別用途食品 増粘安定剤 甘味料
還元ポリ-1-デセン		Hydrogenated poly-1-decene	×	製造用剤 光沢剤
環状重合乳酸(ただし乳酸オリゴマーを除く)		CPL(except Lactic acid oligomer) Cyclic polymerized lactate(except Lactic acid oligomer) Cyclic polymerized lactic acid(except Lactic acid oligomer)	※	特別用途食品
環状重合乳酸(ただし乳酸オリゴマーとして)		CPL(as Lactic acid oligomer) Cyclic polymerized lactate(as Lactic acid oligomer) Cyclic polymerized lactic acid(as Lactic acid oligomer)	◎	特別用途食品
かんすい		Kansui	◎，指定	製造用剤
カンゾウエキス	カンゾウ抽出物(ウラルカンゾウ，チョウカカンゾウ又はヨウカンゾウの根又は根茎から得られた，グリチルリチン酸を主成分とするものをいう。) グリチルリチン リコリス抽出物	Glycyrrhizin Licorice extract	◎，既存	甘味料
乾燥海藻粉末		Kelp	◎	強化剤
乾燥酵母		Dried yeasts	◎	調味料
乾燥藻類粉末		Dried algae meal	○	着色料

◎：許可（使用基準なし） Legal（Accepted with no standard of use）
○：許可（使用基準あり） Legal（Accepted with standard of use）
指定：Designated Food Additives 既存：Existing Food Additives
×：使用不可 Illegal（Prohibited）
※：個別判断を要するもの Required individual special judgement

EU E No.	EU FL No.	CAS No.	CFR No.	CNS 号.	備考 Remarks
E160a（iv）			（検定免除着色料の carrot oil として） 73.300 （検定免除着色料の β-Carotene として） 73.95 （GRAS 物質の Beta-Carotene として） 184.1245		日本では**デュナリエラ,ニンジン,パーム油の抽出カロテン**が既存添加物として使用が認められている E160a（iv）：Algal Carotenes
E410			（Locust（carob）bean gum として） 184.1343	20.023	
					着色料の目的では○,既存
E410			（Locust（carob）bean gum として） 184.1343	20.023	
E965（i）				19.005	資料1により食品素材扱いとする品目
E907					
					資料1により食品添加物に該当する可能性が考えられるが,事前に判断を受けるよう指導されている品目
					資料1により食品素材扱いとする品目
					かんすい（化学的合成品に限る）の製造基準抜粋：**炭酸カリウム,炭酸ナトリウム,炭酸水素ナトリウム**,リン酸類のカリウム塩もしくはナトリウム塩の1種もしくは2種以上の混合物
			（Licorice and licorice derivatives として） 184.1408	19.010 19.012	米国では甘草,同磨さい物,甘草抽出物及び主成分のグリチルリチンのアンモニウム塩が風味増強剤として使用が認められている。日本では**カンゾウ末**が既存添加物リストの別添3の一般飲食物添加物として,また**カンゾウ抽出物及びカンゾウ油性抽出物**が既存添加物として使用が認められている E No.はないが INS No.958あり CNS 号19.010は monopotassium and tripotassium glycyrrhizinate CNS 号19.012は ammonium glycyrrhizinate
			172.365		食品扱い
			172.896		食品扱い
			73.275		食品扱い CFR No.73.275はチキン用飼料のみに可

か

色文字：法令上の指定添加物名（除く別名）　red：Name on Ministerial Ordinance of Designated Food Additives
色文字：法令上の既存添加物名（除く別名）　red：Name on Ministerial Notification of Existing Food Additives

和　名 Japanese name	和名別名 Japanese name	英名，英名別名 English name	許可状況 Legal/Illegal	主な用途 Main uses
カンゾウ抽出物(ウラルカンゾウ，チョウカカンゾウ又はヨウカンゾウの根又は根茎から得られた，グリチルリチン酸を主成分とするものをいう。)	カンゾウエキス グリチルリチン リコリス抽出物	Glycyrrhizin Licorice extract	◎，既存	甘味料
カンゾウ末		Powdered licorice	◎	甘味料
カンゾウ誘導体		Licorice derivatives	※	甘味料
カンゾウ油性抽出物(ウラルカンゾウ，チョウカカンゾウ又はヨウカンゾウの根又は根茎から得られた，フラボノイドを主成分とするものをいう。)		Licorice oil extract	◎，既存	酸化防止剤
カンタキサンチン		Canthaxanthin	○，指定	着色料
カンデリラロウ(カンデリラの茎から得られた，ヘントリアコンタンを主成分とするものをいう。)	カンデリラワックス キャンデリラロウ キャンデリラワックス	Candelilla wax	◎，既存	製造用剤 ガムベース 光沢剤
カンデリラワックス	カンデリラロウ(カンデリラの茎から得られた，ヘントリアコンタンを主成分とするものをいう。) キャンデリラロウ キャンデリラワックス	Candelilla wax	◎，既存	製造用剤 ガムベース 光沢剤
寒天		Agar-agar	◎	製造用剤
カーンワックス	ケーンワックス サトウキビロウ(サトウキビの茎から得られた，パルミチン酸ミリシルを主成分とするものをいう。)	Cane wax	◎，既存	ガムベース 光沢剤
ギ酸		Formic acid	○，指定	香料
ギ酸イソアミル	ギ酸イソペンチル	Isoamyl formate Isopentyl formate	○，指定	香料
ギ酸イソペンチル	ギ酸イソアミル	Isoamyl formate Isopentyl formate	○，指定	香料
ギ酸エチル		Ethyl formate	○，指定	香料

◎：許可（使用基準なし） Legal（Accepted with no standard of use）
○：許可（使用基準あり） Legal（Accepted with standard of use）
指定：Designated Food Additives　既存：Existing Food Additives
×：使用不可 Illegal（Prohibited）
※：個別判断を要するもの Required individual special judgement

EU E No.	EU FL No.	CAS No.	CFR No.	CNS 号.	備考 Remarks
			(Licorice and licorice derivatives として) 184.1408	19.010 19.012	米国では甘草，同磨さい物，甘草抽出物及び主成分のグリチルリチンのアンモニウム塩が風味増強剤として使用が認められている。日本では**カンゾウ末**が既存添加物リストの別添3の一般飲食物添加物として，また**カンゾウ抽出物及びカンゾウ油性抽出物**が既存添加物として使用が認められている E No.はないがINS No.958あり CNS 号19.010は monopotassium and tripotassium glycyrrhizinate CNS 号19.012は ammonium glycyrrhizinate
			(Licorice and licorice derivatives として) 184.1408		一般飲食物添加物 米国では甘草，同磨さい物，甘草抽出物及び主成分のグリチルリチンのアンモニウム塩が風味増強剤として使用が認められている。日本では**カンゾウ末**が既存添加物リストの別添3の一般飲食物添加物として，また**カンゾウ抽出物及びカンゾウ油性抽出物**が既存添加物として使用が認められている
			(Licorice and licorice derivatives として) 184.1408		米国では甘草，同磨さい物，甘草抽出物及び主成分のグリチルリチンのアンモニウム塩が風味増強剤として使用が認められている。日本では**カンゾウ末**が既存添加物リストの別添3の一般飲食物添加物として，また**カンゾウ抽出物**及び**カンゾウ油性抽出物**が既存添加物として使用が認められている
			(Licorice and licorice derivatives として) 184.1408	04.008	米国では甘草，同磨さい物，甘草抽出物及び主成分のグリチルリチンのアンモニウム塩が風味増強剤として使用が認められている。日本では**カンゾウ末**が既存添加物リストの別添3の一般飲食物添加物として，また**カンゾウ抽出物及びカンゾウ油性抽出物**が既存添加物として使用が認められている CNS 号04.008は antioxidant of glycyrrhiza
		514-78-3	73.75		平成27年2月20日省令別表第1に新規指定 その使用にあたっては，適切な製造工程管理を行い，食品中で目的とする効果を得る上で必要とされる量を超えないものとすることの特記あり E161g は「Commission Regulation（EU）No.1129/2011 of 11 Nov. 2011」により，食品の着色料としての使用は認められないが，医薬品の着色料として認められており，E No.リストに残されている
E902			184.1976		
E902			184.1976		
E406			184.1115	20.001	一般飲食物添加物
	08.001	64-18-6			**脂肪酸類** 着香の目的以外に使用してはならない 類又は誘導体として指定されている18項目の香料リストのSEQ No.958(解説編2-(1)-(vi)参照) E No.はないがINS No.236あり
	09.162	110-45-2			着香の目的以外に使用してはならない EU FL No.09.162の名称は「3-Methylbutyl formate」
	09.162	110-45-2			着香の目的以外に使用してはならない EU FL No.09.162の名称は「3-Methylbutyl formate」
	09.072	109-94-4	184.1295		**エステル類** 着香の目的以外に使用してはならない 類又は誘導体として指定されている18項目の香料リストのSEQ No.830(解説編2-(1)-(vi)参照)

かき

色文字：法令上の指定添加物名（除く別名）　red：Name on Ministerial Ordinance of Designated Food Additives
色文字：法令上の既存添加物名（除く別名）　red：Name on Ministerial Notification of Existing Food Additives

和　名 Japanese name	和名別名 Japanese name	英名，英名別名 English name	許可状況 Legal/Illegal	主な用途 Main uses
ギ酸ゲラニオール	ギ酸ゲラニル	Geraniol formate Geranyl formate	○，指定	香料
ギ酸ゲラニル	ギ酸ゲラニオール	Geraniol formate Geranyl formate	○，指定	香料
ギ酸シトロネリル		Citronellyl formate	○，指定	香料
キサンタンガム（キサントモナスの培養液から得られた，多糖類を主成分とするものをいう。）	キサンタン多糖類 ザンサンガム	Xanthan gum Xanthan polysaccharide	◎，既存	製造用剤 増粘安定剤 乳化剤
キサンタン多糖類	キサンタンガム（キサントモナスの培養液から得られた，多糖類を主成分とするものをいう。） ザンサンガム	Xanthan gum Xanthan polysaccharide	◎，既存	製造用剤 増粘安定剤 乳化剤
キサントフィル	混合カロテノイド ルテイン	Lutein Mixed carotenoids Xanthophylls	※	着色料
希釈過酸化ベンゾイル		Diluted benzoyl peroxide	○，指定	小麦粉処理剤
キシラナーゼ		Xylanase	◎，既存	酵素
キシリット	キシリトール	Xylite Xylitol	◎，指定	製造用剤 甘味料
キシリトール	キシリット	Xylite Xylitol	◎，指定	製造用剤 甘味料
キシロース	ウッドシュガー D-キシロース	Wood sugar Xylose D-Xylose	◎，既存	甘味料
D-キシロース	ウッドシュガー キシロース	Wood sugar Xylose D-Xylose	◎，既存	甘味料
D-キシロースケトールイソメラーゼ	グルコースイソメラーゼ	Glucose isomerase D-Xylose ketol isomerase	◎，既存	酵素
キチナーゼ		Chitinase	◎，既存	酵素
キチン	β-1,4-ポリ-N-アセチル-D-グルコサミン	Chitin β-1,4-Poly-N-acetyl-D-glucosamine	◎，既存	増粘安定剤
キチングルカン		Chitin-glucan	○，指定	製造用剤
キトサナーゼ		Chitosanase	◎，既存	酵素
キトサミン	2-アミノグルコース グルコサミン	2-Amino glucose Chitosamine Glucosamine	◎，既存	製造用剤 増粘安定剤

◎：許可（使用基準なし） Legal（Accepted with no standard of use）
〇：許可（使用基準あり） Legal（Accepted with standard of use）
指定：Designated Food Additives　　既存：Existing Food Additives
×：使用不可 Illegal（Prohibited）
※：個別判断を要するもの Required individual special judgement

EU E No.	EU FL No.	CAS No.	CFR No.	CNS 号.	備考 Remarks
	09.076	105-86-2			着香の目的以外に使用してはならない
	09.076	105-86-2			着香の目的以外に使用してはならない
	09.078	105-85-1			着香の目的以外に使用してはならない
E415		11138-66-2	172.695	20.009	
E415		11138-66-2	172.695	20.009	
E161b				08.146	既存添加物名簿の名称，別名，簡略名に「キサントフィル」名がある**オレンジ**，**マリーゴールド色素**以外からの「キサントフィル」は不可 既存添加物名簿の名称，別名，簡略名に「カロテノイド」関連名がある**アナトー**，**オレンジ**，**クチナシ**，**デュナリエラ**，**トウガラシ**，**トマト**，**ニンジン**，**パーム油**，**ファフィア**，**ヘマトコッカス藻**，**マリーゴールド色素**以外からの「ルテイン」は不可
		（過酸化ベンゾイルとして） 94-36-0	（Benzoyl peroxide として） 184.1157		日本では**過酸化ベンゾイル**が指定添加物となっている
					「組換え DNA 技術応用食品及び添加物の安全性審査の手続きを経た添加物」としての告示あり。詳細は厚労省 HP 参照
E967		87-99-0	172.395	19.007	
E967		87-99-0	172.395	19.007	
		（D-キシロースとして） 58-86-6			
		（D-キシロースとして） 58-86-6			
				20.018	
					令和3年1月15日省令別表第1に新規指定 使用にあたっては，適切な製造工程管理を行い，食品中で目的とする効果を得る上で必要とされる量を超えないものとする特記あり 最終食品の完成前にこれを除去しなければならない 製造用剤はぶどう酒の清澄剤，重金属及び汚染物質の除去目的 その他使用基準についての特記あり
		9055-00-9			

き

色文字：法令上の指定添加物名（除く別名）　red：Name on Ministerial Ordinance of Designated Food Additives
色文字：法令上の既存添加物名（除く別名）　red：Name on Ministerial Notification of Existing Food Additives

和　名 Japanese name	和名別名 Japanese name	英名，英名別名 English name	許可状況 Legal/Illegal	主な用途 Main uses
キトサン	β-1,4-ポリ-D-グルコサミン	**Chitosan** β-1,4-Poly-D-glucosamine	◎，既存	製造用剤 増粘安定剤
キトサンオリゴ糖	オリゴグルコサミン	Chitosan oligosaccharide Oligoglucosamine	※	特別用途食品
キナ抽出物(アカキナの樹皮から得られた，キニジン，キニーネ及びシンコニンを主成分とするものをいう。)		**Redbark cinchona extract**	◎，既存	苦味料
キニーネ		Quinine	×	香料
絹(ただし絹タンパクを除く)		Silk(except Silk fibroin) Silk(except Silk protein)	※	特別用途食品
絹タンパク(ただし絹タンパクとして)		Silk(as Silk fibroin) Silk(as Silk protein)	◎	特別用途食品
キノリンイエロー		Quinoline yellow	×	着色料
キハダ抽出物(キハダの樹皮から得られた，ベルベリンを主成分とするものをいう。)		**Phellodendron bark extract**	◎，既存	苦味料
揮発ガイシ油	**イソチオシアン酸アリル** 2-プロペンイソチオシアネート	Allyl isosulfocyanate **Allyl isothiocyanate** 2-Propene isothiocyanate Volatile oil of mustard	○，指定	香料
キビ色素	**コウリャン色素**(コウリャンの種子から得られた，アピゲニニジン及びルテオリニジンを主成分とするものをいう。)	**Kaoliang color**	○，既存	着色料
キモシン	レンニン **レンネット**	Chymosin **Rennet** Rennin	◎，既存	酵素
ギャバ	γ-アミノブタン酸 γ-アミノ酪酸 GABA	γ-Aminobutanoic acid γ-Aminobutyric acid GABA	◎	特別用途食品
キャロットオイル	キャロットカロチン キャロットカロテン 抽出カロチン 抽出カロテン ニンジンカロチン **ニンジンカロテン**(ニンジンの根から得られた，カロテンを主成分とするものをいう。)	**Carrot carotene** Carrot oil Extracted carotene	◎，既存	強化剤 着色料
キャロットカロチン	キャロットオイル キャロットカロテン 抽出カロチン 抽出カロテン ニンジンカロチン **ニンジンカロテン**(ニンジンの根から得られた，カロテンを主成分とするものをいう。)	**Carrot carotene** Carrot oil Extracted carotene	◎，既存	強化剤 着色料

◎：許可（使用基準なし） Legal（Accepted with no standard of use）
○：許可（使用基準あり） Legal（Accepted with standard of use）
指定：Designated Food Additives　既存：Existing Food Additives
×：使用不可 Illegal（Prohibited）
※：個別判断を要するもの Required individual special judgement

EU E No.	EU FL No.	CAS No.	CFR No.	CNS 号.	備考 Remarks
				20.026	
					資料1により食品添加物に該当する可能性が考えられるが，事前に判断を受けるよう指導されている品目
			172.575		CFRは塩酸塩または硫酸塩で，炭酸飲料用香料
					資料1により食品添加物に該当する可能性が考えられるが，事前に判断を受けるよう指導されている品目
					資料1により食品素材扱いとする品目
E104				08.016	
	12.025	57-06-7			着香の目的以外に使用してはならない
			(Rennett(animal derived) and chymosin preparation (fermentation derived)として) 184.1685		「組換えDNA技術応用食品及び添加物の安全性審査の手続きを経た添加物」としての告示あり。詳細は厚労省HP参照
					資料1により食品素材扱いとする品目
E160a(ii)			(検定免除着色料のcarrot oilとして) 73.300 (検定免除着色料のβ-Carotene として) 73.95 (GRAS物質のBeta-Carotene として) 184.1245		着色料の目的では○，既存 「E160a Carotenes」には化学的合成品と天然抽出品がある。本書は「Official Journal of the EU」に記載の定義内容により，「E160a (i) **β-Carotene** は化学的合成品」，「E160a (ii) Plant Carotenes は天然抽出品」と判断
E160a(ii)			(検定免除着色料のcarrot oilとして) 73.300 (検定免除着色料のβ-Carotene として) 73.95 (GRAS物質のBeta-Carotene として) 184.1245		着色料の目的では○，既存 「E160a Carotenes」には化学的合成品と天然抽出品がある。本書は「Official Journal of the EU」に記載の定義内容により，「E160a (i) **β-Carotene** は化学的合成品」，「E160a (ii) Plant Carotenes は天然抽出品」と判断

色文字：法令上の指定添加物名（除く別名）　red：Name on Ministerial Ordinance of Designated Food Additives
色文字：法令上の既存添加物名（除く別名）　red：Name on Ministerial Notification of Existing Food Additives

和　名 Japanese name	和名別名 Japanese name	英名，英名別名 English name	許可状況 Legal/Illegal	主な用途 Main uses
キャロットカロテン	キャロットオイル キャロットカロチン 抽出カロチン 抽出カロテン ニンジンカロチン **ニンジンカロテン**(ニンジンの根から得られた，カロテンを主成分とするものをいう。)	**Carrot carotene** Carrot oil Extracted carotene	◎，既存	強化剤 着色料
キャンデリラロウ	**カンデリラロウ**(カンデリラの茎から得られた，ヘントリアコンタンを主成分とするものをいう。) カンデリラワックス キャンデリラワックス	**Candelilla wax**	◎，既存	製造用剤 ガムベース 光沢剤
キャンデリラワックス	**カンデリラロウ**(カンデリラの茎から得られた，ヘントリアコンタンを主成分とするものをいう。) カンデリラワックス キャンデリラロウ	**Candelilla wax**	◎，既存	製造用剤 ガムベース 光沢剤
旧食用黄色1号	ナフトールイエローS	Naphthol Yellow S	×	着色料
旧食用黄色2号	エローAB オイルエローAB	Oil Yellow AB Yellow AB	×	着色料
旧食用黄色3号	エローOB オイルエローOB	Oil Yellow OB Yellow OB	×	着色料
牛胆汁エキス		Ox bile extract	◎	乳化剤
強酸性次亜塩素酸水	**次亜塩素酸水**	**High acid hypochlorous acid water** **Hypochlorous acid water**	○，指定	殺菌料
魚鱗箔(魚類の上皮部から抽出して得られたものをいう。)		Fish scale foil	×	着色料
魚類たん白質分離物		Fish protein isolate	◎	調味料
キラヤサポニン	**キラヤ抽出物**(キラヤの樹皮から得られた，サポニンを主成分とするものをいう。)	**Quillaia extract** **Quillaja extract**	◎，既存	製造用剤 乳化剤
キラヤ抽出物(キラヤの樹皮から得られた，サポニンを主成分とするものをいう。)	キラヤサポニン	**Quillaia extract** **Quillaja extract**	◎，既存	製造用剤 乳化剤
金	金箔	**Gold** Gold foil	◎，既存	製造用剤 着色料
銀	銀箔	**Silver** Silver foil	○，既存	着色料
金箔	**金**	**Gold** Gold foil	◎，既存	製造用剤 着色料

◎：許可（使用基準なし） Legal（Accepted with no standard of use）
○：許可（使用基準あり） Legal（Accepted with standard of use）
指定：Designated Food Additives　　既存：Existing Food Additives
×：使用不可 Illegal（Prohibited）
※：個別判断を要するもの Required individual special judgement

EU E No.	EU FL No.	CAS No.	CFR No.	CNS 号.	備考 Remarks
E160a(ii)			（検定免除着色料の carrot oil として） 73.300 （検定免除着色料の β-Carotene として） 73.95 （GRAS 物質の Beta-Carotene として） 184.1245		着色料の目的では○，既存 「E160a Carotenes」には化学的合成品と天然抽出品がある。本書は「Official Journal of the EU」に記載の定義内容により，「E160a (i) **β-Carotene** は化学的合成品」，「E160a (ii) Plant Carotenes は天然抽出品」と判断
E902			184.1976		
E902			184.1976		
			184.1560		食品扱い
					生成装置等の基準あり 最終食品の完成前に除去しなければならない 指定添加物名は**次亜塩素酸水**だが，告示成分規格の記載名も法令上の名称として取り扱う 平成26年4月24日告示第225号により，①生食用鮮魚介類，生食用かき及び冷凍食品（生食用冷凍鮮魚介類に限る。以下「生食用鮮魚介類等」という。）の加工基準において，**次亜塩素酸ナトリウム**に加え，**次亜塩素酸水**及び水素イオン濃度調整剤として用いる**塩酸**の使用が認められた，②容器包装詰加圧加熱殺菌食品の製造基準において，**次亜塩素酸ナトリウム**に加え**次亜塩素酸水**の使用が認められた 同日付部長通知による運用上の注意事項としては，**次亜塩素酸水**及び**塩酸**については，①既に食品添加物として定められている使用基準の適用を受ける，②**塩酸**については，生食用鮮魚介類等に対し，**次亜塩素酸ナトリウム**の使用等に伴い水素イオン濃度調整剤として使用することは認められるが，生食用鮮魚介類等の加工時に**塩酸**を直接使用することは認められない
					令和2年2月26日告示第42号により既存添加物名簿から消除
			172.340		食品扱い
E999					サポニン参照
E999					サポニン参照
E175					着色料の目的では○，既存
E174					
E175					着色料の目的では○，既存

色文字：法令上の指定添加物名（除く別名）　red：Name on Ministerial Ordinance of Designated Food Additives
色文字：法令上の既存添加物名（除く別名）　red：Name on Ministerial Notification of Existing Food Additives

和　名 Japanese name	和名別名 Japanese name	英名，英名別名 English name	許可状況 Legal/Illegal	主な用途 Main uses
銀箔	銀	Silver Silver foil	○，既存	着色料
グァーガム（グァーの種子から得られた，多糖類を主成分とするものをいう。ただし，「グァーガム酵素分解物」を除く。）	グァーフラワー グァルガム	Guar flour Guar gum	◎，既存	増粘安定剤 乳化剤
グァーガム酵素分解物（グァーの種子を粉砕し，分解して得られた，多糖類を主成分とするものをいう。）	グァーフラワー酵素分解物 グァルガム酵素分解物	Enzymatically hydrolyzed guar flour Enzymatically hydrolyzed guar gum	◎，既存	増粘安定剤
グアニル酸		Guanylic acid	×	調味料
グアニル酸カルシウム	5'-グアニル酸カルシウム	Calcium guanylate Calcium 5'-guanylate	×	強化剤 調味料
5'-グアニル酸カルシウム	グアニル酸カルシウム	Calcium guanylate Calcium 5'-guanylate	×	強化剤 調味料
5'-グアニル酸ナトリウム	グアニル酸二ナトリウム 5'-グアニル酸二ナトリウム	Disodium guanylate Disodium 5'-guanylate Sodium 5'-guanylate	◎，指定	調味料
グアニル酸二カリウム	5'-グアニル酸二カリウム	Dipotassium guanylate Dipotassium 5'-guanylate	×	調味料
5'-グアニル酸二カリウム	グアニル酸二カリウム	Dipotassium guanylate Dipotassium 5'-guanylate	×	調味料
グアニル酸二ナトリウム	5'-グアニル酸ナトリウム 5'-グアニル酸二ナトリウム	Disodium guanylate Disodium 5'-guanylate Sodium 5'-guanylate	◎，指定	調味料
5'-グアニル酸二ナトリウム	5'-グアニル酸ナトリウム グアニル酸二ナトリウム	Disodium guanylate Disodium 5'-guanylate Sodium 5'-guanylate	◎，指定	調味料
グァーフラワー	グァーガム（グァーの種子から得られた，多糖類を主成分とするものをいう。ただし，「グァーガム酵素分解物」を除く。） グァルガム	Guar flour Guar gum	◎，既存	増粘安定剤 乳化剤
グァーフラワー酵素分解物	グァーガム酵素分解物（グァーの種子を粉砕し，分解して得られた，多糖類を主成分とするものをいう。） グァルガム酵素分解物	Enzymatically hydrolyzed guar flour Enzymatically hydrolyzed guar gum	◎，既存	増粘安定剤
グアヤク脂（ユソウボクの幹枝から得られた，グアヤコン酸，グアヤレチック酸及びβ-レジンを主成分とするものをいう。）		Guaiac resin Guajac resin	○，既存	酸化防止剤
グアヤク樹脂（ユソウボクの分泌液から得られた，α-グアヤコン酸及びβ-グアヤコン酸を主成分とするものをいう。）		Guajac resin (extract)	◎，既存	ガムベース
グァルガム	グァーガム（グァーの種子から得られた，多糖類を主成分とするものをいう。ただし，「グァーガム酵素分解物」を除く。） グァーフラワー	Guar flour Guar gum	◎，既存	増粘安定剤 乳化剤
グァルガム酵素分解物	グァーガム酵素分解物（グァーの種子を粉砕し，分解して得られた，多糖類を主成分とするものをいう。） グァーフラワー酵素分解物	Enzymatically hydrolyzed guar flour Enzymatically hydrolyzed guar gum	◎，既存	増粘安定剤
クエルシトロン		Quercitron	※	着色料
クエルセチン	ケルセチン	Quercetin	◎，既存	酸化防止剤

◎：許可（使用基準なし） Legal（Accepted with no standard of use）
○：許可（使用基準あり） Legal（Accepted with standard of use）
指定：Designated Food Additives　既存：Existing Food Additives
×：使用不可 Illegal（Prohibited）
※：個別判断を要するもの Required individual special judgement

EU E No.	EU FL No.	CAS No.	CFR No.	CNS 号.	備考 Remarks
E174					
E412			184.1339	20.025	
E626					日本では**5'-グアニル酸ニナトリウム**が指定添加物となっている
E629					
E629					
E627		5550-12-9	172.530	12.002	
E628					
E628					
E627		5550-12-9	172.530	12.002	
E627		5550-12-9	172.530	12.002	
E412			184.1339	20.025	
E412			184.1339	20.025	
					既存添加物名簿の**タマネギ色素**以外は不可

色文字：法令上の指定添加物名（除く別名）
色文字：法令上の既存添加物名（除く別名）

red：Name on Ministerial Ordinance of Designated Food Additives
red：Name on Ministerial Notification of Existing Food Additives

和　名 Japanese name	和名別名 Japanese name	英名，英名別名 English name	許可状況 Legal/Illegal	主な用途 Main uses
クエン酸		**Citric acid**	◎，指定	製造用剤 水素イオン濃度調整剤（pH 調整剤） 膨脹剤 酸味料 酸化防止剤
クエン酸アンモニウム		Ammonium citrate，dibasic	×	水素イオン濃度調整剤（pH 調整剤）
クエン酸イソプロピル		**Isopropyl citrate**	○，指定	製造用剤 酸化防止剤
クエン酸一カリウム		**Monopotassium citrate** Potassium dihydrogen citrate	◎，指定	製造用剤 酸味料 調味料 増粘安定剤
クエン酸一カルシウム		Monocalcium citrate	×	強化剤 調味料
クエン酸一ナトリウム	クエン酸二水素ナトリウム	Monosodium citrate Sodium dihydrogen citrate	×	製造用剤 調味料
クエン酸カルシウム	クエン酸三カルシウム	**Calcium citrate** Tricalcium citrate	○，指定	製造用剤 水素イオン濃度調整剤（pH 調整剤） 膨脹剤 強化剤 乳化剤
クエン酸コリン		Choline citrate	※	強化剤
クエン酸三アンモニウム		Triammonium citrate	×	製造用剤 調味料
クエン酸三エチル	クエン酸トリエチル トリエチルシトレート	Ethyl citrate **Triethyl citrate**	○，指定	香料 増粘安定剤 乳化剤
クエン酸三カリウム		**Tripotassium citrate**	◎，指定	製造用剤 酸味料 調味料 増粘安定剤 増粘安定
クエン酸三カルシウム	**クエン酸カルシウム**	**Calcium citrate** Tricalcium citrate	○，指定	製造用剤 水素イオン濃度調整剤（pH 調整剤） 膨脹剤 強化剤 乳化剤

◎：許可（使用基準なし） Legal（Accepted with no standard of use）
○：許可（使用基準あり） Legal（Accepted with standard of use）
指定：Designated Food Additives　既存：Existing Food Additives
×：使用不可 Illegal（Prohibited）
※：個別判断を要するもの Required individual special judgement

EU E No.	EU FL No.	CAS No.	CFR No.	CNS 号.	備考 Remarks
E330		（1水和物） 5949-29-1 （無水物） 77-92-9	184.1033	01.101	告示成分規格の nH_2O は n ＝1又は0
			184.1386		E No.はないが INS No.384あり
E332(i)		866-83-1	(Potassium citrate として) 184.1625		省令別表第1のリスト名は「**クエン酸一カリウム及びクエン酸三カリウム，Monopotassium citrate and Tri-potassium citrate**」だが，本書では各単品もリスト名としマークした
E333(i)					
E331(i)				01.306	
E333(iii)		（無水物） 813-94-5	184.1195		告示成分規格の nH_2O は n ＝4
					E No.はないが INS No.1001(iv)あり 生物界には広く分布している物質であり，許可状況は個別判断
E380					
E1505	09.512	77-93-0	184.1911		平成27年5月19日省令別表第1に新規指定 その使用にあたっては，適切な製造工程管理を行い，食品中で目的とする効果を得る上で必要とする量を越えないものとすることの特記あり 香料の目的で使用する場合は，着香の目的以外に使用してはならない。 類又は誘導体として指定されている18項目の香料リストのSEQ No.2415(解説編2-(1)-(vi)参照) 特例として ENo.と FLNo.の両方あり
E332(ii)		（無水物） 866-84-2		01.304	省令別表第1のリスト名は「**クエン酸一カリウム及びクエン酸三カリウム，Monopotassium citrate and Tri-potassium citrate**」だが，本書では各単品もリスト名としマークした 告示成分規格の nH_2O は n ＝1
E333(iii)		（無水物） 813-94-5	184.1195		告示成分規格の nH_2O は n ＝4

色文字：法令上の指定添加物名（除く別名）　red：Name on Ministerial Ordinance of Designated Food Additives
色文字：法令上の既存添加物名（除く別名）　red：Name on Ministerial Notification of Existing Food Additives

和　名 Japanese name	和名別名 Japanese name	英名，英名別名 English name	許可状況 Legal/Illegal	主な用途 Main uses
クエン酸三ナトリウム	クエン酸ナトリウム	Sodium citrate Trisodium citrate	◎，指定	製造用剤 水素イオン濃度調整剤（pH 調整剤） 酸味料 調味料 乳化剤
クエン酸ステアリル		Stearyl citrate	×	製造用剤 乳化剤
クエン酸ステアリルモノグリセリジル	クエン酸モノグリセライド グリセリンクエン酸脂肪酸エステル グリセリン脂肪酸エステル 脂肪酸のモノ及びジグリセライドのクエン酸エステル ステアロイルモノグリセリジルクエン酸エステル	Citrate esters of monoglyceride Citric acid esters of mono-and diglycerides of fatty acids Glycerol esters of citric(citrate)and fatty acids Glycerol esters of fatty acids Monoglyceride citrate Stearoyl monoglyceridyl citrate ester Stearyl monoglyceridyl citrate	◎，指定	製造用剤 増粘安定剤 酸化防止剤 乳化剤 ガムベース
クエン酸第一鉄		Ferrous citrate	×	強化剤
クエン酸第一鉄ナトリウム	クエン酸鉄ナトリウム	Sodium ferrous citrate Sodium ferrous succinic citrate	◎，指定	強化剤
クエン酸鉄		Ferric citrate	◎，指定	強化剤
クエン酸鉄アンモニウム		Ferric ammonium citrate Iron ammonium citrate	◎，指定	製造用剤 強化剤
クエン酸鉄ナトリウム	クエン酸第一鉄ナトリウム	Sodium ferrous citrate Sodium ferrous succinic citrate	◎，指定	強化剤
クエン酸トリエチル	クエン酸三エチル トリエチルシトレート	Ethyl citrate Triethyl citrate	○，指定	香料 増粘安定剤 乳化剤
クエン酸ナトリウム	クエン酸三ナトリウム	Sodium citrate Trisodium citrate	◎，指定	製造用剤 水素イオン濃度調整剤（pH 調整剤） 酸味料 調味料 乳化剤
クエン酸二アンモニウム		Ammonium citrate, dibasic	×	製造用剤 調味料
クエン酸二カルシウム		Dicalcium citrate	×	強化剤 調味料
クエン酸二水素ナトリウム	クエン酸一ナトリウム	Monosodium citrate Sodium dihydrogen citrate	×	製造用剤 調味料
クエン酸二ナトリウム		Disodium citrate	×	調味料

◎：許可（使用基準なし） Legal（Accepted with no standard of use）
○：許可（使用基準あり） Legal（Accepted with standard of use）
指定：Designated Food Additives　　既存：Existing Food Additives
×：使用不可　Illegal（Prohibited）
※：個別判断を要するもの　Required individual special judgement

EU E No.	EU FL No.	CAS No.	CFR No.	CNS 号.	備考 Remarks
E331(iii)		(2水和物) 6132-04-3 (無水物) 68-04-2	(Sodium citrate として) 184.1751	01.303	告示成分規格の nH_2O は n＝2又は0
			184.1851		
E472c			(Monoglyceride citrate として) 172.832 (Mono-and diglycerides として) 184.1505 (Stearyl monoglyceridyl citrate として) 172.755	10.032	
			184.1307c		
			184.1298		
	16.089	1185-57-5	(Iron ammonium citrate として) 172.430 (Ferric ammonium citrate として) 184.1296	02.010	E No.はないが INS No.381あり EU では香料特性のある食品成分として FL No.あり
E1505	09.512	77-93-0	184.1911		平成27年5月19日省令別表第1に新規指定 その使用にあたっては，適切な製造工程管理を行い，食品中で目的とする効果を得る上で必要とする量を越えないものとすることの特記あり 香料の目的で使用する場合は，着香の目的以外に使用してはならない。 類又は誘導体として指定されている18項目の香料リストの SEQ No.2415(解説編2-(1)-(vi)参照) 特例として ENo.と FLNo.の両方あり
E331(iii)		(2水和物) 6132-04-3 (無水物) 68-04-2	(Sodium citrate として) 184.1751	01.303	告示成分規格の nH_2O は n＝2又は0
E333(ii)					
E331(i)				01.306	
E331(ii)					

色文字：法令上の指定添加物名（除く別名）　red：Name on Ministerial Ordinance of Designated Food Additives
色文字：法令上の既存添加物名（除く別名）　red：Name on Ministerial Notification of Existing Food Additives

和　名 Japanese name	和名別名 Japanese name	英名，英名別名 English name	許可状況 Legal/Illegal	主な用途 Main uses
クエン酸マグネシウム		Magnesium citrate	×	水素イオン濃度調整剤（pH 調整剤） 酸味料
クエン酸マンガン		Manganese citrate	×	製造用剤
クエン酸モノグリセライド	クエン酸ステアリルモノグリセリジル グリセリンクエン酸脂肪酸エステル グリセリン脂肪酸エステル 脂肪酸のモノ及びジグリセライドのクエン酸エステル ステアロイルモノグリセリジルクエン酸エステル	Citrate esters of monoglyceride Citric acid esters of mono-and dig-lycerides of fatty acids Glycerol esters of citric(citrate)and fatty acids Glycerol esters of fatty acids Monoglyceride citrate Stearoyl monoglyceridyl citrate es-ter Stearyl monoglyceridyl citrate	◎，指定	製造用剤 増粘安定剤 酸化防止剤 乳化剤 ガムベース
グースベリー色素		Gooseberry color	○	着色料
クチナシ青色素(クチナシの果実から得られたイリドイド配糖体とタンパク質分解物の混合物にβ-グルコシダーゼを添加して得られたものをいう。)		Gardenia blue	○，既存	着色料
クチナシ赤色素(クチナシの果実から得られたイリドイド配糖体のエステル加水分解物とタンパク質分解物の混合物にβ-グルコシダーゼを添加して得られたものをいう。)		Gardenia red	○，既存	着色料
クチナシ黄色素(クチナシの果実から得られた，クロシン及びクロセチンを主成分とするものをいう。)		Gardenia yellow	○，既存	着色料
グッタハンカン(グッタハンカンの分泌液から得られた，アミリンアセタート及びポリイソプレンを主成分とするものをいう。)		Gutta hang kang	◎，既存	ガムベース
グッタペルカ(グッタペルカの分泌液から得られた，ポリイソプレンを主成分とするものをいう。)		Gutta percha	◎，既存	ガムベース
クマロンインデン樹脂		Coumarone-indene resin	×	被膜剤
クラウンガム	チクブル チクル(サポジラの分泌液から得られた，アミリンアセタート及びポリイソプレンを主成分とするものをいう。) ニスペロ	Chicle Chiquibul Crown gum Nispero	◎，既存	ガムベース
クランベリー色素		Cranberry color	○	着色料
グリコリピッド（糖脂質）		Glycolipids	※	保存料
グリシン		Glycine	◎，指定	強化剤 調味料
グリシン酸鉄（クエン酸処理）		Ferrous glycinate (Processed with citric acid)	×	強化剤
グリシンナトリウム塩		Glycine sodium salt	×	強化剤 調味料
クリストバル石		Cristobalite	○，既存	製造用剤

◎：許可（使用基準なし） Legal（Accepted with no standard of use）
○：許可（使用基準あり） Legal（Accepted with standard of use）
指定：Designated Food Additives　既存：Existing Food Additives
×：使用不可 Illegal（Prohibited）
※：個別判断を要するもの Required individual special judgement

EU E No.	EU FL No.	CAS No.	CFR No.	CNS 号.	備　考 Remarks
			184.1449		
E472c			（Monoglyceride citrate として） 172.832 （Mono-and diglycerides として） 184.1505 （Stearyl monoglyceridyl citrate として） 172.755	10.032	
					一般飲食物添加物
				08.123	E No.はないがINS No.165あり
				08.112	E No.はないがINS No.164あり
			172.215		CFRは柑きつ類の被膜剤
					一般飲食物添加物
E246					E246は「Commission Regulation（EU）No.2022/1037 of 29 June 2022」で新規指定 糖を含む複合物質の総称で，生物界に広く分布している物質であり，許可状況は個別判断とし「※」とする なお，EUでは飲料（含ビール）の保存料として新設された
E640		56-40-6	（Amino acids, Aminoacetic acid（glycine）として） 172.320 （Glycine として） 172.812	12.007	E640はGlycine and its sodium salt だが，日本では**グリシン**のみが指定添加物になっている
E640					E640はGlycine and its sodium salt だが，日本では**グリシン**のみが指定添加物になっている

色文字：法令上の指定添加物名（除く別名）　red：Name on Ministerial Ordinance of Designated Food Additives
色文字：法令上の既存添加物名（除く別名）　red：Name on Ministerial Notification of Existing Food Additives

和　名 Japanese name	和名別名 Japanese name	英名，英名別名 English name	許可状況 Legal/Illegal	主な用途 Main uses
グリセリン	グリセロール	Glycerin Glycerol	◎，指定	製造用剤 チューインガム軟化剤
グリセリンオレイン酸エステル	グリセリン脂肪酸エステル	Glycerol esters of fatty acids Glyceryl monooleate	◎，指定	製造用剤 増粘安定剤 乳化剤 ガムベース
グリセリンクエン酸脂肪酸エステル	クエン酸ステアリルモノグリセリジル クエン酸モノグリセライド グリセリン脂肪酸エステル 脂肪酸のモノ及びジグリセライドのクエン酸エステル ステアロイルモノグリセリジルクエン酸エステル	Citrate esters of monoglyceride Citric acid esters of mono-and diglycerides of fatty acids Glycerol esters of citric(citrate)and fatty acids Glycerol esters of fatty acids Monoglyceride citrate Stearoyl monoglyceridyl citrate ester Stearyl monoglyceridyl citrate	◎，指定	製造用剤 増粘安定剤 酸化防止剤 乳化剤 ガムベース
グリセリンコハク酸脂肪酸エステル	グリセリン脂肪酸エステル コハク酸モノグリセライド	Glycerol esters of fatty acids Glycerol esters of succinic(succinate)and fatty acids Succinate ester of monoglyceride Succinylated monoglycerides	◎，指定	製造用剤 増粘安定剤 乳化剤 ガムベース
グリセリン酢酸エステル	グリセリンジアセテート グリセリン脂肪酸エステル ジアセチン ジ酢酸グリセリル	Diacetin Glycerol esters of acetic acid Glycerol esters of fatty acids Glyceryl diacetate	◎，指定	製造用剤 増粘安定剤 乳化剤 ガムベース
	グリセリン脂肪酸エステル グリセリントリアセテート トリアセチン トリ酢酸グリセリル	Glycerol esters of acetic acid Glycerol esters of fatty acids Glyceryl triacetate Triacetin	◎，指定	製造用剤 増粘安定剤 乳化剤 ガムベース
グリセリン酢酸脂肪酸エステル	グリセリン脂肪酸エステル 酢酸モノグリセライド 脂肪酸のモノ及びジグリセライドの酢酸エステル	Acetate esters of monoglyceride Acetic acid esters of mono-and diglycerides of fatty acids Glycerol esters of acetic(acetate)and fatty acids Glycerol esters of fatty acids	◎，指定	製造用剤 増粘安定剤 乳化剤 ガムベース
グリセリン三ステアリン酸エステル	グリセリン脂肪酸エステル	Glycerol esters of fatty acids Glyceryl tristearate	◎，指定	製造用剤 増粘安定剤 乳化剤 ガムベース
グリセリンジアセチル酒石酸脂肪酸エステル	グリセリン脂肪酸エステル ジアセチル酒石酸モノグリセライド 脂肪酸のモノ及びジグリセライドのジアセチル酒石酸エステル 脂肪酸のモノ及びジグリセライドのモノ及びジアセチル酒石酸エステル	Diacetyltartarate esters of monoglyceride Diacetyltartaric acid esters of mono-and diglycerides of fatty acids Glycerol esters of diacetyl tartaric(tartrate)and fatty acids Glycerol esters of fatty acids Mono-and diacetyl tartaric acid esters of mono-and diglycerides of fatty acids	◎，指定	製造用剤 増粘安定剤 乳化剤 ガムベース

◎：許可（使用基準なし） Legal（Accepted with no standard of use）
○：許可（使用基準あり） Legal（Accepted with standard of use）
指定：Designated Food Additives　既存：Existing Food Additives
×：使用不可 Illegal（Prohibited）
※：個別判断を要するもの Required individual special judgement

EU E No.	EU FL No.	CAS No.	CFR No.	CNS 号.	備 考 Remarks
E422		56-81-5	182.1320	15.014	
E471			(Glyceryl monooleate として) 184.1323 (Mono-and diglycerides として) 184.1505		
E472c			(Monoglyceride citrate として) 172.832 (Mono-and diglycerides として) 184.1505 (Stearyl monoglyceridyl citrate として) 172.755	10.032	
E471			(Succinylated monoglycerides として) 172.830 (Mono-and diglycerides として) 184.1505	10.038	
E1517			(Acetylated monoglycerides として) 172.828 (Mono-and diglycerides として) 184.1505		
E1518			(Triacetin として) 184.1901 (Mono-and diglycerides として) 184.1505		
E472a			(Acetylated monoglycerides として) 172.828 (Mono-and diglycerides として) 184.1505	10.027	
E471			(Glyceryl tristearate として) 172.811 (Mono-and diglycerides として) 184.1505		
E472e			(Diacetyl tartaric acid esters of mono-and diglycerides として) 184.1101 (Mono-and diglycerides として) 184.1505	10.010	

色文字：法令上の指定添加物名（除く別名）　red：Name on Ministerial Ordinance of Designated Food Additives
色文字：法令上の既存添加物名（除く別名）　red：Name on Ministerial Notification of Existing Food Additives

和　名 Japanese name	和名別名 Japanese name	英名，英名別名 English name	許可状況 Legal/Illegal	主な用途 Main uses
グリセリンジアセテート	グリセリン酢酸エステル グリセリン脂肪酸エステル ジアセチン ジ酢酸グリセリル	Diacetin Glycerol esters of acetic acid Glycerol esters of fatty acids Glyceryl diacetate	◎，指定	製造用剤 増粘安定剤 乳化剤 ガムベース
グリセリン脂肪酸エステル	アセチル化モノグリセライド	Acetylated monoglyceride Glycerol esters of fatty acids	◎，指定	製造用剤 増粘安定剤 乳化剤 ガムベース
	クエン酸ステアリルモノグリセリジル クエン酸モノグリセライド グリセリンクエン酸脂肪酸エステル 脂肪酸のモノ及びジグリセライドのクエン酸エステル ステアロイルモノグリセリジルクエン酸エステル	Citrate esters of monoglyceride Citric acid esters of mono-and diglycerides of fatty acids Glycerol esters of citric(citrate)and fatty acids Glycerol esters of fatty acids Monoglyceride citrate Stearoyl monoglyceridyl citrate ester Stearyl monoglyceridyl citrate	◎，指定	製造用剤 増粘安定剤 酸化防止剤 乳化剤 ガムベース
	グリセリンオレイン酸エステル	Glycerol esters of fatty acids Glyceryl monooleate	◎，指定	製造用剤 増粘安定剤 乳化剤 ガムベース
	グリセリンコハク酸脂肪酸エステル コハク酸モノグリセライド	Glycerol esters of fatty acids Glycerol esters of succinic(succinate)and fatty acids Succinate ester of monoglyceride Succinylated monoglycerides	◎，指定	製造用剤 増粘安定剤 乳化剤 ガムベース
	グリセリン酢酸エステル グリセリンジアセテート ジアセチン ジ酢酸グリセリル	Diacetin Glycerol esters of acetic acid Glycerol esters of fatty acids Glyceryl diacetate	◎，指定	製造用剤 増粘安定剤 乳化剤 ガムベース
	グリセリン酢酸エステル グリセリントリアセテート トリアセチン トリ酢酸グリセリル	Glycerol esters of acetic acid Glycerol esters of fatty acids Glyceryl triacetate Triacetin	◎，指定	製造用剤 増粘安定剤 乳化剤 ガムベース
	グリセリン酢酸脂肪酸エステル 酢酸モノグリセライド 脂肪酸のモノ及びジグリセライドの酢酸エステル	Acetate esters of monoglyceride Acetic acid esters of mono-and diglycerides of fatty acids Glycerol esters of acetic(acetate)and fatty acids Glycerol esters of fatty acids	◎，指定	製造用剤 増粘安定剤 乳化剤 ガムベース
	グリセリン三ステアリン酸エステル	Glycerol esters of fatty acids Glyceryl tristearate	◎，指定	製造用剤 増粘安定剤 乳化剤 ガムベース

◎：許可（使用基準なし） Legal（Accepted with no standard of use）　×：使用不可 Illegal（Prohibited）
○：許可（使用基準あり） Legal（Accepted with standard of use）　※：個別判断を要するもの Required individual special judgement
指定：Designated Food Additives　既存：Existing Food Additives

EU E No.	EU FL No.	CAS No.	CFR No.	CNS 号.	備考 Remarks
E1517			(Acetylated monoglycerides として) 172.828 (Mono-and diglycerides として) 184.1505		
E471			(Acetylated monoglycerides として) 172.828 (Mono-and diglycerides として) 184.1505		
E472c			(Monoglyceride citrate として) 172.832 (Mono-and diglycerides として) 184.1505 (Stearyl monoglyceridyl citrate として) 172.755	10.032	
E471			(Glyceryl monooleate として) 184.1323 (Mono-and diglycerides として) 184.1505		
E471			(Succinylated monoglycerides として) 172.830 (Mono-and diglycerides として) 184.1505	10.038	
E1517			(Acetylated monoglycerides として) 172.828 (Mono-and diglycerides として) 184.1505		
E1518			(Triacetin として) 184.1901 (Mono-and diglycerides として) 184.1505		
E472a			(Acetylated monoglycerides として) 172.828 (Mono-and diglycerides として) 184.1505	10.027	
E471			(Glyceryl tristearate として) 172.811 (Mono-and diglycerides として) 184.1505		

色文字：法令上の指定添加物名（除く別名）　**red**：Name on Ministerial Ordinance of Designated Food Additives
色文字：法令上の既存添加物名（除く別名）　**red**：Name on Ministerial Notification of Existing Food Additives

和　名 Japanese name	和名別名 Japanese name	英名，英名別名 English name	許可状況 Legal/Illegal	主な用途 Main uses
	グリセリンジアセチル酒石酸脂肪酸エステル ジアセチル酒石酸モノグリセライド 脂肪酸のモノ及びジグリセライドのジアセチル酒石酸エステル 脂肪酸のモノ及びジグリセライドのモノ及びジアセチル酒石酸エステル	Diacetyltartarate esters of monoglyceride Diacetyltartaric acid esters of mono-and diglycerides of fatty acids Glycerol esters of diacetyl tartaric (tartrate) and fatty acids **Glycerol esters of fatty acids** Mono-and diacetyl tartaric acid esters of mono-and diglycerides of fatty acids	◎，指定	製造用剤 増粘安定剤 乳化剤 ガムベース
	グリセリン酒石酸脂肪酸エステル 脂肪酸のモノ及びジグリセライドの酒石酸エステル 酒石酸モノグリセライド	**Glycerol esters of fatty acids** Glycerol esters of tartaric (tartrate) and fatty acids Tartaric acid esters of mono-and diglycerides of fatty acids Tartrate esters of mono-glyceride	※	製造用剤 増粘安定剤 乳化剤 ガムベース
	グリセリンステアリン酸エステル	**Glycerol esters of fatty acids** Glyceryl monostearate	◎，指定	製造用剤 増粘安定剤 乳化剤 ガムベース
	グリセリンパルミチン酸ステアリン酸エステル	**Glycerol esters of fatty acids** Glyceryl palmitostearote	◎，指定	製造用剤 増粘安定剤 乳化剤 ガムベース
	グリセリンベヘン酸エステル	**Glycerol esters of fatty acids** Glyceryl behenate	◎，指定	製造用剤 増粘安定剤 乳化剤 ガムベース
	脂肪酸のモノ及びジグリセライドの酢酸及び酒石酸エステルの混合物	**Glycerol esters of fatty acids** Mixed acetic and tartaric acid esters of mono-and diglycerides of fatty acids	※	製造用剤 増粘安定剤 乳化剤 ガムベース
	脂肪酸のモノ及びジグリセライドの乳酸エステル 乳酸モノグリセライド	**Glycerol esters of fatty acids** Glycerol esters of lactic (lactate) and fatty acids Glyceryl-lacto esters of fatty acids Lactate ester of mono-glyceride Lactic acid esters of mono-and diglycerides of fatty acids	◎，指定	製造用剤 増粘安定剤 乳化剤 ガムベース
	脂肪酸のモノ及びジグリセリド	**Glycerol esters of fatty acids** Mono-and diglycerides of fatty acids	◎，指定	製造用剤 増粘安定剤 乳化剤 ガムベース
	ポリグリセリン脂肪酸エステル	**Glycerol esters of fatty acids** Polyglycerol esters of fatty acids	◎，指定	製造用剤 増粘安定剤 乳化剤 ガムベース

◎：許可（使用基準なし） Legal（Accepted with no standard of use）
○：許可（使用基準あり） Legal（Accepted with standard of use）
指定：Designated Food Additives 既存：Existing Food Additives
×：使用不可 Illegal（Prohibited）
※：個別判断を要するもの Required individual special judgement

EU E No.	EU FL No.	CAS No.	CFR No.	CNS 号.	備考 Remarks
E472e			（Diacetyl tartaric acid esters of mono-and diglycerides として） 184.1101 （Mono-and diglycerides として） 184.1505	10.010	
E472d			（Diacetyl tartaric acid esters of mono-and diglycerides として） 184.1101 （Mono-and diglycerides として） 184.1505		
E471			（Glyceryl monostearate として） 184.1324 （Mono-and diglycerides として） 184.1505		
E471			（Glyceryl palmitostearate として） 184.1329 （Mono-and diglycerides として） 184.1505		
E471			（Glyceryl behenate として） 184.1328 （Mono-and diglycerides として） 184.1505		
E472f			（Mono-and diglycerides として） 184.1505		
E472b			（Glyceryl-lacto esters of fatty acids として） 172.852 （Mono-and diglycerides として） 184.1505	10.031	
E471			（Mono-and diglycerides として） 184.1505	10.006	
E475			（Polyglycerol esters of fatty acids として） 172.854 （Mono-and diglycerides として） 184.1505	10.022	

色文字：法令上の指定添加物名（除く別名）　red：Name on Ministerial Ordinance of Designated Food Additives
色文字：法令上の既存添加物名（除く別名）　red：Name on Ministerial Notification of Existing Food Additives

和　名 Japanese name	和名別名 Japanese name	英名，英名別名 English name	許可状況 Legal/Illegal	主な用途 Main uses
	ポリグリセリン重合リシノール酸エステル ポリグリセリン縮合リシノレイン酸エステル ポリグリセリンポリリシノール酸エステル ポリリシノール酸のポリグリセリンエステル	Glycerol esters of fatty acids Polyglycerol esters of condensation ricinoleic acid Polyglycerol esters of polymerization ricinolic acid Polyglycerol polyricinoleate	◎，指定	製造用剤 増粘安定剤 乳化剤 ガムベース
グリセリン酒石酸脂肪酸エステル	グリセリン脂肪酸エステル 脂肪酸のモノ及びジグリセライドの酒石酸エステル 酒石酸モノグリセライド	Glycerol esters of fatty acids Glycerol esters of tartaric(tartrate) and fatty acids Tartaric acid esters of mono-and diglycerides of fatty acids Tartrate esters of mono-glyceride	※	製造用剤 増粘安定剤 乳化剤 ガムベース
グリセリンステアリン酸エステル	グリセリン脂肪酸エステル	Glycerol esters of fatty acids Glyceryl monostearate	◎，指定	製造用剤 増粘安定剤 乳化剤 ガムベース
グリセリントリアセテート	グリセリン酢酸エステル グリセリン脂肪酸エステル トリアセチン トリ酢酸グリセリル	Glycerol esters of acetic acid Glycerol esters of fatty acids Glyceryl triacetate Triacetin	◎，指定	製造用剤 増粘安定剤 乳化剤 ガムベース
グリセリンパルミチン酸ステアリン酸エステル	グリセリン脂肪酸エステル	Glycerol esters of fatty acids Glyceryl palmitostearote	◎，指定	製造用剤 増粘安定剤 乳化剤 ガムベース
グリセリンベヘン酸エステル	グリセリン脂肪酸エステル	Glycerol esters of fatty acids Glyceryl behenate	◎，指定	製造用剤 増粘安定剤 乳化剤 ガムベース
sn-グリセロ(3)ホスホコリン	L-α-グリセロホスホリルコリン	*sn*-Glycero(3)phosphocholine L-α-Glycerophosphorylcholine	※	特別用途食品
グリセロリン酸カルシウム		Calcium glycerophosphate	○，指定	強化剤
グリセロール	グリセリン	Glycerin Glycerol	◎，指定	製造用剤 チューインガム軟化剤
グリセロールガムロジンエステル		Glycerol ester of gum rosin	×	乳化剤
グリセロールトール油ロジンエステル		Glycerol ester of tall oil rosin	×	乳化剤
L-α-グリセロホスホリルコリン	*sn*-グリセロ(3)ホスホコリン	*sn*-Glycero(3)phosphocholine L-α-Glycerophosphorylcholine	※	特別用途食品
クリソイジン		Chrysoidine	×	着色料
クリソイン		Chrysoine	×	着色料

◎：許可（使用基準なし） Legal（Accepted with no standard of use）
○：許可（使用基準あり） Legal（Accepted with standard of use）
指定：Designated Food Additives　既存：Existing Food Additives
×：使用不可 Illegal（Prohibited）
※：個別判断を要するもの Required individual special judgement

EU E No.	EU FL No.	CAS No.	CFR No.	CNS 号.	備考 Remarks
E476			（Polyglycerol esters of fatty acids として） 172.854 （Mono-and diglycerides として） 184.1505	10.029	
E472d			（Diacetyl tartaric acid esters of mono-and diglycerides として） 184.1101 （Mono-and diglycerides として） 184.1505		
E471			（Glyceryl monostearate として） 184.1324 （Mono-and diglycerides として） 184.1505		
E1518			（Triacetin として） 184.1901 （Mono-and diglycerides として） 184.1505		
E471			（Glyceryl palmitostearate として） 184.1329 （Mono-and diglycerides として） 184.1505		
E471			（Glyceryl behenate として） 184.1328 （Mono-and diglycerides として） 184.1505		
					資料1により食品添加物に該当する可能性が考えられるが，事前に判断を受けるよう指導されている項目
		27214-00-2	184.1201		栄養の目的以外に使用してはならない E No.はないがINS No.383あり
E422		56-81-5	182.1320	15.014	
					資料1により食品添加物に該当する可能性が考えられるが，事前に判断を受けるよう指導されている項目

色文字：法令上の指定添加物名（除く別名）　red：Name on Ministerial Ordinance of Designated Food Additives
色文字：法令上の既存添加物名（除く別名）　red：Name on Ministerial Notification of Existing Food Additives

和　名 Japanese name	和名別名 Japanese name	英名，英名別名 English name	許可状況 Legal/Illegal	主な用途 Main uses
グリチルリチン	カンゾウエキス カンゾウ抽出物(ウラルカンゾウ，チョウカカンゾウ又はヨウカンゾウの根又は根茎から得られた，グリチルリチン酸を主成分とするものをいう。) リコリス抽出物	Glycyrrhizin Licorice extract	◎，既存	甘味料
グリチルリチン酸二ナトリウム		Disodium glycyrrhizinate	○，指定	甘味料
グリーンS		Green S	×	着色料
グルカナーゼ		Glucanase	◎，既存	酵素
4-α-グルカノトランスフェラーゼ	6-α-グルカノトランスフェラーゼ α-グルコシルトランスフェラーゼ	4-α-Glucanotransferase 6-α-Glucanotransferase α-Glucosyltransferase	◎，既存	酵素
6-α-グルカノトランスフェラーゼ	4-α-グルカノトランスフェラーゼ α-グルコシルトランスフェラーゼ	4-α-Glucanotransferase 6-α-Glucanotransferase α-Glucosyltransferase	◎，既存	酵素
クルクミン	ウコン色素(ウコンの根茎から得られた，クルクミンを主成分とするものをいう。) ターメリック色素	Curcumin Turmeric oleoresin	○，既存	着色料
グルコアミラーゼ	アミログルコシダーゼ 糖化アミラーゼ	γ-Amylase Amyloglucosidase Glucoamylase	◎，既存	酵素
D-グルコース	コーンでんぷん糖 ブドウ糖	Corn sugar Dextrose D-Glucose Grape sugar	◎	甘味料
グルコサミン	2-アミノグルコース キトサミン	2-Amino glucose Chitosamine Glucosamine	◎，既存	製造用剤 増粘安定剤
α-グルコシダーゼ	マルターゼ	α-Glucosidase Maltase	◎，既存	酵素
β-グルコシダーゼ	ゲンチオビアーゼ セロビアーゼ	Cellobiase Gentiobiase β-Glucosidase	◎，既存	酵素
α-グルコシルトランスフェラーゼ	4-α-グルカノトランスフェラーゼ 6-α-グルカノトランスフェラーゼ	α-Glucosyltransferase 4-α-Glucanotransferase 6-α-Glucanotransferase	◎，既存	酵素
α-グルコシルトランスフェラーゼ処理ステビア(「ステビア抽出物」から得られた、α-グルコシルステビオシドを主成分とするものをいう。)	酵素処理ステビア	Enzymatically modified stevia α-Glucosyltransferase-treated stevia	◎，既存	甘味料
グルコシル化ステビオール配糖体		Glucosylated steviol glycosides'	※	甘味料
グルコースイソメラーゼ	D-キシロースケトールイソメラーゼ	Glucose isomerase D-Xylose ketol isomerase	◎，既存	酵素
β-D-グルコースオキシゲンオキシドリダクターゼ	グルコースオキシダーゼ	Glucose oxidase β-D-Glucose oxygen oxido-reductase	◎，既存	酵素

◎：許可（使用基準なし） Legal（Accepted with no standard of use）　×：使用不可 Illegal（Prohibited）
○：許可（使用基準あり） Legal（Accepted with standard of use）　※：個別判断を要するもの Required individual special judgement
指定：Designated Food Additives　既存：Existing Food Additives

EU E No.	EU FL No.	CAS No.	CFR No.	CNS 号.	備考 Remarks
			(Licorice and licorice derivatives として) 184.1408	19.010 19.012	米国では甘草,同磨さい物,甘草抽出物及び主成分のグリチルリチンのアンモニウム塩が風味増強剤として使用が認められている。日本では**カンゾウ末**が既存添加物リストの別添3の一般飲食物添加物として,また**カンゾウ抽出物及びカンゾウ油性抽出物**が既存添加物として使用が認められている E No.はないが INS No.958あり CNS 号19.010は monopotassium and tripotassium glycyrrhizinate CNS 号19.012は ammonium glycyrrhizinate
E142					
					「組換え DNA 技術応用食品及び添加物の安全性審査の手続きを経た添加物」としての告示あり。詳細は厚労省 HP 参照
					「組換え DNA 技術応用食品及び添加物の安全性審査の手続きを経た添加物」としての告示あり。詳細は厚労省 HP 参照
E100			(Turmeric oleoresin として) 73.615	08.132	国際的には純度の違いで Curcumin と Turmeric oleoresin に分類
			(Amyloglucosidase derived from *Rhizopus niveus* として) 173.110		「組換え DNA 技術応用食品及び添加物の安全性審査の手続きを経た添加物」としての告示あり。詳細は厚労省 HP 参照 E No.はないが INS No.1100あり
		50-99-7	184.1857		CFR の CAS No.は50-99-7 食品扱い
		9055-00-9			
					「組換え DNA 技術応用食品及び添加物の安全性審査の手続きを経た添加物」としての告示あり．詳細は厚労省 HP 参照
					「組換え DNA 技術応用食品及び添加物の安全性審査の手続きを経た添加物」としての告示あり。詳細は厚労省 HP 参照
E960d					E960d は「Commission Regulation（EU）2023/447 of 1 March 2023」により新規指定
					E No.はないが INS No.1102あり 「組換え DNA 技術応用食品及び添加物の安全性審査の手続きを経た添加物」としての告示あり。詳細は厚労省 HP 参照

色文字：法令上の指定添加物名（除く別名）　red：Name on Ministerial Ordinance of Designated Food Additives
色文字：法令上の既存添加物名（除く別名）　red：Name on Ministerial Notification of Existing Food Additives

和　名 Japanese name	和名別名 Japanese name	英名，英名別名 English name	許可状況 Legal/Illegal	主な用途 Main uses
グルコースオキシダーゼ	β-D-グルコースオキシゲンオキシドリダクターゼ	Glucose oxidase β-D-Glucose oxygen oxido-reductase	◎，既存	酵素
グルコノデルタラクトン	グルコノラクトン	Glucono lactone Glucono-δ-lactone	◎，指定	製造用剤 水素イオン濃度調整剤（pH 調整剤） 膨脹剤 酸味料 豆腐用凝固剤
グルコノラクトン	グルコノデルタラクトン	Glucono lactone Glucono-δ-lactone	◎，指定	製造用剤 水素イオン濃度調整剤（pH 調整剤） 膨脹剤 酸味料 豆腐用凝固剤
α-D-グルコピラノシド	α-D-グルコピラノシール トレハロース	α-D-Glucopyranoside α-D-Glucopyranosyl Trehalose	◎，既存	製造用剤
α-D-グルコピラノシール	α-D-グルコピラノシド トレハロース	α-D-Glucopyranoside α-D-Glucopyranosyl Trehalose	◎，既存	製造用剤
グルコマンナン	グルコマンノグリカン コンニャクイモ抽出物 コンニャクグルコマンナン	Glucomannan Glucomannoglycan Konjac extract Konjac glucomannan	◎	特別用途食品
グルコマンノグリカン	グルコマンナン コンニャクイモ抽出物 コンニャクグルコマンナン	Glucomannan Glucomannoglycan Konjac extract Konjac glucomannan	◎	特別用途食品
グルコン酸		Gluconic acid	◎，指定	酸味料 調味料
グルコン酸亜鉛	亜鉛塩類（グルコン酸亜鉛及び硫酸亜鉛に限る。）	Zinc gluconate Zinc salts（Limited to Zinc gluconate and Zinc sulfate）	○，指定	強化剤
グルコン酸カリウム		Potassium gluconate	◎，指定	製造用剤 水素イオン濃度調整剤（pH 調整剤） 調味料 乳化剤 イーストフード 品質保持剤
グルコン酸カルシウム		Calcium gluconate	○，指定	強化剤
グルコン酸第一鉄	グルコン酸鉄	Ferrous gluconate Iron gluconate	○，指定	製造用剤 強化剤 色調安定剤

◎：許可（使用基準なし） Legal（Accepted with no standard of use）
○：許可（使用基準あり） Legal（Accepted with standard of use）
指定：Designated Food Additives　既存：Existing Food Additives
×：使用不可 Illegal（Prohibited）
※：個別判断を要するもの Required individual special judgement

EU E No.	EU FL No.	CAS No.	CFR No.	CNS 号.	備 考 Remarks
					E No.はないがINS No.1102あり 「組換えDNA技術応用食品及び添加物の安全性審査の手続きを経た添加物」としての告示あり。詳細は厚労省HP参照
E575		90-80-2	184.1318	18.007	
E575		90-80-2	184.1318	18.007	
E425(ii)					グルコマンナンは,資料1により食品素材扱いとする品目
E425(ii)					グルコマンナンは,資料1により食品素材扱いとする品目
E574					
		(無水物) 82139-35-3	(Zinc gluconateとして) 182.8988		母乳代替食品並びに特定保健用食品，特別用途表示の許可又は承認を受けた食品（病者用のものに限る）及び栄養機能食品以外の食品に使用してはならない 告示成分規格のnH_2Oは,n ＝3又は0
E577		299-27-4			
E578		(無水物) 299-28-5	184.1199		栄養の目的以外に使用してはならない 告示成分規格のnH_2Oはn ＝1
E579		(無水物) 299-29-6	(検定免除着色料として) 73.160 (GRAS物質として) 184.1308	09.005	オリーブ,母乳代替品,離乳食及び妊産婦・授乳婦用粉乳以外に使用してはならない 告示成分規格のnH_2Oはn ＝2又は0

色文字：法令上の指定添加物名（除く別名）　red：Name on Ministerial Ordinance of Designated Food Additives
色文字：法令上の既存添加物名（除く別名）　red：Name on Ministerial Notification of Existing Food Additives

和　名 Japanese name	和名別名 Japanese name	英名，英名別名 English name	許可状況 Legal/Illegal	主な用途 Main uses
グルコン酸鉄	グルコン酸第一鉄	Ferrous gluconate Iron gluconate	○，指定	製造用剤 強化剤 色調安定剤
グルコン酸銅	銅塩類（グルコン酸銅及び硫酸銅に限る。）	Copper gluconate Copper salts (Limited to Copper gluconate and Cupric sulfate)	○，指定	強化剤
グルコン酸ナトリウム		Sodium gluconate	◎，指定	製造用剤 水素イオン濃度調整剤（pH 調整剤） 乳化剤 イーストフード 品質保持剤
グルコン酸マグネシウム		Magnesium gluconate	×	製造用剤 水素イオン濃度調整剤（pH 調整剤） 強化剤 イーストフード
グルコン酸マンガン		Manganese gluconate	×	製造用剤
グルタミナーゼ		Glutaminase	◎，既存	酵素
グルタミルバリルグリシン		Glutamyl-valyl-glycine	◎，指定	調味料
L-グルタミン		L-Glutamine	◎，既存	強化剤 調味料
グルタミン酸		Glutamic acid	※	調味料
L-グルタミン酸		L-Glutamic acid	◎，指定	調味料
グルタミン酸アンモニウム	グルタミン酸一アンモニウム	Monoammonium glutamate	※	調味料
L-グルタミン酸アンモニウム		Monoammonium L-glutamate	◎，指定	調味料
グルタミン酸一アンモニウム	グルタミン酸アンモニウム	Monoammonium glutamate	※	調味料
グルタミン酸塩酸塩		Glutamic acid hydrochloride	×	調味料
グルタミン酸カリウム		Monopotassium glutamate	※	調味料
L-グルタミン酸カリウム		Monopotassium L-glutamate	◎，指定	調味料

◎：許可（使用基準なし） Legal（Accepted with no standard of use）　　×：使用不可　Illegal（Prohibited）
○：許可（使用基準あり） Legal（Accepted with standard of use）　　※：個別判断を要するもの　Required individual special judgement
指定：Designated Food Additives　　既存：Existing Food Additives

EU E No.	EU FL No.	CAS No.	CFR No.	CNS 号.	備考 Remarks
E579		（無水物） 299-29-6	（検定免除着色料として） 73.160 （GRAS 物質として） 184.1308	09.005	オリーブ，母乳代替品，離乳食及び妊産婦・授乳婦用粉乳以外に使用してはならない 告示成分規格の nH_2O は n＝2又は0
			(Copper gluconate として) 184.1260		母乳代替食品及び保健機能食品以外に使用してはならない 省令別表第1のリスト名は「**銅塩類**(グルコン酸銅及び硫酸銅に限る。)，**Copper salts** (Limited to Copper gluconate and Cupric sulfate)」
E576		527-07-1	182.6757	01.312	
			184.1452		
	17.038	38837-70-6			平成26年8月8日省令別表第1に新規指定 使用基準は設定しないものの，その使用にあたっては，適切な製造工程管理を行い，食品中で目的とする効果を得る上で必要とされる量を超えないものとすることの特記あり EU では香料特性のある食品成分として FL No. あり
		56-85-9	(Amino acids，L-Glutamine として) 172.320		
E620					日本では **L-グルタミン酸**が指定添加物となっている
E620		56-86-0	(Amino acids，L-Glutamic acid として) 172.320 (Glutamic acid として) 182.1045		
E624					日本では **L-グルタミン酸アンモニウム**が指定添加物となっている
E624		（1水和物） 139883-82-2	(Mono ammonium glutamate として) 182.1500		使用基準は設定しないものの，その使用にあたっては，適切な製造工程管理を行い，食品中で目的とする効果を得る上で必要とされる量を超えないものとすることの特記あり 告示成分規格の nH_2O は n＝1
E624					日本では **L-グルタミン酸アンモニウム**が指定添加物となっている
			182.1047		
E622			(Amino acids，Monopotassium L-glutamate として) 172.320 (Monopotassium glutamate として) 182.1516		日本では **L-グルタミン酸カリウム**が指定添加物となっている
E622		（1水和物） 6382-01-0	(Amino acids，Monopotassium L-glutamate として) 172.320 (Monopotassium glutamate として) 182.1516		告示成分規格の nH_2O は n＝1

色文字：法令上の指定添加物名（除く別名）　red：Name on Ministerial Ordinance of Designated Food Additives
色文字：法令上の既存添加物名（除く別名）　red：Name on Ministerial Notification of Existing Food Additives

和　名 Japanese name	和名別名 Japanese name	英名，英名別名 English name	許可状況 Legal/Illegal	主な用途 Main uses
グルタミン酸カルシウム		Calcium diglutamate	※	強化剤 調味料
L-グルタミン酸カルシウム		Calcium di-L-glutamate Monocalcium di-L-glutamate	○，指定	強化剤 調味料
グルタミン酸ソーダ	グルタミン酸ナトリウム	Glutamate of soda Monosodium glutamate	※	強化剤 調味料
グルタミン酸ナトリウム	グルタミン酸ソーダ	Glutamate of soda Monosodium glutamate	※	強化剤 調味料
L-グルタミン酸ナトリウム		Monosodium L-glutamate	◎，指定	強化剤 調味料
グルタミン酸マグネシウム		Magnesium diglutamate	※	調味料
L-グルタミン酸マグネシウム		Monomagnesium di-L-glutamate	◎，指定	調味料
グルテン		Gluten	◎	増粘安定剤
グルテン分解物		Gluten decomposites	◎	増粘安定剤
クレアチン	1-メチルグアニジノ酢酸 α-メチルグアニジノ酢酸 メチルグリコシアミン	Creatine Methylglycocyamine 1-Methylguanidino acetic acid α-Methylguanidino acetic acid	◎	特別用途食品
クレアチン・エチルエステル塩酸塩		Creatine ethyl ester hydrochloride Ethyl *N*-(aminoiminomethyl)-*N*-methylglycine hydrochloride	※	特別用途食品
グレープフルーツ種子抽出物(グレープフルーツの種子から得られた，脂肪酸及びフラボノイドを主成分とするものをいう。)		Grapefruit seed extract	◎，既存	製造用剤
クーロー色素(ソメモノイモの根から抽出して得られたものをいう。)	ソメモノイモ色素	Kooroo color Matsudai color	×	着色料
クローブ		Clove	◎	香辛料
クローブ抽出物(チョウジのつぼみ，葉又は花から得られた，オイゲノールを主成分とするものをいう。)	チョウジ抽出物	Clove extract	◎，既存	酸化防止剤
クローブ誘導体		Clove derivatives	×	香料
クロミウムピコリネート	ピコリン酸クロム	Chromium picolinate Chromium picolinic acid	×	特別用途食品
クロム(III)	クロム(III)化合物	Chromium(III) Chromium(III)compound	×	特別用途食品
クロム(III)化合物	クロム(III)	Chromium(III) Chromium(III)compound	×	特別用途食品
クロラムフェニコール		Chloramphenicol	×	殺菌料
クロール石灰	高度サラシ粉 次亜塩素酸カルシウム	Calcium hypochlorite Calcium oxychloride Chlorinated lime High-test hypochlorite	◎，指定	殺菌料
クロレラ抽出液		Chlorella extract	◎	製造用剤 調味料
クロレラ末		Powdered chlorella	○	着色料

◎：許可（使用基準なし） Legal（Accepted with no standard of use）
○：許可（使用基準あり） Legal（Accepted with standard of use）
指定：Designated Food Additives　既存：Existing Food Additives
×：使用不可 Illegal（Prohibited）
※：個別判断を要するもの Required individual special judgement

EU E No.	EU FL No.	CAS No.	CFR No.	CNS 号.	備考 Remarks
E623					日本では**L-グルタミン酸カルシウム**が指定添加物となっている
E623		（4水和物） 69704-19-4			告示成分規格の nH_2O は n ＝4
E621				12.001	日本では**L-グルタミン酸ナトリウム**が指定添加物となっている
E621				12.001	日本では**L-グルタミン酸ナトリウム**が指定添加物となっている
E621		（1水和物） 6106-04-3	(Amino acids, sodium saltとして) 172.320	12.001	告示成分規格の nH_2O は n ＝1 CNS 号12.001は monosodium glutamate（L-なし）
E625					日本では**L-グルタミン酸マグネシウム**が指定添加物となっている
E625		（4水和物） 129160-51-6			告示成分規格の nH_2O は n ＝4
					一般飲食物添加物
					一般飲食物添加物
					資料1により食品素材扱いとする品目
					資料1により食品添加物に該当する可能性が考えられるが，事前に判断を受けるよう指導されている項目
					令和2年2月26日告示第42号により既存添加物名簿から消除
					食品扱い
			(Clove and its derivativesとして) 184.1257		
					資料1により新たに食品添加物としての指定を受ける必要があるとする品目
					資料1により新たに食品添加物としての指定を受ける必要があるとする品目
					資料1により新たに食品添加物としての指定を受ける必要があるとする品目
					一般飲食物添加物
					一般飲食物添加物

色文字：法令上の指定添加物名（除く別名）　red：Name on Ministerial Ordinance of Designated Food Additives
色文字：法令上の既存添加物名（除く別名）　red：Name on Ministerial Notification of Existing Food Additives

和　名 Japanese name	和名別名 Japanese name	英名，英名別名 English name	許可状況 Legal/Illegal	主な用途 Main uses
クロロフィリン		Chlorophylline	○，既存	着色料
クロロフィル		Chlorophyll	○，既存	着色料
クロロフルオロカーボン113		Chlorofluorocarbon 113 and perfluorohexane	×	製造用剤
クロロペンタフルオロエタン		Chloropentafluoroethane	×	製造用剤
クロロホルム		Chloroform	×	製造用剤
クロロメチル化アミノ化スチレン-ジビニルベンゼン樹脂		Chloromethylated aminated styrene-divinylbenzene resin	×	製造用剤
くん液(サトウキビ、竹材、トウモロコシ又は木材を燃焼して発生したガス成分を捕集し、又は乾留して得られたものをいう。)	スモークフレーバー 木酢液 リキッドスモーク	Liquid smoke Pyroligneous acid Smoke flavourings Wood vinegar	◎，既存	製造用剤 香料 着色料
ケイ酸アルミニウム	カオリン 高陵土 白陶土 不溶性鉱物性物質	Aluminium silicate China clay Kaolin Porcelain clay Water-insoluble mineral substances	○，既存	製造用剤
ケイ酸アルミニウムカリウム		Potassium aluminium silicate	×	製造用剤
ケイ酸アルミニウムカルシウム		Aluminium calcium silicate Calcium aluminium silicate	×	製造用剤
ケイ酸アルミニウムナトリウム	アルミノケイ酸ナトリウム	Sodium aluminium silicate Sodium aluminosilicate Sodium silicoaluminate	×	製造用剤
ケイ酸カルシウム		Calcium silicate	○，指定	製造用剤 固結防止剤
ケイ酸三カルシウム		Tricalcium silicate	×	製造用剤 強化剤
ケイ酸マグネシウム	マグネシウムハイドロシリケート	Magnesium hydrosilicate Magnesium silicate	○，指定	製造用剤
ケイソウ土	不溶性鉱物性物質	Diatomaceous earth Water-insoluble mineral substances	○，既存	製造用剤
ケイ皮アルコール	シンナミックアルコール シンナミルアルコール スチリルカルビノール スチロン γ-フェニルアリルアルコール	Cinnamic alcohol Cinnamyl alcohol γ-Phenylallyl alcohol Styrone Styryl carbinol	○，指定	香料
ケイ皮アルデヒド	シンナミックアルデヒド シンナムアルデヒド	Cinnamaldehyde Cinnamyl aldehyde	○，指定	香料

◎：許可（使用基準なし） Legal（Accepted with no standard of use）
○：許可（使用基準あり） Legal（Accepted with standard of use）
指定：Designated Food Additives　既存：Existing Food Additives
×：使用不可 Illegal（Prohibited）
※：個別判断を要するもの Required individual special judgement

EU E No.	EU FL No.	CAS No.	CFR No.	CNS 号.	備考 Remarks
E140(ii)					
E140(i)					
			173.342		
			173.345		
			173.70		
					着色料の目的では○,既存 香料として用いる場合は天然香料扱い
					食品の製造又は加工上必要不可欠な場合以外に使用してはならない **不溶性鉱物性物質**の名称は，省令別表第1及び告示既存添加物名簿に記載されていないが，告示「食品,添加物等の規格基準－F 使用基準」にその名称があるので既存添加物名簿名扱いとする 食品添加物別名（和名）については，列記した食品添加物に類似する**不溶性鉱物性物質**も含まれる E559：Aluminium silicate（Kaolin）は「Commission Regulation（EU）No.380/2012 of 3 May 2012」で削除
E555					
			（Aluminum calcium silicate として） 182.2122		E556：Aluminium calcium silicate は「Commission Regulation（EU）No.380/2012 of 3 May 2012」で削除
E554			182.2727		
E552		1344-95-2	（直接添加物として） 172.410 （GRAS 物質として） 182.2227	02.009	母乳代替食品及び離乳食品に使用してはならない
			182.2906		
E553a(i)		1343-88-0	（Magnesium silicate として） 182.2437		油脂のろ過助剤以外の用途に使用してはならない。また，最終食品の完成前に除去しなければならない
					食品の製造又は加工上必要不可欠な場合以外に使用してはならない **不溶性鉱物性物質**の名称は，省令別表第1及び告示既存添加物名簿に記載されていないが，告示「食品，添加物等の規格基準－F 使用基準」にその名称があるので既存添加物名簿名扱いとする 食品添加物別名（和名）については，列記した食品添加物に類似する**不溶性鉱物性物質**も含まれる
	02.017	104-54-1			着香の目的以外に使用してはならない
	05.014	14371-10-9		17.012	着香の目的以外に使用してはならない FL No. は CAS No.104-55-2に対応

色文字：法令上の指定添加物名（除く別名） red：Name on Ministerial Ordinance of Designated Food Additives
色文字：法令上の既存添加物名（除く別名） red：Name on Ministerial Notification of Existing Food Additives

和　名 Japanese name	和名別名 Japanese name	英名，英名別名 English name	許可状況 Legal/Illegal	主な用途 Main uses
ケイ皮酸	トランス-3-フェニルプロペン酸 トランスケイ皮酸 トランス-β-フェニルアクリル酸	Cinnamic acid *trans* -Cinnamic acid *trans* - β -Phenylacrylic acid *trans* -3-Phenylpro-penoic acid	○，指定	香料
ケイ皮酸エチル	エチルフェニルアクリレート	Ethyl cinnamate Ethyl phenylacrylate	○，指定	香料
ケイ皮酸メチル	3-フェニルプロペン酸メチル メチルシンナミレート	Methyl cinnamate Methyl cinnamylate Methyl-3-phenylpropenoate	○，指定	香料
結晶セルロース	微結晶セルロース（パルプから得られた，結晶セルロースを主成分とするものをいう。）	Cellulose microcrystalline Microcrystalline cellulose	◎，既存	製造用剤 増粘安定剤 乳化剤
β-ケトプロパン	アセトン ジメチルケトン 2-プロパノン	Acetone Dimethylketone β -Ketopropane 2-Propanone	○，指定	製造用剤
ケトン類		Ketones	○，指定	香料
ゲラニアル（トランス-シトラール）	シトラール ネラール（シス-シトラール） レマローム	Citral Geranial（*trans* -Citral） Lemarome Neral（*cis* -Citral）	○，指定	香料
ゲラニオール		Geraniol	○，指定	香料
ケルセチン	クエルセチン	Quercetin	◎，既存	酸化防止剤
ゲルマニウム		Germanium	◎	特別用途食品
ゲンチアナ抽出物（ゲンチアナの根又は根茎から得られた，アマロゲンチン及びゲンチオピクロシドを主成分とするものをいう。）		Gentian root extract	◎，既存	苦味料
ゲンチオビアーゼ	β-グルコシダーゼ セロビアーゼ	Cellobiase Gentiobiase β -Glucosidase	◎，既存	酵素
ケーンワックス	カーンワックス サトウキビロウ（サトウキビの茎から得られた，パルミチン酸ミリシルを主成分とするものをいう。）	Cane wax	◎，既存	ガムベース 光沢剤
高果糖コーンシロップ		High fructose corn syrup	◎	甘味料
高級脂肪酸（動物性油脂又は動物性硬化油脂を加水分解して得られたものをいう。）		Higher fatty acid	◎，既存	製造用剤

◎：許可（使用基準なし） Legal（Accepted with no standard of use）　×：使用不可　Illegal（Prohibited）
○：許可（使用基準あり） Legal（Accepted with standard of use）　※：個別判断を要するもの　Required individual special judgement
指定：Designated Food Additives　既存：Existing Food Additives

EU E No.	EU FL No.	CAS No.	CFR No.	CNS 号.	備　考 Remarks
	08.022	140-10-3			着香の目的以外に使用してはならない FL No.は CAS No.621-82-9に対応
	09.730	103-36-6			着香の目的以外に使用してはならない
	09.740	103-26-4			着香の目的以外に使用してはならない
E460(i)				02.005	粉末セルロース参照
	07.050	67-64-1	173.210		ガラナ飲料を製造する際のガラナ豆の成分を抽出する目的及び油脂の成分を分別する目的以外に使用してはならない。また最終食品の完成前に除去しなければならない EU では香料特性のある食品成分として FL No.あり 類又は誘導体として指定されている18項目の香料リストの SEQ No.45(解説編2-(1)-(vi)参照)
					着香の目的以外に使用してはならない 類又は誘導体として指定されている18項目の香料リスト(解説編2-(1)-(vi)参照)
	05.020	5392-40-5			着香の目的以外に使用してはならない 告示は「*trans*-異性体と *cis*-異性体との混合物」だが，(EU) FL No.は告示の CAS No.と同番号で「citral」としてあり
	02.012	106-24-1			着香の目的以外に使用してはならない
					資料1により食品素材扱いとする品目 ゲルマニウムを含有させた食品について行政指導あり
			184.1866		食品扱い
			(Fatty acids として) 172.860		

色文字：法令上の指定添加物名（除く別名）　red：Name on Ministerial Ordinance of Designated Food Additives
色文字：法令上の既存添加物名（除く別名）　red：Name on Ministerial Notification of Existing Food Additives

和　名 Japanese name	和名別名 Japanese name	英名，英名別名 English name	許可状況 Legal/Illegal	主な用途 Main uses
香辛料抽出物（アサノミ、アサフェチダ、アジョワン、アニス、アンゼリカ、ウイキョウ、ウコン、オールスパイス、オレガノ、オレンジピール、カショウ、カッシア、カモミール、カラシナ、カルダモン、カレーリーフ、カンゾウ、キャラウェー、クチナシ、クミン、クレソン、クローブ、ケシノミ、ケーパー、コショウ、ゴマ、コリアンダー、サッサフラス、サフラン、サボリー、サルビア、サンショウ、シソ、シナモン、シャロット、ジュニパーベリー、ショウガ、スターアニス、スペアミント、セイヨウワサビ、セロリー、ソーレル、タイム、タマネギ、タマリンド、タラゴン、チャイブ、ディル、トウガラシ、ナツメグ、ニガヨモギ、ニジェラ、ニンジン、ニンニク、バジル、パセリ、ハッカ、バニラ、パプリカ、ヒソップ、フェネグリーク、ペパーミント、ホースミント、マジョラム、ミョウガ、ラベンダー、リンデン、レモングラス、レモンバーム、ローズ、ローズマリー、ローレル又はワサビから抽出し、又はこれを水蒸気蒸留して得られたものをいう。）	スパイス抽出物	Spice extracts	◎，既存	苦味料 香辛料
合成イソパラフィン系石油炭化水素類		Synthetic isoparaffinic petroleum hydrocarbons	×	製造用剤
合成グリセリン（炭水化物の水素化分解由来）		Synthetic glycerin produced by the hydrogenolysis of carbohydrates	※	製造用剤
合成香料及び助剤		Synthetic flavoring substances and adjuvants	※	香料
合成酸化鉄		Synthetic iron oxide	※	着色料
合成脂肪族アルコール類		Synthetic aliphatic alcohols Synthetic fatty alcohols	×	香料
合成石油ワックス		Synthetic petroleum wax	×	製造用剤
合成トリグリセリド		Synthetic triglycerides	◎	製造用剤 乳化剤
合成パラフィン		Synthetic paraffin	×	製造用剤
合成パラフィン及びコハク酸誘導体		Synthetic paraffin and succinic derivatives	×	被膜剤
合成ビターアーモンドオイル	アマンドール(LF) アマンドール(RP) ベンズアルデヒド ベンゼンカルボナール ベンゼンメチラール	Amandol(LF) Amandol(RP) Benzaldehyde Benzene carbonal Benzene methylal Benzoic aldehyde Bitter almond oil synthetic	○，指定	香料
紅藻		Red algae	◎	増粘安定剤
酵素処理イソクエルシトリン（「ルチン酵素分解物」から得られた，α-グルコシルイソクエルシトリンを主成分とするものをいう。）	糖転移イソクエルシトリン	Enzymatically modified isoquercitrin Transglycosylated isoquercitrin	◎，既存	酸化防止剤
酵素処理脂肪		Enzyme-modified fats	◎	製造用剤 香料
酵素処理ステビア	α-グルコシルトランスフェラーゼ処理ステビア（「ステビア抽出物」から得られた、α-グルコシルステビオシドを主成分とするものをいう。）	Enzymatically modified stevia α-Glucosyltransferase-treated stevia	◎，既存	甘味料
酵素処理セルロースガム		Enzymatically hydrolyzed cellulose gum	※	製造用剤

◎：許可（使用基準なし） Legal（Accepted with no standard of use）
○：許可（使用基準あり） Legal（Accepted with standard of use）
指定：Designated Food Additives　既存：Existing Food Additives
×：使用不可 Illegal（Prohibited）
※：個別判断を要するもの Required individual special judgement

EU E No.	EU FL No.	CAS No.	CFR No.	CNS 号.	備　考 Remarks
			（Spices and other natural seasonings and flavorings として） 182.10		除外品目についてただし書きあり 既存添加物名簿にて要確認 「チャービル」から抽出し，又はこれを水蒸気蒸留して得られたものについては，令和2年2月26日告示第42号により既存添加物名簿から消除
			172.882		
			172.866		CFR には「CFR No.178.3500:Glycerin,synthetic」などの関連 Part があるが，これらはすべて間接添加物を対象とする Part であり，本書の収載対象外
			172.515		CFR は多数の個々の化学名称のリストを収載
E172			73.200		省令別表第1の**三二酸化鉄**以外は不可 E172は「Commission Regulation（EU）No.510/2013 of 3 June 2013」で新規制定
			172.864		
			182.888		
					環食化第7027号(昭和42年12月27日)で食品扱いとなっている
			172.275		CFR はグレープフルーツ，レモン，ライム等の表面保護コーティング
	05.013	100-52-7			着香の目的以外に使用してはならない
			184.1121		食品扱い
			184.1287		CFR は精製牛脂，バター または乳脂，蒸気溶出した鶏脂を酵素で脂肪分解し，その後酵素を不活性化したもの 食品扱い

色文字：法令上の指定添加物名（除く別名）　red：Name on Ministerial Ordinance of Designated Food Additives
色文字：法令上の既存添加物名（除く別名）　red：Name on Ministerial Notification of Existing Food Additives

和　名 Japanese name	和名別名 Japanese name	英名，英名別名 English name	許可状況 Legal/Illegal	主な用途 Main uses
酵素処理デンプン	加工デンプン	Enzymatically treated starch Modified starch	◎	増粘安定剤 ゲル化剤 糊料
酵素処理ナリンジン(「ナリンジン」から得られた，α-グルコシルナリンジンを主成分とするものをいう。)	糖転移ナリンジン	**Enzymatically modified naringin** Glucosyl naringin	◎，既存	苦味料
酵素処理ヘスペリジン(「ヘスペリジン」にシクロデキストリングルコシルトランスフェラーゼを用いてグルコースを付加して得られたものをいう。)	糖転移ビタミンP 糖転移ヘスペリジン	**Enzymatically modified hesperidin** Glucosyl hesperidin Glucosyl vitamin P	◎，既存	強化剤
酵素処理ルチン（抽出物）(「ルチン（抽出物）」から得られた，α-グルコシルルチンを主成分とするものをいう。)	糖転移ルチン(抽出物)	**Enzymatically modified rutin(extract)** Glucosyl rutin(extract)	◎，既存	強化剤 酸化防止剤 着色料
酵素処理レシチン(「植物レシチン」又は「卵黄レシチン」から得られた，ホスファチジルグリセロールを主成分とするものをいう。)		**Enzymatically modified lecithin**	◎，既存	乳化剤
酵素分解カンゾウ(「カンゾウ抽出物」を酵素分解して得られた，グリチルレチン酸-3-グルクロニドを主成分とするものをいう。)		**Enzymatically hydrolyzed licorice extract**	◎，既存	甘味料
酵素分解リンゴ抽出物(リンゴの果実を酵素分解して得られた，カテキン類及びクロロゲン酸を主成分とするものをいう。)		**Enzymatically decomposed apple extract**	◎，既存	酸化防止剤
酵素分解レシチン(「植物レシチン」又は「卵黄レシチン」から得られた，フォスファチジン酸及びリゾレシチンを主成分とするものをいう。)		**Enzymatically decomposed lecithin**	◎，既存	乳化剤
高度サラシ粉	クロール石灰 次亜塩素酸カルシウム	Calcium hypochlorite Calcium oxychloride Chlorinated lime **High-test hypochlorite**	◎，指定	殺菌料
酵母細胞壁(サッカロミセスの細胞壁から得られた，多糖類を主成分とするものをいう。)		Yeast cell membrane **Yeast cell wall**	◎，既存	製造用剤 増粘安定剤
コウリャン色素(コウリャンの種子から得られた，アピゲニニジン及びルテオリニジンを主成分とするものをいう。)	キビ色素	**Kaoliang color**	○，既存	着色料
高陵土	**カオリン** ケイ酸アルミニウム 白陶土 **不溶性鉱物性物質**	Aluminium silicate China clay **Kaolin** Porcelain clay **Water-insoluble mineral substances**	○，既存	製造用剤
香料用マイクロカプセル		Microcapsules for flavoring substances	※	マイクロカプセル
コエンザイムA	補(助)酵素A	Coenzyme A	※	特別用途食品
コエンザイムQ10	補(助)酵素Q10 UQ-10 ユビキノン-10 ユビデカレノン	Coenzyme Q10 CoQ10 Ubidecarenone Ubiquinone-10 UQ-10	◎	特別用途食品

◎：許可（使用基準なし） Legal（Accepted with no standard of use）
○：許可（使用基準あり） Legal（Accepted with standard of use）
指定：Designated Food Additives　既存：Existing Food Additives
×：使用不可 Illegal（Prohibited）
※：個別判断を要するもの Required individual special judgement

EU E No.	EU FL No.	CAS No.	CFR No.	CNS 号.	備考 Remarks
			(Food starch-modified として) 172.892		食品扱い
					着色料の目的では○,既存
			(Enzyme-modified lecithin として) 184.1063		
					食品の製造又は加工上必要不可欠な場合以外に使用してはならない 不溶性鉱物性物質の名称は，省令別表第1及び告示既存添加物名簿に記載されていないが，告示「食品,添加物等の規格基準－F 使用基準」にその名称があるので既存添加物名簿名扱いとする 食品添加物別名（和名）については，列記した食品添加物に類似する不溶性鉱物性物質も含まれる E559：Aluminium silicate（Kaolin）は「Commission Regulation（EU）No.380/2012 of 3 May 2012」で削除
			172.230		CFR は構成成分として Succinylated gelatin，Arabinogalactan，Silicon dioxide などの記載あり
					資料1により食品添加物に該当する可能性が考えられるが，事前に判断を受けるよう指導されている品目
					資料1により食品素材扱いとする品目

色文字：法令上の指定添加物名（除く別名）　red：Name on Ministerial Ordinance of Designated Food Additives
色文字：法令上の既存添加物名（除く別名）　red：Name on Ministerial Notification of Existing Food Additives

和名 Japanese name	和名別名 Japanese name	英名，英名別名 English name	許可状況 Legal/Illegal	主な用途 Main uses
コースティックサルファイトカラメル	カラメル カラメルII（でん粉加水分解物，糖蜜又は糖類の食用炭水化物に亜硫酸化合物を加えて熱処理して得られたものをいう。ただし，「カラメルIV」を除く。）	Caramel Caramel II（Sulfite caramel） Caramel color class II Caustic sulfite caramel	◎，既存	製造用剤 着色料
固形ワックス	石油ワックス パラフィン パラフィンワックス	Paraffin Paraffin wachs Paraffin wax Petroleum wax Solid wax	◎，既存	ガムベース 光沢剤
ココア	ココアパウダー	Cocoa	○	着色料
ココア色素	カカオ色素（カカオの種子から得られた，アントシアニンの重合物を主成分とするものをいう。）	Cacao color	○，既存	着色料
ココアパウダー	ココア	Cocoa	○	着色料
コチニール色素（エンジムシから得られた，カルミン酸を主成分とするものをいう。）	カルミン酸色素	Carminic acid Cochineal extract	○，既存	着色料
コチニールレッドA	食用赤色102号 ニューコクシン ポンソー4R	Cochineal Red A Food Red No. 102 New coccine Ponceau 4R	○，指定	着色料
骨カルシウム	骨焼成カルシウム	Calcinated bone calcium Calcinated calcium	◎，既存	製造用剤 強化剤
骨焼成カルシウム	骨カルシウム 焼成カルシウム（うに殻，貝殻，造礁サンゴ，ホエイ，骨，又は卵殻を焼成して得られた，カルシウム化合物を主成分とするものをいう。）	Calcinated bone calcium Calcinated calcium	◎，既存	製造用剤 強化剤
骨炭（ウシの骨から得られた，炭末及びリン酸カルシウムを主成分とするものをいう。）		Bone charcoal	◎，既存	製造用剤
骨炭色素（骨を炭化して得られた、炭素を主成分とするものをいう。）	炭末色素	Bone carbon black Carbon black	×	着色料
骨未焼成カルシウム	未焼成カルシウム（貝殻，真珠の真珠層，造礁サンゴ，骨又は卵殻を乾燥して得られた，カルシウム塩を主成分とするものをいう。）	Non-calcinated bone calcium Non-calcinated calcium	◎，既存	強化剤
コーティング剤（生鮮カンキツ類用）		Coatings on fresh citrus fruit	×	被膜剤
コハク酸	ブタンデオイック酸	Butonedioic acid Succinic acid	◎，指定	水素イオン濃度調整剤（pH 調整剤） 酸味料 調味料
コハク酸アンモニウム		Ammonium succinate	×	酸味料 調味料
コハク酸一ナトリウム		Monosodium succinate	◎，指定	水素イオン濃度調整剤（pH 調整剤） 酸味料 調味料

◎：許可（使用基準なし） Legal（Accepted with no standard of use）
○：許可（使用基準あり） Legal（Accepted with standard of use）
指定：Designated Food Additives　既存：Existing Food Additives
×：使用不可 Illegal（Prohibited）
※：個別判断を要するもの Required individual special judgement

EU E No.	EU FL No.	CAS No.	CFR No.	CNS 号.	備考 Remarks
E150b			(検定免除の着色料のカラメルとして) 73.85 (GRAS 物質のカラメルとして) 182.1235	08.151	着色料の目的では○,既存
			(Petroleum wax として) 172.886		
			(Cocoa butter substitute として) 184.1259		一般飲食物添加物
			(Cocoa butter substitute として) 184.1259		一般飲食物添加物
E120			(Cochineal extract：Carmine として) 73.100	08.145	日本で,コチニール色素(主色素カルミン酸)は既存添加物として使用が認められているが,「CFRNo.73.100 Carmine」はアルミニウム若しくはアルミニウム・カルシウムレーキ色素であり認められていない CNS 号08.145は carmine cochineal
E124		(無水物) 2611-82-7	(Cochineal extract：Carmine として) 73.100	08.002	告示成分規格の nH_2O は n ＝ 1 1/2
					焼成カルシウム参照
					焼成カルシウム参照
					炭末色素参照 「骨炭色素」は，令和2年2月26日告示第42号により既存添加物名簿から消除
					未焼成カルシウム参照
			172.210		CFR は構成成分として Fatty acids，Polyethylene glycol，Sodium lauryl sulfate など，及び助剤として Potassium persulfate，Propylene glycol alginate などの記載あり
E363		110-15-6	184.1091		
		2922-54-5			E No.はないが INS No.364(ⅰ)あり

色文字：法令上の指定添加物名（除く別名）　red : Name on Ministerial Ordinance of Designated Food Additives
色文字：法令上の既存添加物名（除く別名）　red : Name on Ministerial Notification of Existing Food Additives

和　名 Japanese name	和名別名 Japanese name	英名，英名別名 English name	許可状況 Legal/Illegal	主な用途 Main uses
コハク酸カリウム		Potassium succinate	×	酸味料 調味料
コハク酸カルシウム		Calcium succinate	×	酸味料 調味料
コハク酸水素ステアロイルプロピレングリコール	サクシステアリン	Stearoyl propylene glycol hydrogen succinate Succistearin	×	乳化剤
コハク酸二ナトリウム		Disodium succinate	◎，指定	水素イオン濃度調整剤（pH 調整剤） 酸味料 調味料
コハク酸マグネシウム		Magnesium succinate	×	酸味料 調味料
コハク酸モノグリセライド	グリセリンコハク酸脂肪酸エステル グリセリン脂肪酸エステル	Glycerol esters of fatty acids Glycerol esters of succinic (succinate) and fatty acids Succinate ester of monoglyceride Succinylated monoglycerides	◎，指定	製造用剤 増粘安定剤 乳化剤 ガムベース
コハク酸誘導体		Succinic derivatives	×	製造用剤
ゴマ油不けん化物（ゴマの種子から得られた，セサモリンを主成分とするものをいう。）		Sesame seed oil unsaponified matter	◎，既存	酸化防止剤
ゴマ柄灰抽出物（ゴマの茎又は葉の灰化物から抽出して得られたものをいう。）		Sesame straw ash extract	◎，既存	製造用剤
ゴム（パラゴムの分泌液から得られた，ポリイソプレンを主成分とするものをいう。ただし，「低分子ゴム」を除く。）	カウチョック	Caoutchouc Rubber	◎，既存	ガムベース
小麦グルテン		Wheat gluten	◎	調味料
小麦粉		Wheat flour	◎	製造用剤
コムギ抽出物		Wheat extract	◎	製造用剤
ゴム分解樹脂（「ゴム」から得られた，ジテルペン，トリテルペン及びテトラテルペンを主成分とするものをいう。）		Resin of depolymerized natural rubber	◎，既存	ガムベース
コメヌカ油抽出物（米ぬか油から得られた，フェルラ酸を主成分とするものをいう。）	コメヌカ油不けん化物	Rice bran oil extract	◎，既存	酸化防止剤
コメヌカ油不けん化物	コメヌカ油抽出物（米ぬか油から得られた，フェルラ酸を主成分とするものをいう。）	Rice bran oil extract	◎，既存	酸化防止剤
コメヌカ酵素分解物（脱脂米ぬかから得られた，フィチン酸及びペプチドを主成分とするものをいう。）		Enzymatically decomposed rice bran	◎，既存	酸化防止剤
コメヌカロウ（米ぬか油から得られた，リグノセリン酸ミリシルを主成分とするものをいう。）	コメヌカワックス ライスワックス	Rice bran wax Rice wax	◎，既存	ガムベース 光沢剤
コメヌカワックス	コメヌカロウ（米ぬか油から得られた，リグノセリン酸ミリシルを主成分とするものをいう。） ライスワックス	Rice bran wax Rice wax	◎，既存	ガムベース 光沢剤
コラーゲン		Collagen	◎	製造用剤
		Collagen	◎	特別用途食品

◎：許可（使用基準なし） Legal（Accepted with no standard of use）
○：許可（使用基準あり） Legal（Accepted with standard of use）
指定：Designated Food Additives　既存：Existing Food Additives
×：使用不可 Illegal（Prohibited）
※：個別判断を要するもの Required individual special judgement

EU E No.	EU FL No.	CAS No.	CFR No.	CNS 号.	備考 Remarks
			172.765		
	08.113	（無水物） 150-90-3		12.005	告示成分規格の nH_2O は n ＝6又は0 E No.はないが INS No.364（ii）あり EU では香料特性のある食品成分として FL No.あり
E471			（Succinylated monoglycerides として） 172.830 （Mono-and diglycerides として） 184.1505	10.038	
		8002-80-0	（Wheat gluten として） 184.1322		食品扱い
			（Wheat gluten として） 184.1322		一般飲食物添加物
			（Wheat gluten として） 184.1322		一般飲食物添加物
			172.890		E No.はないが INS No.908あり
			172.890		E No.はないが INS No.908あり
					一般飲食物添加物
					資料1により食品素材扱いとする品目

色文字：法令上の指定添加物名（除く別名）　red：Name on Ministerial Ordinance of Designated Food Additives
色文字：法令上の既存添加物名（除く別名）　red：Name on Ministerial Notification of Existing Food Additives

和　名 Japanese name	和名別名 Japanese name	英名，英名別名 English name	許可状況 Legal/Illegal	主な用途 Main uses
コーラルカルシウム	サンゴカルシウム サンゴ末焼成カルシウム 未焼成カルシウム（貝殻，真珠の真珠層，造礁サンゴ，骨又は卵殻を乾燥して得られた，カルシウム塩を主成分とするものをいう。）	Coral calcium Non-calcinated calcium Non-calcinated coral calcium	◎，既存	強化剤
コリアンドロール	パントール リカレオール リナクレオール リナロオール リナロオール EX HO（天然） リナロール *dl*-リナロール	Coriandrol Licareol Linacreol Linalool *dl*-Linalool Linalool EX HO（Natural） Phantol	○，指定	香料
コリン安定化オルトケイ酸		Choline-stabilised orthosilicic acid	※	特別用途食品
コリン塩		Choline salts	※	乳化剤
コリン塩酸塩		Choline chloride	※	強化剤
コール酸	胆汁末（胆汁から得られた、コール酸及びデソキシコール酸を主成分とするものをいう。） デソキシコール酸	Cholic acid Desoxycholic acid Powdered bile	◎，既存	乳化剤
コレカルシフェロール	ビタミン D_3	Cholecalciferol Vitamin D_3	◎，指定	強化剤
コレステロール	動物性ステロール（魚油又は「ラノリン」から得られた，コレステロールを主成分とするものをいう。）	Cholesterol	◎，既存	乳化剤
コーングルテン		Corn gluten	◎	調味料
混合カロテノイド	キサントフィル ルテイン	Lutein Mixed carotenoids Xanthophylls	※	着色料
混合カロテン		Mixed carotenes	※	着色料
コーンシルク及びコーンシルク抽出物		Corn silk and corn silk extract	×	香料
コーンシロップ	ブドウ糖シロップ	Corn syrup Glucose syrup（sirup）	◎	甘味料
コーンセルロース	トウモロコシセルロース	Corn cellulose	◎	製造用剤

◎：許可（使用基準なし） Legal（Accepted with no standard of use）
○：許可（使用基準あり） Legal（Accepted with standard of use）
指定：Designated Food Additives 既存：Existing Food Additives
×：使用不可 Illegal（Prohibited）
※：個別判断を要するもの Required individual special judgement

EU E No.	EU FL No.	CAS No.	CFR No.	CNS 号.	備 考 Remarks
					未焼成カルシウム参照
	02.013	78-70-6			着香の目的以外に使用してはならない
					資料1により食品添加物に該当する可能性が考えられるが，事前に判断を受けるよう指導されている品目
					E No.はないがINS No.1001あり 生物界には広く分布している物質であり，許可状況は個別判断
			182.8252		E No.はないがINS No.1001(iii)あり 生物界には広く分布している物質であり，許可状況は個別判断
					E No.はないがINS No.1000あり
		67-97-0	(直接添加物 Vit.D_3として) 172.380 (GRAS物質 Vit.D(D_2, D_3)として) 184.1950		
		66071-96-3			
			184.1321		食品扱い
E161b				08.146	既存添加物名簿の名称，別名，簡略名に「キサントフィル」名があるオレンジ，マリーゴールド色素以外からの「キサントフィル」は不可 既存添加物名簿の名称，別名，簡略名に「カロテノイド」関連名があるアナトー，オレンジ，クチナシ，デュナリエラ，トウガラシ，トマト，ニンジン，パーム油，ファフィア，ヘマトコッカス藻，マリーゴールド色素以外からの「ルテイン」は不可
E160a(ii)			(検定免除着色料のcarrot oilとして) 73.300 (検定免除着色料のβ-Caroteneとして) 73.95 (GRAS物質のBeta-Caroteneとして) 184.1245		日本ではデュナリエラ，ニンジン，パーム油の抽出カロテンが既存添加物として使用が認められている 「E160a Carotenes」には化学的合成品と天然抽出品がある。本書は「Official Journal of the EU」に記載の定義内容により，「E160a (i) β-Carotene は化学的合成品」，「E160a (ii) Plant Carotenes は天然抽出品」と判断
			184.1262		
			184.1865		CFRはコーンでんぷんを酸または酵素で加水分解し，その程度によりグルコース，マルトースおよび高含量の糖類を含む 食品扱い
					一般飲食物添加物

色文字：法令上の指定添加物名（除く別名）　red：Name on Ministerial Ordinance of Designated Food Additives
色文字：法令上の既存添加物名（除く別名）　red：Name on Ministerial Notification of Existing Food Additives

和　名 Japanese name	和名別名 Japanese name	英名，英名別名 English name	許可状況 Legal/Illegal	主な用途 Main uses
コーンでんぷん糖	D-グルコース ブドウ糖	Corn sugar Dextrose D-Glucose Grape sugar	◎	甘味料
コンドロイチン硫酸		Chondroitin sulfate	◎	特別用途食品
コンドロイチン硫酸ナトリウム		**Sodium chondroitin sulfate**	○，指定	保水剤 安定剤
コンドロムコタンパク		Chondromucoprotein	※	特別用途食品
コンニャクイモ抽出物	コンニャクガム コンニャク粉	**Konjac extract** Konjac flour Konjac gum	◎	製造用剤 増粘安定剤
コンニャクイモ抽出物	グルコマンナン グルコマンノグリカン コンニャクグルコマンナン	Glucomannan Glucomannoglycan Konjac extract Konjac glucomannan	◎	特別用途食品
コンニャクガム	コンニャクイモ抽出物 コンニャク粉	**Konjac extract** Konjac flour Konjac gum	◎	製造用剤 増粘安定剤
コンニャクグルコマンナン	グルコマンナン グルコマンノグリカン コンニャクイモ抽出物	Glucomannan Glucomannoglycan Konjac extract Konjac glucomannan	◎	特別用途食品
コンニャク粉	コンニャクイモ抽出物 コンニャクガム	**Konjac extract** Konjac flour Konjac gum	◎	製造用剤 増粘安定剤
コーン胚乳油		Corn endosperm oil	×	着色料
昆布類粘質物	アルギン酸	**Alginic acid**	◎，既存	増粘安定剤 ゲル化剤

◎：許可（使用基準なし） Legal（Accepted with no standard of use）
○：許可（使用基準あり） Legal（Accepted with standard of use）
指定：Designated Food Additives　既存：Existing Food Additives
×：使用不可 Illegal（Prohibited）
※：個別判断を要するもの Required individual special judgement

EU E No.	EU FL No.	CAS No.	CFR No.	CNS 号.	備考 Remarks
		50-99-7	184.1857		CFR の CAS No.は50-99-7 食品扱い
					資料1により食品素材扱いとする品目 **コンドロイチン硫酸ナトリウム**は指定添加物である
					資料1により食品添加物に該当する可能性が考えられるが，事前に判断を受けるよう指導されている品目
E425(i)					一般飲食物添加物
E425(ii)					グルコマンナンは，資料1により食品素材扱いとする品目
E425(i)					一般飲食物添加物
E425(ii)					グルコマンナンは，資料1により食品素材扱いとする品目
E425(i)					一般飲食物添加物
			73.315		CFR は鶏用飼料用の制限あり
E400		9005-32-7	(Alginic acid として) 184.1011		

こ

さ

色文字：法令上の指定添加物名（除く別名）　red：Name on Ministerial Ordinance of Designated Food Additives
色文字：法令上の既存添加物名（除く別名）　red：Name on Ministerial Notification of Existing Food Additives

和　名 Japanese name	和名別名 Japanese name	英名，英名別名 English name	許可状況 Legal/Illegal	主な用途 Main uses
サイクラミン酸		Cyclamic acid	×	甘味料
サイクラミン酸カルシウム		Calcium cyclamate	×	甘味料
サイクラミン酸ナトリウム		Sodium cyclamate	×	甘味料
α-サイクロデキストリン	シクロアミロース α-シクロデキストリン 分岐サイクロデキストリン 分岐シクロデキストリン	Branched cyclodextrin α-Cycloamylose α-Cyclodextrin	◎，既存	製造用剤
β-サイクロデキストリン	β-シクロデキストリン	β-Cyclodextrin	◎，既存	製造用剤
γ-サイクロデキストリン	γ-シクロデキストリン	γ-Cyclodextrin	◎，既存	製造用剤
サイリウムシードガム（ブロンドサイリウムの種皮から得られた，多糖類を主成分とするものをいう。）	サイリウムハスク	Psyllium husk Psyllium seed gum	◎，既存	増粘安定剤
サイリウムハスク	サイリウムシードガム（ブロンドサイリウムの種皮から得られた，多糖類を主成分とするものをいう。）	Psyllium husk Psyllium seed gum	◎，既存	増粘安定剤
酢酸		Acetic acid Methanecarboxylic acid Vinegar acid	◎，指定	酸味料
酢酸亜鉛		Zinc acetate	×	強化剤
酢酸アミル	アミルアセテート	Amylacetate	○，指定	香料
酢酸アミルエステル	酢酸イソアミル 酢酸イソペンチル ナシオイル バナナオイル	Amyl acetic ester Banana oil Isoamyl acetate Isopentyl acetate Pear oil	○，指定	香料
酢酸アルデヒド	アセトアルデヒド エタナール エチルアルデヒド	Acetaldehyde Acetic aldehyde Ethanal Ethyl aldehyde	○，指定	香料
酢酸アンモニウム		Ammonium acetate	×	製造用剤 水素イオン濃度調整剤（pH 調整剤）
酢酸イソアミル	酢酸アミルエステル 酢酸イソペンチル ナシオイル バナナオイル	Amyl acetic ester Banana oil Isoamyl acetate Isopentyl acetate Pear oil	○，指定	香料
酢酸イソプロピル		Isopropyl acetate	○，指定	香料

◎：許可（使用基準なし） Legal（Accepted with no standard of use）　×：使用不可　Illegal（Prohibited）
○：許可（使用基準あり） Legal（Accepted with standard of use）　※：個別判断を要するもの　Required individual special judgement
指定：Designated Food Additives　既存：Existing Food Additives

EU E No.	EU FL No.	CAS No.	CFR No.	CNS 号.	備考 Remarks
E952（i）					通称名,チクロ
E952（iii）				19.002	通称名,チクロ
E952（ii）				19.002	通称名,チクロ
		（α）10016-20-3 （β）7585-39-9 （γ）17465-86-0		18.011	既存添加物名簿名は**シクロデキストリン** 告示成分規格の記載名も法令上の名称として取り扱う 告示成分規格にはαのほかにβ，γがある E No.はないがINS No.457あり
E459		7585-39-9		20.024	既存添加物名簿名は**シクロデキストリン** 告示成分規格の記載名も法令上の名称として取り扱う 告示成分規格にはαのほかにβ，γがある
		17465-86-0		18.012	既存添加物名簿名は**シクロデキストリン** 告示成分規格の記載名も法令上の名称として取り扱う 告示成分規格にはαのほかにβ，γがある E No.はないがINS No.458あり
E260		（酢酸として） 64-19-7	（Acetic acid として） 184.1005 （Peroxyacids の混合成分の1つとして） 173.370		省令別表第1のリスト名は「**氷酢酸,Glacial acetic acid**」，EU では酢酸として指定 告示成分規格の酢酸は30％濃度
E650					
	09.021	628-63-7			**エステル類** 着香の目的以外に使用してはならない 類又は誘導体として指定されている18項目の香料リストのSEQ No.141（解説編2-(1)-(vi)参照）
	09.024	123-92-2			着香の目的以外に使用してはならない
	05.001	75-07-0			着香の目的以外に使用してはならない
	09.024	123-92-2			着香の目的以外に使用してはならない
	09.003	108-21-4			**エステル類** 着香の目的以外に使用してはならない 類又は誘導体として指定されている18項目の香料リストのSEQ No.1401（解説編2-(1)-(vi)参照）

色文字：法令上の指定添加物名（除く別名）　red：Name on Ministerial Ordinance of Designated Food Additives
色文字：法令上の既存添加物名（除く別名）　red：Name on Ministerial Notification of Existing Food Additives

和　名 Japanese name	和名別名 Japanese name	英名，英名別名 English name	許可状況 Legal/Illegal	主な用途 Main uses
酢酸イソペンチル	酢酸アミルエステル **酢酸イソアミル** ナシオイル バナナオイル	Amyl acetic ester Banana oil **Isoamyl acetate** Isopentyl acetate Pear oil	○，指定	香料
酢酸エチル	酢酸エチルエステル ビネガーナフサ	Acetic acid ethyl ester Acetic ether **Ethyl acetate** Vinegarnaphtha	○，指定	製造用剤 香料
酢酸エチルエステル	**酢酸エチル** ビネガーナフサ	Acetic acid ethyl ester Acetic ether **Ethyl acetate** Vinegarnaphtha	○，指定	製造用剤 香料
酢酸カリウム		Potassium acetate	×	製造用剤 保存料
酢酸カルシウム		Acetic acid calcium salt **Calcium acetate** Calcium acetate monohydrate	◎，指定	水素イオン濃度調整剤（pH 調整剤） 強化剤 増粘安定剤 ゲル化剤 糊料
酢酸ゲラニル		**Geranyl acetate**	○，指定	香料
酢酸コリン		Choline acetate	※	強化剤
酢酸シクロヘキシル		**Cyclohexyl acetate**	○，指定	香料
酢酸シトロネリル		**Citronellyl acetate**	○，指定	香料
酢酸シンナミル	酢酸トランス-γ-フェニルアリル	**Cinnamyl acetate** *trans*-γ-Phenylallyl acetate	○，指定	香料
酢酸テルピニル		**Terpinyl acetate**	○，指定	香料
酢酸デンプン	アセチル化デンプン 加工デンプン	Acetylated starch Modified starch **Starch acetate**	◎，指定	増粘安定剤 ゲル化剤 糊料
酢酸トランス-γ-フェニルアリル	**酢酸シンナミル**	**Cinnamyl acetate** *trans*-γ-Phenylallyl acetate	○，指定	香料
酢酸ナトリウム		**Sodium acetate** Sodium acetate trihydrate	◎，指定	水素イオン濃度調整剤（pH 調整剤） 酸味料 調味料
酢酸ビニル樹脂	PVAC	**Polyvinyl acetate** PVAC	○，指定	チューインガム基礎剤 被膜剤
酢酸フェニルエチル	**酢酸フェネチル**	**Phenethyl acetate** Phenylethyl acetate	○，指定	香料
酢酸フェネチル	酢酸フェニルエチル	**Phenethyl acetate** Phenylethyl acetate	○，指定	香料
酢酸ブチル	酢酸ブチルエステル	Acetic butyl ester **Butyl acetate** Butyl ethanoate	○，指定	香料

◎：許可（使用基準なし） Legal（Accepted with no standard of use）
○：許可（使用基準あり） Legal（Accepted with standard of use）
指定：Designated Food Additives　既存：Existing Food Additives
×：使用不可 Illegal（Prohibited）
※：個別判断を要するもの Required individual special judgement

EU E No.	EU FL No.	CAS No.	CFR No.	CNS 号.	備考 Remarks
	09.024	123-92-2			着香の目的以外に使用してはならない
	09.001	141-78-6	173.228		着香の目的以外に使用してはならない(ただし,柿の脱渋に使用するアルコール等の場合の除外規定あり)
	09.001	141-78-6	173.228		着香の目的以外に使用してはならない(ただし,柿の脱渋に使用するアルコール等の場合の除外規定あり)
E261(ｉ)					「Commission Regulation (EU) No. 25/2013 of 16 June 2013」で E261より E261(ｉ) にサブ No.化
E263		(1水和物) 5743-26-0 (無水物) 62-54-4	184.1185		適切な製造工程管理を行い，食品中で目的とする効果を得る量を超えないこと 平成25年12月4日省令別表第1に新規指定 告示成分規格の nH_2O は n ＝1又は0
	09.011	105-87-3			着香の目的以外に使用してはならない
					E No.はないが INS No.1001(ｉ)あり 生物界には広く分布している物質であり，許可状況は個別判断
	09.027	622-45-7			着香の目的以外に使用してはならない
	09.012	150-84-5			着香の目的以外に使用してはならない
	09.018	103-54-8			着香の目的以外に使用してはならない
	09.830	(α，β，γの混合物) 8007-35-0			着香の目的以外に使用してはならない 告示成分規格は**α，β，γ**の混合物
E1420		9045-28-7	(Food starch-modified として) 172.892	20.039	適切な製造工程管理を行い,食品中で目的とする効果を得る量を超えないこと
	09.018	103-54-8			着香の目的以外に使用してはならない
E262(i)		(3水和物) 6131-90-4 (無水物) 127-09-3	184.1721	00.013	告示成分規格の nH_2O は n ＝3,又は0
					チューインガム基礎剤及び果実又は果菜の表皮被膜剤の目的以外に使用してはならない
	09.031	103-45-7			着香の目的以外に使用してはならない
	09.031	103-45-7			着香の目的以外に使用してはならない
	09.004	123-86-4			着香の目的以外に使用してはならない

色文字：法令上の指定添加物名（除く別名）　red：Name on Ministerial Ordinance of Designated Food Additives
色文字：法令上の既存添加物名（除く別名）　red：Name on Ministerial Notification of Existing Food Additives

和　名 Japanese name	和名別名 Japanese name	英名，英名別名 English name	許可状況 Legal/Illegal	主な用途 Main uses
酢酸ブチルエステル	酢酸ブチル	Acetic butyl ester Butyl acetate Butyl ethanoate	○，指定	香料
酢酸ベンジル	フェニルメチルアセテート	Benzyl acetate Phenylmethyl acetate	○，指定	香料
酢酸マグネシウム		Magnesium acetate	×	製造用剤
酢酸 ℓ-メンチル	ℓ-酢酸メンチル	ℓ-Menthyl acetate	○，指定	香料
ℓ-酢酸メンチル	酢酸 ℓ-メンチル	ℓ-Menthyl acetate	○，指定	香料
酢酸モノグリセライド	グリセリン酢酸脂肪酸エステル グリセリン脂肪酸エステル 脂肪酸のモノ及びジグリセライドの酢酸エステル	Acetate esters of monoglyceride Acetic acid esters of mono-and diglycerides of fatty acids Glycerol esters of acetic (acetate) and fatty acids Glycerol esters of fatty acids	◎，指定	製造用剤 増粘安定剤 乳化剤 ガムベース
酢酸リナリル		Linalyl acetate	○，指定	香料
サクシステアリン	コハク酸水素ステアロイルプロピレングリコール	Stearoyl propylene glycol hydrogen succinate Succistearin	×	乳化剤
サッカロース	ショ糖 スクロース	Saccharose Sucrose	◎	甘味料
サッカラーゼ	インベルターゼ シュークラーゼ スクラーゼ	Invertase Saccharase Sucrase	◎，既存	酵素
サッカリン		Saccharin	○，指定	甘味料
サッカリンアンモニウム		Ammonium saccharin	×	甘味料
サッカリンカリウム		Potassium saccharin	×	甘味料
サッカリンカルシウム	カルシウムサッカラート	Calcium saccharin Saccharate of lime	○，指定	甘味料
サッカリンナトリウム	溶性サッカリン	Sodium saccharin Soluble saccharin	○，指定	甘味料
サツマイモセルロース		Sweetpotato cellulose	◎	製造用剤 増粘安定剤
サトウキビロウ（サトウキビの茎から得られた，パルミチン酸ミリシルを主成分とするものをいう。）	カーンワックス ケーンワックス	Cane wax	◎，既存	ガムベース 光沢剤
サバクヨモギシードガム（サバクヨモギの種皮から得られた，多糖類を主成分とするものをいう。）	アルテミシアシードガム サバクヨモギ種子多糖類	Artemisia seed gum Artemisia seed polysaccharide Artemisia sphaerocephala seed gum	◎，既存	製造用剤 増粘安定剤

◎：許可（使用基準なし） Legal（Accepted with no standard of use）
○：許可（使用基準あり） Legal（Accepted with standard of use）
指定：Designated Food Additives　既存：Existing Food Additives
×：使用不可 Illegal（Prohibited）
※：個別判断を要するもの Required individual special judgement

EU E No.	EU FL No.	CAS No.	CFR No.	CNS 号.	備 考 Remarks
	09.004	123-86-4			着香の目的以外に使用してはならない
	09.014	140-11-4			着香の目的以外に使用してはならない
	09.016	2623-23-6			着香の目的以外に使用してはならない 「(EU)FL No.09.016」の「CAS No.16409-45-3 Methyl acetate」は告示のCAS No.と異なる
	09.016	2623-23-6			着香の目的以外に使用してはならない 「(EU)FL No.09.016」の「CAS No.16409-45-3 Methyl acetate」は告示のCAS No.と異なる
E472a			（Acetylated monoglyceridesとして） 172.828 （Mono-and diglyceridesとして） 184.1505	10.027	
	09.013	115-95-7			着香の目的以外に使用してはならない
			172.765		
		57-50-1	184.1854		CFRはCAS No.57-50-1としてサトウキビまたはビートから作ったショ糖 食品扱い
E1103					
E954(ⅰ)		81-07-2	(Saccharin,ammonium･calcium･sodium saccharinとして) 180.37		CFR No.のPart 180.37は特別に収録
E954(ⅳ)					
E954(ⅲ)		6381-91-5	(Saccharin,ammonium･calcium･sodium saccharinとして) 180.37		CFR No.のPart 180.37は特別に収録 平成24年12月28日省令別表第1に新規指定 告示成分規格の nH_2O は n =3 1/2
E954(ⅱ)		(2水和物) 6155-57-3 (無水物) 128-44-9	(Saccharin,ammonium・calcium・sodium saccharinとして) 180.37	19.001	告示成分規格の nH_2O は n =2又は0 CFR No.のPart 180.37は特別に収載
					一般飲食物添加物
				20.037	

さ

色文字：法令上の指定添加物名（除く別名）　red：Name on Ministerial Ordinance of Designated Food Additives
色文字：法令上の既存添加物名（除く別名）　red：Name on Ministerial Notification of Existing Food Additives

和　名 Japanese name	和名別名 Japanese name	英名，英名別名 English name	許可状況 Legal/Illegal	主な用途 Main uses
サバクヨモギ種子多糖類	アルテミシアシードガム サバクヨモギシードガム（サバクヨモギの種皮から得られた，多糖類を主成分とするものをいう。）	Artemisia seed gum Artemisia seed polysaccharide Artemisia sphaerocephala seed gum	◎，既存	製造用剤 増粘安定剤
サフラン		Saffron	○	着色料
サフラン色素		Saffron color	○	着色料
サフロールフリー抽出物（サッサフラス由来）		Safrole-free extract of sassafras	◎	香料
サフロール		Safrole	×	香料
サポニン		Saponin	◎	特別用途食品 乳化剤
サーモンベリー色素		Salmonberry color	○	着色料
サラトリム		Salatrim	◎	製造用剤
サリチル酸		Salicylic acid	○，指定	保存料 香料
サリチル酸メチル	オルトヒドロ安息香酸メチル 冬緑油	Methyl-*o*-hydroxybenzoate Methyl salicylate Synthetic wintergreen oil	○，指定	香料
サルファイトアンモニアカラメル	カラメル カラメルIV（でん粉加水分解物，糖蜜又は糖類の食用炭水化物に亜硫酸化合物及びアンモニウム化合物を加えて熱処理して得られたものをいう。）	Caramel Caramel IV（Sulfite ammonia caramel） Caramel color class IV Sulfite ammonia caramel	◎，既存	製造用剤 着色料
三塩基性リン酸ナトリウム	第三リン酸ナトリウム TSP リン酸三ナトリウム	Sodium phosphate, tribasic Tertiary sodium orthophosphate Tertiary sodium phosphate Tribasic sodium phosphate Trisodium orthophosphate Trisodium phosphate TSP	◎，指定	製造用剤 調味料 かんすい 乳化剤
酸化亜鉛		Zinc oxide	×	強化剤
酸化エチレン及び酸化プロピレンの共重物の縮合体		Copolymer condensates of ethylene oxide and propylene oxide	×	製造用剤
酸化エチレン重合物		Ethylene oxide polymer	×	製造用剤
酸化カルシウム		Calcium oxide Quicklime（CaO）	◎，指定	製造用剤 強化剤 イーストフード
酸化カルシウム	焼石灰 生石灰	Burnt lime Calcium oxide Calx Quicklime	◎，既存	製造用剤 強化剤 イーストフード

◎：許可（使用基準なし） Legal（Accepted with no standard of use）
○：許可（使用基準あり） Legal（Accepted with standard of use）
指定：Designated Food Additives　　既存：Existing Food Additives
×：使用不可 Illegal（Prohibited）
※：個別判断を要するもの Required individual special judgement

EU E No.	EU FL No.	CAS No.	CFR No.	CNS 号.	備 考 Remarks
				20.037	
			73.500		一般飲食物添加物
			73.500		一般飲食物添加物
			172.580		CFR は Sassafras albidum（植物名）の根皮を希釈アルコールで抽出した水溶性抽出物（参考：サフロールは特にサッサフラス油に75%含有されている香料） サッサフラスは消費者庁次長通知「食品衛生法に基づく添加物の表示等について」の別添2「天然香料基原物質リスト」に収載されている 食品扱い
					資料1により既存添加物扱いとする品目。**ダイズサポニン**，**キラヤ抽出物**が既存添加物名簿に収載
					一般飲食物添加物
					食品扱い
	08.112	69-72-7			**フェノール類** 着香の目的以外に使用してはならない。保存料の目的では不可 類又は誘導体として指定されている18項目の香料リストのSEQ No.2284（解説編2-(1)-(vi)参照）
	09.749	119-36-8			着香の目的以外に使用してはならない
E150d			（検定免除の着色料のカラメルとして） 73.85 （GRAS 物質のカラメルとして） 182.1235	08.109	着色料の目的では○，既存
E339(iii)		（12水和物） 10101-89-0 （無水物） 7601-54-9	（Sodium phosphate（mono-, di-, and tribasic）として） 182.1778 182.6778 182.8778	15.001	告示成分規格の nH_2O は n ＝12，6又は0
			182.8991		
			172.808		
			172.770		
E529		1305-78-8	184.1210		合成品扱い 平成25年10月22日，省令別表第1に新規指定 適切な製造工程管理を行い，食品中で目的とする効果を得る量を超えないこと
E529			（Calcium oxide として） 184.1210		合成品は指定添加物

色文字：法令上の指定添加物名（除く別名）　red：Name on Ministerial Ordinance of Designated Food Additives
色文字：法令上の既存添加物名（除く別名）　red：Name on Ministerial Notification of Existing Food Additives

和　名 Japanese name	和名別名 Japanese name	英名，英名別名 English name	許可状況 Legal/Illegal	主な用途 Main uses
酸カゼイン	カゼイン	Acid casein Acidified casein Casein	◎	製造用剤
酸化窒素	亜酸化窒素 一酸化二窒素 酸化二窒素 笑気	Dinitrogen monooxide Dinitrogen oxide Laughing gas Nitrogen oxide Nitrous oxide	○，指定	噴射剤（プロペラント）
酸化鉄(III)	インディアンレッド 三酸化二鉄 三二酸化鉄 赤色酸化第二鉄 ベンガラ	Ferric oxide red Ferric oxide(III) Hematite maghemite Indian red Iron oxides and hydroxides Iron sesquioxide Iron trioxide Red iron oxide Rouge Vitriol red	○，指定	着色料
酸化鉄(赤色)		Iron oxide red	×	着色料
酸化鉄(黄色)		Iron oxide yellow	×	着色料
酸化鉄(黒色)		Iron oxide black	×	着色料
酸化デンプン	加工デンプン	Modified starch Oxidized starch	◎，指定	増粘安定剤 ゲル化剤 糊料
酸化二窒素	亜酸化窒素 一酸化二窒素 酸化窒素 笑気	Dinitrogen monooxide Dinitrogen oxide Laughing gas Nitrogen oxide Nitrous oxide	○，指定	噴射剤（プロペラント）
酸化ポリエチレン		Oxidized polyethylene	×	被膜剤
酸化ポリエチレンワックス		Oxidized polyethylene wax	×	製造用剤
酸化マグネシウム	か焼マグネシア 死焼マグネシア マグネシア マグネシアクリンカー	Calcined magnesia Deadburned magnesite Magnesia Magnesia clinker Magnesium oxide	◎，指定	製造用剤 強化剤
三ケイ酸マグネシウム		Magnesium trisilicate	×	製造用剤
サンゴカルシウム	コーラルカルシウム サンゴ未焼成カルシウム 未焼成カルシウム（貝殻，真珠の真珠層，造礁サンゴ，骨又は卵殻を乾燥して得られた，カルシウム塩を主成分とするものをいう。）	Coral calcium Non-calcinated calcium Non-calcinated coral calcium	◎，既存	強化剤
サンゴ未焼成カルシウム	コーラルカルシウム サンゴカルシウム 未焼成カルシウム（貝殻，真珠の真珠層，造礁サンゴ，骨又は卵殻を乾燥して得られた，カルシウム塩を主成分とするものをいう。）	Coral calcium Non-calcinated calcium Non-calcinated coral calcium	◎，既存	強化剤

◎：許可（使用基準なし） Legal（Accepted with no standard of use）
○：許可（使用基準あり） Legal（Accepted with standard of use）
指定：Designated Food Additives 既存：Existing Food Additives
×：使用不可 Illegal（Prohibited）
※：個別判断を要するもの Required individual special judgement

EU E No.	EU FL No.	CAS No.	CFR No.	CNS 号.	備考 Remarks
					一般飲食物添加物
E942		10024-97-2	184.1545		ホイップクリーム類（乳脂肪分又は乳脂肪代替食品（植物性脂肪分，ゼラチン，卵白，寒天等）を主原料として泡立てた食品）以外の食品に使用してはならない また，一般的に容易に販売されているカートリッジ式容器に入れた**亜酸化窒素**は，成分規格外としてその使用は認められない
E172		(三二酸化鉄として) 1309-37-1	(Synthetic iron oxide として) 73.200		省令別表第1の**三二酸化鉄**以外は不可 E172は「Commission Regulation（EU）No.510/2013 of 3 June 2013」で新規制定
				08.015	日本では**三二酸化鉄**が指定添加物となっている
					日本では**三二酸化鉄**が指定添加物となっている
				08.014	日本では**三二酸化鉄**が指定添加物となっている
E1404			(Food starch-modified として) 172.892	20.030	適切な製造工程管理を行い，食品中で目的とする効果を得る量を超えないこと
E942		10024-97-2	184.1545		ホイップクリーム類（乳脂肪分又は乳脂肪代替食品（植物性脂肪分，ゼラチン，卵白，寒天等）を主原料として泡立てた食品）以外の食品に使用してはならない また，一般的に容易に販売されているカートリッジ式容器に入れた**亜酸化窒素**は，成分規格外としてその使用は認められない
			172.260		CFR は果実類の表面保護コーティング
E914					
E530		1309-48-4	(Magnesium oxide として) 184.1431		
E553a(ii)					
					未焼成カルシウム参照
					未焼成カルシウム参照

色文字：法令上の指定添加物名（除く別名）　red：Name on Ministerial Ordinance of Designated Food Additives
色文字：法令上の既存添加物名（除く別名）　red：Name on Ministerial Notification of Existing Food Additives

和名 Japanese name	和名別名 Japanese name	英名，英名別名 English name	許可状況 Legal/Illegal	主な用途 Main uses
三酸化二鉄	インディアンレッド 酸化鉄(III) 三二酸化鉄 赤色酸化第二鉄 ベンガラ	Ferric oxide red Ferric oxide (III) Hematite maghemite Indian red Iron oxides and hydroxides Iron sesquioxide Iron trioxide Red iron oxide Rouge Vitriol red	○，指定	着色料
ザンサンガム	キサンタンガム（キサントモナスの培養液から得られた，多糖類を主成分とするものをいう。） キサンタン多糖類	Xanthan gum Xanthan polysaccharide	◎，既存	製造用剤 増粘安定剤 乳化剤
酸処理デンプン	加工デンプン	Acid treated starch Modified starch	◎	増粘安定剤 ゲル化剤 糊料
酸性亜硫酸カリウム	亜硫酸水素カリウム 重亜硫酸カリウム	Acid potassium sulfite Potassium bisulfite Potassium hydrogen sulfite	○，指定	保存料 酸化防止剤
酸性亜硫酸ソーダ	亜硫酸水素ナトリウム 酸性亜硫酸ナトリウム 重亜硫酸ナトリウム	Acidic sulfite of soda Acidic sulfite of sodium Sodium bisulfite Sodium hydrogen sulfite	○，指定	製造用剤 保存料 酸化防止剤
酸性亜硫酸ナトリウム	亜硫酸水素ナトリウム 酸性亜硫酸ソーダ 重亜硫酸ナトリウム	Acidic sulfite of soda Acidic sulfite of sodium Sodium bisulfite Sodium hydrogen sulfite	○，指定	製造用剤 保存料 酸化防止剤
酸性酢酸ナトリウム	二酢酸ナトリウム 粉末酢酸	Dry formed acetic acid Sodium diacetate Sodium hydrogen acetate	※	製造用剤 防かび剤
酸性炭酸カリウム	重炭酸カリウム 炭酸水素カリウム	Potassium acid carbonate Potassium bicarbonate Potassium hydrogen carbonate	○，指定	製造用剤
酸性炭酸ナトリウム	重曹 重炭酸ソーダ 重炭酸ナトリウム 炭酸水素ナトリウム	Baking soda Bicarbonate of soda Carbonic acid mono-sodium salt Sodium acid carbonate Sodium bicarbonate Sodium hydrogen carbonate	◎，指定	製造用剤 水素イオン濃度調整剤（pH 調整剤） 膨脹剤 かんすい
酸性白土	不溶性鉱物性物質	Acid clay Water-insoluble mineral substances	○，既存	製造用剤

◎：許可（使用基準なし） Legal（Accepted with no standard of use）
○：許可（使用基準あり） Legal（Accepted with standard of use）
指定：Designated Food Additives　既存：Existing Food Additives
×：使用不可 Illegal（Prohibited）
※：個別判断を要するもの Required individual special judgement

EU E No.	EU FL No.	CAS No.	CFR No.	CNS 号.	備考 Remarks
E172		(三二酸化鉄として) 1309-37-1	(Synthetic iron oxide として) 73.200		省令別表第1の**三二酸化鉄**以外は不可 E172は「Commission Regulation（EU）No.510/2013 of 3 June 2013」で新規制定
E415		11138-66-2	172.695	20.009	
			(Food starch-modified として) 172.892	20.032	食品扱い
E228		(ピロ亜硫酸カリウムとして) 16731-55-8	(Potassium bisulfite として) 182.3616 (Potassium metabisulfite として) 182.3637		省令別表第1のリスト名は**ピロ亜硫酸カリウム**(別名，亜硫酸水素カリウム又はメタ重亜硫酸カリウム)
E222		(ピロ亜硫酸ナトリウムとして) 7681-57-4	(Sodium bisulfite として) 182.3739 (Sodium metabisulfite として) 182.3766	05.005	省令別表第1のリスト名は**ピロ亜硫酸ナトリウム**(別名，亜硫酸水素ナトリウム，メタ重亜硫酸ナトリウム又は酸性亜硫酸ソーダ)
E222		(ピロ亜硫酸ナトリウムとして) 7681-57-4	(Sodium bisulfite として) 182.3739 (Sodium metabisulfite として) 182.3766	05.005	省令別表第1のリスト名は**ピロ亜硫酸ナトリウム**(別名，亜硫酸水素ナトリウム，メタ重亜硫酸ナトリウム又は酸性亜硫酸ソーダ)
E262(ii)			(Sodium diacetate として) 184.1754	17.013	酢酸(日本では省令別表第1の**氷酢酸**)と同**酢酸ナトリウム**の混合物であれば使用できる
E501(ii)		298-14-6	184.1613	01.307	令和4年8月30日省令別表第1に新規指定 使用にあたっては，適切な製造工程管理を行い，食品中で目的とする効果を得る上で必要とされる量を超えないものとする特記あり 製造用剤はぶどう酒の除酸目的
E500(ii)		144-55-8	(Sodium bicarbonate として) 184.1736	06.001	
					食品の製造又は加工上必要不可欠な場合以外に使用してはならない **不溶性鉱物性物質**の名称は，省令別表第1及び告示既存添加物名簿に記載されていないが，告示「食品，添加物等の規格基準－F 使用基準」にその名称があるので既存添加物名簿名扱いとする 食品添加物別名（和名）については，列記した食品添加物に類似する**不溶性鉱物性物質**も含まれる

色文字：法令上の指定添加物名（除く別名）　red：Name on Ministerial Ordinance of Designated Food Additives
色文字：法令上の既存添加物名（除く別名）　red：Name on Ministerial Notification of Existing Food Additives

和　名 Japanese name	和名別名 Japanese name	英名，英名別名 English name	許可状況 Legal/Illegal	主な用途 Main uses
酸性ピロリン酸カルシウム	重リン酸二水素カルシウム ピロリン酸二水素カルシウム	Acidic calcium pyrophosphate Calcium dihydrogen diphosphate Calcium dihydrogen pyrophosphate	○，指定	膨脹剤 強化剤 乳化剤
酸性ピロリン酸ナトリウム	SAPP 重リン酸二ナトリウム ピロリン酸ナトリウム ピロリン酸二水素二ナトリウム	Acidic disodium pyrophosphate Disodium dihydrogen pyrophosphate Disodium diphosphate Disodium pyrophosphate SAPP Sodium acid pyrophosphate	◎，指定	水素イオン濃度調整剤（pH 調整剤） 膨脹剤 かんすい 乳化剤 結着剤
酸性フクシン FB		Acid Fuchsin FB	×	着色料
酸性ホスファターゼ	ホスホモノエステラーゼ	Acid phosphatase Phosphomonoesterase	◎，既存	酵素
酸性リン酸アルミニウムナトリウム		Sodium aluminium phosphate, acidic	×	製造用剤 膨脹剤
酸性リン酸アンモニウム	リン酸一アンモニウム リン酸二水素アンモニウム	Acidic ammonium phosphate Ammonium dihydrogen phosphate Monoammonium phosphate	◎，指定	乳化剤 イーストフード 醸造用剤
酸性リン酸カルシウム	第一リン酸カルシウム リン酸二水素カルシウム	Acidic calcium phosphate Calcium dihydrogen phosphate Monobasic calcium phosphate Monocalcium phosphate	○，指定	製造用剤 膨脹剤 強化剤 乳化剤 イーストフード
酸性リン酸ナトリウム	塩基性リン酸ナトリウム 第一リン酸ナトリウム リン酸一ナトリウム リン酸二水素一ナトリウム リン酸二水素ナトリウム	Monobasic sodium phosphate Monosodium dihydrogen phosphate Monosodium phosphate MSP Primary sodium orthophosphate Sodium acid phosphate Sodium biphosphate Sodium dihydrogen phosphate Sodium phosphate, monobasic	◎，指定	製造用剤 水素イオン濃度調整剤（pH 調整剤） 膨脹剤 調味料 かんすい 乳化剤
サンセットイエロー FCF	食用黄色5号 食用黄色6号(米国)	FD & C Yellow No.6 Food Yellow No.5 Sunset Yellow FCF	○，指定	着色料
サンセットイエロー FCF アルミニウムレーキ	食用黄色5号アルミニウムレーキ	Food Yellow No.5 aluminium lake Sunset Yellow FCF aluminium lake	○，指定	着色料
酸素		Oxygen	◎，既存	製造用剤
サンダルウッド色素	シタン色素(シタンの幹枝から得られた，サンタリンを主成分とするものをいう。)	Sandalwood color Sandalwood red	○，既存	着色料

◎：許可（使用基準なし） Legal（Accepted with no standard of use）
○：許可（使用基準あり） Legal（Accepted with standard of use）
指定：Designated Food Additives　既存：Existing Food Additives
×：使用不可 Illegal（Prohibited）
※：個別判断を要するもの Required individual special judgement

EU E No.	EU FL No.	CAS No.	CFR No.	CNS 号.	備考 Remarks
E450 (vii)		14866-19-4		15.016	食品の製造又は加工上必要不可欠な場合及び栄養の目的以外に使用してはならない E450(vii)は Calcium dihydrogen diphosphate
E450(i)		7758-16-9	(Sodium acid pyrophosphate として) 182.1087	15.008	E450(i)は Disodium diphosphate
					「組換え DNA 技術応用食品及び添加物の安全性審査の手続きを経た添加物」としての告示あり。詳細は厚労省 HP 参照
E541					
		7722-76-1	(Ammonium phosphate, monobasic として) 184.1141a		E No.はないが INS No.342(ⅰ)あり
E341(i)		(1水和物) 7758-23-8	(Monobasic calcium phosphate として) 182.6215	15.007	食品の製造又は加工上必要不可欠な場合及び栄養の目的以外に使用してはならない 告示成分規格の nH_2O は n ＝1又は0
E339(i)		(2水和物) 13472-35-0 (無水物) 7558-80-7	(Sodium acid phosphate として) 182.6085 (Sodium phosphate (mono-, di-, and tribasic)として) 182.1778 182.6778 182.8778	15.005	告示成分規格の nH_2O は n ＝2又は0
E110		2783-94-0	(要検定リストとして) 74.706 (要検定暫定リストとして) 82.706	08.006	米国では FD & C Yellow No.6(食用黄色6号)である 省令別表第1のリスト名は「**食用黄色5号及びそのアルミニウムレーキ, Food Yellow No. 5 and its Aluminium lake**」だが,本書では各単品もリスト名としマークした CNS 号08.006は sunset yellow（FCF なし）
E110			(Lakes(FD & C)として) 82.51	08.006	米国では FD & C Yellow No.6(食用黄色6号)である 省令別表第1のリスト名は「**食用黄色5号及びそのアルミニウムレーキ, Food Yellow No. 5 and its Aluminium lake**」だが,本書では各単品もリスト名としマークした CNS 号08.006は sunset yellow aluminum lake（FCF なし）
E948					
					E No.はないが INS No.166あり

色文字：法令上の指定添加物名（除く別名）　red：Name on Ministerial Ordinance of Designated Food Additives
色文字：法令上の既存添加物名（除く別名）　red：Name on Ministerial Notification of Existing Food Additives

和　名 Japanese name	和名別名 Japanese name	英名，英名別名 English name	許可状況 Legal/Illegal	主な用途 Main uses
三二酸化鉄	インディアンレッド 酸化鉄(III) 三酸化二鉄 赤色酸化第二鉄 ベンガラ	Ferric oxide red Ferric oxide(III) Hematite maghemite Indian red Iron oxides and hydroxides Iron sesquioxide Iron trioxide Red iron oxide Rouge Vitriol red	○，指定	着色料
三フルオロメタンスルホン酸		Trifluoromethane sulfonic acid	×	製造用剤
G3生成酵素	マルトトリオヒドロラーゼ	Maltotriohydrolase	◎，既存	酵素
G3分解酵素	α-アミラーゼ 液化アミラーゼ カルボヒドラーゼ	α-Amylase Carbohydrase Endo-amylase	◎，既存	製造用剤 保存料 酵素
G4生成酵素	エキソマルトテトラオヒドロラーゼ	Exomaltotetraohydrolase	◎，既存	酵素
次亜塩素酸カルシウム	クロール石灰 高度サラシ粉	Calcium hypochlorite Calcium oxychloride Chlorinated lime High-test hypochlorite	◎，指定	殺菌料
次亜塩素酸カルシウムとしての塩素		Chlorine, as calcium hypochlorite	×	製造用剤
次亜塩素酸水	強酸性次亜塩素酸水 弱酸性次亜塩素酸水 微酸性次亜塩素酸水	High acid hypochlorous acid water Hypochlorous acid water Low acid hypochlorous acid water Weakly acid hypochlorous acid water	○，指定	殺菌料

◎：許可（使用基準なし） Legal（Accepted with no standard of use）
○：許可（使用基準あり） Legal（Accepted with standard of use）
指定：Designated Food Additives　既存：Existing Food Additives
×：使用不可 Illegal（Prohibited）
※：個別判断を要するもの Required individual special judgement

EU E No.	EU FL No.	CAS No.	CFR No.	CNS 号.	備考 Remarks
E172		（三二酸化鉄として） 1309-37-1	（Synthetic iron oxide として） 73.200		省令別表第1の**三二酸化鉄**以外は不可 E172は「Commission Regulation（EU）No.510/2013 of 3 June 2013」で新規制定
			173.395		
			（Carbohydrase and cellulase derived from *Aspergillus niger* として） 173.120 （Carbohydrase derived from *Rhizopus oryzae* として） 173.130 （Mixed carbohydrase and protease enzyme product として） 184.1027 （Amylase enzyme preparation from *Bacillus stearothermophilus* として） 184.1012 （Bacterially-derived carbohydrase enzyme preparation として） 184.1148		「組換え DNA 技術応用食品及び添加物の安全性審査の手続きを経た添加物」としての告示あり。詳細は厚労省 HP 参照 E No.はないが INS No.1100あり
					「組換え DNA 技術応用食品及び添加物の安全性審査の手続きを経た添加物」としての告示あり。詳細は厚労省 HP 参照
					生成装置等の基準あり 最終食品の完成前に除去しなければならない 指定添加物名は**次亜塩素酸水**だが，告示成分規格の記載名も法令上の名称として取り扱う 平成26年4月24日告示第225号により，①生食用鮮魚介類，生食用かき及び冷凍食品（生食用冷凍鮮魚介類に限る。以下「生食用鮮魚介類等」という。）の加工基準において，**次亜塩素酸ナトリウム**に加え，**次亜塩素酸水**及び水素イオン濃度調整剤として用いる**塩酸**の使用が認められた，②容器包装詰加圧加熱殺菌食品の製造基準において，**次亜塩素酸ナトリウム**に加え**次亜塩素酸水**の使用が認められた 同日付部長通知による運用上の注意事項としては，**次亜塩素酸水**及び**塩酸**については，①既に食品添加物として定められている使用基準の適用を受ける，②**塩酸**については，生食用鮮魚介類等に対し，**次亜塩素酸ナトリウム**の使用等に伴い水素イオン濃度調整剤として使用することは認められるが，生食用鮮魚介類等の加工時に**塩酸**を直接使用することは認められない

さし

色文字：法令上の指定添加物名（除く別名）　red：Name on Ministerial Ordinance of Designated Food Additives
色文字：法令上の既存添加物名（除く別名）　red：Name on Ministerial Notification of Existing Food Additives

和　名 Japanese name	和名別名 Japanese name	英名，英名別名 English name	許可状況 Legal/Illegal	主な用途 Main uses
次亜塩素酸ソーダ	次亜塩素酸ナトリウム 漂白液 ラバラック氏液	Bleaching solution Hypochlorite of soda Labarque's solution Sodium hydrochlorite Sodium hypochlorite	○，指定	漂白剤 殺菌料
次亜塩素酸ナトリウム	次亜塩素酸ソーダ 漂白液 ラバラック氏液	Bleaching solution Hypochlorite of soda Labarque's solution Sodium hydrochlorite Sodium hypochlorite	○，指定	漂白剤 殺菌料
次亜塩素酸ナトリウムとしての塩素		Chlorine, as sodium hypochlorite	○，指定	漂白剤
次亜臭素酸水		Hypobromous acid water	○，指定	殺菌料
ジアセチル		Diacetyl	○，指定	香料
ジアセチル酒石酸モノグリセライド	グリセリンジアセチル酒石酸脂肪酸エステル グリセリン脂肪酸エステル 脂肪酸のモノ及びジグリセライドのジアセチル酒石酸エステル 脂肪酸のモノ及びジグリセライドのモノ及びジアセチル酒石酸エステル	Diacetyltartarate esters of monoglyceride Diacetyltartaric acid esters of mono-and diglycerides of fatty acids Glycerol esters of diacetyl tartaric (tartrate) and fatty acids Glycerol esters of diacetyl tartaric (tartrate) and fatty acids Mono-and diacetyl tartaric acid esters of mono-and diglycerides of fatty acids	◎，指定	製造用剤 増粘安定剤 乳化剤 ガムベース
ジアセチン	グリセリン酢酸エステル グリセリンジアセテート グリセリン脂肪酸エステル ジ酢酸グリセリル	Diacetin Glycerol esters of acetic acid Glycerol esters of fatty acids Glyceryl diacetate	◎，指定	製造用剤 増粘安定剤 乳化剤 ガムベース
シアナット油		Shea nut oil	◎	香料 調味料
シアナット色素（シアノキの果実又は種皮から抽出して得られたものをいう。）		Shea nut color	×	着色料
シアノコバラミン	ビタミン B_{12}	Cyanocobalamin Vitamin B_{12}	◎，既存	強化剤
次亜硫酸ナトリウム	亜二チオン酸ナトリウム ハイドロサルファイト	Hydrosulfite Sodium dithionite Sodium hydrosulfite Sodium hyposulfite	○，指定	保存料 酸化防止剤 漂白剤

◎：許可（使用基準なし） Legal（Accepted with no standard of use）　×：使用不可 Illegal（Prohibited）
○：許可（使用基準あり） Legal（Accepted with standard of use）　※：個別判断を要するもの Required individual special judgement
指定：Designated Food Additives　既存：Existing Food Additives

EU E No.	EU FL No.	CAS No.	CFR No.	CNS 号.	備考 Remarks
					平成26年4月24日告示第225号により，①生食用鮮魚介類，生食用かき及び冷凍食品（生食用冷凍鮮魚介類に限る。以下「生食用鮮魚介類等」という。）の加工基準において，次亜塩素酸ナトリウムに加え，次亜塩素酸水及び水素イオン濃度調整剤として用いる塩酸の使用が認められた，②容器包装詰加圧加熱殺菌食品の製造基準において，次亜塩素酸ナトリウムに加え次亜塩素酸水の使用が認められた 同日付部長通知による運用上の注意事項としては，次亜塩素酸水及び塩酸については，既に食品添加物として定められている使用基準の適用を受ける，②塩酸については，生食用鮮魚介類等に対し，次亜塩素酸ナトリウムの使用等に伴い水素イオン濃度調整剤として使用することは認められるが，生食用鮮魚介類等の加工時に塩酸を直接使用することは認められない ごまに使用してはならない
					平成26年4月24日告示第225号により，①生食用鮮魚介類，生食用かき及び冷凍食品（生食用冷凍鮮魚介類に限る。以下「生食用鮮魚介類等」という。）の加工基準において，次亜塩素酸ナトリウムに加え，次亜塩素酸水及び水素イオン濃度調整剤として用いる塩酸の使用が認められた，②容器包装詰加圧加熱殺菌食品の製造基準において，次亜塩素酸ナトリウムに加え次亜塩素酸水の使用が認められた 同日付部長通知による運用上の注意事項としては，次亜塩素酸水及び塩酸については，既に食品添加物として定められている使用基準の適用を受ける，②塩酸については，生食用鮮魚介類等に対し，次亜塩素酸ナトリウムの使用等に伴い水素イオン濃度調整剤として使用することは認められるが，生食用鮮魚介類等の加工時に塩酸を直接使用することは認められない ごまに使用してはならない
					省令別表第1の次亜塩素酸ナトリウムとして指定添加物扱い
		（次亜臭素酸水として） 13517-11-8			平成28年10月6日省令別表第１に新規指定 食肉の表面殺菌の目的以外に使用してはならない
	07.052	431-03-8	184.1278		ケトン類 着香の目的以外に使用してはならない 類又は誘導体として指定されている18項目の香料リストのSEQ No.533(解説編2-(1)-(vi)参照)
E472e			（Diacetyl tartaric acid esters of mono-and diglycerides として） 184.1101 （Mono-and diglycerides として） 184.1505	10.010	
E1517			（Acetylated monoglycerides として） 172.828 （Mono-and diglycerides として） 184.1505		
			184.1702		食品扱い
					令和2年2月26日告示第42号により既存添加物名簿から消除
		68-19-9	184.1945		
		7775-14-6		05.006	

し

色文字：法令上の指定添加物名（除く別名）　red：Name on Ministerial Ordinance of Designated Food Additives
色文字：法令上の既存添加物名（除く別名）　red：Name on Ministerial Notification of Existing Food Additives

和名 Japanese name	和名別名 Japanese name	英名，英名別名 English name	許可状況 Legal/Illegal	主な用途 Main uses
次亜リン酸ナトリウム		Sodium hypophosphite	×	製造用剤
シアン化水素酸		Hydrocyanic acid	×	香料
シアン化マンガン鉄		Ferrous manganocyanide	×	製造用剤 固結防止剤
GABA	γ-アミノブタン酸 γ-アミノ酪酸 ギャバ	γ-Aminobutanoic acid γ-Aminobutyric acid	◎	特別用途食品
2,3-ジエチルピラジン		2,3-Diethylpyrazine	○，指定	香料
2,3-ジエチル-5-メチルピラジン		2,3-Diethyl-5-methylpyrazine	○，指定	香料
ジエチルピロカーボネート	DEPC ピロ炭酸ジエチル	Diethylpyrocarbonate DEPC	×	保存料
ジエチレングリコール		Diethylene glycol	×	製造用剤
ジエチレングリコールモノエチルエーテル		Diethylene glycol monoethyl ether	×	製造用剤
ジエチレングリコールモノプロピルエーテル		Diethylene glycol monopropyl ether	×	製造用剤
5'-CMP	5'-シチジル酸	Cytidine 5'-monophosphate 5'-Cytidylic acid	◎，既存	強化剤
シェラック（ラックカイガラムシの分泌液から得られた，アレウリチン酸とシェロール酸又はアレウリチン酸とジャラール酸のエステルを主成分とするものをいう。）	白シェラック 精製シェラック セラック	Lacca Purified shellac Shellac White shellac	◎，既存	ガムベース 光沢剤
シェラックロウ（ラックカイガラムシの分泌液から得られた，ろう分を主成分とするものをいう。）	セラックロウ	Shellac wax	◎，既存	ガムベース 光沢剤
ジェランガム（シュードモナスの培養液から得られた，多糖類を主成分とするものをいう。）	ジェラン多糖類	Gellan gum Gellan polysaccharide	◎，既存	増粘安定剤 ゲル化剤
ジェラン多糖類	ジェランガム（シュードモナスの培養液から得られた，多糖類を主成分とするものをいう。）	Gellan gum Gellan polysaccharide	◎，既存	増粘安定剤 ゲル化剤
ジェルトン（ジェルトンの分泌液から得られた，アミリンアセタート及びポリイソプレンを主成分とするものをいう。）	ポンチアナック	Jelutong Pontianak	◎，既存	ガムベース
ジオキシエチレンプロトカテキュアルデヒド	ピペロナール ピペロニルアルデヒド プロトカテキュアルデヒドメチレンエーテル ヘリオトロピン	Dioxyethylene protocatechuic aldehyde Heliotropine Piperonal Piperonyl aldehyde Protocatechu aldehyde methylene ether	○，指定	香料
シクロアミロース	α-サイクロデキストリン α-シクロデキストリン 分岐サイクロデキストリン 分岐シクロデキストリン	Branched cyclodextrin α-Cycloamylose α-Cyclodextrin	◎，既存	製造用剤
α-シクロデキストリン	α-サイクロデキストリン シクロアミロース 分岐サイクロデキストリン 分岐シクロデキストリン	Branched cyclodextrin α-Cycloamylose α-Cyclodextrin	◎，既存	製造用剤
β-シクロデキストリン	β-サイクロデキストリン	β-Cyclodextrin	◎，既存	製造用剤

◎：許可（使用基準なし） Legal（Accepted with no standard of use）
○：許可（使用基準あり） Legal（Accepted with standard of use）
指定：Designated Food Additives　既存：Existing Food Additives
×：使用不可 Illegal（Prohibited）
※：個別判断を要するもの Required individual special judgement

EU E No.	EU FL No.	CAS No.	CFR No.	CNS 号.	備考 Remarks
			184.1764		
					資料1により食品素材扱いとする品目
	14.005	15707-24-1			香料の目的以外に使用してはならない 平成26年11月17日省令別表第１に新規指定
	14.056	18138-04-0			着香の目的以外に使用してはならない
		63-37-6			
E904				14.001	
E418		71010-52-1	172.665	20.027	
E418		71010-52-1	172.665	20.027	
	05.016	120-57-0			着香の目的以外に使用してはならない
		(α)10016-20-3 (β)7585-39-9 (γ)17465-86-0		18.011	既存添加物名簿名はシクロデキストリン 告示成分規格の記載名も法令上の名称として取り扱う 告示成分規格にはαのほかにβ，γがある E No.はないがINS No.457あり
		(α)10016-20-3 (β)7585-39-9 (γ)17465-86-0		18.011	既存添加物名簿名はシクロデキストリン 告示成分規格の記載名も法令上の名称として取り扱う 告示成分規格にはαのほかにβ，γがある E No.はないがINS No.457あり
E459		7585-39-9		20.024	既存添加物名簿名はシクロデキストリン 告示成分規格の記載名も法令上の名称として取り扱う 告示成分規格にはαのほかにβ，γがある

し

色文字：法令上の指定添加物名（除く別名）　red：Name on Ministerial Ordinance of Designated Food Additives
色文字：法令上の既存添加物名（除く別名）　red：Name on Ministerial Notification of Existing Food Additives

和　名 Japanese name	和名別名 Japanese name	英名，英名別名 English name	許可状況 Legal/Illegal	主な用途 Main uses
γ-シクロデキストリン	γ-サイクロデキストリン	γ-Cyclodextrin	◎，既存	製造用剤
シクロデキストリングルカノトランスフェラーゼ		Cyclodextrin glucanotransferase	◎，既存	酵素
シクロヘキサン		Cyclohexane	○，指定	香料
シクロヘキシルプロピオン酸アリル	フルーツケトン	Allyl cyclohexylpropionate Cyclohexylpropionic acid allyl ester Fruit ketone	○，指定	香料
ジクロロイソシアヌル酸ナトリウム（無水，二水和物）		Sodium dichloroisocyanurate (Anhydrous and Dihydrate)	×	殺菌料
1,1-ジクロロエタン		1,1-Dichloroethane	×	製造用剤
1,2-ジクロロエタン		1,2-Dichloroethane	×	製造用剤
ジクロロジフルオロメタン		Dichlorodifluoromethane	×	製造用剤
ジクロロメタン		Dichloromethane	×	製造用剤
ジ酢酸グリセリル	グリセリン酢酸エステル グリセリンジアセテート グリセリン脂肪酸エステル ジアセチン	Diacetin Glycerol esters of acetic acid Glycerol esters of acetic acid Glyceryl diacetate	◎，指定	製造用剤 増粘安定剤 乳化剤 ガムベース
死焼マグネシア	か焼マグネシア 酸化マグネシウム マグネシア マグネシアクリンカー	Calcined magnesia Deadburned magnesite Magnesia Magnesia clinker Magnesium oxide	◎，指定	製造用剤 強化剤
シスタチオン		Cystathione	※	特別用途食品
L-シスチン		L-Cystine	◎，既存	強化剤 調味料
L-システイン		L-Cysteine	×	強化剤 調味料
L-システイン塩酸塩		L-Cysteine monohydrochloride	○，指定	品質改良剤 強化剤 酸化防止剤
シソエキス	シソ抽出物（シソの種子又は葉から得られた，テルペノイドを主成分とするものをいう。）	Perilla extract	◎，既存	製造用剤
シソ色素		Beefsteak plant color Perilla color	○	着色料
シソ抽出物（シソの種子又は葉から得られた，テルペノイドを主成分とするものをいう。）	シソエキス	Perilla extract	◎，既存	製造用剤
シタン色素（シタンの幹枝から得られた，サンタリンを主成分とするものをいう。）	サンダルウッド色素	Sandalwood color Sandalwood red	○，既存	着色料

◎：許可（使用基準なし） Legal（Accepted with no standard of use）
○：許可（使用基準あり） Legal（Accepted with standard of use）
指定：Designated Food Additives　既存：Existing Food Additives
×：使用不可 Illegal（Prohibited）
※：個別判断を要するもの Required individual special judgement

EU E No.	EU FL No.	CAS No.	CFR No.	CNS 号.	備考 Remarks
		17465-86-0		18.012	既存添加物名簿名はシクロデキストリン 告示成分規格の記載名も法令上の名称として取り扱う 告示成分規格にはαのほかにβ，γがある E No.はないがINS No.458あり
					「組換えDNA技術応用食品及び添加物の安全性審査の手続きを経た添加物」としての告示あり。詳細は厚労省HP参照
		110-82-7			**脂肪族高級炭化水素類** 着香の目的以外に使用してはならない(特例：油脂の抽出剤として使用可能) 類又は誘導体として指定されている18項目の香料リストのSEQ No.2836(解説編2-(1)-(vi)参照)
	09.498	2705-87-5			着香の目的以外に使用してはならない
			173.355		
E1517			(Acetylated monoglycerides として) 172.828 (Mono-and diglycerides として) 184.1505		
E530		1309-48-4	(Magnesium oxide として) 184.1431		
					資料1により食品添加物に該当する可能性が考えられるが，事前に判断を受けるよう指導されている品目
		56-89-3	(Amino acids, L-Cystine として) 172.320		E No.はないがINS No.921あり
E920			184.1271	13.003	CNS号13.003はL-cysteine and its hydrochlorides sodium and potassium salts 日本で使用が認められているのはits hydrochloridesのみ
		(1水和物) 7048-04-6	(Amino acids, L-Cysteine monohydrochloride として) 172.320	13.003	告示成分規格のnH_2Oは$n = 1$ CNS号13.003はL-cysteine and its hydrochlorides sodium and potassium salts 日本で使用が認められているのはits hydrochloridesのみ
					一般飲食物添加物
					E No.はないがINS No.166あり

し

色文字：法令上の指定添加物名（除く別名）　red：Name on Ministerial Ordinance of Designated Food Additives
色文字：法令上の既存添加物名（除く別名）　red：Name on Ministerial Notification of Existing Food Additives

和　名 Japanese name	和名別名 Japanese name	英名，英名別名 English name	許可状況 Legal/Illegal	主な用途 Main uses
5'-シチジル酸	5'-CMP	Cytidine 5'-monophosphate **5'-Cytidylic acid** 5'-CMP	◎，既存	強化剤
5'-シチジル酸ナトリウム	**5'-シチジル酸二ナトリウム**	**Disodium 5'-cytidilate** Sodium 5'-cytidilate	◎，指定	調味料
5'-シチジル酸二ナトリウム	5'-シチジル酸ナトリウム	**Disodium 5'-cytidilate** Sodium 5'-cytidilate	◎，指定	調味料
シトラスレッドNo.2		Citrus Red No.2	×	着色料
シトラナキサンチン		Citranaxanthin	×	着色料
シトラール	ゲラニアル（トランス-シトラール） ネラール（シス-シトラール） レマローム	**Citral** Geranial（*trans* -Citral） Lemarome Neral（*cis* -Citral）	○，指定	香料
L-シトルリン		L-Citrulline	◎	特別用途食品
シトロネラール	*d* -シトロネラール *ℓ* -シトロネラール ロージナール	**Citronellal** *d* -Citronellal *ℓ* -Citronellal Rhodinal	○，指定	香料
***d* -シトロネラール**	**シトロネラール** *ℓ* -シトロネラール ロージナール	**Citronellal** *d* -Citronellal *ℓ* -Citronellal Rhodinal	○，指定	香料
***ℓ* -シトロネラール**	**シトロネラール** *d* -シトロネラール ロージナール	**Citronellal** *d* -Citronellal *ℓ* -Citronellal Rhodinal	○，指定	香料
シトロネラールヒドレート	オキシジヒドロシトロネラール **ヒドロキシシトロネラール**	Citronellalhydrate **Hydroxycitronellal** Oxydihydrocitronellal	○，指定	香料
シトロネロール	*dl* -シトロネロール	**Citronellol** *dl* -Citronellol	○，指定	香料
***dl* -シトロネロール**	**シトロネロール**	**Citronellol** *dl* -Citronellol	○，指定	香料
シネオール	1,8-エポキシパラメンタン 1,8-オキシドパラメンタン カエプトール **1,8-シネオール** ユーカリプトール	Cajeputol Cineole **1,8-Cineole** 1,8-Epoxy- *p* -menthane Eucalyptol *p* -Menthane-1,8-oxide 1,8-Oxido- *p* -menthane	○，指定	香料
1,8-シネオール	1,8-エポキシパラメンタン 1,8-オキシドパラメンタン カエプトール シネオール ユーカリプトール	Cajeputol Cineole **1,8-Cineole** 1,8-Epoxy- *p* -menthane Eucalyptol *p* -Menthane-1,8-oxide 1,8-Oxido- *p* -menthane	○，指定	香料

◎：許可（使用基準なし） Legal（Accepted with no standard of use）
○：許可（使用基準あり） Legal（Accepted with standard of use）
指定：Designated Food Additives　既存：Existing Food Additives
×：使用不可 Illegal（Prohibited）
※：個別判断を要するもの Required individual special judgement

EU E No.	EU FL No.	CAS No.	CFR No.	CNS 号.	備考 Remarks
		63-37-6			
		6757-06-8			
		6757-06-8			
			74.302		
	05.020	5392-40-5			着香の目的以外に使用してはならない 告示は「*trans*-異性体と *cis*-異性体との混合物」だが，(EU) FL No.は告示のCAS No.と同番号で「citral」としてあり
					資料1により食品素材扱いとする品目
	05.021	106-23-0			着香の目的以外に使用してはならない
	05.021	106-23-0			着香の目的以外に使用してはならない
	05.021	106-23-0			着香の目的以外に使用してはならない
	05.012	107-75-5			着香の目的以外に使用してはならない EU FL No.05.012の名称は「3,7-Dimethyl-7-hydroxyoctanal」
	02.011	106-22-9			着香の目的以外に使用してはならない
	02.011	106-22-9			着香の目的以外に使用してはならない
	03.001	470-82-6			着香の目的以外に使用してはならない
	03.001	470-82-6			着香の目的以外に使用してはならない

し

色文字：法令上の指定添加物名（除く別名）　red：Name on Ministerial Ordinance of Designated Food Additives
色文字：法令上の既存添加物名（除く別名）　red：Name on Ministerial Notification of Existing Food Additives

和　名 Japanese name	和名別名 Japanese name	英名，英名別名 English name	許可状況 Legal/Illegal	主な用途 Main uses
1,2-ジヒドロ-6-エトキシ-2,2,4-トリメチルキノリン	エトキシキン	1,2-dihydro-6-ethoxy-2,2,4-trimethylquinoline Ethoxyquin	×	酸化防止剤
ジヒドロアネトール	パラプロピルアニソール プロピルメトキシベンゼン メチルパラプロピルフェニルエーテル	Dihydroanethole 1-Methoxy-4-propylbenzene Methyl *p*-propylphenyl ether *p*-Propylanisole Propylmethoxybenzene	○，指定	香料
2,3-ジヒドロキシブタンジオン酸	**DL-酒石酸** *dl*-酒石酸	2,3-Dihydroxybutanedioic acid α, β-Dihydroxysuccinic acid **DL-Tartaric acid** *dl*-Tartaric acid	◎，指定	水素イオン濃度調整剤（pH 調整剤） 膨脹剤 酸味料
1,2-ジヒドロキシプロパン	1,2-プロパンジオール プロパン-1,2-ジオール **プロピレングリコール**	1,2-Dihydroxypropane Propane-1,2-diol 1,2-Propanediol **Propylene glycol**	○，指定	製造用剤 品質改良剤
ジヒドロクマリン		Dihydrocoumarin	○，指定	香料
ジビニルベンゼン共重合物		Divinylbenzene copolymer	×	製造用剤
ジフェニル	ビフェニル フェニールベンゼン	Biphenyl **Diphenyl** Phenylbenzene	○，指定	防かび剤
ジフェノコナゾール		**Difenoconazole**	○，指定	防かび剤
ジブチルヒドロキシトルエン	BHT	**Butylated hydroxytoluene** BHT	○，指定	酸化防止剤
ジプロピレングリコール		Dipropylene glycol	×	製造用剤
ジベレリン酸		Gibberellic acid	×	その他（植物ホルモン）
ジベレリン酸カリウム		Potassium salt of gibberellic acid	×	その他（植物ホルモン）
ジベンジルエーテル		Dibenzyl ether	○，指定	香料
ジベンゾイルチアミン		**Dibenzoyl thiamine**	◎，指定	強化剤
ジベンゾイルチアミン塩酸塩		**Dibenzoyl thiamine hydrochloride**	◎，指定	強化剤
ジベンゾイルパーオキサイド	**過酸化ベンゾイル** BPO	**Benzoyl peroxide** BPO Dibenzoyl peroxide	○，指定	小麦粉処理剤

◎：許可（使用基準なし） Legal（Accepted with no standard of use）　×：使用不可 Illegal（Prohibited）
○：許可（使用基準あり） Legal（Accepted with standard of use）　※：個別判断を要するもの Required individual special judgement
指定：Designated Food Additives　既存：Existing Food Additives

EU E No.	EU FL No.	CAS No.	CFR No.	CNS 号.	備考 Remarks
			172.140	17.010	CFR はチリパウダー，パプリカ，南極オキアミミールなどの着色料の酸化防止剤
	04.039	104-45-0			**フェノールエーテル類** 着香の目的以外に使用してはならない 類又は誘導体として指定されている18項目の香料リストのSEQ No.2215(解説編2-(1)-(vi)参照)
E334		133-37-9	(Tartaric acid として) 184.1099	01.313	
E1520		57-55-6	184.1666	18.004	
	13.009	119-84-6			**ラクトン類** 着香の目的以外に使用してはならない 類又は誘導体として指定されている18項目の香料リストのSEQ No.580(解説編2-(1)-(vi)参照)
			173.65		
		92-52-4			CFR「Title40」には「180.190 Diphenylamine」はあるが，本品は収録されていない E No.はないが INS No.230あり
		119446-68-3	180.475（Title40 Part180）		令和2年6月18日省令別表第１に新規指定 CFR では，本書に関連する「Title21」ではなく pre- and post-harvest 関連の「Title40 Part 180.475」に収録されている
E321		128-37-0	(Food preservatives として) 172.115 (GRAS 物質の Chemical preservatires として) 182.3173	04.002	
			(Gibberellic acid and its potassium salt として) 172.725		
			(Gibberellic acid and its potassium salt として) 172.725		
	03.004	103-50-4			**エーテル類** 着香の目的以外に使用してはならない 類又は誘導体として指定されている18項目の香料リストのSEQ No.538(解説編2-(1)-(vi)参照)
		299-88-7			
		(3水和物) 35660-60-7			告示成分規格の nH_2O は n =3
			184.1157		E No.はないが INS No.928あり ミョウバン，リン酸のカルシウム塩類，硫酸カルシウム，炭酸カルシウム，炭酸マグネシウム及びデンプンのうち1種又は2種以上を配合して希釈過酸化ベンゾイルとして使用する場合以外に使用してはならない

色文字：法令上の指定添加物名（除く別名）　red：Name on Ministerial Ordinance of Designated Food Additives
色文字：法令上の既存添加物名（除く別名）　red：Name on Ministerial Notification of Existing Food Additives

和　名 Japanese name	和名別名 Japanese name	英名，英名別名 English name	許可状況 Legal/Illegal	主な用途 Main uses
脂肪酸のナトリウム，カリウム，カルシウム塩		Sodium, potassium and calcium salts of fatty acids	×	香料
脂肪酸のマグネシウム塩		Magnesium salts of fatty acids	×	製造用剤
脂肪酸のメチル及びエチルエステル（食用油脂由来）		Methyl and ethyl esters of fatty acids produced from edible fats and oils	×	被膜剤
脂肪酸のモノ及びジグリセライドのクエン酸エステル	クエン酸ステアリルモノグリセリジル クエン酸モノグリセライド グリセリンクエン酸脂肪酸エステル **グリセリン脂肪酸エステル** ステアロイルモノグリセリジルクエン酸エステル	Citrate esters of monoglyceride Citric acid esters of mono-and diglycerides of fatty acids Glycerol esters of citric (citrate) and fatty acids **Glycerol esters of fatty acids** Monoglyceride citrate Stearoyl monoglyceridyl citrate ester Stearyl monoglyceridyl citrate	◎，指定	製造用剤 増粘安定剤 酸化防止剤 乳化剤 ガムベース
脂肪酸のモノ及びジグリセライドの酢酸エステル	グリセリン酢酸脂肪酸エステル **グリセリン脂肪酸エステル** 酢酸モノグリセライド	Acetate esters of monoglyceride Acetic acid esters of mono-and diglycerides of fatty acids Glycerol esters of acetic (acetate) and fatty acids **Glycerol esters of fatty acids**	◎，指定	製造用剤 増粘安定剤 乳化剤 ガムベース
脂肪酸のモノ及びジグリセライドの酢酸及び酒石酸エステルの混合物	**グリセリン脂肪酸エステル**	**Glycerol esters of fatty acids** Mixed acetic and tartaric acid esters of mono-and diglycerides of fatty acids	※	製造用剤 増粘安定剤 乳化剤 ガムベース
脂肪酸のモノ及びジグリセライドのジアセチル酒石酸エステル	グリセリンジアセチル酒石酸脂肪酸エステル **グリセリン脂肪酸エステル** ジアセチル酒石酸モノグリセライド 脂肪酸のモノ及びジグリセライドのモノ及びジアセチル酒石酸エステル	Diacetyltartarate esters of monoglyceride Diacetyltartaric acid esters of mono-and diglycerides of fatty acids Glycerol esters of diacetyl tartaric (tartrate) and fatty acids Glycerol esters of diacetyl tartaric (tartrate) and fatty acids Mono-and diacetyl tartaric acid esters of mono-and diglycerides of fatty acids	◎，指定	製造用剤 増粘安定剤 乳化剤 ガムベース
脂肪酸のモノ及びジグリセライドの酒石酸エステル	**グリセリン脂肪酸エステル** グリセリン酒石酸脂肪酸エステル 酒石酸モノグリセライド	**Glycerol esters of fatty acids** Glycerol esters of tartaric (tartrate) and fatty acids Tartaric acid esters of mono-and diglycerides of fatty acids Tartrate esters of mono-glyceride	※	製造用剤 増粘安定剤 乳化剤 ガムベース
脂肪酸のモノ及びジグリセライドの乳酸エステル	**グリセリン脂肪酸エステル** 乳酸モノグリセライド	**Glycerol esters of fatty acids** Glycerol esters of lactic (lactate) and fatty acids Glyceryl-lacto esters of fatty acids Lactate ester of mono-glyceride Lactic acid esters of mono-and diglycerides of fatty acids	◎，指定	製造用剤 増粘安定剤 乳化剤 ガムベース

◎：許可（使用基準なし） Legal（Accepted with no standard of use）　×：使用不可 Illegal（Prohibited）
○：許可（使用基準あり） Legal（Accepted with standard of use）　※：個別判断を要するもの Required individual special judgement
指定：Designated Food Additives　既存：Existing Food Additives

EU E No.	EU FL No.	CAS No.	CFR No.	CNS 号.	備 考 Remarks
E470a					E470a は脂肪酸のナトリウム，カリウム，カルシウム塩 **オレイン酸ナトリウム**及び**ステアリン酸カルシウム**以外は不可 両添加物欄参照
E470b					E470b は脂肪酸のマグネシウム塩 **ステアリン酸マグネシウム**以外は不可
			172.225		CFR は脂肪酸のメチルエステルまたはエチルエステルの単独または混合物で使用基準の記載あり
E472c			（Monoglyceride citrate として） 172.832 （Mono-and diglycerides として） 184.1505 （Stearyl monoglyceridyl citrate として） 172.755	10.032	
E472a			（Acetylated monoglycerides として） 172.828 （Mono-and diglycerides として） 184.1505	10.027	
E472f			（Mono-and diglycerides として） 184.1505		
E472e			（Diacetyl tartaric acid esters of mono-and diglycerides として） 184.1101 （Mono-and diglycerides として） 184.1505	10.010	
E472d			（Diacetyl tartaric acid esters of mono-and diglycerides として） 184.1101 （Mono-and diglycerides として） 184.1505		
E472b			（Glyceryl-lacto esters of fatty acids として） 172.852 （Mono-and diglycerides として） 184.1505	10.031	

色文字：法令上の指定添加物名（除く別名）　red：Name on Ministerial Ordinance of Designated Food Additives
色文字：法令上の既存添加物名（除く別名）　red：Name on Ministerial Notification of Existing Food Additives

和　名 Japanese name	和名別名 Japanese name	英名，英名別名 English name	許可状況 Legal/Illegal	主な用途 Main uses
脂肪酸のモノ及びジグリセライドのモノ及びジアセチル酒石酸エステル	グリセリンジアセチル酒石酸脂肪酸エステル グリセリン脂肪酸エステル ジアセチル酒石酸モノグリセライド 脂肪酸のモノ及びジグリセライドのジアセチル酒石酸エステル	Diacetyltartarate esters of monoglyceride Diacetyltartaric acid esters of mono-and diglycerides of fatty acids Glycerol esters of diacetyl tartaric (tartrate) and fatty acids Glycerol esters of fatty acids Mono-and diacetyl tartaric acid esters of mono-and diglycerides of fatty acids	◎，指定	製造用剤 増粘安定剤 乳化剤 ガムベース
脂肪酸のモノ及びジグリセリド	グリセリン脂肪酸エステル	Glycerol esters of fatty acids Mono-and diglycerides of fatty acids	◎，指定	製造用剤 増粘安定剤 乳化剤 ガムベース
脂肪酸類		Fatty acids	○，指定	香料
脂肪酸類の乳酸エステル		Lactylic esters of fatty acids	※	乳化剤
脂肪族高級アルコール類		Aliphatic higher alcohols	○，指定	香料
脂肪族高級アルデヒド類（毒性が激しいと一般に認められるものを除く。）		Aliphatic higher aldehydes (except harmful substances)	○，指定	香料
脂肪族高級炭化水素類（毒性が激しいと一般に認められるものを除く。）		Aliphatic higher hydrocarbons (except harmful substances)	○，指定	香料
脂肪分解酵素	リパーゼ	Glycerol-esterhydrolase Lipase	◎，既存	酵素
ジメチルアミン-エピクロロヒドリン共重合物		Dimethylamine-epichlorohydrin copolymer	×	製造用剤
ジメチルケトン	アセトン β-ケトプロパン 2-プロパノン	Acetone Dimethylketone β-Ketopropane 2-Propanone	○，指定	製造用剤
2,3ジメチルピラジン		2,3-Dimethylpyrazine	○，指定	香料
2,5ジメチルピラジン		2,5-Dimethylpyrazine	○，指定	香料
2,6ジメチルピラジン		2,6-Dimethylpyrazine	○，指定	香料
2,6-ジメチルピリジン		2,6-Dimethylpyridine	○，指定	香料
2,6-ジメチル-5-ヘプテナール	メロナール	2,6-Dimethyl-5-heptenal Melonal	○，指定	香料
ジメチルポリシロキサン	シリコーン樹脂 ポリジメチルシロキサン	Dimethyl polysiloxane Polydimethyl siloxane Silicone resin	○，指定	消泡剤

◎：許可（使用基準なし） Legal（Accepted with no standard of use）
○：許可（使用基準あり） Legal（Accepted with standard of use）
指定：Designated Food Additives　既存：Existing Food Additives
×：使用不可 Illegal（Prohibited）
※：個別判断を要するもの Required individual special judgement

EU E No.	EU FL No.	CAS No.	CFR No.	CNS 号.	備 考 Remarks
E472e			（Diacetyl tartaric acid esters of mono-and diglycerides として） 184.1101 （Mono-and diglycerides として） 184.1505	10.010	
E471			（Mono-and diglycerides として） 184.1505	10.006	
E570			172.860		着香の目的以外に使用してはならない 類又は誘導体として指定されている18項目の香料リスト（解説編2-(1)-(vi)参照）
			172.848		CFR は乳酸と脂肪酸及びまたは Tall oil の脂肪酸由来のオレイン酸
					高級とは C_6以上 着香の目的以外に使用してはならない 類又は誘導体として指定されている18項目の香料リスト（解説編2-(1)-(vi)参照）
					高級とは C_6以上 着香の目的以外に使用してはならない 類又は誘導体として指定されている18項目の香料リスト（解説編2-(1)-(vi)参照）
					高級とは C_6以上 着香の目的以外に使用してはならない 類又は誘導体として指定されている18項目の香料リスト（解説編2-(1)-(vi)参照）
			（Animal lipase として） 184.1415 （Lipase enzyme preparation derived from *Rhizopus niveus* として） 184.1420		「組換え DNA 技術応用食品及び添加物の安全性審査の手続きを経た添加物」としての告示あり。詳細は厚労省 HP 参照 E No.はないが INS No.1104あり
			173.60		
	07.050	67-64-1	173.210		ガラナ飲料を製造する際のガラナ豆の成分を抽出する目的及び油脂の成分を分別する目的以外に使用してはならない。また最終食品の完成前に除去しなければならない EU では香料特性のある食品成分として FL No.あり 類又は誘導体として指定されている18項目の香料リストの SEQ No.45（解説編2-(1)-(vi)参照）
	14.050	5910-89-4			着香の目的以外に使用してはならない
	14.020	123-32-0			着香の目的以外に使用してはならない
	14.021	108-50-9			着香の目的以外に使用してはならない
	14.065	108-48-5			着香の目的以外に使用してはならない
	05.074	106-72-9			**脂肪族高級アルデヒド類** 着香の目的以外に使用してはならない 類又は誘導体として指定されている18項目の香料リストの SEQ No.1498（解説編2-(1)-(vi)参照）
E900				03.007	消泡の目的以外に使用してはならない 「CFR No.173.340 Defoaming agents」があるが，本品の記載はない

色文字：法令上の指定添加物名（除く別名）　red：Name on Ministerial Ordinance of Designated Food Additives
色文字：法令上の既存添加物名（除く別名）　red：Name on Ministerial Notification of Existing Food Additives

和　名 Japanese name	和名別名 Japanese name	英名，英名別名 English name	許可状況 Legal/Illegal	主な用途 Main uses
N,N ジメチルメタンアミン	トリメチルアミン	*N,N* -Dimethylmethanamine Trimethylamine	○，指定	香料
弱酸性次亜塩素酸水	次亜塩素酸水	Hypochlorous acid water Low acid hypochlorous acid water	○，指定	殺菌料
ジャマイカカッシア抽出物（ジャマイカカッシアの幹枝又は樹皮から得られた，クアシン及びネオクアシンを主成分とするものをいう。）	カッシアエキス	Jamaica quassia extract Quassia extract	◎，既存	苦味料
重亜硫酸カリウム	亜硫酸水素カリウム 酸性亜硫酸カリウム	Acid potassium sulfite Potassium bisulfite Potassium hydrogen sulfite	○，指定	保存料 酸化防止剤
重亜硫酸ナトリウム	亜硫酸水素ナトリウム 酸性亜硫酸ソーダ 酸性亜硫酸ナトリウム	Acidic sulfite of soda Acidic sulfite of sodium Sodium bisulfite Sodium hydrogen sulfite	○，指定	製造用剤 保存料 酸化防止剤
シュウ酸	エタンディオイック酸	Ethanedioic acid Oxalic acid	○，指定	製造用剤
DL-重酒石酸カリウム	酒石酸一カリウム DL-酒石酸水素カリウム *dl* -酒石酸水素カリウム	Monopotassium tartrate Potassium DL-bitartrate Potassium hydrogen DL-tartrate Potassium hydrogen *dl* -tartrate	◎，指定	水素イオン濃度調整剤（pH 調整剤） 膨脹剤 調味料
L-重酒石酸カリウム	酒石酸一カリウム L-酒石酸水素カリウム *d* -酒石酸水素カリウム	Monopotassium tartrate Potassium L-bitartrate Potassium hydrogen *d* -tartrate Potassium hydrogen L-tartrate	◎，指定	水素イオン濃度調整剤（pH 調整剤） 膨脹剤 調味料
重酒石酸コリン		Choline bitartrate	※	強化剤
重曹	酸性炭酸ナトリウム 重炭酸ソーダ 重炭酸ナトリウム 炭酸水素ナトリウム	Baking soda Bicarbonate of soda Carbonic acid mono-sodium salt Sodium acid carbonate Sodium bicarbonate Sodium hydrogen carbonate	◎，指定	製造用剤 水素イオン濃度調整剤（pH 調整剤） 膨脹剤 かんすい
臭素化植物油		Brominated vegetable oils	×	製造用剤 増粘安定剤 乳化剤 糊料
臭素酸カリウム		Potassium bromate	○，指定	小麦粉処理剤

◎：許可（使用基準なし） Legal（Accepted with no standard of use）
〇：許可（使用基準あり） Legal（Accepted with standard of use）
指定：Designated Food Additives　既存：Existing Food Additives
×：使用不可 Illegal（Prohibited）
※：個別判断を要するもの Required individual special judgement

EU E No.	EU FL No.	CAS No.	CFR No.	CNS 号.	備考 Remarks
	11.009	75-50-3			着香の目的以外に使用してはならない 平成24年12月28日省令別表第1に新規指定
					生成装置等の基準あり 最終食品の完成前に除去しなければならない 指定添加物名は**次亜塩素酸水**だが，告示成分規格の記載名も法令上の名称として取り扱う 平成26年4月24日告示第225号により，①生食用鮮魚介類，生食用かき及び冷凍食品（生食用冷凍鮮魚介類に限る。以下「生食用鮮魚介類等」という。）の加工基準において，**次亜塩素酸ナトリウム**に加え，**次亜塩素酸水**及び水素イオン濃度調整剤として用いる**塩酸**の使用が認められた，②容器包装詰加圧加熱殺菌食品の製造基準において，**次亜塩素酸ナトリウム**に加え**次亜塩素酸水**の使用が認められた 同日付部長通知による運用上の注意事項としては，**次亜塩素酸水**及び**塩酸**については，①既に食品添加物として定められている使用基準の適用を受ける，②**塩酸**については，生食用鮮魚介類等に対し，**次亜塩素酸ナトリウム**の使用等に伴い水素イオン濃度調整剤として使用することは認められるが，生食用鮮魚介類等の加工時に**塩酸**を直接使用することは認められない
E228		（ピロ亜硫酸カリウムとして） 16731-55-8	（Potassium bisulfite として） 182.3616 （Potassium metabisulfite として） 182.3637		省令別表第1のリスト名は**ピロ亜硫酸カリウム**（別名，亜硫酸水素カリウム又はメタ重亜硫酸カリウム）
E222		（ピロ亜硫酸ナトリウムとして） 7681-57-4	（Sodium bisulfite として） 182.3739 （Sodium metabisulfite として） 182.3766	05.005	省令別表第1のリスト名は**ピロ亜硫酸ナトリウム**（別名，亜硫酸水素ナトリウム，メタ重亜硫酸ナトリウム又は酸性亜硫酸ソーダ）
		（2水和物） 6153-56-6			最終食品の完成前に除去しなければならない 告示成分規格の nH_2O は n ＝2
E336(i)			（Potassium acid tartrate として） 184.1077	06.007	INS No.336(ｉ)（E No.と同じ）は「シリアルベースの乳幼児用加工食品」及び「油脂及びその混合スプレッド」への使用が取り消された（2019年7月第42回 CAC 総会） CNS 号06.007は potassium bitartarate（DL-なし）
E336(i)		868-14-4	（Potassium acid tartrate として） 184.1077	06.007	INS No.336(ｉ)（E No.と同じ）は「シリアルベースの乳幼児用加工食品」及び「油脂及びその混合スプレッド」への使用が取り消された（2019年7月第42回 CAC 総会） CNS 号06.007は potassium bitartarate（L-なし）
			182.8250		生物界には広く分布している物質であり，許可状況は個別判断
E500(ii)		144-55-8	（Sodium bicarbonate として） 184.1736	06.001	
		7758-01-2	172.730		最終食品の完成前に分解し，又は除去しなければならない

し

色文字：法令上の指定添加物名（除く別名）　red：Name on Ministerial Ordinance of Designated Food Additives
色文字：法令上の既存添加物名（除く別名）　red：Name on Ministerial Notification of Existing Food Additives

和　名 Japanese name	和名別名 Japanese name	英名，英名別名 English name	許可状況 Legal/Illegal	主な用途 Main uses
重炭酸アンモニウム	炭酸水素アンモニウム	Ammonium bicarbonate Ammonium hydrogen carbonate	◎，指定	膨脹剤
重炭酸カリウム	酸性炭酸カリウム 炭酸水素カリウム	Potassium acid carbonate Potassium bicarbonate Potassium hydrogen carbonate	○，指定	製造用剤
重炭酸ソーダ	酸性炭酸ナトリウム 重曹 重炭酸ナトリウム 炭酸水素ナトリウム	Baking soda Bicarbonate of soda Carbonic acid mono-sodium salt Sodium acid carbonate Sodium bicarbonate Sodium hydrogen carbonate	◎，指定	製造用剤 水素イオン濃度調整剤（pH 調整剤） 膨脹剤 かんすい
重炭酸ナトリウム	酸性炭酸ナトリウム 重曹 重炭酸ソーダ 炭酸水素ナトリウム	Baking soda Bicarbonate of soda Carbonic acid mono-sodium salt Sodium acid carbonate Sodium bicarbonate Sodium hydrogen carbonate	◎，指定	製造用剤 水素イオン濃度調整剤（pH 調整剤） 膨脹剤 かんすい
重リン酸カリウム	重リン酸四カリウム ピロリン酸カリウム ピロリン酸四カリウム	Diphosphoric acid tetrapotassium salt Potassium diphosphate Potassium pyrophosphate Tetrapotassium diphosphate Tetrapotassium pyrophosphate	◎，指定	製造用剤 膨脹剤 かんすい 乳化剤 結着剤
重リン酸二水素カルシウム	酸性ピロリン酸カルシウム ピロリン酸二水素カルシウム	Acidic calcium pyrophosphate Calcium dihydrogen diphosphate Calcium dihydrogen pyrophosphate	○，指定	膨脹剤 強化剤 乳化剤
重リン酸二ナトリウム	SAPP 酸性ピロリン酸ナトリウム ピロリン酸ナトリウム ピロリン酸二水素二ナトリウム	Acidic disodium pyrophosphate Disodium dihydrogen pyrophosphate Disodium diphosphate Disodium pyrophosphate SAPP Sodium acid pyrophosphate	◎，指定	水素イオン濃度調整剤（pH 調整剤） 膨脹剤 かんすい 乳化剤 結着剤
重リン酸四カリウム	重リン酸カリウム ピロリン酸カリウム ピロリン酸四カリウム	Diphosphoric acid tetrapotassium salt Potassium diphosphate Potassium pyrophosphate Tetrapotassium diphosphate Tetrapotassium pyrophosphate	◎，指定	製造用剤 膨脹剤 かんすい 乳化剤 結着剤
シュガービート抽出香料		Sugar beet extract flavor base	◎	香料
シュークラーゼ	インベルターゼ サッカラーゼ スクラーゼ	Invertase Saccharase Sucrase	◎，既存	酵素
樹脂アルコール	リグナン レジノール	Lignan Resinol	※	特別用途食品
d-酒石酸	L-酒石酸	Dextrotartaric acid *d*-Tartaric acid L-Tartaric acid	◎，指定	製造用剤 水素イオン濃度調整剤（pH 調整剤） 膨脹剤 酸味料

◎：許可（使用基準なし） Legal（Accepted with no standard of use）
○：許可（使用基準あり） Legal（Accepted with standard of use）
指定：Designated Food Additives 既存：Existing Food Additives
×：使用不可 Illegal（Prohibited）
※：個別判断を要するもの Required individual special judgement

EU E No.	EU FL No.	CAS No.	CFR No.	CNS 号.	備考 Remarks
E503(ii)		1066-33-7	184.1135	06.002	
E501(ii)		298-14-6	184.1613	01.307	令和4年8月30日省令別表第1に新規指定 使用にあたっては，適切な製造工程管理を行い，食品中で目的とする効果を得る上で必要とされる量を超えないものとする特記あり 製造用剤はぶどう酒の除酸目的
E500(ii)		144-55-8	(Sodium bicarbonate として) 184.1736	06.001	
E500(ii)		144-55-8	(Sodium bicarbonate として) 184.1736	06.001	
E450(v)		7320-34-5		15.017	E450(v)は Tetrapotassium diphosphate
E450 (vii)		14866-19-4		15.016	食品の製造又は加工上必要不可欠な場合及び栄養の目的以外に使用してはならない E450(vii)は Calcium dihydrogen diphosphate
E450(i)		7758-16-9	(Sodium acid pyrophosphate として) 182.1087	15.008	E450(i)は Disodium diphosphate
E450(v)		7320-34-5		15.017	E450(v)は Tetrapotassium diphosphate
			172.585		食品扱い
E1103					
					資料1により食品添加物に該当する可能性が考えられるが，事前に判断を受けるよう指導されている品目
E334		87-69-4	(Tartaric acid として) 184.1099	01.111	

色文字：法令上の指定添加物名（除く別名）　red：Name on Ministerial Ordinance of Designated Food Additives
色文字：法令上の既存添加物名（除く別名）　red：Name on Ministerial Notification of Existing Food Additives

和　名 Japanese name	和名別名 Japanese name	英名，英名別名 English name	許可状況 Legal/Illegal	主な用途 Main uses
DL-酒石酸	2,3-ジヒドロキシブタンジオン酸 *dl*-酒石酸	2,3-Dihydroxybutanedioic acid α，β-Dihydroxysuccinic acid DL-Tartaric acid *dl*-Tartaric acid	◎，指定	水素イオン濃度調整剤（pH 調整剤） 膨脹剤 酸味料
dl-酒石酸	2,3-ジヒドロキシブタンジオン酸 DL-酒石酸	2,3-Dihydroxybutanedioic acid α，β-Dihydroxysuccinic acid DL-Tartaric acid *dl*-Tartaric acid	◎，指定	水素イオン濃度調整剤（pH 調整剤） 膨脹剤 酸味料
L-酒石酸	*d*-酒石酸	Dextrotartaric acid *d*-Tartaric acid L-Tartaric acid	◎，指定	製造用剤 水素イオン濃度調整剤（pH 調整剤） 膨脹剤 酸味料
DL-酒石酸アンモニウム		Ammonium DL-tartrate	×	調味料
L-酒石酸アンモニウム		Ammonium L-tartrate	×	調味料
酒石酸一カリウム	DL-重酒石酸カリウム DL-酒石酸水素カリウム *dl*-酒石酸水素カリウム	Monopotassium tartrate Potassium DL-bitartrate Potassium hydrogen DL-tartrate Potassium hydrogen *dl*-tartrate	◎，指定	水素イオン濃度調整剤（pH 調整剤） 膨脹剤 調味料
	L-重酒石酸カリウム L-酒石酸水素カリウム *d*-酒石酸水素カリウム	Monopotassium tartrate Potassium L-bitartrate Potassium hydrogen *d*-tartrate Potassium hydrogen L-tartrate	◎，指定	水素イオン濃度調整剤（pH 調整剤） 膨脹剤 調味料
酒石酸一ナトリウム		Monosodium tartrate	×	調味料
DL-酒石酸塩類		Salts of DL-tartaric acid	※	水素イオン濃度調整剤（pH 調整剤） 膨脹剤 調味料
DL-酒石酸カリウム	*dl*-酒石酸カリウム	Dipotassium DL-tartrate Dipotassium *dl*-tartrate	○，指定	製造用剤
L-酒石酸カリウム	*d*-酒石酸カリウム	Dipotassium L-tartrate Dipotassium *d*-tartrate	○，指定	製造用剤
d-酒石酸カリウム	L-酒石酸カリウム	Dipotassium L-tartrate Dipotassium *d*-tartrate	○，指定	製造用剤

◎：許可（使用基準なし） Legal（Accepted with no standard of use）
○：許可（使用基準あり） Legal（Accepted with standard of use）
指定：Designated Food Additives　既存：Existing Food Additives
×：使用不可 Illegal（Prohibited）
※：個別判断を要するもの Required individual special judgement

EU E No.	EU FL No.	CAS No.	CFR No.	CNS 号.	備考 Remarks
E334		133-37-9	（Tartaric acid として） 184.1099	01.313	
E334		133-37-9	（Tartaric acid として） 184.1099	01.313	
E334		87-69-4	（Tartaric acid として） 184.1099	01.111	
E336(i)		868-14-4	（Potassium acid tartrate として） 184.1077	06.007	INS No.336(ｉ)（E No.と同じ）は「シリアルベースの乳幼児用加工食品」及び「油脂及びその混合スプレッド」への使用が取り消された（2019年7月第42回 CAC 総会） CNS 号06.007は potassium bitartarate（DL-なし）
E336(i)		（L-酒石酸水素カリウムとして） 868-14-4	（Potassium acid tartrate として） 184.1077	06.007	INS No.336(ｉ)（E No.と同じ）は「シリアルベースの乳幼児用加工食品」及び「油脂及びその混合スプレッド」への使用が取り消された（2019年7月第42回 CAC 総会） CNS 号06.007は potassium bitartarate（L-なし）
E335(i)					INS No.335(ｉ)（E No.と同じ）は「シリアルベースの乳幼児用加工食品」及び「油脂及びその混合スプレッド」への使用が取り消された（2019年7月第42回 CAC 総会）。
					省令別表第1の **DL-酒石酸ナトリウム，L-酒石酸ナトリウム**以外は不可
E336(ⅱ)					令和3年1月15日省令別表第1に新規指定 使用にあたっては，適切な製造工程管理を行い，食品中で目的とする効果を得る上で必要とされる量を超えないものとする特記あり 製造用剤はぶどう酒の除カリウム剤及び除酸剤 ぶどう酒以外の食品に使用してはならない E336（ⅱ）の名称は「Dipotassium tartrate」
E336(ⅱ)		6100-19-2			令和2年12月4日省令別表第1に新規指定 使用にあたっては，適切な製造工程管理を行い，食品中で目的とする効果を得る上で必要とされている量を超えないものとする特記あり 製造用剤はぶどう酒の除酸目的 ぶどう酒の製造に用いるぶどう果汁及びぶどう酒以外の食品に使用してはならない E336（ⅱ）の名称は「Dipotassium tartrate」 告示成分規格の nH_2O は n=1/2
E336(ⅱ)		6100-19-2			令和2年12月4日省令別表第1に新規指定 使用にあたっては，適切な製造工程管理を行い，食品中で目的とする効果を得る上で必要とされている量を超えないものとする特記あり 製造用剤はぶどう酒の除酸目的 ぶどう酒の製造に用いるぶどう果汁及びぶどう酒以外の食品に使用してはならない E336（ⅱ）の名称は「Dipotassium tartrate」 告示成分規格の nH_2O は n=1/2

色文字：法令上の指定添加物名（除く別名） **red**：Name on Ministerial Ordinance of Designated Food Additives
色文字：法令上の既存添加物名（除く別名） **red**：Name on Ministerial Notification of Existing Food Additives

和　名 Japanese name	和名別名 Japanese name	英名，英名別名 English name	許可状況 Legal/Illegal	主な用途 Main uses
dl-酒石酸カリウム	**DL-酒石酸カリウム**	**Dipotassium DL-tartrate** Dipotassium *dl*-tartrate	○，指定	製造用剤
L-酒石酸カリウムナトリウム	酒石酸ナトリウムカリウム	Potassium sodium L-tartrate Sodium potassium tartrate	×	製造用剤
酒石酸カルシウム	**L-酒石酸カルシウム** *d*-酒石酸カルシウム	Calcium *d*-tartrate **Calcium L-tartrate**	○，指定	製造用剤
L-酒石酸カルシウム	酒石酸カルシウム *d*-酒石酸カルシウム	Calcium *d*-tartrate **Calcium L-tartrate**	○，指定	製造用剤
***d*-酒石酸カルシウム**	酒石酸カルシウム **L-酒石酸カルシウム**	Calcium *d*-tartrate **Calcium L-tartrate**	○，指定	製造用剤
酒石酸コリン		Choline tartrate	※	強化剤
酒石酸ジエチル		Diethyl tartrate	○，指定	製造用剤 香料
酒石酸水素カリウム		Potassium hydrogen tartrate	※	水素イオン濃度調整剤（pH 調整剤） 膨張剤 調味料
DL-酒石酸水素カリウム	DL-重酒石酸カリウム 酒石酸一カリウム *dl*-酒石酸水素カリウム	Monopotassium tartrate **Potassium DL-bitartrate** Potassium hydrogen DL-tartrate Potassium hydrogen *dl*-tartrate	◎，指定	水素イオン濃度調整剤（pH 調整剤） 膨張剤 調味料
***dl*-酒石酸水素カリウム**	DL-重酒石酸カリウム 酒石酸一カリウム **DL-酒石酸水素カリウム**	Monopotassium tartrate **Potassium DL-bitartrate** Potassium hydrogen DL-tartrate Potassium hydrogen *dl*-tartrate	◎，指定	水素イオン濃度調整剤（pH 調整剤） 膨張剤 調味料
L-酒石酸水素カリウム	L-重酒石酸カリウム 酒石酸一カリウム *d*-酒石酸水素カリウム	Monopotassium tartrate **Potassium L-bitartrate** Potassium hydrogen *d*-tartrate Potassium hydrogen L-tartrate	◎，指定	水素イオン濃度調整剤（pH 調整剤） 膨張剤 調味料
***d*-酒石酸水素カリウム**	L-重酒石酸カリウム 酒石酸一カリウム **L-酒石酸水素カリウム**	Monopotassium tartrate **Potassium L-bitartrate** Potassium hydrogen *d*-tartrate Potassium hydrogen L-tartrate	◎，指定	水素イオン濃度調整剤（pH 調整剤） 膨張剤 調味料

◎：許可（使用基準なし） Legal（Accepted with no standard of use）
○：許可（使用基準あり） Legal（Accepted with standard of use）
指定：Designated Food Additives 既存：Existing Food Additives
×：使用不可 Illegal（Prohibited）
※：個別判断を要するもの Required individual special judgement

EU E No.	EU FL No.	CAS No.	CFR No.	CNS 号.	備 考 Remarks
E336（ii）					令和3年1月15日省令別表第1に新規指定 使用にあたっては，適切な製造工程管理を行い，食品中で目的とする効果を得る上で必要とされる量を超えないものとする特記あり 製造用剤はぶどう酒の除カリウム剤及び除酸剤 ぶどう酒以外の食品に使用してはならない E336（ii）の名称は「Dipotassium tartrate」
E337			184.1804		
E354		（4水和物） 5892-21-7			令和4年10月26日省令別表第1に新規指定 製造用剤は酒質安定剤，酸度調整剤 ぶどう酒以外の食品に使用してはならない E354の名称は「Calcium tartrate」 告示成分規格の nH_2O は n=4又は2
E354		（4水和物） 5892-21-7			令和4年10月26日省令別表第1に新規指定 製造用剤は酒質安定剤，酸度調整剤 ぶどう酒以外の食品に使用してはならない E354の名称は「Calcium tartrate」 告示成分規格の nH_2O は n=4又は2
E354		（4水和物） 5892-21-7			令和4年10月26日省令別表第1に新規指定 製造用剤は酒質安定剤，酸度調整剤 ぶどう酒以外の食品に使用してはならない E354の名称は「Calcium tartrate」 告示成分規格の nH_2O は n=4又は2
					E No.はないがINS No.1001（v）あり 生物界には広く分布している物質であり，許可状況は個別判断
	09.446	87-91-2			**エステル類** 着香の目的以外に使用してはならない 製造用剤の目的では不可 類又は誘導体として指定されている18項目の香料リストのSEQ No.557（解説編2-(1)-(vi)参照）
					省令別表第1の**DL-酒石酸水素カリウム**，**L-酒石酸水素カリウム**以外は不可
E336(i)			（Potassium acid tartrateとして） 184.1077	06.007	INS No.336（i）（E No.と同じ）は「シリアルベースの乳幼児用加工食品」及び「油脂及びその混合スプレッド」への使用が取り消された（2019年7月第42回CAC総会） CNS号06.007は potassium bitartarate（DL-なし）
E336(i)			（Potassium acid tartrateとして） 184.1077	06.007	INS No.336（i）（E No.と同じ）は「シリアルベースの乳幼児用加工食品」及び「油脂及びその混合スプレッド」への使用が取り消された（2019年7月第42回CAC総会） CNS号06.007は potassium bitartarate（DL-なし）
E336(i)		868-14-4	（Potassium acid tartrateとして） 184.1077	06.007	INS No.336（i）（E No.と同じ）は「シリアルベースの乳幼児用加工食品」及び「油脂及びその混合スプレッド」への使用が取り消された（2019年7月第42回CAC総会） CNS号06.007は potassium bitartarate（L-なし）
E336(i)		868-14-4	（Potassium acid tartrateとして） 184.1077	06.007	INS No.336（i）（E No.と同じ）は「シリアルベースの乳幼児用加工食品」及び「油脂及びその混合スプレッド」への使用が取り消された（2019年7月第42回CAC総会） CNS号06.007は potassium bitartarate（L-なし）

色文字：法令上の指定添加物名（除く別名）　red：Name on Ministerial Ordinance of Designated Food Additives
色文字：法令上の既存添加物名（除く別名）　red：Name on Ministerial Notification of Existing Food Additives

和　名 Japanese name	和名別名 Japanese name	英名，英名別名 English name	許可状況 Legal/Illegal	主な用途 Main uses
L-酒石酸水素ナトリウム		Monosodium L-tartrate	×	製造用剤 増粘安定剤
酒石酸ステアリル		Stearyl tartrate	×	製造用剤 乳化剤
酒石酸鉄		Iron tartrate	×	食塩固結防止剤
dl-酒石酸ナトリウム	DL-酒石酸ナトリウム 酒石酸二ナトリウム	Disodium tartrate Disodium DL-tartrate Disodium *dl*-tartrate	◎，指定	水素イオン濃度調整剤（pH 調整剤） 酸味料 調味料
DL-酒石酸ナトリウム	*dl*-酒石酸ナトリウム 酒石酸二ナトリウム	Disodium tartrate Disodium DL-tartrate Disodium *dl*-tartrate	◎，指定	水素イオン濃度調整剤（pH 調整剤） 酸味料 調味料
L-酒石酸ナトリウム	*d*-酒石酸ナトリウム 酒石酸二ナトリウム	Disodium tartrate Disodium *d*-tartrate Disodium L-tartrate	◎，指定	水素イオン濃度調整剤（pH 調整剤） 酸味料 調味料
d-酒石酸ナトリウム	L-酒石酸ナトリウム 酒石酸二ナトリウム	Disodium tartrate Disodium *d*-tartrate Disodium L-tartrate	◎，指定	水素イオン濃度調整剤（pH 調整剤） 酸味料 調味料
酒石酸ナトリウムカリウム	L-酒石酸カリウムナトリウム	Potassium sodium L-tartrate Sodium potassium tartrate	×	製造用剤
酒石酸二ナトリウム	DL-酒石酸ナトリウム *dl*-酒石酸ナトリウム	Disodium tartrate Disodium DL-tartrate Disodium *dl*-tartrate	◎，指定	水素イオン濃度調整剤（pH 調整剤） 酸味料 調味料
酒石酸二ナトリウム	L-酒石酸ナトリウム *d*-酒石酸ナトリウム	Disodium tartrate Disodium *d*-tartrate Disodium L-tartrate	◎，指定	水素イオン濃度調整剤（pH 調整剤） 酸味料 調味料
DL-酒石酸マグネシウム		Magnesium DL-tartrate	×	調味料
L-酒石酸マグネシウム		Magnesium L-tartrate	×	調味料
酒石酸モノグリセライド	グリセリン脂肪酸エステル グリセリン酒石酸脂肪酸エステル 脂肪酸のモノ及びジグリセライドの酒石酸エステル	Glycerol esters of fatty acids Glycerol esters of tartaric (tartrate) and fatty acids Tartaric acid esters of mono-and diglycerides of fatty acids Tartrate esters of mono-glyceride	※	製造用剤 増粘安定剤 乳化剤 ガムベース
酒石酸二カリウム		Dipotassium tartrate	×	調味料
シュペーネ	木材チップ（ハシバミ又はブナの幹枝を粉砕して得られたものをいう。）	Wood chip	◎，既存	製造用剤
ショウガ抽出物（ショウガの根茎から得られた，ショウガオール及びジンゲロールを主成分とするものをいう。）	ジンジャー抽出物	Ginger extract	◎，既存	製造用剤
笑気	亜酸化窒素 一酸化二窒素 酸化窒素 酸化二窒素	Dinitrogen monooxide Nitrogen oxide Nitrous oxide Dinitrogen oxide Laughing gas	○，指定	噴射剤（プロペラント）

◎：許可（使用基準なし） Legal（Accepted with no standard of use）
○：許可（使用基準あり） Legal（Accepted with standard of use）
指定：Designated Food Additives　既存：Existing Food Additives
×：使用不可 Illegal（Prohibited）
※：個別判断を要するもの Required individual special judgement

EU E No.	EU FL No.	CAS No.	CFR No.	CNS 号.	備考 Remarks
E483					
E534					E534は「Commission Regulation（EU）2015/1739 of 28 Sept. 2015」で新規制定
E335(ii)					E335(ii)はDisodium tartrateであり，L，DLの区別なし
E335(ii)					E335(ii)はDisodium tartrateであり，L，DLの区別なし
E335(ii)		（2水和物） 6106-24-7			告示成分規格の nH_2O は $n=2$ E335(ii)はDisodium tartrateであり，L，DLの区別なし
E335(ii)		（2水和物） 6106-24-7			告示成分規格の nH_2O は $n=2$ E335(ii)はDisodium tartrateであり，L，DLの区別なし
E337			184.1804		
E335(ii)					E335(ii)はDisodium tartrateであり，L，DLの区別なし
E335(ii)		（2水和物） 6106-24-7			告示成分規格の nH_2O は $n=2$ E335(ii)はDisodium tartrateであり，L，DLの区別なし
E472d			（Diacetyl tartaric acid esters of mono-and diglycerides として） 184.1101 （Mono-and diglycerides として） 184.1505		
E336(ii)					INS No.336(ii)（E No.と同じ）は「シリアルベースの乳幼児用加工食品」及び「油脂及びその混合スプレッド」への使用が取り消された（2019年7月第42回CAC総会）。
E942		10024-97-2	184.1545		ホイップクリーム類（乳脂肪分又は乳脂肪代替食品（植物性脂肪分，ゼラチン，卵白，寒天等）を主原料として泡立てた食品）以外の食品に使用してはならない また，一般的に容易に販売されているカートリッジ式容器に入れた**亜酸化窒素**は，成分規格外としてその使用は認められない

し

色文字：法令上の指定添加物名（除く別名）　red：Name on Ministerial Ordinance of Designated Food Additives
色文字：法令上の既存添加物名（除く別名）　red：Name on Ministerial Notification of Existing Food Additives

和　名 Japanese name	和名別名 Japanese name	英名，英名別名 English name	許可状況 Legal/Illegal	主な用途 Main uses
硝酸カリウム	硝石	Nitre Nitre saltpeter Potassium nitrate Saltpeter	○，指定	発色剤 発酵調整剤
硝酸銀と過酸化水素の混液		Silver nitrate and hydrogen peroxide solution	×	抗菌剤
硝酸ソーダ	硝酸ナトリウム チリ硝石	Chile saltpeter Cubic niter(nitre) Soda niter(nitre) Sodium nitrate	○，指定	発色剤 発酵調整剤
硝酸ナトリウム	硝酸ソーダ チリ硝石	Chile saltpeter Cubic niter(nitre) Soda niter(nitre) Sodium nitrate	○，指定	発色剤 発酵調整剤
焼成カルシウム(うに殻，貝殻，造礁サンゴ，ホエイ，骨，又は卵殻を焼成して得られた，カルシウム化合物を主成分とするものをいう。)	うに殻焼成カルシウム 貝殻焼成カルシウム 骨カルシウム 骨焼成カルシウム 造礁サンゴ焼成カルシウム 乳清焼成カルシウム 卵殻焼成カルシウム	Calcinated bone calcium Calcinated calcium Calcinated coral calcium Calcinated eggshell calcium Calcinated sea urchin shell calcium Calcinated shell calcium Tricalcium phosphate	◎，既存	製造用剤 強化剤
硝石	硝酸カリウム	Nitre Nitre saltpeter Potassium nitrate Saltpeter	○，指定	発色剤 発酵調整剤
焼石灰	酸化カルシウム 生石灰	Burnt lime Calcium oxide Calx Quicklime	◎，既存	製造用剤 強化剤 イーストフード
消石灰	水酸化カルシウム	Calcium hydroxide Lime hydrate Slaked lime	○，指定	製造用剤 強化剤 豆腐用凝固剤
焼石こう	化学石こう 石こう 天然石こう 硫酸カルシウム	Calcium sulfate Chemical gypsum Gyps Gypsum Natural gypsum Plaster of Paris	○，指定	膨脹剤 強化剤 イーストフード 豆腐用凝固剤 膨張剤
	化学石こう 石こう 天然石こう 硫酸カルシウム	Calcium sulfate Chemical gypsum Gyps Gypsum Natural gypsum Plaster of Paris	※	特別用途食品
醸造セルロース	ナタデココ 発酵セルロース	Fermentation-derived cellulose	◎	増粘安定剤

◎：許可（使用基準なし） Legal（Accepted with no standard of use）
○：許可（使用基準あり） Legal（Accepted with standard of use）
指定：Designated Food Additives　既存：Existing Food Additives
×：使用不可 Illegal（Prohibited）
※：個別判断を要するもの Required individual special judgement

EU E No.	EU FL No.	CAS No.	CFR No.	CNS 号.	備考 Remarks
E252		7757-79-1	(Potassium nitrate として) 172.160 (Sodium nitrate and potassium nitrate として) 181.33	09.003	CFR No.の Part 181.33は特別に収録
			172.167		CFR は Bottled water の抗菌剤
E251(ⅰ) E251(ⅱ)		7631-99-4	(Sodium nitrate として) 172.170 (Sodium nitrate and potassium nitrate として) 181.33	09.001	CFR No. Part 181.33は特別に収載 E251(ⅰ)は Solid sodium nitrate E251(ⅱ)は Liquid sodium nitrate
E251(ⅰ) E251(ⅱ)		7631-99-4	(Sodium nitrate として) 172.170 (Sodium nitrate and potassium nitrate として) 181.33	09.001	CFR No. Part 181.33は特別に収載 E251(ⅰ)は Solid sodium nitrate E251(ⅱ)は Liquid sodium nitrate
E252		7757-79-1	(Potassium nitrate として) 172.160 (Sodium nitrate and potassium nitrate として) 181.33	09.003	CFR No.の Part 181.33は特別に収録・
E529			(Calcium oxide として) 184.1210		合成品は指定添加物
E526		1305-62-0	184.1205	01.202	食品の製造又は加工上必要不可欠な場合及び栄養の目的以外に使用してはならない
E516		(2水和物) 7778-18-9	(Calcium sulfate として) 184.1230	18.001	食品の製造又は加工上必要不可欠な場合及び栄養の目的以外に使用してはならない 告示成分規格の nH_2O は n =2 石こう参照
E516					石こうは資料1により食品添加物に該当する可能性が考えられるが，事前に判断を受けるよう指導されている品目 石こう参照
					一般飲食物添加物

し

色文字：法令上の指定添加物名（除く別名）　red：Name on Ministerial Ordinance of Designated Food Additives
色文字：法令上の既存添加物名（除く別名）　red：Name on Ministerial Notification of Existing Food Additives

和　名 Japanese name	和名別名 Japanese name	英名，英名別名 English name	許可状況 Legal/Illegal	主な用途 Main uses
植物性酵素・果汁酵素		Vegetable origin enzyme	※	特別用途食品 酵素
植物性ステロール(油糧種子から得られた，フィトステロールを主成分とするものをいう。)	フィトステロール	Phytosterol Vegetable sterol	◎，既存	乳化剤
植物繊維		Vegetable fiber	◎	特別用途食品
植物タンニン	タンニン(抽出物)(カキの果実、五倍子、タラ末、没食子又はミモザの樹皮から得られた、タンニン及びタンニン酸を主成分とするものをいう。) タンニン酸(抽出物)	Tannic acid(extract) Tannin(extract) Vegetable tannin	◎，既存	製造用剤
植物炭末色素(植物を炭化して得られた、炭素を主成分とするものをいう。)	炭末色素	Carbon black Vegetable carbon black	○，既存	着色料
植物レシチン(アブラナ又はダイズの種子から得られた，レシチンを主成分とするものをいう。)	レシチン	Lecithin Vegetable lecithin	◎，既存	乳化剤
食物繊維		DF Dietary fiber	◎	特別用途食品
食用青色1号	ブリリアントブルー FCF	Brilliant Blue FCF FD & C Blue No.1 Food Blue No.1	○，指定	着色料
食用青色1号アルミニウムレーキ	ブリリアントブルー FCF アルミニウムレーキ	Brilliant Blue FCF aluminium lake Food Blue No.1 aluminium lake	○，指定	着色料
食用青色2号	インジゴカルミン	FD & C Blue No.2 Food Blue No.2 Indigo carmine Indigotine	○，指定	着色料
食用青色2号アルミニウムレーキ	インジゴカルミンアルミニウムレーキ	Food Blue No.2 aluminium lake Indigo carmine aluminium lake	○，指定	着色料
食用赤色2号	アマランス	Amaranth Food Red No.2	○，指定	着色料
食用赤色2号アルミニウムレーキ	アマランスアルミニウムレーキ	Amaranth aluminium lake Food Red No.2 aluminium lake	○，指定	着色料
食用赤色3号	エリスロシン	Erythrosine FD & C Red No.3 Food Red No.3	○，指定	着色料
食用赤色3号アルミニウムレーキ	エリスロシンアルミニウムレーキ	Erythrosine aluminium lake Food Red No.3 aluminium lake	○，指定	着色料
食用赤色4号		FD & C Red No.4	×	着色料
食用赤色40号	アルラレッド AC	Allura Red AC FD & C Red No.40 Food Red No.40	○，指定	着色料

◎：許可（使用基準なし） Legal（Accepted with no standard of use）
○：許可（使用基準あり） Legal（Accepted with standard of use）
指定：Designated Food Additives 既存：Existing Food Additives
×：使用不可 Illegal（Prohibited）
※：個別判断を要するもの Required individual special judgement

EU E No.	EU FL No.	CAS No.	CFR No.	CNS 号.	備考 Remarks
					資料1により既存添加物扱いとする品目に収載されているが，本書では種類により判断し難いものを想定し※とする
					資料1により食品素材扱いとする品目
			(Tannic acid として) 184.1097		タンニン（抽出物）参照 E No.はないが INS No.181あり
E153				08.138	炭末色素参照
E322			(Lecithin として) 184.1400	04.010	CNS 号04.010は phospholipid
					資料1により食品素材扱いとする品目
E133		3844-45-9	(要検定リストとして) 74.101 (要検定暫定リストとして) 82.101	08.007	省令別表第1のリスト名は「食用青色1号及びそのアルミニウムレーキ，Food Blue No.1 and its Aluminium lake」だが，本書では各単品もリスト名としマークした CNS 号08.007は brilliant blue（FCF なし）
E133			(Lakes(FD & C)として) 82.51	08.007	省令別表第1のリスト名は「食用青色1号及びそのアルミニウムレーキ，Food Blue No.1 and its Aluminium lake」だが，本書では各単品もリスト名としマークした CNS 号08.007は brilliant blue aluminum lake（FCF なし）
E132		860-22-0	(要検定リストとして) 74.102 (要検定暫定リストとして) 82.102	08.008	省令別表第1のリスト名は「食用青色2号及びそのアルミニウムレーキ，Food Blue No.2 and its Aluminium lake」だが，本書では各単品もリスト名としマークした
E132			(Lakes(FD & C)として) 82.51	08.008	省令別表第1のリスト名は「食用青色2号及びそのアルミニウムレーキ，Food Blue No.2 and its Aluminium lake」だが，本書では各単品もリスト名としマークした CNS 号08.008は indigotine aluminum lake（carmine なし）
E123		915-67-3		08.001 08.130	省令別表第1のリスト名は「食用赤色2号及びそのアルミニウムレーキ，Food Red No.2 and its Aluminium lake」だが，本書では各単品もリスト名としマークした CNS 号08.130は natural amaranthus red
E123				08.001	省令別表第1のリスト名は「食用赤色2号及びそのアルミニウムレーキ，Food Red No.2 and its Aluminium lake」だが，本書では各単品もリスト名としマークした
E127		(無水物) 16423-68-0	74.303	08.003	省令別表第1のリスト名は「食用赤色3号及びそのアルミニウムレーキ，Food Red No.3 and its Aluminium lake」だが，本書では各単品もリスト名としマークした 告示成分規格の nH_2O は n ＝1
E127				08.003	省令別表第1のリスト名は「食用赤色3号及びそのアルミニウムレーキ，Food Red No.3 and its Aluminium lake」だが，本書では各単品もリスト名としマークした
			82.304		CFR の主成分は Disodium salt of 3-[(2,4-dimethyl-5-sulfophenyl) azo] -4-hydroxy-1-naphthalenesulfonic acid であり，外用医薬品及び化粧品用の制限あり
E129		25956-17-6	74.340	08.012	省令別表第1のリスト名は「食用赤色40号及びそのアルミニウムレーキ，Food Red No. 40 and its Aluminium lake」だが，本書では各単品もリスト名としマークした CNS 号08.012は allura red（AC なし）

色文字：法令上の指定添加物名（除く別名）　red：Name on Ministerial Ordinance of Designated Food Additives
色文字：法令上の既存添加物名（除く別名）　red：Name on Ministerial Notification of Existing Food Additives

和　名 Japanese name	和名別名 Japanese name	英名，英名別名 English name	許可状況 Legal/Illegal	主な用途 Main uses
食用赤色40号アルミニウムレーキ	アルラレッドACアルミニウムレーキ	Allura Red AC aluminium lake Food Red No. 40 aluminium lake	○，指定	着色料
食用赤色102号	コチニールレッドA ニューコクシン ポンソー4R	Cochineal Red A Food Red No. 102 New coccine Ponceau 4R	○，指定	着色料
食用赤色104号	フロキシン	Food Red No. 104 Phloxine	○，指定	着色料
食用赤色105号	ローズベンガル	Food Red No. 105 Rose bengale	○，指定	着色料
食用赤色106号	アシッドレッド	Acid Red Food Red No. 106	○，指定	着色料
食用黄色4号	食用黄色5号（米国） タートラジン	FD & C Yellow No.5 Food Yellow No. 4 Tartrazine	○，指定	着色料
食用黄色4号アルミニウムレーキ	タートラジンアルミニウムレーキ	Food Yellow No. 4 aluminium lake Tartrazine aluminium lake	○，指定	着色料
食用黄色5号	サンセットイエローFCF 食用黄色6号（米国）	FD & C Yellow No.6 Food Yellow No. 5 Sunset Yellow FCF	○，指定	着色料
食用黄色5号（米国）	食用黄色4号 タートラジン	FD & C Yellow No.5 Food Yellow No. 4 Tartrazine	○，指定	着色料
食用黄色5号アルミニウムレーキ	サンセットイエローFCFアルミニウムレーキ	Food Yellow No. 5 aluminium lake Sunset Yellow FCF aluminium lake	○，指定	着色料
食用黄色6号（米国）	サンセットイエローFCF 食用黄色5号	FD & C Yellow No.6 Food Yellow No. 5 Sunset Yellow FCF	○，指定	着色料
食用ゼラチン	ゼラチン	Edible gelatin Gelatin	◎	製造用剤 特別用途食品 増粘安定剤 乳化剤
食用緑色3号	ファストグリーンFCF	FD & C Green No.3 Fast Green FCF Food Green No. 3	○，指定	着色料

◎：許可（使用基準なし） Legal（Accepted with no standard of use）
○：許可（使用基準あり） Legal（Accepted with standard of use）
指定：Designated Food Additives 既存：Existing Food Additives
×：使用不可 Illegal（Prohibited）
※：個別判断を要するもの Required individual special judgement

EU E No.	EU FL No.	CAS No.	CFR No.	CNS 号.	備考 Remarks
E129				08.012	省令別表第1のリスト名は「**食用赤色40号及びそのアルミニウムレーキ, Food Red No. 40 and its Aluminium lake**」だが,本書では各単品もリスト名としマークした CNS 号08.012は allura aluminum lake（red AC なし）
E124		（無水物） 2611-82-7	（Cochineal extract：Carmine として） 73.100	08.002	告示成分規格の nH_2O は n ＝ 1 1/2
		18472-87-2			
		632-69-9			
		3520-42-1			
E102		1934-21-0	（要検定リストとして） 74.705 （要検定暫定リストとして） 82.705	08.005	米国では FD & C Yellow No.5(食用黄色5号)である 省令別表第1のリスト名は「**食用黄色4号及びそのアルミニウムレーキ, Food Yellow No. 4 and its Aluminium lake**」だが,本書では各単品もリスト名としマークした
E102			（Lakes(FD & C)として） 82.51	08.005	米国では FD & C Yellow No.5(食用黄色5号)である 省令別表第1のリスト名は「**食用黄色4号及びそのアルミニウムレーキ, Food Yellow No. 4 and its Aluminium lake**」だが,本書では各単品もリスト名としマークした
E110		2783-94-0	（要検定リストとして） 74.706 （要検定暫定リストとして） 82.706	08.006	米国では FD & C Yellow No.6(食用黄色6号)である 省令別表第1のリスト名は「**食用黄色5号及びそのアルミニウムレーキ, Food Yellow No. 5 and its Aluminium lake**」だが,本書では各単品もリスト名としマークした CNS 号08.006は sunset yellow（FCF なし）
E102		1934-21-0	（要検定リストとして） 74.705 （要検定暫定リストとして） 82.705	08.005	米国では FD & C Yellow No.5(食用黄色5号)である 省令別表第1のリスト名は「**食用黄色4号及びそのアルミニウムレーキ, Food Yellow No. 4 and its Aluminium lake**」だが,本書では各単品もリスト名としマークした
E110			（Lakes(FD & C)として） 82.51	08.006	米国では FD & C Yellow No.6(食用黄色6号)である 省令別表第1のリスト名は「**食用黄色5号及びそのアルミニウムレーキ, Food Yellow No. 5 and its Aluminium lake**」だが,本書では各単品もリスト名としマークした CNS 号08.006は sunset yellow aluminum lake（FCF なし）
E110		2783-94-0	（要検定リストとして） 74.706 （要検定暫定リストとして） 82.706	08.006	米国では FD & C Yellow No.6(食用黄色6号)である 省令別表第1のリスト名は「**食用黄色5号及びそのアルミニウムレーキ, Food Yellow No. 5 and its Aluminium lake**」だが,本書では各単品もリスト名としマークした CNS 号08.006は sunset yellow（FCF なし）
					資料1により食品素材扱いとする品目 E No.はないが INS No.428あり
		2353-45-9	（要検定リストとして） 74.203 （要検定暫定リストとして） 82.203		省令別表第1のリスト名は「**食用緑色3号及びそのアルミニウムレーキ, Food Green No. 3 and its Aluminium lake**」だが,本書では各単品もリスト名としマークした ENo.142:Green S は本品と異なる

色文字：法令上の指定添加物名（除く別名）　red：Name on Ministerial Ordinance of Designated Food Additives
色文字：法令上の既存添加物名（除く別名）　red：Name on Ministerial Notification of Existing Food Additives

和　名 Japanese name	和名別名 Japanese name	英名，英名別名 English name	許可状況 Legal/Illegal	主な用途 Main uses
食用緑色3号アルミニウムレーキ	ファストグリーン FCF アルミニウムレーキ	Fast Green FCF aluminium lake Food Green No. 3 aluminium lake	○，指定	着色料
ショ糖	サッカロース スクロース	Saccharose Sucrose	◎	甘味料
ショ糖オリゴエステル		Sucrose oligoesters	◎，指定	乳化剤 ガムベース
ショ糖酢酸イソブチレート	SAIB ショ糖酢酸イソ酪酸エステル ショ糖脂肪酸エステル	SAIB Sucrose acetate isobutyrate Sucrose esters of fatty acids Sucrose fatty acid esters	◎，指定	乳化剤 ガムベース
ショ糖酢酸イソ酪酸エステル	SAIB ショ糖酢酸イソブチレート ショ糖脂肪酸エステル	SAIB Sucrose acetate isobutyrate Sucrose esters of fatty acids Sucrose fatty acid esters	◎，指定	乳化剤 ガムベース
ショ糖脂肪酸エステル	SAIB ショ糖酢酸イソブチレート ショ糖酢酸イソ酪酸エステル	SAIB Sucrose acetate isobutyrate Sucrose esters of fatty acids Sucrose fatty acid esters	◎，指定	乳化剤 ガムベース
しらこたん白	しらこたん白抽出物（魚類の精巣から得られた，塩基性タンパク質を主成分とするものをいう。） しらこ分解物 プロタミン	Milt digest Milt protein Protamine	◎，既存	保存料
しらこたん白抽出物（魚類の精巣から得られた，塩基性タンパク質を主成分とするものをいう。）	しらこたん白 しらこ分解物 プロタミン	Milt digest Milt protein Protamine	◎，既存	保存料
しらこ分解物	しらこたん白 しらこたん白抽出物（魚類の精巣から得られた，塩基性タンパク質を主成分とするものをいう。） プロタミン	Milt digest Milt protein Protamine	◎，既存	保存料
シリアンガム	トラガントガム（トラガントの分泌液から得られた，多糖類を主成分とするものをいう。） バソラガム ホッグガム リーフガム	Basora gum Goat's thorn Gum tragacanth Hog gum Leaf gum Syrian gum Tragacanth gum	◎，既存	増粘安定剤 乳化剤
シリカエヤロゲル		Silica aerogel	○，指定	製造用剤
シリカゲル	二酸化ケイ素	Silica gel Silicon dioxide	○，指定	製造用剤 固結防止剤

◎：許可（使用基準なし） Legal（Accepted with no standard of use）
○：許可（使用基準あり） Legal（Accepted with standard of use）
指定：Designated Food Additives　　既存：Existing Food Additives
×：使用不可　Illegal（Prohibited）
※：個別判断を要するもの　Required individual special judgement

EU E No.	EU FL No.	CAS No.	CFR No.	CNS 号.	備考 Remarks
			(Lakes(FD & C)として) 82.51		省令別表第1のリスト名は「**食用緑色3号及びそのアルミニウムレーキ,Food Green No.3 and its Aluminium lake**」だが,本書では各単品もリスト名としマークした ENo.142:Green S は本品と異なる
		57-50-1	184.1854		CFR は CAS No.57-50-1としてサトウキビまたはビートから作ったショ糖 食品扱い
			172.869		**ショ糖脂肪酸エステル**
E444 E473			(Sucrose acetate isobuty-rate,SAIB として) 172.833 (Sucrose fatty acid esters として) 172.859	10.001	E444：Sucrose acetate isobutyrate E473：Sucrose esters of fatty acids
E444 E473			(Sucrose acetate isobuty-rate,SAIB として) 172.833 (Sucrose fatty acid esters として) 172.859	10.001	E444：Sucrose acetate isobutyrate E473：Sucrose esters of fatty acids
E444 E473			(Sucrose acetate isobuty-rate,SAIB として) 172.833 (Sucrose fatty acid esters として) 172.859	10.001	E444：Sucrose acetate isobutyrate E473：Sucrose esters of fatty acids
E413		9000-65-1	(Gum tragacanth として) 184.1351		
			182.1711		省令別表第1の**二酸化ケイ素**扱い(微粒二酸化ケイ素を除く)
E551			(Silicon dioxide として) 172.480	02.004	固結防止剤としての使用は微粒二酸化ケイ素に限る ろ過助剤の目的以外に使用してはならない(微粒二酸化ケイ素を除く) 最終食品の完成前に除去しなければならない(微粒二酸化ケイ素を除く) 微粒二酸化ケイ素は母乳代替食品及び離乳食品に使用してはならない

し

色文字：法令上の指定添加物名（除く別名）　red：Name on Ministerial Ordinance of Designated Food Additives
色文字：法令上の既存添加物名（除く別名）　red：Name on Ministerial Notification of Existing Food Additives

和　名 Japanese name	和名別名 Japanese name	英名，英名別名 English name	許可状況 Legal/Illegal	主な用途 Main uses
シリコーン樹脂	ジメチルポリシロキサン ポリジメチルシロキサン	Dimethyl polysiloxane Polydimethyl siloxane Silicone resin	○，指定	消泡剤
白シェラック	シェラック（ラックカイガラムシの分泌液から得られた，アレウリチン酸とシェロール酸又はアレウリチン酸とジャラール酸のエステルを主成分とするものをいう。） 精製シェラック セラック	Lacca Purified shellac Shellac White shellac	◎，既存	ガムベース 光沢剤
ジンジャー抽出物	ショウガ抽出物（ショウガの根茎から得られた，ショウガオール及びジンゲロールを主成分とするものをいう。）	Ginger extract	◎，既存	製造用剤
真珠層未焼成カルシウム	未焼成カルシウム（貝殻，真珠の真珠層，造礁サンゴ，骨又は卵殻を乾燥して得られた，カルシウム塩を主成分とするものをいう。）	Non-calcinated calcium Non-calcinated mother-of-pearl layer calcium	◎，既存	強化剤
真珠灰	炭酸カリウム（無水）	American ash Pearl ash Potash Potassium carbonate Potassium carbonate, anhyd-rous Salt of tartar	◎，指定	製造用剤 水素イオン濃度調整剤（pH 調整剤） 膨脹剤 かんすい イーストフード
シンナミックアルコール	ケイ皮アルコール シンナミルアルコール スチリルカルビノール スチロン γ-フェニルアリルアルコール	Cinnamic alcohol Cinnamyl alcohol γ-Phenylallyl alcohol Styrone Styryl carbinol	○，指定	香料
シンナミックアルデヒド	ケイ皮アルデヒド シンナムアルデヒド	Cinnamaldehyde Cinnamyl aldehyde	○，指定	香料
シンナミルアルコール	ケイ皮アルコール シンナミックアルコール スチリルカルビノール スチロン γ-フェニルアリルアルコール	Cinnamic alcohol Cinnamyl alcohol γ-Phenylallyl alcohol Styrone Styryl carbinol	○，指定	香料
シンナムアルデヒド	ケイ皮アルデヒド シンナミックアルデヒド	Cinnamaldehyde Cinnamyl aldehyde	○，指定	香料
水酸化アンモニウム	アンモニア水	Ammonia water Ammonium hydroxide Aqueos ammonia	◎，指定	製造用剤
水酸化カリウム	カセイカリ	Caustic potash Potassa Potassium hydrate Potassium hydroxide	○，指定	製造用剤
水酸化カルシウム	消石灰	Calcium hydroxide Lime hydrate Slaked lime	○，指定	製造用剤 強化剤 豆腐用凝固剤
水酸化ナトリウム	カセイソーダ	Caustic soda Soda lye Sodium hydrate Sodium hydroxide White caustic	○，指定	製造用剤

◎：許可（使用基準なし） Legal（Accepted with no standard of use）
○：許可（使用基準あり） Legal（Accepted with standard of use）
指定：Designated Food Additives　　既存：Existing Food Additives
×：使用不可 Illegal（Prohibited）
※：個別判断を要するもの Required individual special judgement

EU E No.	EU FL No.	CAS No.	CFR No.	CNS 号.	備考 Remarks
E900				03.007	消泡の目的以外に使用してはならない 「CFR No.173.340 Defoaming agents」があるが，本品の記載はない
E904				14.001	
					未焼成カルシウム参照
E501(i)		584-08-7	(Potassium Carbonate として) 184.1619	01.301	E501(i)では(無水)の限定はない
	02.017	104-54-1			着香の目的以外に使用してはならない
	05.014	14371-10-9		17.012	着香の目的以外に使用してはならない FL No.は CAS No.104-55-2に対応
	02.017	104-54-1			着香の目的以外に使用してはならない
	05.014	14371-10-9		17.012	着香の目的以外に使用してはならない FL No.は CAS No.104-55-2に対応
E527		(アンモニアとして) 7664-41-7	(Ammonium hydroxide)として 184.1139		省令別表第1のリスト名は「アンモニア,Ammonia」 E527は Ammonium hydroxide
E525		1310-58-3	184.1631	01.203	最終食品の完成前に中和又は除去しなければならない
E526		1305-62-0	184.1205	01.202	食品の製造又は加工上必要不可欠な場合及び栄養の目的以外に使用してはならない
E524		(1水和物) 12200-64-5 (無水物) 1310-73-2	184.1763		最終食品の完成前に中和又は除去しなければならない 告示成分規格の nH_2O は n ＝1又は0

しす

色文字：法令上の指定添加物名（除く別名）　red：Name on Ministerial Ordinance of Designated Food Additives
色文字：法令上の既存添加物名（除く別名）　red：Name on Ministerial Notification of Existing Food Additives

和　名 Japanese name	和名別名 Japanese name	英名，英名別名 English name	許可状況 Legal/Illegal	主な用途 Main uses
水酸化マグネシウム		Magnesium hydroxide	◎，指定	製造用剤 強化剤
水酸化レシチン		Hydroxylated lecithin	×	乳化剤
水素		Hydrogen	◎，既存	製造用剤
水素添加植物油脂のグリセライド及びポリグリセライド		Glycerides and polyglycerides of hydrogenated vegetable oils	※	製造用剤 増粘安定剤 乳化剤 ガムベース
水添まっこう鯨油		Hydrogenated sperm oil	◎	製造用剤
スィムブルベリー色素	チンブルベリー色素	Thimbleberry color	○	着色料
水溶性アナトー		Annatto, water-soluble	○，指定	着色料
スカーレットGN		Scarlet GN	×	着色料
スクラーゼ	インベルターゼ サッカラーゼ シュークラーゼ	Invertase Saccharase Sucrase	◎，既存	酵素
スクラロース	トリクロロガラクトスクロース	Sucralose Trichlorogalactosucrose	○，指定	甘味料
スクロース	サッカロース ショ糖	Saccharose Sucrose	◎	甘味料
スクログリセリド		Sucroglycerides	×	乳化剤
スクワレン	スピナセン スプラエン	Spinacene Squalene Supraene	※	特別用途食品
スターター蒸留物		Starter distillate	◎	調味料
スーダンI		Sudan I	×	着色料
スーダンII		Sudan II	×	着色料
スーダンIII		Sudan III	×	着色料
スーダンIV		Sudan IV	×	着色料
スチグマステリン高含量植物ステロール		Stigmasterol-rich plant sterols	×	安定剤
スチリルカルビノール	ケイ皮アルコール シンナミックアルコール シンナミルアルコール スチロン γ-フェニルアリルアルコール	Cinnamic alcohol Cinnamyl alcohol γ-Phenylallyl alcohol Styrone Styryl carbinol	○，指定	香料
スチロン	ケイ皮アルコール シンナミックアルコール シンナミルアルコール スチリルカルビノール γ-フェニルアリルアルコール	Cinnamic alcohol Cinnamyl alcohol γ-Phenylallyl alcohol Styrone Styryl carbinol	○，指定	香料
ステアリル乳酸カルシウム	ステアロイル乳酸カルシウム ステアロイル-2-乳酸カルシウム	Calcium stearoyl lactylate Calcium stearoyl-2-lactylate Calcium stearyl lactylate	○，指定	乳化剤

◎：許可（使用基準なし） Legal（Accepted with no standard of use）
○：許可（使用基準あり） Legal（Accepted with standard of use）
指定：Designated Food Additives　既存：Existing Food Additives
×：使用不可 Illegal（Prohibited）
※：個別判断を要するもの Required individual special judgement

EU E No.	EU FL No.	CAS No.	CFR No.	CNS 号.	備考 Remarks
E528		1309-42-8	184.1428		乳幼児,小児が過剰に摂取しないように指導あり
			172.814		
E949		1333-74-0			
			172.736		
			173.275		食品扱い
					一般飲食物添加物
E160b（i） E160b（ii） E160b（iii）			（Annatto extract として） 73.30		水溶性アナトーは省令別表第1の**ノルビキシンカリウム**,**ノルビキシンナトリウム**の混合製剤 E160b（i）は Solvent-extracted bixin and norbixin E160b（ii）は Alkali extracted annatto E160b（iii）は Oil extracted annatto
E1103					
E955		56038-13-2	172.831	19.016	
		57-50-1	184.1854		CFR は CAS No.57-50-1としてサトウキビまたはビートから作ったショ糖 食品扱い
E474					
					資料1により食品添加物に該当する可能性が考えられるが,事前に判断を受けるよう指導されている品目
			184.1848		食品素材扱い
E499					E499は「Commission Regulation（EU）No.739/2013 of 30 July 2013」で新規制定
	02.017	104-54-1			着香の目的以外に使用してはならない
	02.017	104-54-1			着香の目的以外に使用してはならない
E482		5793-94-2	（Calcium stearoyl-2-lactylate として） 172.844	10.009	

す

色文字：法令上の指定添加物名（除く別名）　red：Name on Ministerial Ordinance of Designated Food Additives
色文字：法令上の既存添加物名（除く別名）　red：Name on Ministerial Notification of Existing Food Additives

和　名 Japanese name	和名別名 Japanese name	英名，英名別名 English name	許可状況 Legal/Illegal	主な用途 Main uses
ステアリル乳酸ナトリウム	ステアロイル乳酸ナトリウム ステアロイル-2-乳酸ナトリウム	Sodium stearoyl lactylate Sodium stearoyl-2-lactylate Sodium stearyl lactylate	○，指定	乳化剤
ステアリルフマル酸ナトリウム		Sodium stearyl fumarate	×	乳化剤
ステアリン酸		Stearic acid	○，指定	香料
ステアリン酸亜鉛		Zinc stearate	×	強化剤
ステアリン酸アルミニウム		Aluminium salts of stearic acid	×	製造用剤 乳化剤
ステアリン酸アンモニウム		Ammonium salts of stearic acid	×	製造用剤 乳化剤
ステアリン酸カリウム		Potassium salts of stearic acid	×	製造用剤 乳化剤
ステアリン酸カルシウム		Calcium salts of stearic acid Calcium stearate	◎，指定	製造用剤 強化剤
ステアリン酸ナトリウム		Sodium salts of stearic acid	×	製造用剤 乳化剤
ステアリン酸マグネシウム		Magnesium salts of stearic acid Magnesium stearate	○，指定	製造用剤 強化剤
ステアロイル乳酸カルシウム	ステアリル乳酸カルシウム ステアロイル-2-乳酸カルシウム	Calcium stearoyl lactylate Calcium stearoyl-2-lactylate Calcium stearyl lactylate	○，指定	乳化剤
ステアロイル-2-乳酸カルシウム	ステアリル乳酸カルシウム ステアロイル乳酸カルシウム	Calcium stearoyl lactylate Calcium stearoyl-2-lactylate Calcium stearyl lactylate	○，指定	乳化剤
ステアロイル乳酸ナトリウム	ステアリル乳酸ナトリウム ステアロイル-2-乳酸ナトリウム	Sodium stearoyl lactylate Sodium stearoyl-2-lactylate Sodium stearyl lactylate	○，指定	乳化剤
ステアロイル-2-乳酸ナトリウム	ステアリル乳酸ナトリウム ステアロイル乳酸ナトリウム	Sodium stearoyl lactylate Sodium stearoyl-2-lactylate Sodium stearyl lactylate	○，指定	乳化剤

◎：許可（使用基準なし） Legal（Accepted with no standard of use）
○：許可（使用基準あり） Legal（Accepted with standard of use）
指定：Designated Food Additives 既存：Existing Food Additives
×：使用不可 Illegal（Prohibited）
※：個別判断を要するもの Required individual special judgement

EU E No.	EU FL No.	CAS No.	CFR No.	CNS 号.	備考 Remarks
E481		25383-99-7	(Sodium stearoyl lactylate として) 172.846	10.011	
			172.826		
	08.015	57-11-4	(Fatty acids として) 172.860 (Stearic acid として) 184.1090	14.009	**脂肪酸類** 着香の目的以外に使用してはならない 類又は誘導体として指定されている18項目の香料リストのSEQ No.2296(解説編2-(1)-(vi)参照) EU FL No.08.015の名称は「Octadecanoic acid」
			182.8994		
E470a				10.028	E470a は脂肪酸のナトリウム,カリウム,カルシウム塩 **オレイン酸ナトリウム**及び**ステアリン酸カルシウム**以外は不可
E470a		1592-23-0	(Salts of fatty acids として) 172.863 (Calcium stearate として) 184.1229	10.039	E470a は脂肪酸のナトリウム,カリウム,カルシウム塩 **オレイン酸ナトリウム**及び**ステアリン酸カルシウム**以外は不可
E470a					E470a は脂肪酸のナトリウム,カリウム,カルシウム塩 **オレイン酸ナトリウム**及び**ステアリン酸カルシウム**以外は不可
E470b		557-04-0	(Salts of fatty acids として) 172.863 (Magnesium stearate として) 184.1440	02.006	カプセル・錠剤等通常の食品形態でない食品及び錠菓（平成29年6月23日告示第226号による）以外の食品に使用してはならない E470b は脂肪酸のマグネシウム塩 **ステアリン酸マグネシウム**以外は不可 使用にあたっては,適切な製造工程管理を行い,食品中で目的とする効果を得る上で必要とされる量を超えないものとする指導あり
E482		5793-94-2	(Calcium stearoyl-2-lacty-late として) 172.844	10.009	
E482		5793-94-2	(Calcium stearoyl-2-lacty-late として) 172.844	10.009	
E481		25383-99-7	(Sodium stearoyl lactylate として) 172.846	10.011	
E481		25383-99-7	(Sodium stearoyl lactylate として) 172.846	10.011	

色文字：法令上の指定添加物名（除く別名）　red：Name on Ministerial Ordinance of Designated Food Additives
色文字：法令上の既存添加物名（除く別名）　red：Name on Ministerial Notification of Existing Food Additives

和名 Japanese name	和名別名 Japanese name	英名，英名別名 English name	許可状況 Legal/Illegal	主な用途 Main uses
ステアロイルモノグリセリジルクエン酸エステル	クエン酸ステアリルモノグリセリジル クエン酸モノグリセライド グリセリンクエン酸脂肪酸エステル グリセリン脂肪酸エステル 脂肪酸のモノ及びジグリセライドのクエン酸エステル	Citrate esters of monoglyceride Citric acid esters of mono-and diglycerides of fatty acids Glycerol esters of citric(citrate)and fatty acids Glycerol esters of fatty acids Monoglyceride citrate Stearoyl monoglyceridyl citrate ester Stearyl monoglyceridyl citrate	◎，指定	製造用剤 増粘安定剤 酸化防止剤 乳化剤 ガムベース
ステビアエキス	ステビア抽出物(ステビアの葉から抽出して得られた，ステビオール配糖体を主成分とするものをいう。) ステビオグルコシド ステビオサイド ステビオシド レバウジオシド レバウディオサイド	Rebaudioside Stevia ext. Stevia extract Steviol glycosides Stevioside	◎，既存	甘味料
ステビア抽出物(ステビアの葉から抽出して得られた，ステビオール配糖体を主成分とするものをいう。)	ステビアエキス ステビオグルコシド ステビオサイド ステビオシド レバウジオシド レバウディオサイド	Rebaudioside Stevia ext. Stevia extract Steviol glycosides Stevioside	◎，既存	甘味料
ステビア末(ステビアの葉を粉砕して得られた，ステビオール配糖体を主成分とするものをいう。)		Powdered stevia	◎，既存	甘味料
ステビオグルコシド	ステビアエキス ステビア抽出物(ステビアの葉から抽出して得られた，ステビオール配糖体を主成分とするものをいう。) ステビオサイド ステビオシド レバウジオシド レバウディオサイド	Rebaudioside Stevia ext. Stevia extract Steviol glycosides Stevioside	◎，既存	甘味料
ステビオサイド	ステビアエキス ステビア抽出物(ステビアの葉から抽出して得られた，ステビオール配糖体を主成分とするものをいう。) ステビオグルコシド ステビオシド レバウジオシド レバウディオサイド	Rebaudioside Stevia ext. Stevia extract Steviol glycosides Stevioside	◎，既存	甘味料
ステビオシド	ステビアエキス ステビア抽出物(ステビアの葉から抽出して得られた，ステビオール配糖体を主成分とするものをいう。) ステビオグルコシド ステビオサイド レバウジオシド レバウディオサイド	Rebaudioside Stevia ext. Stevia extract Steviol glycosides Stevioside	◎，既存	甘味料
ステルキュリアガム	カラヤガム(カラヤ又はキバナワタモドキの分泌液から得られた，多糖類を主成分とするものをいう。)	Karaya gum Sterculia gum	◎，既存	増粘安定剤 乳化剤
ストロベリー色素		Strawberry color	○	着色料

◎：許可（使用基準なし） Legal（Accepted with no standard of use）
○：許可（使用基準あり） Legal（Accepted with standard of use）
指定：Designated Food Additives　既存：Existing Food Additives
×：使用不可 Illegal（Prohibited）
※：個別判断を要するもの Required individual special judgement

EU E No.	EU FL No.	CAS No.	CFR No.	CNS 号.	備考 Remarks
E472c			（Monoglyceride citrate として） 172.832 （Mono-and diglycerides として） 184.1505 （Stearyl monoglyceridyl citrate として） 172.755	10.032	
E960a				19.008	E960は「Commission Regulation（EU）No.1131/2011 of 11 Nov. 2011」で新規制定されたが，その後「Commission Regulation（EU）2021/1156 of 13 July 2021」により E960a Steviol glycosides from stevia に変更された
E960a				19.008	E960は「Commission Regulation（EU）No.1131/2011 of 11 Nov. 2011」で新規制定されたが，その後「Commission Regulation（EU）2021/1156 of 13 July 2021」により E960a Steviol glycosides from stevia に変更された
E960a				19.008	E960は「Commission Regulation（EU）No.1131/2011 of 11 Nov. 2011」で新規制定されたが，その後「Commission Regulation（EU）2021/1156 of 13 July 2021」により E960a Steviol glycosides from stevia に変更された
E960a				19.008	E960は「Commission Regulation（EU）No.1131/2011 of 11 Nov. 2011」で新規制定されたが，その後「Commission Regulation（EU）2021/1156 of 13 July 2021」により E960a Steviol glycosides from stevia に変更された
E960a				19.008	E960は「Commission Regulation（EU）No.1131/2011 of 11 Nov. 2011」で新規制定されたが，その後「Commission Regulation（EU）2021/1156 of 13 July 2021」により E960a Steviol glycosides from stevia に変更された
E416		9000-36-6	184.1349	18.010	
					一般飲食物添加物

す

色文字：法令上の指定添加物名（除く別名）　red：Name on Ministerial Ordinance of Designated Food Additives
色文字：法令上の既存添加物名（除く別名）　red：Name on Ministerial Notification of Existing Food Additives

和　名 Japanese name	和名別名 Japanese name	英名，英名別名 English name	許可状況 Legal/Illegal	主な用途 Main uses
砂	不溶性鉱物性物質	Sand Water-insoluble mineral substances	○，既存	製造用剤
スパイス抽出物	香辛料抽出物（アサノミ、アサフェチダ、アジョワン、アニス、アンゼリカ、ウイキョウ、ウコン、オールスパイス、オレガノ、オレンジピール、カショウ、カッシア、カモミール、カラシナ、カルダモン、カレーリーフ、カンゾウ、キャラウェー、クチナシ、クミン、クレソン、クローブ、ケシノミ、ケーパー、コショウ、ゴマ、コリアンダー、サッサフラス、サフラン、サボリー、サルビア、サンショウ、シソ、シナモン、シャロット、ジュニパーベリー、ショウガ、スターアニス、スペアミント、セイヨウワサビ、セロリー、ソーレル、タイム、タマネギ、タマリンド、タラゴン、チャイブ、ディル、トウガラシ、ナツメグ、ニガヨモギ、ニジェラ、ニンジン、ニンニク、バジル、パセリ、ハッカ、バニラ、パプリカ、ヒソップ、フェネグリーク、ペパーミント、ホースミント、マジョラム、ミョウガ、ラベンダー、リンデン、レモングラス、レモンバーム、ローズ、ローズマリー、ローレル又はワサビから抽出し、又はこれを水蒸気蒸留して得られたものをいう。）	Spice extracts	◎，既存	苦味料 香辛料
スーパーオキシドディスムターゼ	SOD	SOD Superoxide dismutase	※	特別用途食品
スピナセン	スクワレン スプラエン	Spinacene Squalene Supraene	※	特別用途食品
スピルリナ青	スピルリナ青色素 スピルリナ色素（スピルリナの全藻から得られた，フィコシアニンを主成分とするものをいう。） スピルリナ抽出物 フィコシアニン フィコシアン	Phycocyan Phycocyanin Spirulina blue color Spirulina color Spirulina extract	◎，既存	特別用途食品 着色料
スピルリナ青色素	スピルリナ青 スピルリナ色素（スピルリナの全藻から得られた，フィコシアニンを主成分とするものをいう。） スピルリナ抽出物 フィコシアニン フィコシアン	Phycocyan Phycocyanin Spirulina blue color Spirulina color Spirulina extract	◎，既存	特別用途食品 着色料
スピルリナ色素（スピルリナの全藻から得られた，フィコシアニンを主成分とするものをいう。）	スピルリナ青 スピルリナ青色素 スピルリナ抽出物 フィコシアニン フィコシアン	Phycocyan Phycocyanin Spirulina blue color Spirulina color Spirulina extract	◎，既存	特別用途食品 着色料
スフィンゴ脂質（米ぬかから得られた，スフィンゴシン誘導体を主成分とするものをいう。）		Sphingolipid	◎，既存	乳化剤
スプラエン	スクワレン スピナセン	Spinacene Squalene Supraene	※	特別用途食品

◎：許可（使用基準なし） Legal（Accepted with no standard of use）
○：許可（使用基準あり） Legal（Accepted with standard of use）
指定：Designated Food Additives　既存：Existing Food Additives
×：使用不可 Illegal（Prohibited）
※：個別判断を要するもの Required individual special judgement

EU E No.	EU FL No.	CAS No.	CFR No.	CNS 号.	備考 Remarks
					食品の製造又は加工上必要不可欠な場合以外に使用してはならない **不溶性鉱物性物質**の名称は，省令別表第1及び告示既存添加物名簿に記載されていないが，告示「食品，添加物等の規格基準－F 使用基準」にその名称があるので既存添加物名簿名扱いとする 食品添加物別名（和名）については，列記した食品添加物に類似する**不溶性鉱物性物質**も含まれる
			（Spices and other natural seasonings and flavorings として） 182.10		除外品目についてただし書きあり 既存添加物名簿にて要確認 「チャービル」から抽出し，又はこれを水蒸気蒸留して得られたものについては，令和2年2月26日告示第42号により既存添加物名簿から消除
					資料1により食品添加物に該当する可能性が考えられるが，事前に判断を受けるよう指導されている品目
					資料1により食品添加物に該当する可能性が考えられるが，事前に判断を受けるよう指導されている品目
			（Spirulina extract として） 73.530	08.137	資料1により既存添加物扱いとする品目。 **スピルリナ色素**が既存添加物名簿に収載 着色料の目的では○，既存
			（Spirulina extract として） 73.530	08.137	資料1により既存添加物扱いとする品目。 **スピルリナ色素**が既存添加物名簿に収載 着色料の目的では○，既存
			（Spirulina extract として） 73.530	08.137	資料1により既存添加物扱いとする品目。 **スピルリナ色素**が既存添加物名簿に収載 着色料の目的では○，既存
					資料1により食品添加物に該当する可能性が考えられるが，事前に判断を受けるよう指導されている品目

色文字：法令上の指定添加物名（除く別名）　red：Name on Ministerial Ordinance of Designated Food Additives
色文字：法令上の既存添加物名（除く別名）　red：Name on Ministerial Notification of Existing Food Additives

和　名 Japanese name	和名別名 Japanese name	英名，英名別名 English name	許可状況 Legal/Illegal	主な用途 Main uses
スピルリナ抽出物	スピルリナ青 スピルリナ青色素 スピルリナ色素（スピルリナの全藻から得られた，フィコシアニンを主成分とするものをいう。） フィコシアニン フィコシアン	Phycocyan Phycocyanin Spirulina blue color Spirulina color Spirulina extract	◎，既存	特別用途食品 着色料
炭焼の乾留水		Charcoal dry distilled water	※	特別用途食品
スモークフレーバー	くん液（サトウキビ、竹材、トウモロコシ又は木材を燃焼して発生したガス成分を捕集し、又は乾留して得られたものをいう。） 木酢液 リキッドスモーク	Liquid smoke Pyroligneous acid Smoke flavourings Wood vinegar	◎，既存	製造用剤 香料 着色料
ズルチン	パラフェネチルカルバミド パラフェネチル尿素	Dulcin *p*-Phenethyl carbamide *p*-Phenethyl urea	×	甘味料
スルホコハク酸ジオクチルナトリウム		Dioctyl sodium sulfosuccinate	×	製造用剤 乳化剤
スルホコハク酸ジオクチルナトリウム含有ココア（製造用）		Cocoa with dioctyl sodium sulfosuccinate for manufacturing	×	製造用剤
DL-スレオニン	DL-トレオニン	DL-Threonine	◎，指定	強化剤 調味料
L-スレオニン	L-トレオニン	L-Threonine	◎，指定	強化剤 調味料
ゼアキサンチン（合成）		Zeaxanthin（Synthetic）	×	強化剤 着色料
精製カラギナン	加工ユーケマ藻類 カラギナン（イバラノリ，キリンサイ，ギンナンソウ，スギノリ又はツノマタの全藻から得られた，ι-カラギナン，κ-カラギナン及びλ-カラギナンを主成分とするものをいう。） カラギーナン カラゲナン カラゲーナン カラゲニン ユーケマ藻末	Carrageenan Powdered red algae Processed eucheuma algae Processed eucheuma seaweed Processed red algae Purified carrageenan Refined carrageenan Semirefined carrageenan	◎，既存	増粘安定剤 ゲル化剤
精製シェラック	シェラック（ラックカイガラムシの分泌液から得られた，アレウリチン酸とシェロール酸又はアレウリチン酸とジャラール酸のエステルを主成分とするものをいう。） 白シェラック セラック	Lacca Purified shellac Shellac White shellac	◎，既存	ガムベース 光沢剤
生石灰	酸化カルシウム 焼石灰	Burnt lime Calcium oxide Calx Quicklime	◎，既存	製造用剤 強化剤 イーストフード
精油除去ウイキョウ抽出物（ウイキョウの種子から得られた，グルコシルシナピルアルコールを主成分とするものをいう。）	精油除去フェンネル抽出物	Essential oil-removed fennel extract	◎，既存	酸化防止剤
精油除去フェンネル抽出物	精油除去ウイキョウ抽出物（ウイキョウの種子から得られた，グルコシルシナピルアルコールを主成分とするものをいう。）	Essential oil-removed fennel extract	◎，既存	酸化防止剤

◎：許可（使用基準なし） Legal（Accepted with no standard of use）
○：許可（使用基準あり） Legal（Accepted with standard of use）
指定：Designated Food Additives　　既存：Existing Food Additives
×：使用不可 Illegal（Prohibited）
※：個別判断を要するもの Required individual special judgement

EU E No.	EU FL No.	CAS No.	CFR No.	CNS 号.	備考 Remarks
			(Spirulina extract として) 73.530	08.137	資料1により既存添加物扱いとする品目。スピルリナ色素が既存添加物名簿に収載 着色料の目的では○,既存
					資料1により食品添加物に該当する可能性が考えられるが,事前に判断を受けるよう指導されている品目
					着色料の目的では○,既存 香料として用いる場合は天然香料扱い
					Dulcin は商標
			172.810		
			172.520		Dioctyl sodium sulfosuccinate は CFR No.172.810として収載
	17.021	80-68-2			EU では香料特性のある食品成分として FL No.あり
		72-19-5	(Amino acids, L-Threonine として) 172.320		
E407 E407a			(Carrageenan として) 172.620 (Chondrus extract(carrageenin)として) 182.7255	20.007	EU では,E407:Carrageenan,E407a：Processed eucheuma seaweed に分かれている
E904				14.001	
E529			(Calcium oxide として) 184.1210		合成品は指定添加物

すせ

色文字：法令上の指定添加物名（除く別名）　red：Name on Ministerial Ordinance of Designated Food Additives
色文字：法令上の既存添加物名（除く別名）　red：Name on Ministerial Notification of Existing Food Additives

和名 Japanese name	和名別名 Japanese name	英名，英名別名 English name	許可状況 Legal/Illegal	主な用途 Main uses
セイヨウワサビ抽出物(セイヨウワサビの根から得られた，イソチオシアナートを主成分とするものをいう。)	ホースラディッシュ抽出物	Horseradish extract	◎，既存	製造用剤 酸化防止剤
ゼイン(トウモロコシの種子から得られた，植物性タンパク質を主成分とするものをいう。)	トウモロコシたん白	Corn protein Zein	◎，既存	製造用剤
ゼオライト	沸石	Zeolite	○，既存	製造用剤
赤色酸化第二鉄	インディアンレッド 酸化鉄(III) 三酸化二鉄 三二酸化鉄 ベンガラ	Ferric oxide red Ferric oxide(III) Hematite maghemite Indian red Iron oxides and hydroxides Iron sesquioxide Iron trioxide Red iron oxide Rouge Vitriol red	○，指定	着色料
石油系グリース		Petroleum jelly	×	製造用剤
石油ナフサ	ナフサ	Petroleum naphtha	◎，既存	製造用剤
石油ベンジン	ベンジン	Benzine Petroleum benzine	×	製造用剤
石油ワックス	固形ワックス パラフィン パラフィンワックス	Paraffin Paraffin wachs Paraffin wax Petroleum wax Solid wax	◎，既存	ガムベース 光沢剤
セージ抽出物(サルビアの葉から得られた，カルノシン酸及びフェノール性ジテルペンを主成分とするものをいう。)		Sage extract	◎，既存	酸化防止剤
セスキ炭酸ナトリウム		Sodium sesquicarbonate	※	製造用剤
石灰石	アラゴナイト 炭酸カルシウム 炭酸カルシウム I	Aragonite Calcite Calcium carbonate Calcium carbonate I Lime stone	◎，指定	製造用剤 膨脹剤 強化剤 ガムベース 着色料 イーストフード
石こう	化学石こう 焼石こう 天然石こう 硫酸カルシウム	Calcium sulfate Chemical gypsum Gyps Gypsum Natural gypsum Plaster of Paris	○，指定	膨脹剤 強化剤 イーストフード 豆腐用凝固剤 膨張剤
	化学石こう 焼石こう 天然石こう 硫酸カルシウム	Calcium sulfate Chemical gypsum Gyps Gypsum Natural gypsum Plaster of Paris	※	特別用途食品

◎：許可（使用基準なし） Legal（Accepted with no standard of use）
○：許可（使用基準あり） Legal（Accepted with standard of use）
指定：Designated Food Additives 既存：Existing Food Additives
×：使用不可 Illegal（Prohibited）
※：個別判断を要するもの Required individual special judgement

EU E No.	EU FL No.	CAS No.	CFR No.	CNS 号.	備 考 Remarks
			184.1984		
E172		(三二酸化鉄として) 1309-37-1	(Synthetic iron oxide として) 73.200		省令別表第1の**三二酸化鉄**以外は不可 E172は「Commission Regulation（EU）No.510/2013 of 3 June 2013」で新規制定
			172.250		
					工業用ガソリンの一種
			(Petroleum wax として) 172.886		
E500(iii)			184.1792	01.305	省令別表第1の**炭酸ナトリウム**と**炭酸水素ナトリウム**の製剤であれば使用が認められる
E170		(炭酸カルシウムとして) 471-34-1	(Calcium carbonate として) 73.70 184.1191 (Ground limestone として) 184.1409	13.006	平成29年6月23日告示第226号により，使用基準は削除するものの，その使用に当たっては，適切な製造工程管理を行い，食品中で目的とする効果を得る上で必要とされる量を超えてないものとする指導に改正された CFR No. 73.70は2019年版で追加 令和2年12月4日厚生労働省告示第381号にて「昭和34年厚生省告示第370号」に定められている「**炭酸カルシウム**」の成分規格上の名称を「**炭酸カルシウムⅠ**」と改め，新たに「**炭酸カルシウムⅡ**」が新設された．(**炭酸カルシウムⅡ**参照)
E516		(2水和物) 7778-18-9	(Calcium sulfate として) 184.1230	18.001	食品の製造又は加工上必要不可欠な場合及び栄養の目的以外に使用してはならない 告示成分規格の nH_2O は n ＝2 石こう参照
E516					石こうは資料1により食品添加物に該当する可能性が考えられるが，事前に判断を受けるよう指導されている品目 石こう参照

色文字：法令上の指定添加物名（除く別名）　red：Name on Ministerial Ordinance of Designated Food Additives
色文字：法令上の既存添加物名（除く別名）　red：Name on Ministerial Notification of Existing Food Additives

和　名 Japanese name	和名別名 Japanese name	英名，英名別名 English name	許可状況 Legal/Illegal	主な用途 Main uses
セネガルガム	アカシアガム アラビアガム（アカシアの分泌液から得られた，多糖類を主成分とするものをいう。）	Acacia gum Acacia(gum arabic) Arabic gum Gum Arabic Senegal gum	◎，既存	増粘安定剤 乳化剤
セバシン酸ジブチル		Dibutyl sebacate	○，指定	香料
セピオライト		Sepiolite	◎，既存	製造用剤
セファリン	分別レシチン（「植物レシチン」又は「卵黄レシチン」から得られた，スフィンゴミエリン，フォスファチジルイノシトール，フォスファチジルエタノールアミン及びフォスファチジルコリンを主成分とするものをいう。） リポイノシトール レシチン レシチン分別物	Cephalin Fractionated Lecithin Lecithin Lipoinositol	◎，既存	乳化剤
ゼラチン		Gelatin	◎	製造用剤
	食用ゼラチン	Edible gelatin Gelatin	◎	製造用剤 特別用途食品 増粘安定剤 乳化剤
セラック	シェラック（ラックカイガラムシの分泌液から得られた，アレウリチン酸とシェロール酸又はアレウリチン酸とジャラール酸のエステルを主成分とするものをいう。） 白シェラック 精製シェラック	Lacca Purified shellac Shellac White shellac	◎，既存	ガムベース 光沢剤
セラックロウ	シェラックロウ（ラックカイガラムシの分泌液から得られた，ろう分を主成分とするものをいう。）	Shellac wax	◎，既存	ガムベース 光沢剤
セラミド		Ceramide	※	特別用途食品
L-セリン		L-Serine	◎，既存	強化剤 調味料
セルラーゼ	繊維素分解酵素	Cellulase	◎，既存	酵素
セルロースガム		Cellulose gum	※	製造用剤
セレシン	オゾケライト	Ceresin Ozokerite	◎，既存	ガムベース
セレン		Selenium	×	特別用途食品
セロビアーゼ	β-グルコシダーゼ ゲンチオビアーゼ	Cellobiase Gentiobiase β-Glucosidase	◎，既存	酵素

◎：許可（使用基準なし） Legal（Accepted with no standard of use）
○：許可（使用基準あり） Legal（Accepted with standard of use）
指定：Designated Food Additives　既存：Existing Food Additives
×：使用不可 Illegal（Prohibited）
※：個別判断を要するもの Required individual special judgement

EU E No.	EU FL No.	CAS No.	CFR No.	CNS 号.	備 考 Remarks
E414			(Acacia(gum arabic)として) 172.780 (GRAS物質(同上)として) 184.1330	20.008	
	09.474	109-43-3			**エステル類** 着香の目的以外に使用してはならない 類又は誘導体として指定されている18項目の香料リストのSEQ No.541(解説編2-(1)-(vi)参照)
E322			(Lecithin として) 184.1400		指定，既存の別は，原材料が**ヒマワリレシチン**，または植物レシチン，卵黄レシチン，分別レシチンのいずれの定義に該当するかにより判断する
				20.002	一般飲食物添加物 E No.はないがINS No.428あり
					資料1により食品素材扱いとする品目 E No.はないがINS No.428あり
E904				14.001	
					資料1により食品添加物に該当する可能性が考えられるが，事前に判断を受けるよう指導されている品目
		56-45-1	(Amino acids,L-Serine として) 172.320		
			(Cellulase enzyme preparation derived from *Trichoderma longibrachiatum* として) 184.1250		
E466			(Sodium carboxymethylcellulose として) 182.1745		カルボキシメチルグループのセルロース誘導体　カルボキシメチルセルロース参照
					資料1により，新たに食品添加物としての指定を受ける必要があるとする品目

せ

色文字：法令上の指定添加物名（除く別名）　red：Name on Ministerial Ordinance of Designated Food Additives
色文字：法令上の既存添加物名（除く別名）　red：Name on Ministerial Notification of Existing Food Additives

和　名 Japanese name	和名別名 Japanese name	英名，英名別名 English name	許可状況 Legal/Illegal	主な用途 Main uses
繊維素グリコール酸カルシウム	カルボキシメチルセルロースカルシウム	Calcium carboxymethylcellulose Calcium cellulose glycolate	○，指定	製造用剤 増粘安定剤 糊料
繊維素グリコール酸ナトリウム	カルボキシメチルセルロースナトリウム	Sodium carboxymethylcellulose Sodium cellulose glycolate	○，指定	製造用剤 増粘安定剤 糊料
繊維素分解酵素	セルラーゼ	Cellulase	◎，既存	酵素
全魚体蛋白濃縮物		Whole fish protein concentrate	◎	強化剤
造礁サンゴ焼成カルシウム	焼成カルシウム（うに殻，貝殻，造礁サンゴ，ホエイ，骨，又は卵殻を焼成して得られた，カルシウム化合物を主成分とするものをいう。）	Calcinated calcium Calcinated coral calcium	◎，既存	製造用剤 強化剤
藻類カロチン	藻類カロテン 抽出カロチン 抽出カロテン デュナリエラカロチン デュナリエラカロテン（デュナリエラの全藻から得られた，β-カロテンを主成分とするものをいう。） ドナリエラカロチン ドナリエラカロテン	Algae carotene Dunaliella carotene Extracted carotene	◎，既存	強化剤 着色料
藻類カロテン	藻類カロチン 抽出カロチン 抽出カロテン デュナリエラカロチン デュナリエラカロテン（デュナリエラの全藻から得られた，β-カロテンを主成分とするものをいう。） ドナリエラカロチン ドナリエラカロテン	Algae carotene Dunaliella carotene Extracted carotene	◎，既存	強化剤 着色料
粗製海水塩化カリウム（海水から塩化ナトリウムを析出分解して得られた，塩化カリウムを主成分とするものをいう。）		Crude potassium chloride（sea water）	◎，既存	調味料
粗製海水塩化マグネシウム（海水から塩化カリウム及び塩化ナトリウムを析出分離して得られた，塩化マグネシウムを主成分とするものをいう。）	塩化マグネシウム含有物	Crude magnesium chloride（sea water） Magnesium chloride	◎，既存	製造用剤
ソーダ灰（無水物の場合）	炭酸ソーダ（結晶物の場合） 炭酸ナトリウム 炭酸二ナトリウム 無水炭酸ナトリウム	Carbonate of soda Carbonic acid disodium salt Soda ash Soda calcined Sodium carbonate Sodium carbonate, anhydrous Solvey soda	◎，指定	製造用剤 水素イオン濃度調整剤（pH 調整剤） 膨脹剤 かんすい
ソバ柄灰抽出物（ソバの茎又は葉の灰化物から抽出して得られたものをいう。）		Buckwheat ash extract	◎，既存	製造用剤
ソバ全草抽出物	ルチン（抽出物）（アズキの全草，エンジュのつぼみ若しくは花又はソバの全草から得られた，ルチンを主成分とするものをいう。）	Buckwheat extract Rutin（extract）	◎，既存	強化剤 酸化防止剤 着色料
ソーマチン	タウマチン（タウマトコッカスダニエリの種子から得られた，タウチマンを主成分とするものをいう。）	Thaumatin	◎，既存	甘味料

◎：許可（使用基準なし） Legal（Accepted with no standard of use）
○：許可（使用基準あり） Legal（Accepted with standard of use）
指定：Designated Food Additives　　既存：Existing Food Additives
×：使用不可 Illegal（Prohibited）
※：個別判断を要するもの Required individual special judgement

EU E No.	EU FL No.	CAS No.	CFR No.	CNS 号.	備考 Remarks
		9050-04-8			
E466		9004-32-4	182.1745	20.003	E466には Carboxymethylcellulose カルボキシメチルセルロースも含まれるが，これは不可
			(Cellulase enzyme preparation derived from *Trichoderma longibrachiatum* として) 184.1250		
			172.385		食品扱い
					焼成カルシウム参照
E160a（iv）			(検定免除着色料の carrot oil として) 73.300 (検定免除着色料の β-Carotene として) 73.95 (GRAS 物質の Beta-Carotene として) 184.1245		着色料の目的では○，既存 E160a（iv）：Algal Carotene
E160a（iv）			(検定免除着色料の carrot oil として) 73.300 (検定免除着色料の β-Carotene として) 73.95 (GRAS 物質の Beta-Carotene として) 184.1245		着色料の目的では○，既存 E160a（iv）：Algal Carotene
			(Magnesium chloride として) 184.1426		**塩化マグネシウム**参照
E500(i)		(1水和物) 5968-11-6 (無水物) 497-19-8	(Sodium carbonate として) 184.1742	01.302	告示成分規格の nH_2O は n ＝1又は0
					着色料の目的では○，既存 **ルチン（抽出物）**参照
E957				19.020	

色文字：法令上の指定添加物名（除く別名）　red：Name on Ministerial Ordinance of Designated Food Additives
色文字：法令上の既存添加物名（除く別名）　red：Name on Ministerial Notification of Existing Food Additives

和　名 Japanese name	和名別名 Japanese name	英名，英名別名 English name	許可状況 Legal/Illegal	主な用途 Main uses
ソメモノイモ色素	クーロー色素（ソメモノイモの根から抽出して得られたものをいう。）	Kooroo color Matsudai color	×	着色料
ソルバ（ソルバの分泌液から得られた，アミリンアセタート及びポリイソプレンを主成分とするものをいう。）	ペリージョ ペンダーレ レッチェカスピ	Leche caspi Pendare Perillo Sorva	◎，既存	ガムベース
ソルバペケーニヤ	ソルビンハ（ソルビンハの分泌液から得られた，アミリンアセタート及びポリイソプレンを主成分とするものをいう。）	Sorva pequena Sorvinha	◎，既存	ガムベース
ソルビタン脂肪酸エステル	ソルビタントリステアリン酸エステル	Sorbitan esters of fatty acids Sorbitan tristearate	◎，指定	乳化剤 ガムベース
	ソルビタンモノオレイン酸エステル	Sorbitan esters of fatty acids Sorbitan monooleate	◎，指定	乳化剤 ガムベース
	ソルビタンモノステアリン酸エステル	Sorbitan esters of fatty acids Sorbitan monostearate	◎，指定	乳化剤 ガムベース
	ソルビタンモノパルミチン酸エステル	Sorbitan esters of fatty acids Sorbitan monopalmitate	◎，指定	乳化剤 ガムベース
	ソルビタンモノラウリン酸エステル	Sorbitan esters of fatty acids Sorbitan monolaurate	◎，指定	乳化剤 ガムベース
ソルビタントリステアリン酸エステル	ソルビタン脂肪酸エステル	Sorbitan esters of fatty acids Sorbitan tristearate	◎，指定	乳化剤 ガムベース
ソルビタンモノオレイン酸エステル	ソルビタン脂肪酸エステル	Sorbitan esters of fatty acids Sorbitan monooleate	◎，指定	乳化剤 ガムベース
ソルビタンモノステアリン酸エステル	ソルビタン脂肪酸エステル	Sorbitan esters of fatty acids Sorbitan monostearate	◎，指定	乳化剤 ガムベース
ソルビタンモノパルミチン酸エステル	ソルビタン脂肪酸エステル	Sorbitan esters of fatty acids Sorbitan monopalmitate	◎，指定	乳化剤 ガムベース
ソルビタンモノラウリン酸エステル	ソルビタン脂肪酸エステル	Sorbitan esters of fatty acids Sorbitan monolaurate	◎，指定	乳化剤 ガムベース
D-ソルビット	ソルビトール D-ソルビトール	D-Sorbit Sorbitol D-Sorbitol	◎，指定	品質改良剤 甘味料 チューインガム軟化剤
D-ソルビット液	ソルビトール液 D-ソルビトール液	D-Sorbit solution Sorbitol syrup D-Sorbitol syrup	◎，指定	製造用剤 甘味料
D-ソルビトール	D-ソルビット ソルビトール	D-Sorbit Sorbitol D-Sorbitol	◎，指定	品質改良剤 甘味料 チューインガム軟化剤
ソルビトール	D-ソルビット D-ソルビトール	D-Sorbit Sorbitol D-Sorbitol	◎，指定	品質改良剤 甘味料 チューインガム軟化剤
ソルビトール液	D-ソルビット液 D-ソルビトール液	D-Sorbit solution Sorbitol syrup D-Sorbitol syrup	◎，指定	製造用剤 甘味料

◎：許可（使用基準なし） Legal（Accepted with no standard of use）
〇：許可（使用基準あり） Legal（Accepted with standard of use）
指定：Designated Food Additives 既存：Existing Food Additives
×：使用不可 Illegal（Prohibited）
※：個別判断を要するもの Required individual special judgement

EU E No.	EU FL No.	CAS No.	CFR No.	CNS 号.	備考 Remarks
					令和2年2月26日告示第42号により既存添加物名簿から消除
E492				10.004	
E494			173.75	10.005	
E491			(Sorbitan monostearate として) 172.842	10.003	
E495				10.008	
E493				10.024	
E492				10.004	
E494				10.005	
E491			(Sorbitan monostearate として) 172.842	10.003	
E495				10.008	
E493				10.024	
E420(i)		50-70-4	(Sorbitol として) 184.1835	19.006	
E420(ii)		50-70-4	(Sorbitol として) 184.1835	19.023	省令別表第1の **D-ソルビトール**扱い
E420(i)		50-70-4	(Sorbitol として) 184.1835	19.006	
E420(i)		50-70-4	(Sorbitol として) 184.1835	19.006	
E420(ii)		50-70-4	(Sorbitol として) 184.1835	19.023	省令別表第1の **D-ソルビトール**扱い

色文字：法令上の指定添加物名（除く別名）　red：Name on Ministerial Ordinance of Designated Food Additives
色文字：法令上の既存添加物名（除く別名）　red：Name on Ministerial Notification of Existing Food Additives

和　名 Japanese name	和名別名 Japanese name	英名，英名別名 English name	許可状況 Legal/Illegal	主な用途 Main uses
D-ソルビトール液	D-ソルビット液 ソルビトール液	D-Sorbit solution Sorbitol syrup D-Sorbitol syrup	◎，指定	製造用剤 甘味料
ソルビン酸		Sorbic acid	○，指定	保存料
ソルビン酸カリウム		Potassium sorbate	○，指定	保存料
ソルビン酸カルシウム		Calcium sorbate	○，指定	保存料
ソルビン酸ナトリウム		Sodium sorbate	×	保存料
ソルビンハ(ソルビンハの分泌液から得られた，アミリンアセタート及びポリイソプレンを主成分とするものをいう。)	ソルバペケーニヤ	Sorva pequena Sorvinha	◎，既存	ガムベース

◎：許可（使用基準なし） Legal（Accepted with no standard of use）
○：許可（使用基準あり） Legal（Accepted with standard of use）
指定：Designated Food Additives　既存：Existing Food Additives
×：使用不可 Illegal（Prohibited）
※：個別判断を要するもの Required individual special judgement

EU E No.	EU FL No.	CAS No.	CFR No.	CNS 号.	備 考 Remarks
E420(ii)		50-70-4	(Sorbitolとして) 184.1835	19.023	省令別表第1の**D-ソルビトール**扱い
E200		110-44-1	182.3089	17.003	
E202		24634-61-5	182.3640	17.004	
		7492-55-9	182.3225		E203は「Commission Regulation (EU) 98/2018 of 22 Jan. 2018」で削除
			182.3795		E No.はなく「INS No.201」があるが「油脂及びその混合スプレッド」への使用が取り消された（2019年7月第42回CAC総会）。

色文字：法令上の指定添加物名（除く別名）　red：Name on Ministerial Ordinance of Designated Food Additives
色文字：法令上の既存添加物名（除く別名）　red：Name on Ministerial Notification of Existing Food Additives

和　名 Japanese name	和名別名 Japanese name	英名，英名別名 English name	許可状況 Legal/Illegal	主な用途 Main uses
第一リン酸カリウム	リン酸一カリウム リン酸二水素カリウム	Monobasic potassium phosphate Monopotassium phosphate Potassium dihydrogen phosphate	◎，指定	製造用剤 水素イオン濃度調整剤（pH 調整剤） 膨脹剤 調味料 かんすい 乳化剤 イーストフード
第一リン酸カルシウム	酸性リン酸カルシウム リン酸二水素カルシウム	Acidic calcium phosphate Calcium dihydrogen phosphate Monobasic calcium phosphate Monocalcium phosphate	○，指定	製造用剤 膨脹剤 強化剤 乳化剤 イーストフード
第一リン酸ナトリウム	MSP 塩基性リン酸ナトリウム 酸性リン酸ナトリウム リン酸一ナトリウム リン酸二水素一ナトリウム リン酸二水素ナトリウム	Monobasic sodium phosphate Monosodium dihydrogen phosphate Monosodium phosphate MSP Primary sodium orthophosphate Sodium acid phosphate Sodium biphosphate Sodium dihydrogen phosphate Sodium phosphate, monobasic	◎，指定	製造用剤 水素イオン濃度調整剤（pH 調整剤） 膨脹剤 調味料 かんすい 乳化剤
第三級ブチルヒドロキノン	ターシャリブチルヒドロキノン TBHQ	TBHQ Tertiary butylhydroquinone	×	保存料 酸化防止剤
第三リン酸カリウム	リン酸三カリウム	Tribasic potassium phosphate Tripotassium phosphate	◎，指定	製造用剤 水素イオン濃度調整剤（pH 調整剤） 膨脹剤 調味料 かんすい 乳化剤 イーストフード
第三リン酸カルシウム	リン酸三カルシウム	Tribasic calcium phosphate Tricalcium phosphate	○，指定	製造用剤 膨脹剤 強化剤 乳化剤 イーストフード
第三リン酸ナトリウム	三塩基性リン酸ナトリウム TSP リン酸三ナトリウム	Sodium phosphate, tribasic Tertiary sodium orthophosphate Tertiary sodium phosphate Tribasic sodium phosphate Trisodium orthophosphate Trisodium phosphate TSP	◎，指定	製造用剤 調味料 かんすい 乳化剤
第三リン酸マグネシウム	リン酸三マグネシウム リン酸マグネシウム	Magnesium phosphate Tribasic magnesium phosphate Trimagnesium phosphate	◎，指定	製造用剤 強化剤
ダイズサポニン（ダイズの種子から得られた，サポニンを主成分とするものをいう。）		Soybean saponin	◎，既存	乳化剤

◎：許可（使用基準なし） Legal（Accepted with no standard of use）　×：使用不可 Illegal（Prohibited）
○：許可（使用基準あり） Legal（Accepted with standard of use）　※：個別判断を要するもの Required individual special judgement
指定：Designated Food Additives　既存：Existing Food Additives

EU E No.	EU FL No.	CAS No.	CFR No.	CNS 号.	備考 Remarks
E340(i)		7778-77-0		15.010	
E341(i)		(1水和物) 7758-23-8	(Monobasic calcium phosphate として) 182.6215	15.007	食品の製造又は加工上必要不可欠な場合及び栄養の目的以外に使用してはならない 告示成分規格の nH_2O は n ＝1又は0
E339(i)		(2水和物) 13472-35-0 (無水物) 7558-80-7	(Sodium acid phosphate として) 182.6085 (Sodium phosphate (mono-, di-, and tribasic)として) 182.1778 182.6778 182.8778	15.005	告示成分規格の nH_2O は n ＝2又は0
E319			172.185	04.007	CFR No.172.185は特別に収載
E340(iii)		(無水物) 7778-53-2		01.308	告示成分規格の nH_2O は n ＝3,1 1/2,1又は0 CNS 号01.308は tripotassium orthophosphate
E341(iii)			(Calcium phosphate (mono-, di-, and tribasic)として) 182.1217 182.8217	02.003	食品の製造又は加工上必要不可欠な場合及び栄養の目的以外に使用してはならない CNS 号02.003は tricalcium orthophosphate
E339(iii)		(12水和物) 10101-89-0 (無水物) 7601-54-9	(Sodium phosphate (mono-,di-,and tribasic) として) 182.1778 182.6778 182.8778	15.001	告示成分規格の nH_2O は n ＝12,6又は0
		(8水和物) 13446-23-6 (4水和物) 13465-22-0	(Magnesium phosphate includes both magnesium phosphate, dibasic, and magnesium phosphate, tribasic. として) 184.1434		CFR No.184.1434は，**リン酸三マグネシウム**を含む 告示成分規格の nH_2O は n ＝8,5又は4
					サポニン参照

色文字：法令上の指定添加物名（除く別名）　　red：Name on Ministerial Ordinance of Designated Food Additives
色文字：法令上の既存添加物名（除く別名）　　red：Name on Ministerial Notification of Existing Food Additives

和　名 Japanese name	和名別名 Japanese name	英名，英名別名 English name	許可状況 Legal/Illegal	主な用途 Main uses
ダイズ多糖類	ダイズヘミセルロース	Soybean hemicellulose Soybean polysaccharides	◎	製造用剤 増粘安定剤
ダイズヘミセルロース	ダイズ多糖類	Soybean hemicellulose Soybean polysaccharides	◎	製造用剤 増粘安定剤
大豆レグヘモグロビン		Soy leghemoglobin	×	着色料
ダイダイ抽出物		Daidai extract	◎	苦味料等
第二級アミルアルコール	2-ペンタノール ペンタン-2-オール	*sec* -Amyl alcohol Pentan-2-ol 2-Pentanol	○，指定	香料
第二リン酸アンモニウム	二塩基性リン酸アンモニウム リン酸水素二アンモニウム リン酸二アンモニウム	Diammonium hydrogen phosphate Diammonium phosphate Dibasic ammonium phosphate Secondary ammonium phosphate	◎，指定	製造用剤 乳化剤 イーストフード 醸造用剤
第二リン酸カリウム	リン酸水素二カリウム リン酸二カリウム	Dibasic potassium phosphate Dipotassium hydrogen phosphate Dipotassium phosphate	◎，指定	製造用剤 水素イオン濃度調整剤（pH 調整剤） 膨脹剤 調味料 かんすい 乳化剤
第二リン酸カルシウム	リン酸一水素カルシウム	Calcium monohydrogen phosphate Dicalcium phosphate	○，指定	製造用剤 膨脹剤 強化剤 乳化剤 イーストフード
第二リン酸ナトリウム	DSP 二塩基性リン酸ナトリウム リン酸水素二ナトリウム リン酸二ナトリウム	Dibasic sodium phosphate Disodium hydrogen phosphate Disodium phosphate DSP Secondary sodium orthophosphate Sodium phosphate, dibasic	◎，指定	製造用剤 水素イオン濃度調整剤（pH 調整剤） 膨脹剤 調味料 かんすい 乳化剤
第二リン酸マグネシウム	二リン酸二水素マグネシウム	Magnesium dihydrogen diphosphate Magnesium phosphate	×	水素イオン濃度調整剤（pH 調整剤） 安定剤
第四級塩化アンモニウム混合物		Quaternary ammonium chloride combination	×	保存料
タウマチン（タウマトコッカスダニエリの種子から得られた，タウチマンを主成分とするものをいう。）	ソーマチン	Thaumatin	◎，既存	甘味料
タウリン（抽出物）（魚類又はほ乳類の臓器又は肉から得られた，タウリンを主成分とするものをいう。）		Taurine (extract)	◎，既存	調味料
D-タガトース		D-Tagatose	×	甘味料
ダークスイートチェリー色素		Dark sweet cherry color	○	着色料
ターシャリブチルヒドロキノン	第三級ブチルヒドロキノン TBHQ	TBHQ Tertiary butylhydroquinone	×	保存料 酸化防止剤
脱水ビート	ビート粉末	Beet powder Dehydrated beet	○	着色料

◎：許可（使用基準なし） Legal（Accepted with no standard of use）
○：許可（使用基準あり） Legal（Accepted with standard of use）
指定：Designated Food Additives　既存：Existing Food Additives
×：使用不可 Illegal（Prohibited）
※：個別判断を要するもの Required individual special judgement

EU E No.	EU FL No.	CAS No.	CFR No.	CNS 号.	備考 Remarks
E426				20.044	一般飲食物添加物 CNS 号20.044は soluble soybean polysaccharide
E426				20.044	一般飲食物添加物 CNS 号20.044は soluble soybean polysaccharide
			73.520		マメ科植物の根粒にあるヘモグロビンで，赤味がかったブラウン色を有する CFR2020年版で新規指定
					一般飲食物添加物
	02.088	6032-29-7			着香の目的以外に使用してはならない
		7783-28-0	（Ammonium phosphate, dibasic として） 184.1141b	06.008	E No.はないが INS No.342（ii）あり
E340(ii)		7758-11-4	182.6285	15.009	
E341(ii)		（2水和物） 7789-77-7 （無水物） 7757-93-9		06.006	食品の製造又は加工上必要不可欠な場合及び栄養の目的以外に使用してはならない 表示成分規格の nH_2O は n＝2,1 1/2,1,1/2又は0
E339(ii)		（12水和物） 10039-32-4 （無水物） 7558-79-4	（Disodium phosphate として） 182.6290	15.006	表示成分規格の nH_2O は n＝12,10,8,7,5,2又は0
E450(ix)					E450(ix)は「Commission Regulation（EU）No.298/2014 of 21 March 2014」で新規制定
			172.165		CFR は n-Dodecyl dimethyl benzyl ammonium chloride, n-Dodecyl dimethyl ethylbenzyl ammonium chloride などの混合物
E957				19.020	
					一般飲食物添加物
E319			172.185	04.007	CFR No.172.185は特別に収載
			73.40		日本ではビートレッド（アカビート色素）が既存添加物として認められている

色文字：法令上の指定添加物名（除く別名）　red：Name on Ministerial Ordinance of Designated Food Additives
色文字：法令上の既存添加物名（除く別名）　red：Name on Ministerial Notification of Existing Food Additives

和　名 Japanese name	和名別名 Japanese name	英名，英名別名 English name	許可状況 Legal/Illegal	主な用途 Main uses
タートラジン	食用黄色4号 食用黄色5号（米国）	FD & C Yellow No.5 Food Yellow No. 4 Tartrazine	○，指定	着色料
タートラジンアルミニウムレーキ	食用黄色4号アルミニウムレーキ	Food Yellow No. 4 aluminium lake Tartrazine aluminium lake	○，指定	着色料
タマネギ色素（タマネギのりん茎から得られた，クエルセチンを主成分とするものをいう。）		Onion color	○，既存	着色料
タマリンドガム	タマリンドシードガム（タマリンドの種子から得られた，多糖類を主成分とするものをいう。） タマリンド種子多糖類	Tamarind gum Tamarind seed gum Tamarind seed polysaccharide	◎，既存	増粘安定剤
タマリンド色素（タマリンドの種子から得られた，フラボノイドを主成分とするものをいう。）		Tamarind color	○，既存	着色料
タマリンドシードガム（タマリンドの種子から得られた，多糖類を主成分とするものをいう。）	タマリンドガム タマリンド種子多糖類	Tamarind gum Tamarind seed gum Tamarind seed polysaccharide	◎，既存	増粘安定剤
タマリンド種子多糖類	タマリンドガム タマリンドシードガム（タマリンドの種子から得られた，多糖類を主成分とするものをいう。）	Tamarind gum Tamarind seed gum Tamarind seed polysaccharide	◎，既存	増粘安定剤
ターメリック	ウコン	Turmeric	○	着色料
ターメリック色素	ウコン色素（ウコンの根茎から得られた，クルクミンを主成分とするものをいう。） クルクミン	Curcumin Turmeric oleoresin	○，既存	着色料
タラガム（タラの種子から得られた，多糖類を主成分とするものをいう。）		Tara gum	◎，既存	増粘安定剤
タルク	不溶性鉱物性物質	Talc Water-insoluble mineral substances	○，既存	製造用剤
炭化水素ワックス		Hydrocarbon waxes	※	香料
炭酸	炭酸ガス 二酸化炭素	Carbon dioxide Carbonic acid Carbonic acid gas Carbonic anhydride	◎，指定	水素イオン濃度調整剤（pH 調整剤） 酸味料
炭酸アンモニウム		Ammonium carbonate	◎，指定	膨脹剤 イーストフード
炭酸ガス	炭酸 二酸化炭素	Carbon dioxide Carbonic acid Carbonic acid gas Carbonic anhydride	◎，指定	水素イオン濃度調整剤（pH 調整剤） 酸味料

◎：許可（使用基準なし） Legal（Accepted with no standard of use）
○：許可（使用基準あり） Legal（Accepted with standard of use）
指定：Designated Food Additives 既存：Existing Food Additives
×：使用不可 Illegal（Prohibited）
※：個別判断を要するもの Required individual special judgement

EU E No.	EU FL No.	CAS No.	CFR No.	CNS 号.	備考 Remarks
E102		1934-21-0	(要検定リストとして) 74.705 (要検定暫定リストとして) 82.705	08.005	米国ではFD & C Yellow No.5(食用黄色5号)である 省令別表第1のリスト名は「**食用黄色4号及びそのアルミニウムレーキ, Food Yellow No. 4 and its Aluminium lake**」だが, 本書では各単品もリスト名としマークした
E102			(Lakes(FD & C)として) 82.51	08.005	米国ではFD & C Yellow No.5(食用黄色5号)である 省令別表第1のリスト名は「**食用黄色4号及びそのアルミニウムレーキ, Food Yellow No. 4 and its Aluminium lake**」だが, 本書では各単品もリスト名としマークした
				20.011	E No.はないがINS No.437あり
				20.011	E No.はないがINS No.437あり
				20.011	E No.はないがINS No.437あり
			(Turmericとして) 73.600	08.102	一般飲食物添加物 CNS号08.102は添加物扱いの着色料
E100			(Turmeric oleoresinとして) 73.615	08.132	国際的には純度の違いでCurcuminとTurmeric oleoresinに分類
E417				20.041	
E553b				02.007	食品の製造又は加工上必要不可欠な場合以外に使用してはならない **不溶性鉱物性物質**の名称は, 省令別表第1及び告示既存添加物名簿に記載されていないが, 告示「食品, 添加物等の規格基準－F 使用基準」にその名称があるので既存添加物名簿名扱いとする 食品添加物別名（和名）については, 列記した食品添加物に類似する**不溶性鉱物性物質**も含まれる
					脂肪族高級炭化水素類以外は不可
E290		124-38-9	184.1240	17.014 17.034	CNS号17.034は液体二氧化碳(煤气化法)
E503(i)			184.1137		
E290		124-38-9	184.1240	17.014 17.034	CNS号17.034は液体二氧化碳(煤气化法)

た

色文字：法令上の指定添加物名（除く別名）　red：Name on Ministerial Ordinance of Designated Food Additives
色文字：法令上の既存添加物名（除く別名）　red：Name on Ministerial Notification of Existing Food Additives

和　名 Japanese name	和名別名 Japanese name	英名，英名別名 English name	許可状況 Legal/Illegal	主な用途 Main uses
炭酸カリウム（無水）	真珠灰	American ash Pearl ash Potash Potassium carbonate Potassium carbonate, anhydrous Salt of tartar	◎，指定	製造用剤 水素イオン濃度調整剤（pH 調整剤） 膨脹剤 かんすい イーストフード
炭酸カルシウム	アラゴナイト 石灰石 炭酸カルシウムⅠ	Aragonite Calcite Calcium carbonate Calcium carbonate Ⅰ Lime stone	◎，指定	製造用剤 膨脹剤 強化剤 ガムベース 着色料 イーストフード
炭酸カルシウムⅠ	アラゴナイト 石灰石 炭酸カルシウム	Aragonite Calcite Calcium carbonate Lime stone	◎，指定	製造用剤 膨脹剤 強化剤 ガムベース 着色料 イーストフード
炭酸カルシウムⅡ		Calcium carbonate Ⅱ	○，指定	製造用剤
炭酸コリン		Choline carbonate	※	強化剤
炭酸水素アンモニウム	重炭酸アンモニウム	Ammonium bicarbonate Ammonium hydrogen carbonate	◎，指定	膨脹剤
炭酸水素カリウム	酸性炭酸カリウム 重炭酸カリウム	Potassium acid carbonate Potassium bicarbonate Potassium hydrogen carbonate	○，指定	製造用剤
炭酸水素カルシウム		Calcium hydrogen carbonate	※	製造用剤 膨脹剤 強化剤 増粘安定剤 着色料
炭酸水素ナトリウム	酸性炭酸ナトリウム 重曹 重炭酸ソーダ 重炭酸ナトリウム	Baking soda Bicarbonate of soda Carbonic acid mono-sodium salt Sodium acid carbonate Sodium bicarbonate Sodium hydrogen carbonate	◎，指定	製造用剤 水素イオン濃度調整剤（pH 調整剤） 膨脹剤 かんすい

◎：許可（使用基準なし） Legal（Accepted with no standard of use）
○：許可（使用基準あり） Legal（Accepted with standard of use）
指定：Designated Food Additives　既存：Existing Food Additives
×：使用不可 Illegal（Prohibited）
※：個別判断を要するもの Required individual special judgement

EU E No.	EU FL No.	CAS No.	CFR No.	CNS 号.	備考 Remarks
E501(i)		584-08-7	(Potassium Carbonate として) 184.1619	01.301	E501(i)では(無水)の限定はない
E170		(炭酸カルシウムとして) 471-34-1	(Calcium carbonate として) 73.70 184.1191 (Ground limestone として) 184.1409	13.006	平成29年6月23日告示第226号により，使用基準は削除するものの，その使用に当たっては，適切な製造工程管理を行い，食品中で目的とする効果を得る上で必要とされる量を超えてないものとする指導に改正された CFR No. 73.70は2019年版で追加 令和2年12月4日厚生労働省告示第381号にて「昭和34年厚生省告示第370号」に定められている「**炭酸カルシウム**」の成分規格上の名称を「**炭酸カルシウムⅠ**」と改め，新たに「**炭酸カルシウムⅡ**」が新設された．(**炭酸カルシウムⅡ**参照)
E170		(炭酸カルシウムとして) 471-34-1	(Calcium carbonate として) 73.70 184.1191 (Ground limestone として) 184.1409	13.006	平成29年6月23日告示第226号により，使用基準は削除するものの，その使用に当たっては，適切な製造工程管理を行い，食品中で目的とする効果を得る上で必要とされる量を超えてないものとする指導に改正された CFR No. 73.70は2019年版で追加 令和2年12月4日厚生労働省告示第381号にて「昭和34年厚生省告示第370号」に定められている「**炭酸カルシウム**」の成分規格上の名称を「**炭酸カルシウムⅠ**」と改め，新たに「**炭酸カルシウムⅡ**」が新設された．(**炭酸カルシウムⅡ**参照)
		471-34-1			令和2年12月4日厚生労働省告示第381号にて，「**炭酸カルシウムⅡ**」として成分規格及び使用基準が新設された．**炭酸カルシウムⅡ**は，ぶどう酒の製造に用いるぶどう果汁及びぶどう酒以外の食品に使用することはできず，使用にあたっては，適切な製造工程管理を行い食品中で目的とする効果を得る上で必要とされる量を超えないものとする特記あり 本品は，「炭酸カルシウムを主成分とし，L-酒石酸・L-リンゴ酸カルシウム複塩を含みうる方法で製造されたもの」と定義され，現時点で日本の「**炭酸カルシウムⅡ**」の定義に相応するE No.，CFR No.及びCNS号の資料は見当たらない また，本書の編集上「**炭酸カルシウム**」の別名は採用しない
					E No.はないがINS No.1001(ⅱ)あり 生物界には広く分布している物質であり，許可状況は個別判断
E503(ii)		1066-33-7	184.1135	06.002	
E501(ii)		298-14-6	184.1613	01.307	令和4年8月30日省令別表第1に新規指定 使用にあたっては，適切な製造工程管理を行い，食品中で目的とする効果を得る上で必要とされる量を超えないものとする特記あり 製造用剤はぶどう酒の除酸目的
E170					E170はcalcium carbonate，炭酸カルシウムだが，わが国で認められているのは**炭酸カルシウム**のみ
E500(ii)		144-55-8	(Sodium bicarbonate として) 184.1736	06.001	

た

色文字：法令上の指定添加物名（除く別名）　red：Name on Ministerial Ordinance of Designated Food Additives
色文字：法令上の既存添加物名（除く別名）　red：Name on Ministerial Notification of Existing Food Additives

和　名 Japanese name	和名別名 Japanese name	英名，英名別名 English name	許可状況 Legal/Illegal	主な用途 Main uses
炭酸水素マグネシウム	ヒドロキシ炭酸マグネシウム	Magnesium hydrogen carbonate Magnesium hydroxide carbonate	※	製造用剤
炭酸ソーダ(結晶物の場合)	ソーダ灰(無水物の場合) **炭酸ナトリウム** 炭酸二ナトリウム 無水炭酸ナトリウム	Carbonate of soda Carbonic acid disodium salt Soda ash Soda calcined **Sodium carbonate** Sodium carbonate, anhydrous Solvey soda	◎，指定	製造用剤 水素イオン濃度調整剤（pH 調整剤） 膨脹剤 かんすい
炭酸第一鉄		Ferrous carbonate	×	強化剤
炭酸ナトリウム	ソーダ灰(無水物の場合) 炭酸ソーダ(結晶物の場合) 炭酸二ナトリウム 無水炭酸ナトリウム	Carbonate of soda Carbonic acid disodium salt Soda ash Soda calcined **Sodium carbonate** Sodium carbonate, anhydrous Solvey soda	◎，指定	製造用剤 水素イオン濃度調整剤（pH 調整剤） 膨脹剤 かんすい
炭酸二ナトリウム	ソーダ灰(無水物の場合) 炭酸ソーダ(結晶物の場合) **炭酸ナトリウム** 無水炭酸ナトリウム	Carbonate of soda Carbonic acid disodium salt Soda ash Soda calcined **Sodium carbonate** Sodium carbonate, anhydrous Solvey soda	◎，指定	製造用剤 水素イオン濃度調整剤（pH 調整剤） 膨脹剤 かんすい
炭酸マグネシウム		Light magnesium carbonate Magnesia alba **Magnesium carbonate**	◎，指定	製造用剤 膨脹剤 強化剤 固結防止剤 強化物
胆汁末(胆汁から得られた、コール酸及びデソキシコール酸を主成分とするものをいう。)	コール酸 デソキシコール酸	Cholic acid Desoxycholic acid **Powdered bile**	◎，既存	乳化剤
単糖・アミノ酸複合物(アミノ酸と単糖類の混合物を加熱して得られたものをいう。)		**Amino acid-sugar reaction product**	◎，既存	酸化防止剤
タンナーゼ		**Tannase**	◎，既存	酵素
タンニン(抽出物)（カキの果実、五倍子、タラ末、没食子又はミモザの樹皮から得られた、タンニン及びタンニン酸を主成分とするものをいう。）	**柿タンニン** **植物タンニン** タンニン酸(抽出物) **ミモザタンニン**	Tannic acid(extract) **Tannin of persimmon** **Tannin of silver wattle** **Tannin(extract)** **Vegetable tannin**	◎，既存	製造用剤
タンニン酸(抽出物)	**柿タンニン** **植物タンニン** **タンニン(抽出物)**（カキの果実、五倍子、タラ末、没食子又はミモザの樹皮から得られた、タンニン及びタンニン酸を主成分とするものをいう。） **ミモザタンニン**	Tannic acid(extract) **Tannin of persimmon** **Tannin of silver wattle** **Tannin(extract)** **Vegetable tannin**	◎，既存	製造用剤

◎：許可（使用基準なし） Legal（Accepted with no standard of use）
○：許可（使用基準あり） Legal（Accepted with standard of use）
指定：Designated Food Additives　既存：Existing Food Additives
×：使用不可 Illegal（Prohibited）
※：個別判断を要するもの Required individual special judgement

EU E No.	EU FL No.	CAS No.	CFR No.	CNS 号.	備考 Remarks
E504(ii)					日本では**炭酸マグネシウム**が指定添加物となっている
E500(i)		(1水和物) 5968-11-6 (無水物) 497-19-8	(Sodium carbonate として) 184.1742	01.302	告示成分規格の nH_2O は n ＝1又は0
			184.1307b		
E500(i)		(1水和物) 5968-11-6 (無水物) 497-19-8	(Sodium carbonate として) 184.1742	01.302	告示成分規格の nH_2O は n ＝1又は0
E500(i)		(1水和物) 5968-11-6 (無水物) 497-19-8	(Sodium carbonate として) 184.1742	01.302	告示成分規格の nH_2O は n ＝1又は0
E504(i)			184.1425	13.005	
					E No.はないが INS No.1000あり
			(Tannic acid として) 184.1097		E No.はないが INS No.181あり
			(Tannic acid として) 184.1097		**タンニン（抽出物）**参照 E No.はないが INS No.181あり

色文字：法令上の指定添加物名（除く別名）　red：Name on Ministerial Ordinance of Designated Food Additives
色文字：法令上の既存添加物名（除く別名）　red：Name on Ministerial Notification of Existing Food Additives

和　名 Japanese name	和名別名 Japanese name	英名，英名別名 English name	許可状況 Legal/Illegal	主な用途 Main uses
たん白分解酵素	プロテアーゼ	Protease	◎，既存	酵素
炭末色素	骨炭色素(骨を炭化して得られた、炭素を主成分とするものをいう。)	Bone carbon black	×	着色料
	植物炭末色素(植物を炭化して得られた、炭素を主成分とするものをいう。)	Carbon black Vegetable carbon black	○，既存	着色料
ダンマルガム	ダンマル樹脂	Dammar gum	×	増粘安定剤
ダンマル樹脂	ダンマルガム	Dammar gum	×	増粘安定剤
チアベンダゾール		Thiabendazole	○，指定	防かび剤 その他
チアミン塩酸塩	ビタミン B_1塩酸塩	Thiamine hydrochloride Vitamin B_1 hydrochloride	◎，指定	強化剤
チアミン硝酸塩	ビタミン B_1硝酸塩	Thiamine mononitrate Vitamin B_1 mononitrate	◎，指定	強化剤
チアミンセチル硫酸塩	ビタミン B_1セチル硫酸塩	Thiamine dicetylsulfate Vitamin B_1 dicetylsulfate	◎，指定	強化剤
チアミンチオシアン酸塩	ビタミン B_1ロダン酸塩	Thiamine thiocyanate Vitamin B_1 rhodanate	◎，指定	強化剤
チアミンナフタリン-1,5-ジスルホン酸塩	チアミンナフタレン-1,5-ジスルホン酸塩 ビタミン B_1ナフタレン-1,5-ジスルホン酸塩	Thiamine naphthalene-1,5-disulfonate Vitamin B_1 naphthalene-1,5-disulfonate	◎，指定	強化剤
チアミンナフタレン-1,5-ジスルホン酸塩	チアミンナフタリン-1,5-ジスルホン酸塩 ビタミン B_1ナフタレン-1,5-ジスルホン酸塩	Thiamine naphthalene-1,5-disulfonate Vitamin B_1 naphthalene-1,5-disulfonate	◎，指定	強化剤
チアミンラウリル硫酸塩	ビタミン B_1ラウリル硫酸塩	Thiamine dilaurylsulfate Vitamin B_1 dilaurylsulfate	◎，指定	製造用剤 強化剤
チェリー色素		Cherry color	○	着色料
チオアルコール類(毒性が激しいと一般に認められるものを除く。)	チオール類(毒性が激しいと一般に認められるものを除く。)	Thioalcohols Thiols(except harmful substances)	○，指定	香料
チオエーテル類(毒性が激しいと一般に認められるものを除く。)		Thioethers(except harmful substances)	○，指定	香料
チオクト酸	アルファリポ酸 リポ酸	Lipoic acid α-Lipoic acid Thioctic acid	◎	特別用途食品
チオシアン酸ナトリウム		Sodium thiocyanate	×	保存料
チオジプロピオン酸		Thiodipropionic acid	×	酸化防止剤
チオジプロピオン酸ジステアリル		Distearyl thiodipropionate	×	酸化防止剤
チオジプロピオン酸ジラウリル		Dilauryl thiodipropionate	×	保存料 酸化防止剤
チオプロピオン酸ジラウリル		Dilauryl thiopropionate	×	酸化防止剤
チオ硫酸ナトリウム		Sodium thiosulfate	×	製造用剤 酸化防止剤

◎：許可（使用基準なし） Legal（Accepted with no standard of use）
○：許可（使用基準あり） Legal（Accepted with standard of use）
指定：Designated Food Additives　既存：Existing Food Additives
×：使用不可 Illegal（Prohibited）
※：個別判断を要するもの Required individual special judgement

EU E No.	EU FL No.	CAS No.	CFR No.	CNS 号.	備考 Remarks
			(Bacterially-derived protease enzyme preparation として) 184.1150		E No.はないがINS No.1101(ⅰ)あり 「組換えDNA技術応用食品及び添加物の安全性審査の手続きを経た添加物」としての告示あり。詳細は厚労省HP参照
					「骨炭色素」は，令和2年2月26日告示第42号により既存添加物名簿から消除
E153				08.138	炭末色素参照
					日本ではダンマル樹脂は平成23年5月6日食安発0506第1号にて既存添加物から消除された（特記）
					日本ではダンマル樹脂は平成23年5月6日食安発0506第1号にて既存添加物から消除された（特記）
		148-79-8	180.242（Title40 Part180）		CFRでは，本書に関連する「Title21」ではなくpre- and post-harvest関連の「Title40 Part 180.242」に収録されている E No.はないがINS No.233あり
	16.027	67-03-8	184.1875		EUでは香料特性のある食品成分としてFL No.あり
		532-43-4	184.1878		
					告示成分規格のnH_2Oは$n=1$
		（1水和物） 130131-60-1			告示成分規格のnH_2Oは$n=1$
					告示成分規格のnH_2Oは$n=1$
					告示成分規格のnH_2Oは$n=1$
					告示成分規格のnH_2Oは$n=1$
					一般飲食物添加物
					着香の目的以外に使用してはならない 類又は誘導体として指定されている18項目の香料リスト(解説編2-(1)-(vi)参照)
					着香の目的以外に使用してはならない 類又は誘導体として指定されている18項目の香料リスト(解説編2-(1)-(vi)参照)
					資料1により食品素材扱いとする品目 本成分の使用にあたっては，過剰摂取しないよう情報提供をすることの指導あり
			182.3109		
			182.3280	04.012	
			184.1807		

色文字：法令上の指定添加物名（除く別名）　red：Name on Ministerial Ordinance of Designated Food Additives
色文字：法令上の既存添加物名（除く別名）　red：Name on Ministerial Notification of Existing Food Additives

和　名 Japanese name	和名別名 Japanese name	英名，英名別名 English name	許可状況 Legal/Illegal	主な用途 Main uses
チオール類(毒性が激しいと一般に認められるものを除く。)	チオアルコール類(毒性が激しいと一般に認められるものを除く。)	Thioalcohols **Thiols(except harmful substances)**	○，指定	香料
チクブル	クラウンガム **チクル**(サポジラの分泌液から得られた，アミリンアセタート及びポリイソプレンを主成分とするものをいう。) ニスペロ	**Chicle** **Chiquibul** **Crown gum** **Nispero**	◎，既存	ガムベース
チクル(サポジラの分泌液から得られた，アミリンアセタート及びポリイソプレンを主成分とするものをいう。)	クラウンガム チクブル ニスペロ	**Chicle** **Chiquibul** **Crown gum** **Nispero**	◎，既存	ガムベース
チクロ		Cyclohexylsulfamic acid	×	甘味料
チコリ色素		**Chicory color**	○	着色料
窒素		**Nitrogen**	◎，既存	製造用剤
茶		**Tea**	○	着色料
チャ乾留物（チャの葉を乾留して得られたものをいう。）		**Tea dry distillate**	◎，既存	製造用剤
チャ抽出物(チャの葉から得られた，カテキン類を主成分とするものをいう。)	ウーロンチャ抽出物 緑茶抽出物	Green tea extract Oolong tea extract **Tea extract**	◎，既存	製造用剤 酸化防止剤
チューインガムベース		Chewing gum base	※	ガムベース
抽出カロチン	キャロットオイル キャロットカロチン キャロットカロテン 抽出カロテン ニンジンカロチン **ニンジンカロテン**(ニンジンの根から得られた，カロテンを主成分とするものをいう。)	**Carrot carotene** Carrot oil Extracted carotene	◎，既存	強化剤 着色料
	藻類カロチン 藻類カロテン 抽出カロテン デュナリエラカロチン **デュナリエラカロテン**(デュナリエラの全藻から得られた，β-カロテンを主成分とするものをいう。) ドナリエラカロチン ドナリエラカロテン	Algae carotene **Dunaliella carotene** Extracted carotene	◎，既存	強化剤 着色料
	抽出カロテン パーム油カロチン **パーム油カロテン**(アブラヤシの果実から得られた，カロテンを主成分とするものをいう。)	Extracted carotene **Palm oil carotene**	◎，既存	強化剤 着色料

◎：許可（使用基準なし） Legal（Accepted with no standard of use）
○：許可（使用基準あり） Legal（Accepted with standard of use）
指定：Designated Food Additives　既存：Existing Food Additives
×：使用不可 Illegal（Prohibited）
※：個別判断を要するもの Required individual special judgement

EU E No.	EU FL No.	CAS No.	CFR No.	CNS 号.	備考 Remarks
					着香の目的以外に使用してはならない 類又は誘導体として指定されている18項目の香料リスト（解説編2-(1)-(vi)参照）
E952(ⅰ) E952(ⅱ) E952(ⅲ)					チクロは通称名，サイクラミン酸，サイクラミン酸塩が正式名称
					一般飲食物添加物
E941			184.1540		
					一般飲食物添加物
			172.615		日本で使用が認められているのは，指定添加物で**酢酸ビニル樹脂**，**ポリイソブチレン**，**エステルガム**など，既存添加物で**チクル**，**ツヌー**，**チルテ**などがある
E160a(ii)			（検定免除着色料の carrot oil として） 73.300 （検定免除着色料の β-Carotene として） 73.95 （GRAS 物質の Beta-Carotene として） 184.1245		着色料の目的では○，既存 「E160a Carotenes」には化学的合成品と天然抽出品がある。本書は「Official Journal of the EU」に記載の定義内容により，「E160a (i) **β-Carotene** は化学的合成品」，「E160a (ii) Plant Carotenes は天然抽出品」と判断
E160a (iv)			（検定免除着色料の carrot oil として） 73.300 （検定免除着色料の β-Carotene として） 73.95 （GRAS 物質の Beta-Carotene として） 184.1245		着色料の目的では○，既存 E160a(iv)：Algal Carotene
E160a(ii)			（検定免除着色料の carrot oil として） 73.300 （検定免除着色料の β-Carotene として） 73.95 （GRAS 物質の Beta-Carotene として） 184.1245		着色料の目的では○，既存 「E160a Carotenes」には化学的合成品と天然抽出品がある。本書は「Official Journal of the EU」に記載の定義内容により，「E160a (i) **β-Carotene** は化学的合成品」，「E160a (ii) Plant Carotenes は天然抽出品」と判断

色文字：法令上の指定添加物名（除く別名）　red：Name on Ministerial Ordinance of Designated Food Additives
色文字：法令上の既存添加物名（除く別名）　red：Name on Ministerial Notification of Existing Food Additives

和　名 Japanese name	和名別名 Japanese name	英名，英名別名 English name	許可状況 Legal/Illegal	主な用途 Main uses
抽出カロテン	キャロットオイル キャロットカロチン キャロットカロテン 抽出カロチン ニンジンカロチン **ニンジンカロテン**（ニンジンの根から得られた，カロテンを主成分とするものをいう。）	**Carrot carotene** Carrot oil Extracted carotene	◎，既存	強化剤 着色料
	藻類カロチン 藻類カロテン 抽出カロチン デュナリエラカロチン **デュナリエラカロテン**（デュナリエラの全藻から得られた，β-カロテンを主成分とするものをいう。） ドナリエラカロチン ドナリエラカロテン	Algae carotene **Dunaliella carotene** Extracted carotene	◎，既存	強化剤 着色料
	抽出カロチン パーム油カロチン **パーム油カロテン**（アブラヤシの果実から得られた，カロテンを主成分とするものをいう。）	Extracted carotene **Palm oil carotene**	◎，既存	強化剤 着色料
中性メタクリル酸塩共重合物		Neutral methacrylate copolymer	×	コーティング剤
チョウジ抽出物	**クローブ抽出物**（チョウジのつぼみ，葉又は花から得られた，オイゲノールを主成分とするものをいう。）	**Clove extract**	◎，既存	酸化防止剤
チョコレートブラウンFB		Chocolate Brown FB	×	着色料
チリ硝石	硝酸ソーダ **硝酸ナトリウム**	Chile saltpeter Cubic niter(nitre) Soda niter(nitre) **Sodium nitrate**	○，指定	発色剤 発酵調整剤
チルテ（チルテの分泌液から得られた，アミリンアセタート及びポリイソプレンを主成分とするものをいう。）		**Chilte**	◎，既存	ガムベース
L-チロシン		**L-Tyrosine**	◎，既存	強化剤 調味料
チンブルベリー色素	スィムブルベリー色素	**Thimbleberry color**	○	着色料
ツヌー（ツヌーの分泌液から得られた，アミリンアセタート及びポリイソプレンを主成分とするものをいう。）		**Tunu**	◎，既存	ガムベース
ツノマタ類抽出物		Chondrus extract	◎，既存	増粘安定剤 ゲル化剤
ツヤプリシン（抽出物）（ヒバの幹枝又は根から得られた，ツヤプリシン類を主成分とするものをいう。）	ヒノキチオール（抽出物）	**Hinokitiol(extract)** **Thujaplicin(extract)**	◎，既存	保存料
L-テアニン		**L-Theanine**	◎，指定	強化剤 調味料

◎：許可（使用基準なし） Legal（Accepted with no standard of use）
○：許可（使用基準あり） Legal（Accepted with standard of use）
指定：Designated Food Additives　　既存：Existing Food Additives
×：使用不可　Illegal（Prohibited）
※：個別判断を要するもの　Required individual special judgement

EU E No.	EU FL No.	CAS No.	CFR No.	CNS 号.	備　考 Remarks
E160a(ii)			(検定免除着色料の carrot oil として) 73.300 (検定免除着色料の β-Carotene として) 73.95 (GRAS 物質の Beta-Carotene として) 184.1245		着色料の目的では○，既存 「E160a Carotenes」には化学的合成品と天然抽出品がある。本書は「Official Journal of the EU」に記載の定義内容により，「E160a (i) **β-Carotene** は化学的合成品」，「E160a (ii) Plant Carotenes は天然抽出品」と判断
E160a (iv)			(検定免除着色料の carrot oil として) 73.300 (検定免除着色料の β-Carotene として) 73.95 (GRAS 物質の Beta-Carotene として) 184.1245		着色料の目的では○,既存 E160a(iv)：Algal Carotene
E160a(ii)			(検定免除着色料の carrot oil として) 73.300 (検定免除着色料の β-Carotene として) 73.95 (GRAS 物質の Beta-Carotene として) 184.1245		着色料の目的では○，既存 「E160a Carotenes」には化学的合成品と天然抽出品がある。本書は「Official Journal of the EU」に記載の定義内容により「E160a (i) **β-Carotene** は化学的合成品」，「E160a (ii) Plant Carotenes は天然抽出品」と判断
E1206					サプリメントのコーティング剤 E1206は「Commission Regulation (EU) No.816/2013 of 28 Aug. 2013」で新規制定
			(Clove and its derivatives として) 184.1257		
E251(ｉ) E251(ii)		7631-99-4	(Sodium nitrate として) 172.170 (Sodium nitrate and potassium nitrate として) 181.33	09.001	CFR No. Part 181.33は特別に収載 E251(ｉ)は Solid sodium nitrate E251(ii)は Liquid sodium nitrate
		60-18-4	(Amino acids,L-Tyrosine として) 172.320		
					一般飲食物添加物
			(Chondrus extract として) 182.7255		日本では**カラギナン**が既存添加物となっている
		499-44-5			
		3081-61-6			

色文字：法令上の指定添加物名（除く別名）　red：Name on Ministerial Ordinance of Designated Food Additives
色文字：法令上の既存添加物名（除く別名）　red：Name on Ministerial Notification of Existing Food Additives

和　名 Japanese name	和名別名 Japanese name	英名，英名別名 English name	許可状況 Legal/Illegal	主な用途 Main uses
5'-デアミナーゼ		5'-Deaminase	◎，既存	酵素
DEPC	ジエチルピロカーボネート ピロ炭酸ジエチル	Diethylpyrocarbonate	×	保存料
THBP	2,4,5-トリヒドロキシブチロフェノン	2,4,5-Trihidroxy butyrophenone	×	保存料
DSP	第二リン酸ナトリウム 二塩基性リン酸ナトリウム リン酸水素二ナトリウム リン酸二ナトリウム	Dibasic sodium phosphate Disodium hydrogen phosphate Disodium phosphate Secondary sodium orthophosphate Sodium phosphate, dibasic	◎，指定	製造用剤 水素イオン濃度調整剤（pH 調整剤） 膨脹剤 調味料 かんすい 乳化剤
TSP	三塩基性リン酸ナトリウム 第三リン酸ナトリウム リン酸三ナトリウム	Sodium phosphate, tribasic Tertiary sodium orthophosphate Tertiary sodium phosphate Tribasic sodium phosphate Trisodium orthophosphate Trisodium phosphate	◎，指定	製造用剤 調味料 かんすい 乳化剤
TSPP	ピロリン酸ナトリウム *n*-ピロリン酸ナトリウム ピロリン酸四ナトリウム	Sodium pyrophosphate *n*-Sodium pyrophosphate Tetrasodium diphosphate Tetrasodium pyrophosphate	◎，指定	膨脹剤 かんすい 乳化剤 結着剤
低乳糖ホエイ		Reduced lactose whey	◎	製造用剤
TBHQ	第三級ブチルヒドロキノン ターシャリブチルヒドロキノン	Tertiary butylhydroquinone	×	保存料 酸化防止剤
低分子ゴム（パラゴムの分泌液を分解して得られた，ポリイソプレンを主成分とするものをいう。）		Depolymerized natural rubber	◎，既存	ガムベース
低ミネラルホエイ		Reduced minerals whey	◎	製造用剤
ディル誘導体		Dill and its derivatives	×	香料
テオブロミン		Theobromine	◎，既存	苦味料
デカナール	アルデヒド C-10 カプリックアルデヒド カプリンアルデヒド カプルアルデヒド *n*-デカナール デシルアルデヒド *n*-デシルアルデヒド	Aldehyde C-10 Capraldehyde Capric aldehyde Caprin aldehyde Decanal *n*-Decanal Decyl aldehyde *n*-Decyl aldehyde	○，指定	香料

◎：許可（使用基準なし） Legal（Accepted with no standard of use）
○：許可（使用基準あり） Legal（Accepted with standard of use）
指定：Designated Food Additives　既存：Existing Food Additives
×：使用不可 Illegal（Prohibited）
※：個別判断を要するもの Required individual special judgement

EU E No.	EU FL No.	CAS No.	CFR No.	CNS 号.	備考 Remarks
			172.190		CFR は単独または他の許可抗酸化剤と併用
E339(ii)		(12水和物) 10039-32-4 (無水物) 7558-79-4	(Disodium phosphate として) 182.6290	15.006	表示成分規格の nH_2O は n ＝12,10,8,7,5,2又は0
E339(iii)		(12水和物) 10101-89-0 (無水物) 7601-54-9	(Sodium phosphate (mono-,di-,and tribasic) として) 182.1778 182.6778 182.8778	15.001	告示成分規格の nH_2O は n ＝12,6又は0
E450(iii)		(10水和物) 13472-36-1 (無水物) 7722-88-5	(Sodium pyrophosphate として) 182.6787 (Tetra sodium pyrophosphate として) 182.6789	15.004	告示成分規格の nH_2O は n ＝10又は0 E450(iii)は Tetrasodium diphosphate
			184.1979a		資料1により食品素材扱いとする品目 CFR はホエイから乳糖を除去したホエイで，日本の乳等省令に規定する定義，成分規格に類する記載あり
E319			172.185	04.007	CFR No.172.185は特別に収載
			184.1979b		資料1により食品素材扱いとする品目 CFR はホエイからミネラル成分を除去したホエイで，日本の乳等省令に規定する定義，成分規格に類する記載あり
			184.1282		ディル抽出物は既存添加物リストの香辛料抽出物に含まれる
	05.010	112-31-2			着香の目的以外に使用してはならない

て

色文字：法令上の指定添加物名（除く別名）　**red**：Name on Ministerial Ordinance of Designated Food Additives
色文字：法令上の既存添加物名（除く別名）　**red**：Name on Ministerial Notification of Existing Food Additives

和　名 Japanese name	和名別名 Japanese name	英名，英名別名 English name	許可状況 Legal/Illegal	主な用途 Main uses
n-デカナール	アルデヒドC-10 カプリックアルデヒド カプリンアルデヒド カプルアルデヒド **デカナール** デシルアルデヒド *n*-デシルアルデヒド	Aldehyde C-10 Capraldehyde Capric aldehyde Caprin aldehyde **Decanal** *n*-Decanal Decyl aldehyde *n*-Decyl aldehyde	○，指定	香料
デカノール	1-デカノール デシルアルコール	**Decanol** 1-Decanol Decyl alcohol	○，指定	香料
1-デカノール	**デカノール** デシルアルコール	**Decanol** 1-Decanol Decyl alcohol	○，指定	香料
デカン酸エチル	カプリン酸エチル	Ethyl caprate **Ethyl decanoate**	○，指定	香料
デキストラナーゼ		**Dextranase**	◎，既存	酵素
デキストラン		**Dextran**	◎，既存	増粘安定剤
デキストリン	白色及び黄色焙焼でん粉 ローストでん粉	Dextrin Roasted starch White and yellow roasted starch	◎	特別用途食品 増粘安定剤 糊料
デシルアルコール	**デカノール** 1-デカノール	**Decanol** 1-Decanol Decyl alcohol	○，指定	香料
デシルアルデヒド	アルデヒドC-10 カプリックアルデヒド カプリンアルデヒド カプルアルデヒド **デカナール** *n*-デカナール *n*-デシルアルデヒド	Aldehyde C-10 Capraldehyde Capric aldehyde Caprin aldehyde **Decanal** *n*-Decanal Decyl aldehyde *n*-Decyl aldehyde	○，指定	香料
n-デシルアルデヒド	アルデヒドC-10 カプリックアルデヒド カプリンアルデヒド カプルアルデヒド **デカナール** *n*-デカナール デシルアルデヒド	Aldehyde C-10 Capraldehyde Capric aldehyde Caprin aldehyde **Decanal** *n*-Decanal Decyl aldehyde *n*-Decyl aldehyde	○，指定	香料
デソキシコール酸	コール酸 **胆汁末**(胆汁から得られた、コール酸及びデソキシコール酸を主成分とするものをいう。)	Cholic acid Desoxycholic acid **Powdered bile**	◎，既存	乳化剤
鉄		**Iron**	◎，既存	製造用剤 強化剤
鉄-クエン酸コリン複合体		Iron-choline citrate complex	×	強化剤
鉄クロロフィリンナトリウム		**Sodium iron chlorophyllin**	○，指定	着色料
テトラクロロエチレン		Tetrachloroethylene	×	製造用剤

◎：許可（使用基準なし） Legal（Accepted with no standard of use）
○：許可（使用基準あり） Legal（Accepted with standard of use）
指定：Designated Food Additives　既存：Existing Food Additives
×：使用不可 Illegal（Prohibited）
※：個別判断を要するもの Required individual special judgement

EU E No.	EU FL No.	CAS No.	CFR No.	CNS 号.	備考 Remarks
	05.010	112-31-2			着香の目的以外に使用してはならない
	02.024	112-30-1			着香の目的以外に使用してはならない
	02.024	112-30-1			着香の目的以外に使用してはならない
	09.059	110-38-3			着香の目的以外に使用してはならない
			(Dextrin として) 184.1277		資料1により食品素材扱いとする品目
	02.024	112-30-1			着香の目的以外に使用してはならない
	05.010	112-31-2			着香の目的以外に使用してはならない
	05.010	112-31-2			着香の目的以外に使用してはならない
					E No.はないがINS No.1000あり
			(Iron elemental として) 184.1375		
			172.370		CFRは鉄分補給

て

色文字：法令上の指定添加物名（除く別名）　red：Name on Ministerial Ordinance of Designated Food Additives
色文字：法令上の既存添加物名（除く別名）　red：Name on Ministerial Notification of Existing Food Additives

和　名 Japanese name	和名別名 Japanese name	英名，英名別名 English name	許可状況 Legal/Illegal	主な用途 Main uses
5,6,7,8-テトラヒドロキノキサリン		5,6,7,8-Tetrahydroquinoxaline	○，指定	香料
テトラヒドロピロール	テトラメチレンイミン ピロリジン	Pyrrolidine Tetrahydropyrrole Tetramethylenimine	○，指定	香料
2,3,5,6-テトラメチルピラジン		2,3,5,6-Tetramethylpyrazine	○，指定	香料
テトラメチレンイミン	テトラヒドロピロール ピロリジン	Pyrrolidine Tetrahydropyrrole Tetramethylenimine	○，指定	香料
デヒドロ酢酸		Dehydroacetic acid	×	保存料
デヒドロ酢酸ナトリウム		Sodium dehydroacetate	○，指定	保存料
デュナリエラカロチン	藻類カロチン 藻類カロテン 抽出カロチン 抽出カロテン デュナリエラカロテン（デュナリエラの全藻から得られた，β-カロテンを主成分とするものをいう。） ドナリエラカロチン ドナリエラカロテン	Algae carotene Dunaliella carotene Extracted carotene	◎，既存	強化剤 着色料
デュナリエラカロテン（デュナリエラの全藻から得られた，β-カロテンを主成分とするものをいう。）	藻類カロチン 藻類カロテン 抽出カロチン 抽出カロテン デュナリエラカロチン ドナリエラカロチン ドナリエラカロテン	Algae carotene Dunaliella carotene Extracted carotene	◎，既存	強化剤 着色料
デュベリー色素		European dewberry color	○	着色料
テルピネオール		Terpineol	○，指定	香料
テルペン系炭化水素類		Terpene hydrocarbons	○，指定	香料
テルペン樹脂		Terpene resin	×	製造用剤
転化糖		Invert sugar	◎	甘味料
天然香料物質及び香料と共に用いる天然物質		Natural flavoring substances and natural substances used in conjunction with flavors	※	香料
天然石こう	化学石こう 焼石こう 石こう 硫酸カルシウム	Calcium sulfate Chemical gypsum Gyps Gypsum Natural gypsum Plaster of Paris	※	特別用途食品

◎：許可（使用基準なし） Legal（Accepted with no standard of use）
○：許可（使用基準あり） Legal（Accepted with standard of use）
指定：Designated Food Additives　既存：Existing Food Additives
×：使用不可 Illegal（Prohibited）
※：個別判断を要するもの Required individual special judgement

EU E No.	EU FL No.	CAS No.	CFR No.	CNS 号.	備考 Remarks
	14.015	34413-35-9			着香の目的以外に使用してはならない
	14.064	123-75-1			着香の目的以外に使用してはならない
	14.018	1124-11-4			着香の目的以外に使用してはならない
	14.064	123-75-1			着香の目的以外に使用してはならない
			172.130	17.009（i）	
		（1水和物）4418-26-2		17.009（ii）	告示成分規格の nH_2O は n ＝1 E No.はないが INS No.266あり
E160a（iv）			（検定免除着色料の carrot oil として） 73.300 （検定免除着色料の β-Carotene として） 73.95 （GRAS 物質の Beta-Carotene として） 184.1245		着色料の目的では○，既存 E160a（iv）：Algal Carotene
E160a（iv）			（検定免除着色料の carrot oil として） 73.300 （検定免除着色料の β-Carotene として） 73.95 （GRAS 物質の Beta-Carotene として） 184.1245		着色料の目的では○，既存 E160a（iv）：Algal Carotene
					一般飲食物添加物
	02.230				着香の目的以外に使用してはならない 告示成分規格は α，β，γ の混合物 EU では「Terpineol，CAS No.8000-41-7」として，「FL No. 02.230」あり
					着香の目的以外に使用してはならない 類又は誘導体として指定されている18項目の香料リスト（解説編2-(1)-(vi)参照） 「組換え DNA 技術応用食品及び添加物の安全性審査の手続きを経た添加物」としての告示あり。詳細は厚労省 HP 参照
			172.280		CFR は Soft gelatin カプセルの水分保護
			184.1859		食品扱い
			172.510		CFR は Aloe，Blackberry など個別の一般植物名称とその学名及び使用部位が一覧表で記載あり
E516					石こうは資料1により食品添加物に該当する可能性が考えられるが，事前に判断を受けるよう指導されている品目 石こう参照

て

色文字：法令上の指定添加物名（除く別名）　red：Name on Ministerial Ordinance of Designated Food Additives
色文字：法令上の既存添加物名（除く別名）　red：Name on Ministerial Notification of Existing Food Additives

和　名 Japanese name	和名別名 Japanese name	英名，英名別名 English name	許可状況 Legal/Illegal	主な用途 Main uses
	化学石こう 焼石こう 石こう 硫酸カルシウム	Calcium sulfate Chemical gypsum Gyps Gypsum Natural gypsum Plaster of Paris	○，指定	膨脹剤 強化剤 イーストフード 豆腐用凝固剤 膨張剤
デンプンアルミニウムオクテニルコハク酸塩	加工デンプン	Modified starch Starch aluminium octenyl succinate	×	増粘安定剤 ゲル化剤 糊料
デンプングリコール酸ナトリウム	加工デンプン	Modified starch Sodium carboxymethylstarch	○，指定	増粘安定剤 ゲル化剤 糊料
デンプンリン酸エステルナトリウム	加工デンプン	Modified starch Sodium starch phosphate	×	増粘安定剤 ゲル化剤 糊料
銅		Copper	◎，既存	製造用剤
銅塩類（グルコン酸銅及び硫酸銅に限る。）	グルコン酸銅 硫酸銅	Copper gluconate Copper salts(Limited to Copper gluconate and Cupric sulfate) Cupric sulfate	○，指定	製造用剤 強化剤
糖化アミラーゼ	アミログルコシダーゼ グルコアミラーゼ	γ-Amylase Amyloglucosidase Glucoamylase	◎，既存	酵素
トウガラシ色素（トウガラシの果実から得られた，カプサンチン類を主成分とするものをいう。）	カプサンチン カプシカム色素 カプソルビン パプリカ色素	Capsanthin Capsicum color Capsorubin Paprika color Paprika oleoresin	○，既存	着色料
トウガラシ水性抽出物（トウガラシの果実から抽出して得られた，水溶性物質を主成分とするものをいう。）	カプシカム水性抽出物 パプリカ水性抽出物	Capsicum water-soluble extract Paprika water-soluble extract	◎，既存	製造用剤
銅クロロフィリンカリウム塩		Chlorophyllin copper complex, potassium salts	×	着色料
銅クロロフィリン錯体		Copper complexes of chlorophyllins	×	着色料
銅クロロフィリンナトリウム		Sodium copper chlorophyllin	○，指定	着色料
銅クロロフィル	銅クロロフィル錯体	Copper chlorophyll Copper complexes of chlorophylls	○，指定	着色料

◎：許可（使用基準なし） Legal（Accepted with no standard of use）
○：許可（使用基準あり） Legal（Accepted with standard of use）
指定：Designated Food Additives　既存：Existing Food Additives
×：使用不可 Illegal（Prohibited）
※：個別判断を要するもの Required individual special judgement

EU E No.	EU FL No.	CAS No.	CFR No.	CNS 号.	備考 Remarks
E516		(2水和物) 7778-18-9	(Calcium sulfate として) 184.1230	18.001	食品の製造又は加工上必要不可欠な場合及び栄養の目的以外に使用してはならない 告示成分規格の nH_2O は n ＝2 石こう参照
E1452					
		9063-38-1	(Food starch-modified として) 172.892	20.012	告示成分規格に CAS NO.の記載がないが特記
				20.013	平成21年6月4日省令別表第1より削除（特記）
		(硫酸銅，5水和物) 7758-99-8	(Copper gluconate として) 184.1260 (Copper salfate として) 184.1261		**グルコン酸銅**は母乳代替食品及び保健機能食品以外に使用してはならない **硫酸銅**はぶどう酒及び母乳代替食品以外に使用してはならない 省令別表第1のリスト名は「**銅塩類（グルコン酸銅及び硫酸銅に限る。）, Copper salts（Limited to Copper gluconate and Cupric sulfate）**」 (硫酸銅) 告示成分規格の nH_2O は n ＝5 (硫酸銅) E No.はないが INS No.519あり
			(Amyloglucosidase derived from *Rhizopus niveus* として) 173.110		「組換え DNA 技術応用食品及び添加物の安全性審査の手続きを経た添加物」としての告示あり。詳細は厚労省 HP 参照 E No.はないが INS No.1100あり
E160c			(Paprika oleoresin として) 73.345	00.012 08.106 08.107	日本は橙色～赤色を呈するカロテノイド色素として総合しているが CNS 号は3区分あり，CNS 号00.012は paprika oleoresin，CNS 号08.106は paprika red，CNS 号08.107は paprika orange
E141(ii)				08.009	E141(ii)は Copper complexes of chlorophyllins だが，日本では**銅クロロフィリンナトリウム**のみが指定添加物として認められている CNS 号08.009は chlorophyllin copper complex，sodium and potassium salts 日本で使用が認められているのは Sodium copper chlorophyllin のみ
E141(ii)				08.009	E141(ii)は Copper complexes of chlorophyllins だが，日本では**銅クロロフィリンナトリウム**のみが指定添加物として認められている CNS 号08.009は chlorophyllin copper complex，sodium and potassium salts 日本で使用が認められているのは Sodium copper chlorophyllin のみ
E141(ii)			(Sodium copper chlorophyllin として) 73.125	08.009	E141(ii)は Copper complexes of chlorophyllins だが，日本では**銅クロロフィリンナトリウム**のみが指定添加物として認められている CNS 号08.009は chlorophyllin copper complex，sodium and potassium salts 日本で使用が認められているのは Sodium copper chlorophyllin のみ
E141(i)				08.153	日本では**銅クロロフィル**が指定添加物として認められている E No.は銅クロロフィル錯体

色文字：法令上の指定添加物名（除く別名）　　red：Name on Ministerial Ordinance of Designated Food Additives
色文字：法令上の既存添加物名（除く別名）　　red：Name on Ministerial Notification of Existing Food Additives

和　名 Japanese name	和名別名 Japanese name	英名，英名別名 English name	許可状況 Legal/Illegal	主な用途 Main uses
銅クロロフィル錯体	銅クロロフィル	Copper chlorophyll Copper complexes of chlorophylls	○，指定	着色料
糖転移イソクエルシトリン	酵素処理イソクエルシトリン（「ルチン酵素分解物」から得られた，α-グルコシルイソクエルシトリンを主成分とするものをいう。）	Enzymatically modified isoquercitrin Transglycosylated isoquercitrin	◎，既存	酸化防止剤
糖転移ナリンジン	酵素処理ナリンジン（「ナリンジン」から得られた，α-グルコシルナリンジンを主成分とするものをいう。）	Enzymatically modified naringin Glucosyl naringin	◎，既存	苦味料
糖転移ビタミンＰ	酵素処理ヘスペリジン（「ヘスペリジン」にシクロデキストリングルコシルトランスフェラーゼを用いてグルコースを付加して得られたものをいう。） 糖転移ヘスペリジン	Enzymatically modified hesperidin Glucosyl hesperidin Glucosyl vitamin P	◎，既存	強化剤
糖転移ヘスペリジン	酵素処理ヘスペリジン（「ヘスペリジン」にシクロデキストリングルコシルトランスフェラーゼを用いてグルコースを付加して得られたものをいう。） 糖転移ビタミンＰ	Enzymatically modified hesperidin Glucosyl hesperidin Glucosyl vitamin P	◎，既存	強化剤
糖転移ルチン（抽出物）	酵素処理ルチン（抽出物）（「ルチン（抽出物）」から得られた，α-グルコシルルチンを主成分とするものをいう。）	Enzymatically modified rutin (extract) Glucosyl rutin (extract)	◎，既存	強化剤 酸化防止剤 着色料
動物性ステロール（魚油又は「ラノリン」から得られた，コレステロールを主成分とするものをいう。）	コレステロール	Cholesterol	◎，既存	乳化剤
トウモロコシセルロース	コーンセルロース	Corn cellulose	◎	製造用剤
トウモロコシたん白	ゼイン（トウモロコシの種子から得られた，植物性タンパク質を主成分とするものをいう。）	Corn protein Zein	◎，既存	製造用剤
冬緑油	オルトヒドロ安息香酸メチル サリチル酸メチル	Methyl-o-hydroxybenzoate Methyl salicylate Synthetic wintergreen oil	○，指定	香料
ドコサヘキサエン酸（DHA）		Docosahexaenoic acid (DHA)	◎	特別用途食品
トコトリエノール		Tocotrienol	◎，既存	酸化防止剤
dl-α-トコフェロール		*dl*-α-Tocopherol	○，指定	酸化防止剤
d-α-トコフェロール	α-トコフェロール α-ビタミンＥ	α-Tocopherol *d*-α-Tocopherol α-Vitamin E	◎，既存	強化剤 酸化防止剤
d-γ-トコフェロール	γ-トコフェロール γ-ビタミンＥ	γ-Tocopherol *d*-γ-Tocopherol γ-Vitamin E	◎，既存	強化剤 酸化防止剤

◎：許可（使用基準なし） Legal（Accepted with no standard of use）
○：許可（使用基準あり） Legal（Accepted with standard of use）
指定：Designated Food Additives　既存：Existing Food Additives
×：使用不可 Illegal（Prohibited）
※：個別判断を要するもの Required individual special judgement

EU E No.	EU FL No.	CAS No.	CFR No.	CNS 号.	備考 Remarks
E141(i)				08.153	日本では**銅クロロフィル**が指定添加物として認められている E No.は銅クロロフィル錯体
					着色料の目的では○,既存
		66071-96-3			
					一般飲食物添加物
			184.1984		
	09.749	119-36-8			着香の目的以外に使用してはならない
					資料1により食品素材扱いとする品目
E307			(Chemical preservatives の Tocopherols として) 182.3890 (Nutrients の Tocopherols として) 182.8890		酸化防止の目的以外に使用してはならない(ただし,省令別表第1の**β-カロテン**,**ビタミンA**,**ビタミンA脂肪酸エステル**及び既存添加物リストの**流動パラフィン**の製剤中に含まれる場合を除く) 日本の法令名はEUでは同義語扱い
E307		59-02-9	(Chemical preservatives の Tocopherols として) 182.3890 (Nutrients の Tocopherols として) 182.8890 （α-Tocopherols として） 184.1890	04.016	日本では***dl*-α-トコフェロール**が指定添加物となっている
E308			(Chemical preservatives の Tocopherols として) 182.3890 (Nutrients の Tocopherols として) 182.8890		日本では***dl*-α-トコフェロール**が指定添加物となっている 日本では***d*-γ-トコフェロール**が既存添加物となっている

と

色文字：法令上の指定添加物名（除く別名）　red：Name on Ministerial Ordinance of Designated Food Additives
色文字：法令上の既存添加物名（除く別名）　red：Name on Ministerial Notification of Existing Food Additives

和　名 Japanese name	和名別名 Japanese name	英名，英名別名 English name	許可状況 Legal/Illegal	主な用途 Main uses
d-δ-トコフェロール	δ-トコフェロール δ-ビタミンE	δ-Tocopherol d-δ-Tocopherol δ-Vitamin E	◎，既存	強化剤 酸化防止剤
トコフェロール酢酸エステル		all-rac-α-Tocopheryl acetate	○，指定	強化剤
d-α-トコフェロール酢酸エステル		R,R,R-α-Tocopheryl acetate	○，指定	強化剤
α-トコフェロール	d-α-トコフェロール α-ビタミンE	α-Tocopherol d-α-Tocopherol α-Vitamin E	◎，既存	強化剤 酸化防止剤
γ-トコフェロール	d-γ-トコフェロール γ-ビタミンE	γ-Tocopherol d-γ-Tocopherol γ-Vitamin E	◎，既存	強化剤 酸化防止剤
δ-トコフェロール	d-δ-トコフェロール δ-ビタミンE	δ-Tocopherol d-δ-Tocopherol δ-Vitamin E	◎，既存	強化剤 酸化防止剤
ドデカン酸エチル	ラウリン酸エチル	Ethyl dodecanoate Ethyl laurate	○，指定	香料
ドデシルベンゼンスルホン酸ナトリウム		Sodium dodecylbenzenesulfonate	×	殺菌料
ドナリエラカロチン	藻類カロチン 藻類カロテン 抽出カロチン 抽出カロテン デュナリエラカロチン デュナリエラカロテン（デュナリエラの全藻から得られた，β-カロテンを主成分とするものをいう。） ドナリエラカロテン	Algae carotene Dunaliella carotene Extracted carotene	◎，既存	強化剤 着色料
ドナリエラカロテン	藻類カロチン 藻類カロテン 抽出カロチン 抽出カロテン デュナリエラカロチン デュナリエラカロテン（デュナリエラの全藻から得られた，β-カロテンを主成分とするものをいう。） ドナリエラカロチン	Algae carotene Dunaliella carotene Extracted carotene	◎，既存	強化剤 着色料

◎：許可（使用基準なし） Legal（Accepted with no standard of use）
○：許可（使用基準あり） Legal（Accepted with standard of use）
指定：Designated Food Additives 既存：Existing Food Additives
×：使用不可 Illegal（Prohibited）
※：個別判断を要するもの Required individual special judgement

EU E No.	EU FL No.	CAS No.	CFR No.	CNS 号.	備考 Remarks
E309			(Chemical preservatives の Tocopherols として) 182.3890 (Nutrients の Tocopherols として) 182.8890		日本では **dl-α-トコフェロール**が指定添加物となっている 日本では **d-δ-トコフェロール**が既存添加物となっている
		7695-91-2	(α-Tocopherol acetate として) 182.8892		保健機能食品以外の食品に使用してはならない
			(α-Tocopherol acetate として) 182.8892		保健機能食品以外の食品に使用してはならない
E307		59-02-9	(Chemical preservatives の Tocopherols として) 182.3890 (Nutrients の Tocopherols として) 182.8890 (α-Tocopherols として) 184.1890	04.016	日本では **dl-α-トコフェロール**が指定添加物となっている
E308			(Chemical preservatives の Tocopherols として) 182.3890 (Nutrients の Tocopherols として) 182.8890		日本では **dl-α-トコフェロール**が指定添加物となっている 日本では **d-γ-トコフェロール**が既存添加物となっている
E309			(Chemical preservatives の Tocopherols として) 182.3890 (Nutrients の Tocopherols として) 182.8890		日本では **dl-α-トコフェロール**が指定添加物となっている 日本では **d-δ-トコフェロール**が既存添加物となっている
	09.099	106-33-2			**エステル類** 着香の目的以外に使用してはならない 類又は誘導体として指定されている18項目の香料リストのSEQ No.844(解説編2-(1)-(vi)参照)
			173.405		果物，野菜の洗浄水に使用
E160a (iv)			(検定免除着色料の carrot oil として) 73.300 (検定免除着色料の β-Carotene として) 73.95 (GRAS 物質の Beta-Carotene として) 184.1245		着色料の目的では○,既存 E160a(iv)：Algal Carotene
E160a (iv)			(検定免除着色料の carrot oil として) 73.300 (検定免除着色料の β-Carotene として) 73.95 (GRAS 物質の Beta-Carotene として) 184.1245		着色料の目的では○,既存 E160a(iv)：Algal Carotene

色文字：法令上の指定添加物名（除く別名）　red：Name on Ministerial Ordinance of Designated Food Additives
色文字：法令上の既存添加物名（除く別名）　red：Name on Ministerial Notification of Existing Food Additives

和　名 Japanese name	和名別名 Japanese name	英名，英名別名 English name	許可状況 Legal/Illegal	主な用途 Main uses
トマト色素（トマトの果実から得られた，リコピンを主成分とするものをいう。）	トマトリコピン	Tomato color Tomato lycopene	○，既存	着色料
トマトリコピン	トマト色素（トマトの果実から得られた，リコピンを主成分とするものをいう。）	Tomato color Tomato lycopene	○，既存	着色料
トラガントガム（トラガントの分泌液から得られた，多糖類を主成分とするものをいう。）	シリアンガム バソラガム ホッグガム リーフガム	Basora gum Goat's thorn Gum tragacanth Hog gum Leaf gum Syrian gum Tragacanth gum	◎，既存	増粘安定剤 乳化剤
トランス-3-フェニルプロペン酸	ケイ皮酸 トランスケイ皮酸 トランス-β-フェニルアクリル酸	Cinnamic acid *trans* -Cinnamic acid *trans* - β -Phenylacrylic acid *trans* -3-Phenylpro-penoic acid	○，指定	香料
トランスグルコシダーゼ		Transglucosidase	◎，既存	酵素
トランスグルタミナーゼ		Transglutaminase	◎，既存	酵素
トランスケイ皮酸	ケイ皮酸 トランス-3-フェニルプロペン酸 トランス-β-フェニルアクリル酸	Cinnamic acid *trans* -Cinnamic acid *trans* - β -Phenylacrylic acid *trans* -3-Phenylpro-penoic acid	○，指定	香料
トランス-β-フェニルアクリル酸	ケイ皮酸 トランス-3-フェニルプロペン酸 トランスケイ皮酸	Cinnamic acid *trans* -Cinnamic acid *trans* - β -Phenylacrylic acid *trans* -3-Phenylpro-penoic acid	○，指定	香料
trans -2-ペンテナール		*(E)* -2-Pentenal *trans* -2-Pentenal	○，指定	香料
trans -2-メチル-2-ブテナール	2-メチルクロトンアルデヒド	*(E)* -2-Methyl-2-butenal 2-Methylcrotonaldehyde *trans* -2-Methyl-2-butenal	○，指定	香料
trans -レスベラトロール	*(E)* -レスベラトロール	*(E)* -Resveratrol *trans* -Resveratrol	※	特別用途食品
トリアセチン	グリセリン酢酸エステル グリセリン脂肪酸エステル グリセリントリアセテート トリ酢酸グリセリル	Glycerol esters of acetic acid Glycerol esters of fatty acids Glyceryl triacetate Triacetin	◎，指定	製造用剤 増粘安定剤 乳化剤 ガムベース
トリエチルシトレート	クエン酸三エチル クエン酸トリエチル	Ethyl citrate Triethyl citrate	○，指定	香料 増粘安定剤 乳化剤

◎：許可（使用基準なし） Legal（Accepted with no standard of use）　×：使用不可 Illegal（Prohibited）
○：許可（使用基準あり） Legal（Accepted with standard of use）　※：個別判断を要するもの Required individual special judgement
指定：Designated Food Additives　既存：Existing Food Additives

EU E No.	EU FL No.	CAS No.	CFR No.	CNS 号.	備考 Remarks
E160d (ii)			(Tomato lycopene extract：Tomato lycopene concentrate として) 73.585	08.150	
E160d (ii)			(Tomato lycopene extract：Tomato lycopene concentrate として) 73.585	08.150	
E413		9000-65-1	(Gum tragacanth として) 184.1351		
	08.022	140-10-3			着香の目的以外に使用してはならない FL No.は CAS No.621-82-9に対応
				18.013	
	08.022	140-10-3			着香の目的以外に使用してはならない FL No.は CAS No.621-82-9に対応
	08.022	140-10-3			着香の目的以外に使用してはならない FL No.は CAS No.621-82-9に対応
	05.102	1576-87-0			着香の目的以外に使用してはならない 平成24年11月2日省令別表第1に新規指定 告示の CAS No.は1576-87-0 FL No.は CAS No.764-39-6に対応し，この CAS No.は JECFA の2-ペンテナールに採用されている
	05.095	497-03-0			着香の目的以外に使用してはならない 平成24年12月28日省令別表第1に新規指定
					資料1により食品添加物に該当する可能性が考えられるが，事前に判断を受けるよう指導されている品目
E1518			(Triacetin として) 184.1901 (Mono-and diglycerides として) 184.1505		
E1505	09.512	77-93-0	184.1911		平成27年5月19日省令別表第1に新規指定 その使用にあたっては，適切な製造工程管理を行い，食品中で目的とする効果を得る上で必要とする量を越えないものとすることの特記あり 香料の目的で使用する場合は，着香の目的以外に使用してはならない。 類又は誘導体として指定されている18項目の香料リストの SEQ No.2415(解説編2-(1)-(vi)参照) 特例として ENo.と FLNo.の両方あり

と

色文字：法令上の指定添加物名（除く別名） red：Name on Ministerial Ordinance of Designated Food Additives
色文字：法令上の既存添加物名（除く別名） red：Name on Ministerial Notification of Existing Food Additives

和　名 Japanese name	和名別名 Japanese name	英名，英名別名 English name	許可状況 Legal/Illegal	主な用途 Main uses
1,1,1-トリクロロエタン		1,1,1-Trichloroethane	×	製造用剤
トリクロロエチレン		Trichloroethylene	×	製造用剤
トリクロロガラクトスクロース	スクラロース	Sucralose Trichlorogalactosucrose	○，指定	甘味料
1,1,2-トリクロロトリフルオロエタン		1,1,2-Trichlorotrifluoroethane	×	製造用剤
トリ酢酸グリセリル	グリセリン酢酸エステル グリセリン脂肪酸エステル グリセリントリアセテート トリアセチン	Glycerol esters of acetic acid Glycerol esters of fatty acids Glyceryl triacetate Triacetin	◎，指定	製造用剤 増粘安定剤 乳化剤 ガムベース
2,4,5-トリヒドロキシブチロフェノン	THBP	2,4,5-Trihidroxy butyrophenone THBP	×	保存料
トリプシン		Trypsin	◎，既存	酵素
トリブチリン		Tributyrin	×	香料
DL-トリプトファン		DL-Tryptophan	◎，指定	強化剤 調味料
L-トリプトファン		L-Tryptophan	◎，指定	強化剤 調味料
トリポリリン酸カリウム	トリポリリン酸五カリウム	Pentapotassium triphosphate Potassium tripolyphosphate	◎，指定	製造用剤
トリポリリン酸五カリウム	トリポリリン酸カリウム	Pentapotassium triphosphate Potassium tripolyphosphate	◎，指定	製造用剤
トリポリリン酸ナトリウム	トリポリリン酸五ナトリウム	Pentasodium triphosphate Sodium tripolyphosphate	◎，指定	製造用剤
トリポリリン酸五ナトリウム	トリポリリン酸ナトリウム	Pentasodium triphosphate Sodium tripolyphosphate	◎，指定	製造用剤
トリメタリン酸ナトリウム	ヘキサメタリン酸ナトリウム メタリン酸ナトリウム	Sodium hexametaphosphate Sodium metaphosphate Sodium trimetaphosphate	◎，指定	膨脹剤 かんすい 乳化剤 結着剤
トリメチルアミン	*N,N*ジメチルメタンアミン	*N,N*-Dimethylmethanamine Trimethylamine	○，指定	香料
2,3,5-トリメチルピラジン		2,3,5-Trimethylpyrazine	○，指定	香料
トリメチルメタン	イソブタン	Isobutane Trimethylmethane	×	製造用剤
トルエン		Toluene	×	製造用剤

◎：許可（使用基準なし） Legal（Accepted with no standard of use）
○：許可（使用基準あり） Legal（Accepted with standard of use）
指定：Designated Food Additives　　既存：Existing Food Additives
×：使用不可 Illegal（Prohibited）
※：個別判断を要するもの Required individual special judgement

EU E No.	EU FL No.	CAS No.	CFR No.	CNS 号.	備考 Remarks
			173.290		
E955		56038-13-2	172.831	19.016	
E1518			(Triacetin として) 184.1901 (Mono-and diglycerides として) 184.1505		
			172.190		CFR は単独または他の許可抗酸化剤と併用
			184.1914		
			184.1903		
		54-12-6			
		73-22-3	(Amino acids, L-Tryptophan として) 172.320		
E451(ii)					日本では**ポリリン酸カリウム**(Potassium polyphosphate)として指定添加物になっている
E451(ii)					日本では**ポリリン酸カリウム**(Potassium polyphosphate)として指定添加物になっている
E451(i)			(多目的 GRAS 食品物質の Sodium tripolyphosphate として) 182.1810 (GRAS 物質キレート剤の Sodium tripolyphosphate として) 182.6810	15.003	日本では**ポリリン酸ナトリウム**(Sodium polyphosphate)として指定添加物になっている
E451(i)			(多目的 GRAS 食品物質の Sodium tripolyphosphate として) 182.1810 (GRAS 物質キレート剤の Sodium tripolyphosphate として) 182.6810	15.003	日本では**ポリリン酸ナトリウム**(Sodium polyphosphate)として指定添加物になっている
E452(i)			(Sodium hexametaphosphate として) 182.6760 (Sodium metaphosphate として) 182.6769		E452(i)はメタリン酸ナトリウム，ポリリン酸ナトリウム等を含む
	11.009	75-50-3			着香の目的以外に使用してはならない 平成24年12月28日省令別表第1に新規指定
	14.019	14667-55-1			着香の目的以外に使用してはならない
E943b					

と

色文字：法令上の指定添加物名（除く別名）　red：Name on Ministerial Ordinance of Designated Food Additives
色文字：法令上の既存添加物名（除く別名）　red：Name on Ministerial Notification of Existing Food Additives

和　名 Japanese name	和名別名 Japanese name	英名，英名別名 English name	許可状況 Legal/Illegal	主な用途 Main uses
DL-トレオニン	DL-スレオニン	DL-Threonine	◎，指定	強化剤 調味料
L-トレオニン	L-スレオニン	L-Threonine	◎，指定	強化剤 調味料
トレハロース	α-D-グルコピラノシド α-D-グルコピラノシール	α-D-Glucopyranoside α-D-Glucopyranosyl Trehalose	◎，既存	製造用剤
トレハロースホスホリラーゼ		Trehalose phosphorylase	◎，既存	酵素
ドロマイト鉱石		Dolomite	○	特別用途食品
トロロアオイ(トロロアオイの根から得られた，多糖類を主成分とするものをいう。)		Tororoaoi	◎，既存	増粘安定剤

◎：許可（使用基準なし） Legal（Accepted with no standard of use）
○：許可（使用基準あり） Legal（Accepted with standard of use）
指定：Designated Food Additives　既存：Existing Food Additives
×：使用不可 Illegal（Prohibited）
※：個別判断を要するもの Required individual special judgement

EU E No.	EU FL No.	CAS No.	CFR No.	CNS 号.	備考 Remarks
	17.021	80-68-2			EU では香料特性のある食品成分として FL No. あり
		72-19-5	(Amino acids, L-Threonine として) 172.320		
					タルク(既存添加物)はドロマイト等の滑石片等より混在物を除き微粉化したもの 不溶性鉱物性物質の分類に包含される。不溶性鉱物性物質扱いの使用は○ 資料1により食品素材扱いの使用は◎

色文字：法令上の指定添加物名（除く別名）　red：Name on Ministerial Ordinance of Designated Food Additives
色文字：法令上の既存添加物名（除く別名）　red：Name on Ministerial Notification of Existing Food Additives

和　名 Japanese name	和名別名 Japanese name	英名，英名別名 English name	許可状況 Legal/Illegal	主な用途 Main uses
ナイアシン	ニコチン酸	Niacin Nicotinic acid	○，指定	強化剤 色調安定剤
ナイアシンアミド	ニコチン酸アミド	Niacinamide Nicotinamide	○，指定	強化剤 色調安定剤
ナイシン		Nisin	○，指定	保存料
ナシオイル	酢酸アミルエステル 酢酸イソアミル 酢酸イソペンチル バナナオイル	Amyl acetic ester Banana oil Isoamyl acetate Isopentyl acetate Pear oil	○，指定	香料
ナタデココ	醸造セルロース 発酵セルロース	Fermentation-derived cellulose	◎	増粘安定剤
菜種油		Rapeseed oil	◎	製造用剤
ナタマイシン	ピマリシン	Natamycin Pimaricin	○，指定	表面処理剤
納豆菌ガム（納豆菌の培養液から得られた，ポリグルタミン酸を主成分とするものをいう。）	納豆菌粘質物	Bacillus natto gum	◎，既存	製造用剤 増粘安定剤
納豆菌粘質物	納豆菌ガム（納豆菌の培養液から得られた，ポリグルタミン酸を主成分とするものをいう。）	Bacillus natto gum	◎，既存	製造用剤 増粘安定剤
ナトリウムミョウバン	硫酸アルミニウムナトリウム	Aluminium sodium sulfate	×	製造用剤 膨脹剤
ナトリウムメチラート	ナトリウムメトキシド	Sodium methoxide Sodium methylate	○，指定	製造用剤
ナトリウムメトキシド	ナトリウムメチラート	Sodium methoxide Sodium methylate	○，指定	製造用剤
ナフサ	石油ナフサ	Petroleum naphtha	◎，既存	製造用剤
ナフトールイエローS	旧食用黄色1号	Naphthol Yellow S	×	着色料
生コーヒー豆抽出物（コーヒーの種子から得られた，クロロゲン酸及びポリフェノールを主成分とするものをいう。）		Coffee bean extract	◎，既存	酸化防止剤
ナリンギナーゼ	ナリンジナーゼ	Naringinase	◎，既存	酵素
ナリンギン	ナリンジン	Naringin	◎，既存	苦味料
ナリンジナーゼ	ナリンギナーゼ	Naringinase	◎，既存	酵素
ナリンジン	ナリンギン	Naringin	◎，既存	苦味料
南極オキアミミール		Antarctic krill meal	×	着色料
二亜硫酸カリウム	ピロ亜硫酸カリウム メタ重亜硫酸カリウム	Potassium disulfite Potassium metabisulfite Potassium pyrosulfite	○，指定	保存料 酸化防止剤 漂白剤

◎：許可（使用基準なし） Legal（Accepted with no standard of use）　×：使用不可　Illegal（Prohibited）
○：許可（使用基準あり） Legal（Accepted with standard of use）　※：個別判断を要するもの　Required individual special judgement
指定：Designated Food Additives　既存：Existing Food Additives

EU E No.	EU FL No.	CAS No.	CFR No.	CNS 号.	備　考 Remarks
		59-67-6	184.1530		E No.はないがINS No.375あり
		98-92-0	184.1535		
E234		1414-45-5	(Nisin preparationとして) 184.1538	17.019	
	09.024	123-92-2			着香の目的以外に使用してはならない
					一般飲食物添加物
			184.1555		CFRは完全硬化した菜種油であり，飽和脂肪酸の混合物からなるトリグリセライドの混合物 食品扱い
E235		7681-93-8	172.155	17.030	ナチュラルチーズ(ハード及びセミハードの表面部分に限る)以外の食品に使用してはならない
E521			（Aluminum sodium sulfateとして） 182.1131		
		124-41-4			最終食品の完成前に分解し,これによって生成するメタノールを除去しなければならない
		124-41-4			最終食品の完成前に分解し,これによって生成するメタノールを除去しなければならない
			172.250		
		10236-47-2			
		10236-47-2			
			73.32		CFR2023年版（March 28,2023）にて新規制定 常態として「Ethoxyquin（エトキシキン）,CFRNo.172.140」を酸化防止剤として添加し，魚の飼料として消費されているが，食品の着色料として安全に使用できるとして今回制定されている なお,「エトキシキン」以外の酸化防止剤は認めていない
E224		16731-55-8	(Potassium bisulfiteとして) 182.3616 (Potassium metabisulfiteとして) 182.3637	05.002	

色文字：法令上の指定添加物名（除く別名）　red：Name on Ministerial Ordinance of Designated Food Additives
色文字：法令上の既存添加物名（除く別名）　red：Name on Ministerial Notification of Existing Food Additives

和名 Japanese name	和名別名 Japanese name	英名，英名別名 English name	許可状況 Legal/Illegal	主な用途 Main uses
二亜硫酸ナトリウム	ピロ亜硫酸ナトリウム メタ重亜硫酸ナトリウム	Sodium disulfite Sodium metabisulfite Sodium pyrosulfite	○，指定	保存料 酸化防止剤 漂白剤
二塩化エチレン		Ethylene dichloride	×	製造用剤
二塩基性リン酸アンモニウム	第二リン酸アンモニウム リン酸水素二アンモニウム リン酸二アンモニウム	Diammonium hydrogen phosphate Diammonium phosphate Dibasic ammonium phosphate Secondary ammonium phosphate	◎，指定	製造用剤 乳化剤 イーストフード 醸造用剤
二塩基性リン酸ナトリウム	第二リン酸ナトリウム DSP リン酸水素二ナトリウム リン酸二ナトリウム	Dibasic sodium phosphate Disodium hydrogen phosphate Disodium phosphate DSP Secondary sodium orthophosphate Sodium phosphate, dibasic	◎，指定	製造用剤 水素イオン濃度調整剤（pH 調整剤） 膨脹剤 調味料 かんすい 乳化剤
ニガーグッタ（ニガーグッタの分泌液から得られた，アミリンアセタート及びポリイソプレンを主成分とするものをいう。）		Niger gutta	◎，既存	ガムベース
ニガヨモギ抽出物（ニガヨモギの全草から得られた，セスキテルペンを主成分とするものをいう。）		Absinth extract	◎，既存	苦味料
ニコチンアミド-アスコルビン酸複合体		Nicotinamide-ascorbic acid complex	※	強化剤
ニコチン酸	ナイアシン	Niacin Nicotinic acid	○，指定	強化剤 色調安定剤
ニコチン酸アミド	ナイアシンアミド	Niacinamide Nicotinamide	○，指定	強化剤 色調安定剤
ニコチン酸アルミニウム		Aluminum nicotinate	×	強化剤
二酢酸カリウム		Potassium diacetate	×	製造用剤 保存料
二酢酸カルシウム		Calcium diacetate	×	強化剤
二酢酸ナトリウム	酸性酢酸ナトリウム 粉末酢酸	Dry formed acetic acid Sodium diacetate Sodium hydrogen acetate	※	製造用剤 防かび剤
二酸化硫黄	無水亜硫酸	Sulfur dioxide Sulfurous acid, anhydride Sulfurous oxide	○，指定	保存料 酸化防止剤 漂白剤
二酸化塩素		Chlorine dioxide	○，指定	小麦粉処理剤
二酸化ケイ素	シリカゲル	Silica gel Silicon dioxide	○，指定	製造用剤 固結防止剤
二酸化炭素	炭酸 炭酸ガス	Carbon dioxide Carbonic acid Carbonic acid gas Carbonic anhydride	◎，指定	水素イオン濃度調整剤（pH 調整剤） 酸味料

◎：許可（使用基準なし） Legal（Accepted with no standard of use）
○：許可（使用基準あり） Legal（Accepted with standard of use）
指定：Designated Food Additives 既存：Existing Food Additives
×：使用不可 Illegal（Prohibited）
※：個別判断を要するもの Required individual special judgement

EU E No.	EU FL No.	CAS No.	CFR No.	CNS 号.	備 考 Remarks
E223		7681-57-4	(Sodium bisulfite として) 182.3739 (Sodium metabisulfite として) 182.3766	05.003	
			173.230		
		7783-28-0	(Ammonium phosphate, dibasic として) 184.1141b	06.008	E No.はないがINS No.342(ⅱ)あり
E339(ii)		(12水和物) 10039-32-4 (無水物) 7558-79-4	(Disodium phosphate として) 182.6290	15.006	表示成分規格の nH_2O は n =12,10,8,7,5,2又は0
			172.315		CFRはアスコルビン酸とニコチン酸アミドとの反応制御
		59-67-6	184.1530		E No.はないがINS No.375あり
		98-92-0	184.1535		
			172.310		CFRはSpecial dietary 食品のナイアシン供給源
E261(ⅱ)					「Commission Regulation (EU) No. 25/2013 of 16 June 2013」でE261よりE261(ⅱ)にサブNo.化
			182.6197		
E262(ii)			(Sodium diacetate として) 184.1754	17.013	酢酸(日本では省令別表第1の**氷酢酸**)と同**酢酸ナトリウム**の混合物であれば使用できる
E220			(Sulfur dioxide として) 182.3862	05.001	
		10049-04-4	173.300	17.028	E No.はないがINS No.926あり
E551			(Silicon dioxide として) 172.480	02.004	固結防止剤としての使用は微粒二酸化ケイ素に限る ろ過助剤の目的以外に使用してはならない(微粒二酸化ケイ素を除く) 最終食品の完成前に除去しなければならない(微粒二酸化ケイ素を除く) 微粒二酸化ケイ素は母乳代替食品及び離乳食品に使用してはならない
E290		124-38-9	184.1240	17.014 17.034	CNS号17.034は液体二氧化碳(煤气化法)

色文字：法令上の指定添加物名（除く別名）　red：Name on Ministerial Ordinance of Designated Food Additives
色文字：法令上の既存添加物名（除く別名）　red：Name on Ministerial Notification of Existing Food Additives

和　名 Japanese name	和名別名 Japanese name	英名，英名別名 English name	許可状況 Legal/Illegal	主な用途 Main uses
二酸化チタン		Titanium dioxide	○，指定	着色料
ニスペロ	クラウンガム チクブル チクル（サポジラの分泌液から得られた，アミリンアセタート及びポリイソプレンを主成分とするものをいう。）	Chicle Chiquibul Crown gum Nispero	◎，既存	ガムベース
二炭酸ジメチル		Dimethyl dicarbonate	○，指定	保存料
ニッケル		Nickel	◎，既存	製造用剤
日本ロウ	ハゼ脂 モクロウ（ハゼノキの果実から得られた，グリセリンパルミタートを主成分とするものをいう。）	Japan wax	◎，既存	ガムベース 光沢剤
ニトロフラゾーン		Nitrofurazone	×	殺菌料
2-ニトロプロパン		2-Nitropropane	×	製造用剤
乳酸		Lactic acid	◎，指定	水素イオン濃度調整剤（pH 調整剤） 膨脹剤 酸味料
乳酸アンモニウム		Ammonium lactate	×	製造用剤 水素イオン濃度調整剤（pH 調整剤）
乳酸エチル		Ethyl lactate	○，指定	香料
乳酸カリウム	2-ヒドロキシプロピオン酸カリウム 2-ヒドロキシプロパン酸カリウム	Potassium 2-hydroxypropanoate Potassium 2-hydroxypropionate Potassium lactate	◎，指定	水素イオン濃度調整剤（pH 調整剤） 調味料
乳酸カルシウム		Calcium lactate	○，指定	膨脹剤 強化剤 調味料
乳酸菌濃縮物		Lactic acid bacteria concentrates	◎	酵素
乳酸コリン		Choline lactate	※	強化剤
乳酸第一鉄	乳酸鉄	Ferrous lactate Iron lactate	◎，指定	製造用剤 強化剤
乳酸鉄	乳酸第一鉄	Ferrous lactate Iron lactate	◎，指定	製造用剤 強化剤

◎：許可（使用基準なし） Legal（Accepted with no standard of use）
○：許可（使用基準あり） Legal（Accepted with standard of use）
指定：Designated Food Additives　既存：Existing Food Additives
×：使用不可 Illegal（Prohibited）
※：個別判断を要するもの Required individual special judgement

EU E No.	EU FL No.	CAS No.	CFR No.	CNS 号.	備考 Remarks
		13463-67-7	73.575	08.011	着色の目的以外に使用してはならない EU では，E171は「Commission Regulation（EU）2022/63 of 14 January 2022」により，食品の着色料としての使用は認められないが，医薬品の着色料として認められており，ENo.リストに残されている
E242		4525-33-1	172.133	17.033	令和2年1月15日省令別表第1に新規指定 製造後，十分な時間が経過した後消費されるよう，製造から出荷までの期間に留意すること
			184.1537		
E270			184.1061	01.102	
	09.433	97-64-3			**エステル類** 着香の目的以外に使用してはならない 類又は誘導体として指定されている18項目の香料リストのSEQ No.843（解説編2-(1)-(vi)参照）
E326		996-31-6	184.1639	15.011	平成25年5月15日省令別表第1に新規指定 使用基準は設定しないものの，適切な製造工程管理を行い，食品中で目的とする効果を得る上で必要とされる量を超えないよう指導あり
E327		（5水和物） 5743-47-5 （無水物） 814-80-2	184.1207	01.310	告示成分規格の nH_2O は n ＝5,3,1又は0
					一般飲食物添加物
					E No.はないが INS No.1001（vi）あり 生物界には広く分布している物質であり，許可状況は個別判断
E585			（検定免除の着色料として） 73.165 （GRAS 物質として） 184.1311		EU の食品添加物の乳酸第一鉄と日本の指定食品添加物の**乳酸鉄**とは成分規格が若干異なる
E585			（検定免除の着色料として） 73.165 （GRAS 物質として） 184.1311		EU の食品添加物の乳酸第一鉄と日本の指定食品添加物の**乳酸鉄**とは成分規格が若干異なる

色文字：法令上の指定添加物名（除く別名）　red：Name on Ministerial Ordinance of Designated Food Additives
色文字：法令上の既存添加物名（除く別名）　red：Name on Ministerial Notification of Existing Food Additives

和　名 Japanese name	和名別名 Japanese name	英名，英名別名 English name	許可状況 Legal/Illegal	主な用途 Main uses
乳酸ナトリウム		Sodium lactate	◎，指定	水素イオン濃度調整剤（pH 調整剤） 酸味料 調味料
DL-乳酸マグネシウム		Magnesium DL-lactate	×	製造用剤 強化剤 調味料
L-乳酸マグネシウム		Magnesium L-lactate	×	製造用剤 強化剤
乳酸モノグリセライド	グリセリン脂肪酸エステル 脂肪酸のモノ及びジグリセライドの乳酸エステル	Glycerol esters of fatty acids Glycerol esters of lactic(lactate)and fatty acids Glyceryl-lacto esters of fatty acids Lactate ester of mono-glyceride Lactic acid esters of mono-and diglycerides of fatty acids	◎，指定	製造用剤 増粘安定剤 乳化剤 ガムベース
乳清	ホエイ	Milk serum Whey	◎	製造用剤 特別用途食品
乳清焼成カルシウム	焼成カルシウム（うに殻，貝殻，造礁サンゴ，ホエイ，骨，又は卵殻を焼成して得られた，カルシウム化合物を主成分とするものをいう。） 乳清第三リン酸カルシウム ホエイ第三リン酸カルシウム ホエイリン酸三カルシウム	Calcinated calcium Tricalcium phosphate	◎，既存	製造用剤 強化剤
乳清第三リン酸カルシウム	焼成カルシウム（うに殻，貝殻，造礁サンゴ，ホエイ，骨，又は卵殻を焼成して得られた，カルシウム化合物を主成分とするものをいう。） 乳清焼成カルシウム ホエイ第三リン酸カルシウム ホエイリン酸三カルシウム	Calcinated calcium Tricalcium phosphate	◎，既存	製造用剤 強化剤
乳清ミネラル	ホエイソルト ホエイミネラル	Whey mineral Whey salt	◎	調味料
乳糖		Lactose Milk sugar	◎	特別用途食品
ニューコクシン	コチニールレッドA 食用赤色102号 ポンソー4R	Cochineal Red A Food Red No. 102 New coccine Ponceau 4R	○，指定	着色料
尿素	カルバミド	Carbamide Urea	×	製造用剤 イーストフード
二リン酸二水素マグネシウム	第二リン酸マグネシウム	Magnesium dihydrogen diphosphate Magnesium phosphate	×	水素イオン濃度調整剤（pH 調整剤） 安定剤
ニンジンカロチン	キャロットオイル キャロットカロチン キャロットカロテン 抽出カロチン 抽出カロテン ニンジンカロテン（ニンジンの根から得られた，カロテンを主成分とするものをいう。）	Carrot carotene Carrot oil Extracted carotene	◎，既存	強化剤 着色料

◎：許可（使用基準なし） Legal（Accepted with no standard of use）
○：許可（使用基準あり） Legal（Accepted with standard of use）
指定：Designated Food Additives　既存：Existing Food Additives
×：使用不可 Illegal（Prohibited）
※：個別判断を要するもの Required individual special judgement

EU E No.	EU FL No.	CAS No.	CFR No.	CNS 号.	備 考 Remarks
E325		72-17-3	184.1768	15.012	
E472b			（Glyceryl-lacto esters of fatty acids として） 172.852 （Mono-and diglycerides として） 184.1505	10.031	
			184.1979		資料1により食品素材扱いとする品目 CFR は Whey，Concentrated whey，Dry or dried whey について，日本の乳等省令に規定する定義，成分規格に類する記載あり
					焼成カルシウム参照
					焼成カルシウム参照
					一般飲食物添加物
					資料1により食品素材扱いとする品目
E124		（無水物） 2611-82-7	（Cochineal extract:Carmine として） 73.100	08.002	告示成分規格の nH_2O は n ＝ 1 1/2
E927b			184.1923		
E450(ix)					E450(ix)は「Commission Regulation（EU）No.298/2014 of 21 March 2014」で新規制定
E160a(ii)			（検定免除着色料の carrot oil として） 73.300 （検定免除着色料の β-Carotene として） 73.95 （GRAS 物質の Beta-Carotene として） 184.1245		着色料の目的では○，既存 「E160a Carotenes」には化学的合成品と天然抽出品がある。本書は「Official Journal of the EU」に記載の定義内容により，「E160a (i) β-Carotene は化学的合成品」，「E160a (ii) Plant Carotenes は天然抽出品」と判断

に

色文字：法令上の指定添加物名（除く別名）　red：Name on Ministerial Ordinance of Designated Food Additives
色文字：法令上の既存添加物名（除く別名）　red：Name on Ministerial Notification of Existing Food Additives

和　名 Japanese name	和名別名 Japanese name	英名，英名別名 English name	許可状況 Legal/Illegal	主な用途 Main uses
ニンジンカロテン(ニンジンの根から得られた，カロテンを主成分とするものをいう。)	キャロットオイル キャロットカロチン キャロットカロテン 抽出カロチン 抽出カロテン ニンジンカロチン	Carrot carotene Carrot oil Extracted carotene	◎，既存	強化剤 着色料
ネオテーム		Neotame	◎，指定	甘味料 風味増強剤
ネオヘスペリジン DC	ネオヘスペリジンジヒドロカルコン	Neohesperidine DC Neohesperidine dihydrochalcone	○，指定	香料 甘味料
ネオヘスペリジンジヒドロカルコン	ネオヘスペリジン DC	Neohesperidine DC Neohesperidine dihydrochalcone	○，指定	香料 甘味料
熱酸化大豆油とグリセリンのエステル		Esters of glycerol and thermally oxidized soy bean(soya bean)fatty acids	×	製造用剤 乳化剤
熱酸化大豆油と脂肪酸のモノ及びジグリセリドとの反応物		Thermally oxidized soya bean(soy-bean)oil interacted with mono-and diglycerides of fatty acids	×	製造用剤 乳化剤
ネラール(シス-シトラール)	ゲラニアル(トランス-シトラール) シトラール レマローム	Citral Geranial(*trans* -Citral) Lemarome Neral(*cis* -Citral)	○，指定	香料
燃焼による生成ガス		Combustion product gas	※	製造用剤
濃縮タンニン		Condensed tannins	※	製造用剤
農薬用希釈補助剤		Adjuvants for pesticide use dilutions	×	製造用剤
ノナナール		Nonanal	○，指定	香料
ノナラクトン	*n*-アミルブチロラクトン アルデヒド C-18 γ-ノナラクトン γ-ノニルラクトン	Aldehyde C-18 *n*-Amylbutyrolactone γ-Nonalactone Nonalactone γ-Nonylactone	○，指定	香料
γ-ノナラクトン	*n*-アミルブチロラクトン アルデヒド C-18 ノナラクトン γ-ノニルラクトン	Aldehyde C-18 *n*-Amylbutyrolactone γ-Nonalactone Nonalactone γ-Nonylactone	○，指定	香料

◎：許可（使用基準なし） Legal（Accepted with no standard of use）
○：許可（使用基準あり） Legal（Accepted with standard of use）
指定：Designated Food Additives　既存：Existing Food Additives
×：使用不可 Illegal（Prohibited）
※：個別判断を要するもの Required individual special judgement

EU E No.	EU FL No.	CAS No.	CFR No.	CNS 号.	備 考 Remarks
E160a(ii)			(検定免除着色料の carrot oil として) 73.300 (検定免除着色料の β-Carotene として) 73.95 (GRAS 物質の Beta-Carotene として) 184.1245		着色料の目的では○，既存 「E160a Carotenes」には化学的合成品と天然抽出品がある。本書は「Official Journal of the EU」に記載の定義内容により，「E160a (i) **β-Carotene** は化学的合成品」，「E160a (ii) Plant Carotenes は天然抽出品」と判断
E961		165450-17-9	172.829	19.019	運用上の指導あり
E959	16.061	20702-77-6			**ケトン類** 着香の目的以外に使用してはならない 甘味料の目的では不可 類又は誘導体として指定されている18項目の香料リストのSEQ No.2920(解説編2-(1)-(vi)参照) 特例として E No. と FL No. の両方あり
E959	16.061	20702-77-6			**ケトン類** 着香の目的以外に使用してはならない 甘味料の目的では不可 類又は誘導体として指定されている18項目の香料リストのSEQ No.2920(解説編2-(1)-(vi)参照) 特例として E No. と FL No. の両方あり
E479b					
	05.020	5392-40-5			着香の目的以外に使用してはならない 告示は「*trans*-異性体と *cis*-異性体との混合物」だが，(EU) FL No. は告示の CAS No. と同番号で「citral」としてあり
			173.350		
					既存添加物名簿の**タンニン(抽出物)**(カキの果実，五倍子，タラ末，没食子又はミモザ樹皮)から得られたもの以外は不可
			172.710		CFR は農薬用希釈補助剤として9品目を指定（品名略） CFR の本条項は日本の食品衛生法第4条の「食品添加物」の定義対象外
	05.025	124-19-6			**脂肪族高級アルデヒド類** 着香の目的以外に使用してはならない 類又は誘導体として指定されている18項目の香料リストのSEQ No.1954(解説編2-(1)-(vi)参照)
	10.001	104-61-0			着香の目的以外に使用してはならない EU FL No.10.001の名称は「Nonano-1,4-lactone」
	10.001	104-61-0			着香の目的以外に使用してはならない EU FL No.10.001の名称は「Nonano-1,4-lactone」

色文字：法令上の指定添加物名（除く別名）　red：Name on Ministerial Ordinance of Designated Food Additives
色文字：法令上の既存添加物名（除く別名）　red：Name on Ministerial Notification of Existing Food Additives

和　名 Japanese name	和名別名 Japanese name	英名，英名別名 English name	許可状況 Legal/Illegal	主な用途 Main uses
ノナン酸エチル		Ethyl nonanoate	○，指定	香料
γ-ノニルラクトン	*n*-アミルブチロラクトン アルデヒド C-18 ノナラクトン γ-ノナラクトン	Aldehyde C-18 *n*-Amylbutyrolactone γ-Nonalactone Nonalactone γ-Nonylactone	○，指定	香料
海苔色素	ノリ色素	Laver color	○	着色料
ノリ色素	海苔色素	Laver color	○	着色料
ノルジヒドログアヤレック酸		Nordihydroguaiaretic acid	×	酸化防止剤
ノルビキシン	アナトー色素(ベニノキの種子の被覆物から得られた，ノルビキシン及びビキシンを主成分とするものをいう。) ビキシン	Annatto extract Bixin Norbixin	○，既存	着色料
ノルビキシンカリウム		Potassium norbixate Potassium norbixin	○，指定	着色料
ノルビキシンナトリウム		Sodium norbixate Sodium norbixin	○，指定	着色料

◎：許可（使用基準なし） Legal（Accepted with no standard of use）　×：使用不可 Illegal（Prohibited）
○：許可（使用基準あり） Legal（Accepted with standard of use）　※：個別判断を要するもの Required individual special judgement
指定：Designated Food Additives　既存：Existing Food Additives

EU E No.	EU FL No.	CAS No.	CFR No.	CNS 号.	備考 Remarks
	09.107	123-29-5			**エステル類** 着香の目的以外に使用してはならない 類又は誘導体として指定されている18項目の香料リストのSEQ No.858(解説編2-(1)-(vi)参照)
	10.001	104-61-0			着香の目的以外に使用してはならない EU FL No.10.001の名称は「Nonano-1,4-lactone」
					一般飲食物添加物
					一般飲食物添加物
E160b（ⅰ） E160b（ⅱ）			（Annatto extract として） 73.30	08.144	フリーのビキシン,ノルビキシンは既存添加物名簿の**アナトー色素**の扱い 従来のE160b（ⅰ），（ⅱ），（ⅲ）は2021年1月2日削除され，新たな下記分類区分にて改定された．（Commission Regulation（EU）2020/771 of 11 June 2020による） E160b（ⅰ）：Annatto bixin （Ⅰ）Solvent-extracted bixin （Ⅱ）Aqueous-processed bixin E160b（ⅱ）：Annatto norbixin （Ⅰ）Solvent-extracted norbixin （Ⅱ）Alkali-processed norbixin,acid-precipitated （Ⅲ）Alkali-processed norbixin,not acid-precipitated

色文字：法令上の指定添加物名（除く別名） red：Name on Ministerial Ordinance of Designated Food Additives
色文字：法令上の既存添加物名（除く別名） red：Name on Ministerial Notification of Existing Food Additives

和　名 Japanese name	和名別名 Japanese name	英名，英名別名 English name	許可状況 Legal/Illegal	主な用途 Main uses
ばい煎コメヌカ抽出物（米ぬかから得られた，マルトールを主成分とするものをいう。）		Roasted rice bran extract	◎，既存	製造用剤
ばい煎ダイズ抽出物（ダイズの種子から得られた，マルトールを主成分とするものをいう。）		Roasted soybean extract	◎，既存	製造用剤
バイオレット5BN		Violet 5BN	×	着色料
焙焼デキストリン	加工デンプン	Dextrin, roasted starch Modified starch	◎	増粘安定剤 ゲル化剤 糊料
ハイドロサルファイト	亜二チオン酸ナトリウム 次亜硫酸ナトリウム	Hydrosulfite Sodium dithionite Sodium hydrosulfite Sodium hyposulfite	○，指定	保存料 酸化防止剤 漂白剤
ハイビスカス色素	ローゼル色素	Hibiscus color	○	着色料
パーオキシダーゼ	ペルオキシダーゼ	Peroxidase	◎，既存	酵素
麦芽		Malt	○	製造用剤
麦芽エキス	麦芽抽出物	Malt extract Malt syrup	○	着色料
麦芽抽出物	麦芽エキス	Malt extract Malt syrup	○	着色料
白色及び黄色焙焼でん粉	デキストリン ローストでん粉	Dextrin Roasted starch White and yellow roasted starch	◎	特別用途食品 増粘安定剤 糊料
白陶土	カオリン ケイ酸アルミニウム 高陵土 不溶性鉱物性物質	Aluminium silicate China clay Kaolin Porcelain clay Water-insoluble mineral substances	○，既存	製造用剤
麦飯石	花こう斑岩	Bakuhanseki Granite porphyry	○，既存	製造用剤 特別用途食品
ハクルベリー色素		Black huckleberry color	○	着色料
ハクロウ及びオウロウ	オウロウ ビースワックス ベースワックス ミツロウ（ミツバチの巣から得られた，パルミチン酸ミリシルを主成分とするものをいう。）	Bees wax Bees wax, white and yellow Bees wax, yellow	◎，既存	ガムベース 光沢剤
パーシコール	アルデヒドC-14 ウンデカラクトン γ-ウンデカラクトン ウンデシルラクトン ピーチアルデヒド	Aldehyde C-14 Peachaldehyde Persicol Undecalactone γ-Undecalactone Undecyl lactone	○，指定	香料

◎：許可（使用基準なし） Legal（Accepted with no standard of use）
○：許可（使用基準あり） Legal（Accepted with standard of use）
指定：Designated Food Additives　　既存：Existing Food Additives
×：使用不可　Illegal（Prohibited）
※：個別判断を要するもの　Required individual special judgement

EU E No.	EU FL No.	CAS No.	CFR No.	CNS 号.	備考 Remarks
			(Food starch-modified として) 172.892 (Dextrin として) 184.1277		食品扱い
		7775-14-6		05.006	
					一般飲食物添加物
			184.1443a		食品扱い
			184.1445		一般飲食物添加物
			184.1445		一般飲食物添加物
			(Dextrin として) 184.1277		資料1により食品素材扱いとする品目
					食品の製造又は加工上必要不可欠な場合以外に使用してはならない 不溶性鉱物性物質の名称は，省令別表第1及び告示既存添加物名簿に記載されていないが，告示「食品，添加物等の規格基準－F 使用基準」にその名称があるので既存添加物名簿名扱いとする 食品添加物別名（和名）については，列記した食品添加物に類似する不溶性鉱物性物質も含まれる E559：Aluminium silicate（Kaolin）は「Commission Regulation（EU）No.380/2012 of 3 May 2012」で削除
					不溶性鉱物性物質に包含される。不溶性鉱物性物質扱いの使用は○ 麦飯石は資料1により既存添加物扱いとする品目にもリストアップされている
					一般飲食物添加物
E901			(Beeswax(yellow and white)として) 184.1973	14.013	
	10.002	104-67-6			着香の目的以外に使用してはならない

は

色文字：法令上の指定添加物名（除く別名）　red：Name on Ministerial Ordinance of Designated Food Additives
色文字：法令上の既存添加物名（除く別名）　red：Name on Ministerial Notification of Existing Food Additives

和　名 Japanese name	和名別名 Japanese name	英名，英名別名 English name	許可状況 Legal/Illegal	主な用途 Main uses
ハゼ脂	日本ロウ モクロウ（ハゼノキの果実から得られた，グリセリンパルミタートを主成分とするものをいう。）	Japan wax	◎，既存	ガムベース 光沢剤
バソラガム	シリアンガム トラガントガム（トラガントの分泌液から得られた，多糖類を主成分とするものをいう。） ホッグガム リーフガム	Basora gum Goat's thorn Gum tragacanth Hog gum Leaf gum Syrian gum Tragacanth gum	◎，既存	増粘安定剤 乳化剤
バターイエロー		Butter Yellow	×	着色料
ハッカ脳	*l*-メントール	*l*-Menthol	○，指定	香料
dl-ハッカ脳	3-パラメンタノール ヘキサハイドロチモール ペパーミントカンファー メンタカンファー *dl*-メントール	Hexahydrothymol Menthacamphor 3-*p*-Menthanol *dl*-Menthol Peppermint camphor	○，指定	香料
白金		Platinum	◎，既存	製造用剤
発酵セルロース	醸造セルロース ナタデココ	Fermentation-derived cellulose	◎	増粘安定剤
白鉱油	ミネラルオイル ミネラルオイルホワイト 流動パラフィン	Liquid paraffin Mineral oil White mineral oil	○，既存	製造用剤
パテントブルーV		Patent Blue V	×	着色料
バナナオイル	酢酸アミルエステル 酢酸イソアミル 酢酸イソペンチル ナシオイル	Amyl acetic ester Banana oil Isoamyl acetate Isopentyl acetate Pear oil	○，指定	香料
バニリックアルデヒド	バニリン プロトカテキュアルデヒドメチルエーテル メチルプロトカテキュアルデヒド メトキシプロトカテキュアルデヒド ワニリン	Methoxyprotocatechuic aldehyde Methyl protocatechuic aldehyde Protocatechu aldehydemethylether Vanillic aldehyde Vanillin	○，指定	香料
バニリン	バニリックアルデヒド プロトカテキュアルデヒドメチルエーテル メチルプロトカテキュアルデヒド メトキシプロトカテキュアルデヒド ワニリン	Methoxyprotocatechuic aldehyde Methyl protocatechuic aldehyde Protocatechu aldehydemethylether Vanillic aldehyde Vanillin	○，指定	香料
バニロム	エチルバニリン エチルプロカテチュリックアルデヒド エチルワニリン エトバン ボルボナール	Bourbonal Ethovan Ethyl procatechuric aldehyde Ethylvanillin Vanirom	○，指定	香料

◎：許可（使用基準なし） Legal（Accepted with no standard of use）
○：許可（使用基準あり） Legal（Accepted with standard of use）
指定：Designated Food Additives　　既存：Existing Food Additives
×：使用不可 Illegal（Prohibited）
※：個別判断を要するもの Required individual special judgement

EU E No.	EU FL No.	CAS No.	CFR No.	CNS 号.	備考 Remarks
E413		9000-65-1	（Gum tragacanth として）184.1351		
		2216-51-5			着香の目的以外に使用してはならない（EU）FL No.なし（*d*-Neomenthol が FL No.02.063として あり）
	02.015	89-78-1			着香の目的以外に使用してはならない
					一般飲食物添加物
			（White mineral oil として）172.878	14.003	パンを製造する過程における離型の目的以外に使用してはならない
E131					
	09.024	123-92-2			着香の目的以外に使用してはならない
	05.018	121-33-5			着香の目的以外に使用してはならない
	05.018	121-33-5			着香の目的以外に使用してはならない
	05.019	121-32-4			着香の目的以外に使用してはならない

は

色文字：法令上の指定添加物名（除く別名）　red：Name on Ministerial Ordinance of Designated Food Additives
色文字：法令上の既存添加物名（除く別名）　red：Name on Ministerial Notification of Existing Food Additives

和　名 Japanese name	和名別名 Japanese name	英名，英名別名 English name	許可状況 Legal/Illegal	主な用途 Main uses
パパイン		Papain	◎，既存	酵素
パプリカ色素	カプサンチン カプシカム色素 カプソルビン トウガラシ色素（トウガラシの果実から得られた，カプサンチン類を主成分とするものをいう。）	Capsanthin Capsicum color Capsorubin Paprika color Paprika oleoresin	○，既存	着色料
パプリカ水性抽出物	カプシカム水性抽出物 トウガラシ水性抽出物（トウガラシの果実から抽出して得られた，水溶性物質を主成分とするものをいう。）	Capsicum water-soluble extract Paprika water-soluble extract	◎，既存	製造用剤
パプリカ粉末		Paprika	○	着色料
パーフルオロヘキサン		Perfluorohexane	×	製造用剤
パーム油カロチン	抽出カロチン 抽出カロテン パーム油カロテン（アブラヤシの果実から得られた，カロテンを主成分とするものをいう。）	Extracted carotene Palm oil carotene	◎，既存	強化剤 着色料
パーム油カロテン（アブラヤシの果実から得られた，カロテンを主成分とするものをいう。）	抽出カロチン 抽出カロテン パーム油カロチン	Extracted carotene Palm oil carotene	◎，既存	強化剤 着色料
パーライト	不溶性鉱物性物質	Perlite Water-insoluble mineral substances	○，既存	製造用剤
パラオキシ安息香酸イソブチル	パラヒドロキシ安息香酸イソブチル	Isobutyl *p*-hydroxybenzoate	○，指定	保存料
パラオキシ安息香酸イソプロピル	パラヒドロキシ安息香酸イソプロピル	*p*-Hydroxybenzoic acid isopropyl Isopropyl *p*-hydroxybenzoate	○，指定	保存料
パラオキシ安息香酸エチル	パラヒドロキシ安息香酸エチル	Ethyl *p*-hydroxybenzoate	○，指定	保存料
パラオキシ安息香酸エチルナトリウム		Sodium ethyl *p*-hydroxybenzoate	×	保存料
パラオキシ安息香酸ブチル	パラヒドロキシ安息香酸ブチル	Butyl *p*-hydroxybenzoate	○，指定	保存料
パラオキシ安息香酸プロピル	パラヒドロキシ安息香酸プロピル プロピルパラベン	Propyl *p*-hydroxybenzoate Propyl paraben	○，指定	保存料
パラオキシ安息香酸プロピルナトリウム		Sodium propyl *p*-hydroxybenzoate	×	保存料
パラオキシ安息香酸ヘプチル	*n*-ヘプチル *p*-ハイドロキシベンゾエート ヘプチルパラベン	*n*-Heptyl *p*-hydroxybenzoate Heptyl paraben	×	保存料

◎：許可（使用基準なし） Legal（Accepted with no standard of use）
○：許可（使用基準あり） Legal（Accepted with standard of use）
指定：Designated Food Additives　　既存：Existing Food Additives
×：使用不可　Illegal（Prohibited）
※：個別判断を要するもの　Required individual special judgement

EU E No.	EU FL No.	CAS No.	CFR No.	CNS 号.	備考 Remarks
			(Proteolytic enzyme derived from *Carica papaya* L.として) 184.1585		E No.はないがINS No.1101(ii)あり
E160c			(Paprika oleoresinとして) 73.345	00.012 08.106 08.107	日本は橙色～赤色を呈するカロテノイド色素として総合しているがCNS号は3区分あり，CNS号00.012はpaprika oleoresin，CNS号08.106はpaprika red，CNS号08.107はpaprika orange
			73.340		一般飲食物添加物
E160a(ii)			(検定免除着色料のcarrot oilとして) 73.300 (検定免除着色料のβ-Caroteneとして) 73.95 (GRAS物質のBeta-Caroteneとして) 184.1245		着色料の目的では○，既存 「E160a Carotenes」には化学的合成品と天然抽出品がある。本書は「Official Journal of the EU」に記載の定義内容により，「E160a (i) **β-Carotene**は化学的合成品」，「E160a (ii) Plant Carotenesは天然抽出品」と判断
E160a(ii)			(検定免除着色料のcarrot oilとして) 73.300 (検定免除着色料のβ-Caroteneとして) 73.95 (GRAS物質のBeta-Caroteneとして) 184.1245		着色料の目的では○，既存 「E160a Carotenes」には化学的合成品と天然抽出品がある。本書は「Official Journal of the EU」に記載の定義内容により，「E160a (i) **β-Carotene**は化学的合成品」，「E160a (ii) Plant Carotenesは天然抽出品」と判断
					食品の製造又は加工上必要不可欠な場合以外に使用してはならない **不溶性鉱物性物質**の名称は，省令別表第1及び告示既存添加物名簿に記載されていないが，告示「食品，添加物等の規格基準－F使用基準」にその名称があるので既存添加物名簿名扱いとする 食品添加物別名（和名）については，列記した食品添加物に類似する**不溶性鉱物性物質**も含まれる
		4247-02-3			
		4191-73-5			
E214		120-47-8		17.007	
E215				17.036	
		94-26-8			
		94-13-3	184.1670		E No.はないがINS No.216あり
			172.145		CFRは発酵モルト飲料，ノンアルコールソフト飲料などの保存料

は

色文字：法令上の指定添加物名（除く別名）　red：Name on Ministerial Ordinance of Designated Food Additives
色文字：法令上の既存添加物名（除く別名）　red：Name on Ministerial Notification of Existing Food Additives

和　名 Japanese name	和名別名 Japanese name	英名，英名別名 English name	許可状況 Legal/Illegal	主な用途 Main uses
パラオキシ安息香酸メチル	メチルパラベン	Methyl *p* -hydroxybenzoate Methylparaben	×	保存料
パラオキシ安息香酸メチルナトリウム		Sodium methyl *p* -hydroxybenzoate	×	保存料
パラコッカス菌（Paracoccus）顔料		Paracoccus pigment	×	着色料
パラジウム		Palladium	◎，既存	製造用剤
パラチニット	イソマルチトール イソマルト	Isomalt Isomaltitol Palatinit	◎	製造用剤 甘味料 光沢剤
パラヒドロキシ安息香酸イソブチル	パラオキシ安息香酸イソブチル	Isobutyl *p* -hydroxybenzoate	○，指定	保存料
パラヒドロキシ安息香酸イソプロピル	パラオキシ安息香酸イソプロピル	*p* -Hydroxybenzoic acid isopropyl Isopropyl *p* -hydroxybenzoate	○，指定	保存料
パラヒドロキシ安息香酸エチル	パラオキシ安息香酸エチル	Ethyl *p* -hydroxybenzoate	○，指定	保存料
パラヒドロキシ安息香酸ブチル	パラオキシ安息香酸ブチル	Butyl *p* -hydroxybenzoate	○，指定	保存料
パラヒドロキシ安息香酸プロピル	パラオキシ安息香酸プロピル プロピルパラベン	Propyl *p* -hydroxybenzoate Propyl paraben	○，指定	保存料
パラフィン	固形ワックス 石油ワックス パラフィンワックス	Paraffin Paraffin wachs Paraffin wax Petroleum wax Solid wax	◎，既存	ガムベース 光沢剤
パラフィンワックス	固形ワックス 石油ワックス パラフィン	Paraffin Paraffin wachs Paraffin wax Petroleum wax Solid wax	◎，既存	ガムベース 光沢剤
パラフェネチルカルバミド	ズルチン パラフェネチル尿素	Dulcin *p* -Phenethyl carbamide *p* -Phenethyl urea	×	甘味料
パラフェネチル尿素	ズルチン パラフェネチルカルバミド	Dulcin *p* -Phenethyl carbamide *p* -Phenethyl urea	×	甘味料
パラプロピルアニソール	ジヒドロアネトール プロピルメトキシベンゼン メチルパラプロピルフェニルエーテル	Dihydroanethole 1-Methoxy-4-propylbenzene Methyl *p* -propylphenyl ether *p* -Propylanisole Propylmethoxybenzene	○，指定	香料
パラメチルアセトフェノン		*p* -Methylacetophenone	○，指定	香料
パラメトキシベンジルアセトン	アニシルアセトン	Anisyl acetone *p* -Methoxybenzyl acetone	○，指定	香料
パラメトキシベンズアルデヒド	アニスアルデヒド オーベピン	Anisaldehyde Anisic aldehyde Aubepine *p* -Methoxybenzaldehyde	○，指定	香料

◎：許可（使用基準なし） Legal（Accepted with no standard of use）
○：許可（使用基準あり） Legal（Accepted with standard of use）
指定：Designated Food Additives　既存：Existing Food Additives
×：使用不可 Illegal（Prohibited）
※：個別判断を要するもの Required individual special judgement

EU E No.	EU FL No.	CAS No.	CFR No.	CNS 号.	備考 Remarks
E218			184.1490		
E219				17.032	
			73.352		CFR はサケ科魚用飼料添加物
E953					食品扱い
		4247-02-3			
		4191-73-5			
E214		120-47-8		17.007	
		94-26-8			
		94-13-3	184.1670		E No.はないが INS No.216あり
			(Petroleum wax として) 172.886		
			(Petroleum wax として) 172.886		
					Dulcin は商標
					Dulcin は商標
	04.039	104-45-0			**フェノールエーテル類** 着香の目的以外に使用してはならない 類又は誘導体として指定されている18項目の香料リストの SEQ No.2215(解説編2-(1)-(vi)参照)
	07.022	122-00-9			着香の目的以外に使用してはならない EU FL No.07.022の名称は「4-Methylacetophenone」
	07.029	104-20-1			**ケトン類** 着香の目的以外に使用してはならない 類又は誘導体として指定されている18項目の香料リストの SEQ No.188(解説編2-(1)-(vi)参照) EU FL No.07.029の名称は「4-(4-Methoxyphenyl) butan-2-one」
	05.015	123-11-5			着香の目的以外に使用してはならない EU FL No.05.015の名称は「4-Methoxybenzaldehyde」

色文字：法令上の指定添加物名（除く別名）　red：Name on Ministerial Ordinance of Designated Food Additives
色文字：法令上の既存添加物名（除く別名）　red：Name on Ministerial Notification of Existing Food Additives

和　名 Japanese name	和名別名 Japanese name	英名，英名別名 English name	許可状況 Legal/Illegal	主な用途 Main uses
3-パラメンタノール	*dl*-ハッカ脳 ヘキサハイドロチモール ペパーミントカンファー メンタカンファー *dl*-メントール	Hexahydrothymol Menthacamphor 3-*p*-Menthanol *dl*-Menthol Peppermint camphor	○，指定	香料
L-バリン		L-Valine	◎，指定	強化剤 調味料
パルミチン酸アルミニウム		Aluminium salts of palmitic acid	×	製造用剤 乳化剤
パルミチン酸アンモニウム		Ammonium salts of palmitic acid	×	製造用剤 乳化剤
パルミチン酸カリウム		Potassium salts of palmitic acid	×	製造用剤 乳化剤
パルミチン酸カルシウム		Calcium salts of palmitic acid	×	製造用剤 乳化剤
パルミチン酸ソルボイル		Sorboyl palmitate	×	製造用剤
パルミチン酸ナトリウム		Sodium salts of palmitic acid	×	製造用剤 乳化剤
パルミチン酸マグネシウム		Magnesium salts of palmitic acid	×	製造用剤 乳化剤
バレルアルデヒド	ペンタナール	Pentanal Valeraldehyde	○，指定	香料
パンクレアチン		Pancreatin	◎，既存	酵素
パン酵母グリカン		Bakers yeast glycan	◎	製造用剤 増粘安定剤
パン酵母たん白質		Bakers yeast protein	◎	調味料
パン酵母抽出物		Bakers yeast extract	◎	調味料
D-パントテン酸アミド		D-Pantothenamide	×	強化剤
パントテン酸カルシウム		Calcium pantothenate	○，指定	強化剤
パントテン酸カルシウム及び塩化カルシウムの複塩		Calcium pantothenate, calcium chloride double salt	○	強化剤
パントテン酸ナトリウム		Sodium pantothenate	◎，指定	強化剤
パントール	コリアンドロール リカレオール リナクレオール リナロオール リナロオール EX HO(天然) リナロール *dl*-リナロール	Coriandrol Licareol Linacreol Linalool *dl*-Linalool Linalool EX HO(Natural) Phantol	○，指定	香料
ヒアルロン酸	ムコ多糖類	Hyaluronic acid Mucopolysaccharides Mucosaccharides	◎，既存	製造用剤 特別用途食品
PVAC	酢酸ビニル樹脂	Polyvinyl acetate	○，指定	チューインガム軟化剤 被膜剤

◎：許可（使用基準なし） Legal（Accepted with no standard of use）
○：許可（使用基準あり） Legal（Accepted with standard of use）
指定：Designated Food Additives　既存：Existing Food Additives
×：使用不可 Illegal（Prohibited）
※：個別判断を要するもの Required individual special judgement

EU E No.	EU FL No.	CAS No.	CFR No.	CNS 号.	備考 Remarks
	02.015	89-78-1			着香の目的以外に使用してはならない
		72-18-4	(Amino acids, L-Valine として) 172.320		
E470a					E470a は脂肪酸のナトリウム，カリウム，カルシウム塩 **オレイン酸ナトリウム**及び**ステアリン酸カルシウム**以外は不可
E470a					E470a は脂肪酸のナトリウム，カリウム，カルシウム塩 **オレイン酸ナトリウム**及び**ステアリン酸カルシウム**以外は不可
E470a					E470a は脂肪酸のナトリウム，カリウム，カルシウム塩 **オレイン酸ナトリウム**及び**ステアリン酸カルシウム**以外は不可
E470b					E470b は脂肪酸のマグネシウム塩 **ステアリン酸マグネシウム**以外は不可
	05.005	110-62-3			着香の目的以外に使用してはならない
			184.1583		
			172.898		食品扱い E No.はないが INS No.408あり
			172.325		食品扱い
			184.1983		食品扱い
			172.335		CFR はパントテン酸の供給源
		137-08-6	184.1212		
			172.330		**パントテン酸カルシウム**，**塩化カルシウム**は指定添加物なので複塩は指定扱い CFR は Special dietary use
		75033-16-8			告示以外の CAS No.は(無水物)867-81-2
	02.013	78-70-6			着香の目的以外に使用してはならない
					資料1により既存添加物扱いとする品目
					チューインガム基礎剤及び果実又は果菜の表皮被膜剤の目的以外に使用してはならない

色文字：法令上の指定添加物名（除く別名）　**red**：Name on Ministerial Ordinance of Designated Food Additives
色文字：法令上の既存添加物名（除く別名）　**red**：Name on Ministerial Notification of Existing Food Additives

和　名 Japanese name	和名別名 Japanese name	英名，英名別名 English name	許可状況 Legal/Illegal	主な用途 Main uses
PVP	ポビドン **ポリビニルピロリドン**	**Polyvinylpyrrolidone** Povidone PVP	○，指定	増粘安定剤 ゲル化剤 糊料
BHA	**ブチルヒドロキシアニソール**	**Butylated hydroxyanisole**	○，指定	酸化防止剤
BHT	**ジブチルヒドロキシトルエン**	**Butylated hydroxytoluene**	○，指定	酸化防止剤
ビオチン	ビタミン B_7 ビタミン H	**Biotin** Vitamin B_7 Vitamin H	○，指定	強化剤
ピーカンナッツ色素	**ペカンナッツ色素**（ピーカンの果皮又は渋皮から得られた，フラボノイドを主成分とするものをいう。）	**Pecan nut color**	○，既存	着色料
ビキシン	**アナトー色素**（ベニノキの種子の被覆物から得られた，ノルビキシン及びビキシンを主成分とするものをいう。） ノルビキシン	**Annatto extract** Bixin Norbixin	○，既存	着色料
微結晶セルロース（パルプから得られた，結晶セルロースを主成分とするものをいう。）	結晶セルロース	Cellulose microcrystalline **Microcrystalline cellulose**	◎，既存	製造用剤 増粘安定剤 乳化剤
ピコリン酸クロム	クロミウムピコリネート	Chromium picolinate Chromium picolinic acid	×	特別用途食品
微酸性次亜塩素酸水	**次亜塩素酸水**	**Hypochlorous acid water** **Weakly acid hypochlorous acid water**	○，指定	殺菌料
微小繊維状セルロース（パルプ又は綿を微小繊維状にして得られた，セルロースを主成分とするものをいう。）		**Microfibrillated cellulose**	◎，既存	製造用剤 増粘安定剤

◎：許可（使用基準なし） Legal（Accepted with no standard of use）
○：許可（使用基準あり） Legal（Accepted with standard of use）
指定：Designated Food Additives 既存：Existing Food Additives
×：使用不可 Illegal（Prohibited）
※：個別判断を要するもの Required individual special judgement

EU E No.	EU FL No.	CAS No.	CFR No.	CNS 号.	備考 Remarks
E1201		9003-39-8	173.55		平成26年6月18日省令別表第1に新規指定。 カプセル・錠剤等通常の食品形態でない食品（菓子類は含まれない）以外の食品に使用してはならない。
E320		25013-16-5	(Food preservatives として) 172.110 (GRAS 物質の Chemical preservatives として) 182.3169	04.001	
E321		128-37-0	(Food preservatives として) 172.115 (GRAS 物質の Chemical preservatires として) 182.3173	04.002	
		58-85-5	182.8159		保健機能食品，調製粉乳，調製液状乳及び母乳代替食品以外の食品に使用してはならない
E160b（ⅰ） E160b（ⅱ）			(Annatto extract として) 73.30	08.144	フリーのビキシン，ノルビキシンは既存添加物名簿のアナトー色素の扱い 従来の E160b（ⅰ），（ⅱ），（ⅲ）は2021年1月2日削除され，新たな下記分類区分にて改定された．(Commission Regulation (EU) 2020/771 of 11 June 2020による) E160b（ⅰ）：Annatto bixin （Ⅰ）Solvent-extracted bixin （Ⅱ）Aqueous-processed bixin E160b（ⅱ）：Annatto norbixin （Ⅰ）Solvent-extracted norbixin （Ⅱ）Alkali-processed norbixin, acid-precipitated （Ⅲ）Alkali-processed norbixin, not acid-precipitated
E460(i)				02.005	粉末セルロース参照
					資料1により新たに食品添加物としての指定を受ける必要があるとする品目
					生成装置等の基準あり 最終食品の完成前に除去しなければならない 指定添加物名は次亜塩素酸水だが，告示成分規格の記載名も法令上の名称として取り扱う 平成26年4月24日告示第225号により，①生食用鮮魚介類，生食用かき及び冷凍食品（生食用冷凍鮮魚介類に限る。以下「生食用鮮魚介類等」という。）の加工基準において，次亜塩素酸ナトリウムに加え，次亜塩素酸水及び水素イオン濃度調整剤として用いる塩酸の使用が認められた，②容器包装詰加圧加熱殺菌食品の製造基準において，次亜塩素酸ナトリウムに加え次亜塩素酸水の使用が認められた 同日付部長通知による運用上の注意事項としては，次亜塩素酸水及び塩酸については，①既に食品添加物として定められている使用基準の適用を受ける，②塩酸については，生食用鮮魚介類等に対し，次亜塩素酸ナトリウムの使用等に伴い水素イオン濃度調整剤として使用することは認められるが，生食用鮮魚介類等の加工時に塩酸を直接使用することは認められない
E460(ii)					E460(ii)：Powdered cellulose

ひ

色文字：法令上の指定添加物名（除く別名）　red：Name on Ministerial Ordinance of Designated Food Additives
色文字：法令上の既存添加物名（除く別名）　red：Name on Ministerial Notification of Existing Food Additives

和　名 Japanese name	和名別名 Japanese name	英名，英名別名 English name	許可状況 Legal/Illegal	主な用途 Main uses
ビス-3-ヒドロキシ-3-メチルブチレートモノハイドレート	HMB 3-ヒドロキシ-3-メチル酪酸	HMB bis(3-Hydroxy-3-methylbutyrate) monohydrate 3-Hydroxy-3-methylbutyric acid	※	特別用途食品
L-ヒスチジン	2-アミノ-3-イミダゾールプロピオン酸	2-Amino-3-imidazole propionic acid L-Histidine	◎，既存	強化剤 調味料
L-ヒスチジン塩酸塩		L-Histidine monohydrochloride	◎，指定	強化剤 調味料
ビスベンチアミン	ベンゾイルチアミンジスルフィド	Benzoyl thiamine disulfide Bisbentiamine	◎，指定	強化剤
ビースワックス	オウロウ ハクロウ及びオウロウ ベースワックス ミツロウ(ミツバチの巣から得られた，パルミチン酸ミリシルを主成分とするものをいう。)	Bees wax Bees wax, white and yellow Bees wax, yellow	◎，既存	ガムベース 光沢剤
ビタミンA	レチノール	Retinol Vitamin A	◎，指定	強化剤
ビタミンA酢酸エステル		Vitamin A acetate	◎，指定	強化剤
ビタミンA脂肪酸エステル	レチノール脂肪酸エステル	Retionl esters of fatty acids Vitamin A esters of fatty acids	◎，指定	強化剤
ビタミンA油	油性ビタミンA脂肪酸エステル	Oily vitamin A ester of fatty acid Vitamin A in oil	◎，指定	強化剤
ビタミンB_1塩酸塩	チアミン塩酸塩	Thiamine hydrochloride Vitamin B_1 hydrochloride	◎，指定	強化剤
ビタミンB_1硝酸塩	チアミン硝酸塩	Thiamine mononitrate Vitamin B_1 mononitrate	◎，指定	強化剤
ビタミンB_1セチル硫酸塩	チアミンセチル硫酸塩	Thiamine dicetylsulfate Vitamin B_1 dicetylsulfate	◎，指定	強化剤
ビタミンB_1ナフタレン-1,5-ジスルホン酸塩	チアミンナフタリン-1,5-ジスルホン酸塩 チアミンナフタレン-1,5-ジスルホン酸塩	Thiamine naphthalene-1,5-disulfonate Vitamin B_1 naphthalene-1,5-disulfonate	◎，指定	強化剤
ビタミンB_1ラウリル硫酸塩	チアミンラウリル硫酸塩	Thiamine dilaurylsulfate Vitamin B_1 dilaurylsulfate	◎，指定	製造用剤 強化剤
ビタミンB_1ロダン酸塩	チアミンチオシアン酸塩	Thiamine thiocyanate Vitamin B_1 rhodanate	◎，指定	強化剤
ビタミンB_2	リボフラビン	Riboflavin Vitamin B_2	◎，指定	強化剤 着色料
ビタミンB_2酪酸エステル	リボフラビン酪酸エステル	Riboflavin tetrabutyrate Vitamin B_2 tetrabutyrate	◎，指定	強化剤 着色料
ビタミンB_2リン酸エステルナトリウム	リボフラビン5'-リン酸 リボフラビンリン酸エステルナトリウム リボフラビン5'-リン酸エステルナトリウム	Riboflavin 5'-phosphate Riboflavin 5'-phosphate sodium Sodium riboflavin phosphate Sodium vitamin B_2 phosphate	◎，指定	強化剤 着色料

◎：許可（使用基準なし） Legal（Accepted with no standard of use）
○：許可（使用基準あり） Legal（Accepted with standard of use）
指定：Designated Food Additives 既存：Existing Food Additives
×：使用不可 Illegal（Prohibited）
※：個別判断を要するもの Required individual special judgement

EU E No.	EU FL No.	CAS No.	CFR No.	CNS 号.	備考 Remarks
					資料1により食品添加物に該当する可能性が考えられるが，事前に判断を受けるよう指導されている品目
		71-00-1	(Amino acids, L-Histidine として) 172.320		
		(1水和物) 7048-02-4			告示成分規格の nH_2O は n ＝1
		2667-89-2			
E901			(Beeswax (yellow and white) として) 184.1973	14.013	
			184.1930		
					ビタミンA脂肪酸エステル
			(Vitamin A として) 184.1930		添加物の規格基準Dに**ビタミンA油**として規格が定められている
	16.027	67-03-8	184.1875		EUでは香料特性のある食品成分としてFL No.あり
		532-43-4	184.1878		
					告示成分規格の nH_2O は n ＝1
					告示成分規格の nH_2O は n ＝1
					告示成分規格の nH_2O は n ＝1
		(1水和物) 130131-60-1			告示成分規格の nH_2O は n ＝1
E101 (i)		83-88-5	(検定免除の着色料として) 73.450 (GRAS物質の Riboflavin として) 184.1695	08.148	着色料の目的では○，指定 「組換えDNA技術応用食品及び添加物の安全性審査の手続きを経た添加物」としての告示あり。詳細は厚労省HP参照
		752-56-7			着色料の目的では○，指定
E101 (ii)		(無水物) 130-40-5	(Riboflavin 5'-phosphate (sodium) として) 184.1697		着色料の目的では○，指定 EUの規格ではリボフラビン-5'-リン酸エステルと同ナトリウム塩の両方が含まれているが，日本では**リボフラビン5'-リン酸エステルナトリウム**のみ認められている 告示成分規格の nH_2O は n ＝2又は0

ひ

色文字：法令上の指定添加物名（除く別名）　red：Name on Ministerial Ordinance of Designated Food Additives
色文字：法令上の既存添加物名（除く別名）　red：Name on Ministerial Notification of Existing Food Additives

和　名 Japanese name	和名別名 Japanese name	英名，英名別名 English name	許可状況 Legal/Illegal	主な用途 Main uses
ビタミンB_6	ピリドキシン塩酸塩	Pyridoxine hydrochloride Vitamin B_6	◎，指定	強化剤
ビタミンB_7	ビオチン ビタミンH	Biotin Vitamin B_7 Vitamin H	○，指定	強化剤
ビタミンB_{12}	シアノコバラミン	Cyanocobalamin Vitamin B_{12}	◎，既存	強化剤
ビタミンC	アスコルビン酸 L-アスコルビン酸	L-Ascorbic acid Ascorbic acid Vitamin C	◎，指定	品質改良剤 膨脹剤 強化剤 酸化防止剤
ビタミンCオキシダーゼ	アスコルビン酸オキシダーゼ アスコルベートオキシダーゼ	Ascorbate oxidase Vitamin C oxidase	◎，既存	酵素
ビタミンCステアレート	アスコルビン酸ステアリン酸エステル L-アスコルビン酸ステアリン酸エステル	L-Ascorbyl stearate Ascorbyl stearate Vitamin C stearate	◎，指定	強化剤 酸化防止剤
ビタミンCナトリウム	L-アスコルビン酸ナトリウム アスコルビン酸ナトリウム	Sodium ascorbate Sodium L-ascorbate Vitamin C sodium	◎，指定	品質改良剤 強化剤 酸化防止剤
ビタミンCパルミテート	L-アスコルビン酸パルミチン酸エステル アスコルビン酸パルミチン酸エステル	L-Ascorbyl palmitate Ascorbyl palmitate Vitamin C palmitate	◎，指定	強化剤 酸化防止剤
ビタミンD		Vitamin D	※	強化剤
ビタミンD_2	エルゴカルシフェロール カルシフェロール	Calciferol Ergocalciferol Vitamin D_2	◎，指定	強化剤
ビタミンD_2キノコ粉末		Vitamin D_2 mushroom powder	※	製造用剤 強化剤
ビタミンD_2パン酵母		Vitamin D_2 bakers yeast	※	製造用剤 強化剤
ビタミンD_3	コレカルシフェロール	Cholecalciferol Vitamin D_3	◎，指定	強化剤

◎：許可（使用基準なし） Legal（Accepted with no standard of use）
○：許可（使用基準あり） Legal（Accepted with standard of use）
指定：Designated Food Additives　既存：Existing Food Additives
×：使用不可 Illegal（Prohibited）
※：個別判断を要するもの Required individual special judgement

EU E No.	EU FL No.	CAS No.	CFR No.	CNS 号.	備考 Remarks
		58-56-0	184.1676		
		58-85-5	182.8159		保健機能食品，調製粉乳，調製液状乳及び母乳代替食品以外の食品に使用してはならない
		68-19-9	184.1945		
E300		50-81-7	(Chemical preservatives として) 182.3013 (Nutrients として) 182.8013	04.014	CNS 号04.014は ascorbic acid（L-なし）
E304(ii)		25395-66-8			
E301		134-03-2	182.3731	04.015	CNS 号04.015は sodium ascorbate（L-なし）
E304(i)		137-66-6	(Ascorbyl palmitate として) 182.3149	04.011	CNS 号04.011は ascorbyl palmitate（L-なし） E304（ｉ）は（L-）のみを指定
					省令別表第1の**エルゴカルシフェロール**(ビタミン D_2)と同**コレカルシフェロール**(ビタミン D_3)以外使用不可
		50-14-6	(直接添加物 Vit D_2として) 172.379 (直接添加物 Vit D_2 bakers extract として) 172.381 (直接添加物 Vit D_2 mushroom powder として) 172.382 (GRAS 物質の Vit D_2,D_3として) 184.1950		
			172.382		CFR の2021年版で新規設定された添加物で，食用 *Agaricus bisporus* mushrooms の水性ホモジネートを紫外線照射して生成された物質であり，微生物規格を含む成分規格が定められ，また VitD_2源として使用する場合の最大使用量も規定されている
			172.381		CFR はパン種酵母（*Saccharomyces cerevisiae*）を紫外線照射し，Vit.D_2の供給源及び濃縮活性換装酵母として単独または通常のパン酵母と併用使用
		67-97-0	(直接添加物 Vit.D_3として) 172.380 (GRAS 物質 Vit.D(D_2, D_3)として) 184.1950		

ひ

色文字：法令上の指定添加物名（除く別名）　red：Name on Ministerial Ordinance of Designated Food Additives
色文字：法令上の既存添加物名（除く別名）　red：Name on Ministerial Notification of Existing Food Additives

和　名 Japanese name	和名別名 Japanese name	英名，英名別名 English name	許可状況 Legal/Illegal	主な用途 Main uses
α-ビタミンE	d-α-トコフェロール α-トコフェロール	α-Tocopherol d-α-Tocopherol α-Vitamin E	◎，既存	強化剤 酸化防止剤
γ-ビタミンE	d-γ-トコフェロール γ-トコフェロール	γ-Tocopherol d-γ-Tocopherol γ-Vitamin E	◎，既存	強化剤 酸化防止剤
δ-ビタミンE	d-δ-トコフェロール δ-トコフェロール	δ-Tocopherol d-δ-Tocopherol δ-Vitamin E	◎，既存	強化剤 酸化防止剤
ビタミンH	ビオチン ビタミンB_7	Biotin Vitamin B_7 Vitamin H	○，指定	強化剤
ビタミンK_1	フィトナジオン	Phytonadione Vitamin K_1	×	特別用途食品
ビタミンK_2(抽出物)	メナキノン(抽出物)(アルトロバクターの培養液から得られた，メナキノン-4を主成分とするものをいう。)	Menaquinone(extract) Vitamin K_2(extract)	◎，既存	強化剤
ビタミンK_3	メナジオン	Menadione Vitamin K_3	×	特別用途食品
ビタミンP	ヘスペリジン	Hesperidin Vitamin P	◎，既存	強化剤
ピーチアルデヒド	アルデヒドC-14 ウンデカラクトン γ-ウンデカラクトン ウンデシルラクトン パーシコール	Aldehyde C-14 Peachaldehyde Persicol Undecalactone γ-Undecalactone Undecyl lactone	○，指定	香料
ビート粉末	脱水ビート	Beet powder Dehydrated beet	○	着色料
ビートレッド(ビートの根から得られた，イソベタニン及びベタニンを主成分とするものをいう。)	アカビート色素 ベタニン	Beet red Beet red color Beetroot red Betanin	○，既存	着色料
1-ヒドロキシエチリデン-1, 1-ジホスホン酸	HEDP エチドロン酸	Etidronic acid HEDP 1-Hydroxyethylidene-1, 1-diphosphonic acid	○，指定	殺菌料
25-ヒドロキシコレカルシフェロール		25-Hydroxycholecalciferol	※	強化剤
ヒドロキシシトロネラール	オキシジヒドロシトロネラール シトロネラールヒドレート	Citronellalhydrate Hydroxycitronellal Oxydihydrocitronellal	○，指定	香料

◎：許可（使用基準なし） Legal（Accepted with no standard of use）
○：許可（使用基準あり） Legal（Accepted with standard of use）
指定：Designated Food Additives　既存：Existing Food Additives
×：使用不可 Illegal（Prohibited）
※：個別判断を要するもの Required individual special judgement

EU E No.	EU FL No.	CAS No.	CFR No.	CNS 号.	備考 Remarks
E307		59-02-9	(Chemical preservatives の Tocopherols として) 182.3890 (Nutrients の Tocopherols として) 182.8890 （α-Tocopherols として） 184.1890	04.016	日本では ***dl*-α-トコフェロール**が指定添加物となっている
E308			(Chemical preservatives の Tocopherols として) 182.3890 (Nutrients の Tocopherols として) 182.8890		日本では ***dl*-α-トコフェロール**が指定添加物となっている 日本では ***d*-γ-トコフェロール**が既存添加物となっている
E309			(Chemical preservatives の Tocopherols として) 182.3890 (Nutrients の Tocopherols として) 182.8890		日本では ***dl*- α-トコフェロール**が指定添加物となっている 日本では ***d*-δ-トコフェロール**が既存添加物となっている
		58-85-5	182.8159		保健機能食品，調製粉乳，調製液状乳及び母乳代替食品以外の食品に使用してはならない
					資料1により，新たに食品添加物としての指定を受ける必要があるとする品目
		863-61-6			
					資料1により，新たに食品添加物としての指定を受ける必要があるとする品目
	10.002	104-67-6			着香の目的以外に使用してはならない
			73.40		日本では**ビートレッド**(アカビート色素)が既存添加物として認められている
E162				08.101	
		2809-21-4	(Peroxyacids の混合成分の1つとして) 173.370		殺菌料は過酢酸製剤用キレート剤 平成28年10月6日省令別表第1に新規指定 過酢酸製剤として使用する場合以外に使用してはならない
					コレカルシフェロール参照 平成17年告示498号により食品成分としての存在は可
	05.012	107-75-5			着香の目的以外に使用してはならない EU FL No.05.012の名称は「3,7-Dimethyl-7-hydroxyoctanal」

ひ

色文字：法令上の指定添加物名（除く別名）　red：Name on Ministerial Ordinance of Designated Food Additives
色文字：法令上の既存添加物名（除く別名）　red：Name on Ministerial Notification of Existing Food Additives

和　名 Japanese name	和名別名 Japanese name	英名，英名別名 English name	許可状況 Legal/Illegal	主な用途 Main uses
ヒドロキシシトロネラールジメチルアセタール		Hydroxycitronellal dimethyl acetal	○，指定	香料
ヒドロキシ炭酸マグネシウム	炭酸水素マグネシウム	Magnesium hydrogen carbonate Magnesium hydroxide carbonate	※	製造用剤
α-ヒドロキシトルエン	フェニルカルビノール フェニルメタノール ベンジルアルコール ベンタノール	Bentanol Benzyl alcohol α-Hydroxytoluene Phenyl carbinol Phenyl methanol	○，指定	香料
4-ヒドロキシ-2-ピロリジンカルボキシル酸	L-オキシプロリン L-γ-ヒドロキシ-α-ピロリジンカルボキシル酸 L-ヒドロキシプロリン ヒドロキシ-L-プロリン	L-Hydroxyproline Hydroxy-L-proline 4-Hydroxy-2-pyrrolidinecarboxylic acid L-γ-Hydroxy-α-pyrrolidinecarboxylic acid L-Oxyproline	◎，既存	強化剤 調味料
L-γ-ヒドロキシ-α-ピロリジンカルボキシル酸	L-オキシプロリン 4-ヒドロキシ-2-ピロリジンカルボキシル酸 L-ヒドロキシプロリン ヒドロキシ-L-プロリン	L-Hydroxyproline Hydroxy-L-proline 4-Hydroxy-2-pyrrolidinecarboxylic acid L-γ-Hydroxy-α-pyrrolidinecarboxylic acid L-Oxyproline	◎，既存	強化剤 調味料
2-ヒドロキシプロピオン酸カリウム	乳酸カリウム 2-ヒドロキシプロパン酸カリウム	Potassium 2-hydroxypropanoate Potassium 2-hydroxypropionate Potassium lactate	◎，指定	水素イオン濃度調整剤（pH 調整剤） 調味料
2-ヒドロキシプロパン酸カリウム	乳酸カリウム 2-ヒドロキシプロピオン酸カリウム	Potassium 2-hydroxypropanoate Potassium 2-hydroxypropionate Potassium lactate	◎，指定	水素イオン濃度調整剤（pH 調整剤） 調味料
ヒドロキシプロピル化リン酸架橋デンプン	加工デンプン ヒドロキシプロピル二デンプンリン酸エステル	Hydroxy propyl cross-link starch phosphate Hydroxypropyl distarch phosphate Modified starch	◎，指定	増粘安定剤 ゲル化剤 糊料
ヒドロキシプロピルセルロース	HPC	HPC Hydroxypropyl cellulose Low-substituted hydroxypropyl cellulose（L-HPC）	◎，指定	製造用剤 増粘安定剤 乳化剤 糊料
ヒドロキシプロピルデンプン	加工デンプン	Hydroxypropyl starch Modified starch	◎，指定	増粘安定剤 ゲル化剤 糊料
ヒドロキシプロピル二デンプンリン酸エステル	加工デンプン ヒドロキシプロピル化リン酸架橋デンプン	Hydroxy propyl cross-link starch phosphate Hydroxypropyl distarch phosphate Modified starch	◎，指定	増粘安定剤 ゲル化剤 糊料
ヒドロキシプロピルメチルセルロース		Cellulose 2-hydroxypropyl methyl ether Hydroxypropyl methyl cellulose	◎，指定	増粘安定剤 乳化剤 糊料 被膜剤

◎：許可（使用基準なし） Legal（Accepted with no standard of use）
○：許可（使用基準あり） Legal（Accepted with standard of use）
指定：Designated Food Additives　既存：Existing Food Additives
×：使用不可 Illegal（Prohibited）
※：個別判断を要するもの Required individual special judgement

EU E No.	EU FL No.	CAS No.	CFR No.	CNS 号.	備考 Remarks
	06.011	141-92-4			着香の目的以外に使用してはならない EU FL No.06.011の名称は「1,1-Dimethoxy-3,7-dimethyloctan-7-ol」
E504(ii)					日本では**炭酸マグネシウム**が指定添加物となっている
E1519	02.010	100-51-6			着香の目的以外に使用してはならない 特例としてE No.とFL No.の両方あり
		51-35-4			
		51-35-4			
E326		996-31-6	184.1639	15.011	平成25年5月15日省令別表第1に新規指定 使用基準は設定しないものの，適切な製造工程管理を行い，食品中で目的とする効果を得る上で必要とされる量を超えないよう指導あり
E326		996-31-6	184.1639	15.011	平成25年5月15日省令別表第1に新規指定 使用基準は設定しないものの，適切な製造工程管理を行い，食品中で目的とする効果を得る上で必要とされる量を超えないよう指導あり
E1442		53124-00-8	（Food starch-modifiedとして） 172.892	20.016	適切な製造工程管理を行い，食品中で目的とする効果を得る量を超えないこと
E463 E463a		9004-64-2	172.870		E463a：Low Substituted Hydroxypropyl cellulose（L-HPC）は「Commission Regulation（EU）2018/1461 of 28 Sept 2018」で新規制定
E1440		9049-76-7	（Food starch-modifiedとして） 172.892	20.014	適切な製造工程管理を行い，食品中で目的とする効果を得る量を超えないこと
E1442		53124-00-8	（Food starch-modifiedとして） 172.892	20.016	適切な製造工程管理を行い，食品中で目的とする効果を得る量を超えないこと
E464		9004-65-3	172.874	20.028	目的とする効果を得る必要な量を超えないこと

色文字：法令上の指定添加物名（除く別名）　red：Name on Ministerial Ordinance of Designated Food Additives
色文字：法令上の既存添加物名（除く別名）　red：Name on Ministerial Notification of Existing Food Additives

和　名 Japanese name	和名別名 Japanese name	英名，英名別名 English name	許可状況 Legal/Illegal	主な用途 Main uses
L-ヒドロキシプロリン	L-オキシプロリン 4-ヒドロキシ-2-ピロリジンカルボキシル酸 L-γ-ヒドロキシ-α-ピロリジンカルボキシル酸 ヒドロキシ-L-プロリン	L-Hydroxyproline Hydroxy-L-proline 4-Hydroxy-2-pyrrolidinecarboxylic acid L-γ-Hydroxy-α-pyrrolidinecarboxylic acid L-Oxyproline	◎，既存	強化剤 調味料
ヒドロキシ-L-プロリン	L-オキシプロリン 4-ヒドロキシ-2-ピロリジンカルボキシル酸 L-γ-ヒドロキシ-α-ピロリジンカルボキシル酸 L-ヒドロキシプロリン	L-Hydroxyproline Hydroxy-L-proline 4-Hydroxy-2-pyrrolidinecarboxylic acid L-γ-Hydroxy-α-pyrrolidinecarboxylic acid L-Oxyproline	◎，既存	強化剤 調味料
4-ヒドロキシメチル-2,6-ジ-tert-ブチルフェノール		4-Hydroxymethyl-2,6-di-tert-butylphenol	×	保存料 酸化防止剤
3-ヒドロキシ-3-メチル酪酸	HMB ビス-3-ヒドロキシ-3-メチルブチレートモノハイドレート	HMB bis(3-Hydroxy-3-methylbutyrate) monohydrate 3-Hydroxy-3-methylbutyric acid	※	特別用途食品
4-ヒドロキシ-3-メトキシケイ皮酸	カフェー酸3-メチルエーテル フェルラ酸	Caffeic acid 3-methyl ether Ferulic acid 4-Hydroxy-3-methoxycinnamic acid	◎，既存	酸化防止剤
	カフェー酸3-メチルエーテル フェルラ酸	Caffeic acid 3-methyl ether Ferulic acid 4-Hydroxy-3-methoxycinnamic acid	※	特別用途食品
ヒドロキシリシン		Hydroxylysine	※	特別用途食品
ビニルアルコールポリマー（PVOH）	ポリビニルアルコール（PVA）	Polyvinyl alcohol（PVA） Vinyl alcohol polymer（PVOH）	×	結着剤 被膜剤
ビニルイミダゾール・ビニルピロリドン共重合体		Copolymer of vinylimidazole/vinylpyrrolidone PVI/PVP	○，指定	製造用剤
ビネガーナフサ	酢酸エチル 酢酸エチルエステル	Acetic acid ethyl ester Acetic ether Ethyl acetate Vinegarnaphtha	○，指定	製造用剤 香料
ヒノキチオール(抽出物)	ツヤプリシン(抽出物)（ヒバの幹枝又は根から得られた，ツヤプリシン類を主成分とするものをいう。）	Hinokitiol(extract) Thujaplicin(extract)	◎，既存	保存料
BPO	過酸化ベンゾイル ジベンゾイルパーオキサイド	Benzoyl peroxide Dibenzoyl peroxide	○，指定	小麦粉処理剤
ビフェニル	ジフェニル フェニールベンゼン	Biphenyl Diphenyl Phenylbenzene	○，指定	防かび剤

◎：許可（使用基準なし） Legal（Accepted with no standard of use）
○：許可（使用基準あり） Legal（Accepted with standard of use）
指定：Designated Food Additives 既存：Existing Food Additives
×：使用不可 Illegal（Prohibited）
※：個別判断を要するもの Required individual special judgement

EU E No.	EU FL No.	CAS No.	CFR No.	CNS 号.	備考 Remarks
		51-35-4			
		51-35-4			
			172.150		CFR は単独または他の許可酸化防止剤と併用
					資料1により食品添加物に該当する可能性が考えられるが，事前に判断を受けるよう指導されている品目
					資料1により既存添加物扱いと思料されるが，指定されていない添加物に該当する場合があるので留意する
					資料1により食品添加物に該当する可能性が考えられるが，事前に判断を受けるよう指導されている品目
E1203				14.010	
					令和3年1月15日省令別表第1に新規指定 使用にあたっては，適切な製造工程管理を行い，食品中で目的とする効果を得る上で必要とされる量を超えないものとする特記あり 最終食品の完成前に除去しなければならない 製造用剤はぶどう酒の清澄剤，重金属の除去目的
	09.001	141-78-6	173.228		着香の目的以外に使用してはならない(ただし，柿の脱渋に使用するアルコール等の場合の除外規定あり)
		499-44-5			
			184.1157		E No.はないがINS No.928あり ミョウバン，リン酸のカルシウム塩類，硫酸カルシウム，炭酸カルシウム，炭酸マグネシウム及びデンプンのうち1種又は2種以上を配合して希釈過酸化ベンゾイルとして使用する場合以外に使用してはならない
		92-52-4			CFR「Title40」には「180.190 Diphenylamine」はあるが，本品は収録されていない E No.はないがINS No.230あり

色文字：法令上の指定添加物名（除く別名）　red：Name on Ministerial Ordinance of Designated Food Additives
色文字：法令上の既存添加物名（除く別名）　red：Name on Ministerial Notification of Existing Food Additives

和　名 Japanese name	和名別名 Japanese name	英名，英名別名 English name	許可状況 Legal/Illegal	主な用途 Main uses
ヒプノン	アセチルベンゼン アセトフェノン 1-フェニルエタノン フェニルメチルケトン	Acetophenone Acetylbenzene Hypnone Phenyl methyl ketone 1-Phenylethanone	○，指定	香料
ピペリジン	ヘキサヒドロピリジン ペンタメチレンイミン	Hexahydropyridine Pentametylenimine Piperidine	○，指定	香料
ピペロナール	ジオキシエチレンプロトカテキュアルデヒド ピペロニルアルデヒド プロトカテキュアルデヒドメチレンエーテル ヘリオトロピン	Dioxyethylene protocatechuic aldehyde Heliotropine Piperonal Piperonyl aldehyde Protocatechu aldehyde methylene ether	○，指定	香料
ピペロニルアルデヒド	ジオキシエチレンプロトカテキュアルデヒド ピペロナール プロトカテキュアルデヒドメチレンエーテル ヘリオトロピン	Dioxyethylene protocatechuic aldehyde Heliotropine Piperonal Piperonyl aldehyde Protocatechu aldehyde methylene ether	○，指定	香料
ピペロニルブトキサイド	ピペロニルブトキシド	Piperonyl butoxide	○，指定	防虫剤
ピペロニルブトキシド	ピペロニルブトキサイド	Piperonyl butoxide	○，指定	防虫剤
ヒマシ油		Castor oil	×	製造用剤
ピマリシン	ナタマイシン	Natamycin Pimaricin	○，指定	表面処理剤
ヒマワリエキス	ヒマワリ種子エキス ヒマワリ種子抽出物(ヒマワリの種子から得られた，イソクロロゲン酸及びクロロゲン酸を主成分とするものをいう。) ヒマワリ抽出物	Sunflower extract Sunflower seed extract	◎，既存	酸化防止剤
ヒマワリ種子エキス	ヒマワリエキス ヒマワリ種子抽出物(ヒマワリの種子から得られた，イソクロロゲン酸及びクロロゲン酸を主成分とするものをいう。) ヒマワリ抽出物	Sunflower extract Sunflower seed extract	◎，既存	酸化防止剤
ヒマワリ種子抽出物(ヒマワリの種子から得られた，イソクロロゲン酸及びクロロゲン酸を主成分とするものをいう。)	ヒマワリエキス ヒマワリ種子エキス ヒマワリ抽出物	Sunflower extract Sunflower seed extract	◎，既存	酸化防止剤
ヒマワリ抽出物	ヒマワリエキス ヒマワリ種子エキス ヒマワリ種子抽出物(ヒマワリの種子から得られた，イソクロロゲン酸及びクロロゲン酸を主成分とするものをいう。)	Sunflower extract Sunflower seed extract	◎，既存	酸化防止剤

◎：許可（使用基準なし） Legal（Accepted with no standard of use）
○：許可（使用基準あり） Legal（Accepted with standard of use）
指定：Designated Food Additives　既存：Existing Food Additives
×：使用不可 Illegal（Prohibited）
※：個別判断を要するもの Required individual special judgement

EU E No.	EU FL No.	CAS No.	CFR No.	CNS 号.	備考 Remarks
	07.004	98-86-2			着香の目的以外に使用してはならない
	14.010	110-89-4			着香の目的以外に使用してはならない
	05.016	120-57-0			着香の目的以外に使用してはならない
	05.016	120-57-0			着香の目的以外に使用してはならない
		51-03-6			
		51-03-6			
			172.876		
E235		7681-93-8	172.155	17.030	ナチュラルチーズ(ハード及びセミハードの表面部分に限る)以外の食品に使用してはならない

色文字：法令上の指定添加物名（除く別名）　red：Name on Ministerial Ordinance of Designated Food Additives
色文字：法令上の既存添加物名（除く別名）　red：Name on Ministerial Notification of Existing Food Additives

和　名 Japanese name	和名別名 Japanese name	英名，英名別名 English name	許可状況 Legal/Illegal	主な用途 Main uses
ヒマワリレシチン		Sunflower lecithin	◎，指定	乳化剤
氷酢酸		Crystallizable acetic acid Glacial acetic acid	◎，指定	酸味料
漂白液	次亜塩素酸ソーダ 次亜塩素酸ナトリウム ラバラック氏液	Bleaching solution Hypochlorite of soda Labarrque's solution Sodium hydrochlorite Sodium hypochlorite	○，指定	漂白剤 殺菌料
漂白デンプン	加工デンプン	Bleached starch Modified starch	◎	増粘安定剤 ゲル化剤 糊料
漂白レシチン		Bleached lecithins	×	乳化剤
ピラジン		Pyragine	○，指定	香料
ピリドキシン塩酸塩	ビタミンB_6	Pyridoxine hydrochloride Vitamin B_6	◎，指定	強化剤
ピリメタニル		Pyrimethanil	○，指定	防かび剤
微粒子化たん白質製品		Microparticulated protein product	◎	調味料
微粒二酸化ケイ素		Silicon dioxide(fine)	○，指定	製造用剤 固結防止剤
ひる石		Vermiculite	○，既存	製造用剤
ピロ亜硫酸カリウム	二亜硫酸カリウム メタ重亜硫酸カリウム	Potassium disulfite Potassium metabisulfite Potassium pyrosulfite	○，指定	保存料 酸化防止剤 漂白剤
ピロ亜硫酸カルシウム	ピロ重亜硫酸カルシウム	Calcium metabisulfite	×	強化剤 漂白剤
ピロ亜硫酸ナトリウム	二亜硫酸ナトリウム メタ重亜硫酸ナトリウム	Sodium disulfite Sodium metabisulfite Sodium pyrosulfite	○，指定	保存料 酸化防止剤 漂白剤

◎：許可（使用基準なし） Legal（Accepted with no standard of use）
○：許可（使用基準あり） Legal（Accepted with standard of use）
指定：Designated Food Additives　既存：Existing Food Additives
×：使用不可 Illegal（Prohibited）
※：個別判断を要するもの Required individual special judgement

EU E No.	EU FL No.	CAS No.	CFR No.	CNS 号.	備考 Remarks
E322			（Lecithin として） 184.1400		平成26年4月10日省令別表第1に新規指定 目的とする効果を得るうえで必要とされる量を超えないこと 既存添加物**植物レシチン**及び**卵黄レシチン**と主成分は同じであるが，各々の定義には該当しない また，**酵素処理レシチン**及び**分別レシチン**の定義にも該当しない 別名として「セファリン」「リポイノシトール」「レシチン」「レシチン分別物」の各名称が記載できるが，「**植物レシチン**」等の既存添加物の各別名と重複するため，本欄では検索上これらを省略
E260		（酢酸として） 64-19-7	（Acetic acid として） 184.1005	01.107 01.112	省令別表第1のリスト名は「**氷酢酸，Glacial acetic acid**」，EU では酢酸として指定 告示成分規格の酢酸は30％濃度 CNS 号01.112は低圧羰基化法
					平成26年4月24日告示第225号により，①生食用鮮魚介類，生食用かき及び冷凍食品（生食用冷凍鮮魚介類に限る。以下「生食用鮮魚介類等」という。）の加工基準において，**次亜塩素酸ナトリウム**に加え，**次亜塩素酸水**及び水素イオン濃度調整剤として用いる**塩酸**の使用が認められた，②容器包装詰加圧加熱殺菌食品の製造基準において，**次亜塩素酸ナトリウム**に加え**次亜塩素酸水**の使用が認められた 同日付部長通知による運用上の注意事項としては，**次亜塩素酸水**及び**塩酸**については，既に食品添加物として定められている使用基準の適用を受ける，②**塩酸**については，生食用鮮魚介類等に対し，**次亜塩素酸ナトリウム**の使用等に伴い水素イオン濃度調整剤として使用することは認められるが，生食用鮮魚介類等の加工時に**塩酸**を直接使用することは認められない ごまに使用してはならない
			（Food starch-modified として） 172.892		食品扱い E No.はないが INS No.1403あり
	14.144	290-37-9			着香の目的以外に使用してはならない
		58-56-0	184.1676		
		53112-28-0	180.518（Title40 Part180）		CFR では，本書に関連する「Title21」ではなく pre- and post-harvest 関連の「Title40 Part 180.518」に収録されている 平成25年8月6日省令別表第1に新規指定
			184.1498		食品扱い
E551			（Silicon dioxide として） 172.480		省令別表第1のリスト名は「**二酸化ケイ素，Silicon dioxide**」 微粒二酸化ケイ素は母乳代替食品及び離乳食品に使用してはならない
E224		16731-55-8	（Potassium bisulfite として） 182.3616 （Potassium metabisulfite として） 182.3637	05.002	
E223		7681-57-4	（Sodium bisulfite として） 182.3739 （Sodium metabisulfite として） 182.3766	05.003	

色文字：法令上の指定添加物名（除く別名）　red：Name on Ministerial Ordinance of Designated Food Additives
色文字：法令上の既存添加物名（除く別名）　red：Name on Ministerial Notification of Existing Food Additives

和　名 Japanese name	和名別名 Japanese name	英名，英名別名 English name	許可状況 Legal/Illegal	主な用途 Main uses
ピロ重亜硫酸カルシウム	ピロ亜硫酸カルシウム	Calcium metabisulfite	×	強化剤 漂白剤
ピロ炭酸ジエチル	ジエチルピロカーボネート DEPC	Diethylpyrocarbonate DEPC	×	保存料
ピロムシックアルデヒド	フラール フラン-2-アルデヒド **フルフラール**（毒性が激しいと一般に認められるものを除く。） フルフランカルボキシアルデヒド フルフリルアルデヒド フルフロール 2-ホルミルフラン	2-Formyl furan Fural Furan-2-aldehyde **Furfural (except harmful substances)** Furfuraldehyde Furfurancarboxyaldehyde Furfurol Pyromucic aldehyde	○，指定	香料
ピロリジン	テトラヒドロピロール テトラメチレンイミン	**Pyrrolidine** Tetrahydropyrrole Tetramethylenimine	○，指定	香料
ピロリジン-2-カルボキシル酸	L-α-ピロリジンカルボキシル酸 **L-プロリン**	**L-Proline** L-α-Pyrrolidine carboxylic acid Pyrrolidine-2-carboxylic acid	◎，既存	強化剤 調味料
L-α-ピロリジンカルボキシル酸	ピロリジン-2-カルボキシル酸 **L-プロリン**	**L-Proline** L-α-Pyrrolidine carboxylic acid Pyrrolidine-2-carboxylic acid	◎，既存	強化剤 調味料
ピロリン酸カリウム	重リン酸カリウム 重リン酸四カリウム **ピロリン酸四カリウム**	Diphosphoric acid tetrapotassium salt Potassium diphosphate **Potassium pyrophosphate** Tetrapotassium diphosphate Tetrapotassium pyrophosphate	◎，指定	製造用剤 膨脹剤 かんすい 乳化剤 結着剤
ピロリン酸カルシウム		Calcium pyrophosphate	×	強化剤
ピロリン酸三ナトリウム		Trisodium diphosphate	×	製造用剤
ピロリン酸第一鉄		Ferrous pyrophosphate	×	強化剤
ピロリン酸第二鉄		**Ferric pyrophosphate**	◎，指定	強化剤
ピロリン酸ナトリウム	SAPP 酸性ピロリン酸ナトリウム 重リン酸二ナトリウム **ピロリン酸二水素二ナトリウム**	Acidic disodium pyrophosphate **Disodium dihydrogen pyrophosphate** Disodium diphosphate Disodium pyrophosphate SAPP Sodium acid pyrophosphate	◎，指定	水素イオン濃度調整剤（pH 調整剤） 膨脹剤 かんすい 乳化剤 結着剤
	TSPP *n*-ピロリン酸ナトリウム **ピロリン酸四ナトリウム**	**Sodium pyrophosphate** *n*-Sodium pyrophosphate Tetrasodium diphosphate Tetrasodium pyrophosphate TSPP	◎，指定	膨脹剤 かんすい 乳化剤 結着剤
***n*-ピロリン酸ナトリウム**	TSPP ピロリン酸ナトリウム **ピロリン酸四ナトリウム**	**Sodium pyrophosphate** *n*-Sodium pyrophosphate Tetrasodium diphosphate Tetrasodium pyrophosphate TSPP	◎，指定	膨脹剤 かんすい 乳化剤 結着剤

◎：許可（使用基準なし） Legal（Accepted with no standard of use）　×：使用不可 Illegal（Prohibited）
○：許可（使用基準あり） Legal（Accepted with standard of use）　※：個別判断を要するもの Required individual special judgement
指定：Designated Food Additives　既存：Existing Food Additives

EU E No.	EU FL No.	CAS No.	CFR No.	CNS 号.	備考 Remarks
	13.018				着香の目的以外に使用してはならない 省令別表第1のリスト名は「**フルフラール及びその誘導体（毒性が激しいと一般に認められるものを除く。）, Furfurals and its derivatives (except harmful substances)**」だが，本書では各単品もリスト名としてマークした 類又は誘導体として指定されている18項目の香料リスト（解説編2-(1)-(vi)参照）
	14.064	123-75-1			着香の目的以外に使用してはならない
		147-85-3	（Amino acids, L-Proline として） 172.320		
		147-85-3	（Amino acids, L-Proline として） 172.320		
E450(v)		7320-34-5		15.017	E450(v)は Tetrapotassium diphosphate
			182.8223		
E450(ii)				15.013	
			184.1304		
E450(i)		7758-16-9	（Sodium acid pyrophosphate として） 182.1087	15.008	E450(i)は Disodium diphosphate
E450(iii)		（10水和物） 13472-36-1 （無水物） 7722-88-5	（Sodium pyrophosphate として） 182.6787 （Tetra sodium pyrophosphate として） 182.6789	15.004	告示成分規格の nH_2O は n ＝10又は0 E450(iii)は Tetrasodium diphosphate
E450(iii)		（10水和物） 13472-36-1 （無水物） 7722-88-5	（Sodium pyrophosphate として） 182.6787 （Tetra sodium pyrophosphate として） 182.6789	15.004	告示成分規格の nH_2O は n ＝10又は0 E450(iii)は Tetrasodium diphosphate

ひ

色文字：法令上の指定添加物名（除く別名）　red：Name on Ministerial Ordinance of Designated Food Additives
色文字：法令上の既存添加物名（除く別名）　red：Name on Ministerial Notification of Existing Food Additives

和　名 Japanese name	和名別名 Japanese name	英名，英名別名 English name	許可状況 Legal/Illegal	主な用途 Main uses
ピロリン酸二カリウム		Dipotassium diphosphate	×	製造用剤
ピロリン酸二カルシウム		Dicalcium diphosphate Dicalcium pyrophosphate	×	製造用剤 強化剤 イーストフード
ピロリン酸二水素カルシウム	酸性ピロリン酸カルシウム 重リン酸二水素カルシウム	Acidic calcium pyrophosphate Calcium dihydrogen diphosphate Calcium dihydrogen pyrophosphate	○，指定	膨脹剤 強化剤 乳化剤
ピロリン酸二水素二ナトリウム	SAPP 酸性ピロリン酸ナトリウム 重リン酸二ナトリウム ピロリン酸ナトリウム	Acidic disodium pyrophosphate Disodium dihydrogen pyrophosphate Disodium diphosphate Disodium pyrophosphate SAPP Sodium acid pyrophosphate	◎，指定	水素イオン濃度調整剤（pH調整剤） 膨脹剤 かんすい 乳化剤 結着剤
ピロリン酸四カリウム	重リン酸カリウム 重リン酸四カリウム ピロリン酸カリウム	Diphosphoric acid tetrapotassium salt Potassium diphosphate Potassium pyrophosphate Tetrapotassium diphosphate Tetrapotassium pyrophosphate	◎，指定	製造用剤 膨脹剤 かんすい 乳化剤 結着剤
ピロリン酸四ナトリウム	TSPP ピロリン酸ナトリウム *n*-ピロリン酸ナトリウム	Sodium pyrophosphate *n*-Sodium pyrophosphate Tetrasodium diphosphate Tetrasodium pyrophosphate TSPP	◎，指定	膨脹剤 かんすい 乳化剤 結着剤
ピロール		Pyrrole	○，指定	香料
ピロロキノリンキノン二ナトリウム塩		Pyrroloquinoline quinone disodium salt	※	特別用途食品
ファイシン	フィシン	Ficin	◎，既存	酵素
ファストイエロー AB		Fast Yellow AB	×	着色料
ファストグリーン FCF	食用緑色3号	FD & C Green No.3 Fast Green FCF Food Green No.3	○，指定	着色料
ファストグリーン FCF アルミニウムレーキ	食用緑色3号アルミニウムレーキ	Fast Green FCF aluminium lake Food Green No.3 aluminium lake	○，指定	着色料
ファストレッド E		Fast Red E	×	着色料
ファーセレラン（フルセラリアの全藻から得られた，多糖類を主成分とするものをいう。）		Furcellaran	◎，既存	増粘安定剤 ゲル化剤
ファーセレラン塩		Salts of furcellaran	×	ガムベース
ファフィアイースト	ファフィア色素（ファフィアの培養液から得られた，アスタキサンチンを主成分とするものをいう。）	Phaffia color Phaffia yeast	○，既存	着色料
ファフィア色素（ファフィアの培養液から得られた，アスタキサンチンを主成分とするものをいう。）	ファフィアイースト	Phaffia color Phaffia yeast	○，既存	着色料

◎：許可（使用基準なし） Legal（Accepted with no standard of use）
○：許可（使用基準あり） Legal（Accepted with standard of use）
指定：Designated Food Additives　既存：Existing Food Additives
×：使用不可 Illegal（Prohibited）
※：個別判断を要するもの Required individual special judgement

EU E No.	EU FL No.	CAS No.	CFR No.	CNS 号.	備考 Remarks
E450(vi)					
E450 (vii)		14866-19-4		15.016	食品の製造又は加工上必要不可欠な場合及び栄養の目的以外に使用してはならない E450(vii)は Calcium dihydrogen diphosphate
E450(i)		7758-16-9	(Sodium acid pyrophosphate として) 182.1087	15.008	E450(i)は Disodium diphosphate
E450(v)		7320-34-5		15.017	E450(v)は Tetrapotassium diphosphate
E450(iii)		(10水和物) 13472-36-1 (無水物) 7722-88-5	(Sodium pyrophosphate として) 182.6787 (Tetra sodium pyrophosphate として) 182.6789	15.004	告示成分規格の nH_2O は n ＝10又は0 E450(iii)は Tetrasodium diphosphate
	14.041	109-97-7			着香の目的以外に使用してはならない
					資料1により食品添加物に該当する可能性が考えられるが，事前に判断を受けるよう指導されている品目
			184.1316		E No.はないが INS No.1101(iv)あり
		2353-45-9	(要検定リストとして) 74.203 (要検定暫定リストとして) 82.203		省令別表第1のリスト名は「**食用緑色3号及びそのアルミニウムレーキ，Food Green No. 3 and its Aluminium lake**」だが，本書では各単品もリスト名としマークした ENo.142:Green S は本品と異なる
			(Lakes(FD & C)として) 82.51		省令別表第1のリスト名は「**食用緑色3号及びそのアルミニウムレーキ，Food Green No. 3 and its Aluminium lake**」だが，本書では各単品もリスト名としマークした ENo.142:Green S は本品と異なる
			172.655		CFR172.655は Furcelleran
			172.660		CFR172.660は Salts of furcelleran
			(Phaffia yeast として) 73.355		CFR No.73.355は魚の飼料用のみに可
			(Phaffia yeast として) 73.355		CFR No.73.355は魚の飼料用のみに可

ひふ

色文字：法令上の指定添加物名（除く別名）　red：Name on Ministerial Ordinance of Designated Food Additives
色文字：法令上の既存添加物名（除く別名）　red：Name on Ministerial Notification of Existing Food Additives

和　名 Japanese name	和名別名 Japanese name	英名，英名別名 English name	許可状況 Legal/Illegal	主な用途 Main uses
フィコシアニン	スピルリナ青 スピルリナ青色素 **スピルリナ色素**(スピルリナの全藻から得られた，フィコシアニンを主成分とするものをいう。) スピルリナ抽出物 フィコシアン	Phycocyan Phycocyanin Spirulina blue color **Spirulina color** Spirulina extract	◎，既存	特別用途食品 着色料
フィコシアン	スピルリナ青 スピルリナ青色素 **スピルリナ色素**(スピルリナの全藻から得られた，フィコシアニンを主成分とするものをいう。) スピルリナ抽出物 フィコシアニン	Phycocyan Phycocyanin Spirulina blue color **Spirulina color** Spirulina extract	◎，既存	特別用途食品 着色料
フィシン	ファイシン	**Ficin**	◎，既存	酵素
フィターゼ		**Phytase**	◎，既存	酵素
フィチン(抽出物)(米ぬか又はトウモロコシの種子から得られた，イノシトールヘキサリン酸マグネシウムを主成分とするものをいう。)		**Phytin(extract)**	◎，既存	製造用剤
フィチン酸(米ぬか又はトウモロコシの種子から得られた，イノシトールヘキサリン酸を主成分とするものをいう。)	イノシトールヘキサリン酸	Inositol hexaphosphate **Phytic acid**	◎，既存	製造用剤 酸味料
フィチン酸カルシウム		Calcium phytate	○，指定	製造用剤
フィトステロール	**植物性ステロール**(油糧種子から得られた，フィトステロールを主成分とするものをいう。)	Phytosterol **Vegetable sterol**	◎，既存	乳化剤
フィトナジオン	ビタミンK_1	Phytonadione Vitamin K_1	×	特別用途食品
フェニールベンゼン	**ジフェニル** ビフェニル	Biphenyl **Diphenyl** Phenylbenzene	○，指定	防かび剤
フェニルアセトアルデヒド		Phenylacetaldehyde	○，指定	香料
L-フェニルアラニン		**L-Phenylalanine**	◎，指定	強化剤 調味料
γ-フェニルアリルアルコール	ケイ皮アルコール シンナミックアルコール **シンナミルアルコール** スチリルカルビノール スチロン	Cinnamic alcohol **Cinnamyl alcohol** γ-Phenylallyl alcohol Styrone Styryl carbinol	○，指定	香料
1-フェニルエタノン	アセチルベンゼン **アセトフェノン** ヒプノン フェニルメチルケトン	**Acetophenone** Acetylbenzene Hypnone Phenyl methyl ketone 1-Phenylethanone	○，指定	香料
2-フェニルエチルアミン	**フェネチルアミン** ベンゼンエタンアミン	Benzeneethanamine **Phenethylamine** 2-Phenylethylamine	○，指定	香料

◎：許可（使用基準なし） Legal（Accepted with no standard of use）
○：許可（使用基準あり） Legal（Accepted with standard of use）
指定：Designated Food Additives　　既存：Existing Food Additives
×：使用不可 Illegal（Prohibited）
※：個別判断を要するもの Required individual special judgement

EU E No.	EU FL No.	CAS No.	CFR No.	CNS 号.	備考 Remarks
			（Spirulina extract として） 73.530	08.137	資料1により既存添加物扱いとする品目。 **スピルリナ色素**が既存添加物名簿に収載 着色料の目的では○,既存
			（Spirulina extract として） 73.530	08.137	資料1により既存添加物扱いとする品目。 **スピルリナ色素**が既存添加物名簿に収載 着色料の目的では○,既存
			184.1316		E No.はないがINS No.1101(iv)あり
				04.006	
		3615-82-5			令和5年7月26日省令別表第1に新規指定 ぶどう酒以外の食品に使用してはならない 製造用剤は清澄目的
					資料1により,新たに食品添加物としての指定を受ける必要があるとする品目
		92-52-4			CFR「Title40」には「180.190 Diphenylamine」はあるが,本品は収録されていない E No.はないがINS No.230あり
	05.030	122-78-1			**芳香族アルデヒド類** 着香の目的以外に使用してはならない 類又は誘導体として指定されている18項目の香料リストのSEQ No.2146(解説編2-(1)-(vi)参照)
		63-91-2	（Amino acids, L-Phenylalanine として） 172.320		
	02.017	104-54-1			着香の目的以外に使用してはならない
	07.004	98-86-2			着香の目的以外に使用してはならない
	11.006	64-04-0			着香の目的以外に使用してはならない

色文字：法令上の指定添加物名（除く別名）　red：Name on Ministerial Ordinance of Designated Food Additives
色文字：法令上の既存添加物名（除く別名）　red：Name on Ministerial Notification of Existing Food Additives

和　名 Japanese name	和名別名 Japanese name	英名，英名別名 English name	許可状況 Legal/Illegal	主な用途 Main uses
フェニルカルビノール	α-ヒドロキシトルエン フェニルメタノール ベンジルアルコール ベンタノール	Bentanol Benzyl alcohol α-Hydroxytoluene Phenyl carbinol Phenyl methanol	○，指定	香料
フェニルグリシド酸エチル		Ethyl phenylglycidate Ethyl-β-methyl-β-phenylglicidate	○，指定	香料
フェニル酢酸イソアミル		Isoamyl phenylacetate	○，指定	香料
フェニル酢酸イソブチル		Isobutyl phenylacetate	○，指定	香料
フェニル酢酸エチル	エチル-α-トルイル酸	Ethyl phenylacetate Ethyl-α-toluate	○，指定	香料
フェニル酢酸メチル		Methyl phenylacetate	○，指定	香料
2-(3-フェニルプロピル)ピリジン		2-(3-Phenylpropyl)pyridine	○，指定	香料
3-フェニルプロペン酸メチル	ケイ皮酸メチル メチルシンナミレート	Methyl cinnamate Methyl cinnamylate Methyl-3-phenylpropenoate	○，指定	香料
フェニルメタノール	α-ヒドロキシトルエン フェニルカルビノール ベンジルアルコール ベンタノール	Bentanol Benzyl alcohol α-Hydroxytoluene Phenyl carbinol Phenyl methanol	○，指定	香料
フェニルメチルアセテート	酢酸ベンジル	Benzyl acetate Phenylmethyl acetate	○，指定	香料
フェニルメチルケトン	アセチルベンゼン アセトフェノン ヒプノン 1-フェニルエタノン	Acetophenone Acetylbenzene Hypnone Phenyl methyl ketone 1-Phenylethanone	○，指定	香料
フェネチルアミン	2-フェニルエチルアミン ベンゼンエタンアミン	Benzeneethanamine Phenethylamine 2-Phenylethylamine	○，指定	香料
フェノラーゼ	ポリフェノールオキシダーゼ	Phenolase Polyphenol oxidase	◎，既存	酵素
フェノールエーテル類（毒性が激しいと一般に認められるものを除く。）		Phenol ethers(except harmful substances)	○，指定	香料
フェノール類（毒性が激しいと一般に認められるものを除く。）		Phenols(except harmful substances)	○，指定	香料
フェリチン		Ferritin	×	強化剤
フェルラ酸	カフェー酸3-メチルエーテル 4-ヒドロキシ-3-メトキシケイ皮酸	Caffeic acid 3-methyl ether Ferulic acid 4-Hydroxy-3-methoxycinnamic acid	◎，既存	酸化防止剤

◎：許可（使用基準なし） Legal（Accepted with no standard of use）
○：許可（使用基準あり） Legal（Accepted with standard of use）
指定：Designated Food Additives　既存：Existing Food Additives
×：使用不可 Illegal（Prohibited）
※：個別判断を要するもの Required individual special judgement

EU E No.	EU FL No.	CAS No.	CFR No.	CNS 号.	備考 Remarks
E1519	02.010	100-51-6			着香の目的以外に使用してはならない 特例としてE No.とFL No.の両方あり
	16.015	77-83-8			**エステル類** 着香の目的以外に使用してはならない 類又は誘導体として指定されている18項目の香料リストのSEQ No.853(解説編2-(1)-(vi)参照)
	09.789	102-19-2			着香の目的以外に使用してはならない EU FL No.09.789の名称は「3-Methylbutyl phenylacetate」
	09.788	102-13-6			着香の目的以外に使用してはならない
	09.784	101-97-3			着香の目的以外に使用してはならない
	09.783	101-41-7			**エステル類** 着香の目的以外に使用してはならない 類又は誘導体として指定されている18項目の香料リストのSEQ No.1702(解説編2-(1)-(vi)参照)
	14.072	2110-18-1			着香の目的以外に使用してはならない
	09.740	103-26-4			着香の目的以外に使用してはならない
E1519	02.010	100-51-6			着香の目的以外に使用してはならない 特例としてE No.とFL No.の両方あり
	09.014	140-11-4			着香の目的以外に使用してはならない
	07.004	98-86-2			着香の目的以外に使用してはならない
	11.006	64-04-0			着香の目的以外に使用してはならない
					着香の目的以外に使用してはならない 類又は誘導体として指定されている18項目の香料リスト(解説編2-(1)-(vi)参照)
					着香の目的以外に使用してはならない 類又は誘導体として指定されている18項目の香料リスト(解説編2-(1)-(vi)参照)
					令和2年2月26日告示第42号により既存添加物名簿から消除

ふ

色文字：法令上の指定添加物名（除く別名）　red：Name on Ministerial Ordinance of Designated Food Additives
色文字：法令上の既存添加物名（除く別名）　red：Name on Ministerial Notification of Existing Food Additives

和名 Japanese name	和名別名 Japanese name	英名，英名別名 English name	許可状況 Legal/Illegal	主な用途 Main uses
	カフェー酸3-メチルエーテル 4-ヒドロキシ-3-メトキシケイ皮酸	Caffeic acid 3-methyl ether Ferulic acid 4-Hydroxy-3-methoxycinnamic acid	※	特別用途食品
フェロシアン化カリウム	黄血塩 黄血カリ フェロシアン化物 ヘキサシアノ鉄(II)酸カリウム	Ferrocyanides Potassium ferrocyanide Potassium hexacyanoferrate(II) Yellow prussiate of potash	○，指定	食塩固結防止剤
フェロシアン化カルシウム	フェロシアン化物 ヘキサシアノ鉄(II)酸カルシウム	Calcium ferrocyanide Calcium hexacyanoferrate(II) Ferrocyanides Yellow prussiate of lime	○，指定	食塩固結防止剤
フェロシアン化ナトリウム	黄血ソーダ フェロシアン化物 ヘキサシアノ鉄(II)酸ナトリウム	Ferrocyanides Sodium ferrocyanide Sodium hexacyanoferrate(II) Yellow prussiate of soda	○，指定	食塩固結防止剤
フェロシアン化物	フェロシアン化カリウム フェロシアン化カルシウム フェロシアン化ナトリウム	Calcium ferrocyanide Ferrocyanides Potassium ferrocyanide Sodium ferrocyanide	○，指定	食塩固結防止剤
フェロシアン化マグネシウム		Magnesium ferrocyanides	×	製造用剤
フェロシアン化マンガン		Manganese ferrocyanide	×	製造用剤
フクロノリ抽出物(フクロノリの全藻から得られた，多糖類を主成分とするものをいう。)		Fukurofunori extract Fukurofunori polysaccharide Fukuronori extract Fukuronori polysaccharide	◎，既存	増粘安定剤
2-フコシルラクトース		2-Fucosyllactose	※	特別用途食品
プシコースエピメラーゼ	アルロースエピメラーゼ	Allulose epimerase Psicose epimerase	◎，指定	製造用剤 酵素
ブタナール	ブチルアルデヒド	Butanal Butyraldehyde	○，指定	香料
ブタノール	1-ブタノール ブタン-1-オール ブチルアルコール	Butane-1-ol Butanol 1-Butanol Butyl alcohol	○，指定	香料
1-ブタノール	ブタノール ブタン-1-オール ブチルアルコール	Butane-1-ol Butanol 1-Butanol Butyl alcohol	○，指定	香料
2-ブタノール	エチルメチルケトン ブタン-2-オール	Butane-2-ol 2-Butanol Ethyl methyl ketone	×	香料

◎：許可（使用基準なし） Legal（Accepted with no standard of use）
○：許可（使用基準あり） Legal（Accepted with standard of use）
指定：Designated Food Additives　既存：Existing Food Additives
×：使用不可 Illegal（Prohibited）
※：個別判断を要するもの Required individual special judgement

EU E No.	EU FL No.	CAS No.	CFR No.	CNS 号.	備　考 Remarks
					資料1により既存添加物扱いと思料されるが，指定されていない添加物に該当する場合があるので留意する
E536		（3水和物） 13943-58-3		02.001	省令別表第1のリスト名は「**フェロシアン化物**（フェロシアン化カリウム，フェロシアン化カルシウム及びフェロシアン化ナトリウムに限る。），**Ferrocyanide compounds** (Limited to Potassium ferrocyanide, Calcium ferrocyanide and Sodium ferrocyanide)」だが，本書では各単品もリスト名としマークした 告示成分規格の nH_2O は n ＝3
E538		（無水物） 13821-08-4			省令別表第1のリスト名は「**フェロシアン化物**（フェロシアン化カリウム，フェロシアン化カルシウム及びフェロシアン化ナトリウムに限る。），**Ferrocyanide compounds** (Limited to Potassium ferrocyanide, Calcium ferrocyanide and Sodium ferrocyanide)」だが，本書では各単品もリスト名としマークした 告示成分規格の nH_2O は n ＝12
E535		（10水和物） 13601-19-9	（Yellow prussiate of soda として） 172.490	02.008	省令別表第1のリスト名は「**フェロシアン化物**（フェロシアン化カリウム，フェロシアン化カルシウム及びフェロシアン化ナトリウムに限る。），**Ferrocyanide compounds** (Limited to Potassium ferrocyanide, Calcium ferrocyanide and Sodium ferrocyanide)」だが，本書では各単品もリスト名としマークした 告示成分規格の nH_2O は n ＝10
E535 E536 E538		（3水和物） 13943-58-3		02.001 02.008	省令別表第1のリスト名は「**フェロシアン化物**（フェロシアン化カリウム，フェロシアン化カルシウム及びフェロシアン化ナトリウムに限る。），**Ferrocyanide compounds** (Limited to Potassium ferrocyanide, Calcium ferrocyanide and Sodium ferrocyanide)」だが，本書では各単品もリスト名としマークした 告示成分規格の nH_2O は n ＝3 **フェロシアン化カルシウム**は CNS 号なし
					資料1により食品添加物に該当する可能性が考えられるが，事前に判断を受けるよう指導されている品目
		1618683-38-7			令和2年3月31日省令別表第1に新規指定 プシコースエピメラーゼの使用にあたっては，それを使用した食品の適切な製造工程管理を行い，目的とする効果を得る上で必要とされる量を超えないものとすること 「組換え DNA 技術応用食品及び添加物の安全性審査の手続きを経た添加物」としての告示あり．詳細は厚労省 HP 参照
	05.003	123-72-8			着香の目的以外に使用してはならない
	02.004	71-36-3			着香の目的以外に使用してはならない
	02.004	71-36-3			着香の目的以外に使用してはならない

色文字：法令上の指定添加物名（除く別名）　red：Name on Ministerial Ordinance of Designated Food Additives
色文字：法令上の既存添加物名（除く別名）　red：Name on Ministerial Notification of Existing Food Additives

和　名 Japanese name	和名別名 Japanese name	英名，英名別名 English name	許可状況 Legal/Illegal	主な用途 Main uses
ブタン		Butane	◎，既存	製造用剤
ブタン-1,3-ジオール	1,3-ブチレングリコール	Butane-1,3-diol 1,3-Butylene glycol	×	香料
ブタン-1-オール	ブタノール 1-ブタノール ブチルアルコール	Butane-1-ol Butanol 1-Butanol Butyl alcohol	○，指定	香料
ブタン-2-オール	エチルメチルケトン 2-ブタノール	Butane-2-ol 2-Butanol Ethyl methyl ketone	×	香料
1-ブタンアミン	1-アミノブタン ブチルアミン	1-Aminobutane 1-Butanamine Butylamine	○，指定	香料
2-ブタンアミン	*sec*-ブチルアミン	2-Butanamine *sec*-Butylamine	○，指定	香料
ブタン酸	酪酸 *n*-酪酸	Butanoic acid Butyric acid *n*-Butyric acid Ethyl-acetic acid	○，指定	香料
n-ブタン酸エチル	酪酸エチル 酪酸エーテル	Butyric ether Ethyl *n*-butanoate Ethyl butyrate	○，指定	香料
n-ブタン酸*n*-ブチル	酪酸ブチル *n*-酪酸*n*-ブチルエステル	*n*-Butyl-*n*-butanoate Butyl butyrate *n*-Butyl-*n*-butyrate *n*-Butyric acid,*n*-butyl ester	○，指定	香料
1,4-ブタンジカルボン酸	アジピン酸 ヘキサン二酸	Adipic acid 1,4-Butanedicarboxylic acid Hexanedioic acid	◎，指定	製造用剤 水素イオン濃度調整剤（pH 調整剤） 膨脹剤 酸味料
ブタンデオイック酸	コハク酸	Butonedioic acid Succinic acid	◎，指定	水素イオン濃度調整剤（pH 調整剤） 酸味料 調味料
ブチルアミン	1-アミノブタン 1-ブタンアミン	1-Aminobutane 1-Butanamine Butylamine	○，指定	香料
sec-ブチルアミン	2-ブタンアミン	2-Butanamine *sec*-Butylamine	○，指定	香料

◎：許可（使用基準なし） Legal（Accepted with no standard of use）
○：許可（使用基準あり） Legal（Accepted with standard of use）
指定：Designated Food Additives　既存：Existing Food Additives
×：使用不可 Illegal（Prohibited）
※：個別判断を要するもの Required individual special judgement

EU E No.	EU FL No.	CAS No.	CFR No.	CNS 号.	備考 Remarks
E943a			(*n*-Butane and iso-butane として) 184.1165		
			(1,3-Butylene glycol として) 172.712 (1,3-Butylene glycol として) 173.220		
	02.004	71-36-3			着香の目的以外に使用してはならない
	11.003	109-73-9			着香の目的以外に使用してはならない
	11.005	13952-84-6			令和元年6月6日省令別表第1に新規指定 着香の目的以外に使用してはならない 小分け等の加工を行ったものは添加物製剤とみなされる
	08.005	107-92-6			着香の目的以外に使用してはならない
	09.039	105-54-4			着香の目的以外に使用してはならない
	09.042	109-21-7			着香の目的以外に使用してはならない
E355		124-04-9	184.1009	01.109	
E363		110-15-6	184.1091		
	11.003	109-73-9			着香の目的以外に使用してはならない
	11.005	13952-84-6			令和元年6月6日省令別表第1に新規指定 着香の目的以外に使用してはならない 小分け等の加工を行ったものは添加物製剤とみなされる

ふ

色文字：法令上の指定添加物名（除く別名）　red：Name on Ministerial Ordinance of Designated Food Additives
色文字：法令上の既存添加物名（除く別名）　red：Name on Ministerial Notification of Existing Food Additives

和　名 Japanese name	和名別名 Japanese name	英名，英名別名 English name	許可状況 Legal/Illegal	主な用途 Main uses
ブチルアルコール	ブタノール 1-ブタノール ブタン-1-オール	Butane-1-ol Butanol 1-Butanol Butyl alcohol	○，指定	香料
ブチルアルデヒド	ブタナール	Butanal Butyraldehyde	○，指定	香料
ブチルカルビノール	アミルアルコール 1-ペンタノール ペンチルアルコール	Amylalcohol Butyl carbinol 1-Pentanol Pentyl alcohol	○，指定	香料
ブチルゴム	ポリイソブチレン	Butyl rubber Polyisobutylene	○，指定	チューインガム基礎剤
ブチルヒドロキシアニソール	BHA	Butylated hydroxyanisole BHA	○，指定	酸化防止剤
1,3-ブチレングリコール	ブタン-1,3-ジオール	Butane-1,3-diol 1,3-Butylene glycol	×	香料
沸石	ゼオライト	Zeolite	○，既存	製造用剤
フッ素		Fluorine	×	特別用途食品
ブドウ果汁色素		Grape juice color	○	着色料
ブドウ果皮色素（アメリカブドウ又はブドウの果皮から得られた，アントシアニンを主成分とするものをいう。）	アントシアニン類 エノシアニン ブドウ色素	Anthocyanins Enocianin Grape skin color Grape skin extract	○，既存	着色料
ブドウ果皮抽出物（アメリカブドウ又はブドウの果皮から得られた，ポリフェノールを主成分とするものをいう。）		Grape skin-derived substance	◎，既存	製造用剤
ブドウ色素	アントシアニン類 エノシアニン ブドウ果皮色素（アメリカブドウ又はブドウの果皮から得られた，アントシアニンを主成分とするものをいう。）	Anthocyanins Enocianin Grape skin color Grape skin extract	○，既存	着色料
ブドウ種子抽出物（アメリカブドウ又はブドウの種子から得られた，プロアントシアニジンを主成分とするものをいう。）		Grape seed extract	◎，既存	製造用剤 酸化防止剤
ブドウ糖	D-グルコース コーンでんぷん糖	Corn sugar Dextrose D-Glucose Grape sugar	◎	甘味料

◎：許可（使用基準なし） Legal（Accepted with no standard of use）
○：許可（使用基準あり） Legal（Accepted with standard of use）
指定：Designated Food Additives　既存：Existing Food Additives
×：使用不可 Illegal（Prohibited）
※：個別判断を要するもの Required individual special judgement

EU E No.	EU FL No.	CAS No.	CFR No.	CNS 号.	備考 Remarks
	02.004	71-36-3			着香の目的以外に使用してはならない
	05.003	123-72-8			着香の目的以外に使用してはならない
	02.040	71-41-0			着香の目的以外に使用してはならない
		9003-27-4			チューインガム基礎剤の目的以外に使用してはならない
E320		25013-16-5	(Food preservatives として) 172.110 (GRAS 物質の Chemical preservatives として) 182.3169	04.001	
			(1,3-Butylene glycol として) 172.712 (1,3-Butylene glycol として) 173.220		
					資料1により,新たに食品添加物としての指定を受ける必要があるとする品目
E163			(Grape color extract として) 73.169 (Vegetable juice として) 73.260		一般飲食物添加物 E163の正式名称は Anthocyanins(アントシアニン類)
E163			(Grape skin extract(enocianina)として) 73.170 (Vegetable juice として) 73.260	08.135	E163の正式名称は Anthocyanins(アントシアニン類)
E163			(Grape skin extract(enocianina)として) 73.170 (Vegetable juice として) 73.260	08.135	E163の正式名称は Anthocyanins(アントシアニン類)
					プロアントシアニジン参照
		50-99-7	184.1857		CFR の CAS No.は50-99-7 食品扱い

ふ

色文字：法令上の指定添加物名（除く別名）　　red：Name on Ministerial Ordinance of Designated Food Additives
色文字：法令上の既存添加物名（除く別名）　　red：Name on Ministerial Notification of Existing Food Additives

和　名 Japanese name	和名別名 Japanese name	英名，英名別名 English name	許可状況 Legal/Illegal	主な用途 Main uses
ブドウ糖シロップ	コーンシロップ	Corn syrup Glucose syrup（sirup）	◎	甘味料
部分水解レシチン		Lecithin, partially hydrolyzed	※	乳化剤
フマル酸		**Fumaric acid**	◎，指定	水素イオン濃度調整剤（pH 調整剤） 膨張剤 酸味料
フマル酸一ナトリウム	フマル酸ナトリウム	**Monosodium fumarate** Sodium fumarate	◎，指定	水素イオン濃度調整剤（pH 調整剤） 酸味料 調味料
フマル酸塩		Salts of fumaric acid	※	調味料
フマル酸カリウム		Potassium fumarate	×	水素イオン濃度調整剤（pH 調整剤） 酸味料
フマル酸カルシウム		Calcium fumarate	×	水素イオン濃度調整剤（pH 調整剤） 酸味料 強化剤
フマル酸第一鉄		Ferrous fumarate	×	強化剤
フマル酸ナトリウム	**フマル酸一ナトリウム**	**Monosodium fumarate** Sodium fumarate	◎，指定	水素イオン濃度調整剤（pH 調整剤） 酸味料 調味料
不溶性グルコースイソメラーゼ酵素製剤		Insoluble glucose isomerase enzyme preparations	※	酵素
不溶性鉱物性物質	**カオリン** ケイ酸アルミニウム 高陵土 白陶土	Aluminium silicate China clay **Kaolin** Porcelain clay **Water-insoluble mineral substances**	○，既存	製造用剤
	ケイソウ土	**Diatomaceous earth** **Water-insoluble mineral substances**	○，既存	製造用剤
	酸性白土	**Acid clay** **Water-insoluble mineral substances**	○，既存	製造用剤

◎：許可（使用基準なし） Legal（Accepted with no standard of use）
○：許可（使用基準あり） Legal（Accepted with standard of use）
指定：Designated Food Additives　既存：Existing Food Additives
×：使用不可 Illegal（Prohibited）
※：個別判断を要するもの Required individual special judgement

EU E No.	EU FL No.	CAS No.	CFR No.	CNS 号.	備考 Remarks
			184.1865		CFR はコーンでんぷんを酸または酵素で加水分解し，その程度によりグルコース，マルトースおよび高含量の糖類を含む 食品扱い
					「植物レシチン」又は「卵黄レシチン」とグリセリンの混合物と,ホスホリパーゼＤを処理して得られる「酵素処理レシチン」が既存添加物として日本で認められている
E297		110-17-8	(Fummaric acid and salts of fumaric acid として) 172.350	01.110	
		5873-57-4	(Fumaric acid and salts of fumaric acid として) 172.350	01.311	E No.はないが INS No.365あり
			(Fumaric acid and salts of fumaric acid として) 172.350		省令別表第1のフマル酸及びフマル酸一ナトリウム以外は不可
			184.1307d		
		5873-57-4	(Fumaric acid and salts of fumaric acid として) 172.350	01.311	E No.はないが INS No.365あり
			184.1372		既存添加物グルコースイソメラーゼと指定添加物,既存添加物若しくは食品との製剤であれば日本で使用が認められる
					食品の製造又は加工上必要不可欠な場合以外に使用してはならない 不溶性鉱物性物質の名称は，省令別表第1及び告示既存添加物名簿に記載されていないが，告示「食品,添加物等の規格基準－Ｆ使用基準」にその名称があるので既存添加物名簿名扱いとする 食品添加物別名（和名）については，列記した食品添加物に類似する不溶性鉱物性物質も含まれる E559：Aluminium silicate（Kaolin）は「Commission Regulation（EU）No.380/2012 of 3 May 2012」で削除
					食品の製造又は加工上必要不可欠な場合以外に使用してはならない 不溶性鉱物性物質の名称は，省令別表第1及び告示既存添加物名簿に記載されていないが，告示「食品,添加物等の規格基準－Ｆ使用基準」にその名称があるので既存添加物名簿名扱いとする 食品添加物別名（和名）については，列記した食品添加物に類似する不溶性鉱物性物質も含まれる
					食品の製造又は加工上必要不可欠な場合以外に使用してはならない 不溶性鉱物性物質の名称は，省令別表第1及び告示既存添加物名簿に記載されていないが，告示「食品,添加物等の規格基準－Ｆ使用基準」にその名称があるので既存添加物名簿名扱いとする 食品添加物別名（和名）については，列記した食品添加物に類似する不溶性鉱物性物質も含まれる

色文字：法令上の指定添加物名（除く別名）　red：Name on Ministerial Ordinance of Designated Food Additives
色文字：法令上の既存添加物名（除く別名）　red：Name on Ministerial Notification of Existing Food Additives

和　名 Japanese name	和名別名 Japanese name	英名，英名別名 English name	許可状況 Legal/Illegal	主な用途 Main uses
	砂	Sand Water-insoluble mineral substances	○，既存	製造用剤
	パーライト	Perlite Water-insoluble mineral substances	○，既存	製造用剤
	ベントナイト 膨潤土	Bentonite Colloidal clay Water-insoluble mineral substances	○，既存	製造用剤
	タルク	Talc Water-insoluble mineral substances	○，既存	製造用剤
不溶性ポリビニルピロリドン	ポリビニルポリピロリドン	Insoluble polyvinylpyrrolidone Polyvinylpolypyrrolidone	○，指定	製造用剤
ブラウンFK		Brown FK	×	着色料
ブラウンHT		Brown HT	×	着色料
フラクタン	レバン(枯草菌の培養液から得られた，多糖類を主成分とするものをいう。)	Fructan Levan	×	増粘安定剤
ブラジルカンゾウ抽出物(ブラジルカンゾウの根から得られた，ペリアンドリンを主成分とするものをいう。)	ペリアンドリン	Brazilian licorice extract Periandrine	◎，既存	甘味料
ブラジルワックス	カルナウバロウ(ブラジルロウヤシの葉から得られた，ヒドロキシセロチン酸セリルを主成分とするものをいう。) カルナウバワックス	Brazil wax Carnauba wax	◎，既存	ガムベース 光沢剤
ブラック7984		Black 7984	×	着色料
ブラックPN	ブリリアントブラックPN	Black PN Brilliant Black PN	×	着色料
ブラックカーラント色素	ブラックカーラント抽出物	Black currant color Black currant extract	○	着色料
ブラックカーラント抽出物	ブラックカーラント色素	Black currant color Black currant extract	○	着色料
ブラックベリー色素		Black berry color	○	着色料
プラム色素		Plum color	○	着色料

◎：許可（使用基準なし） Legal（Accepted with no standard of use）
○：許可（使用基準あり） Legal（Accepted with standard of use）
指定：Designated Food Additives 既存：Existing Food Additives
×：使用不可 Illegal（Prohibited）
※：個別判断を要するもの Required individual special judgement

EU E No.	EU FL No.	CAS No.	CFR No.	CNS 号.	備考 Remarks
					食品の製造又は加工上必要不可欠な場合以外に使用してはならない 不溶性鉱物性物質の名称は，省令別表第1及び告示既存添加物名簿に記載されていないが，告示「食品，添加物等の規格基準－F 使用基準」にその名称があるので既存添加物名簿名扱いとする 食品添加物別名（和名）については，列記した食品添加物に類似する不溶性鉱物性物質も含まれる
					食品の製造又は加工上必要不可欠な場合以外に使用してはならない 不溶性鉱物性物質の名称は，省令別表第1及び告示既存添加物名簿に記載されていないが，告示「食品，添加物等の規格基準－F 使用基準」にその名称があるので既存添加物名簿名扱いとする 食品添加物別名（和名）については，列記した食品添加物に類似する不溶性鉱物性物質も含まれる
			（Bentonite として） 184.1155		食品の製造又は加工上必要不可欠な場合以外に使用してはならない 不溶性鉱物性物質の名称は，省令別表第1及び告示既存添加物名簿に記載されていないが，告示「食品，添加物等の規格基準－F 使用基準」にその名称があるので既存添加物名簿名扱いとする 食品添加物別名（和名）については，列記した食品添加物に類似する不溶性鉱物性物質も含まれる E558：Bentonite は「Commission Regulation（EU）No. 380/2012 of 3 May 2012」で削除
E553b					食品の製造又は加工上必要不可欠な場合以外に使用してはならない 不溶性鉱物性物質の名称は，省令別表第1及び告示既存添加物名簿に記載されていないが，告示「食品，添加物等の規格基準－F 使用基準」にその名称があるので既存添加物名簿名扱いとする 食品添加物別名（和名）については，列記した食品添加物に類似する不溶性鉱物性物質も含まれる
E1202		25249-54-1	173.50		ろ過助剤以外の用途に使用してはならない。最終食品の完成前に除去しなければならない
					E154は「Commission Regulation（EU）No.1129/2011 of 11 Nov. 2011」で削除
E155					
					「レバン」は，令和2年2月26日告示第42号により既存添加物名簿から消除
E903		8015-86-9	184.1978	14.008	
E151					
				08.122	一般飲食物添加物
				08.122	一般飲食物添加物
					一般飲食物添加物
					一般飲食物添加物

ふ

色文字：法令上の指定添加物名（除く別名）　red：Name on Ministerial Ordinance of Designated Food Additives
色文字：法令上の既存添加物名（除く別名）　red：Name on Ministerial Notification of Existing Food Additives

和　名 Japanese name	和名別名 Japanese name	英名，英名別名 English name	許可状況 Legal/Illegal	主な用途 Main uses
フラール	ピロムシックアルデヒド フラン-2-アルデヒド フルフラール（毒性が激しいと一般に認められるものを除く。） フルフランカルボキシアルデヒド フルフリルアルデヒド フルフロール 2-ホルミルフラン	2-Formyl furan Fural Furan-2-aldehyde Furfural (except harmful substances) Furfuraldehyde Furfurancarboxyaldehyde Furfurol Pyromucic aldehyde	○，指定	香料
フラン-2-アルデヒド	ピロムシックアルデヒド フラール フルフラール（毒性が激しいと一般に認められるものを除く。） フルフランカルボキシアルデヒド フルフリルアルデヒド フルフロール 2-ホルミルフラン	2-Formyl furan Fural Furan-2-aldehyde Furfural (except harmful substances) Furfuraldehyde Furfurancarboxyaldehyde Furfurol Pyromucic aldehyde	○，指定	香料
ブリリアントブラックPN	ブラックPN	Black PN Brilliant Black PN	×	着色料
ブリリアントブルーFCF	食用青色1号	Brilliant Blue FCF FD & C Blue No.1 Food Blue No.1	○，指定	着色料
ブリリアントブルーFCFアルミニウムレーキ	食用青色1号アルミニウムレーキ	Brilliant Blue FCF aluminium lake Food Blue No.1 aluminium lake	○，指定	着色料
ブルーVRS		Blue VRS	×	着色料
フルクトシルトランスフェラーゼ		Fructosyl transferase	◎，既存	酵素
フルジオキソニル		Fludioxonil	○，指定	防かび剤
フルーツケトン	シクロヘキシルプロピオン酸アリル	Allyl cyclohexylpropionate Cyclohexylpropionic acid allyl ester Fruit ketone	○，指定	香料
フルーツジュース	果汁	Fruit juice	○	着色料

◎：許可（使用基準なし） Legal（Accepted with no standard of use）
○：許可（使用基準あり） Legal（Accepted with standard of use）
指定：Designated Food Additives　既存：Existing Food Additives
×：使用不可 Illegal（Prohibited）
※：個別判断を要するもの Required individual special judgement

EU E No.	EU FL No.	CAS No.	CFR No.	CNS 号.	備考 Remarks
	13.018				着香の目的以外に使用してはならない 省令別表第1のリスト名は「**フルフラール及びその誘導体（毒性が激しいと一般に認められるものを除く。），Furfurals and its derivatives (except harmful substances)**」だが，本書では各単品もリスト名としてマークした 類又は誘導体として指定されている18項目の香料リスト（解説編2-(1)-(vi)参照）
	13.018				着香の目的以外に使用してはならない 省令別表第1のリスト名は「**フルフラール及びその誘導体（毒性が激しいと一般に認められるものを除く。），Furfurals and its derivatives (except harmful substances)**」だが，本書では各単品もリスト名としてマークした 類又は誘導体として指定されている18項目の香料リスト（解説編2-(1)-(vi)参照）
E151					
E133		3844-45-9	（要検定リストとして） 74.101 （要検定暫定リストとして） 82.101	08.007	省令別表第1のリスト名は「**食用青色1号及びそのアルミニウムレーキ,Food Blue No.1 and its Aluminium lake**」だが,本書では各単品もリスト名としマークした CNS 号08.007は brilliant blue（FCF なし）
E133			(Lakes(FD & C)として) 82.51	08.007	省令別表第1のリスト名は「**食用青色1号及びそのアルミニウムレーキ,Food Blue No.1 and its Aluminium lake**」だが,本書では各単品もリスト名としマークした CNS 号08.007は brilliant blue aluminum lake（FCF なし）
		131341-86-1	180.516（Title40 Part180）		CFR では，本書に関連する「Title21」ではなく pre- and post-haevest 関連の「Title40 Part 180.516」に収録されている
	09.498	2705-87-5			着香の目的以外に使用してはならない
			73.250		一般飲食物添加物 通知上の果汁の種類： **ウグイスカグラ** **エルダーベリー** **オレンジ** **カウベリー** **グースベリー** **クランベリー** **サーモンベリー** **ストロベリー** **ダークスイートチェリー** **チェリー** **チンブルベリー** **デュベリー** **パイナップル**

ふ

色文字：法令上の指定添加物名（除く別名）　　**red**：Name on Ministerial Ordinance of Designated Food Additives
色文字：法令上の既存添加物名（除く別名）　　**red**：Name on Ministerial Notification of Existing Food Additives

和　名 Japanese name	和名別名 Japanese name	英名，英名別名 English name	許可状況 Legal/Illegal	主な用途 Main uses
フルフラール(毒性が激しいと一般に認められるものを除く。)	ピロムシックアルデヒド フラール フラン-2-アルデヒド フルフランカルボキシアルデヒド フルフリルアルデヒド フルフロール 2-ホルミルフラン	2-Formyl furan Fural Furan-2-aldehyde **Furfural(except harmful substances)** Furfuraldehyde Furfurancarboxyaldehyde Furfurol Pyromucic aldehyde	○，指定	香料
フルフラール誘導体(毒性が激しいと一般に認められるものを除く。)		**Furfural derivatives(except harmful substances)**	○，指定	香料
フルフランカルボキシアルデヒド	ピロムシックアルデヒド フラール フラン-2-アルデヒド **フルフラール**(毒性が激しいと一般に認められるものを除く。) フルフリルアルデヒド フルフロール 2-ホルミルフラン	2-Formyl furan Fural Furan-2-aldehyde **Furfural(except harmful substances)** Furfuraldehyde Furfurancarboxyaldehyde Furfurol Pyromucic aldehyde	○，指定	香料
フルフリルアルデヒド	ピロムシックアルデヒド フラール フラン-2-アルデヒド **フルフラール**(毒性が激しいと一般に認められるものを除く。) フルフランカルボキシアルデヒド フルフロール 2-ホルミルフラン	2-Formyl furan Fural Furan-2-aldehyde **Furfural(except harmful substances)** Furfuraldehyde Furfurancarboxyaldehyde Furfurol Pyromucic aldehyde	○，指定	香料

◎：許可（使用基準なし） Legal（Accepted with no standard of use）　×：使用不可 Illegal（Prohibited）
○：許可（使用基準あり） Legal（Accepted with standard of use）　※：個別判断を要するもの Required individual special judgement
指定：Designated Food Additives　既存：Existing Food Additives

EU E No.	EU FL No.	CAS No.	CFR No.	CNS 号.	備考 Remarks
					ハクルベリー **ブドウ** **ブラックカーラント** **ブラックベリー** **プラム** **ブルーベリー** **ベリー** **ボイセンベリー** **ホワートルベリー** **マルベリー** **モレロチェリー** **ラズベリー** **レッドカーラント** **レモン** **ローガンベリー**
	13.018				着香の目的以外に使用してはならない 省令別表第1のリスト名は「**フルフラール及びその誘導体（毒性が激しいと一般に認められるものを除く。）, Furfurals and its derivatives (except harmful substances)**」だが，本書では各単品もリスト名としてマークした 類又は誘導体として指定されている18項目の香料リスト（解説編2-(1)-(vi)参照）
					着香の目的以外に使用してはならない 省令別表第1のリスト名は「**フルフラール及びその誘導体**（毒性が激しいと一般に認められるものを除く。）, **Furfurals and its derivatives**(except harmful substances)」だが，本書では各単品もリスト名としてマークした 類又は誘導体として指定されている18項目の香料リスト（解説編2-(1)-(vi)参照）
	13.018				着香の目的以外に使用してはならない 省令別表第1のリスト名は「**フルフラール及びその誘導体（毒性が激しいと一般に認められるものを除く。）, Furfurals and its derivatives (except harmful substances)**」だが，本書では各単品もリスト名としてマークした 類又は誘導体として指定されている18項目の香料リスト（解説編2-(1)-(vi)参照）
	13.018				着香の目的以外に使用してはならない 省令別表第1のリスト名は「**フルフラール及びその誘導体（毒性が激しいと一般に認められるものを除く。）, Furfurals and its derivatives (except harmful substances)**」だが，本書では各単品もリスト名としてマークした 類又は誘導体として指定されている18項目の香料リスト（解説編2-(1)-(vi)参照）

色文字：法令上の指定添加物名（除く別名）　red：Name on Ministerial Ordinance of Designated Food Additives
色文字：法令上の既存添加物名（除く別名）　red：Name on Ministerial Notification of Existing Food Additives

和　名 Japanese name	和名別名 Japanese name	英名，英名別名 English name	許可状況 Legal/Illegal	主な用途 Main uses
フルフロール	ピロムシックアルデヒド フラール フラン-2-アルデヒド フルフラール（毒性が激しいと一般に認められるものを除く。） フルフランカルボキシアルデヒド フルフリルアルデヒド 2-ホルミルフラン	2-Formyl furan Fural Furan-2-aldehyde Furfural(except harmful substances) Furfuraldehyde Furfurancarboxyaldehyde Furfurol Pyromucic aldehyde	○，指定	香料
ブルーベリー色素		Blueberry color	○	着色料
フルボ酸		Fulvic acid	◎	特別用途食品
プルラナーゼ		Pullulanase	◎，既存	酵素
プルラン		Pullulan	◎，既存	製造用剤 増粘安定剤
プレーンカラメル	カラメル カラメルⅠ（でん粉加水分解物，糖蜜又は糖類の食用炭水化物を熱処理して得られたものをいう。ただし，「カラメルⅡ」，「カラメルⅢ」及び「カラメルⅣ」を除く。）	Caramel Caramel Ⅰ(Plain caramel) Caramel color class Ⅰ Plain caramel	◎，既存	製造用剤 着色料
プロアントシアニジン		Proanthocyanidin	◎	特別用途食品
フロキシン	食用赤色104号	Food Red No. 104 Phloxine	○，指定	着色料
プロタミン	しらこたん白 しらこたん白抽出物（魚類の精巣から得られた，塩基性タンパク質を主成分とするものをいう。） しらこ分解物	Milt digest Milt protein Protamine	◎，既存	保存料
プロテアーゼ	たん白分解酵素	Protease	◎，既存	酵素
プロトカテキュアルデヒドメチルエーテル	バニリックアルデヒド バニリン メチルプロトカテキュアルデヒド メトキシプロトカテキュアルデヒド ワニリン	Methoxyprotocatechuic aldehyde Methyl protocatechuic aldehyde Protocatechu aldehydemethylether Vanillic aldehyde Vanillin	○，指定	香料
プロトカテキュアルデヒドメチレンエーテル	ジオキシエチレンプロトカテキュアルデヒド ピペロナール ピペロニルアルデヒド ヘリオトロピン	Dioxyethylene protocatechuic aldehyde Heliotropine Piperonal Piperonyl aldehyde Protocatechu aldehyde methylene ether	○，指定	香料
プロトカテキュ酸エチル		Ethyl protocatechuate	×	酸化防止剤
プロパナール	プロピオンアルデヒド	Propanal Propionaldehyde	○，指定	香料
プロパノール	プロパン-1-オール プロピルアルコール	Propan-1-ol Propanol Propyl alcohol	○，指定	香料

◎：許可（使用基準なし） Legal（Accepted with no standard of use）
○：許可（使用基準あり） Legal（Accepted with standard of use）
指定：Designated Food Addit ves　既存：Existing Food Additives
×：使用不可 Illegal（Prohibited）
※：個別判断を要するもの Required individual special judgement

EU E No.	EU FL No.	CAS No.	CFR No.	CNS 号.	備考 Remarks
	13.018				着香の目的以外に使用してはならない 省令別表第1のリスト名は「**フルフラール及びその誘導体（毒性が激しいと一般に認められるものを除く。）, Furfurals and its derivatives (except harmful substances)**」だが，本書では各単品もリスト名としてマークした 類又は誘導体として指定されている18項目の香料リスト（解説編2-(1)-(vi)参照）
					一般飲食物添加物
					資料1により食品素材扱いとする品目
					「組換えDNA技術応用食品及び添加物の安全性審査の手続きを経た添加物」としての告示あり。詳細は厚労省HP参照
E1204				14.011	
E150a			（検定免除の着色料のカラメルとして） 73.85 （GRAS物質のカラメルとして） 182.1235	08.108	着色料の目的では○，既存
					資料1により既存添加物扱いとする品目 **ブドウ種子抽出物**が既存添加物名簿に収載
		18472-87-2			
			(Bacterially-derived protease enzyme preparation として) 184.1150		E No.はないがINS No.1101(ⅰ)あり 「組換えDNA技術応用食品及び添加物の安全性審査の手続きを経た添加物」としての告示あり。詳細は厚労省HP参照
	05.018	121-33-5			着香の目的以外に使用してはならない
	05.016	120-57-0			着香の目的以外に使用してはならない
	05.002	123-38-6			着香の目的以外に使用してはならない
	02.002	71-23-8			着香の目的以外に使用してはならない

ふ

色文字：法令上の指定添加物名（除く別名）　red：Name on Ministerial Ordinance of Designated Food Additives
色文字：法令上の既存添加物名（除く別名）　red：Name on Ministerial Notification of Existing Food Additives

和　名 Japanese name	和名別名 Japanese name	英名，英名別名 English name	許可状況 Legal/Illegal	主な用途 Main uses
2-プロパノール	イソプロパノール イソプロピルアルコール プロパン-2-オール	Isopropanol Isopropyl alcohol Propan-2-ol 2-Propanol	○，指定	香料
2-プロパノン	アセトン β-ケトプロパン ジメチルケトン	Acetone Dimethylketone β-Ketopropane 2-Propanone	○，指定	製造用剤
プロパン		Propane	◎，既存	製造用剤
1-プロパンアミン	プロピルアミン	1-Propanamine Propylamine	○，指定	香料
2-プロパンアミン	イソプロピルアミン	Isopropylamine 2-Propanamine	○，指定	香料
プロパン-1-オール	プロパノール プロピルアルコール	Propan-1-ol Propanol Propyl alcohol	○，指定	香料
プロパン-2-オール	イソプロパノール イソプロピルアルコール 2-プロパノール	Isopropanol Isopropyl alcohol Propan-2-ol 2-Propanol	○，指定	香料
プロパン酸	プロピオン酸	Propanoic acid Propionic acid	○，指定	保存料 香料
プロパン酸エチル	プロピオン酸エチル プロピオン酸エーテル	Ethyl propanoate Ethyl propionate Propionic ether	○，指定	香料
プロパン酸ベンジル	プロピオン酸ベンジル	Benzyl propanoate Benzyl propionate	○，指定	香料
1,2-プロパンジオール	1,2-ジヒドロキシプロパン プロパン-1,2-ジオール プロピレングリコール	1,2-Dihydroxypropane Propane-1,2-diol 1,2-Propanediol Propylene glycol	○，指定	製造用剤 品質改良剤
プロパン-1,2-ジオール	1,2-ジヒドロキシプロパン 1,2-プロパンジオール プロピレングリコール	1,2-Dihydroxypropane Propane-1,2-diol 1,2-Propanediol Propylene glycol	○，指定	製造用剤 品質改良剤
プロパン-1,2-ジオール脂肪酸エステル	プロピレングリコール脂肪酸エステル	Propane-1,2-diol esters of fatty acids Propylene glycol esters of fatty acids Propylene glycol mono-and diesters of fats and fatty acids	◎，指定	乳化剤 ガムベース
プロピオンアルデヒド	プロパナール	Propanal Propionaldehyde	○，指定	香料
プロピオン酸	プロパン酸	Propanoic acid Propionic acid	○，指定	保存料 香料
プロピオン酸イソアミル	プロピオン酸イソペンチル	Isoamyl propionate Isopentyl propanoate	○，指定	香料

◎：許可（使用基準なし） Legal（Accepted with no standard of use）
○：許可（使用基準あり） Legal（Accepted with standard of use）
指定：Designated Food Additives　既存：Existing Food Additives
×：使用不可 Illegal（Prohibited）
※：個別判断を要するもの Required individual special judgement

EU E No.	EU FL No.	CAS No.	CFR No.	CNS 号.	備考 Remarks
	02.079	67-63-0	173.240		着香及び食品成分の抽出の目的以外に使用してはならない 抽出の目的で使用する場合の留意事項についての指導あり（平成25年12月4日食安発1204第2号）
	07.050	67-64-1	173.210		ガラナ飲料を製造する際のガラナ豆の成分を抽出する目的及び油脂の成分を分別する目的以外に使用してはならない。また最終食品の完成前に除去しなければならない EU では香料特性のある食品成分として FL No.あり 類又は誘導体として指定されている18項目の香料リストの SEQ No.45（解説編2-(1)-(vi)参照）
E944			184.1655		
	11.004	107-10-8			令和元年6月6日省令別表第1に新規指定 着香の目的以外に使用してはならない 小分け等の加工を行ったものは添加物製剤とみなされる
	11.018	75.31.0			令和元年6月6日省令別表第1に新規指定 着香の目的以外に使用してはならない 小分け等の加工を行ったものは添加物製剤とみなされる
	02.002	71-23-8			着香の目的以外に使用してはならない
	02.079	67-63-0	173.240		着香及び食品成分の抽出の目的以外に使用してはならない 抽出の目的で使用する場合の留意事項についての指導あり（平成25年12月4日食安発1204第2号）
E280		79-09-4	184.1081	17.029	（EU）FL No.なし
	09.121	105-37-3			着香の目的以外に使用してはならない
	09.132	122-63-4			着香の目的以外に使用してはならない
E1520		57-55-6	184.1666	18.004	
E1520		57-55-6	184.1666	18.004	
E477			（Propylene glycol mono-and diesters of fats and fatty acids として） 172.856	10.020	
	05.002	123-38-6			着香の目的以外に使用してはならない
E280		79-09-4	184.1081	17.029	（EU）FL No.なし
	09.136	105-68-0			着香の目的以外に使用してはならない EU FL No.09.136の名称は「3-Methylbutyl propionate」

ふ

色文字：法令上の指定添加物名（除く別名）　red：Name on Ministerial Ordinance of Designated Food Additives
色文字：法令上の既存添加物名（除く別名）　red：Name on Ministerial Notification of Existing Food Additives

和　名 Japanese name	和名別名 Japanese name	英名，英名別名 English name	許可状況 Legal/Illegal	主な用途 Main uses
プロピオン酸イソペンチル	プロピオン酸イソアミル	Isoamyl propionate Isopentyl propanoate	○，指定	香料
プロピオン酸エチル	プロパン酸エチル プロピオン酸エーテル	Ethyl propanoate Ethyl propionate Propionic ether	○，指定	香料
プロピオン酸エーテル	プロパン酸エチル プロピオン酸エチル	Ethyl propanoate Ethyl propionate Propionic ether	○，指定	香料
プロピオン酸カリウム		Potassium propionate	×	保存料
プロピオン酸カルシウム		Calcium propionate	○，指定	保存料
プロピオン酸ナトリウム		Sodium propionate	○，指定	保存料
プロピオン酸ベンジル	プロパン酸ベンジル	Benzyl propanoate Benzyl propionate	○，指定	香料
プロピコナゾール		Propiconazole	○，指定	防かび剤
プロピルアミン	1-プロパンアミン	1-Propanamine Propylamine	○，指定	香料
プロピルアルコール	プロパノール プロパン-1-オール	Propan-1-ol Propanol Propyl alcohol	○，指定	香料
プロピルパラベン	パラオキシ安息香酸プロピル パラヒドロキシ安息香酸プロピル	Propyl p-hydroxybenzoate Propyl paraben	○，指定	保存料
プロピルメトキシベンゼン	ジヒドロアネトール パラプロピルアニソール メチルパラプロピルフェニルエーテル	Dihydroanethole 1-Methoxy-4-propylbenzene Methyl *p*-propylphenyl ether *p*-Propylanisole Propylmethoxybenzene	○，指定	香料
プロピレンオキシド		Propylene oxide	×	製造用剤 保存料
プロピレングリコール	1,2-ジヒドロキシプロパン 1,2-プロパンジオール プロパン-1,2-ジオール	1,2-Dihydroxypropane Propane-1,2-diol 1,2-Propanediol Propylene glycol	○，指定	製造用剤 品質改良剤
プロピレングリコール脂肪酸エステル	プロパン-1,2-ジオール脂肪酸エステル	Propane-1,2-diol esters of fatty acids Propylene glycol esters of fatty acids Propylene glycol mono-and diesters of fats and fatty acids	◎，指定	乳化剤 ガムベース
2-プロペンイソチオシアネート	イソチオシアン酸アリル 揮発ガイシ油	Allyl isosulfocyanate Allyl isothiocyanate 2-Propene isothiocyanate Volatile oil of mustard	○，指定	香料
プロポリス抽出物（ミツバチの巣から得られた，フラボノイドを主成分とするものをいう。）		Propolis extract	◎，既存	酸化防止剤

◎：許可（使用基準なし） Legal（Accepted with no standard of use）
○：許可（使用基準あり） Legal（Accepted with standard of use）
指定：Designated Food Additives 既存：Existing Food Additives
×：使用不可 Illegal（Prohibited）
※：個別判断を要するもの Required individual special judgement

EU E No.	EU FL No.	CAS No.	CFR No.	CNS 号.	備考 Remarks
	09.136	105-68-0			着香の目的以外に使用してはならない EU FL No.09.136の名称は「3-Methylbutyl propionate」
	09.121	105-37-3			着香の目的以外に使用してはならない
	09.121	105-37-3			着香の目的以外に使用してはならない
E283					
E282		（無水物） 4075-81-4	184.1221	17.005	告示成分規格の nH_2O は n ＝1又は0
E281		137-40-6	184.1784	17.006	
	09.132	122-63-4			着香の目的以外に使用してはならない
		60207-90-1	180.434（Title40 Part180）		平成30年7月3日省令別表第1に新規指定 CFR では，本書に関連する「Title21」ではなく pre- and post-harvest 関連の「Title40 Part 180.434」に収録されている
	11.004	107-10-8			令和元年6月6日省令別表第1に新規指定 着香の目的以外に使用してはならない 小分け等の加工を行ったものは添加物製剤とみなされる
	02.002	71-23-8			着香の目的以外に使用してはならない
		94-13-3	184.1670		E No.はないが INS No.216あり
	04.039	104-45-0			**フェノールエーテル類** 着香の目的以外に使用してはならない 類又は誘導体として指定されている18項目の香料リストの SEQ No.2215（解説編2-(1)-(vi)参照）
E1520		57-55-6	184.1666	18.004	
E477			（Propylene glycol mono-and diesters of fats and fatty acids として） 172.856	10.020	
	12.025	57-06-7			着香の目的以外に使用してはならない

ふ

色文字：法令上の指定添加物名（除く別名）　red：Name on Ministerial Ordinance of Designated Food Additives
色文字：法令上の既存添加物名（除く別名）　red：Name on Ministerial Notification of Existing Food Additives

和　名 Japanese name	和名別名 Japanese name	英名，英名別名 English name	許可状況 Legal/Illegal	主な用途 Main uses
ブロメライン		Bromelain Bromelin	◎，既存	酵素
L-プロリン	ピロリジン-2-カルボキシル酸 L-α-ピロリジンカルボキシル酸	L-Proline L-α-Pyrrolidine carboxylic acid Pyrrolidine-2-carboxylic acid	◎，既存	強化剤 調味料
分岐サイクロデキストリン	α-サイクロデキストリン シクロアミロース α-シクロデキストリン 分岐シクロデキストリン	Branched cyclodextrin α-Cycloamylose α-Cyclodextrin	◎，既存	製造用剤
分岐シクロデキストリン	α-サイクロデキストリン シクロアミロース α-シクロデキストリン 分岐サイクロデキストリン	Branched cyclodextrin α-Cycloamylose α-Cyclodextrin	◎，既存	製造用剤
粉砕石灰石		Ground limestone	※	膨脹剤 強化剤 ガムベース イーストフード
分別レシチン（「植物レシチン」又は「卵黄レシチン」から得られた，スフィンゴミエリン，フォスファチジルイノシトール，フォスファチジルエタノールアミン及びフォスファチジルコリンを主成分とするものをいう。）	セファリン リポイノシトール レシチン レシチン分別物	Cephalin Fractionated Lecithin Lecithin Lipoinositol	◎，既存	乳化剤
粉末酢酸	酸性酢酸ナトリウム 二酢酸ナトリウム	Dry formed acetic acid Sodium diacetate Sodium hydrogen acetate	※	製造用剤 防かび剤
粉末セルロース（パルプを分解して得られた，セルロースを主成分とするものをいう。ただし，「微結晶セルロース」を除く。）		Cellulose powdered Powdered cellulose	◎，既存	製造用剤 増粘安定剤
粉末ビタミンA		Dry formed vitamin A	◎，指定	強化剤
粉末モミガラ（イネのもみ殻から得られた，セルロースを主成分とするものをいう。）		Powdered rice hulls	◎，既存	ガムベース
ペカンナッツ色素（ピーカンの果皮又は渋皮から得られた，フラボノイドを主成分とするものをいう。）	ピーカンナッツ色素	Pecan nut color	○，既存	着色料
ヘキサシアノ鉄(II)酸カリウム	黄血塩 黄血カリ フェロシアン化カリウム フェロシアン化物	Ferrocyanides Potassium ferrocyanide Potassium hexacyanoferrate(II) Yellow prussiate of potash	○，指定	食塩固結防止剤
ヘキサシアノ鉄(II)酸カルシウム	フェロシアン化カルシウム フェロシアン化物	Calcium ferrocyanide Calcium hexacyanoferrate(II) Ferrocyanides Yellow prussiate of lime	○，指定	食塩固結防止剤
ヘキサシアノ鉄(II)酸ナトリウム	黄血ソーダ フェロシアン化ナトリウム フェロシアン化物	Ferrocyanides Sodium ferrocyanide Sodium hexacyanoferrate(II) Yellow prussiate of soda	○，指定	食塩固結防止剤

◎：許可（使用基準なし） Legal（Accepted with no standard of use）
○：許可（使用基準あり） Legal（Accepted with standard of use）
指定：Designated Food Additives　既存：Existing Food Additives
×：使用不可 Illegal（Prohibited）
※：個別判断を要するもの Required individual special judgement

EU E No.	EU FL No.	CAS No.	CFR No.	CNS 号.	備考 Remarks
			184.1024		E No.はないがINS No.1101(iii)あり
		147-85-3	(Amino acids, L-Prolineとして) 172.320		
		(α)10016-20-3 (β)7585-39-9 (γ)17465-86-0		18.011	既存添加物名簿名は**シクロデキストリン** 告示成分規格の記載名も法令上の名称として取り扱う 告示成分規格にはαのほかにβ，γがある E No.はないがINS No.457あり
		(α)10016-20-3 (β)7585-39-9 (γ)17465-86-0		18.011	既存添加物名簿名は**シクロデキストリン** 告示成分規格の記載名も法令上の名称として取り扱う 告示成分規格にはαのほかにβ，γがある E No.はないがINS No.457あり
E170			(Ground limestoneとして) 184.1409		省令別表第1の**炭酸カルシウム**の規格に合うものは炭酸カルシウムとして使用できる 石灰石参照 E170はCalcium carbonate，炭酸カルシウムだが，わが国で認められているのは**炭酸カルシウム**のみ
E322			(Lecithinとして) 184.1400	04.010	指定，既存の別は，原材料が**ヒマワリレシチン**，または植物レシチン，卵黄レシチン，分別レシチンのいずれの定義に該当するかにより判断する CNS号04.010はphospholipid
E262(ii)			(Sodium diacetateとして) 184.1754	17.013	酢酸(日本では省令別表第1の**氷酢酸**)と同**酢酸ナトリウム**の混合物であれば使用できる
E460(ii)					**微結晶セルロース**参照
			(VitaminAとして) 184.1930		省令別表第1のリスト名は「**ビタミンA, Vitamin A**」
E536		(3水和物) 13943-58-3		02.001	省令別表第1のリスト名は「**フェロシアン化物**(フェロシアン化カリウム，フェロシアン化カルシウム及びフェロシアン化ナトリウムに限る。)，**Ferrocyanide compounds** (Limited to Potassium ferrocyanide, Calcium ferrocyanide and Sodium ferrocyanide)」だが，本書では各単品もリスト名としマークした 告示成分規格の nH_2O は n ＝3
E538		(無水物) 13821-08-4			省令別表第1のリスト名は「**フェロシアン化物**(フェロシアン化カリウム，フェロシアン化カルシウム及びフェロシアン化ナトリウムに限る。)，**Ferrocyanide compounds** (Limited to Potassium ferrocyanide, Calcium ferrocyanide and Sodium ferrocyanide)」だが，本書では各単品もリスト名としマークした 告示成分規格の nH_2O は n ＝12
E535		(10水和物) 13601-19-9	(Yellow prussiate of sodaとして) 172.490	02.008	省令別表第1のリスト名は「**フェロシアン化物**(フェロシアン化カリウム，フェロシアン化カルシウム及びフェロシアン化ナトリウムに限る。)，**Ferrocyanide compounds** (Limited to Potassium ferrocyanide, Calcium ferrocyanide and Sodium ferrocyanide)」だが，本書では各単品もリスト名としマークした 告示成分規格の nH_2O は n ＝10

色文字：法令上の指定添加物名（除く別名）　red：Name on Ministerial Ordinance of Designated Food Additives
色文字：法令上の既存添加物名（除く別名）　red：Name on Ministerial Notification of Existing Food Additives

和　名 Japanese name	和名別名 Japanese name	英名，英名別名 English name	許可状況 Legal/Illegal	主な用途 Main uses
ヘキサハイドロチモール	*dl*-ハッカ脳 3-パラメンタノール ペパーミントカンファー メンタカンファー *dl*-メントール	Hexahydrothymol Menthacamphor 3-*p*-Menthanol *dl*-Menthol Peppermint camphor	○，指定	香料
ヘキサヒドロピリジン	ピペリジン ペンタメチレンイミン	Hexahydropyridine Pentametylenimine Piperidine	○，指定	香料
ヘキサメタリン酸カルシウム		Calcium hexametaphosphate	×	強化剤
ヘキサメタリン酸ナトリウム	トリメタリン酸ナトリウム メタリン酸ナトリウム	Sodium hexametaphosphate Sodium metaphosphate Sodium trimetaphosphate	◎，指定	膨張剤 かんすい 乳化剤 結着剤
ヘキサメチレンテトラミン		Hexamethylenetetramine	×	保存料
ヘキサン		Caproyl hydride Hexane *n*-Hexane Hexyl hydride	○，既存	製造用剤
1-ヘキサンアミン	ヘキシルアミン	1-Hexanamine Hexylamine	○，指定	香料
ヘキサン酸	カプロン酸 *n*-カプロン酸 1-ペンタンカルボン酸	Caproic acid *n*-Caproic acid Hexanoic acid 1-Pentanecarboxylic acid	○，指定	香料
ヘキサン酸アリル	カプロン酸アリル	Allyl caproate Allyl hexanoate	○，指定	香料
ヘキサン酸エチル	カプロン酸エチル カプロン酸エーテル	Caproic ether Capronic ether Ethyl caproate Ethyl capronate Ethyl hexanoate	○，指定	香料
ヘキサン二酸	アジピン酸 1,4-ブタンジカルボン酸	Adipic acid 1,4-Butanedicarboxylic acid Hexanedioic acid	◎，指定	製造用剤 水素イオン濃度調整剤（pH 調整剤） 膨張剤 酸味料
ヘキシルアミン	1-ヘキサンアミン	1-Hexanamine Hexylamine	○，指定	香料
α-ヘキシルシンナムアルデヒド		α-Hexyl cinnamic aldehyde	○，指定	香料
4-ヘキシルレゾルシン		4-Hexylresorcinol	×	製造用剤 酸化防止剤
ヘキシレングリコール		Hexylene glycol	×	製造用剤

◎：許可（使用基準なし） Legal（Accepted with no standard of use）
○：許可（使用基準あり） Legal（Accepted with standard of use）
指定：Designated Food Additives　既存：Existing Food Additives
×：使用不可 Illegal（Prohibited）
※：個別判断を要するもの Required individual special judgement

EU E No.	EU FL No.	CAS No.	CFR No.	CNS 号.	備考 Remarks
	02.015	89-78-1			着香の目的以外に使用してはならない
	14.010	110-89-4			着香の目的以外に使用してはならない
			182.6203		
E452(i)			(Sodium hexametaphosphate として) 182.6760 (Sodium metaphosphate として) 182.6769		E452(i)はメタリン酸ナトリウム，ポリリン酸ナトリウム等を含む
E239					
			173.270		食用油脂製造の際の油脂を抽出する目的以外に使用してはならない 最終食品の完成前に除去しなければならない
	11.016	111-26-2			令和元年6月6日省令別表第1に新規指定 着香の目的以外に使用してはならない 小分け等の加工を行ったものは添加物製剤とみなされる
	08.009	142-62-1	(Fatty acids として) 172.860		着香の目的以外に使用してはならない 令和元年6月19日政令第31号により毒物及び劇物に指定され，その食品衛生法上の取扱いについて，同日付で基準審査課のQ&Aが出されている
	09.244	123-68-2			着香の目的以外に使用してはならない
	09.060	123-66-0			着香の目的以外に使用してはならない
E355		124-04-9	184.1009	01.109	
	11.016	111-26-2			令和元年6月6日省令別表第1に新規指定 着香の目的以外に使用してはならない 小分け等の加工を行ったものは添加物製剤とみなされる
	05.041	101-86-0			**芳香族アルデヒド類** 着香の目的以外に使用してはならない 類又は誘導体として指定されている18項目の香料リストのSEQ No.1223(解説編2-(1)-(vi)参照)
E586				04.013	

色文字：法令上の指定添加物名（除く別名）　red：Name on Ministerial Ordinance of Designated Food Additives
色文字：法令上の既存添加物名（除く別名）　red：Name on Ministerial Notification of Existing Food Additives

和　名 Japanese name	和名別名 Japanese name	英名，英名別名 English name	許可状況 Legal/Illegal	主な用途 Main uses
ペクチナーゼ		**Pectinase**	◎，既存	酵素
ペクチン		**Pectin**	◎，既存	増粘安定剤 ゲル化剤
ペクチン分解物（「ペクチン」から得られた，ガラクチュロン酸を主成分とするものをいう。）		**Pectin digests**	◎，既存	保存料
ヘゴ・イチョウ抽出物（イチョウ及びヘゴの葉から抽出して得られたものをいう。）		Hego-ginkgo leaf extract	×	酸化防止剤
ヘスペリジナーゼ		**Hesperidinase**	◎，既存	酵素
ヘスペリジン	ビタミンP	**Hesperidin** Vitamin P	◎，既存	強化剤
ベースワックス	オウロウ ハクロウ及びオウロウ ビースワックス **ミツロウ**（ミツバチの巣から得られた，パルミチン酸ミリシルを主成分とするものをいう。）	**Bees wax** Bees wax，white and yellow Bees wax，yellow	◎，既存	ガムベース 光沢剤
ベタイン		**Betaine**	◎，既存	調味料
ベタニン	アカビート色素 **ビートレッド**（ビートの根から得られた，イソベタニン及びベタニンを主成分とするものをいう。）	**Beet red** Beet red color Beetroot red Betanin	○，既存	着色料
ペトロラタム	ワセリン	Petrolatum Vaseline	×	製造用剤
ベニコウジ黄色素（ベニコウジカビの培養液から得られた，キサントモナシン類を主成分とするものをいう。）	モナスカス黄色素	**Monascus yellow**	○，既存	着色料
ベニコウジ色素（ベニコウジカビの培養液から得られた，アンカフラビン及びモナスコルブリンを主成分とするものをいう。）	モナスカス色素	**Monascus color**	○，既存	着色料
ベニバナ赤色素（ベニバナの花から得られた，カルタミンを主成分とするものをいう。）	カーサマス赤色素	**Carthamus red**	○，既存	着色料
ベニバナ黄色素（ベニバナの花から得られた，サフラーイエロー類を主成分とするものをいう。）	カーサマス黄色素	**Carthamus yellow**	○，既存	着色料
ベネズエラチクル（ベネズエラチクルの分泌液から得られた，アミリンアセタート及びポリイソプレンを主成分とするものをいう。）	カプーレ	**Venezuelan chicle**	◎，既存	ガムベース
ペパーミントカンファー	*dl*-ハッカ脳 3-パラメンタノール ヘキサハイドロチモール メンタカンファー ***dl*-メントール**	Hexahydrothymol Menthacamphor 3-*p*-Menthanol ***dl*-Menthol** Peppermint camphor	○，指定	香料
ペプシン		**Pepsin**	◎，既存	酵素
1,4-ヘプタノラクトンカルシウム		1,4-Heptanolactone，calcium salts	×	製造用剤
1,4-ヘプタノラクトンナトリウム		1,4-Heptanolactone，sodium salts	×	製造用剤
ヘプタン		**Heptane**	◎，既存	製造用剤

◎：許可（使用基準なし） Legal（Accepted with no standard of use）
○：許可（使用基準あり） Legal（Accepted with standard of use）
指定：Designated Food Additives 既存：Existing Food Additives
×：使用不可 Illegal（Prohibited）
※：個別判断を要するもの Required individual special judgement

EU E No.	EU FL No.	CAS No.	CFR No.	CNS 号.	備 考 Remarks
					「組換えDNA技術応用食品及び添加物の安全性審査の手続きを経た添加物」としての告示あり。詳細は厚労省HP参照
E440(i)			184.1588	20.006	
			（Pectinsとして） 184.1588		
					令和2年2月26日告示第42号により既存添加物名簿から消除
E901			(Beeswax(yellow and white)として) 184.1973	14.013	
		107-43-7			
E162				08.101	
			172.880		
				08.152	
				08.120	
				08.103	
	02.015	89-78-1			着香の目的以外に使用してはならない
			184.1595		

色文字：法令上の指定添加物名（除く別名） red：Name on Ministerial Ordinance of Designated Food Additives
色文字：法令上の既存添加物名（除く別名） red：Name on Ministerial Notification of Existing Food Additives

和　名 Japanese name	和名別名 Japanese name	英名，英名別名 English name	許可状況 Legal/Illegal	主な用途 Main uses
ヘプタン酸アリル	エナント酸アリル	Allyl heptanoate Allyl oenanthate	○，指定	香料
ヘプタン酸エチル	エナント酸エチル	Ethyl heptanoate Ethyl oenanthate	○，指定	香料
ペプチダーゼ		Peptidase	◎，既存	酵素
n-ヘプチル *p*-ハイドロキシベンゾエート	パラオキシ安息香酸ヘプチル ヘプチルパラベン	*n*-Heptyl *p*-hydroxybenzoate Heptyl paraben	×	保存料
ヘプチルパラベン	パラオキシ安息香酸ヘプチル *n*-ヘプチル *p*-ハイドロキシベンゾエート	*n*-Heptyl *p*-hydroxybenzoate Heptyl paraben	×	保存料
ペプトン		Peptones	◎	調味料
ヘマトコッカス藻色素(ヘマトコッカスの全藻から得られた，アスタキサンチンを主成分とするものをいう。)		Haematococcus algae color	○，既存	着色料
ヘミセルラーゼ	ペントサナーゼ	Hemicellulase Pentosanase	◎，既存	酵素
ヘム鉄		Heme iron	◎，既存	強化剤
ペリアンドリン	ブラジルカンゾウ抽出物(ブラジルカンゾウの根から得られた，ペリアンドリンを主成分とするものをいう。)	Brazilian licorice extract Periandrine	◎，既存	甘味料
ヘリウム		Helium	◎，既存	製造用剤
ヘリオトロピン	ジオキシエチレンプロトカテキュアルデヒド ピペロナール ピペロニルアルデヒド プロトカテキュアルデヒドメチレンエーテル	Dioxyethylene protocatechuic aldehyde Heliotropine Piperonal Piperonyl aldehyde Protocatechu aldehyde methylene ether	○，指定	香料
ペリージョ	ソルバ(ソルバの分泌液から得られた，アミリンアセタート及びポリイソプレンを主成分とするものをいう。) ペンダーレ レッチェカスピ	Leche caspi Pendare Perillo Sorva	◎，既存	ガムベース
l-ペリラアルデヒド	*l*-ペリルアルデヒド	*l*-Perillaldehyde	○，指定	香料
l-ペリルアルデヒド	*l*-ペリラアルデヒド	*l*-Perillaldehyde	○，指定	香料
ペルオキシ酢酸	過酢酸	Acetic peroxide Acetyl hydroperoxide Peracetic acid Peroxyacetic acid	○，指定	殺菌料
ペルオキシダーゼ	パーオキシダーゼ	Peroxidase	◎，既存	酵素
ペルオキシ二硫酸アンモニウム	過硫酸アンモニウム ペルオキソ二硫酸アンモニウム	Ammonium peroxodisulfate Ammonium peroxydisulfate Ammonium persulfate	○，指定	小麦粉処理剤

◎：許可（使用基準なし） Legal（Accepted with no standard of use）　　×：使用不可 Illegal（Prohibited）
○：許可（使用基準あり） Legal（Accepted with standard of use）　　※：個別判断を要するもの Required individual special judgement
指定：Designated Food Additives　　既存：Existing Food Additives

EU E No.	EU FL No.	CAS No.	CFR No.	CNS 号.	備考 Remarks
	09.097	142-19-8			**エステル類** 着香の目的以外に使用してはならない 類又は誘導体として指定されている18項目の香料リストのSEQ No.106(解説編2-(1)-(vi)参照)
	09.093	106-30-9			着香の目的以外に使用してはならない
			172.145		CFRは発酵モルト飲料，ノンアルコールソフト飲料などの保存料
			172.145		CFRは発酵モルト飲料，ノンアルコールソフト飲料などの保存料
			184.1553		食品扱い E No.はないがINS No.429あり
			(Haematococcus algae meal として) 73.185		CFRは魚の飼料用のみに認めている
					「組換えDNA技術応用食品及び添加物の安全性審査の手続きを経た添加物」としての告示あり。詳細は厚労省HP参照
E939			184.1355		
	05.016	120-57-0			着香の目的以外に使用してはならない
		18031-40-8			着香の目的以外に使用してはならない FL No. 05. 117 は「Commission Regulation (EU) 2015/17610 of 1 Oct 2015」で削除
		18031-40-8			着香の目的以外に使用してはならない FL No. 05. 117 は「Commission Regulation (EU) 2015/17610 of 1 Oct 2015」で削除
		79-21-0	(Peroxyacidsの混合成分の1つとして) 173.370		平成28年10月6日省令別表第1に新規指定 過酢酸製剤として使用する場合以外に使用してはならない
		7727-54-0	(Bleached agent of food starch-modefied として) 172.892		E No.はないがINS No.923あり

色文字：法令上の指定添加物名（除く別名）　red：Name on Ministerial Ordinance of Designated Food Additives
色文字：法令上の既存添加物名（除く別名）　red：Name on Ministerial Notification of Existing Food Additives

和　名 Japanese name	和名別名 Japanese name	英名，英名別名 English name	許可状況 Legal/Illegal	主な用途 Main uses
ペルオキソ二硫酸アンモニウム	過硫酸アンモニウム ペルオキシ二硫酸アンモニウム	Ammonium peroxodisulfate Ammonium peroxydisulfate Ammonium persulfate	○，指定	小麦粉処理剤
ペルシアンベリー		Percian berries	×	着色料
ベンガラ	インディアンレッド 酸化鉄(III) 三酸化二鉄 三二酸化鉄 赤色酸化第二鉄	Ferric oxide red Ferric oxide(III) Hematite maghemite Indian red Iron oxides and hydroxides Iron sesquioxide Iron trioxide Red iron oxide Rouge Vitriol red	○，指定	着色料
ベンジルアルコール	α-ヒドロキシトルエン フェニルカルビノール フェニルメタノール ベンタノール	Bentanol Benzyl alcohol α-Hydroxytoluene Phenyl carbinol Phenyl methanol	○，指定	香料
ベンジルイソオイゲニルエーテル		Benzyl isoeugenyl ether	○，指定	香料
ベンジルイソブチルカルビノール	α-イソブチルフェネチルアルコール イソブチルベンジルカルビノール	Benzyl isobutyl carbinol Isobutyl benzyl carbinol α-Isobutylphenethyl alcohol 4-Methyl-1-phenyl-2-pentanol	○，指定	香料
ベンジルバイオレット4B		Benzyl Violet 4B	×	着色料
ベンジルブチルエーテル		Benzyl butyl ether	○，指定	香料
ベンジン	石油ベンジン	Benzine Petroleum benzine	×	製造用剤
ベンズアルデヒド	アマンドール(LF) アマンドール(RP) 合成ビターアーモンドオイル ベンゼンカルボナール ベンゼンメチラール	Amandol(LF) Amandol(RP) Benzaldehyde Benzene carbonal Benzene methylal Benzoic aldehyde Bitter almond oil synthetic	○，指定	香料
変性ホップ抽出物		Modified hop extract	×	苦味料
ベンゼンエタンアミン	2-フェニルエチルアミン フェネチルアミン	Benzeneethanamine Phenethylamine 2-Phenylethylamine	○，指定	香料

◎：許可（使用基準なし） Legal（Accepted with no standard of use）　×：使用不可 Illegal（Prohibited）
○：許可（使用基準あり） Legal（Accepted with standard of use）　※：個別判断を要するもの Required individual special judgement
指定：Designated Food Additives　既存：Existing Food Additives

EU E No.	EU FL No.	CAS No.	CFR No.	CNS 号.	備考 Remarks
		7727-54-0	(Bleached agent of food starch-modefied として) 172.892		E No.はないがINS No.923あり
E172		(三二酸化鉄として) 1309-37-1	(Synthetic iron oxide として) 73.200		省令別表第1の**三二酸化鉄**以外は不可 E172は「Commission Regulation（EU）No.510/2013 of 3 June 2013」で新規制定
E1519	02.010	100-51-6			着香の目的以外に使用してはならない 特例としてE No.とFL No.の両方あり
	04.018	120-11-6			**フェノールエーテル類** 着香の目的以外に使用してはならない 類又は誘導体として指定されている18項目の香料リストのSEQ No.1384(解説編2-(1)-(vi)参照)
	02.065	7779-78-4			**芳香族アルコール類** 着香の目的以外に使用してはならない 類又は誘導体として指定されている18項目の香料リストのSEQ No.1374(解説編2-(1)-(vi)参照)
	03.010	588-67-0			**エーテル類** 着香の目的以外に使用してはならない 類又は誘導体として指定されている18項目の香料リストのSEQ No.217(解説編2-(1)-(vi)参照)
					工業用ガソリンの一種
	05.013	100-52-7			着香の目的以外に使用してはならない
			172.560		CFRはビール醸造時に添加する香料として，ホップをヘキサン抽出し異性化したもの
	11.006	64-04-0			着香の目的以外に使用してはならない

色文字：法令上の指定添加物名（除く別名）　red：Name on Ministerial Ordinance of Designated Food Additives
色文字：法令上の既存添加物名（除く別名）　red：Name on Ministerial Notification of Existing Food Additives

和　名 Japanese name	和名別名 Japanese name	英名，英名別名 English name	許可状況 Legal/Illegal	主な用途 Main uses
ベンゼンカルボナール	アマンドール(LF) アマンドール(RP) 合成ビターアーモンドオイル **ベンズアルデヒド** ベンゼンメチラール	Amandol(LF) Amandol(RP) **Benzaldehyde** Benzene carbonal Benzene methylal Benzoic aldehyde Bitter almond oil synthetic	○，指定	香料
ベンゼンカルボン酸	**安息香酸**	Benzencarboxylic acid Benzene formic acid **Benzoic acid** Dracylic acid Phenylformic acid	○，指定	保存料
ベンゼンメチラール	アマンドール(LF) アマンドール(RP) 合成ビターアーモンドオイル **ベンズアルデヒド** ベンゼンカルボナール	Amandol(LF) Amandol(RP) **Benzaldehyde** Benzene carbonal Benzene methylal Benzoic aldehyde Bitter almond oil synthetic	○，指定	香料
ベンゾイルチアミンジスルフィド	**ビスベンチアミン**	Benzoyl thiamine disulfide **Bisbentiamine**	◎，指定	強化剤
ペンタナール	**バレルアルデヒド**	Pentanal **Valeraldehyde**	○，指定	香料
ベンタノール	α-ヒドロキシトルエン フェニルカルビノール フェニルメタノール **ベンジルアルコール**	Bentanol **Benzyl alcohol** α-Hydroxytoluene Phenyl carbinol Phenyl methanol	○，指定	香料
1-ペンタノール	**アミルアルコール** ブチルカルビノール ペンチルアルコール	**Amylalcohol** Butyl carbinol 1-Pentanol Pentyl alcohol	○，指定	香料
2-ペンタノール	第二級アミルアルコール ペンタン-2-オール	*sec*-Amyl alcohol Pentan-2-ol **2-Pentanol**	○，指定	香料
ペンタメチレンイミン	**ピペリジン** ヘキサヒドロピリジン	Hexahydropyridine Pentametylenimine **Piperidine**	○，指定	香料
ペンダーレ	ソルバ(ソルバの分泌液から得られた，アミリンアセタート及びポリイソプレンを主成分とするものをいう。) ペリージョ レッチェカスピ	Leche caspi Pendare Perillo Sorva	◎，既存	ガムベース
ペンタン-2-オール	第二級アミルアルコール **2-ペンタノール**	*sec*-Amyl alcohol Pentan-2-ol **2-Pentanol**	○，指定	香料
1-ペンタンアミン	**ペンチルアミン**	1-Pentanamine **Pentylamine**	○，指定	香料

◎：許可（使用基準なし） Legal（Accepted with no standard of use）
○：許可（使用基準あり） Legal（Accepted with standard of use）
指定：Designated Food Additives 既存：Existing Food Additives
×：使用不可 Illegal（Prohibited）
※：個別判断を要するもの Required individual special judgement

EU E No.	EU FL No.	CAS No.	CFR No.	CNS 号.	備考 Remarks
	05.013	100-52-7			着香の目的以外に使用してはならない
E210		65-85-0	184.1021	17.001	
	05.013	100-52-7			着香の目的以外に使用してはならない
		2667-89-2			
	05.005	110-62-3			着香の目的以外に使用してはならない
E1519	02.010	100-51-6			着香の目的以外に使用してはならない 特例としてE No.とFL No.の両方あり
	02.040	71-41-0			着香の目的以外に使用してはならない
	02.088	6032-29-7			着香の目的以外に使用してはならない
	14.010	110-89-4			着香の目的以外に使用してはならない
	02.088	6032-29-7			着香の目的以外に使用してはならない
	11.021	110.58.7			令和元年6月6日省令別表第1に新規指定 着香の目的以外に使用してはならない 小分け等の加工を行ったものは添加物製剤とみなされる

色文字：法令上の指定添加物名（除く別名）　red：Name on Ministerial Ordinance of Designated Food Additives
色文字：法令上の既存添加物名（除く別名）　red：Name on Ministerial Notification of Existing Food Additives

和　名 Japanese name	和名別名 Japanese name	英名，英名別名 English name	許可状況 Legal/Illegal	主な用途 Main uses
1-ペンタンカルボン酸	カプロン酸 *n*-カプロン酸 ヘキサン酸	Caproic acid *n*-Caproic acid Hexanoic acid 1-Pentanecarboxylic acid	○，指定	香料
ペンチルアミン	1-ペンタンアミン	1-Pentanamine Pentylamine	○，指定	香料
ペンチルアルコール	アミルアルコール ブチルカルビノール 1-ペンタノール	Amylalcohol Butyl carbinol 1-Pentanol Pentyl alcohol	○，指定	香料
1-ペンテン-3-オール		1-Penten-3-ol	○，指定	香料
ペントサナーゼ	ヘミセルラーゼ	Hemicellulase Pentosanase	◎，既存	酵素
ベントナイト	不溶性鉱物性物質 膨潤土	Bentonite Colloidal clay Water-insoluble mineral substances	○，既存	製造用剤
ヘンルーダ		Rue	◎	香料
ヘンルーダ油		Oil of rue	◎	香料
補(助)酵素 A	コエンザイム A	Coenzyme A	※	特別用途食品
補(助)酵素 Q10	コエンザイム Q10 UQ-10 ユビキノン-10 ユビデカレノン	Coenzyme Q10 CoQ10 Ubidecarenone Ubiquinone-10 UQ-10	◎	特別用途食品
ボイセンベリー色素		American red raspberry color Boysenberry color	○	着色料
芳香族アルコール類		Aromatic alcohols	○，指定	香料
芳香族アルデヒド類（毒性が激しいと一般に認められるものを除く。）		Aromatic aldehydes(except harmful substances)	○，指定	香料
ホウ酸		Boric acid	×	保存料
ホウ砂	四ホウ酸ナトリウム	Borax Sodium tetraborate	×	保存料
膨潤土	不溶性鉱物性物質 ベントナイト	Bentonite Colloidal clay Water-insoluble mineral substances	○，既存	製造用剤

◎：許可（使用基準なし） Legal（Accepted with no standard of use）
○：許可（使用基準あり） Legal（Accepted with standard of use）
指定：Designated Food Additives　　既存：Existing Food Additives
×：使用不可 Illegal（Prohibited）
※：個別判断を要するもの Required individual special judgement

EU E No.	EU FL No.	CAS No.	CFR No.	CNS 号.	備考 Remarks
	08.009	142-62-1	(Fatty acids として) 172.860		着香の目的以外に使用してはならない 令和元年6月19日政令第31号により毒物及び劇物に指定され，その食品衛生法上の取扱いについて，同日付で基準審査課のQ&Aが出されている
	11.021	110.58.7			令和元年6月6日省令別表第1に新規指定 着香の目的以外に使用してはならない 小分け等の加工を行ったものは添加物製剤とみなされる
	02.040	71-41-0			着香の目的以外に使用してはならない
	02.099	616-25-1			着香の目的以外に使用してはならない。
					「組換えDNA技術応用食品及び添加物の安全性審査の手続きを経た添加物」としての告示あり。詳細は厚労省HP参照
			(Bentonite として) 184.1155		食品の製造又は加工上必要不可欠な場合以外に使用してはならない **不溶性鉱物性物質**の名称は，省令別表第1及び告示既存添加物名簿に記載されていないが，告示「食品，添加物等の規格基準－F使用基準」にその名称があるので既存添加物名簿名扱いとする 食品添加物別名（和名）については，列記した食品添加物に類似する**不溶性鉱物性物質**も含まれる E558：Bentonite は「Commission Regulation（EU）No. 380/2012 of 3 May 2012」で削除
			184.1698		食品扱い
			184.1699		食品扱い
					資料1により食品添加物に該当する可能性が考えられるが，事前に判断を受けるよう指導されている品目
					資料1により食品素材扱いとする品目
					一般飲食物添加物
					着香の目的以外に使用してはならない 類又は誘導体として指定されている18項目の香料リスト（解説編2-(1)-(vi)参照）
					着香の目的以外に使用してはならない 類又は誘導体として指定されている18項目の香料リスト（解説編2-(1)-(vi)参照）
E284					
E285					
			(Bentonite として) 184.1155		食品の製造又は加工上必要不可欠な場合以外に使用してはならない **不溶性鉱物性物質**の名称は，省令別表第1及び告示既存添加物名簿に記載されていないが，告示「食品，添加物等の規格基準－F使用基準」にその名称があるので既存添加物名簿名扱いとする 食品添加物別名（和名）については，列記した食品添加物に類似する**不溶性鉱物性物質**も含まれる E558：Bentonite は「Commission Regulation（EU）No. 380/2012 of 3 May 2012」で削除

色文字：法令上の指定添加物名（除く別名）　　**red**：Name on Ministerial Ordinance of Designated Food Additives
色文字：法令上の既存添加物名（除く別名）　　**red**：Name on Ministerial Notification of Existing Food Additives

和　名 Japanese name	和名別名 Japanese name	英名，英名別名 English name	許可状況 Legal/Illegal	主な用途 Main uses
ボウ硝	硫酸ナトリウム	Glauber's salt Sodium sulfate	◎，指定	製造用剤
ホエイ	乳清	Milk serum Whey	◎	製造用剤 特別用途食品
ホエイソルト	乳清ミネラル ホエイミネラル	Whey mineral Whey salt	◎	調味料
ホエイ第三リン酸カルシウム	焼成カルシウム(うに殻，貝殻，造礁サンゴ，ホエイ，骨，又は卵殻を焼成して得られた，カルシウム化合物を主成分とするものをいう。) 乳清焼成カルシウム 乳清第三リン酸カルシウム ホエイリン酸三カルシウム	Calcinated calcium Tricalcium phosphate	◎，既存	製造用剤 強化剤
ホエイ蛋白濃縮品		Whey protein concentrate	◎	製造用剤
ホエイミネラル	乳清ミネラル ホエイソルト	Whey mineral Whey salt	◎	調味料
ホエイリン酸三カルシウム	焼成カルシウム(うに殻，貝殻，造礁サンゴ，ホエイ，骨，又は卵殻を焼成して得られた，カルシウム化合物を主成分とするものをいう。) 乳清焼成カルシウム 乳清第三リン酸カルシウム ホエイ第三リン酸カルシウム	Calcinated calcium Tricalcium phosphate	◎，既存	製造用剤 強化剤
ホスファチジルセリン		Phosphatidylserine	◎	特別用途食品
ホスファチジン酸のアンモニウム塩類	アンモニウムフォスファチド類	Ammonium phosphatides Ammonium salts of phosphatidic acid	×	乳化剤
ホスファチダーゼ	ホスホリパーゼ レシチナーゼ	Lecithinase Phosphatidase Phospholipase	◎，既存	酵素
ホスホジエステラーゼ		Phosphodiesterase	◎，既存	酵素
ホスホモノエステラーゼ	酸性ホスファターゼ	Acid phosphatase Phosphomonoesterase	◎，既存	酵素
ホスホリパーゼ	ホスファチダーゼ レシチナーゼ	Lecithinase Phosphatidase Phospholipase	◎，既存	酵素
ホースラディッシュ抽出物	セイヨウワサビ抽出物(セイヨウワサビの根から得られた，イソチオシアナートを主成分とするものをいう。)	Horseradish extract	◎，既存	製造用剤 酸化防止剤
ホッグガム	シリアンガム トラガントガム(トラガントの分泌液から得られた，多糖類を主成分とするものをいう。) バソラガム リーフガム	Basora gum Goat's thorn Gum tragacanth Hog gum Leaf gum Syrian gum Tragacanth gum	◎，既存	増粘安定剤 乳化剤

◎：許可（使用基準なし） Legal（Accepted with no standard of use）
○：許可（使用基準あり） Legal（Accepted with standard of use）
指定：Designated Food Additives 既存：Existing Food Additives
×：使用不可 Illegal（Prohibited）
※：個別判断を要するもの Required individual special judgement

EU E No.	EU FL No.	CAS No.	CFR No.	CNS 号.	備　考 Remarks
E514(i)		（1水和物）7727-73-3（無水物）7757-82-6			告示成分規格の nH_2O は n ＝1又は0
			184.1979		資料1により食品素材扱いとする品目 CFR は Whey, Concentrated whey, Dry or dried whey について，日本の乳等省令に規定する定義，成分規格に類する記載あり
					一般飲食物添加物
					焼成カルシウム参照
			184.1979c		資料1により食品素材扱いとする品目 CFR はホエイから大部分の非蛋白成分を除去した成分の濃縮品で，日本の乳等省令に規定する定義，成分規格に類する記載あり
					一般飲食物添加物
					焼成カルシウム参照
					資料1により食品素材扱いとする品目
E442				10.033	
					「組換え DNA 技術応用食品及び添加物の安全性審査の手続きを経た添加物」としての告示あり。詳細は厚労省 HP 参照
					「組換え DNA 技術応用食品及び添加物の安全性審査の手続きを経た添加物」としての告示あり。詳細は厚労省 HP 参照
					「組換え DNA 技術応用食品及び添加物の安全性審査の手続きを経た添加物」としての告示あり。詳細は厚労省 HP 参照
E413		9000-65-1	（Gum tragacanth として）184.1351		

ほ

色文字：法令上の指定添加物名（除く別名）　red：Name on Ministerial Ordinance of Designated Food Additives
色文字：法令上の既存添加物名（除く別名）　red：Name on Ministerial Notification of Existing Food Additives

和　名 Japanese name	和名別名 Japanese name	英名，英名別名 English name	許可状況 Legal/Illegal	主な用途 Main uses
没食子酸		Gallic acid	◎，既存	酸化防止剤
没食子酸オクチル		Octyl gallate	×	酸化防止剤
没食子酸ドデシル		Dodecyl gallate	×	酸化防止剤
没食子酸プロピル		Propyl gallate	○，指定	酸化防止剤
ホップエキス	ホップ抽出物	Hop extract	◎	苦味料等
ホップ抽出物	ホップエキス	Hop extract	◎	苦味料等
ポビドン	PVP ポリビニルピロリドン	Polyvinylpyrrolidone Povidone PVP	○，指定	増粘安定剤 ゲル化剤 糊料
ホホバロウ（ホホバの果実から得られた，イコセン酸イコセニルを主成分とするものをいう。）	ホホバワックス	Jojoba wax	◎，既存	ガムベース
ホホバワックス	ホホバロウ（ホホバの果実から得られた，イコセン酸イコセニルを主成分とするものをいう。）	Jojoba wax	◎，既存	ガムベース
ホラシン	葉酸	Folacin Folic acid	◎，指定	強化剤
ポリアクリルアミド		Polyacrylamide	×	製造用剤
ポリアクリル酸ナトリウム		Sodium polyacrylate	○，指定	増粘安定剤
ポリアスパラギン酸カリウム		Potassium polyaspartate	×	品質保持剤
β-1,4-ポリ-N-アセチル-D-グルコサミン	キチン	Chitin β-1,4-Poly-N-acetyl-D-glucosamine	◎，既存	増粘安定剤
ポリイソブチレン	ブチルゴム	Butyl rubber Polyisobutylene	○，指定	チューインガム基礎剤
ポリエチレンイミン		Polyethylenimine	×	製造用剤
ポリエチレングリコール		Polyethylene glycols (PEG)	×	製造用剤
ポリオキシエチレン(8)ステアレート		Polyoxyethylene (8) stearate	×	乳化剤
ポリオキシエチレン(20)ソルビタントリステアレート	ポリソルベート65	Polyoxyethylene (20) sorbitan tristearate Polysorbate 65	○，指定	製造用剤 乳化剤
ポリオキシエチレン(20)ソルビタンモノオレエート	ポリソルベート80	Polyoxyethylene (20) sorbitan monooleate Polysorbate 80	○，指定	製造用剤 乳化剤
ポリオキシエチレン(20)ソルビタンモノステアレート	ポリソルベート60	Polyoxyethylene (20) sorbitan monostearate Polysorbate 60	○，指定	製造用剤 乳化剤
ポリオキシエチレン(20)ソルビタンモノパルミテート	ポリソルベート40	Polyoxyethylene (20) sorbitan monopalmitate Polysorbate 40	×	製造用剤 乳化剤
ポリオキシエチレン(20)ソルビタンモノラウレート	ポリソルベート20	Polyoxyethylene (20) sorbitan monolaurate Polysorbate 20	○，指定	製造用剤 乳化剤
ポリオキシエチレン(40)ステアリン酸エステル		Polyoxyethylene (40) stearate	×	乳化剤

◎：許可（使用基準なし） Legal（Accepted with no standard of use）
○：許可（使用基準あり） Legal（Accepted with standard of use）
指定：Designated Food Additives 既存：Existing Food Additives
×：使用不可 Illegal（Prohibited）
※：個別判断を要するもの Required individual special judgement

EU E No.	EU FL No.	CAS No.	CFR No.	CNS 号.	備考 Remarks
					E311は「Commission Regulation（EU）2018/1481 of 4 Oct. 2018」で削除
					E312は「Commission Regulation（EU）2018/1481 of 4 Oct. 2018」で削除
E310		121-79-9	184.1660	04.003	
					一般飲食物添加物
					一般飲食物添加物
E1201		9003-39-8	173.55		平成26年6月18日省令別表第1に新規指定。 カプセル・錠剤等通常の食品形態でない食品（菓子類は含まれない）以外の食品に使用してはならない。
		59-30-3	(Folic acid(folacin)として) 172.345		
			172.255		CFR は Soft-shell gelatin カプセルの表面印字
			173.73	20.036	
E456					ワインの酒石酸塩結晶析出防止 E456は「Commission Regulation（EU）2017/1399 of 28 July 2017」で新規制定
				20.018	
		9003-27-4			チューインガム基礎剤の目的以外に使用してはならない
E1521			172.820	14.012	ENo.はカプセル，錠剤のフィルムコーティング剤として，PEG 400，3000，3350，4000，6000，8000の６種のグレードを安全評価している CFR No.172.820の表記は Polyethylene glycol（mean molecular weight 200-9,500）
E436		9005-71-4	172.838		
E433		9005-65-6	172.840	10.016	
E435		9005-67-8	172.836	10.015	
E434				10.026	
E432		9005-64-5		10.025	
E431					

ほ

色文字：法令上の指定添加物名（除く別名）　red：Name on Ministerial Ordinance of Designated Food Additives
色文字：法令上の既存添加物名（除く別名）　red：Name on Ministerial Notification of Existing Food Additives

和　名 Japanese name	和名別名 Japanese name	英名，英名別名 English name	許可状況 Legal/Illegal	主な用途 Main uses
ポリグリシトールシロップ		Polyglycitol syrup	※	製造用剤 増粘安定剤 甘味料
ポリグリセリン脂肪酸エステル	グリセリン脂肪酸エステル	Glycerol esters of fatty acids Polyglycerol esters of fatty acids	◎，指定	製造用剤 増粘安定剤 乳化剤 ガムベース
ポリグリセリン重合リシノール酸エステル	グリセリン脂肪酸エステル ポリグリセリン縮合リシノレイン酸エステル ポリグリセリンポリリシノール酸エステル ポリリシノール酸のポリグリセリンエステル	Glycerol esters of fatty acids Polyglycerol esters of condensation ricinoleic acid Polyglycerol esters of polymerization ricinolic acid Polyglycerol polyricinoleate	◎，指定	製造用剤 増粘安定剤 乳化剤 ガムベース
ポリグリセリン縮合リシノレイン酸エステル	グリセリン脂肪酸エステル ポリグリセリン重合リシノール酸エステル ポリグリセリンポリリシノール酸エステル ポリリシノール酸のポリグリセリンエステル	Glycerol esters of fatty acids Polyglycerol esters of condensation ricinoleic acid Polyglycerol esters of polymerization ricinolic acid Polyglycerol polyricinoleate	◎，指定	製造用剤 増粘安定剤 乳化剤 ガムベース
ポリグリセリンポリリシノール酸エステル	グリセリン脂肪酸エステル ポリグリセリン重合リシノール酸エステル ポリグリセリン縮合リシノレイン酸エステル ポリリシノール酸のポリグリセリンエステル	Glycerol esters of fatty acids Polyglycerol esters of condensation ricinoleic acid Polyglycerol esters of polymerization ricinolic acid Polyglycerol polyricinoleate	◎，指定	製造用剤 増粘安定剤 乳化剤 ガムベース
β-1,4-ポリ-D-グルコサミン	キトサン	Chitosan β-1,4-Poly-D-glucosamine	◎，既存	製造用剤 増粘安定剤
ポリジメチルシロキサン	ジメチルポリシロキサン シリコーン樹脂	Dimethyl polysiloxane Polydimethyl siloxane Silicone resin	○，指定	消泡剤
ポリソルベート20	ポリオキシエチレン(20)ソルビタンモノラウレート	Polyoxyethylene(20)sorbitan monolaurate Polysorbate 20	○，指定	製造用剤 乳化剤
ポリソルベート40	ポリオキシエチレン(20)ソルビタンモノパルミテート	Polyoxyethylene(20)sorbitan monopalmitate Polysorbate 40	×	製造用剤 乳化剤
ポリソルベート60	ポリオキシエチレン(20)ソルビタンモノステアレート	Polyoxyethylene(20)sorbitan monostearate Polysorbate 60	○，指定	製造用剤 乳化剤
ポリソルベート65	ポリオキシエチレン(20)ソルビタントリステアレート	Polyoxyethylene(20)sorbitan tristearate Polysorbate 65	○，指定	製造用剤 乳化剤
ポリソルベート80	ポリオキシエチレン(20)ソルビタンモノオレエート	Polyoxyethylene(20)sorbitan monooleate Polysorbate 80	○，指定	製造用剤 乳化剤
ポリソルベート80添加カラギナン		Carrageenan with polysorbate 80	○，指定	ガムベース
ポリデキストロース		Polydextrose	◎	製造用剤 増粘安定剤

◎：許可（使用基準なし） Legal（Accepted with no standard of use）　×：使用不可 Illegal（Prohibited）
○：許可（使用基準あり） Legal（Accepted with standard of use）　※：個別判断を要するもの Required individual special judgement
指定：Designated Food Additives　既存：Existing Food Additives

EU E No.	EU FL No.	CAS No.	CFR No.	CNS 号.	備考 Remarks
E964					E964は「Commission Regulation（EU）No.1049/2012 of 8 Nov. 2012」で新規制定 A mixture consisting mainly of maltitol and sorbitol and lesser amounts of hydrogenated oligo and polysaccharides and maltrotriitol.
E475			（Polyglycerol esters of fatty acids として） 172.854 （Mono-and diglycerides として） 184.1505	10.022	
E476			（Polyglycerol esters of fatty acids として） 172.854 （Mono-and diglycerides として） 184.1505	10.029	
E476			（Polyglycerol esters of fatty acids として） 172.854 （Mono-and diglycerides として） 184.1505	10.029	
E476			（Polyglycerol esters of fatty acids として） 172.854 （Mono-and diglycerides として） 184.1505	10.029	
				20.026	
E900				03.007	消泡の目的以外に使用してはならない 「CFR No.173.340 Defoaming agents」があるが，本品の記載はない
E432		9005-64-5		10.025	
E434				10.026	
E435		9005-67-8	172.836	10.015	
E436		9005-71-4	172.838		
E433		9005-65-6	172.840	10.016	
			172.623		**ポリソルベート80**は指定添加物，**カラギナン**は既存添加物なので指定添加物扱いとみなす
E1200			172.841	20.022	食品扱い

ほ

色文字：法令上の指定添加物名（除く別名）　red：Name on Ministerial Ordinance of Designated Food Additives
色文字：法令上の既存添加物名（除く別名）　red：Name on Ministerial Notification of Existing Food Additives

和　名 Japanese name	和名別名 Japanese name	英名，英名別名 English name	許可状況 Legal/Illegal	主な用途 Main uses
ポリビニルアルコール（PVA）	ビニルアルコールポリマー（PVOH）	Polyvinyl alcohol（PVA） Vinyl alcohol polymer（PVOH）	×	結着剤 被膜剤
ポリビニルアルコール-ポリエチレングリコール-グラフト共重合物		Polyvinyl alcohol-polyethylene glycol-graft-copolymer PVA-PEG graft copolymer	×	コーティング剤
ポリビニルピロリドン	PVP ポビドン	Polyvinylpyrrolidone Povidone PVP	○，指定	増粘安定剤 ゲル化剤 糊料
ポリビニルピロリドン-酢酸ビニル共重合物		Polyvinylpyrrolidone-vinyl acetate copolymer	×	コーティング剤
ポリビニルポリピロリドン	不溶性ポリビニルピロリドン	Insoluble polyvinylpyrrolidone Polyvinylpolypyrrolidone	○，指定	製造用剤
ポリフェノールオキシダーゼ	フェノラーゼ	Phenolase Polyphenol oxidase	◎，既存	酵素
ポリブチレン	ポリブテン	Polybutene Polybutylene	○，指定	チューインガム基礎剤
ポリブテン	ポリブチレン	Polybutene Polybutylene	○，指定	チューインガム基礎剤
ポリマレイン酸		Polymaleic acid and its sodium salt	×	製造用剤
ポリマレイン酸誘導体		Polymaleic acid derivatives	×	製造用剤
ポリリシノール酸のポリグリセリンエステル	グリセリン脂肪酸エステル ポリグリセリン重合リシノール酸エステル ポリグリセリン縮合リシノレイン酸エステル ポリグリセリンポリリシノール酸エステル	Glycerol esters of fatty acids Polyglycerol esters of condensation ricinoleic acid Polyglycerol esters of polymerization ricinolic acid Polyglycerol polyricinoleate	◎，指定	製造用剤 増粘安定剤 乳化剤 ガムベース
ε-ポリリシン	ε-ポリリジン	ε-Polylysine	◎，既存	保存料
ε-ポリリジン	ε-ポリリシン	ε-Polylysine	◎，既存	保存料
ポリリン酸アルミニウムナトリウム		Sodium aluminium polyphosphate	×	製造用剤
ポリリン酸アンモニウム類		Ammonium polyphosphates	×	製造用剤 乳化剤
ポリリン酸カリウム		Potassium polyphosphate	◎，指定	製造用剤 膨脹剤 かんすい 乳化剤 結着剤
ポリリン酸カルシウム		Calcium polyphosphate	×	製造用剤 強化剤 乳化剤
ポリリン酸カルシウムナトリウム		Sodium calcium polyphosphate	×	製造用剤 強化剤
ポリリン酸ナトリウム		Sodium polyphosphate	◎，指定	製造用剤 膨脹剤 かんすい 乳化剤 結着剤

◎：許可（使用基準なし） Legal（Accepted with no standard of use）
○：許可（使用基準あり） Legal（Accepted with standard of use）
指定：Designated Food Additives　既存：Existing Food Additives
×：使用不可 Illegal（Prohibited）
※：個別判断を要するもの Required individual special judgement

EU E No.	EU FL No.	CAS No.	CFR No.	CNS 号.	備考 Remarks
E1203				14.010	
E1209					サプリメントのコーティング剤 E1209は「Commission Regulation（EU）No.685/2014 of 20 June 2014」で新規制定
E1201		9003-39-8	173.55		平成26年6月18日省令別表第1に新規指定。 カプセル・錠剤等通常の食品形態でない食品（菓子類は含まれない）以外の食品に使用してはならない。
E1208					サプリメントのコーティング剤 E1208は「Commission Regulation（EU）No.264/2014 of 14 March 2014」で新規制定
E1202		25249-54-1	173.50		ろ過助剤以外の用途に使用してはならない。最終食品の完成前に除去しなければならない
					チューインガム基礎剤の目的以外に使用してはならない
					チューインガム基礎剤の目的以外に使用してはならない
			173.45		
E476			（Polyglycerol esters of fatty acids として） 172.854 （Mono-and diglycerides として） 184.1505	10.029	
				17.037	
				17.037	
E452(ii)				15.015	E452(ii)はメタリン酸カリウム,ポリリン酸カリウム等を含む CNS 号15.015は potassium polymetaphosphate
E452(iv)					
E452(iii)					
E452(i)				15.002	E452(i)はメタリン酸ナトリウム,ポリリン酸ナトリウム等を含む

色文字：法令上の指定添加物名（除く別名）　red：Name on Ministerial Ordinance of Designated Food Additives
色文字：法令上の既存添加物名（除く別名）　red：Name on Ministerial Notification of Existing Food Additives

和名 Japanese name	和名別名 Japanese name	英名，英名別名 English name	許可状況 Legal/Illegal	主な用途 Main uses
ポリリン酸ナトリウムカリウム		Sodium potassium polyphosphate	×	製造用剤 乳化剤
ボルニルアルコール	*d*-ボルネオール マラヤンカンファー	*d*-Borneol Bornyl alcohol Malayan camphor	○，指定	香料
d-ボルネオール	ボルニルアルコール マラヤンカンファー	*d*-Borneol Bornyl alcohol Malayan camphor	○，指定	香料
ボルボナール	エチルバニリン エチルプロカテチュリックアルデヒド エチルワニリン エトバン バニロム	Bourbonal Ethovan Ethyl procatechuric aldehyde Ethylvanillin Vanirom	○，指定	香料
2-ホルミルフラン	ピロムシックアルデヒド フラール フラン-2-アルデヒド フルフラール（毒性が激しいと一般に認められるものを除く。） フルフランカルボキシアルデヒド フルフリルアルデヒド フルフロール	2-Formyl furan Fural Furan-2-aldehyde Furfural (except harmful substances) Furfuraldehyde Furfurancarboxyaldehyde Furfurol Pyromucic aldehyde	○，指定	香料
ホワートルベリー色素		Whortleberry color	○	着色料
ポンソー4R	コチニールレッドA 食用赤色102号 ニューコクシン	Cochineal Red A Food Red No. 102 New coccine Ponceau 4R	○，指定	着色料
ポンソー6R		Ponceau 6R	×	着色料
ポンチアナック	ジェルトン（ジェルトンの分泌液から得られた，アミリンアセタート及びポリイソプレンを主成分とするものをいう。）	Jelutong Pontianak	◎，既存	ガムベース

◎：許可（使用基準なし） Legal（Accepted with no standard of use）
○：許可（使用基準あり） Legal（Accepted with standard of use）
指定：Designated Food Additives　既存：Existing Food Additives
×：使用不可 Illegal（Prohibited）
※：個別判断を要するもの Required individual special judgement

EU E No.	EU FL No.	CAS No.	CFR No.	CNS 号.	備 考 Remarks
		464-43-7			着香の目的以外に使用してはならない （EU）FLNo.なし
		464-43-7			着香の目的以外に使用してはならない （EU）FLNo.なし
	05.019	121-32-4			着香の目的以外に使用してはならない
	13.018				着香の目的以外に使用してはならない 省令別表第1のリスト名は「**フルフラール及びその誘導体（毒性が激しいと一般に認められるものを除く。）．Furfurals and its derivatives (except harmful substances)**」だが，本書では各単品もリスト名としてマークした 類又は誘導体として指定されている18項目の香料リスト（解説編2-(1)-(vi)参照）
					一般飲食物添加物
E124		（無水物） 2611-82-7	（Cochineal extract:Carmine として） 73.100	08.002	告示成分規格の nH_2O は n = 1 1/2

ほ

ま

色文字：法令上の指定添加物名（除く別名）　red：Name on Ministerial Ordinance of Designated Food Additives
色文字：法令上の既存添加物名（除く別名）　red：Name on Ministerial Notification of Existing Food Additives

和　名 Japanese name	和名別名 Japanese name	英名，英名別名 English name	許可状況 Legal/Illegal	主な用途 Main uses
マイクロクリスタリンワックス	ミクロクリスタリンワックス	Microcrystalline wax	◎，既存	ガムベース 光沢剤
マイクロバイアルレンネット	レンネット(微生物由来)	Microbial rennet Rennet(Microbial rennet)	◎	酵素
マグネシア	か焼マグネシア 酸化マグネシウム 死焼マグネシア マグネシアクリンカー	Calcined magnesia Deadburned magnesite Magnesia Magnesia clinker Magnesium oxide	◎，指定	製造用剤 強化剤
マグネシアクリンカー	か焼マグネシア 酸化マグネシウム 死焼マグネシア マグネシア	Calcined magnesia Deadburned magnesite Magnesia Magnesia clinker Magnesium oxide	◎，指定	製造用剤 強化剤
マグネシウムハイドロシリケート	ケイ酸マグネシウム	Magnesium hydrosilicate Magnesium silicate	○，指定	製造用剤
マクロホモプシスガム(マクロホモプシスの培養液から得られた，多糖類を主成分とするものをいう。)	マクロホモプシス多糖類	Macrophomopsis gum Macrophomopsis polysaccharide	◎，既存	増粘安定剤
マクロホモプシス多糖類	マクロホモプシスガム(マクロホモプシスの培養液から得られた，多糖類を主成分とするものをいう。)	Macrophomopsis gum Macrophomopsis polysaccharide	◎，既存	増粘安定剤
マジェンタ		Magenta	×	着色料
マスチック(ヨウニュウコウの分泌液から得られた，マスチカジエノン酸を主成分とするものをいう。)		Mastic gum	◎，既存	ガムベース
マッサランドバチョコレート(マッサランドバチョコレートの分泌液から得られた，アミリンアセタート及びポリイソプレンを主成分とするものをいう。)		Massaranduba chocolate	◎，既存	ガムベース
マッサランドババラタ(マッサランドババラタの分泌液から得られた，アミリンアセタート及びポリイソプレンを主成分とするものをいう。)		Massaranduba balata	◎，既存	ガムベース
マラヤンカンファー	ボルニルアルコール *d*-ボルネオール	*d*-Borneol Bornyl alcohol Malayan camphor	○，指定	香料
マリーゴールド色素(マリーゴールドの花から得られた，キサントフィルを主成分とするものをいう。)		Marigold color Tagetes extract	○，既存	着色料
マルターゼ	α-グルコシダーゼ	α-Glucosidase Maltase	◎，既存	酵素
マルチトール	還元麦芽糖	Maltitol Reducing malt sugar Reducing maltose	◎	製造用剤 特別用途食品 増粘安定剤 甘味料
マルチトール液		Maltitol syrup	◎	製造用剤 増粘安定剤 甘味料
マルトースホスホリラーゼ		Maltose phosphorylase	◎，既存	酵素
マルトデキストリン		Maltodextrin	◎	甘味料

◎：許可（使用基準なし） Legal（Accepted with no standard of use）　×：使用不可 Illegal（Prohibited）
○：許可（使用基準あり） Legal（Accepted with standard of use）　※：個別判断を要するもの Required individual special judgement
指定：Designated Food Additives　既存：Existing Food Additives

EU E No.	EU FL No.	CAS No.	CFR No.	CNS 号.	備考 Remarks
E905					
			(Milk-clotting enzymes, microbial として) 173.150		既存添加物レンネットの扱い
E530		1309-48-4	(Magnesium oxide として) 184.1431		
E530		1309-48-4	(Magnesium oxide として) 184.1431		
E553a(i)		1343-88-0	(Magnesium silicate として) 182.2437		油脂のろ過助剤以外の用途に使用してはならない。また，最終食品の完成前に除去しなければならない
		464-43-7			着香の目的以外に使用してはならない（EU）FLNo.なし
			(Tagetes(Aztec marigold)meal and extract として) 73.295		E No.はないがINS No.161b(ⅱ)あり
					「組換えDNA技術応用食品及び添加物の安全性審査の手続きを経た添加物」としての告示あり．詳細は厚労省HP参照
E965(ⅰ)				19.005	資料1により食品素材扱いとする品目
E965(ii)				19.022	食品扱い
			184.1444		食品扱い

ま

色文字：法令上の指定添加物名（除く別名）　red：Name on Ministerial Ordinance of Designated Food Additives
色文字：法令上の既存添加物名（除く別名）　red：Name on Ministerial Notification of Existing Food Additives

和　名 Japanese name	和名別名 Japanese name	英名，英名別名 English name	許可状況 Legal/Illegal	主な用途 Main uses
マルトトリオヒドロラーゼ	G3生成酵素	Maltotriohydrolase	◎，既存	酵素
マルトール	ラリキシン酸 ラリシン ラリシン酸	Laricin Laricinic acid Larixinic acid Maltol	○，指定	香料
マルベリー色素		Mulberry color	○	着色料
マンガン		Manganese	×	特別用途食品
マンナン		Mannan	◎	増粘安定剤
D-マンニット	D-マンニトール マンニトール	D-Mannite Mannitol D-Mannitol	○，指定	品質改良剤 甘味料
マンニトール	D-マンニット D-マンニトール	D-Mannite Mannitol D-Mannitol	○，指定	品質改良剤 甘味料
D-マンニトール	D-マンニット マンニトール	D-Mannite Mannitol D-Mannitol	○，指定	品質改良剤 甘味料
マンネンタケ抽出物	レイシ抽出物（マンネンタケの菌糸体若しくは子実体又はその培養液から抽出して得られたものをいう。）	Mannentake extract	◎，既存	苦味料
マンネンロウ抽出物	ローズマリー抽出物（マンネンロウの葉又は花から得られた，カルノシン酸，カルノソール及びロスマノールを主成分とするものをいう。）	Rosemary extract	◎，既存	酸化防止剤
ミクロクリスタリンワックス	マイクロクリスタリンワックス	Microcrystalline wax	◎，既存	ガムベース 光沢剤
未焼成カルシウム（貝殻，真珠の真珠層，造礁サンゴ，骨又は卵殻を乾燥して得られた，カルシウム塩を主成分とするものをいう。）	貝殻未焼成カルシウム 骨未焼成カルシウム サンゴ未焼成カルシウム 真珠層未焼成カルシウム 卵殻未焼成カルシウム	Non-calcinated bone calcium Non-calcinated calcium Non-calcinated coral calcium Non-calcinated eggshell calcium Non-calcinated mother-of-pearl layer calcium Non-calcinated shell calcium	◎，既存	強化剤
ミックストコフェロール（植物性油脂から得られた，*d*-α-トコフェロール，*d*-β-トコフェロール，*d*-γ-トコフェロール及び*d*-δ-トコフェロールを主成分とするものをいう。）	ミックスビタミンＥ	Mixed tocopherols Tocopherol-rich extract	◎，既存	強化剤 酸化防止剤
ミックスビタミンＥ	ミックストコフェロール（植物性油脂から得られた，*d*-α-トコフェロール，*d*-β-トコフェロール，*d*-γ-トコフェロール及び*d*-δ-トコフェロールを主成分とするものをいう。）	Mixed tocopherols Tocopherol-rich extract	◎，既存	強化剤 酸化防止剤
ミツロウ（ミツバチの巣から得られた，パルミチン酸ミリシルを主成分とするものをいう。）	オウロウ ハクロウ及びオウロウ ビースワックス ベースワックス	Bees wax Bees wax, white and yellow Bees wax, yellow	◎，既存	ガムベース 光沢剤
ミネラルオイル	白鉱油 ミネラルオイルホワイト 流動パラフィン	Liquid paraffin Mineral oil White mineral oil	○，既存	製造用剤

◎：許可（使用基準なし） Legal（Accepted with no standard of use）
○：許可（使用基準あり） Legal（Accepted with standard of use）
指定：Designated Food Additives　既存：Existing Food Additives
×：使用不可　Illegal（Prohibited）
※：個別判断を要するもの　Required individual special judgement

EU E No.	EU FL No.	CAS No.	CFR No.	CNS 号.	備考 Remarks
	07.014	118-71-8			着香の目的以外に使用してはならない E No.はないが INS No.636あり
				08.129	一般飲食物添加物
					資料1により,新たに食品添加物としての指定を受ける必要があるとする品目
					一般飲食物添加物
E421（i） E421（ii）		69-65-8	180.25	19.017	CFR No.の Part 180.25は特別に収録 E421（i）は Mannitol E421（ii）は Mannitol manufactured by fermentation
E421（i） E421（ii）		69-65-8	180.25	19.017	CFR No.の Part 180.25は特別に収録 E421（i）は Mannitol E421（ii）は Mannitol manufactured by fermentation
E421（i） E421（ii）		69-65-8	180.25	19.017	CFR No.の Part 180.25は特別に収録 E421（i）は Mannitol E421（ii）は Mannitol manufactured by fermentation
E392				04.017 04.022	CNS 号04.022は超臨界二氧化碳萃取法
E905					
E306			(Chemical preservatives の Tocopherols として) 182.3890 (Nutrients の Tocopherols として) 182.8890		
E306			(Chemical preservatives の Tocopherols として) 182.3890 (Nutrients の Tocopherols として) 182.8890		
E901			(Beeswax(yellow and white)として) 184.1973	14.013	
			(White mineral oil として) 172.878	14.003	パンを製造する過程における離型の目的以外に使用してはならない

まみ

色文字：法令上の指定添加物名（除く別名）　red：Name on Ministerial Ordinance of Designated Food Additives
色文字：法令上の既存添加物名（除く別名）　red：Name on Ministerial Notification of Existing Food Additives

和　名 Japanese name	和名別名 Japanese name	英名，英名別名 English name	許可状況 Legal/Illegal	主な用途 Main uses
ミネラルオイルホワイト	白鉱油 ミネラルオイル 流動パラフィン	Liquid paraffin Mineral oil White mineral oil	○，既存	製造用剤
ミモザタンニン	タンニン（抽出物）（カキの果実、五倍子、タラ末、没食子又はミモザの樹皮から得られた、タンニン及びタンニン酸を主成分とするものをいう。） タンニン酸（抽出物）	Tannic acid (extract) Tannin of silver wattle Tannin (extract)	◎，既存	製造用剤
ミョウバン	カリミョウバン 焼ミョウバン 硫酸アルミニウムカリウム	Alum Alum, exsiccated Aluminum potassium sulfate Potassium alum	○，指定	製造用剤 膨脹剤
ミリスチン酸アルミニウム		Aluminium salts of myristic acid	×	製造用剤 乳化剤
ミリスチン酸アンモニウム		Ammonium salts of myristic acid	×	製造用剤 乳化剤
ミリスチン酸イソプロピル		Isopropyl myristate	○，指定	香料
ミリスチン酸カリウム		Potassium salts of myristic acid	×	製造用剤 乳化剤
ミリスチン酸カルシウム		Calcium salts of myristic acid	×	製造用剤 乳化剤
ミリスチン酸ナトリウム		Sodium salts of myristic acid	×	製造用剤 乳化剤
ミリスチン酸マグネシウム		Magnesium salts of myristic acid	×	製造用剤 乳化剤
ミル	ミルラ（ボツヤクの分泌液から抽出して得られたものをいう。）	Myrrh	◎，既存	ガムベース
ミルラ（ボツヤクの分泌液から抽出して得られたものをいう。）	ミル	Myrrh	◎，既存	ガムベース
ムコ多糖類	ヒアルロン酸	Hyaluronic acid Mucopolysaccharides Mucosaccharides	◎，既存	製造用剤 特別用途食品
無臭軽石油炭化水素類		Odorless light petroleum hydrocarbons	×	被膜剤 消泡剤
無水亜硫酸	二酸化硫黄	Sulfur dioxide Sulfurous acid, anhydride Sulfurous oxide	○，指定	保存料 酸化防止剤 漂白剤
無水コハク酸		Succinic anhydride	×	製造用剤
無水酢酸		Acetic anhydride	×	製造用剤

◎：許可（使用基準なし） Legal（Accepted with no standard of use）
○：許可（使用基準あり） Legal（Accepted with standard of use）
指定：Designated Food Additives　既存：Existing Food Additives
×：使用不可 Illegal（Prohibited）
※：個別判断を要するもの Required individual special judgement

EU E No.	EU FL No.	CAS No.	CFR No.	CNS 号.	備考 Remarks
			（White mineral oil として） 172.878	14.003	パンを製造する過程における離型の目的以外に使用してはならない
			（Tannic acid として） 184.1097		タンニン（抽出物）参照 E No.はないが INS No.181あり
E522		（12水和物） 7784-24-9 （無水物） 10043-67-1	（Aluminum potassium sulfate として） 182.1129	06.004	告示成分規格の nH_2O は n ＝12,10,6,3,2又は0
	09.105	110-27-0			エステル類 着香の目的以外に使用してはならない 類又は誘導体として指定されている18項目の香料リストのSEQ No.1420(解説編2-(1)-(vi)参照) EU FL No.09.105の名称は「Isopropyl tetradecanoate」
E470a					E470a は脂肪酸のナトリウム,カリウム,カルシウム塩 オレイン酸ナトリウム及びステアリン酸カルシウム以外は不可
E470a					E470a は脂肪酸のナトリウム,カリウム,カルシウム塩 オレイン酸ナトリウム及びステアリン酸カルシウム以外は不可
E470a					E470a は脂肪酸のナトリウム,カリウム,カルシウム塩 オレイン酸ナトリウム及びステアリン酸カルシウム以外は不可
E470b					E470b は脂肪酸のマグネシウム塩 ステアリン酸マグネシウム以外は不可
					資料1により既存添加物扱いとする品目
			172.884		
E220			（Sulfur dioxide として） 182.3862	05.001	

色文字：法令上の指定添加物名（除く別名）　red：Name on Ministerial Ordinance of Designated Food Additives
色文字：法令上の既存添加物名（除く別名）　red：Name on Ministerial Notification of Existing Food Additives

和　名 Japanese name	和名別名 Japanese name	英名，英名別名 English name	許可状況 Legal/Illegal	主な用途 Main uses
無水炭酸ナトリウム	ソーダ灰(無水物の場合) 炭酸ソーダ(結晶物の場合) 炭酸ナトリウム 炭酸二ナトリウム	Carbonate of soda Carbonic acid disodium salt Soda ash Soda calcined Sodium carbonate Sodium carbonate, anhydrous Solvey soda	◎，指定	製造用剤 水素イオン濃度調整剤（pH 調整剤） 膨脹剤 かんすい
ムタステイン	アスペルギルステレウス糖たん白質(アスペルギルステレウスの培養液から得られた，糖タンパク質を主成分とするものをいう。)	Aspergillus terreus glycoprotein Mutastein	◎，既存	製造用剤
ムラサキイモ色素(サツマイモの塊根から得られた，シアニジンアシルグルコシド及びペオニジンアシルグルコシドを主成分とするものをいう。)		Purple sweet potato color	○，既存	着色料
ムラサキキャベツ色素	アカキャベツ色素	Red cabbage color	○	着色料
ムラサキコーン色素	ムラサキトウモロコシ色素(トウモロコシの種子から得られた，シアニジン-三-グルコシドを主成分とするものをいう。)	Purple corn color	○，既存	着色料
ムラサキトウモロコシ色素(トウモロコシの種子から得られた，シアニジン-三-グルコシドを主成分とするものをいう。)	ムラサキコーン色素	Purple corn color	○，既存	着色料
ムラサキヤマイモ色素(ヤマイモの塊根から得られた，シアニジンアシルグルコシドを主成分とするものをいう。)		Purple yam color	○，既存	着色料
ムラミダーゼ		Muramidase	◎，既存	酵素
メタクリル酸共重合物		Basic methacrylate copolymer	×	コーティング剤
メタクリル酸-ジビニルベンゼン共重合物		Methacrylic acid-divinylbenzene co-polymer	×	コーティング剤
メタケイ酸ナトリウム		Sodium metasilicate	×	製造用剤
メタ重亜硫酸カリウム	二亜硫酸カリウム ピロ亜硫酸カリウム	Potassium disulfite Potassium metabisulfite Potassium pyrosulfite	○，指定	保存料 酸化防止剤 漂白剤
メタ重亜硫酸ナトリウム	二亜硫酸ナトリウム ピロ亜硫酸ナトリウム	Sodium disulfite Sodium metabisulfite Sodium pyrosulfite	○，指定	保存料 酸化防止剤 漂白剤
メタ酒石酸		Metatartaric acid	○，指定	製造用剤
メタノール		Methanol	×	製造用剤
メタリン酸カリウム		Potassium metaphosphate	◎，指定	膨脹剤 かんすい 乳化剤 結着剤

◎：許可（使用基準なし） Legal（Accepted with no standard of use）　×：使用不可 Illegal（Prohibited）
○：許可（使用基準あり） Legal（Accepted with standard of use）　※：個別判断を要するもの Required individual special judgement
指定：Designated Food Additives　既存：Existing Food Additives

EU E No.	EU FL No.	CAS No.	CFR No.	CNS 号.	備考 Remarks
E500(i)		(1水和物) 5968-11-6 (無水物) 497-19-8	(Sodium carbonate として) 184.1742	01.302	告示成分規格の nH_2O は n =1又は0
				08.154	
					一般飲食物添加物
E1205					サプリメントのコーティング剤
			172.775		
			184.1769a		
E224		16731-55-8	(Potassium bisulfite として) 182.3616 (Potassium metabisulfite として) 182.3637	05.002	
E223		7681-57-4	(Sodium bisulfite として) 182.3739 (Sodium metabisulfite として) 182.3766	05.003	
E353		39469-81-3		01.105	令和2年12月4日省令別表第1に新規指定 使用にあたっては，適切な製造工程管理を行い，食品中で目的とする効果を得る上で必要とされている量を超えないものとする特記あり また，ぶどう酒を濃縮したものに使用される場合，使用基準は希釈後の容量として適用されるとの特記あり 製造用剤はぶどう酒の酒質安定目的
E452(ii)					E452(ii)はメタリン酸カリウム，ポリリン酸カリウム等を含む

むめ

色文字：法令上の指定添加物名（除く別名）　red：Name on Ministerial Ordinance of Designated Food Additives
色文字：法令上の既存添加物名（除く別名）　red：Name on Ministerial Notification of Existing Food Additives

和　名 Japanese name	和名別名 Japanese name	英名，英名別名 English name	許可状況 Legal/Illegal	主な用途 Main uses
メタリン酸ナトリウム	トリメタリン酸ナトリウム ヘキサメタリン酸ナトリウム	Sodium hexametaphosphate Sodium metaphosphate Sodium trimetaphosphate	◎，指定	膨脹剤 かんすい 乳化剤 結着剤
DL-メチオニン		DL-Methionine	◎，指定	強化剤 調味料
L-メチオニン		L-Methionine	◎，指定	強化剤 調味料
メチオニン硫酸亜鉛		Zinc methionine sulfate	×	強化剤
メチル-L-α-アスパルチル-L-フェニルアラニンメチルエステル	L-α-アスパルチル-L-フェニルアラニンメチルエステル アスパルテーム	Aspartame Methyl L-α-aspartyl-L-phenylalaninate	◎，指定	甘味料
メチルアルコール残留物		Methyl alcohol residues	×	製造用剤
N-メチルアンスラニル酸メチル	アントラニル酸ジメチル メチル安息香酸2-メチルアミノ *N*-メチルアントラニル酸メチル	Dimethyl anthranilate 2-Methylamino methylbenzoate Methyl *N*-methylanthranilate	○，指定	香料
メチル安息香酸2-メチルアミノ	アントラニル酸ジメチル *N*-メチルアンスラニル酸メチル *N*-メチルアントラニル酸メチル	Dimethyl anthranilate 2-Methylamino methylbenzoate Methyl *N*-methylanthranilate	○，指定	香料
N-メチルアントラニル酸メチル	アントラニル酸ジメチル *N*-メチルアンスラニル酸メチル メチル安息香酸2-メチルアミノ	Dimethyl anthranilate 2-Methylamino methylbenzoate Methyl *N*-methylanthranilate	○，指定	香料
メチルイソプロピルカルビノール	3-メチル-2-ブタノール 3-メチルブタン-2-オール	3-Methyl-2-butanol 3-Methylbutan-2-ol Metylisopropylcarbinol	○，指定	香料
メチルエチルケトン		2-Butanone Methyl ethyl ketone	○，指定	香料
メチルエチルセルロース	エチルメチルセルロース	Ethyl methyl cellulose Methyl ethyl cellulose	×	製造用剤 増粘安定剤 乳化剤 糊料
5-メチルキノキサリン		5-Methylquinoxaline	○，指定	香料
6-メチルキノリン		6-Methylquinoline	○，指定	香料
α-メチルグアニジノ酢酸	クレアチン 1-メチルグアニジノ酢酸 メチルグリコシアミン	Creatine Methylglycocyamine 1-Methylguanidino acetic acid α-Methylguanidino acetic acid	◎	特別用途食品
1-メチルグアニジノ酢酸	クレアチン α-メチルグアニジノ酢酸 メチルグリコシアミン	Creatine Methylglycocyamine 1-Methylguanidino acetic acid α-Methylguanidino acetic acid	◎	特別用途食品
6-メチルクマリン		6-Methyl coumarin	×	香料

◎：許可（使用基準なし） Legal（Accepted with no standard of use）
○：許可（使用基準あり） Legal（Accepted with standard of use）
指定：Designated Food Additives 既存：Existing Food Additives
×：使用不可 Illegal（Prohibited）
※：個別判断を要するもの Required individual special judgement

EU E No.	EU FL No.	CAS No.	CFR No.	CNS 号.	備考 Remarks
E452(i)			(Sodium hexametaphosphate として) 182.6760 (Sodium metaphosphate として) 182.6769		E452(i)はメタリン酸ナトリウム，ポリリン酸ナトリウム等を含む
	17.014	59-51-8	(Amino acids, DL-Methionine(not for infant foods)として) 172.320		EU では香料特性のある食品成分として FL No. あり
	17.027	63-68-3	(Amino acids, L-Methionine として) 172.320		EU では香料特性のある食品成分として FL No. あり
			172.399		CFR は錠剤形態の亜鉛供給源
E951		22839-47-0	172.804	19.004	
			173.250		
	09.781	85-91-6			着香の目的以外に使用してはならない
	09.781	85-91-6			着香の目的以外に使用してはならない
	09.781	85-91-6			着香の目的以外に使用してはならない
	02.111	598-75-4			着香の目的以外に使用してはならない
	07.053	78-93-3			ケトン類 着香の目的以外に使用してはならない 類又は誘導体として指定されている18項目の香料リストの SEQ No.1648(解説編2-(1)-(vi)参照)
E465			172.872		
	14.028	13708-12-8			着香の目的以外に使用してはならない
	14.042	91-62-3			着香の目的以外に使用してはならない
					資料1により食品素材扱いとする品目
					資料1により食品素材扱いとする品目

色文字：法令上の指定添加物名（除く別名）　red：Name on Ministerial Ordinance of Designated Food Additives
色文字：法令上の既存添加物名（除く別名）　red：Name on Ministerial Notification of Existing Food Additives

和　名 Japanese name	和名別名 Japanese name	英名，英名別名 English name	許可状況 Legal/Illegal	主な用途 Main uses
メチルグリコシアミン	クレアチン 1-メチルグアニジノ酢酸 α-メチルグアニジノ酢酸	Creatine Methylglycocyamine 1-Methylguanidino acetic acid α-Methylguanidino acetic acid	◎	特別用途食品
メチルグルコシド-ココナッツ油エステル		Methyl glucoside-coconut oil ester	×	乳化剤
2-メチルクロトンアルデヒド	*trans*-2-メチル-2-ブテナール	*(E)*-2-Methyl-2-butenal 2-Methylcrotonaldehyde *trans*-2-Methyl-2-butenal	○，指定	香料
5-メチル-6,7-ジヒドロ-5*H*-シクロペンタピラジン		5-Methyl-6,7-dihydro-5*H*-cyclopentapyrazine	○，指定	香料
メチルシンナミレート	ケイ皮酸メチル 3-フェニルプロペン酸メチル	Methyl cinnamate Methyl cinnamylate Methyl-3-phenylpropenoate	○，指定	香料
メチルセルロース		Methyl cellulose	○，指定	増粘安定剤
L-5-メチルテトラヒドロフォレートカルシウム		Calcium L-5-methyltetrahydrofolate	×	強化剤
1-メチルナフタレン		1-Methylnaphthalene	○，指定	香料
メチルβ-ナフチルケトン		Methyl β-naphthyl ketone	○，指定	香料
メチルバイオレット		Methyl violet	×	着色料
メチルパラプロピルフェニルエーテル	ジヒドロアネトール パラプロピルアニソール プロピルメトキシベンゼン	Dihydroanethole 1-Methoxy-4-propylbenzene Methyl *p*-propylphenyl ether *p*-Propylanisole Propylmethoxybenzene	○，指定	香料
メチルパラベン	パラオキシ安息香酸メチル	Methyl *p*-hydroxybenzoate Methylparaben	×	保存料
メチルピラジン	2-メチルピラジン	Methylpyrazine 2-Methylpyrazine	○，指定	香料
2-メチルピラジン	メチルピラジン	Methylpyrazine 2-Methylpyrazine	○，指定	香料
2-メチルブタナール	2-メチルブチルアルデヒド	2-Methylbutanal 2-Methylbutyraldehyde	○，指定	香料
3-メチルブタナール	イソバレルアルデヒド 3-メチルブチルアルデヒド	Isovaleraldehyde 3-Methylbutanal 3-Methylbutyraldehyde	○，指定	香料
2-メチルブタノール		2-Methyl butanol	○，指定	香料
3-メチル-1-ブタノール	イソアミルアルコール イソペンチルアルコール	Isoamyl alcohol Isopentyl alcohol 3-Methyl-1-butanol	○，指定	香料
3-メチル-2-ブタノール	メチルイソプロピルカルビノール 3-メチルブタン-2-オール	3-Methyl-2-butanol 3-Methylbutan-2-ol Metylisopropylcarbinol	○，指定	香料
3-メチルブタン-2-オール	メチルイソプロピルカルビノール 3-メチル-2-ブタノール	3-Methyl-2-butanol 3-Methylbutan-2-ol Metylisopropylcarbinol	○，指定	香料

◎：許可（使用基準なし） Legal（Accepted with no standard of use）
○：許可（使用基準あり） Legal（Accepted with standard of use）
指定：Designated Food Additives　既存：Existing Food Additives
×：使用不可 Illegal（Prohibited）
※：個別判断を要するもの Required individual special judgement

EU E No.	EU FL No.	CAS No.	CFR No.	CNS 号.	備考 Remarks
					資料1により食品素材扱いとする品目
			172.816		
	05.095	497-03-0			着香の目的以外に使用してはならない 平成24年12月28日省令別表第1に新規指定
	14.037	23747-48-0			着香の目的以外に使用してはならない
	09.740	103-26-4			着香の目的以外に使用してはならない
E461		9004-67-5	182.1480	20.043	
		90-12-0			平成27年9月18日省令別表第１に新規指定 着香の目的以外に使用してはならない
	07.013	93-08-3			着香の目的以外に使用してはならない EU FL No.07.013の名称は「Methyl 2-naphthyl ketone」
	04.039	104-45-0			**フェノールエーテル類** 着香の目的以外に使用してはならない 類又は誘導体として指定されている18項目の香料リストのSEQ No.2215(解説編2-(1)-(vi)参照)
E218			184.1490		
	14.027	109-08-0			着香の目的以外に使用してはならない
	14.027	109-08-0			着香の目的以外に使用してはならない
	05.049	96-17-3			着香の目的以外に使用してはならない
	05.006	590-86-3			着香の目的以外に使用してはならない
	02.076	137-32-6			着香の目的以外に使用してはならない
	02.003	123-51-3			着香の目的以外に使用してはならない
	02.111	598-75-4			着香の目的以外に使用してはならない
	02.111	598-75-4			着香の目的以外に使用してはならない

色文字：法令上の指定添加物名（除く別名）　red：Name on Ministerial Ordinance of Designated Food Additives
色文字：法令上の既存添加物名（除く別名）　red：Name on Ministerial Notification of Existing Food Additives

和　名 Japanese name	和名別名 Japanese name	英名，英名別名 English name	許可状況 Legal/Illegal	主な用途 Main uses
2-メチルブチルアミン		2-Methylbutylamine	○，指定	香料
2-メチルブチルアルデヒド	2-メチルブタナール	2-Methylbutanal 2-Methylbutyraldehyde	○，指定	香料
3-メチルブチルアルデヒド	イソバレルアルデヒド 3-メチルブタナール	Isovaleraldehyde 3-Methylbutanal 3-Methylbutyraldehyde	○，指定	香料
3-メチル-2-ブテナール		3-Methyl-2-butenal	○，指定	香料
3-メチル-2-ブテノール		3-Methyl-2-butenol	○，指定	香料
メチルプロトカテキュアルデヒド	バニリックアルデヒド バニリン プロトカテキュアルデヒドメチルエーテル メトキシプロトカテキュアルデヒド ワニリン	Methoxyprotocatechuic aldehyde Methyl protocatechuic aldehyde Protocatechu aldehydemethylether Vanillic aldehyde Vanillin	○，指定	香料
2-メチルプロパナール	イソブタナール イソブチルアルデヒド	Isobutanal Isobutyraldehyde 2-Methyl propanal	○，指定	香料
メチルヘスペリジン	溶性ビタミンP	Methyl hesperidin Soluble vitamin P	◎，指定	強化剤
メチル硫酸ナトリウム		Sodium methyl sulfate	×	製造用剤
メチレンコハク酸	イタコン酸	Itaconic acid Methylenesuccinic acid	×	酸味料
メトキシプロトカテキュアルデヒド	バニリックアルデヒド バニリン プロトカテキュアルデヒドメチルエーテル メチルプロトカテキュアルデヒド ワニリン	Methoxyprotocatechuic aldehyde Methyl protocatechuic aldehyde Protocatechu aldehydemethylether Vanillic aldehyde Vanillin	○，指定	香料
メナキノン(抽出物)(アルトロバクターの培養液から得られた，メナキノン-4を主成分とするものをいう。)	ビタミンK_2(抽出物)	Menaquinone(extract) Vitamin K_2(extract)	◎，既存	強化剤
メナジオン	ビタミンK_3	Menadione Vitamin K_3	×	特別用途食品
メバロン酸		Mevalonic acid	◎，既存	製造用剤
メラロイカ精油(メラロイカの葉から得られた，精油を主成分とするものをいう。)		Melaleuca oil	◎，既存	酸化防止剤
メリビアーゼ	α-ガラクトシダーゼ	α-Galactosidase Melibiase	◎，既存	酵素
メロナール	2,6-ジメチル-5-ヘプテナール	2,6-Dimethyl-5-heptenal Melonal	○，指定	香料
綿実粉（焼部分脱脂加熱）		Toasted partially defatted cooked cottonseed flour	◎	着色料
綿実種子製品（食用加工用）		Modified cottonseed products intended for human consumption	◎	製造用剤

◎：許可（使用基準なし） Legal（Accepted with no standard of use）
○：許可（使用基準あり） Legal（Accepted with standard of use）
指定：Designated Food Additives　既存：Existing Food Additives
×：使用不可 Illegal（Prohibited）
※：個別判断を要するもの Required individual special judgement

EU E No.	EU FL No.	CAS No.	CFR No.	CNS 号.	備考 Remarks
	11.020	96-15-1			令和元年6月6日省令別表第1に新規指定 着香の目的以外に使用してはならない 小分け等の加工を行ったものは添加物製剤とみなされる
	05.049	96-17-3			着香の目的以外に使用してはならない
	05.006	590-86-3			着香の目的以外に使用してはならない
	05.124	107-86-8			着香の目的以外に使用してはならない。 EU FL No.05.124の名称は「3-Methylcrotonaldehyde」
	02.109	556-82-1			着香の目的以外に使用してはならない。
	05.018	121-33-5			着香の目的以外に使用してはならない
	05.004	78-84-2			着香の目的以外に使用してはならない
			173.385		
					令和2年2月26日告示第42号により既存添加物名簿から消除
	05.018	121-33-5			着香の目的以外に使用してはならない
		863-61-6			
					資料1により,新たに食品添加物としての指定を受ける必要があるとする品目
			(Alpha-Galactosidase derived from *Mortierella vinaceae* var. *raffinoseutilizer* として) 173.145		
	05.074	106-72-9			**脂肪族高級アルデヒド類** 着香の目的以外に使用してはならない 類又は誘導体として指定されている18項目の香料リストのSEQ No.1498(解説編2-(1)-(vi)参照)
			73.140		食品扱い
			172.894		食品扱い

め

色文字：法令上の指定添加物名（除く別名）　red：Name on Ministerial Ordinance of Designated Food Additives
色文字：法令上の既存添加物名（除く別名）　red：Name on Ministerial Notification of Existing Food Additives

和　名 Japanese name	和名別名 Japanese name	英名，英名別名 English name	許可状況 Legal/Illegal	主な用途 Main uses
メンタカンファー	*dl*-ハッカ脳 3-パラメンタノール ヘキサハイドロチモール ペパーミントカンファー *dl*-メントール	Hexahydrothymol Menthacamphor 3-*p*-Menthanol *dl*-Menthol Peppermint camphor	○，指定	香料
ℓ-メントール	ハッカ脳	ℓ-Menthol	○，指定	香料
dl-メントール	*dl*-ハッカ脳 3-パラメンタノール ヘキサハイドロチモール ペパーミントカンファー メンタカンファー	Hexahydrothymol Menthacamphor 3-*p*-Menthanol *dl*-Menthol Peppermint camphor	○，指定	香料
メンヘーデン油		Menhaden oil	◎	調味料
モウソウチク乾留物（モウソウチクの茎を乾留して得られたものをいう。）		Mousouchiku dry distillate	◎，既存	製造用剤
モウソウチク抽出物（モウソウチクの茎の表皮から得られた，2,6-ジメトキシ-1,4-ベンゾキノンを主成分とするものをいう。）		Mousouchiku extract	◎，既存	製造用剤
木材チップ（ハシバミ又はブナの幹枝を粉砕して得られたものをいう。）	シュペーネ	Wood chip	◎，既存	製造用剤
木酢液	くん液（サトウキビ、竹材、トウモロコシ又は木材を燃焼して発生したガス成分を捕集し、又は乾留して得られたものをいう。） スモークフレーバー リキッドスモーク	Liquid smoke Pyroligneous acid Smoke flavourings Wood vinegar	◎，既存	製造用剤 香料 着色料
木炭（竹材又は木材を炭化して得られたものをいう。）		Charcoal	◎，既存	製造用剤
木粉		Wood flour	×	製造用剤
モクロウ（ハゼノキの果実から得られた，グリセリンパルミタートを主成分とするものをいう。）	日本ロウ ハゼ脂	Japan wax	◎，既存	ガムベース 光沢剤
木灰（竹材又は木材を灰化して得られたものをいう。）		Timber ash	◎，既存	製造用剤
木灰抽出物（「木灰」から抽出して得られたものをいう。）		Timber ash extract	◎，既存	製造用剤
モナスカス黄色素	ベニコウジ黄色素（ベニコウジカビの培養液から得られた，キサントモナシン類を主成分とするものをいう。）	Monascus yellow	○，既存	着色料
モナスカス色素	ベニコウジ色素（ベニコウジカビの培養液から得られた，アンカフラビン及びモナスコルブリンを主成分とするものをいう。）	Monascus color	○，既存	着色料
モノ及びジグリセリドのリン酸一ナトリウム誘導体		Monosodium phosphate derivatives of mono-and diglicerides	×	乳化剤
モノ及びジメチルナフタリンスルホン酸ナトリウム		Sodium mono-and dimethyl naphthalene sulfonates	×	乳化剤
モモ樹脂（モモの分泌液から得られた，多糖類を主成分とするものをいう。）		Peach gum	◎，既存	増粘安定剤
モリブデン		Molybdenum	×	特別用途食品
モルホリン		Morpholine	※	被膜剤
モルホリン脂肪酸塩		Morpholine salts of fatty acids	○，指定	被膜剤

◎：許可（使用基準なし） Legal（Accepted with no standard of use）
○：許可（使用基準あり） Legal（Accepted with standard of use）
指定：Designated Food Additives　　既存：Existing Food Additives
×：使用不可　Illegal（Prohibited）
※：個別判断を要するもの　Required individual special judgement

EU E No.	EU FL No.	CAS No.	CFR No.	CNS 号.	備　考 Remarks
	02.015	89-78-1			着香の目的以外に使用してはならない
		2216-51-5			着香の目的以外に使用してはならない （EU）FL　No.なし（*d*-Neomenthol が FL No.02.063としてあり）
	02.015	89-78-1			着香の目的以外に使用してはならない
			184.1472		食品扱い
					着色料の目的では○,既存 香料として用いる場合は天然香料扱い
				08.152	
				08.120	
			184.1521		
			172.824		
					資料1により,新たに食品添加物としての指定を受ける必要があるとする品目
			172.235		日本ではモルホリン脂肪酸塩が指定添加物となっている CFR では172.860(Fatty acids)と反応させた塩類
			(Morpholine として) 172.235	14.004	果実又は野菜の表皮の被膜剤以外の用途に使用してはならない

色文字：法令上の指定添加物名（除く別名）　red：Name on Ministerial Ordinance of Designated Food Additives
色文字：法令上の既存添加物名（除く別名）　red：Name on Ministerial Notification of Existing Food Additives

和名 Japanese name	和名別名 Japanese name	英名，英名別名 English name	許可状況 Legal/Illegal	主な用途 Main uses
モレロチェリー色素		**Morello cherry color**	○	着色料
モンタン酸エステル		Montan acid esters	×	製造用剤

◎：許可（使用基準なし） Legal（Accepted with no standard of use）
○：許可（使用基準あり） Legal（Accepted with standard of use）
×：使用不可 Illegal（Prohibited）
※：個別判断を要するもの Required individual special judgement
指定：Designated Food Additives 既存：Existing Food Additives

EU E No.	EU FL No.	CAS No.	CFR No.	CNS 号.	備 考 Remarks
					一般飲食物添加物
					E912は「Commission Regulation（EU）No.957/2014 of 10 Sept. 2014」で削除

色文字：法令上の指定添加物名（除く別名）　red：Name on Ministerial Ordinance of Designated Food Additives
色文字：法令上の既存添加物名（除く別名）　red：Name on Ministerial Notification of Existing Food Additives

和　名 Japanese name	和名別名 Japanese name	英名，英名別名 English name	許可状況 Legal/Illegal	主な用途 Main uses
焼アンモニウムミョウバン	アンモニウムミョウバン **硫酸アルミニウムアンモニウム**	**Aluminum ammonium sulfate** Ammonium alum	○，指定	製造用剤 膨脹剤
焼ミョウバン	カリミョウバン ミョウバン **硫酸アルミニウムカリウム**	Alum Alum,exsiccated **Aluminum potassium sulfate** Potassium alum	○，指定	製造用剤 膨脹剤
野菜ジュース		Vegetable juice	○	着色料
ヤマモモ抽出物(ヤマモモの果実，樹皮又は葉から抽出して得られたものをいう。)		**Chinese bayberry extract**	◎，既存	酸化防止剤
UQ-10	コエンザイム Q10 補(助)酵素 Q10 ユビキノン-10 ユビデカレノン	Coenzyme Q10 CoQ10 Ubidecarenone Ubiquinone-10	◎	特別用途食品
ユーカリプトール	1,8-エポキシパラメンタン 1,8-オキシドパラメンタン カエプトール シネオール **1,8-シネオール**	Cajeputol Cineole **1,8-Cineole** 1,8-Epoxy-*p*-menthane Eucalyptol *p*-Menthane-1,8-oxide 1,8-Oxido-*p*-menthane	○，指定	香料
ユーケマ藻末	**加工ユーケマ藻類** **カラギナン**(イバラノリ，キリンサイ，ギンナンソウ，スギノリ又はツノマタの全藻から得られた，ι-カラギナン，κ-カラギナン及びλ-カラギナンを主成分とするものをいう。) カラギーナン カラゲナン カラゲーナン カラゲニン **精製カラギナン**	**Carrageenan** **Powdered red algae** **Processed eucheuma algae** Processed eucheuma seaweed **Processed red algae** **Purified carrageenan** **Refined carrageenan** **Semirefined carrageenan**	◎，既存	増粘安定剤 ゲル化剤
油性ビタミンA脂肪酸エステル	**ビタミンA油**	Oily vitamin A ester of fatty acid **Vitamin A in oil**	◎，指定	強化剤
ユッカ抽出物	**ユッカフォーム抽出物**(ユッカアラボレセンス又はユッカシジゲラの全草から得られた，サポニンを主成分とするものをいう。)	**Yucca foam extract** Yucca joshua tree	◎，既存	製造用剤 乳化剤
ユッカフォーム抽出物(ユッカアラボレセンス又はユッカシジゲラの全草から得られた，サポニンを主成分とするものをいう。)	ユッカ抽出物	**Yucca foam extract** Yucca joshua tree	◎，既存	製造用剤 乳化剤

◎：許可（使用基準なし） Legal（Accepted with no standard of use）
○：許可（使用基準あり） Legal（Accepted with standard of use）
指定：Designated Food Additives　既存：Existing Food Additives
×：使用不可 Illegal（Prohibited）
※：個別判断を要するもの Required individual special judgement

EU E No.	EU FL No.	CAS No.	CFR No.	CNS 号.	備　考 Remarks
E523		（12水和物） 7784-26-1 （無水物） 7784-25-0	（Aluminum ammonium sulfate として） 182.1127	06.005	告示成分規格の nH_2O は n ＝12,10,4,3,2,又は0
E522		（12水和物） 7784-24-9 （無水物） 10043-67-1	（Aluminum potassium sulfate として） 182.1129	06.004	告示成分規格の nH_2O は n ＝12,10,6,3,2又は0
			73.260		一般飲食物添加物 通知上の野菜ジュースの種類： **アカキャベツ** **アカビート** **シソ** **タマネギ** **トマト** **ニンジン**
					資料1により食品素材扱いとする品目
	03.001	470-82-6			着香の目的以外に使用してはならない
E407 E407a			（Carrageenan として） 172.620 （Chondrus extract（carrageenin）として） 182.7255	20.007	EU では，E407:Carrageenan，E407a：Processed eucheuma seaweed に分かれている
			（Vitamin A として） 184.1930		添加物の規格基準 D に**ビタミン A 油**として規格が定められている

やゆ

色文字：法令上の指定添加物名（除く別名）　red：Name on Ministerial Ordinance of Designated Food Additives
色文字：法令上の既存添加物名（除く別名）　red：Name on Ministerial Notification of Existing Food Additives

和　名 Japanese name	和名別名 Japanese name	英名，英名別名 English name	許可状況 Legal/Illegal	主な用途 Main uses
ユビキノン-10	コエンザイム Q10 補(助)酵素 Q10 UQ-10 ユビデカレノン	Coenzyme Q10 CoQ10 Ubidecarenone Ubiquinone-10 UQ-10	◎	特別用途食品
ユビデカレノン	コエンザイム Q10 補(助)酵素 Q10 UQ-10 ユビキノン-10	Coenzyme Q10 CoQ10 Ubidecarenone Ubiquinone-10 UQ-10	◎	特別用途食品
ヨウ化カリウム		Potassium iodide	×	強化剤
ヨウ化第一銅		Cuprous iodide	×	強化剤
葉酸	ホラシン	Folacin **Folic acid**	◎，指定	強化剤
溶性サッカリン	**サッカリンナトリウム**	**Sodium saccharin** Soluble saccharin	○，指定	甘味料
溶性ビタミンP	**メチルヘスペリジン**	**Methyl hesperidin** Soluble vitamin P	◎，指定	強化剤
ヨウ素		Iodine	×	特別用途食品
ヨウ素酸カリウム		Potassium iodate	×	強化剤
ヨウ素酸カルシウム		Calcium iodate	×	製造用剤 強化剤
羊毛ロウ	**ラノリン**(ヒツジの毛に付着するろう様物質から得られた，高級アルコールとα-ヒドロキシ酸のエステルを主成分とするものをいう。)	**Lanolin** Wool wax	◎，既存	ガムベース 光沢剤
ヨノン	**イオノン**	**Ionone**	○，指定	香料
ヨモギ抽出物		**Mugwort extract**	◎	苦味料 その他
四ホウ酸ナトリウム	ホウ砂	Borax Sodium tetraborate	×	保存料

◎：許可（使用基準なし） Legal（Accepted with no standard of use）
○：許可（使用基準あり） Legal（Accepted with standard of use）
指定：Designated Food Additives　既存：Existing Food Additives
×：使用不可 Illegal（Prohibited）
※：個別判断を要するもの Required individual special judgement

EU E No.	EU FL No.	CAS No.	CFR No.	CNS 号.	備考 Remarks
					資料1により食品素材扱いとする品目
					資料1により食品素材扱いとする品目
			172.375 184.1634		
			184.1265		
		59-30-3	(Folic acid(folacin)として) 172.345		
E954(ii)		(2水和物) 6155-57-3 (無水物) 128-44-9	(Saccharin, ammonium・calcium・sodium saccharin として) 180.37	19.001	告示成分規格の nH_2O は n＝2又は0 CFR No.の Part 180.37は特別に収載
					資料1により，新たに食品添加物としての指定を受ける必要があるとする品目
			184.1635		
			184.1206		
					E No.はないが INS No.913あり
		8013-90-9			着香の目的以外に使用してはならない (EU)FLNo.なし
					一般飲食物添加物
E285					

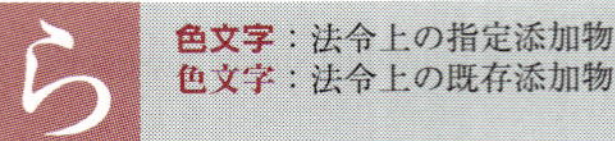

色文字：法令上の指定添加物名（除く別名）　red：Name on Ministerial Ordinance of Designated Food Additives
色文字：法令上の既存添加物名（除く別名）　red：Name on Ministerial Notification of Existing Food Additives

和　名 Japanese name	和名別名 Japanese name	英名，英名別名 English name	許可状況 Legal/Illegal	主な用途 Main uses
ライスワックス	コメヌカロウ（米ぬか油から得られた，リグノセリン酸ミリシルを主成分とするものをいう。） コメヌカワックス	Rice bran wax Rice wax	◎，既存	ガムベース 光沢剤
ラウリル硫酸ナトリウム		Sodium lauryl sulfate	×	乳化剤
ラウリン酸アルミニウム		Aluminium salts of lauric acid	×	製造用剤 乳化剤
ラウリン酸エチル	ドデカン酸エチル	Ethyl dodecanoate Ethyl laurate	○，指定	香料
ラウリン酸カリウム		Potassium salts of lauric acid	×	製造用剤 乳化剤
ラウリン酸カルシウム		Calcium salts of lauric acid	×	製造用剤 乳化剤
ラウリン酸ナトリウム		Sodium salts of lauric acid	×	製造用剤 乳化剤
ラウリン酸マグネシウム		Magnesium salts of lauric acid	×	製造用剤 乳化剤
ラカンカエキス	ラカンカ抽出物（ラカンカの果実から得られた，モグロシド類を主成分とするものをいう。）	Luohanguo extract Rakanka extract	◎，既存	甘味料
ラカンカ抽出物（ラカンカの果実から得られた，モグロシド類を主成分とするものをいう。）	ラカンカエキス	Luohanguo extract Rakanka extract	◎，既存	甘味料
酪酸	ブタン酸 *n*-酪酸	Butanoic acid Butyric acid *n*-Butyric acid Ethyl-acetic acid	○，指定	香料
n-酪酸	ブタン酸 酪酸	Butanoic acid Butyric acid *n*-Butyric acid Ethyl-acetic acid	○，指定	香料
酪酸イソアミル		Isoamyl butyrate	○，指定	香料
酪酸エチル	*n*-ブタン酸エチル 酪酸エーテル	Butyric ether Ethyl *n*-butanoate Ethyl butyrate	○，指定	香料
酪酸エーテル	*n*-ブタン酸エチル 酪酸エチル	Butyric ether Ethyl *n*-butanoate Ethyl butyrate	○，指定	香料
酪酸シクロヘキシル		Cyclohexyl butyrate	○，指定	香料
酪酸ブチル	*n*-ブタン酸*n*-ブチル *n*-酪酸*n*-ブチルエステル	*n*-Butyl-*n*-butanoate Butyl butyrate *n*-Butyl-*n*-butyrate *n*-Butyric acid, *n*-butyl ester	○，指定	香料
n-酪酸*n*-ブチルエステル	*n*-ブタン酸*n*-ブチル 酪酸ブチル	*n*-Butyl-*n*-butanoate Butyl butyrate *n*-Butyl-*n*-butyrate *n*-Butyric acid, *n*-butyl ester	○，指定	香料

◎：許可（使用基準なし） Legal（Accepted with no standard of use）　×：使用不可 Illegal（Prohibited）
○：許可（使用基準あり） Legal（Accepted with standard of use）　※：個別判断を要するもの Required individual special judgement
指定：Designated Food Additives　既存：Existing Food Additives

EU E No.	EU FL No.	CAS No.	CFR No.	CNS 号.	備考 Remarks
			172.890		E No.はないがINS No.908あり
			172.822		
	09.099	106-33-2			**エステル類** 着香の目的以外に使用してはならない 類又は誘導体として指定されている18項目の香料リストのSEQ No.844(解説編2-(1)-(vi)参照)
E470a					E470aは脂肪酸のナトリウム，カリウム，カルシウム塩 **オレイン酸ナトリウム**及び**ステアリン酸カルシウム**以外は不可
E470a					E470aは脂肪酸のナトリウム，カリウム，カルシウム塩 **オレイン酸ナトリウム**及び**ステアリン酸カルシウム**以外は不可
E470a					E470aは脂肪酸のナトリウム，カリウム，カルシウム塩 **オレイン酸ナトリウム**及び**ステアリン酸カルシウム**以外は不可
E470b					E470bは脂肪酸のマグネシウム塩 **ステアリン酸マグネシウム**以外は不可
	08.005	107-92-6			着香の目的以外に使用してはならない
	08.005	107-92-6			着香の目的以外に使用してはならない
	09.055	106-27-4			着香の目的以外に使用してはならない
	09.039	105-54-4			着香の目的以外に使用してはならない
	09.039	105-54-4			着香の目的以外に使用してはならない
	09.230	1551-44-6			着香の目的以外に使用してはならない
	09.042	109-21-7			着香の目的以外に使用してはならない
	09.042	109-21-7			着香の目的以外に使用してはならない

ら

色文字：法令上の指定添加物名（除く別名）　red：Name on Ministerial Ordinance of Designated Food Additives
色文字：法令上の既存添加物名（除く別名）　red：Name on Ministerial Notification of Existing Food Additives

和　名 Japanese name	和名別名 Japanese name	英名，英名別名 English name	許可状況 Legal/Illegal	主な用途 Main uses
ラクターゼ	β-ガラクトシダーゼ β-D-ガラクトシドガラクトハイドロラーゼ	β-Galactosidase β-D-Galactoside galactohydrolase Lactase	◎，既存	酵素
ラクチトール		Lactitol	◎	製造用剤 甘味料
ラクチル化脂肪酸グリセリンエステル		Lactylated fatty acid esters of glycerol	×	乳化剤
ラクチル化脂肪酸プロピレングリコールエステル		Lactylated fatty acid esters of propylene glycol	×	乳化剤
ラクトパーオキシダーゼ		Lactoperoxidase	◎，既存	酵素
ラクトビオン酸カルシウム		Calcium lactobionate	×	強化剤 調味料
ラクトフェリン濃縮物(ほ乳類の乳から得られた，ラクトフェリンを主成分とするものをいう。)		Lactoferrin concentrates	◎，既存	製造用剤
ラクトン類（毒性が激しいと一般に認められるものを除く。）		Lactones(except harmful substances)	○，指定	香料
ラズベリー色素		Raspberry color	○	着色料
ラッカイン酸	ラック色素(ラックカイガラムシの分泌液から得られた，ラッカイン酸類を主成分とするものをいう。)	Lac color Laccaic acid	○，既存	着色料
ラック色素(ラックカイガラムシの分泌液から得られた，ラッカイン酸類を主成分とするものをいう。)	ラッカイン酸	Lac color Laccaic acid	○，既存	着色料
ラノリン(ヒツジの毛に付着するろう様物質から得られた，高級アルコールとα-ヒドロキシ酸のエステルを主成分とするものをいう。)	羊毛ロウ	Lanolin Wool wax	◎，既存	ガムベース 光沢剤
ラバラック氏液	次亜塩素酸ソーダ 次亜塩素酸ナトリウム 漂白液	Bleaching solution Hypochlorite of soda Labarrque's solution Sodium hydrochlorite Sodium hypochlorite	○，指定	漂白剤 殺菌料
ラムザンガム(アルカリゲネスの培養液から得られた，多糖類を主成分とするものをいう。)	ラムザン多糖類	Rhamsan gum Rhamsan polysaccharide	◎，既存	増粘安定剤
ラムザン多糖類	ラムザンガム(アルカリゲネスの培養液から得られた，多糖類を主成分とするものをいう。)	Rhamsan gum Rhamsan polysaccharide	◎，既存	増粘安定剤
L-ラムノース		L-Rhamnose	◎，既存	甘味料
ラリキシン酸	マルトール ラリシン ラリシン酸	Laricin Laricinic acid Larixinic acid Maltol	○，指定	香料

◎：許可（使用基準なし） Legal（Accepted with no standard of use）
○：許可（使用基準あり） Legal（Accepted with standard of use）
指定：Designated Food Additives　既存：Existing Food Additives
×：使用不可 Illegal（Prohibited）
※：個別判断を要するもの Required individual special judgement

EU E No.	EU FL No.	CAS No.	CFR No.	CNS 号.	備考 Remarks
			(Lactase enzyme preparation from *Candida pseudotropicalis* として) 184.1387 (Lactase enzyme preparation from *Kluyveromyces lactis* として) 184.1388	00.023	「組換えDNA技術応用食品及び添加物の安全性審査の手続きを経た添加物」としての告示あり。詳細は厚労省HP参照
E966				19.014	食品扱い
			172.850		
			172.850		
			172.720		
					着香の目的以外に使用してはならない 類又は誘導体として指定されている18項目の香料リスト(解説編2-(1)-(vi)参照)
					一般飲食物添加物
					E No.はないがINS No.913あり
					平成26年4月24日告示第225号により，①生食用鮮魚介類，生食用かき及び冷凍食品（生食用冷凍鮮魚介類に限る。以下「生食用鮮魚介類等」という。）の加工基準において，**次亜塩素酸ナトリウム**に加え，**次亜塩素酸水**及び水素イオン濃度調整剤として用いる**塩酸**の使用が認められた，②容器包装詰加圧加熱殺菌食品の製造基準において，**次亜塩素酸ナトリウム**に加え**次亜塩素酸水**の使用が認められた 同日付部長通知による運用上の注意事項としては，**次亜塩素酸水**及び**塩酸**については，既に食品添加物として定められている使用基準の適用を受ける，②**塩酸**については，生食用鮮魚介類等に対し，**次亜塩素酸ナトリウム**の使用等に伴い水素イオン濃度調整剤として使用することは認められるが，生食用鮮魚介類等の加工時に**塩酸**を直接使用することは認められない ごまに使用してはならない
	07.014	118-71-8			着香の目的以外に使用してはならない E No.はないがINS No.636あり

ら

色文字：法令上の指定添加物名（除く別名）　red : Name on Ministerial Ordinance of Designated Food Additives
色文字：法令上の既存添加物名（除く別名）　red : Name on Ministerial Notification of Existing Food Additives

和　名 Japanese name	和名別名 Japanese name	英名，英名別名 English name	許可状況 Legal/Illegal	主な用途 Main uses
ラリシン	マルトール ラリキシン酸 ラリシン酸	Laricin Laricinic acid Larixinic acid Maltol	○，指定	香料
ラリシン酸	マルトール ラリキシン酸 ラリシン	Laricin Laricinic acid Larixinic acid Maltol	○，指定	香料
卵黄レシチン(卵黄から得られた，レシチンを主成分とするものをいう。)	レシチン	Lecithin Yolk lecithin	◎，既存	乳化剤
卵殻焼成カルシウム	焼成カルシウム(うに殻，貝殻，造礁サンゴ，ホエイ，骨，又は卵殻を焼成して得られた，カルシウム化合物を主成分とするものをいう。)	Calcinated calcium Calcinated eggshell calcium	◎，既存	製造用剤 強化剤
卵殻未焼成カルシウム	未焼成カルシウム(貝殻，真珠の真珠層，造礁サンゴ，骨又は卵殻を乾燥して得られた，カルシウム塩を主成分とするものをいう。)	Non-calcinated calcium Non-calcinated eggshell calcium	◎，既存	強化剤
卵白		Egg white	◎	製造用剤
卵白リゾチーム	リゾチーム	Lysozyme Mucopeptide glucohydrolase	◎，既存	酵素
リカレオール	コリアンドロール パントール リナクレオール リナロオール リナロオール EX HO(天然) リナロール *dl*－リナロール	Coriandrol Licareol Linacreol Linalool *dl*－Linalool Linalool EX HO(Natural) Phantol	○，指定	香料
リキッドスモーク	くん液(サトウキビ、竹材、トウモロコシ又は木材を燃焼して発生したガス成分を捕集し、又は乾留して得られたものをいう。) スモークフレーバー 木酢液	Liquid smoke Pyroligneous acid Smoke flavourings Wood vinegar	◎，既存	製造用剤 香料 着色料
リグナン	樹脂アルコール レジノール	Lignan Resinol	※	特別用途食品
リグノスルホン酸カルシウム		Calcium lignosulfonate	×	製造用剤 強化剤
リコピン		Lycopene	※	着色料
リコリス抽出物	カンゾウエキス カンゾウ抽出物(ウラルカンゾウ，チョウカカンゾウ又はヨウカンゾウの根又は根茎から得られた，グリチルリチン酸を主成分とするものをいう。) グリチルリチン	Glycyrrhizin Licorice extract	◎，既存	甘味料
L-リジン	L-リシン	L-Lysine	◎，既存	強化剤 調味料

◎：許可（使用基準なし） Legal（Accepted with no standard of use）
○：許可（使用基準あり） Legal（Accepted with standard of use）
指定：Designated Food Additives　既存：Existing Food Additives
×：使用不可 Illegal（Prohibited）
※：個別判断を要するもの Required individual special judgement

EU E No.	EU FL No.	CAS No.	CFR No.	CNS 号.	備考 Remarks
	07.014	118-71-8			着香の目的以外に使用してはならない E No.はないが INS No.636あり
	07.014	118-71-8			着香の目的以外に使用してはならない E No.はないが INS No.636あり
E322			(Lecithin として) 184.1400	04.010	CNS 号04.010は phospholipid
					焼成カルシウム参照
					未焼成カルシウム参照
					一般飲食物添加物
E1105				17.035	
	02.013	78-70-6			着香の目的以外に使用してはならない
					着色料の目的では○，既存 香料として用いる場合は天然香料扱い
					資料1により食品添加物に該当する可能性が考えられるが，事前に判断を受けるよう指導されている品目
			172.715		
E160d（i） E160d（ii） E160d（iii）			(Tomato lycopene extract：Tomato lycopene concentrate として) 73.585	08.017	E No.160d には160d（i）：Synthetic licopene，160d（ii）：Lycopene from red tomatoes，160d（iii）：Lycopene from *Blakeslea trispora* のサブ No.があるが，（ii）のトマトリコピンに対応する既存添加物名簿のトマト色素以外は不可
			(Licorice and licorice derivatives として) 184.1408	19.010 19.012	米国では甘草，同磨さい物，甘草抽出物及び主成分のグリチルリチンのアンモニウム塩が風味増強剤として使用が認められている。日本ではカンゾウ末が既存添加物リストの別添3の一般飲食物添加物として，またカンゾウ抽出物及びカンゾウ油性抽出物が既存添加物として使用が認められている E No.はないが INS No.958あり CNS 号19.010は monopotassium and tripotassium glycyrrhizinate CNS 号19.012は ammonium glycyrrhizinate
		56-87-1	(Amino acids，L-Lysine として) 172.320		

色文字：法令上の指定添加物名（除く別名）　red：Name on Ministerial Ordinance of Designated Food Additives
色文字：法令上の既存添加物名（除く別名）　red：Name on Ministerial Notification of Existing Food Additives

和　名 Japanese name	和名別名 Japanese name	英名，英名別名 English name	許可状況 Legal/Illegal	主な用途 Main uses
L-リシン	L-リジン	L-Lysine	◎，既存	強化剤 調味料
L-リジン L-アスパラギン酸塩	L-リシン L-アスパラギン酸塩	L-Lysine L-aspartate	◎，指定	強化剤 調味料
L-リシン L-アスパラギン酸塩	L-リジン L-アスパラギン酸塩	L-Lysine L-aspartate	◎，指定	強化剤 調味料
L-リシン塩酸塩	L-リジン塩酸塩	L-Lysine monohydrochloride	◎，指定	強化剤 調味料
L-リジン塩酸塩	L-リシン塩酸塩	L-Lysine monohydrochloride	◎，指定	強化剤 調味料
L-リシン L-グルタミン酸塩	L-リジン L-グルタミン酸塩	L-Lysine L-glutamate	◎，指定	強化剤 調味料
L-リジン L-グルタミン酸塩	L-リシン L-グルタミン酸塩	L-Lysine L-glutamate	◎，指定	強化剤 調味料
リステリア菌特異性バクテリオファージ製剤		Listeria specific bacteriophage preparation	×	抗菌剤
リゾチーム	卵白リゾチーム	Lysozyme Mucopeptide glucohydrolase	◎，既存	酵素
リゾチーム塩酸塩		Lysozyme hydrochloride	×	保存料
リソールルビン BK		Litholrubine BK	×	着色料
リナクレオール	コリアンドロール パントール リカレオール リナロオール リナロオール EX HO(天然) リナロール *dl*-リナロール	Coriandrol Licareol Linacreol Linalool *dl*-Linalool Linalool EX HO(Natural) Phantol	○，指定	香料
リナロオール	コリアンドロール パントール リカレオール リナクレオール リナロオール EX HO(天然) リナロール *dl*-リナロール	Coriandrol Licareol Linacreol Linalool *dl*-Linalool Linalool EX HO(Natural) Phantol	○，指定	香料
リナロオール EX HO(天然)	コリアンドロール パントール リカレオール リナクレオール リナロオール リナロール *dl*-リナロール	Coriandrol Licareol Linacreol Linalool *dl*-Linalool Linalool EX HO(Natural) Phantol	○，指定	香料

◎：許可（使用基準なし） Legal（Accepted with no standard of use）
○：許可（使用基準あり） Legal（Accepted with standard of use）
指定：Designated Food Additives　既存：Existing Food Additives
×：使用不可 Illegal（Prohibited）
※：個別判断を要するもの Required individual special judgement

EU E No.	EU FL No.	CAS No.	CFR No.	CNS 号.	備考 Remarks
		56-87-1	(Amino acids, L-Lysine として) 172.320		
		657-27-2	(Amino acids, L-Lysine monohydrochloride として) 172.320		
		657-27-2	(Amino acids, L-Lysine monohydrochloride として) 172.320		
					告示成分規格の nH_2O は n ＝2又は0
					告示成分規格の nH_2O は n ＝2又は0
			172.785		
E1105				17.035	
					既存添加物名簿のリゾチームは使用可
E180					
	02.013	78-70-6			着香の目的以外に使用してはならない
	02.013	78-70-6			着香の目的以外に使用してはならない
	02.013	78-70-6			着香の目的以外に使用してはならない

色文字：法令上の指定添加物名（除く別名）　red：Name on Ministerial Ordinance of Designated Food Additives
色文字：法令上の既存添加物名（除く別名）　red：Name on Ministerial Notification of Existing Food Additives

和　名 Japanese name	和名別名 Japanese name	英名，英名別名 English name	許可状況 Legal/Illegal	主な用途 Main uses
リナロール	コリアンドロール パントール リカレオール リナクレオール リナロオール リナロオール EX HO(天然) *dl*-リナロール	Coriandrol Licareol Linacreol Linalool *dl*-Linalool Linalool EX HO(Natural) Phantol	○，指定	香料
dl-リナロール	コリアンドロール パントール リカレオール リナクレオール リナロオール リナロオール EX HO(天然) リナロール	Coriandrol Licareol Linacreol Linalool *dl*-Linalool Linalool EX HO(Natural) Phantol	○，指定	香料
リノール酸		Linoleic acid Linolic acid	○，指定	製造用剤 香料 特別用途食品
		Linoleic acid Linolic acid	◎	特別用途食品
		Linoleic acid Linolic acid	◎，既存	製造用剤 香料
リノレン酸		L-Linolenic acid Linolenic acid	○，指定	製造用剤 香料 特別用途食品
		Linolenic acid L-Linolenic acid	◎	特別用途食品
		Linolenic acid L-Linolenic acid	◎，既存	製造用剤 香料
リパーゼ	脂肪分解酵素	Glycerol-esterhydrolase Lipase	◎，既存	酵素
リーフガム	シリアンガム トラガントガム(トラガントの分泌液から得られた，多糖類を主成分とするものをいう。) バソラガム ホッグガム	Basora gum Goat's thorn Gum tragacanth Hog gum Leaf gum Syrian gum Tragacanth gum	◎，既存	増粘安定剤 乳化剤

◎：許可（使用基準なし） Legal（Accepted with no standard of use）
○：許可（使用基準あり） Legal（Accepted with standard of use）
指定：Designated Food Additives　既存：Existing Food Additives
×：使用不可 Illegal（Prohibited）
※：個別判断を要するもの Required individual special judgement

EU E No.	EU FL No.	CAS No.	CFR No.	CNS 号.	備考 Remarks
	02.013	78-70-6			着香の目的以外に使用してはならない
	02.013	78-70-6			着香の目的以外に使用してはならない
	08.041	60-33-3	(Fatty acids として) 172.860 (Linoleic acid として) 184.1065		**脂肪酸類**として指定添加物に収載 着香の目的以外に使用してはならない 類又は誘導体として指定されている18項目の香料リストのSEQ No.1487(解説編2-(1)-(vi)参照) EU FL No.08.041の名称は「Octadeca-9,12-dienoic acid」
	08.041	60-33-3	(Fatty acids として) 172.860 (Linoleic acid として) 184.1065		資料1により食品素材扱いとする品目 EU FL No.08.041の名称は「Octadeca-9,12-dienoic acid」
	08.041	60-33-3	(Fatty acids として) 172.860 (Linoleic acid として) 184.1065		**高級脂肪酸**として既存添加物に収載 EU FL No.08.041の名称は「Octadeca-9,12-dienoic acid」
		463-40-1	(Fatty acids として) 172.860		**脂肪酸類**として指定添加物に収載 着香の目的以外に使用してはならない 類又は誘導体として指定されている18項目の香料リストのSEQ No.1488(解説編2-(1)-(vi)参照)
		463-40-1	(Fatty acids として) 172.860		資料1により食品素材扱いとする品目
		463-40-1	(Fatty acids として) 172.860		**高級脂肪酸**として既存添加物に収載
			(Animal lipase として) 184.1415 (Lipase enzyme preparation derived from *Rhizopus niveus* として) 184.1420		「組換えDNA技術応用食品及び添加物の安全性審査の手続きを経た添加物」としての告示あり。詳細は厚労省HP参照 E No.はないがINS No.1104あり
E413		9000-65-1	(Gum tragacanth として) 184.1351		

り

色文字：法令上の指定添加物名（除く別名）　red：Name on Ministerial Ordinance of Designated Food Additives
色文字：法令上の既存添加物名（除く別名）　red：Name on Ministerial Notification of Existing Food Additives

和　名 Japanese name	和名別名 Japanese name	英名，英名別名 English name	許可状況 Legal/Illegal	主な用途 Main uses
リポイノシトール	セファリン 分別レシチン（「植物レシチン」又は「卵黄レシチン」から得られた，スフィンゴミエリン，フォスファチジルイノシトール，フォスファチジルエタノールアミン及びフォスファチジルコリンを主成分とするものをいう。） レシチン レシチン分別物	Cephalin Fractionated Lecithin Lecithin Lipoinositol	◎，既存	乳化剤
リポキシゲナーゼ	リポキシダーゼ	Lipoxydase Lipoxygenase	◎，既存	酵素
リポキシダーゼ	リポキシゲナーゼ	Lipoxydase Lipoxygenase	◎，既存	酵素
リポ酸	アルファリポ酸 チオクト酸	Lipoic acid α-Lipoic acid Thioctic acid	◎	特別用途食品
D-リボース	D-リボフラノース	D-Ribofuranose D-Ribose	◎，既存	甘味料
5'-リボヌクレオタイドカルシウム	5'-リボヌクレオチドカルシウム	Calcium 5'-ribonucleotide	◎，指定	調味料
5'-リボヌクレオタイドナトリウム	5'-リボヌクレオチドナトリウム 5'-リボヌクレオチドニナトリウム	Disodium 5'-ribonucleotide Sodium 5'-ribonucleotide	◎，指定	調味料
5'-リボヌクレオチドカルシウム	5'-リボヌクレオタイドカルシウム	Calcium 5'-ribonucleotide	◎，指定	調味料
5'-リボヌクレオチドナトリウム	5'-リボヌクレオタイドナトリウム 5'-リボヌクレオチドニナトリウム	Disodium 5'-ribonucleotide Sodium 5'-ribonucleotide	◎，指定	調味料
5'-リボヌクレオチドニナトリウム	5'-リボヌクレオタイドナトリウム 5'-リボヌクレオチドナトリウム	Disodium 5'-ribonucleotide Sodium 5'-ribonucleotide	◎，指定	調味料
D-リボフラノース	D-リボース	D-Ribofuranose D-Ribose	◎，既存	甘味料
リボフラビン	ビタミンB_2	Riboflavin Vitamin B_2	◎，指定	強化剤 着色料
リボフラビン酪酸エステル	ビタミンB_2酪酸エステル	Riboflavin tetrabutyrate Vitamin B_2 tetrabutyrate	◎，指定	強化剤 着色料
リボフラビン5'-リン酸	ビタミンB_2リン酸エステルナトリウム リボフラビンリン酸エステルナトリウム リボフラビン5'-リン酸エステルナトリウム	Riboflavin 5'-phosphate Riboflavin 5'-phosphate sodium Sodium riboflavin phosphate Sodium vitamin B_2 phosphate	◎，指定	強化剤 着色料
リボフラビンリン酸エステルナトリウム	ビタミンB_2リン酸エステルナトリウム リボフラビン5'-リン酸 リボフラビン5'-リン酸エステルナトリウム	Riboflavin 5'-phosphate Riboflavin 5'-phosphate sodium Sodium riboflavin phosphate Sodium vitamin B_2 phosphate	◎，指定	強化剤 着色料
リボフラビン5'-リン酸エステルナトリウム	ビタミンB_2リン酸エステルナトリウム リボフラビン5'-リン酸 リボフラビンリン酸エステルナトリウム	Riboflavin 5'-phosphate Riboflavin 5'-phosphate sodium Sodium riboflavin phosphate Sodium vitamin B_2 phosphate	◎，指定	強化剤 着色料

◎：許可（使用基準なし） Legal（Accepted with no standard of use） ×：使用不可 Illegal（Prohibited）
○：許可（使用基準あり） Legal（Accepted with standard of use） ※：個別判断を要するもの Required individual special judgement
指定：Designated Food Additives 既存：Existing Food Additives

EU E No.	EU FL No.	CAS No.	CFR No.	CNS 号.	備考 Remarks
E322			(Lecithin として) 184.1400		指定，既存の別は，原材料が**ヒマワリレシチン**，または植物レシチン，卵黄レシチン，分別レシチンのいずれの定義に該当するかにより判断する
					資料1により食品素材扱いとする品目 本成分の使用にあたっては，過剰摂取しないよう情報提供をすることの指導あり
		50-69-1			
E634					
E635				12.004	
E634					
E635				12.004	
E635				12.004	
		50-69-1			
E101(i)		83-88-5	(検定免除の着色料として) 73.450 (GRAS 物質の Riboflavin として) 184.1695	08.148	着色料の目的では○，指定 「組換え DNA 技術応用食品及び添加物の安全性審査の手続きを経た添加物」としての告示あり。詳細は厚労省 HP 参照
		752-56-7			着色料の目的では○，指定
E101(ii)		(無水物) 130-40-5	(Riboflavin 5'-phosphate (sodium) として) 184.1697		着色料の目的では○，指定 EU の規格ではリボフラビン-5'-リン酸エステルと同ナトリウム塩の両方が含まれているが，日本では**リボフラビン 5'-リン酸エステルナトリウム**のみ認められている 告示成分規格の nH_2O は n ＝2又は0
E101(ii)		(無水物) 130-40-5	(Riboflavin 5'-phosphate (sodium) として) 184.1697		着色料の目的では○，指定 EU の規格ではリボフラビン-5'-リン酸エステルと同ナトリウム塩の両方が含まれているが，日本では**リボフラビン 5'-リン酸エステルナトリウム**のみ認められている 告示成分規格の nH_2O は n ＝2又は0
E101(ii)		(無水物) 130-40-5	(Riboflavin 5'-phosphate (sodium) として) 184.1697		着色料の目的では○，指定 EU の規格ではリボフラビン-5'-リン酸エステルと同ナトリウム塩の両方が含まれているが，日本では**リボフラビン 5'-リン酸エステルナトリウム**のみ認められている 告示成分規格の nH_2O は n ＝2又は0

色文字：法令上の指定添加物名（除く別名）　red：Name on Ministerial Ordinance of Designated Food Additives
色文字：法令上の既存添加物名（除く別名）　red：Name on Ministerial Notification of Existing Food Additives

和　名 Japanese name	和名別名 Japanese name	英名，英名別名 English name	許可状況 Legal/Illegal	主な用途 Main uses
d-リモネン		*d*-Limonene	○，指定	香料
硫安	硫酸アンモニウム	Ammonium sulfate Sulfate of ammonia	◎，指定	イーストフード
硫酸	緑バン油	Oil of virtiol Sulfuric acid	○，指定	製造用剤
硫酸亜鉛	亜鉛塩類（グルコン酸亜鉛及び硫酸亜鉛に限る。）	Zinc salts（Limited to Zinc gluconate and Zinc sulfate） Zinc sulfate	○，指定	強化剤
硫酸アルミニウム		Aluminium sulfate	×	製造用剤
硫酸アルミニウムアンモニウム	アンモニウムミョウバン 焼アンモニウムミョウバン	Aluminum ammonium sulfate Ammonium alum	○，指定	製造用剤 膨脹剤
硫酸アルミニウムカリウム	カリミョウバン ミョウバン 焼ミョウバン	Alum Alum, exsiccated Aluminum potassium sulfate Potassium alum	○，指定	製造用剤 膨脹剤
硫酸アルミニウムナトリウム	ナトリウムミョウバン	Aluminium sodium sulfate	×	製造用剤 膨脹剤
硫酸アンモニウム	硫安	Ammonium sulfate Sulfate of ammonia	◎，指定	イーストフード
硫酸カリウム		Potassium sulfate	◎，指定	調味料
硫酸カルシウム	化学石こう 焼石こう 石こう 天然石こう	Calcium sulfate Chemical gypsum Gyps Gypsum Natural gypsum Plaster of Paris	○，指定	膨脹剤 強化剤 イーストフード 豆腐用凝固剤 膨張剤
	化学石こう 焼石こう 石こう 天然石こう	Calcium sulfate Chemical gypsum Gyps Gypsum Natural gypsum Plaster of Paris	※	特別用途食品
硫酸キニーネ		Quinine sulfate	×	香料
硫酸水素カリウム		Potassium hydrogen sulfate	×	製造用剤
硫酸水素ナトリウム		Sodium hydrogen sulfate	×	製造用剤
硫酸第一鉄	硫酸鉄（II） 緑ばん	Copperas Ferrous sulfate Iron vitriol Iron（II）sulfate	◎，指定	強化剤 色調安定剤

◎：許可（使用基準なし） Legal（Accepted with no standard of use）
○：許可（使用基準あり） Legal（Accepted with standard of use）
指定：Designated Food Additives　既存：Existing Food Additives
×：使用不可 Illegal（Prohibited）
※：個別判断を要するもの Required individual special judgement

EU E No.	EU FL No.	CAS No.	CFR No.	CNS 号.	備考 Remarks
	01.045	5989-27-5			**テルペン系炭化水素類** 着香の目的以外に使用してはならない 類又は誘導体として指定されている18項目の香料リストのSEQ No.1465(解説編2-(1)-(vi)参照)
E517		7783-20-2	184.1143		
E513		7664-93-9	184.1095		最終食品の完成前に中和又は除去しなければならない
		(7水和物) 7446-20-0	(Zinc sulfate として) 182.8997	00.018	発泡性酒類を製造する際のイーストフード及び母乳代替食品以外の食品に使用してはならない 告示成分規格の nH_2O は,n =7
E520			(Aluminum sulfate として) 182.1125		
E523		(12水和物) 7784-26-1 (無水物) 7784-25-0	(Aluminum ammonium sulfate として) 182.1127	06.005	告示成分規格の nH_2O は n =12,10,4,3,2,又は0
E522		(12水和物) 7784-24-9 (無水物) 10043-67-1	(Aluminum potassium sulfate として) 182.1129	06.004	告示成分規格の nH_2O は n =12,10,6,3,2又は0
E521			(Aluminum sodium sulfate として) 182.1131		
E517		7783-20-2	184.1143		
E515(i)		7778-80-5	184.1643		平成25年5月15日省令別表第1に新規指定 使用基準は設定しないものの,適切な製造工程管理を行い,食品中で目的とする効果を得る上で必要とされる量を超えないよう指導あり
E516		(2水和物) 7778-18-9	(Calcium sulfate として) 184.1230	18.001	食品の製造又は加工上必要不可欠な場合及び栄養の目的以外に使用してはならない 告示成分規格の nH_2O は n =2 石こう参照
E516					石こうは資料1により食品添加物に該当する可能性が考えられるが，事前に判断を受けるよう指導されている品目 石こう参照
E515(ii)					
E514(ii)					
		(1水和物) 13463-43-9	184.1315	00.022	

色文字：法令上の指定添加物名（除く別名）　red：Name on Ministerial Ordinance of Designated Food Additives
色文字：法令上の既存添加物名（除く別名）　red：Name on Ministerial Notification of Existing Food Additives

和　名 Japanese name	和名別名 Japanese name	英名，英名別名 English name	許可状況 Legal/Illegal	主な用途 Main uses
硫酸第二鉄		Ferric sulfate	×	強化剤
硫酸鉄(II)	硫酸第一鉄 緑ばん	Copperas Ferrous sulfate Iron vitriol Iron(II)sulfate	◎，指定	強化剤 色調安定剤
硫酸銅	銅塩類(グルコン酸銅及び硫酸銅に限る。)	Copper salts(Limited to Copper gluconate and Cupric sulfate) Cupric sulfate	○，指定	製造用剤 強化剤
硫酸ナトリウム	ボウ硝	Glauber's salt Sodium sulfate	◎，指定	製造用剤
硫酸マグネシウム		Magnesium sulfate	◎，指定	強化剤 豆腐用凝固剤 醸造用剤
硫酸マンガン		Manganese sulfate	×	製造用剤
流動パラフィン	白鉱油 ミネラルオイル ミネラルオイルホワイト	Liquid paraffin Mineral oil White mineral oil	○，既存	製造用剤
流動パラフィン(ミネラルオイル,高粘度)		Mineral oil(High viscosity)	○，既存	製造用剤
流動パラフィン(ミネラルオイル,中位及び低粘度,クラスI)		Mineral oil(Medium-and Low-viscosity,ClassI)	○，既存	製造用剤
流動パラフィン(ミネラルオイル,中位及び低粘度,クラスII)		Mineral oil(Medium-and Low-viscosity,ClassII)	○，既存	製造用剤
流動パラフィン(ミネラルオイル,中位及び低粘度,クラスIII)		Mineral oil(Medium-and Low-viscosity,ClassIII)	○，既存	製造用剤
緑茶抽出物	ウーロンチャ抽出物 チャ抽出物(チャの葉から得られた，カテキン類を主成分とするものをいう。)	Green tea extract Oolong tea extract Tea extract	◎，既存	製造用剤 酸化防止剤
緑ばん	硫酸第一鉄 硫酸鉄(II)	Copperas Ferrous sulfate Iron vitriol Iron(II)sulfate	◎，指定	強化剤 色調安定剤
緑バン油	硫酸	Oil of virtiol Sulfuric acid	○，指定	製造用剤
リン		Phosphor Phosphorus	×	特別用途食品
リンゴ酸	DL-リンゴ酸 *dl*-リンゴ酸	Malic acid DL-Malic acid *dl*-Malic acid	◎，指定	水素イオン濃度調整剤（pH 調整剤） 膨脹剤 酸味料

◎：許可（使用基準なし） Legal（Accepted with no standard of use）
○：許可（使用基準あり） Legal（Accepted with standard of use）
指定：Designated Food Additives　既存：Existing Food Additives
×：使用不可 Illegal（Prohibited）
※：個別判断を要するもの Required individual special judgement

EU E No.	EU FL No.	CAS No.	CFR No.	CNS 号.	備考 Remarks
			184.1307		
		(1水和物) 13463-43-9	184.1315	00.022	
		(5水和物) 7758-99-8	(Copper salfate として) 184.1261		ぶどう酒及び母乳代替食品以外に使用してはならない 省令別表第1のリスト名は「**銅塩類（グルコン酸銅及び硫酸銅に限る。）, Copper salts (Limited to Copper gluconate and Cupric sulfate)**」 告示成分規格の nH_2O は n =5 E No.はないが INS No.519あり
E514(i)		(1水和物) 7727-73-3 (無水物) 7757-82-6			告示成分規格の nH_2O は n =1又は0
		(7水和物) 10034-99-8	184.1443	00.021	告示成分規格の nH_2O は n =7又は3 E No.はないが INS No.518あり
			184.1461		
			(White mineral oil として) 172.878	14.003	パンを製造する過程における離型の目的以外に使用してはならない
			(White mineral oil として) 172.878		既存添加物名簿の**流動パラフィン**扱い パンを製造する過程における離型の目的以外に使用してはならない
			(White mineral oil として) 172.878		既存添加物名簿の**流動パラフィン**扱い パンを製造する過程における離型の目的以外に使用してはならない
			(White mineral oil として) 172.878		既存添加物名簿の**流動パラフィン**扱い パンを製造する過程における離型の目的以外に使用してはならない
			(White mineral oil として) 172.878		既存添加物名簿の**流動パラフィン**扱い パンを製造する過程における離型の目的以外に使用してはならない
		(1水和物) 13463-43-9	184.1315	00.022	
E513		7664-93-9	184.1095		最終食品の完成前に中和又は除去しなければならない
					資料1により，新たに食品添加物としての指定を受ける必要があるとする品目
E296		6915-15-7	(L,DL form として) 184.1069	01.309	D,L リンゴ酸は不可

色文字：法令上の指定添加物名（除く別名）　red：Name on Ministerial Ordinance of Designated Food Additives
色文字：法令上の既存添加物名（除く別名）　red：Name on Ministerial Notification of Existing Food Additives

和　名 Japanese name	和名別名 Japanese name	英名，英名別名 English name	許可状況 Legal/Illegal	主な用途 Main uses
DL-リンゴ酸	リンゴ酸 *dl*-リンゴ酸	Malic acid DL-Malic acid *dl*-Malic acid	◎，指定	水素イオン濃度調整剤（pH 調整剤） 膨脹剤 酸味料
dl-リンゴ酸	リンゴ酸 DL-リンゴ酸	Malic acid DL-Malic acid *dl*-Malic acid	◎，指定	水素イオン濃度調整剤（pH 調整剤） 膨脹剤 酸味料
リンゴ酸カリウム		Potassium malate	×	調味料
リンゴ酸カルシウム	DL-リンゴ酸カルシウム	Calcium malate Calcium DL-malate	×	製造用剤 強化剤 調味料
DL-リンゴ酸カルシウム	リンゴ酸カルシウム	Calcium malate Calcium DL-malate	×	製造用剤 強化剤 調味料
DL-リンゴ酸水素カリウム		Potassium hydrogen DL-malate	×	水素イオン濃度調整剤（pH 調整剤） 調味料
リンゴ酸水素カルシウム		Calcium hydrogen malate	×	強化剤 調味料
リンゴ酸水素ナトリウム	DL-リンゴ酸水素ナトリウム	Sodium hydrogen malate Sodium hydrogen DL-malate	×	製造用剤 調味料
DL-リンゴ酸水素ナトリウム	リンゴ酸水素ナトリウム	Sodium hydrogen malate Sodium hydrogen DL-malate	×	製造用剤 調味料
リンゴ酸ナトリウム	DL-リンゴ酸ナトリウム *dl*-リンゴ酸ナトリウム	Sodium malate Sodium DL-malate Sodium *dl*-malate	◎，指定	水素イオン濃度調整剤（pH 調整剤） 膨脹剤 調味料
DL-リンゴ酸ナトリウム	リンゴ酸ナトリウム *dl*-リンゴ酸ナトリウム	Sodium malate Sodium DL-malate Sodium *dl*-malate	◎，指定	水素イオン濃度調整剤（pH 調整剤） 膨脹剤 調味料
dl-リンゴ酸ナトリウム	リンゴ酸ナトリウム DL-リンゴ酸ナトリウム	Sodium malate Sodium DL-malate Sodium *dl*-malate	◎，指定	水素イオン濃度調整剤（pH 調整剤） 膨脹剤 調味料
リン酸	オルトリン酸	Orthophosphoric acid Phosphoric acid	◎，指定	水素イオン濃度調整剤（pH 調整剤） 酸味料
リン酸一アンモニウム	酸性リン酸アンモニウム リン酸二水素アンモニウム	Acidic ammonium phosphate Ammonium dihydrogen phosphate Monoammonium phosphate	◎，指定	乳化剤 イーストフード 醸造用剤
リン酸一カリウム	第一リン酸カリウム リン酸二水素カリウム	Monobasic potassium phosphate Monopotassium phosphate Potassium dihydrogen phosphate	◎，指定	製造用剤 水素イオン濃度調整剤（pH 調整剤） 膨脹剤 調味料 かんすい 乳化剤 イーストフード

◎：許可（使用基準なし） Legal（Accepted with no standard of use）
○：許可（使用基準あり） Legal（Accepted with standard of use）
指定：Designated Food Additives　　既存：Existing Food Additives

×：使用不可　Illegal（Prohibited）
※：個別判断を要するもの　Required individual special judgement

EU E No.	EU FL No.	CAS No.	CFR No.	CNS 号.	備考 Remarks
E296		6915-15-7	（L,DL form として） 184.1069	01.309	D,L リンゴ酸は不可
E296		6915-15-7	（L,DL form として） 184.1069	01.309	D,L リンゴ酸は不可
E351					
E352(i)					
E352(i)					
E352(ii)					
E350(ii)					
E350(ii)					
E350(i)		（無水物） 676-46-0			告示成分規格の nH_2O は n ＝3又は1/2
E350(i)		（無水物） 676-46-0			告示成分規格の nH_2O は n ＝3又は1/2
E350(i)		（無水物） 676-46-0			告示成分規格の nH_2O は n ＝3又は1/2
E338		7664-38-2	182.1073	01.106	
		7722-76-1	（Ammonium phosphate, monobasic として） 184.1141a		E No.はないが INS No.342(ｉ)あり
E340(i)		7778-77-0		15.010	

り

色文字：法令上の指定添加物名（除く別名）　red：Name on Ministerial Ordinance of Designated Food Additives
色文字：法令上の既存添加物名（除く別名）　red：Name on Ministerial Notification of Existing Food Additives

和　名 Japanese name	和名別名 Japanese name	英名，英名別名 English name	許可状況 Legal/Illegal	主な用途 Main uses
リン酸一水素カルシウム	第二リン酸カルシウム	Calcium monohydrogen phosphate Dicalcium phosphate	○，指定	製造用剤 膨脹剤 強化剤 乳化剤 イーストフード
リン酸一水素マグネシウム		Dimagnesium phosphate Magnesium hydrogen phosphate Magnesium monohydrogen phosphate Magnesium monohydrogen phosphate trihydrate	◎，指定	水素イオン濃度調整剤（pH 調整剤） 強化剤
リン酸一ナトリウム	MSP 塩基性リン酸ナトリウム 酸性リン酸ナトリウム 第一リン酸ナトリウム リン酸二水素一ナトリウム リン酸二水素ナトリウム	Monobasic sodium phosphate Monosodium dihydrogen phosphate Monosodium phosphate MSP Primary sodium orthophosphate Sodium acid phosphate Sodium biphosphate Sodium dihydrogen phosphate Sodium phosphate, monobasic	◎，指定	製造用剤 水素イオン濃度調整剤（pH 調整剤） 膨脹剤 調味料 かんすい 乳化剤
リン酸架橋デンプン	加工デンプン	Distarch phosphate Modified starch	◎，指定	増粘安定剤 ゲル化剤 糊料
リン酸化デンプン	加工デンプン	Modified starch Monostarch phosphate	◎，指定	増粘安定剤 ゲル化剤 糊料
リン酸三カリウム	第三リン酸カリウム	Tribasic potassium phosphate Tripotassium phosphate	◎，指定	製造用剤 水素イオン濃度調整剤（pH 調整剤） 膨脹剤 調味料 かんすい 乳化剤 イーストフード
リン酸三カルシウム	第三リン酸カルシウム	Tribasic calcium phosphate Tricalcium phosphate	○，指定	製造用剤 膨脹剤 強化剤 乳化剤 イーストフード
リン酸三ナトリウム	三塩基性リン酸ナトリウム 第三リン酸ナトリウム TSP	Sodium phosphate, tribasic Tertiary sodium orthophosphate Tertiary sodium phosphate Tribasic sodium phosphate Trisodium orthophosphate Trisodium phosphate TSP	◎，指定	製造用剤 調味料 かんすい 乳化剤

◎：許可（使用基準なし） Legal（Accepted with no standard of use）
○：許可（使用基準あり） Legal（Accepted with standard of use）
指定：Designated Food Additives　既存：Existing Food Additives
×：使用不可 Illegal（Prohibited）
※：個別判断を要するもの Required individual special judgement

EU E No.	EU FL No.	CAS No.	CFR No.	CNS 号.	備考 Remarks
E341(ii)		(2水和物) 7789-77-7 (無水物) 7757-93-9		06.006	食品の製造又は加工上必要不可欠な場合及び栄養の目的以外に使用してはならない 表示成分規格の nH_2O は n＝2,1 1/2,1,1/2又は0
E343(ii)		(3水和物) 7782-75-4	(Magnesium phosphate として) 184.1434		平成24年11月2日省令別表第1に新規指定 使用基準は設定されていないが，小児の通常の食品以外からの摂取量の耐用上限量は5mg/kg 体重/日とされていることを踏まえ，その使用にあたっては，適切な製造工程管理を行い，食品中で目的とする効果を得る上で必要とされる量を超えないものとする指導あり 告示成分規格の nH_2O は n＝3 E No.343(ii):Dimagnesium phosphate INS No.343(ii):Magnesium hydrogen phosphate
E339(i)		(2水和物) 13472-35-0 (無水物) 7558-80-7	(Sodium acid phosphate として) 182.6085 (Sodium phosphate (mono-, di-, and tribasic)として) 182.1778 182.6778 182.8778	15.005	告示成分規格の nH_2O は n＝2又は0
E1412		55963-33-2	(Food starch-modified として) 172.892	20.034	適切な製造工程管理を行い,食品中で目的とする効果を得る量を超えないこと
E1410		63100-01-06	(Food starch-modified として) 172.892		適切な製造工程管理を行い,食品中で目的とする効果を得る量を超えないこと
E340(iii)		(無水物) 7778-53-2		01.308	告示成分規格の nH_2O は n＝3,1 1/2,1又は0 CNS 号01.308は tripotassium orthophosphate
E341(iii)			(Calcium phosphate (mono-, di-, and tribasic)として) 182.1217 182.8217	02.003	食品の製造又は加工上必要不可欠な場合及び栄養の目的以外に使用してはならない CNS 号02.003は tricalcium orthophosphate
E339(iii)		(12水和物) 10101-89-0 (無水物) 7601-54-9	(Sodium phosphate (mono-,di-,and tribasic) として) 182.1778 182.6778 182.8778	15.001	告示成分規格の nH_2O は n＝12,6又は0

り

色文字：法令上の指定添加物名（除く別名）　red：Name on Ministerial Ordinance of Designated Food Additives
色文字：法令上の既存添加物名（除く別名）　red：Name on Ministerial Notification of Existing Food Additives

和　名 Japanese name	和名別名 Japanese name	英名，英名別名 English name	許可状況 Legal/Illegal	主な用途 Main uses
リン酸三マグネシウム	第三リン酸マグネシウム リン酸マグネシウム	Magnesium phosphate Tribasic magnesium phosphate Trimagnesium phosphate	◎，指定	製造用剤 強化剤
リン酸水素二アンモニウム	第二リン酸アンモニウム 二塩基性リン酸アンモニウム リン酸二アンモニウム	Diammonium hydrogen phosphate Diammonium phosphate Dibasic ammonium phosphate Secondary ammonium phosphate	◎，指定	製造用剤 乳化剤 イーストフード 醸造用剤
リン酸水素二カリウム	第二リン酸カリウム リン酸二カリウム	Dibasic potassium phosphate Dipotassium hydrogen phosphate Dipotassium phosphate	◎，指定	製造用剤 水素イオン濃度調整剤（pH 調整剤） 膨脹剤 調味料 かんすい 乳化剤
リン酸水素二ナトリウム	第二リン酸ナトリウム DSP 二塩基性リン酸ナトリウム リン酸二ナトリウム	Dibasic sodium phosphate Disodium hydrogen phosphate Disodium phosphate DSP Secondary sodium orthophosphate Sodium phosphate, dibasic	◎，指定	製造用剤 水素イオン濃度調整剤（pH 調整剤） 膨脹剤 調味料 かんすい 乳化剤
リン酸第二鉄		Ferric phosphate	×	強化剤
リン酸鉄アンモニウム		Ferrous ammonium phosphate	×	強化剤
リン酸ナトリウムアルミニウム		Sodium aluminium phosphate	×	製造用剤
リン酸二アンモニウム	第二リン酸アンモニウム 二塩基性リン酸アンモニウム リン酸水素二アンモニウム	Diammonium hydrogen phosphate Diammonium phosphate Dibasic ammonium phosphate Secondary ammonium phosphate	◎，指定	製造用剤 乳化剤 イーストフード 醸造用剤
リン酸二カリウム	第二リン酸カリウム リン酸水素二カリウム	Dibasic potassium phosphate Dipotassium hydrogen phosphate Dipotassium phosphate	◎，指定	製造用剤 水素イオン濃度調整剤（pH 調整剤） 膨脹剤 調味料 かんすい 乳化剤
リン酸二水素アンモニウム	酸性リン酸アンモニウム リン酸一アンモニウム	Acidic ammonium phosphate Ammonium dihydrogen phosphate Monoammonium phosphate	◎，指定	乳化剤 イーストフード 醸造用剤
リン酸二水素一ナトリウム	MSP 塩基性リン酸ナトリウム 酸性リン酸ナトリウム 第一リン酸ナトリウム リン酸一ナトリウム リン酸二水素ナトリウム	Monobasic sodium phosphate Monosodium dihydrogen phosphate Monosodium phosphate MSP Primary sodium orthophosphate Sodium acid phosphate Sodium biphosphate Sodium dihydrogen phosphate Sodium phosphate, monobasic	◎，指定	製造用剤 水素イオン濃度調整剤（pH 調整剤） 膨脹剤 調味料 かんすい 乳化剤

◎：許可（使用基準なし） Legal（Accepted with no standard of use）
○：許可（使用基準あり） Legal（Accepted with standard of use）
指定：Designated Food Additives 既存：Existing Food Additives
×：使用不可 Illegal（Prohibited）
※：個別判断を要するもの Required individual special judgement

EU E No.	EU FL No.	CAS No.	CFR No.	CNS 号.	備考 Remarks
		(8水和物) 13446-23-6 (4水和物) 13465-22-0	(Magnesium phosphate includes both magnesium phosphate, dibasic, and magnesium phosphate, tribasic として) 184.1434		CFR No.184.1434は，**リン酸三マグネシウム**を含む 告示成分規格の nH_2O は n ＝8,5又は4
		7783-28-0	(Ammonium phosphate, dibasic として) 184.1141b	06.008	E No.はないが INS No.342(ⅱ)あり
E340(ii)		7758-11-4	182.6285	15.009	
E339(ii)		(12水和物) 10039-32-4 (無水物) 7558-79-4	(Disodium phosphate として) 182.6290	15.006	表示成分規格の nH_2O は n ＝12,10,8,7,5,2又は0
			184.1301		
			(Sodium alminum phosphate として) 182.1781		
		7783-28-0	(Ammonium phosphate, dibasic として) 184.1141b	06.008	E No.はないが INS No.342(ⅱ)あり
E340(ii)		7758-11-4	182.6285	15.009	
		7722-76-1	(Ammonium phosphate, monobasic として) 184.1141a		E No.はないが INS No.342(ⅰ)あり
E339(i)		(2水和物) 13472-35-0 (無水物) 7558-80-7	(Sodium acid phosphate として) 182.6085 (Sodium phosphate (mono-, di-, and tribasic)として) 182.1778 182.6778 182.8778	15.005	告示成分規格の nH_2O は n ＝2又は0

り

色文字：法令上の指定添加物名（除く別名）　red：Name on Ministerial Ordinance of Designated Food Additives
色文字：法令上の既存添加物名（除く別名）　red：Name on Ministerial Notification of Existing Food Additives

和　名 Japanese name	和名別名 Japanese name	英名，英名別名 English name	許可状況 Legal/Illegal	主な用途 Main uses
リン酸二水素カリウム	第一リン酸カリウム リン酸一カリウム	Monobasic potassium phosphate Monopotassium phosphate Potassium dihydrogen phosphate	◎，指定	製造用剤 水素イオン濃度調整剤（pH調整剤） 膨脹剤 調味料 かんすい 乳化剤 イーストフード
リン酸二水素カルシウム	酸性リン酸カルシウム 第一リン酸カルシウム	Acidic calcium phosphate Calcium dihydrogen phosphate Monobasic calcium phosphate Monocalcium phosphate	○，指定	製造用剤 膨脹剤 強化剤 乳化剤 イーストフード
リン酸二水素ナトリウム	MSP 塩基性リン酸ナトリウム 酸性リン酸ナトリウム 第一リン酸ナトリウム リン酸一ナトリウム リン酸二水素一ナトリウム	Monobasic sodium phosphate Monosodium dihydrogen phosphate Monosodium phosphate MSP Primary sodium orthophosphate Sodium acid phosphate Sodium biphosphate Sodium dihydrogen phosphate Sodium phosphate, monobasic	◎，指定	製造用剤 水素イオン濃度調整剤（pH調整剤） 膨脹剤 調味料 かんすい 乳化剤
リン酸二水素マグネシウム		Magnesium phosphate, monobasic Monomagnesium phosphate	×	製造用剤
リン酸二ナトリウム	第二リン酸ナトリウム DSP 二塩基性リン酸ナトリウム リン酸水素二ナトリウム	Dibasic sodium phosphate Disodium hydrogen phosphate Disodium phosphate DSP Secondary sodium orthophosphate Sodium phosphate, dibasic	◎，指定	製造用剤 水素イオン濃度調整剤（pH調整剤） 膨脹剤 調味料 かんすい 乳化剤
リン酸マグネシウム	第三リン酸マグネシウム リン酸三マグネシウム	Magnesium phosphate Tribasic magnesium phosphate Trimagnesium phosphate	◎，指定	製造用剤 強化剤
リン酸モノエステル化リン酸架橋デンプン	加工デンプン	Modified starch Phosphated distarch phosphate	◎，指定	増粘安定剤 ゲル化剤 糊料
リンターセルロース（ワタの単毛から得られた，セルロースを主成分とするものをいう。）		Linter cellulose	◎，既存	製造用剤
ルチン（抽出物）（アズキの全草，エンジュのつぼみ若しくは花又はソバの全草から得られた，ルチンを主成分とするものをいう。）	アズキ全草抽出物 エンジュ抽出物 ソバ全草抽出物	Azuki extract Buckwheat extract Enju extract Japanese pagoda tree extract Rutin (extract)	◎，既存	強化剤 酸化防止剤 着色料
ルチン酵素分解物（「ルチン（抽出物）」から得られた，イソクエルシトリンを主成分とするものをいう。）		Enzymatically decomposed rutin	◎，既存	酸化防止剤

◎：許可（使用基準なし） Legal（Accepted with no standard of use）
○：許可（使用基準あり） Legal（Accepted with standard of use）
指定：Designated Food Additives　既存：Existing Food Additives
×：使用不可 Illegal（Prohibited）
※：個別判断を要するもの Required individual special judgement

EU E No.	EU FL No.	CAS No.	CFR No.	CNS 号.	備考 Remarks
E340(i)		7778-77-0		15.010	
E341(i)		（1水和物） 7758-23-8	（Monobasic calcium phosphate として） 182.6215	15.007	食品の製造又は加工上必要不可欠な場合及び栄養の目的以外に使用してはならない 告示成分規格の nH_2O は n ＝1又は0
E339(i)		（2水和物） 13472-35-0 （無水物） 7558-80-7	（Sodium acid phosphate として） 182.6085 （Sodium phosphate (mono-, di-, and tribasic)として） 182.1778 182.6778 182.8778	15.005	告示成分規格の nH_2O は n ＝2又は0
E343(i)					
E339(ii)		（12水和物） 10039-32-4 （無水物） 7558-79-4	（Disodium phosphate として） 182.6290	15.006	表示成分規格の nH_2O は n ＝12,10,8,7,5,2又は0
		（8水和物） 13446-23-6 （4水和物） 13465-22-0	（Magnesium phosphate includes both magnesium phosphate, dibasic, and magnesium phosphate, tribasic. として） 184.1434		CFR No.184.1434は，**リン酸三マグネシウム**を含む 告示成分規格の nH_2O は n ＝8,5又は4
E1413			（Food starch-modified として） 172.892	20.017	適切な製造工程管理を行い，食品中で目的とする効果を得る量を超えないこと
E460(ii)					E460(ii)：Powdered cellulose
					着色料の目的では○，既存 「エンジュ抽出物」には「CAS No.250249-75-3」あり．

色文字：法令上の指定添加物名（除く別名）　red：Name on Ministerial Ordinance of Designated Food Additives
色文字：法令上の既存添加物名（除く別名）　red：Name on Ministerial Notification of Existing Food Additives

和　名 Japanese name	和名別名 Japanese name	英名，英名別名 English name	許可状況 Legal/Illegal	主な用途 Main uses
ルテイン	キサントフィル 混合カロテノイド	Lutein Mixed carotenoids Xanthophylls	※	着色料
		Lutein	◎	特別用途食品
ルテニウム		Ruthenium	◎，既存	製造用剤
レイシ抽出物（マンネンタケの菌糸体若しくは子実体又はその培養液から抽出して得られたものをいう。）	マンネンタケ抽出物	Mannentake extract	◎，既存	苦味料
レシチナーゼ	ホスファチダーゼ ホスホリパーゼ	Lecithinase Phosphatidase Phospholipase	◎，既存	酵素
レシチン	植物レシチン（アブラナ又はダイズの種子から得られた，レシチンを主成分とするものをいう。） セファリン 分別レシチン（「植物レシチン」又は「卵黄レシチン」から得られた，スフィンゴミエリン，フォスファチジルイノシトール，フォスファチジルエタノールアミン及びフォスファチジルコリンを主成分とするものをいう。） 卵黄レシチン（卵黄から得られた，レシチンを主成分とするものをいう。） リポイノシトール レシチン分別物	Cephalin Fractionated Lecithin Lecithin Lecithin, partially hydrolyzed Lipoinositol Vegetable lecithin Yolk lecithin	◎，既存	乳化剤
レシチン分別物	セファリン 分別レシチン（「植物レシチン」又は「卵黄レシチン」から得られた，スフィンゴミエリン，フォスファチジルイノシトール，フォスファチジルエタノールアミン及びフォスファチジルコリンを主成分とするものをいう。） リポイノシトール レシチン	Cephalin Fractionated Lecithin Lecithin Lipoinositol	◎，既存	乳化剤
レジノール	樹脂アルコール リグナン	Lignan Resinol	※	特別用途食品
(E)-レスベラトロール	*trans*-レスベラトロール	*(E)*-Resveratrol *trans*-Resveratrol	※	特別用途食品
レチノール	ビタミンA	Retinol Vitamin A	◎，指定	強化剤
レチノール脂肪酸エステル	ビタミンA脂肪酸エステル	Retionl esters of fatty acids Vitamin A esters of fatty acids	◎，指定	強化剤
レッチェカスピ	ソルバ（ソルバの分泌液から得られた，アミリンアセタート及びポリイソプレンを主成分とするものをいう。） ペリージョ ペンダーレ	Leche caspi Pendare Perillo Sorva	◎，既存	ガムベース
レッチュデバカ（レッチュデバカの分泌液から得られた，アミリンエステルを主成分とするものをいう。）		Leche de vaca	◎，既存	ガムベース
レッド2G		Red 2G	×	着色料
レッド10B		Red 10B	×	着色料

◎：許可（使用基準なし） Legal（Accepted with no standard of use）　　×：使用不可 Illegal（Prohibited）
○：許可（使用基準あり） Legal（Accepted with standard of use）　　※：個別判断を要するもの Required individual special judgement
指定：Designated Food Additives　　既存：Existing Food Additives

EU E No.	EU FL No.	CAS No.	CFR No.	CNS 号.	備　考 Remarks
E161b				08.146	既存添加物名簿の名称，別名，簡略名に「キサントフィル」名がある**オレンジ**，**マリーゴールド色素**以外からの「キサントフィル」は不可 既存添加物名簿の名称，別名，簡略名に「カロテノイド」関連名がある**アナトー**，**オレンジ**，**クチナシ**，**デュナリエラ**，**トウガラシ**，**トマト**，**ニンジン**，**パーム油**，**ファフィア**，**ヘマトコッカス藻**，**マリーゴールド色素**以外からの「ルテイン」は不可
E161b				08.146	資料1により既存添加物扱いとする品目
					「組換えDNA技術応用食品及び添加物の安全性審査の手続きを経た添加物」としての告示あり。詳細は厚労省HP参照
E322			（Lecithinとして） 184.1400		指定，既存の別は，原材料が**ヒマワリレシチン**，または植物レシチン，卵黄レシチン，分別レシチンのいずれの定義に該当するかにより判断する
E322			（Lecithinとして） 184.1400		指定，既存の別は，原材料が**ヒマワリレシチン**，または植物レシチン，卵黄レシチン，分別レシチンのいずれの定義に該当するかにより判断する
					資料1により食品添加物に該当する可能性が考えられるが，事前に判断を受けるよう指導されている品目
					資料1により食品添加物に該当する可能性が考えられるが，事前に判断を受けるよう指導されている品目
			184.1930		

色文字：法令上の指定添加物名（除く別名）　red：Name on Ministerial Ordinance of Designated Food Additives
色文字：法令上の既存添加物名（除く別名）　red：Name on Ministerial Notification of Existing Food Additives

和　名 Japanese name	和名別名 Japanese name	英名，英名別名 English name	許可状況 Legal/Illegal	主な用途 Main uses
レッドカーラント色素		Red currant color	○	着色料
レバウジオシド	ステビアエキス ステビア抽出物(ステビアの葉から抽出して得られた，ステビオール配糖体を主成分とするものをいう。) ステビオグルコシド ステビオサイド ステビオシド レバウディオサイド	Rebaudioside Stevia ext. Stevia extract Steviol glycosides Stevioside	◎，既存	甘味料
レバウジオシドAM	レバウディオサイドAM	Enzymatically produced steviol glycosides Rebaudioside AM	※	甘味料
レバウジオシドM	レバウディオサイドM	Enzymatically produced steviol glycosides Rebaudioside M	※	甘味料
レバウジオシドD	レバウディオサイドD	Enzymatically produced steviol glycosides Rebaudioside D	※	甘味料
レバウディオサイド	ステビアエキス ステビア抽出物(ステビアの葉から抽出して得られた，ステビオール配糖体を主成分とするものをいう。) ステビオグルコシド ステビオサイド ステビオシド レバウジオシド	Rebaudioside Stevia ext. Stevia extract Steviol glycosides Stevioside	◎，既存	甘味料
レバウディオサイドAM	レバウジオシドAM	Enzymatically produced steviol glycosides Rebaudioside AM	※	甘味料
レバウディオサイドM	レバウジオシドM	Enzymatically produced steviol glycosides Rebaudioside M	※	甘味料
レバウディオサイドD	レバウジオシドD	Enzymatically produced steviol glycosides Rebaudioside D	※	甘味料
レバン(枯草菌の培養液から得られた，多糖類を主成分とするものをいう。)	フラクタン	Fructan Levan	×	増粘安定剤
レマローム	ゲラニアル(トランス-シトラール) シトラール ネラール(シス-シトラール)	Citral Geranial(*trans* -Citral) Lemarome Neral(*cis* -Citral)	○，指定	香料
レンニン	キモシン レンネット	Chymosin Rennet Rennin	◎，既存	酵素
レンネット	キモシン レンニン	Chymosin Rennet Rennin	◎，既存	酵素

◎：許可（使用基準なし） Legal（Accepted with no standard of use）　×：使用不可 Illegal（Prohibited）
○：許可（使用基準あり） Legal（Accepted with standard of use）　※：個別判断を要するもの Required individual special judgement
指定：Designated Food Additives　既存：Existing Food Additives

EU E No.	EU FL No.	CAS No.	CFR No.	CNS 号.	備 考 Remarks
					一般飲食物添加物
E960a				19.008	E960は「Commission Regulation（EU）No.1131/2011 of 11 Nov. 2011」で新規制定されたが，その後「Commission Regulation（EU）2021/1156 of 13 July 2021」により E960a Steviol glycosides from stevia に変更された レバウジオシド M 参照
E960c（iv）					E960c（iv）は「Commission Regulation（EU）2022/1922 of 10 Oct. 2022」により Rebaudioside AM produced via enzymatic conversion of highly purified rebaudioside a stevia leaf extracts の名称で新規指定
E960c（i） E960c（ii）					E960c（i）は「Commission Regulation（EU）2021/1156 of 13 July 2021」により Rebaudioside M produced via enzyme modification of steviol glycosides from stevia の名称で新規指定 E960c（ii）は「Commission Regulation（EU）2022/1922 of 10 Oct. 2022」により Rebaudioside M produced via enzymatic conversion of highly purified rebaudioside a stevia leaf extracts の名称で新規指定
E960c（iii）					E960c（iii）は「Commission Regulation（EU）2022/1922 of 10 Oct. 2022」により Rebaudioside D produced via enzymatic conversion of highly purified rebaudioside a stevia leaf extracts の名称で新規指定
E960a				19.008	E960は「Commission Regulation（EU）No.1131/2011 of 11 Nov. 2011」で新規制定されたが，その後「Commission Regulation（EU）2021/1156 of 13 July 2021」により E960a Steviol glycosides from stevia に変更された レバウジオシド M 参照
E960c（iv）					E960c（iv）は「Commission Regulation（EU）2022/1922 of 10 Oct. 2022」により Rebaudioside AM produced via enzymatic conversion of highly purified rebaudioside a stevia leaf extracts の名称で新規指定
E960c（i） E960c（ii）					E960c（i）は「Commission Regulation（EU）2021/1156 of 13 July 2021」により Rebaudioside M produced via enzyme modification of steviol glycosides from stevia の名称で新規指定 E960c（ii）は「Commission Regulation（EU）2022/1922 of 10 Oct. 2022」により Rebaudioside M produced via enzymatic conversion of highly purified rebaudioside a stevia leaf extracts の名称で新規指定
E960c（iii）					E960c（iii）は「Commission Regulation（EU）2022/1922 of 10 Oct. 2022」により Rebaudioside D produced via enzymatic conversion of highly purified rebaudioside a stevia leaf extracts の名称で新規指定
					「レバン」は，令和2年2月26日告示第42号により既存添加物名簿から消除
	05.020	5392-40-5			着香の目的以外に使用してはならない 告示は「*trans*-異性体と *cis*-異性体との混合物」だが，(EU) FL No.は告示の CAS No.と同番号で「citral」としてあり
			(Rennett(animal derived) and chymosin preparation (fermentation derived)として) 184.1685		「組換え DNA 技術応用食品及び添加物の安全性審査の手続きを経た添加物」としての告示あり。詳細は厚労省 HP 参照
			(Rennett(animal derived) and chymosin preparation (fermentation derived)として) 184.1685		「組換え DNA 技術応用食品及び添加物の安全性審査の手続きを経た添加物」としての告示あり。詳細は厚労省 HP 参照

れ

色文字：法令上の指定添加物名（除く別名）　red：Name on Ministerial Ordinance of Designated Food Additives
色文字：法令上の既存添加物名（除く別名）　red：Name on Ministerial Notification of Existing Food Additives

和　名 Japanese name	和名別名 Japanese name	英名，英名別名 English name	許可状況 Legal/Illegal	主な用途 Main uses
レンネット(微生物由来)	マイクロバイアルレンネット	Microbial rennet Rennet(Microbial rennet)	◎	酵素
レンネットカゼイン		Rennet casein	◎	増粘安定剤
L-ロイシン	L-α-アミノイソカプロン酸	L-α-Aminoisocaproic acid L-Leucine	◎，既存	強化剤 調味料
ローカストビーンガム	カロブガム カロブビーンガム(イナゴマメの種子の胚乳を粉砕し，又は溶解し，沈殿して得られたものをいう。)	Carob bean gum Carob gum Locust bean gum	◎，既存	増粘安定剤 乳化剤
ローガンベリー色素		Loganberry color	○	着色料
ログウッド色素(ログウッドの心材から得られた，ヘマトキシリンを主成分とするものをいう。)		Logwood color	○，既存	着色料
ロジディンハ	ロシディンハ(ロシディンハの分泌液から得られた，アミリンアセタート及びポリイソプレンを主成分とするものをいう。)	Rosidinha	◎，既存	ガムベース
ロシディンハ(ロシディンハの分泌液から得られた，アミリンアセタート及びポリイソプレンを主成分とするものをいう。)	ロジディンハ	Rosidinha	◎，既存	ガムベース
ロージナール	シトロネラール *d*-シトロネラール ℓ-シトロネラール	Citronellal *d*-Citronellal ℓ-Citronellal Rhodinal	○，指定	香料
ロシャ(硇砂)	塩安 塩化アンモニウム	Ammonium chloride Ammonium muriate Chloride of ammonia Muriate of ammonia Sal-ammoniac Salmiac	◎，指定	製造用剤 膨脹剤 イーストフード
ロシン(マツの分泌液から得られた，アビエチン酸を主成分とするものをいう。)	ロジン	Rosin	◎，既存	ガムベース
ロジン	ロシン(マツの分泌液から得られた，アビエチン酸を主成分とするものをいう。)	Rosin	◎，既存	ガムベース
ロジンエステル	エステルガム	Ester gum Glycerol esters of wood rosins Rosin ester	○，指定	チューインガム基礎剤
ローストでん粉	デキストリン 白色及び黄色焙焼でん粉	Dextrin Roasted starch White and yellow roasted starch	◎	特別用途食品 増粘安定剤 糊料
ローズベンガル	食用赤色105号	Food Red No. 105 Rose bengale	○，指定	着色料
ローズマリー抽出物(マンネンロウの葉又は花から得られた，カルノシン酸，カルノソール及びロスマノールを主成分とするものをいう。)	マンネンロウ抽出物	Rosemary extract	◎，既存	酸化防止剤
ローゼル色素	ハイビスカス色素	Hibiscus color	○	着色料
ローダミンB		Rhodamine B	×	着色料

◎：許可（使用基準なし） Legal（Accepted with no standard of use）
○：許可（使用基準あり） Legal（Accepted with standard of use）
指定：Designated Food Additives　既存：Existing Food Additives
×：使用不可 Illegal（Prohibited）
※：個別判断を要するもの Required individual special judgement

EU E No.	EU FL No.	CAS No.	CFR No.	CNS 号.	備　考 Remarks
			(Milk-clotting enzymes, microbial として) 173.150		既存添加物レンネットの扱い
					一般飲食物添加物
E641		61-90-5	(Amino acids, L-Leucine として) 172.320		E641は卓上甘味料錠剤用の Tableting aid として「Commission Regulation（EU）2015/649 of 24 April 2015」で新規制定
E410			(Locust(carob)bean gum として) 184.1343	20.023	
					一般飲食物添加物
	05.021	106-23-0			着香の目的以外に使用してはならない
	16.048	12125-02-9	184.1138		E No.はないが INS No.510あり EU では香料特性のある食品成分として FL No.あり
E445			(Glycerol ester of rosin として) 172.735	10.013	チューインガム基礎剤の目的以外に使用してはならない E445は Glycerol esters of wood rosins
			(Dextrin として) 184.1277		資料1により食品素材扱いとする品目
		632-69-9			
E392				04.017 04.022	CNS 号04.022は超臨界二氧化碳萃取法
					一般飲食物添加物

色文字：法令上の指定添加物名（除く別名）　red：Name on Ministerial Ordinance of Designated Food Additives
色文字：法令上の既存添加物名（除く別名）　red：Name on Ministerial Notification of Existing Food Additives

和　名 Japanese name	和名別名 Japanese name	英名，英名別名 English name	許可状況 Legal/Illegal	主な用途 Main uses
ワセリン	ペトロラタム	Petrolatum Vaseline	×	製造用剤
ワニリン	バニリックアルデヒド **バニリン** プロトカテキュアルデヒドメチルエーテル メチルプロトカテキュアルデヒド メトキシプロトカテキュアルデヒド	Methoxyprotocatechuic aldehyde Methyl protocatechuic aldehyde Protocatechu aldehydemethylether Vanillic aldehyde **Vanillin**	○，指定	香料
ワラ灰抽出物	**イナワラ灰抽出物**（イネの茎又は葉の灰化物から抽出して得られたものをいう。）	**Rice straw ash extract**	◎，既存	製造用剤

◎：許可（使用基準なし） Legal（Accepted with no standard of use）
○：許可（使用基準あり） Legal（Accepted with standard of use）
指定：Designated Food Additives　既存：Existing Food Additives
×：使用不可 Illegal（Prohibited）
※：個別判断を要するもの Required individual special judgement

EU E No.	EU FL No.	CAS No.	CFR No.	CNS 号.	備考 Remarks
			172.880		
	05.018	121-33-5			着香の目的以外に使用してはならない

第2編

英名アルファベット順
(in alphabetical order)

指定添加物 "Designated Food Additives" :

They are food additives listed on "Attached Table 1 of Article 12 of Ministerial Ordinance", based on Article 10 of Food Sanitation Law.

Ministry of Health, Labour and Welfare designates them as not injurious to human health.

既存添加物 "Existing Food Additives" :

They are food additives listed on "Ministerial Notification of No. 120" issued on April 16, 1996.

一般飲食物添加物 "Substances generally provided as food and used as food additives" :

46 substances are picked up out of "Attached Table 3" of above Notification. They are seemed to be used as food additives with a certain intention widely.

◎ : It means Designated Food Additives/Existing Food Additives/Food Itself with no standard of use (can use freely), such as permitted food, maximum residual level, limitation of use etc.

○ : It means Designated Food Additives/Existing Food Additives/Food Itself with standard of use (can use within these limitations or conditions only), such as permitted food, maximum residual level, limitation of use etc.

× : It means illegal food additives. They are neither listed on Designated Food Additives nor Existing Food Additives.

※ : It means food additives requiring individual special judgment of legal or illegal to use, based on such as their using purpose, subject of food/raw material etc.

A

色文字：法令上の指定添加物名（除く別名）　red：Name on Ministerial Ordinance of Designated Food Additives
色文字：法令上の既存添加物名（除く別名）　red：Name on Ministerial Notification of Existing Food Additives

英　名 English name	英名別名 English name	和名，和名別名 Japanese name	許可状況 Legal/Illegal	主な用途 Main uses
Absinth extract		ニガヨモギ抽出物（ニガヨモギの全草から得られた，セスキテルペンを主成分とするものをいう。）	◎，既存	苦味料
Acacia gum	Acacia (gum arabic) Arabic gum Gum Arabic Senegal gum	アカシアガム アラビアガム（アカシアの分泌液から得られた，多糖類を主成分とするものをいう。） セネガルガム	◎，既存	増粘安定剤 乳化剤
Acacia (gum arabic)	Acacia gum Arabic gum Gum Arabic Senegal gum	アカシアガム アラビアガム（アカシアの分泌液から得られた，多糖類を主成分とするものをいう。） セネガルガム	◎，既存	増粘安定剤 乳化剤
Acesulfame K	Acesulfame potassium	アセスルファムK アセスルファムカリウム	○，指定	甘味料
Acesulfame potassium	Acesulfame K	アセスルファムK アセスルファムカリウム	○，指定	甘味料
Acetaldehyde	Acetic aldehyde Ethanal Ethyl aldehyde	アセトアルデヒド エタナール エチルアルデヒド 酢酸アルデヒド	○，指定	香料
Acetate esters of monoglyceride	Acetic acid esters of mono-and diglycerides of fatty acids Glycerol esters of acetic (acetate) and fatty acids Glycerol esters of fatty acids	グリセリン酢酸脂肪酸エステル グリセリン脂肪酸エステル 酢酸モノグリセライド 脂肪酸のモノ及びジグリセライドの酢酸エステル	◎，指定	製造用剤 増粘安定剤 乳化剤 ガムベース
Acetic acid	Methanecarboxylic acid Vinegar acid	酢酸	◎，指定	酸味料
Acetic acid calcium salt	Calcium acetate Calcium acetate monohydrate	酢酸カルシウム	◎，指定	水素イオン濃度調整剤（pH 調整剤） 強化剤 増粘安定剤 ゲル化剤 糊料
Acetic acid esters of mono-and diglycerides of fatty acids	Acetate esters of monoglyceride Glycerol esters of acetic (acetate) and fatty acids Glycerol esters of fatty acids	グリセリン酢酸脂肪酸エステル グリセリン脂肪酸エステル 酢酸モノグリセライド 脂肪酸のモノ及びジグリセライドの酢酸エステル	◎，指定	製造用剤 増粘安定剤 乳化剤 ガムベース
Acetic acid ethyl ester	Acetic ether Ethyl acetate Vinegarnaphtha	酢酸エチル 酢酸エチルエステル ビネガーナフサ	○，指定	製造用剤 香料
Acetic aldehyde	Acetaldehyde Ethanal Ethyl aldehyde	アセトアルデヒド エタナール エチルアルデヒド 酢酸アルデヒド	○，指定	香料
Acetic anhydride		無水酢酸	×	製造用剤

◎：許可（使用基準なし） Legal（Accepted with no standard of use）
○：許可（使用基準あり） Legal（Accepted with standard of use）
指定：Designated Food Additives　既存：Existing Food Additives
×：使用不可　Illegal（Prohibited）
※：個別判断を要するもの　Required individual special judgement

EU E No.	EU FL No.	CAS No.	CFR No.	CNS 号.	備考 Remarks
E414			(Acacia(gum arabic)として) 172.780 (GRAS 物質(同上)として) 184.1330	20.008	
E414			(Acacia(gum arabic)として) 172.780 (GRAS 物質(同上)として) 184.1330	20.008	
E950		55589-62-3	172.800	19.011	
E950		55589-62-3	172.800	19.011	
	05.001	75-07-0			着香の目的以外に使用してはならない
E472a			(Acetylated monoglycerides として) 172.828 (Mono-and diglycerides として) 184.1505	10.027	
E260		(酢酸として) 64-19-7	(Acetic acid として) 184.1005 (Peroxyacids の混合成分の1つとして) 173.370		省令別表第1のリスト名は「**氷酢酸，Glacial acetic acid**」，EU では酢酸として指定 告示成分規格の酢酸は30％濃度
E263		(1水和物) 5743-26-0 (無水物) 62-54-4	184.1185		適切な製造工程管理を行い，食品中で目的とする効果を得る量を超えないこと 平成25年12月4日省令別表第1に新規指定 告示成分規格の nH_2O は n ＝1又は0
E472a			(Acetylated monoglycerides として) 172.828 (Mono-and diglycerides として) 184.1505	10.027	
	09.001	141-78-6	173.228		着香の目的以外に使用してはならない(ただし，柿の脱渋に使用するアルコール等の場合の除外規定あり)
	05.001	75-07-0			着香の目的以外に使用してはならない

色文字：法令上の指定添加物名（除く別名）　red：Name on Ministerial Ordinance of Designated Food Additives
色文字：法令上の既存添加物名（除く別名）　red：Name on Ministerial Notification of Existing Food Additives

英　名 English name	英名別名 English name	和名，和名別名 Japanese name	許可状況 Legal/Illegal	主な用途 Main uses
Acetic butyl ester	Butyl acetate Butyl ethanoate	酢酸ブチル 酢酸ブチルエステル	○，指定	香料
Acetic ether	Acetic acid ethyl ester Ethyl acetate Vinegarnaphtha	酢酸エチル 酢酸エチルエステル ビネガーナフサ	○，指定	製造用剤 香料
Acetic peroxide	Acetyl hydroperoxide Peracetic acid Peroxyacetic acid	過酢酸 ペルオキシ酢酸	○，指定	殺菌料
α-Acetolactate decarboxylase		α-アセトラクタートデカルボキシラーゼ	◎，既存	酵素
Acetone	Dimethylketone β-Ketopropane 2-Propanone	アセトン β-ケトプロパン ジメチルケトン 2-プロパノン	○，指定	製造用剤
Acetone peroxide		アセトン過酸化物 過酸化アセトン	×	製造用剤 漂白剤
Acetophenone	Acetylbenzene Hypnone Phenyl methyl ketone 1-Phenylethanone	アセチルベンゼン アセトフェノン ヒプノン 1-フェニルエタノン フェニルメチルケトン	○，指定	香料
Acetyl hydroperoxide	Acetic peroxide Peracetic acid Peroxyacetic acid	過酢酸 ペルオキシ酢酸	○，指定	殺菌料
N-Acetyl-L-methionine		*N*-アセチル-L-メチオニン	×	強化剤
Acetylated distarch adipate	Modified starch	アセチル化アジピン酸架橋デンプン アセチル化二デンプンアジピン酸 加工デンプン	◎，指定	増粘安定剤 ゲル化剤 糊料
Acetylated distarch phosphate	Modified starch	アセチル化二デンプンリン酸エステル アセチル化リン酸架橋デンプン 加工デンプン	◎，指定	増粘安定剤 ゲル化剤 糊料
Acetylated monoglyceride	Glycerol esters of fatty acids	アセチル化モノグリセライド グリセリン脂肪酸エステル	◎，指定	製造用剤 増粘安定剤 乳化剤 ガムベース
Acetylated oxidized starch	Modified starch	アセチル化酸化デンプン 加工デンプン	◎，指定	増粘安定剤 ゲル化剤 糊料
Acetylated starch	Modified starch Starch acetate	アセチル化デンプン 加工デンプン 酢酸デンプン	◎，指定	増粘安定剤 ゲル化剤 糊料
Acetylbenzene	Acetophenone Hypnone Phenyl methyl ketone 1-Phenylethanone	アセチルベンゼン アセトフェノン ヒプノン 1-フェニルエタノン フェニルメチルケトン	○，指定	香料

◎：許可（使用基準なし） Legal（Accepted with no standard of use）
○：許可（使用基準あり） Legal（Accepted with standard of use）
指定：Designated Food Additives 既存：Existing Food Additives
×：使用不可 Illegal（Prohibited）
※：個別判断を要するもの Required individual special judgement

EU E No.	EU FL No.	CAS No.	CFR No.	CNS 号.	備 考 Remarks
	09.004	123-86-4			着香の目的以外に使用してはならない
	09.001	141-78-6	173.228		着香の目的以外に使用してはならない(ただし,柿の脱渋に使用するアルコール等の場合の除外規定あり)
		79-21-0	(Peroxyacids の混合成分の1つとして) 173.370		平成28年10月6日省令別表第1に新規指定 過酢酸製剤として使用する場合以外に使用してはならない
			(Recombinant Bacillus subtilis,組換え由来として) 173.115		CFR は組換え品なので,わが国の既存添加物と一致しない
	07.050	67-64-1	173.210		ガラナ飲料を製造する際のガラナ豆の成分を抽出する目的及び油脂の成分を分別する目的以外に使用してはならない。また最終食品の完成前に除去しなければならない EU では香料特性のある食品成分として FL No.あり 類又は誘導体として指定されている18項目の香料リストのSEQ No.45(解説編2-(1)-(vi)参照)
			172.802		
	07.004	98-86-2			着香の目的以外に使用してはならない
		79-21-0	(Peroxyacids の混合成分の1つとして) 173.370		平成28年10月6日省令別表第1に新規指定 過酢酸製剤として使用する場合以外に使用してはならない
			172.372		CFR は乳幼児用及び硝酸塩／亜硝酸塩含有食品を除く
E1422			(Food starch-modified として) 172.892	20.031	適切な製造工程管理を行い,食品中で目的とする効果を得る量を超えないこと
E1414		68130-14-3	(Food starch-modified として) 172.892	20.015	適切な製造工程管理を行い,食品中で目的とする効果を得る量を超えないこと
E471			(Acetylated monoglycerides として) 172.828 (Mono-and diglycerides として) 184.1505		
E1451		68187-08-6	(Food starch-modified として) 172.892		適切な製造工程管理を行い, 食品中で目的とする効果を得る量を超えないこと
E1420		9045-28-7	(Food starch-modified として) 172.892	20.039	適切な製造工程管理を行い,食品中で目的とする効果を得る量を超えないこと
	07.004	98-86-2			着香の目的以外に使用してはならない

色文字：法令上の指定添加物名（除く別名）　red：Name on Ministerial Ordinance of Designated Food Additives
色文字：法令上の既存添加物名（除く別名）　red：Name on Ministerial Notification of Existing Food Additives

英　名 English name	英名別名 English name	和名，和名別名 Japanese name	許可状況 Legal/Illegal	主な用途 Main uses
N-Acetylglucosamine		N-アセチルグルコサミン	※	特別用途食品
Acid Fuchsin FB		酸性フクシン FB	×	着色料
Acid Red	Food Red No. 106	アシッドレッド 食用赤色106号	○，指定	着色料
Acid casein	Acidified casein Casein	カゼイン 酸カゼイン	◎	製造用剤
Acid clay	Water-insoluble mineral substances	酸性白土 不溶性鉱物性物質	○，既存	製造用剤
Acid phosphatase	Phosphomonoesterase	酸性ホスファターゼ ホスホモノエステラーゼ	◎，既存	酵素
Acid potassium sulfite	Potassium bisulfite Potassium hydrogen sulfite	亜硫酸水素カリウム 酸性亜硫酸カリウム 重亜硫酸カリウム	○，指定	保存料 酸化防止剤
Acid treated starch	Modified starch	加工デンプン 酸処理デンプン	◎	増粘安定剤 ゲル化剤 糊料
Acidic ammonium phosphate	Ammonium dihydrogen phosphate Monoammonium phosphate	酸性リン酸アンモニウム リン酸一アンモニウム リン酸二水素アンモニウム	◎，指定	乳化剤 イーストフード 醸造用剤
Acidic calcium phosphate	Calcium dihydrogen phosphate Monobasic calcium phosphate Monocalcium phosphate	酸性リン酸カルシウム 第一リン酸カルシウム リン酸二水素カルシウム	○，指定	製造用剤 膨脹剤 強化剤 乳化剤 イーストフード
Acidic calcium pyrophosphate	Calcium dihydrogen diphosphate Calcium dihydrogen pyrophosphate	酸性ピロリン酸カルシウム 重リン酸二水素カルシウム ピロリン酸二水素カルシウム	○，指定	膨脹剤 強化剤 乳化剤
Acidic disodium pyrophosphate	Disodium dihydrogen pyrophosphate Disodium diphosphate Disodium pyrophosphate SAPP Sodium acid pyrophosphate	SAPP 酸性ピロリン酸ナトリウム 重リン酸二ナトリウム ピロリン酸ナトリウム ピロリン酸二水素二ナトリウム	◎，指定	水素イオン濃度調整剤（pH 調整剤） 膨脹剤 かんすい 乳化剤 結着剤
Acidic sulfite of soda	Acidic sulfite of sodium Sodium bisulfite Sodium hydrogen sulfite	亜硫酸水素ナトリウム 酸性亜硫酸ソーダ 酸性亜硫酸ナトリウム 重亜硫酸ナトリウム	○，指定	製造用剤 保存料 酸化防止剤
Acidic sulfite of sodium	Acidic sulfite of soda Sodium bisulfite Sodium hydrogen sulfite	亜硫酸水素ナトリウム 酸性亜硫酸ソーダ 酸性亜硫酸ナトリウム 重亜硫酸ナトリウム	○，指定	製造用剤 保存料 酸化防止剤

◎：許可（使用基準なし） Legal（Accepted with no standard of use）
○：許可（使用基準あり） Legal（Accepted with standard of use）
指定：Designated Food Additives　既存：Existing Food Additives
×：使用不可 Illegal（Prohibited）
※：個別判断を要するもの Required individual special judgement

EU E No.	EU FL No.	CAS No.	CFR No.	CNS 号.	備考 Remarks
					資料1により食品添加物に該当する可能性が考えられるが，事前に判断を受けるよう指導されている品目
		3520-42-1			
					一般飲食物添加物
					食品の製造又は加工上必要不可欠な場合以外に使用してはならない **不溶性鉱物性物質**の名称は，省令別表第1及び告示既存添加物名簿に記載されていないが，告示「食品，添加物等の規格基準－F 使用基準」にその名称があるので既存添加物名簿名扱いとする 食品添加物別名（和名）については，列記した食品添加物に類似する**不溶性鉱物性物質**も含まれる
					「組換えDNA技術応用食品及び添加物の安全性審査の手続きを経た添加物」としての告示あり。詳細は厚労省HP参照
E228		（ピロ亜硫酸カリウムとして） 16731-55-8	（Potassium bisulfite として） 182.3616 （Potassium metabisulfite として） 182.3637		省令別表第1のリスト名は**ピロ亜硫酸カリウム**（別名，亜硫酸水素カリウム又はメタ重亜硫酸カリウム）
			（Food starch-modified として） 172.892	20.032	食品扱い
		7722-76-1	（Ammonium phosphate, monobasic として） 184.1141a		E No.はないがINS No.342（i）あり
E341(i)		（1水和物） 7758-23-8	（Monobasic calcium phosphate として） 182.6215	15.007	食品の製造又は加工上必要不可欠な場合及び栄養の目的以外に使用してはならない 告示成分規格の nH_2O は n ＝1又は0
E450 (vii)		14866-19-4		15.016	食品の製造又は加工上必要不可欠な場合及び栄養の目的以外に使用してはならない E450(vii)は Calcium dihydrogen diphosphate
E450(i)		7758-16-9	（Sodium acid pyrophosphate として） 182.1087	15.008	E450(i)は Disodium diphosphate
E222		（ピロ亜硫酸ナトリウムとして） 7681-57-4	（Sodium bisulfite として） 182.3739 （Sodium metabisulfite として） 182.3766	05.005	省令別表第1のリスト名は**ピロ亜硫酸ナトリウム**（別名，亜硫酸水素ナトリウム，メタ重亜硫酸ナトリウム又は酸性亜硫酸ソーダ）
E222		（ピロ亜硫酸ナトリウムとして） 7681-57-4	（Sodium bisulfite として） 182.3739 （Sodium metabisulfite として） 182.3766	05.005	省令別表第1のリスト名は**ピロ亜硫酸ナトリウム**（別名，亜硫酸水素ナトリウム，メタ重亜硫酸ナトリウム又は酸性亜硫酸ソーダ）

色文字：法令上の指定添加物名（除く別名）　red：Name on Ministerial Ordinance of Designated Food Additives
色文字：法令上の既存添加物名（除く別名）　red：Name on Ministerial Notification of Existing Food Additives

英名 English name	英名別名 English name	和名，和名別名 Japanese name	許可状況 Legal/Illegal	主な用途 Main uses
Acidified casein	Acid casein Casein	カゼイン 酸カゼイン	◎	製造用剤
Aconitic acid		アコニチン酸	○，指定	香料
Acrolein		アクロレイン	×	製造用剤
Actinidin		アクチニジン	◎，既存	酵素
Activated acid clay		活性白土	○，既存	製造用剤
Activated carbon	Active carbon	活性炭(含炭素物質を炭化し，賦活化して得られたものをいう。)	◎，既存	製造用剤
Active carbon	Activated carbon	活性炭(含炭素物質を炭化し，賦活化して得られたものをいう。)	◎，既存	製造用剤
Active oxygen obtained from peracetic acid		過酢酸由来活性酸素	×	製造用剤
Acylase		アシラーゼ	◎，既存	酵素
Adenosine 5'-monophosphate	5'-Adenylic acid 5'-AMP	5'-アデニル酸 アデノシン5'-一リン酸 5'-AMP	◎，既存	強化剤
5'-Adenylic acid	Adenosine 5'-monophosphate 5'-AMP	5'-アデニル酸 アデノシン5'-一リン酸 5'-AMP	◎，既存	強化剤
Adipic acid	1,4-Butanedicarboxylic acid Hexanedioic acid	アジピン酸 1,4-ブタンジカルボン酸 ヘキサン二酸	◎，指定	製造用剤 水素イオン濃度調整剤（pH 調整剤） 膨脹剤 酸味料
Adjuvants for pesticide use dilutions		農薬用希釈補助剤	×	製造用剤
Advantame		アドバンテーム	◎，指定	甘味料
Agar-agar		寒天	◎	製造用剤
Agarase		アガラーゼ	◎，既存	酵素
Agrobacterium succinoglycan		アグロバクテリウムスクシノグリカン(アグロバクテリウムの培養液から得られた，スクシノグリカンを主成分とするものをいう。)	◎，既存	増粘安定剤
DL-Alanine	DL-α-Aminopropionic acid 2-Aminopropanic acid 2-Aminopropionic acid	2-アミノプロパン酸 2-アミノプロピオン酸 DL-α-アミノプロピオン酸 DL-アラニン	◎，指定	強化剤 調味料
L-Alanine	L-α-Aminopropionic acid L-2-Aminopropanoic acid L-2-Aminopropionic acid	L-2-アミノプロパン酸 L-2-アミノプロピオン酸 L-α-アミノプロピオン酸 L-アラニン	◎，既存	強化剤 調味料
β-Alanine	3-Aminopropanoic acid 3-Aminopropionic acid	3-アミノプロパン酸 3-アミノプロピオン酸 β-アラニン	※	特別用途食品

◎：許可（使用基準なし） Legal（Accepted with no standard of use）　×：使用不可　Illegal（Prohibited）
○：許可（使用基準あり） Legal（Accepted with standard of use）　※：個別判断を要するもの　Required individual special judgement
指定：Designated Food Additives　既存：Existing Food Additives

EU E No.	EU FL No.	CAS No.	CFR No.	CNS 号.	備　考 Remarks
					一般飲食物添加物
	08.033	499-12-7	184.1007		**脂肪酸類** 着香の目的以外に使用してはならない 類又は誘導体として指定されている18項目の香料リストのSEQ No.86(解説編2-(1)-(vi)参照) EU FL No.08.033の名称は「Prop-1-ene-1,2,3-tricarboxylic acid」
		61-19-8			
		61-19-8			
E355		124-04-9	184.1009	01.109	
			172.710		CFR は農薬用希釈補助剤として9品目を指定（品名略） CFR の本条項は日本の食品衛生法第4条の「食品添加物」の定義対象外
E969		714229-20-6	172.803		平成26年6月18日省令別表第1に新規指定 E969は「Commission Regulation（EU）No.497/2014 of 14 May 2014」で新規制定
E406			184.1115	20.001	一般飲食物添加物
		302-72-7	（DL-Alanine として） 172.540		E No.はないが INS No.639あり
		56-41-7	(Amino acids, L-Alanine として) 172.320	12.006	
		107-95-9			資料1により食品添加物に該当する可能性が考えられるが，事前に判断を受けるよう指導されている品目

色文字：法令上の指定添加物名（除く別名）　red：Name on Ministerial Ordinance of Designated Food Additives
色文字：法令上の既存添加物名（除く別名）　red：Name on Ministerial Notification of Existing Food Additives

英　名 English name	英名別名 English name	和名，和名別名 Japanese name	許可状況 Legal/Illegal	主な用途 Main uses
Albumin		アルブミン	◎	特別用途食品
Aldehyde C-10	Capraldehyde Capric aldehyde Caprin aldehyde **Decanal** *n*-Decanal Decyl aldehyde *n*-Decyl aldehyde	アルデヒドC-10 カプリックアルデヒド カプリンアルデヒド カプルアルデヒド **デカナール** *n*-デカナール デシルアルデヒド *n*-デシルアルデヒド	○，指定	香料
Aldehyde C-14	Peachaldehyde Persicol Undecalactone **γ-Undecalactone** Undecyl lactone	アルデヒドC-14 ウンデカラクトン **γ-ウンデカラクトン** ウンデシルラクトン パーシコール ピーチアルデヒド	○，指定	香料
Aldehyde C-18	*n*-Amylbutyrolactone **γ-Nonalactone** Nonalactone γ-Nonylactone	*n*-アミルブチロラクトン アルデヒドC-18 ノナラクトン **γ-ノナラクトン** γ-ノニルラクトン	○，指定	香料
Algae carotene	Dunaliella carotene Extracted carotene	藻類カロチン 藻類カロテン 抽出カロチン 抽出カロテン デュナリエラカロチン デュナリエラカロテン（デュナリエラの全藻から得られた，β-カロテンを主成分とするものをいう。） ドナリエラカロチン ドナリエラカロテン	◎，既存	強化剤 着色料
Alginate lyase		アルギン酸リアーゼ	◎，既存	酵素
Alginic acid		アルギン酸 昆布類粘質物	◎，既存	増粘安定剤 ゲル化剤
Aliphatic higher alcohols		**脂肪族高級アルコール類**	○，指定	香料
Aliphatic higher aldehydes(except harmful substances)		**脂肪族高級アルデヒド類**（毒性が激しいと一般に認められるものを除く。）	○，指定	香料
Aliphatic higher hydrocarbons(except harmful substances)		**脂肪族高級炭化水素類**（毒性が激しいと一般に認められるものを除く。）	○，指定	香料
Alitame		アリテーム	×	甘味料
Alkaline treated starch	Modified starch	アルカリ処理デンプン 加工デンプン	◎	増粘安定剤 ゲル化剤 糊料
***all-rac-α*-Tocopheryl acetate**		**トコフェロール酢酸エステル**	○，指定	強化剤

◎：許可（使用基準なし） Legal（Accepted with no standard of use）
○：許可（使用基準あり） Legal（Accepted with standard of use）
×：使用不可 Illegal（Prohibited）
※：個別判断を要するもの Required individual special judgement
指定：Designated Food Additives 既存：Existing Food Additives

EU E No.	EU FL No.	CAS No.	CFR No.	CNS 号.	備考 Remarks
					資料1により食品素材扱いとする品目
	05.010	112-31-2			着香の目的以外に使用してはならない
	10.002	104-67-6			着香の目的以外に使用してはならない
	10.001	104-61-0			着香の目的以外に使用してはならない EU FL No.10.001の名称は「Nonano-1,4-lactone」
E160a（iv）			（検定免除着色料の carrot oil として） 73.300 （検定免除着色料の β-Carotene として） 73.95 （GRAS 物質の Beta-Carotene として） 184.1245		着色料の目的では○，既存 E160a(iv)：Algal Carotene
E400		9005-32-7	（Alginic acid として） 184.1011		
					高級とは C_6以上 着香の目的以外に使用してはならない 類又は誘導体として指定されている18項目の香料リスト（解説編2-(1)-(vi)参照）
					高級とは C_6以上 着香の目的以外に使用してはならない 類又は誘導体として指定されている18項目の香料リスト（解説編2-(1)-(vi)参照）
					高級とは C_6以上 着香の目的以外に使用してはならない 類又は誘導体として指定されている18項目の香料リスト（解説編2-(1)-(vi)参照）
				19.013	
			（Food starch-modified として） 172.892		食品扱い E No.はないが INS No.1402あり
		7695-91-2	（α-Tocopherol acetate として） 182.8892		保健機能食品以外の食品に使用してはならない

色文字：法令上の指定添加物名（除く別名）　red：Name on Ministerial Ordinance of Designated Food Additives
色文字：法令上の既存添加物名（除く別名）　red：Name on Ministerial Notification of Existing Food Additives

英　名 English name	英名別名 English name	和名，和名別名 Japanese name	許可状況 Legal/Illegal	主な用途 Main uses
Allicin		アリシン	※	特別用途食品
Allulose epimerase	Psicose epimerase	アルロースエピメラーゼ プシコースエピメラーゼ	◎，指定	製造用剤 酵素
Allura Red AC	FD & C Red No.40 Food Red No.40	アルラレッド AC 食用赤色40号	○，指定	着色料
Allura Red AC aluminium lake	Food Red No.40 aluminium lake	アルラレッド AC アルミニウムレーキ 食用赤色40号アルミニウムレーキ	○，指定	着色料
Allyl caproate	Allyl hexanoate	カプロン酸アリル ヘキサン酸アリル	○，指定	香料
Allyl cyclohexylpropionate	Cyclohexylpropionic acid allyl ester Fruit ketone	シクロヘキシルプロピオン酸アリル フルーツケトン	○，指定	香料
Allyl heptanoate	Allyl oenanthate	エナント酸アリル ヘプタン酸アリル	○，指定	香料
Allyl hexanoate	Allyl caproate	カプロン酸アリル ヘキサン酸アリル	○，指定	香料
Allyl isosulfocyanate	Allyl isothiocyanate 2-Propene isothiocyanate Volatile oil of mustard	イソチオシアン酸アリル 揮発ガイシ油 2-プロペンイソチオシアネート	○，指定	香料
Allyl isothiocyanate	Allyl isosulfocyanate 2-Propene isothiocyanate Volatile oil of mustard	イソチオシアン酸アリル 揮発ガイシ油 2-プロペンイソチオシアネート	○，指定	香料
Allyl isovalerate		イソ吉草酸アリル	○，指定	香料
Allyl oenanthate	Allyl heptanoate	エナント酸アリル ヘプタン酸アリル	○，指定	香料
Alum	Alum,exsiccated Aluminum potassium sulfate Potassium alum	カリミョウバン ミョウバン 焼ミョウバン 硫酸アルミニウムカリウム	○，指定	製造用剤 膨脹剤
Alum,exsiccated	Alum Aluminum potassium sulfate Potassium alum	カリミョウバン ミョウバン 焼ミョウバン 硫酸アルミニウムカリウム	○，指定	製造用剤 膨脹剤
Aluminium	Aluminium powder	アルミニウム アルミ末	◎，既存	製造用剤 着色料
Aluminium calcium lakes of carminic acid	Carmine	カルミン カルミン酸のアルミニウム及びカルシウムレーキ	×	着色料

◎：許可（使用基準なし） Legal（Accepted with no standard of use）
○：許可（使用基準あり） Legal（Accepted with standard of use）
指定：Designated Food Additives　既存：Existing Food Additives
×：使用不可 Illegal（Prohibited）
※：個別判断を要するもの Required individual special judgement

EU E No.	EU FL No.	CAS No.	CFR No.	CNS 号.	備考 Remarks
					資料1により食品添加物に該当する可能性が考えられるが，事前に判断を受けるよう指導されている品目
		1618683-38-7			令和2年3月31日省令別表第1に新規指定 プシコースエピメラーゼの使用にあたっては，それを使用した食品の適切な製造工程管理を行い，目的とする効果を得る上で必要とされる量を超えないものとすること 「組換え DNA 技術応用食品及び添加物の安全性審査の手続きを経た添加物」としての告示あり，詳細は厚労省 HP 参照
E129		25956-17-6	74.340	08.012	省令別表第1のリスト名は「**食用赤色40号及びそのアルミニウムレーキ，Food Red No. 40 and its Aluminium lake**」だが，本書では各単品もリスト名としマークした CNS 号08.012は allura red（AC なし）
E129				08.012	省令別表第1のリスト名は「**食用赤色40号及びそのアルミニウムレーキ，Food Red No. 40 and its Aluminium lake**」だが，本書では各単品もリスト名としマークした CNS 号08.012は allura aluminum lake（red AC なし）
	09.244	123-68-2			着香の目的以外に使用してはならない
	09.498	2705-87-5			着香の目的以外に使用してはならない
	09.097	142-19-8			**エステル類** 着香の目的以外に使用してはならない 類又は誘導体として指定されている18項目の香料リストの SEQ No.106（解説編2-(1)-(vi)参照）
	09.244	123-68-2			着香の目的以外に使用してはならない
	12.025	57-06-7			着香の目的以外に使用してはならない
	12.025	57-06-7			着香の目的以外に使用してはならない
	09.489	2835-39-4			**エステル類** 着香の目的以外に使用してはならない 類又は誘導体として指定されている18項目の香料リストの SEQ No.112（解説編2-(1)-(vi)参照）
	09.097	142-19-8			**エステル類** 着香の目的以外に使用してはならない 類又は誘導体として指定されている18項目の香料リストの SEQ No.106（解説編2-(1)-(vi)参照）
E522		（12水和物） 7784-24-9 （無水物） 10043-67-1	（Aluminum potassium sulfate として） 182.1129	06.004	告示成分規格の nH_2O は n ＝12,10,6,3,2又は0
E522		（12水和物） 7784-24-9 （無水物） 10043-67-1	（Aluminum potassium sulfate として） 182.1129	06.004	告示成分規格の nH_2O は n ＝12,10,6,3,2又は0
E173					着色料の目的では○，既存
E120			（Cochineal extract：Carmine として） 73.100	08.145	日本で，**コチニール色素**（主色素カルミン酸）は既存添加物として使用が認められているが，「CFRNo.73.100 Carmine」は，アルミニウム若しくはアルミニウム・カルシウムレーキ色素であり認められていない CNS 号08.145は carmine cochineal

A

色文字：法令上の指定添加物名（除く別名）　red：Name on Ministerial Ordinance of Designated Food Additives
色文字：法令上の既存添加物名（除く別名）　red：Name on Ministerial Notification of Existing Food Additives

英　名 English name	英名別名 English name	和名，和名別名 Japanese name	許可状況 Legal/Illegal	主な用途 Main uses
Aluminium calcium silicate	Calcium aluminium silicate	ケイ酸アルミニウムカルシウム	×	製造用剤
Aluminium powder	Aluminium	アルミニウム アルミ末	◎，既存	製造用剤 着色料
Aluminium salts of caplylic acid		カプリル酸アルミニウム	×	製造用剤 乳化剤
Aluminium salts of capric acid		カプリン酸アルミニウム	×	製造用剤 乳化剤
Aluminium salts of lauric acid		ラウリン酸アルミニウム	×	製造用剤 乳化剤
Aluminium salts of myristic acid		ミリスチン酸アルミニウム	×	製造用剤 乳化剤
Aluminium salts of oleic acid		オレイン酸アルミニウム	×	製造用剤 乳化剤
Aluminium salts of palmitic acid		パルミチン酸アルミニウム	×	製造用剤 乳化剤
Aluminium salts of stearic acid		ステアリン酸アルミニウム	×	製造用剤 乳化剤
Aluminium silicate	China clay Kaolin Porcelain clay Water-insoluble mineral substances	カオリン ケイ酸アルミニウム 高陵土 白陶土 不溶性鉱物性物質	○，既存	製造用剤
Aluminium sodium sulfate		ナトリウムミョウバン 硫酸アルミニウムナトリウム	×	製造用剤 膨脹剤
Aluminium sulfate		硫酸アルミニウム	×	製造用剤
Aluminum ammonium sulfate	Ammonium alum	アンモニウムミョウバン 焼アンモニウムミョウバン 硫酸アルミニウムアンモニウム	○，指定	製造用剤 膨脹剤
Aluminum nicotinate		ニコチン酸アルミニウム	×	強化剤
Aluminum potassium sulfate	Alum Alum, exsiccated Potassium alum	カリミョウバン ミョウバン 焼ミョウバン 硫酸アルミニウムカリウム	○，指定	製造用剤 膨脹剤
Amacha extract	Hydrangea leaves extract	アマチャエキス アマチャ抽出物	◎	甘味料
Amandol (LF)	Amandol (RP) Benzaldehyde Benzene carbonal Benzene methylal Benzoic aldehyde Bitter almond oil synthetic	アマンドール(LF) アマンドール(RP) 合成ビターアーモンドオイル ベンズアルデヒド ベンゼンカルボナール ベンゼンメチラール	○，指定	香料

◎：許可（使用基準なし） Legal（Accepted with no standard of use）
○：許可（使用基準あり） Legal（Accepted with standard of use）
指定：Designated Food Additives　既存：Existing Food Additives
×：使用不可 Illegal（Prohibited）
※：個別判断を要するもの Required individual special judgement

EU E No.	EU FL No.	CAS No.	CFR No.	CNS 号.	備考 Remarks
			（Aluminum calcium silicate として） 182.2122		E556：Aluminium calcium silicate は「Commission Regulation（EU）No.380/2012 of 3 May 2012」で削除
E173					着色料の目的では○,既存
					食品の製造又は加工上必要不可欠な場合以外に使用してはならない **不溶性鉱物性物質**の名称は，省令別表第1及び告示既存添加物名簿に記載されていないが，告示「食品,添加物等の規格基準－F 使用基準」にその名称があるので既存添加物名簿名扱いとする 食品添加物別名（和名）については，列記した食品添加物に類似する**不溶性鉱物性物質**も含まれる E559：Aluminium silicate（Kaolin）は「Commission Regulation（EU）No.380/2012 of 3 May 2012」で削除
E521			（Aluminum sodium sulfate として） 182.1131		
E520			（Aluminum sulfate として） 182.1125		
E523		（12水和物） 7784-26-1 （無水物） 7784-25-0	（Aluminum ammonium sulfate として） 182.1127	06.005	告示成分規格の nH_2O は n＝12,10,4,3,2,又は0
			172.310		CFR は Special dietary 食品のナイアシン供給源
E522		（12水和物） 7784-24-9 （無水物） 10043-67-1	（Aluminum potassium sulfate として） 182.1129	06.004	告示成分規格の nH_2O は n＝12,10,6,3,2又は0
					一般飲食物添加物
	05.013	100-52-7			着香の目的以外に使用してはならない

色文字：法令上の指定添加物名（除く別名）　red：Name on Ministerial Ordinance of Designated Food Additives
色文字：法令上の既存添加物名（除く別名）　red：Name on Ministerial Notification of Existing Food Additives

英　名 English name	英名別名 English name	和名，和名別名 Japanese name	許可状況 Legal/Illegal	主な用途 Main uses
Amandol (RP)	Amandol (LF) Benzaldehyde Benzene carbonal Benzene methylal Benzoic aldehyde Bitter almond oil synthetic	アマンドール(LF) アマンドール(RP) 合成ビターアーモンドオイル ベンズアルデヒド ベンゼンカルボナール ベンゼンメチラール	○，指定	香料
Amaranth	Food Red No. 2	アマランス 食用赤色2号	○，指定	着色料
Amaranth aluminium lake	Food Red No. 2 aluminium lake	アマランスアルミニウムレーキ 食用赤色2号アルミニウムレーキ	○，指定	着色料
American ash	Pearl ash Potash Potassium carbonate Potassium carbonate, anhydrous Salt of tartar	真珠灰 炭酸カリウム(無水)	◎，指定	製造用剤 水素イオン濃度調整剤（pH 調整剤） 膨脹剤 かんすい イーストフード
American red raspberry color	Boysenberry color	ボイセンベリー色素	○	着色料
Amidated pectin		アミド化ペクチン	×	糊料
Amino acid-sugar reaction product		単糖・アミノ酸複合物（アミノ酸と単糖類の混合物を加熱して得られたものをいう。）	◎，既存	酸化防止剤
1-Aminobutane	1-Butanamine Butylamine	1-アミノブタン 1-ブタンアミン ブチルアミン	○，指定	香料
γ-Aminobutanoic acid	γ-Aminobutyric acid GABA	γ-アミノブタン酸 γ-アミノ酪酸 ギャバ GABA	◎	特別用途食品
γ-Aminobutyric acid	γ-Aminobutanoic acid GABA	γ-アミノブタン酸 γ-アミノ酪酸 ギャバ GABA	◎	特別用途食品
(3-Amino-3-carboxypropyl) dimethylsulfonium chloride		（3-アミノ-3-カルボキシプロピル）ジメチルスルホニウム塩化物	○，指定	香料
2-Amino glucose	Chitosamine Glucosamine	2-アミノグルコース キトサミン グルコサミン	◎，既存	製造用剤 増粘安定剤
Aminoglycoside 3'-phosphotransferase II		アミノ配糖体3'-ホスホトランスフェラーゼII	×	酵素
L-α-Amino-δ-guanidinovaleric acid	L-Arginine	L-α-アミノ-δ-グアニジノ吉草酸 L-アルギニン	◎，既存	強化剤 調味料
2-Amino-3-imidazole propionic acid	L-Histidine	2-アミノ-3-イミダゾールプロピオン酸 L-ヒスチジン	◎，既存	強化剤 調味料
L-α-Aminoisocaproic acid	L-Leucine	L-α-アミノイソカプロン酸 L-ロイシン	◎，既存	強化剤 調味料

◎：許可（使用基準なし） Legal（Accepted with no standard of use）　×：使用不可 Illegal（Prohibited）
○：許可（使用基準あり） Legal（Accepted with standard of use）　※：個別判断を要するもの Required individual special judgement
指定：Designated Food Additives　既存：Existing Food Additives

EU E No.	EU FL No.	CAS No.	CFR No.	CNS 号.	備考 Remarks
	05.013	100-52-7			着香の目的以外に使用してはならない
E123		915-67-3		08.001 08.130	省令別表第1のリスト名は「**食用赤色2号及びそのアルミニウムレーキ，Food Red No. 2 and its Aluminium lake**」だが，本書では各単品もリスト名としマークした CNS 号08.130は natural amaranthus red
E123				08.001	省令別表第1のリスト名は「**食用赤色2号及びそのアルミニウムレーキ，Food Red No. 2 and its Aluminium lake**」だが，本書では各単品もリスト名としマークした
E501(i)		584-08-7	(Potassium Carbonate として) 184.1619	01.301	E501(i)では(無水)の限定はない
					一般飲食物添加物
E440(ii)					
	11.003	109-73-9			着香の目的以外に使用してはならない
					資料1により食品素材扱いとする品目
					資料1により食品素材扱いとする品目
	17.015	3493-12-7			着香の目的以外に使用してはならない 平成24年12月28日省令別表第1に新規指定 EU FL No.17.015の名称は「DL Metylmethinoninesulphonium chloride」
		9055-00-9			
			173.170		
		74-79-3	(Amino acids, L-Arginine として) 172.320		
		71-00-1	(Amino acids, L-Histidine として) 172.320		
E641		61-90-5	(Amino acids, L-Leucine として) 172.320		E641は卓上甘味料錠剤用の Tableting aid として「Commission Regulation (EU) 2015/649 of 24 April 2015」で新規制定

色文字：法令上の指定添加物名（除く別名）　red：Name on Ministerial Ordinance of Designated Food Additives
色文字：法令上の既存添加物名（除く別名）　red：Name on Ministerial Notification of Existing Food Additives

英　名 English name	英名別名 English name	和名，和名別名 Japanese name	許可状況 Legal/Illegal	主な用途 Main uses
Aminopeptidase		アミノペプチダーゼ	◎，既存	酵素
DL-α-Aminopropionic acid	DL-Alanine 2-Aminopropanic acid 2-Aminopropionic acid	2-アミノプロパン酸 2-アミノプロピオン酸 DL-α-アミノプロピオン酸 DL-アラニン	◎，指定	強化剤 調味料
L-α-Aminopropionic acid	L-Alanine L-2-Aminopropanoic acid L-2-Aminopropionic acid	L-2-アミノプロパン酸 L-2-アミノプロピオン酸 L-α-アミノプロピオン酸 L-アラニン	◎，既存	強化剤 調味料
L-α-Aminosuccinamic acid	L-Asparagine	L-アスパラギン アスパラギン酸アミド L-α-アミノサクシナミン酸	◎，既存	強化剤 調味料
L-α-Aminosuccinic acid	L-Aspartic acid	L-アスパラギン酸 L-α-アミノコハク酸	◎，既存	強化剤 調味料
5-Aminolevulinic acid・phosphate		5-アミノレブリン酸リン酸塩	※	特別用途食品
2-Aminopropanic acid	DL-Alanine DL-α-Aminopropionic acid 2-Aminopropionic acid	2-アミノプロパン酸 2-アミノプロピオン酸 DL-α-アミノプロピオン酸 DL-アラニン	◎，指定	強化剤 調味料
3-Aminopropanoic acid	β-Alanine 3-Aminopropionic acid	3-アミノプロパン酸 3-アミノプロピオン酸 β-アラニン	※	特別用途食品
L-2-Aminopropanoic acid	L-Alanine L-α-Aminopropionic acid L-2-Aminopropionic acid	L-2-アミノプロパン酸 L-2-アミノプロピオン酸 L-α-アミノプロピオン酸 L-アラニン	◎，既存	強化剤 調味料
2-Aminopropionic acid	DL-Alanine DL-α-Aminopropionic acid 2-Aminopropanic acid	2-アミノプロパン酸 2-アミノプロピオン酸 DL-α-アミノプロピオン酸 DL-アラニン	◎，指定	強化剤 調味料
3-Aminopropionic acid	β-Alanine 3-Aminopropanoic acid	3-アミノプロパン酸 3-アミノプロピオン酸 β-アラニン	※	特別用途食品
L-2-Aminopropionic acid	L-Alanine L-α-Aminopropionic acid L-2-Aminopropanoic acid	L-2-アミノプロパン酸 L-2-アミノプロピオン酸 L-α-アミノプロピオン酸 L-アラニン	◎，既存	強化剤 調味料
Ammonia		アンモニア	◎，指定	製造用剤
Ammonia caramel	Caramel Caramel III (Ammonia caramel) Caramel color class III	アンモニアカラメル カラメル カラメルIII（でん粉加水分解物，糖蜜又は糖類の食用炭水化物にアンモニア化合物加えて熱処理して得られたものをいう。ただし，「カラメルIV」を除く。）	◎，既存	製造用剤 着色料

◎：許可（使用基準なし） Legal（Accepted with no standard of use）
○：許可（使用基準あり） Legal（Accepted with standard of use）
指定：Designated Food Additives　既存：Existing Food Additives
×：使用不可 Illegal（Prohibited）
※：個別判断を要するもの Required individual special judgement

EU E No.	EU FL No.	CAS No.	CFR No.	CNS 号.	備考 Remarks
			（*Lactococcus lactis* 由来として） 184.1985		「組換え DNA 技術応用食品及び添加物の安全性審査の手続きを経た添加物」としての告示あり。詳細は厚労省 HP 参照
		302-72-7	（DL-Alanine として） 172.540		E No.はないが INS No.639あり
		56-41-7	（Amino acids, L-Alanine として） 172.320	12.006	
		（無水物） 70-47-3	（Amino acids, L-Asparagine として） 172.320		告示成分規格の nH_2O は n ＝1
		56-84-8	（Amino acids, L-Aspartic acid として） 172.320		
					資料1により食品添加物に該当する可能性が考えられるが，事前に判断を受けるよう指導されている品目
		302-72-7	（DL-Alanine として） 172.540		E No.はないが INS No.639あり
		107-95-9			資料1により食品添加物に該当する可能性が考えられるが，事前に判断を受けるよう指導されている品目
		56-41-7	（Amino acids, L-Alanine として） 172.320	12.006	
		302-72-7	（DL-Alanine として） 172.540		E No.はないが INS No.639あり
		107-95-9			資料1により食品添加物に該当する可能性が考えられるが，事前に判断を受けるよう指導されている品目
		56-41-7	（Amino acids, L-Alanine として） 172.320	12.006	
E527		7664-41-7	（Ammonium hydroxide として） 184.1139		E527は Ammonium hydroxide
E150c			（検定免除の着色料のカラメルとして） 73.85 （GRAS 物質のカラメルとして） 182.1235	08.110	着色料の目的では○，既存

色文字：法令上の指定添加物名（除く別名）　red：Name on Ministerial Ordinance of Designated Food Additives
色文字：法令上の既存添加物名（除く別名）　red：Name on Ministerial Notification of Existing Food Additives

英　名 English name	英名別名 English name	和名，和名別名 Japanese name	許可状況 Legal/Illegal	主な用途 Main uses
Ammonia water	Ammonium hydroxide Aqueos ammonia	アンモニア水 水酸化アンモニウム	◎，指定	製造用剤
Ammonia-isovaleric acid（1/3）	Ammonium isovalerate	アンモニウムイソバレレート	○，指定	香料
Ammonium acetate		酢酸アンモニウム	×	製造用剤 水素イオン濃度調整剤（pH 調整剤）
Ammonium adipate		アジピン酸アンモニウム	×	製造用剤 水素イオン濃度調整剤（pH 調整剤）
Ammonium alginate		アルギン酸アンモニウム	◎，指定	増粘安定剤 乳化剤 ゲル化剤 糊料
Ammonium alum	Aluminum ammonium sulfate	アンモニウムミョウバン 焼アンモニウムミョウバン 硫酸アルミニウムアンモニウム	○，指定	製造用剤 膨脹剤
Ammonium bicarbonate	Ammonium hydrogen carbonate	重炭酸アンモニウム 炭酸水素アンモニウム	◎，指定	膨脹剤
Ammonium carbonate		炭酸アンモニウム	◎，指定	膨脹剤 イーストフード
Ammonium chloride	Ammonium muriate Chloride of ammonia Muriate of ammonia Sal-ammoniac Salmiac	塩安 塩化アンモニウム ロシャ（硇砂）	◎，指定	製造用剤 膨脹剤 イーストフード
Ammonium citrate，dibasic		クエン酸アンモニウム	×	水素イオン濃度調整剤（pH 調整剤）
Ammonium citrate，dibasic		クエン酸二アンモニウム	×	製造用剤 調味料
Ammonium dihydrogen phosphate	Acidic ammonium phosphate Monoammonium phosphate	酸性リン酸アンモニウム リン酸一アンモニウム リン酸二水素アンモニウム	◎，指定	乳化剤 イーストフード 醸造用剤
Ammonium hydrogen carbonate	Ammonium bicarbonate	重炭酸アンモニウム 炭酸水素アンモニウム	◎，指定	膨脹剤
Ammonium hydrogen sulfite water		亜硫酸水素アンモニウム水	○，指定	製造用剤 保存料 酸化防止剤
Ammonium hydroxide	Ammonia water Aqueos ammonia	アンモニア水 水酸化アンモニウム	◎，指定	製造用剤
Ammonium isovalerate	Ammonia-isovaleric acid（1/3）	アンモニウムイソバレレート	○，指定	香料

◎：許可（使用基準なし） Legal（Accepted with no standard of use）
○：許可（使用基準あり） Legal（Accepted with standard of use）
指定：Designated Food Additives　既存：Existing Food Additives
×：使用不可 Illegal（Prohibited）
※：個別判断を要するもの Required individual special judgement

EU E No.	EU FL No.	CAS No.	CFR No.	CNS 号.	備考 Remarks
E527		（アンモニアとして） 7664-41-7	（Ammonium hydroxide）として 184.1139		省令別表第１のリスト名は「**アンモニア,Ammonia**」 E527はAmmonium hydroxide
	16.001	1449430-58-3			平成27年7月29日省令別表第１に新規指定 着香の目的以外に使用してはならない 「(EU) FL No,16.001」は「CAS No,7563-33-9」に対応し，告示の「CAS No,1449430-58-3」と異なる
E403		9005-34-9	184.1133		
E523		（12水和物） 7784-26-1 （無水物） 7784-25-0	（Aluminum ammonium sulfate として） 182.1127	06.005	告示成分規格の nH_2O は n＝12,10,4,3,2,又は0
E503(ii)		1066-33-7	184.1135	06.002	
E503(i)			184.1137		
	16.048	12125-02-9	184.1138		E No.はないがINS No.510あり EUでは香料特性のある食品成分としてFL No.あり
			184.1140		
		7722-76-1	（Ammonium phosphate, monobasic として） 184.1141a		E No.はないがINS No.342(ｉ)あり
E503(ii)		1066-33-7	184.1135	06.002	
					令和3年1月15日省令別表第1に新規指定 使用にあたっては，適切な製造工程管理を行い，食品中で目的とする効果を得る上で必要とされる量を超えないものとする特記あり 製造用剤はぶどう酒の発酵助成剤 その他使用基準についての特記あり
E527		（アンモニアとして） 7664-41-7	（Ammonium hydroxide）として 184.1139		省令別表第１のリスト名は「**アンモニア,Ammonia**」 E527はAmmonium hydroxide
	16.001	1449430-58-3			平成27年7月29日省令別表第１に新規指定 着香の目的以外に使用してはならない 「(EU) FL No,16.001」は「CAS No,7563-33-9」に対応し，告示の「CAS No,1449430-58-3」と異なる

A

色文字：法令上の指定添加物名（除く別名）　red：Name on Ministerial Ordinance of Designated Food Additives
色文字：法令上の既存添加物名（除く別名）　red：Name on Ministerial Notification of Existing Food Additives

英　名 English name	英名別名 English name	和名，和名別名 Japanese name	許可状況 Legal/Illegal	主な用途 Main uses
Ammonium lactate		乳酸アンモニウム	×	製造用剤 水素イオン濃度調整剤（pH 調整剤）
Ammonium muriate	Ammonium chloride Chloride of ammonia Muriate of ammonia Sal-ammoniac Salmiac	塩安 塩化アンモニウム ロシャ(硇砂)	◎，指定	製造用剤 膨脹剤 イーストフード
Ammonium peroxodisulfate	Ammonium peroxydisulfate Ammonium persulfate	過硫酸アンモニウム ペルオキシ二硫酸アンモニウム ペルオキソ二硫酸アンモニウム	○，指定	小麦粉処理剤
Ammonium peroxydisulfate	Ammonium peroxodisulfate Ammonium persulfate	過硫酸アンモニウム ペルオキシ二硫酸アンモニウム ペルオキソ二硫酸アンモニウム	○，指定	小麦粉処理剤
Ammonium persulfate	Ammonium peroxodisulfate Ammonium peroxydisulfate	過硫酸アンモニウム ペルオキシ二硫酸アンモニウム ペルオキソ二硫酸アンモニウム	○，指定	小麦粉処理剤
Ammonium phosphatides	Ammonium salts of phosphatidic acid	アンモニウムフォスファチド類 ホスファチジン酸のアンモニウム塩類	×	乳化剤
Ammonium polyphosphates		ポリリン酸アンモニウム類	×	製造用剤 乳化剤
Ammonium saccharin		サッカリンアンモニウム	×	甘味料
Ammonium salts of myristic acid		ミリスチン酸アンモニウム	×	製造用剤 乳化剤
Ammonium salts of palmitic acid		パルミチン酸アンモニウム	×	製造用剤 乳化剤
Ammonium salts of phosphatidic acid	Ammonium phosphatides	アンモニウムフォスファチド類 ホスファチジン酸のアンモニウム塩類	×	乳化剤
Ammonium salts of stearic acid		ステアリン酸アンモニウム	×	製造用剤 乳化剤
Ammonium succinate		コハク酸アンモニウム	×	酸味料 調味料
Ammonium sulfate	Sulfate of ammonia	硫安 硫酸アンモニウム	◎，指定	イーストフード
Ammonium DL-tartrate		DL-酒石酸アンモニウム	×	調味料
Ammonium L-tartrate		L-酒石酸アンモニウム	×	調味料
5'-AMP	Adenosine 5'-monophosphate 5'-Adenylic acid	5'-アデニル酸 アデノシン5'-一リン酸	◎，既存	強化剤
Amyl acetic ester	Banana oil Isoamyl acetate Isopentyl acetate Pear oil	酢酸アミルエステル 酢酸イソアミル 酢酸イソペンチル ナシオイル バナナオイル	○，指定	香料
Amylacetate		アミルアセテート 酢酸アミル	○，指定	香料

◎：許可（使用基準なし） Legal（Accepted with no standard of use）
○：許可（使用基準あり） Legal（Accepted with standard of use）
指定：Designated Food Additives　既存：Existing Food Additives
×：使用不可 Illegal（Prohibited）
※：個別判断を要するもの Required individual special judgement

EU E No.	EU FL No.	CAS No.	CFR No.	CNS 号.	備考 Remarks
	16.048	12125-02-9	184.1138		E No.はないがINS No.510あり EUでは香料特性のある食品成分としてFL No.あり
		7727-54-0	(Bleached agent of food starch-modefied として) 172.892		E No.はないがINS No.923あり
		7727-54-0	(Bleached agent of food starch-modefied として) 172.892		E No.はないがINS No.923あり
		7727-54-0	(Bleached agent of food starch-modefied として) 172.892		E No.はないがINS No.923あり
E442				10.033	
E442				10.033	
E517		7783-20-2	184.1143		
		61-19-8			
	09.024	123-92-2			着香の目的以外に使用してはならない
	09.021	628-63-7			**エステル類** 着香の目的以外に使用してはならない 類又は誘導体として指定されている18項目の香料リストのSEQ No.141(解説編2-(1)-(vi)参照)

A

色文字：法令上の指定添加物名（除く別名）　red：Name on Ministerial Ordinance of Designated Food Additives
色文字：法令上の既存添加物名（除く別名）　red：Name on Ministerial Notification of Existing Food Additives

英　名 English name	英名別名 English name	和名，和名別名 Japanese name	許可状況 Legal/Illegal	主な用途 Main uses
Amylalcohol	Butyl carbinol 1-Pentanol Pentyl alcohol	アミルアルコール ブチルカルビノール 1-ペンタノール ペンチルアルコール	○，指定	香料
sec-Amyl alcohol	Pentan-2-ol 2-Pentanol	第二級アミルアルコール 2-ペンタノール ペンタン-2-オール	○，指定	香料
α-Amylase	Carbohydrase Endo-amylase	α-アミラーゼ 液化アミラーゼ カルボヒドラーゼ G3分解酵素	◎，既存	製造用剤 保存料 酵素
β-Amylase	Carbohydrase	β-アミラーゼ カルボヒドラーゼ	◎，既存	酵素
γ-Amylase	Amyloglucosidase Glucoamylase	アミログルコシダーゼ グルコアミラーゼ 糖化アミラーゼ	◎，既存	酵素
n-Amylbutyrolactone	Aldehyde C-18 γ-Nonalactone Nonalactone γ-Nonylactone	*n*-アミルブチロラクトン アルデヒドC-18 ノナラクトン γ-ノナラクトン γ-ノニルラクトン	○，指定	香料
α-Amylcinnamaldehyde	α-Amylcinnamic aldehyde	α-アミルシンナミックアルデヒド α-アミルシンナムアルデヒド	○，指定	香料

◎：許可（使用基準なし） Legal（Accepted with no standard of use）
○：許可（使用基準あり） Legal（Accepted with standard of use）
指定：Designated Food Additives 既存：Existing Food Additives
×：使用不可 Illegal（Prohibited）
※：個別判断を要するもの Required individual special judgement

EU E No.	EU FL No.	CAS No.	CFR No.	CNS 号.	備考 Remarks
	02.040	71-41-0			着香の目的以外に使用してはならない
	02.088	6032-29-7			着香の目的以外に使用してはならない
			(Carbohydrase and cellulase derived from *Aspergillus niger* として) 173.120 (Carbohydrase derived from *Rhizopus oryzae* として) 173.130 (Mixed carbohydrase and protease enzyme product として) 184.1027 (Amylase enzyme preparation from *Bacillus stearothermophilus* として) 184.1012 (Bacterially-derived carbohydrase enzyme preparation として) 184.1148		「組換えDNA技術応用食品及び添加物の安全性審査の手続きを経た添加物」としての告示あり。詳細は厚労省HP参照 E No.はないがINS No.1100あり
			(Carbohydrase and cellulase derived from *Aspergillus niger* として) 173.120 (Carbohydrase derived from *Rhizopus oryzae* として) 173.130 (Mixed carbohydrase and protease enzyme product として) 184.1027 (Amylase enzyme preparation from *Bacillus stearothermophilus* として) 184.1012 (Bacterially-derived carbohydrase enzyme preparation として) 184.1148		E No.はないがINS No.1100あり 「組換えDNA技術応用食品及び添加物の安全性審査の手続きを経た添加物」としての告示あり。詳細は厚労省HP参照
			(Amyloglucosidase derived from *Rhizopus niveus* として) 173.110		「組換えDNA技術応用食品及び添加物の安全性審査の手続きを経た添加物」としての告示あり。詳細は厚労省HP参照 E No.はないがINS No.1100あり
	10.001	104-61-0			着香の目的以外に使用してはならない EU FL No.10.001の名称は「Nonano-1,4-lactone」
	05.040	122-40-7			着香の目的以外に使用してはならない

色文字：法令上の指定添加物名（除く別名）　red：Name on Ministerial Ordinance of Designated Food Additives
色文字：法令上の既存添加物名（除く別名）　red：Name on Ministerial Notification of Existing Food Additives

英　名 English name	英名別名 English name	和名，和名別名 Japanese name	許可状況 Legal/Illegal	主な用途 Main uses
α-Amylcinnamic aldehyde	**α-Amylcinnamaldehyde**	α-アミルシンナミックアルデヒド **α-アミルシンナムアルデヒド**	○，指定	香料
Amyloglucosidase	γ-Amylase **Glucoamylase**	アミログルコシダーゼ **グルコアミラーゼ** 糖化アミラーゼ	◎，既存	酵素
Amylopectin		アミロペクチン	◎	増粘安定剤
Amylose		アミロース	◎	増粘安定剤
Anionic methacrylate copolymer		陰イオンメタクリル酸塩共重合物	×	コーティング剤
Anisaldehyde	Anisic aldehyde Aubepine *p*-Methoxybenzaldehyde	**アニスアルデヒド** オーベピン パラメトキシベンズアルデヒド	○，指定	香料
Anisic aldehyde	**Anisaldehyde** Aubepine *p*-Methoxybenzaldehyde	**アニスアルデヒド** オーベピン パラメトキシベンズアルデヒド	○，指定	香料
Anisyl acetone	*p*-Methoxybenzyl acetone	アニシルアセトン パラメトキシベンジルアセトン	○，指定	香料
Annatto extract	Bixin Norbixin	**アナトー色素**（ベニノキの種子の被覆物から得られた，ノルビキシン及びビキシンを主成分とするものをいう。） ノルビキシン ビキシン	○，既存	着色料
Annatto, water-soluble		水溶性アナトー	○，指定	着色料
Anoxomer		アノクソマー	×	保存料 酸化防止剤
Antarctic krill meal		南極オキアミミール	×	着色料
Anthocyanase		**アントシアナーゼ**	◎，既存	酵素
Anthocyanidin		アントシアニジン	※	特別用途食品

◎：許可（使用基準なし） Legal（Accepted with no standard of use）
○：許可（使用基準あり） Legal（Accepted with standard of use）
指定：Designated Food Additives 既存：Existing Food Additives
×：使用不可 Illegal（Prohibited）
※：個別判断を要するもの Required individual special judgement

EU E No.	EU FL No.	CAS No.	CFR No.	CNS 号.	備考 Remarks
	05.040	122-40-7			着香の目的以外に使用してはならない
			（Amyloglucosidase derived from *Rhizopus niveus* として） 173.110		「組換え DNA 技術応用食品及び添加物の安全性審査の手続きを経た添加物」としての告示あり。詳細は厚労省 HP 参照 E No.はないが INS No.1100あり
					食品扱い
					食品扱い
E1207					サプリメントのコーティング剤 E1207は「Commission Regulation（EU）No.816/2013 of 28 Aug. 2013」で新規制定
	05.015	123-11-5			着香の目的以外に使用してはならない EU FL No.05.015の名称は「4-Methoxybenzaldehyde」
	05.015	123-11-5			着香の目的以外に使用してはならない EU FL No.05.015の名称は「4-Methoxybenzaldehyde」
	07.029	104-20-1			**ケトン類** 着香の目的以外に使用してはならない 類又は誘導体として指定されている18項目の香料リストの SEQ No.188(解説編2-(1)-(vi)参照) EU FL No.07.029の名称は「4-(4-Methoxyphenyl) butan-2-one」
E160b（ⅰ） E160b（ⅱ）			（Annatto extract として） 73.30	08.144	フリーのビキシン，ノルビキシンは既存添加物名簿の**アナトー色素**の扱い 従来の E160b（ⅰ），（ⅱ），（ⅲ）は2021年1月2日削除され，新たな下記分類区分にて改定された．（Commission Regulation（EU）2020/771 of 11 June 2020による） E160b（ⅰ）：Annatto bixin （Ⅰ）Solvent-extracted bixin （Ⅱ）Aqueous-processed bixin E160b（ⅱ）：Annatto norbixin （Ⅰ）Solvent-extracted norbixin （Ⅱ）Alkali-processed norbixin, acid-precipitated （Ⅲ）Alkali-processed norbixin, not acid-precipitated
E160b（ⅰ） E160b（ⅱ） E160b（ⅲ）			（Annatto extract として） 73.30		水溶性アナトーは省令別表第1の**ノルビキシンカリウム，ノルビキシンナトリウム**の混合製剤 E160b（ⅰ）は Solvent-extracted bixin and norbixin E160b（ⅱ）は Alkali extracted annatto E160b（ⅲ）は Oil extracted annatto
			172.105		CFR は1，4-Benzenediol，2-（1，1-Dimethylethyl）-polymer などの混合体
			73.32		CFR2023年版（March 28,2023）にて新規制定 常態として「Ethoxyquin（エトキシキン），CFRNo.172.140」を酸化防止剤として添加し，魚の飼料として消費されているが，食品の着色料として安全に使用できるとして今回制定されている なお，「エトキシキン」以外の酸化防止剤は認めていない
					資料1により食品添加物に該当する可能性が考えられるが，事前に判断を受けるよう指導されている品目

色文字：法令上の指定添加物名（除く別名）　red：Name on Ministerial Ordinance of Designated Food Additives
色文字：法令上の既存添加物名（除く別名）　red：Name on Ministerial Notification of Existing Food Additives

英　名 English name	英名別名 English name	和名，和名別名 Japanese name	許可状況 Legal/Illegal	主な用途 Main uses
Anthocyanins	Enocianin Grape skin color Grape skin extract	アントシアニン類 エノシアニン ブドウ果皮色素(アメリカブドウ又はブドウの果皮から得られた，アントシアニンを主成分とするものをいう。) ブドウ色素	○，既存	着色料
β-Apo-8'-carotenal		β-アポ-8'-カロテナール	○，指定	着色料
Apple essence	Apple oil Isoamyl isovalerate Isoamyl isovalerianate	アップルエッセンス アップルオイル イソ吉草酸イソアミル	○，指定	香料
Apple oil	Apple essence Isoamyl isovalerate Isoamyl isovalerianate	アップルエッセンス アップルオイル イソ吉草酸イソアミル	○，指定	香料
Aqueos ammonia	Ammonia water Ammonium hydroxide	アンモニア水 水酸化アンモニウム	◎，指定	製造用剤
Arabic gum	Acacia gum Acacia(gum arabic) Gum Arabic Senegal gum	アカシアガム アラビアガム(アカシアの分泌液から得られた，多糖類を主成分とするものをいう。) セネガルガム	◎，既存	増粘安定剤 乳化剤
Arabino galactan		アラビノガラクタン	◎，既存	増粘安定剤
L-Arabinose		L-アラビノース	◎，既存	甘味料
Aragonite	Calcite Calcium carbonate Calcium carbonate Ⅰ Lime stone	アラゴナイト 石灰石 炭酸カルシウム 炭酸カルシウムⅠ	◎，指定	製造用剤 膨脹剤 強化剤 ガムベース 着色料 イーストフード
L-Arginine	L-α-Amino-δ-guanidinovaleric acid	L-α-アミノ-δ-グアニジノ吉草酸 L-アルギニン	◎，既存	強化剤 調味料
L-Arginine L-glutamate		L-アルギニンL-グルタミン酸塩	◎，指定	強化剤 調味料
Argon		アルゴン アルゴンガス	◎，指定	製造用剤
Aromatic alcohols		芳香族アルコール類	○，指定	香料
Aromatic aldehydes(except harmful substances)		芳香族アルデヒド類(毒性が激しいと一般に認められるものを除く。)	○，指定	香料
Artemisia seed gum	Artemisia seed polysaccharide Artemisia sphaerocephala seed gum	アルテミシアシードガム サバクヨモギシードガム（サバクヨモギの種皮から得られた，多糖類を主成分とするものをいう。) サバクヨモギ種子多糖類	◎，既存	製造用剤 増粘安定剤

◎：許可（使用基準なし） Legal（Accepted with no standard of use）
○：許可（使用基準あり） Legal（Accepted with standard of use）
指定：Designated Food Additives　既存：Existing Food Additives
×：使用不可 Illegal（Prohibited）
※：個別判断を要するもの Required individual special judgement

EU E No.	EU FL No.	CAS No.	CFR No.	CNS 号.	備考 Remarks
E163			(Grape skin extract(enocianina)として) 73.170 (Vegetable juice として) 73.260	08.135	E163の正式名称は Anthocyanins(アントシアニン類)
E160e		1107-26-2	73.90	08.018	平成26年6月18日省令別表第1に新規指定 E No.160e 及び INS No.160e の正式名は β-Apo-8'-carotenal(C30)
	09.463	659-70-1			着香の目的以外に使用してはならない EU FL No.09.463の名称は「3-Methylbutyl 3-methylbutyrate」
	09.463	659-70-1			着香の目的以外に使用してはならない EU FL No.09.463の名称は「3-Methylbutyl 3-methylbutyrate」
E527		(アンモニアとして) 7664-41-7	(Ammonium hydroxide)として 184.1139		省令別表第1のリスト名は「**アンモニア,Ammonia**」 E527は Ammonium hydroxide
E414			(Acacia(gum arabic)として) 172.780 (GRAS 物質(同上)として) 184.1330	20.008	
			172.610		E No.はないが INS No.409あり
		87-72-9			
E170		(炭酸カルシウムとして) 471-34-1	(Calcium carbonate として) 73.70 184.1191 (Ground limestone として) 184.1409	13.006	平成29年6月23日告示第226号により,使用基準は削除するものの,その使用に当たっては,適切な製造工程管理を行い,食品中で目的とする効果を得る上で必要とされる量を超えてないものとする指導に改正された CFR No. 73.70は2019年版で追加 令和2年12月4日厚生労働省告示第381号にて「昭和34年厚生省告示第370号」に定められている「**炭酸カルシウム**」の成分規格上の名称を「**炭酸カルシウムⅠ**」と改め，新たに「**炭酸カルシウムⅡ**」が新設された.（**炭酸カルシウムⅡ**参照）
		74-79-3	(Amino acids,L-Arginineとして) 172.320		
		4320-30-3			
E938		7440-37-1			令和元年6月6日省令別表第1に新規指定 適切な製造工程管理を行い，食品中で目的とする効果を得る量を超えないこと 小分け等の加工を行ったものは添加物製剤とみなされる
					着香の目的以外に使用してはならない 類又は誘導体として指定されている18項目の香料リスト(解説編2-(1)-(vi)参照)
					着香の目的以外に使用してはならない 類又は誘導体として指定されている18項目の香料リスト(解説編2-(1)-(vi)参照)
				20.037	

A

色文字：法令上の指定添加物名（除く別名）　red：Name on Ministerial Ordinance of Designated Food Additives
色文字：法令上の既存添加物名（除く別名）　red：Name on Ministerial Notification of Existing Food Additives

英　名 English name	英名別名 English name	和名，和名別名 Japanese name	許可状況 Legal/Illegal	主な用途 Main uses
Artemisia seed polysaccharide	Artemisia seed gum Artemisia sphaerocephala seed gum	アルテミシアシードガム サバクヨモギシードガム（サバクヨモギの種皮から得られた，多糖類を主成分とするものをいう。） サバクヨモギ種子多糖類	◎，既存	製造用剤 増粘安定剤
Artemisia sphaerocephala seed gum	Artemisia seed gum Artemisia seed polysaccharide	アルテミシアシードガム サバクヨモギシードガム（サバクヨモギの種皮から得られた，多糖類を主成分とするものをいう。） サバクヨモギ種子多糖類	◎，既存	製造用剤 増粘安定剤
Asbestos		アスベスト	×	製造用剤
Ascorbate oxidase	Vitamin C oxidase	アスコルビン酸オキシダーゼ アスコルベートオキシダーゼ ビタミンCオキシダーゼ	◎，既存	酵素
Ascorbic acid	L-Ascorbic acid Vitamin C	アスコルビン酸 L-アスコルビン酸 ビタミンC	◎，指定	品質改良剤 膨脹剤 強化剤 酸化防止剤
L-Ascorbic acid	Ascorbic acid Vitamin C	アスコルビン酸 L-アスコルビン酸 ビタミンC	◎，指定	品質改良剤 膨脹剤 強化剤 酸化防止剤
L-Ascorbic acid 2-glucoside		L-アスコルビン酸2-グルコシド	◎，指定	強化剤 酸化防止剤
L-Ascorbyl palmitate	Ascorbyl palmitate Vitamin C palmitate	L-アスコルビン酸パルミチン酸エステル アスコルビン酸パルミチン酸エステル ビタミンCパルミテート	◎，指定	強化剤 酸化防止剤
Ascorbyl palmitate	L-Ascorbyl palmitate Vitamin C palmitate	L-アスコルビン酸パルミチン酸エステル アスコルビン酸パルミチン酸エステル ビタミンCパルミテート	◎，指定	強化剤 酸化防止剤
Ascorbyl stearate	L-Ascorbyl stearate Vitamin C stearate	アスコルビン酸ステアリン酸エステル L-アスコルビン酸ステアリン酸エステル ビタミンCステアレート	◎，指定	強化剤 酸化防止剤
L-Ascorbyl stearate	Ascorbyl stearate Vitamin C stearate	アスコルビン酸ステアリン酸エステル L-アスコルビン酸ステアリン酸エステル ビタミンCステアレート	◎，指定	強化剤 酸化防止剤
Asparaginase		アスパラギナーゼ	◎，指定	製造用剤 酵素

◎：許可（使用基準なし） Legal（Accepted with no standard of use）
○：許可（使用基準あり） Legal（Accepted with standard of use）
指定：Designated Food Additives　既存：Existing Food Additives
×：使用不可 Illegal（Prohibited）
※：個別判断を要するもの Required individual special judgement

EU E No.	EU FL No.	CAS No.	CFR No.	CNS 号.	備考 Remarks
				20.037	
				20.037	
E300		50-81-7	(Chemical preservatives として) 182.3013 (Nutrients として) 182.8013	04.014	CNS 号04.014は ascorbic acid（L-なし）
E300		50-81-7	(Chemical preservatives として) 182.3013 (Nutrients として) 182.8013	04.014	CNS 号04.014は ascorbic acid（L-なし）
		129499-78-1			
E304(i)		137-66-6	(Ascorbyl palmitate として) 182.3149	04.011	CNS 号04.011は ascorbyl palmitate（L-なし） E304（ｉ）は（L-）のみを指定
E304(i)		137-66-6	(Ascorbyl palmitate として) 182.3149	04.011	CNS 号04.011は ascorbyl palmitate（L-なし） E304（ｉ）は（L-）のみを指定
E304(ii)		25395-66-8			
E304(ii)		25395-66-8			
					平成26年11月17日省令別表第１に新規指定 厚生労働省告示第409号（平成26年11月17日）：本品は糸状菌「Aspergillus niger ASP-72株」を用いて生産されたものに限るとの定義あり 使用基準は設定しないものの，その使用にあたっては，適切な製造工程管理を行い，食品中で目的とする効果を得る上で必要とされる量を超えないものとすることの特記あり （参考）本品は食品加工の際に生成するアクリルアミドを低減する目的で使用される 「組換え DNA 技術応用食品及び添加物の安全性審査の手続きを経た添加物」としての告示あり。詳細は厚労省 HP 参照

A

色文字：法令上の指定添加物名（除く別名）　red：Name on Ministerial Ordinance of Designated Food Additives
色文字：法令上の既存添加物名（除く別名）　red：Name on Ministerial Notification of Existing Food Additives

英　名 English name	英名別名 English name	和名，和名別名 Japanese name	許可状況 Legal/Illegal	主な用途 Main uses
L-Asparagine	L-α-Aminosuccinamic acid	L-アスパラギン アスパラギン酸アミド L-α-アミノサクシナミン酸	◎，既存	強化剤 調味料
Aspartame	Methyl L-α-aspartyl-L-phenylalaninate	L-α-アスパルチル-L-フェニルアラニンメチルエステル アスパルテーム メチル-L-α-アスパルチル-L-フェニルアラニンメチルエステル	◎，指定	甘味料
L-Aspartic acid	L-α-Aminosuccinic acid	L-アスパラギン酸 L-α-アミノコハク酸	◎，既存	強化剤 調味料
Aspergillus terreus glycoprotein	Mutastein	アスペルギルステレウス糖たん白質（アスペルギルステレウスの培養液から得られた，糖タンパク質を主成分とするものをいう。） ムタステイン	◎，既存	製造用剤
Astaxanthin		アスタキサンチン	※	特別用途食品
Astaxanthin dimethyldisuccinate		アスタキサンチンジメチルジコハク酸塩	×	着色料
Aubepine	Anisaldehyde Anisic aldehyde *p*-Methoxybenzaldehyde	アニスアルデヒド オーベピン パラメトキシベンズアルデヒド	○，指定	香料
Auramine		オーラミン	×	着色料
Aureobasidium cultured solution		アウレオバシジウム培養液（アウレオバシジウムの培養液から得られた，β-1,3-1,6-グルカンを主成分とするものをいう。）	◎，既存	増粘安定剤
Azodicarbonamide		アゾジカルボンアミド	×	製造用剤 漂白剤
Azorubine	Carmoisine	アゾルビン カルモイシン	×	着色料
Azoxystrobin		アゾキシストロビン	○，指定	防かび剤
Azuki color		アズキ色素	○	着色料
Azuki extract	Rutin（extract）	アズキ全草抽出物 ルチン（抽出物）（アズキの全草，エンジュのつぼみ若しくは花又はソバの全草から得られた，ルチンを主成分とするものをいう。）	◎，既存	強化剤 酸化防止剤 着色料

◎：許可（使用基準なし） Legal（Accepted with no standard of use）
○：許可（使用基準あり） Legal（Accepted with standard of use）
指定：Designated Food Additives　既存：Existing Food Additives
×：使用不可 Illegal（Prohibited）
※：個別判断を要するもの Required individual special judgement

EU E No.	EU FL No.	CAS No.	CFR No.	CNS 号.	備考 Remarks
		（無水物） 70-47-3	（Amino acids, L-Asparagine として） 172.320		告示成分規格の nH_2O は n ＝1
E951		22839-47-0	172.804	19.004	
		56-84-8	（Amino acids, L-Aspartic acid として） 172.320		
			73.35		資料1により，既存添加物扱いと思料されるが，指定されていない添加物に該当する場合があることに留意 CFR No.73.30は着色料としてあり
			73.37		CFR は混合安定剤の一成分として魚類飼料用のみに使用
	05.015	123-11-5			着香の目的以外に使用してはならない EU FL No.05.015の名称は「4-Methoxybenzaldehyde」
			172.806	13.004	
E122				08.013	
		131860-33-8	180.507（Title40 Part180）		平成25年3月12日省令別表第1に新規指定 CFR では，本書に関連する「Title21」ではなく pre- and post-harvest 関連の「Title40 Part 180.507」に収録されている
					一般飲食物添加物
					着色料の目的では○，既存 ルチン（抽出物）参照

B

色文字：法令上の指定添加物名（除く別名）　**red**：Name on Ministerial Ordinance of Designated Food Additives
色文字：法令上の既存添加物名（除く別名）　**red**：Name on Ministerial Notification of Existing Food Additives

英　名 English name	英名別名 English name	和名，和名別名 Japanese name	許可状況 Legal/Illegal	主な用途 Main uses
Bacillus natto gum		納豆菌ガム（納豆菌の培養液から得られた，ポリグルタミン酸を主成分とするものをいう。） 納豆菌粘質物	◎，既存	製造用剤 増粘安定剤
Bakers yeast extract		パン酵母抽出物	◎	調味料
Bakers yeast glycan		パン酵母グリカン	◎	製造用剤 増粘安定剤
Bakers yeast protein		パン酵母たん白質	◎	調味料
Baking soda	Bicarbonate of soda Carbonic acid mono-sodium salt Sodium acid carbonate Sodium bicarbonate Sodium hydrogen carbonate	酸性炭酸ナトリウム 重曹 重炭酸ソーダ 重炭酸ナトリウム 炭酸水素ナトリウム	◎，指定	製造用剤 水素イオン濃度調整剤（pH 調整剤） 膨脹剤 かんすい
Bakuhanseki	Granite porphyry	花こう斑岩 麦飯石	○，既存	製造用剤 特別用途食品
Banana oil	Amyl acetic ester Isoamyl acetate Isopentyl acetate Pear oil	酢酸アミルエステル 酢酸イソアミル 酢酸イソペンチル ナシオイル バナナオイル	○，指定	香料
Basic methacrylate copolymer		メタクリル酸共重合物	×	コーティング剤
Basora gum	Goat's thorn Gum tragacanth Hog gum Leaf gum Syrian gum Tragacanth gum	シリアンガム トラガントガム（トラガントの分泌液から得られた，多糖類を主成分とするものをいう。） バソラガム ホッグガム リーフガム	◎，既存	増粘安定剤 乳化剤
Beefsteak plant color	Perilla color	シソ色素	○	着色料
Bees wax	Bees wax, white and yellow Bees wax, yellow	オウロウ ハクロウ及びオウロウ ビースワックス ベースワックス ミツロウ（ミツバチの巣から得られた，パルミチン酸ミリシルを主成分とするものをいう。）	◎，既存	ガムベース 光沢剤
Bees wax, white and yellow	Bees wax Bees wax, yellow	オウロウ ハクロウ及びオウロウ ビースワックス ベースワックス ミツロウ（ミツバチの巣から得られた，パルミチン酸ミリシルを主成分とするものをいう。）	◎，既存	ガムベース 光沢剤
Bees wax, yellow	Bees wax Bees wax, white and yellow	オウロウ ハクロウ及びオウロウ ビースワックス ベースワックス ミツロウ（ミツバチの巣から得られた，パルミチン酸ミリシルを主成分とするものをいう。）	◎，既存	ガムベース 光沢剤
Beet powder	Dehydrated beet	脱水ビート ビート粉末	○	着色料

◎：許可（使用基準なし） Legal（Accepted with no standard of use）
○：許可（使用基準あり） Legal（Accepted with standard of use）
指定：Designated Food Additives　既存：Existing Food Additives
×：使用不可 Illegal（Prohibited）
※：個別判断を要するもの Required individual special judgement

EU E No.	EU FL No.	CAS No.	CFR No.	CNS 号.	備考 Remarks
			184.1983		食品扱い
			172.898		食品扱い E No.はないがINS No.408あり
			172.325		食品扱い
E500(ii)		144-55-8	(Sodium bicarbonate として) 184.1736	06.001	
					不溶性鉱物性物質に包含される。不溶性鉱物性物質扱いの使用は○ 麦飯石は資料1により既存添加物扱いとする品目にもリストアップされている
	09.024	123-92-2			着香の目的以外に使用してはならない
E1205					サプリメントのコーティング剤
E413		9000-65-1	(Gum tragacanth として) 184.1351		
					一般飲食物添加物
E901			(Beeswax (yellow and white) として) 184.1973	14.013	
E901			(Beeswax (yellow and white) として) 184.1973	14.013	
E901			(Beeswax (yellow and white) として) 184.1973	14.013	
			73.40		日本ではビートレッド(アカビート色素)が既存添加物として認められている

色文字：法令上の指定添加物名（除く別名）　　red：Name on Ministerial Ordinance of Designated Food Additives
色文字：法令上の既存添加物名（除く別名）　　red：Name on Ministerial Notification of Existing Food Additives

英　名 English name	英名別名 English name	和名，和名別名 Japanese name	許可状況 Legal/Illegal	主な用途 Main uses
Beet red	Beet red color Beetroot red Betanin	アカビート色素 ビートレッド(ビートの根から得られた，イソベタニン及びベタニンを主成分とするものをいう。) ベタニン	○，既存	着色料
Beet red color	Beet red Beetroot red Betanin	アカビート色素 ビートレッド(ビートの根から得られた，イソベタニン及びベタニンを主成分とするものをいう。) ベタニン	○，既存	着色料
Beetroot red	Beet red Beet red color Betanin	アカビート色素 ビートレッド(ビートの根から得られた，イソベタニン及びベタニンを主成分とするものをいう。) ベタニン	○，既存	着色料
Bentanol	Benzyl alcohol α-Hydroxytoluene Phenyl carbinol Phenyl methanol	α-ヒドロキシトルエン フェニルカルビノール フェニルメタノール ベンジルアルコール ベンタノール	○，指定	香料
Bentonite	Colloidal clay Water-insoluble mineral substances	不溶性鉱物性物質 ベントナイト 膨潤土	○，既存	製造用剤
Benzaldehyde	Amandol(LF) Amandol(RP) Benzene carbonal Benzene methylal Benzoic aldehyde Bitter almond oil synthetic	アマンドール(LF) アマンドール(RP) 合成ビターアーモンドオイル ベンズアルデヒド ベンゼンカルボナール ベンゼンメチラール	○，指定	香料
Benzencarboxylic acid	Benzene formic acid Benzoic acid Dracylic acid Phenylformic acid	安息香酸 ベンゼンカルボン酸	○，指定	保存料
Benzene carbonal	Amandol(LF) Amandol(RP) Benzaldehyde Benzene methylal Benzoic aldehyde Bitter almond oil synthetic	アマンドール(LF) アマンドール(RP) 合成ビターアーモンドオイル ベンズアルデヒド ベンゼンカルボナール ベンゼンメチラール	○，指定	香料
Benzene formic acid	Benzencarboxylic acid Benzoic acid Dracylic acid Phenylformic acid	安息香酸 ベンゼンカルボン酸	○，指定	保存料
Benzene methylal	Amandol(LF) Amandol(RP) Benzaldehyde Benzene carbonal Benzoic aldehyde Bitter almond oil synthetic	アマンドール(LF) アマンドール(RP) 合成ビターアーモンドオイル ベンズアルデヒド ベンゼンカルボナール ベンゼンメチラール	○，指定	香料

◎：許可（使用基準なし） Legal（Accepted with no standard of use）　×：使用不可 Illegal（Prohibited）
○：許可（使用基準あり） Legal（Accepted with standard of use）　※：個別判断を要するもの Required individual special judgement
指定：Designated Food Additives　既存：Existing Food Additives

EU E No.	EU FL No.	CAS No.	CFR No.	CNS 号.	備考 Remarks
E162				08.101	
E162				08.101	
E162				08.101	
E1519	02.010	100-51-6			着香の目的以外に使用してはならない 特例としてE No.とFL No.の両方あり
			(Bentoniteとして) 184.1155		食品の製造又は加工上必要不可欠な場合以外に使用してはならない **不溶性鉱物性物質**の名称は，省令別表第1及び告示既存添加物名簿に記載されていないが，告示「食品，添加物等の規格基準－F使用基準」にその名称があるので既存添加物名簿名扱いとする 食品添加物別名（和名）については，列記した食品添加物に類似する**不溶性鉱物性物質**も含まれる E558：Bentonite は「Commission Regulation（EU）No. 380/2012 of 3 May 2012」で削除
	05.013	100-52-7			着香の目的以外に使用してはならない
E210		65-85-0	184.1021	17.001	
	05.013	100-52-7			着香の目的以外に使用してはならない
E210		65-85-0	184.1021	17.001	
	05.013	100-52-7			着香の目的以外に使用してはならない

B

色文字：法令上の指定添加物名（除く別名）　red：Name on Ministerial Ordinance of Designated Food Additives
色文字：法令上の既存添加物名（除く別名）　red：Name on Ministerial Notification of Existing Food Additives

英　名 English name	英名別名 English name	和名，和名別名 Japanese name	許可状況 Legal/Illegal	主な用途 Main uses
Benzeneethanamine	Phenethylamine 2-Phenylethylamine	2-フェニルエチルアミン フェネチルアミン ベンゼンエタンアミン	○，指定	香料
Benzine	Petroleum benzine	石油ベンジン ベンジン	×	製造用剤
Benzoe tonkinensis		安息香	×	香料
Benzoic acid	Benzencarboxylic acid Benzene formic acid Dracylic acid Phenylformic acid	安息香酸 ベンゼンカルボン酸	○，指定	保存料
Benzoic aldehyde	Amandol(LF) Amandol(RP) Benzaldehyde Benzene carbonal Benzene methylal Bitter almond oil synthetic	アマンドール(LF) アマンドール(RP) 合成ビターアーモンドオイル ベンズアルデヒド ベンゼンカルボナール ベンゼンメチラール	○，指定	香料
Benzoyl peroxide	BPO Dibenzoyl peroxide	過酸化ベンゾイル ジベンゾイルパーオキサイド BPO	○，指定	小麦粉処理剤
Benzoyl thiamine disulfide	Bisbentiamine	ビスベンチアミン ベンゾイルチアミンジスルフィド	◎，指定	強化剤
Benzyl Violet 4B		ベンジルバイオレット4B	×	着色料
Benzyl acetate	Phenylmethyl acetate	酢酸ベンジル フェニルメチルアセテート	○，指定	香料
Benzyl alcohol	Bentanol α-Hydroxytoluene Phenyl carbinol Phenyl methanol	α-ヒドロキシトルエン フェニルカルビノール フェニルメタノール ベンジルアルコール ベンタノール	○，指定	香料
Benzyl benzoate		安息香酸ベンジル	○，指定	香料
Benzyl butyl ether		ベンジルブチルエーテル	○，指定	香料
Benzyl isobutyl carbinol	Isobutyl benzyl carbinol α-Isobutylphenethyl alcohol 4-Methyl-1-phenyl-2-pentanol	α-イソブチルフェネチルアルコール イソブチルベンジルカルビノール ベンジルイソブチルカルビノール	○，指定	香料
Benzyl isoeugenyl ether		ベンジルイソオイゲニルエーテル	○，指定	香料

◎：許可（使用基準なし） Legal（Accepted with no standard of use）
○：許可（使用基準あり） Legal（Accepted with standard of use）
指定：Designated Food Additives　　既存：Existing Food Additives
×：使用不可 Illegal（Prohibited）
※：個別判断を要するもの Required individual special judgement

EU E No.	EU FL No.	CAS No.	CFR No.	CNS 号.	備考 Remarks
	11.006	64-04-0			着香の目的以外に使用してはならない
					工業用ガソリンの一種
					ベトナム自生樹から得られる安息香酸等から成る芳香性の樹脂であり，安息香酸を含む数種類の化学成分を含む 日本ではエゴノキ抽出物（別名：安息香）は平成23年5月6日食安発0506第1号にて既存添加物から消除されているが，本品はベトナム自生樹から得られた安息香であり消除された安息香とは異なる（特記）
E210		65-85-0	184.1021	17.001	
	05.013	100-52-7			着香の目的以外に使用してはならない
			184.1157		E No.はないがINS No.928あり ミョウバン，リン酸のカルシウム塩類，硫酸カルシウム，炭酸カルシウム，炭酸マグネシウム及びデンプンのうち1種又は2種以上を配合して希釈過酸化ベンゾイルとして使用する場合以外に使用してはならない
		2667-89-2			
	09.014	140-11-4			着香の目的以外に使用してはならない
E1519	02.010	100-51-6			着香の目的以外に使用してはならない 特例としてE No.とFL No.の両方あり
	09.727	120-51-4			**エステル類** 着香の目的以外に使用してはならない 類又は誘導体として指定されている18項目の香料リストのSEQ No.216(解説編2-(1)-(vi)参照)
	03.010	588-67-0			**エーテル類** 着香の目的以外に使用してはならない 類又は誘導体として指定されている18項目の香料リストのSEQ No.217(解説編2-(1)-(vi)参照)
	02.065	7779-78-4			**芳香族アルコール類** 着香の目的以外に使用してはならない 類又は誘導体として指定されている18項目の香料リストのSEQ No.1374(解説編2-(1)-(vi)参照)
	04.018	120-11-6			**フェノールエーテル類** 着香の目的以外に使用してはならない 類又は誘導体として指定されている18項目の香料リストのSEQ No.1384(解説編2-(1)-(vi)参照)

色文字：法令上の指定添加物名（除く別名）　red：Name on Ministerial Ordinance of Designated Food Additives
色文字：法令上の既存添加物名（除く別名）　red：Name on Ministerial Notification of Existing Food Additives

英名 English name	英名別名 English name	和名，和名別名 Japanese name	許可状況 Legal/Illegal	主な用途 Main uses
Benzyl propanoate	**Benzyl propionate**	プロパン酸ベンジル **プロピオン酸ベンジル**	○，指定	香料
Benzyl propionate	Benzyl propanoate	プロパン酸ベンジル **プロピオン酸ベンジル**	○，指定	香料
Betaine		ベタイン	◎，既存	調味料
Betanin	Beet red Beet red color Beetroot red	アカビート色素 ビートレッド(ビートの根から得られた，イソベタニン及びベタニンを主成分とするものをいう。) ベタニン	○，既存	着色料
BHA	**Butylated hydroxyanisole**	**ブチルヒドロキシアニソール**	○，指定	酸化防止剤
BHT	**Butylated hydroxytoluene**	**ジブチルヒドロキシトルエン**	○，指定	酸化防止剤
Bicarbonate of soda	Baking soda Carbonic acid mono-sodium salt Sodium acid carbonate **Sodium bicarbonate** Sodium hydrogen carbonate	酸性炭酸ナトリウム 重曹 重炭酸ソーダ 重炭酸ナトリウム **炭酸水素ナトリウム**	◎，指定	製造用剤 水素イオン濃度調整剤（pH 調整剤） 膨脹剤 かんすい
Biotin	Vitamin B_7 Vitamin H	**ビオチン** ビタミンB_7 ビタミンH	○，指定	強化剤
Biphenyl	**Diphenyl** Phenylbenzene	**ジフェニル** ビフェニル フェニールベンゼン	○，指定	防かび剤
Bisbentiamine	Benzoyl thiamine disulfide	**ビスベンチアミン** ベンゾイルチアミンジスルフィド	◎，指定	強化剤
Bitter almond oil synthetic	Amandol(LF) Amandol(RP) **Benzaldehyde** Benzene carbonal Benzene methylal Benzoic aldehyde	アマンドール(LF) アマンドール(RP) 合成ビターアーモンドオイル **ベンズアルデヒド** ベンゼンカルボナール ベンゼンメチラール	○，指定	香料
Bixin	Annatto extract Norbixin	アナトー色素(ベニノキの種子の被覆物から得られた，ノルビキシン及びビキシンを主成分とするものをいう。) ノルビキシン ビキシン	○，既存	着色料

◎：許可（使用基準なし） Legal（Accepted with no standard of use）
○：許可（使用基準あり） Legal（Accepted with standard of use）
指定：Designated Food Additives　　既存：Existing Food Additives
×：使用不可 Illegal（Prohibited）
※：個別判断を要するもの Required individual special judgement

EU E No.	EU FL No.	CAS No.	CFR No.	CNS 号.	備考 Remarks
	09.132	122-63-4			着香の目的以外に使用してはならない
	09.132	122-63-4			着香の目的以外に使用してはならない
		107-43-7			
E162				08.101	
E320		25013-16-5	(Food preservativesとして) 172.110 (GRAS物質のChemical preservativesとして) 182.3169	04.001	
E321		128-37-0	(Food preservativesとして) 172.115 (GRAS物質のChemical preservatiresとして) 182.3173	04.002	
E500(ii)		144-55-8	(Sodium bicarbonateとして) 184.1736	06.001	
		58-85-5	182.8159		保健機能食品，調製粉乳，調製液状乳及び母乳代替食品以外の食品に使用してはならない
		92-52-4			CFR「Title40」には「180.190 Diphenylamine」はあるが，本品は収録されていない E No.はないがINS No.230あり
		2667-89-2			
	05.013	100-52-7			着香の目的以外に使用してはならない
E160b(ｉ) E160b(ⅱ)			(Annatto extractとして) 73.30	08.144	フリーのビキシン，ノルビキシンは既存添加物名簿のアナトー色素の扱い 従来のE160b(ｉ)，(ⅱ)，(ⅲ)は2021年1月2日削除され，新たな下記分類区分にて改定された．(Commission Regulation (EU) 2020/771 of 11 June 2020による) E160b(ｉ)：Annatto bixin (Ⅰ) Solvent-extracted bixin (Ⅱ) Aqueous-processed bixin E160b(ⅱ)：Annatto norbixin (Ⅰ) Solvent-extracted norbixin (Ⅱ) Alkali-processed norbixin，acid-precipitated (Ⅲ) Alkali-processed norbixin，not acid-precipitated

B

色文字：法令上の指定添加物名（除く別名）　red：Name on Ministerial Ordinance of Designated Food Additives
色文字：法令上の既存添加物名（除く別名）　red：Name on Ministerial Notification of Existing Food Additives

英　名 English name	英名別名 English name	和名，和名別名 Japanese name	許可状況 Legal/Illegal	主な用途 Main uses
Black 7984		ブラック7984	×	着色料
Black PN	Brilliant Black PN	ブラック PN ブリリアントブラック PN	×	着色料
Black berry color		**ブラックベリー色素**	○	着色料
Black currant color	Black currant extract	**ブラックカーラント色素** ブラックカーラント抽出物	○	着色料
Black currant extract	**Black currant color**	**ブラックカーラント色素** ブラックカーラント抽出物	○	着色料
Black huckleberry color		**ハクルベリー色素**	○	着色料
Bleached lecithins		漂白レシチン	×	乳化剤
Bleached starch	Modified starch	加工デンプン 漂白デンプン	◎	増粘安定剤 ゲル化剤 糊料
Bleaching solution	Hypochlorite of soda Labarrque's solution Sodium hydrochlorite **Sodium hypochlorite**	次亜塩素酸ソーダ **次亜塩素酸ナトリウム** 漂白液 ラバラック氏液	○，指定	漂白剤 殺菌料
Blue VRS		ブルー VRS	×	着色料
Blueberry color		**ブルーベリー色素**	○	着色料
Bone carbon black	Carbon black	骨炭色素(骨を炭化して得られた、炭素を主成分とするものをいう。) 炭末色素	×	着色料
Bone charcoal		**骨炭**(ウシの骨から得られた，炭末及びリン酸カルシウムを主成分とするものをいう。)	◎，既存	製造用剤
Borax	Sodium tetraborate	ホウ砂 四ホウ酸ナトリウム	×	保存料
Boric acid		ホウ酸	×	保存料
***d*-Borneol**	Bornyl alcohol Malayan camphor	ボルニルアルコール ***d*-ボルネオール** マラヤンカンファー	○，指定	香料
Bornyl alcohol	***d*-Borneol** Malayan camphor	ボルニルアルコール ***d*-ボルネオール** マラヤンカンファー	○，指定	香料
Bourbonal	Ethovan Ethyl procatechuric aldehyde **Ethylvanillin** Vanirom	**エチルバニリン** エチルプロカテチュリックアルデヒド エチルワニリン エトバン バニロム ボルボナール	○，指定	香料
Boysenberry color	**American red raspberry color**	**ボイセンベリー色素**	○	着色料

◎：許可（使用基準なし） Legal（Accepted with no standard of use）
○：許可（使用基準あり） Legal（Accepted with standard of use）
指定：Designated Food Additives　既存：Existing Food Additives
×：使用不可 Illegal（Prohibited）
※：個別判断を要するもの Required individual special judgement

EU E No.	EU FL No.	CAS No.	CFR No.	CNS 号.	備考 Remarks
E151					
					一般飲食物添加物
				08.122	一般飲食物添加物
				08.122	一般飲食物添加物
					一般飲食物添加物
			(Food starch-modified として) 172.892		食品扱い E No.はないが INS No.1403あり
					平成26年4月24日告示第225号により，①生食用鮮魚介類，生食用かき及び冷凍食品（生食用冷凍鮮魚介類に限る。以下「生食用鮮魚介類等」という。）の加工基準において，次亜塩素酸ナトリウムに加え，次亜塩素酸水及び水素イオン濃度調整剤として用いる塩酸の使用が認められた，②容器包装詰加圧加熱殺菌食品の製造基準において，次亜塩素酸ナトリウムに加え次亜塩素酸水の使用が認められた 同日付部長通知による運用上の注意事項としては，次亜塩素酸水及び塩酸については，既に食品添加物として定められている使用基準の適用を受ける，②塩酸については，生食用鮮魚介類等に対し，次亜塩素酸ナトリウムの使用等に伴い水素イオン濃度調整剤として使用することは認められるが，生食用鮮魚介類等の加工時に塩酸を直接使用することは認められない ごまに使用してはならない
					一般飲食物添加物
					炭末色素参照 「骨炭色素」は，令和2年2月26日告示第42号により既存添加物名簿から消除
E285					
E284					
		464-43-7			着香の目的以外に使用してはならない （EU）FLNo.なし
		464-43-7			着香の目的以外に使用してはならない （EU）FLNo.なし
	05.019	121-32-4			着香の目的以外に使用してはならない
					一般飲食物添加物

色文字：法令上の指定添加物名（除く別名）　red：Name on Ministerial Ordinance of Designated Food Additives
色文字：法令上の既存添加物名（除く別名）　red：Name on Ministerial Notification of Existing Food Additives

英　名 English name	英名別名 English name	和名，和名別名 Japanese name	許可状況 Legal/Illegal	主な用途 Main uses
BPO	Benzoyl peroxide Dibenzoyl peroxide	過酸化ベンゾイル ジベンゾイルパーオキサイド	○，指定	小麦粉処理剤
Branched cyclodextrin	α-Cycloamylose α-Cyclodextrin	α-サイクロデキストリン シクロアミロース α-シクロデキストリン 分岐サイクロデキストリン 分岐シクロデキストリン	◎，既存	製造用剤
Brazil wax	Carnauba wax	カルナウバロウ（ブラジルロウヤシの葉から得られた，ヒドロキシセロチン酸セリルを主成分とするものをいう。） カルナウバワックス ブラジルワックス	◎，既存	ガムベース 光沢剤
Brazilian licorice extract	Periandrine	ブラジルカンゾウ抽出物（ブラジルカンゾウの根から得られた，ペリアンドリンを主成分とするものをいう。） ペリアンドリン	◎，既存	甘味料
Brilliant Black PN	Black PN	ブラック PN ブリリアントブラック PN	×	着色料
Brilliant Blue FCF	FD & C Blue No.1 Food Blue No.1	食用青色1号 ブリリアントブルー FCF	○，指定	着色料
Brilliant Blue FCF aluminium lake	Food Blue No.1 aluminium lake	食用青色1号アルミニウムレーキ ブリリアントブルー FCF アルミニウムレーキ	○，指定	着色料
Bromelain	Bromelin	ブロメライン	◎，既存	酵素
Bromelin	Bromelain	ブロメライン	◎，既存	酵素
Brominated vegetable oils		臭素化植物油	×	製造用剤 増粘安定剤 乳化剤 糊料
Brown FK		ブラウン FK	×	着色料
Brown HT		ブラウン HT	×	着色料
Brown algae		褐藻	◎	増粘安定剤
Buckwheat ash extract		ソバ柄灰抽出物（ソバの茎又は葉の灰化物から抽出して得られたものをいう。）	◎，既存	製造用剤
Buckwheat extract	Rutin(extract)	ソバ全草抽出物 ルチン(抽出物)（アズキの全草，エンジュのつぼみ若しくは花又はソバの全草から得られた，ルチンを主成分とするものをいう。）	◎，既存	強化剤 酸化防止剤 着色料
Burnt lime	Calcium oxide Calx Quicklime	酸化カルシウム 焼石灰 生石灰	◎，既存	製造用剤 強化剤 イーストフード
Butanal	Butyraldehyde	ブタナール ブチルアルデヒド	○，指定	香料

◎：許可（使用基準なし） Legal（Accepted with no standard of use）
○：許可（使用基準あり） Legal（Accepted with standard of use）
指定：Designated Food Additives 既存：Existing Food Additives
×：使用不可 Illegal（Prohibited）
※：個別判断を要するもの Required individual special judgement

EU E No.	EU FL No.	CAS No.	CFR No.	CNS 号.	備考 Remarks
			184.1157		E No.はないがINS No.928あり ミョウバン，リン酸のカルシウム塩類，硫酸カルシウム，炭酸カルシウム，炭酸マグネシウム及びデンプンのうち1種又は2種以上を配合して希釈過酸化ベンゾイルとして使用する場合以外に使用してはならない
		(α)10016-20-3 (β)7585-39-9 (γ)17465-86-0		18.011	既存添加物名簿名はシクロデキストリン 告示成分規格の記載名も法令上の名称として取り扱う 告示成分規格にはαのほかにβ，γがある E No.はないがINS No.457あり
E903		8015-86-9	184.1978	14.008	
E151					
E133		3844-45-9	(要検定リストとして) 74.101 (要検定暫定リストとして) 82.101	08.007	省令別表第1のリスト名は「**食用青色1号及びそのアルミニウムレーキ,Food Blue No.1 and its Aluminium lake**」だが,本書では各単品もリスト名としマークした CNS 号08.007は brilliant blue（FCF なし）
E133			(Lakes(FD & C)として) 82.51	08.007	省令別表第1のリスト名は「**食用青色1号及びそのアルミニウムレーキ,Food Blue No.1 and its Aluminium lake**」だが,本書では各単品もリスト名としマークした CNS 号08.007は brilliant blue aluminum lake（FCF なし）
			184.1024		E No.はないがINS No.1101(iii)あり
			184.1024		E No.はないがINS No.1101(iii)あり
					E154は「Commission Regulation（EU）No.1129/2011 of 11 Nov. 2011」で削除
E155					
			184.1120		食品扱い
					着色料の目的では○,既存 ルチン(抽出物)参照
E529			(Calcium oxideとして) 184.1210		合成品は指定添加物
	05.003	123-72-8			着香の目的以外に使用してはならない

色文字：法令上の指定添加物名（除く別名）　red：Name on Ministerial Ordinance of Designated Food Additives
色文字：法令上の既存添加物名（除く別名）　red：Name on Ministerial Notification of Existing Food Additives

英　名 English name	英名別名 English name	和名，和名別名 Japanese name	許可状況 Legal/Illegal	主な用途 Main uses
1-Butanamine	1-Aminobutane Butylamine	1-アミノブタン 1-ブタンアミン ブチルアミン	○，指定	香料
2-Butanamine	*sec* - Butylamine	2-ブタンアミン *sec* -ブチルアミン	○，指定	香料
Butane		ブタン	◎，既存	製造用剤
Butane-1,3-diol	1,3-Butylene glycol	ブタン-1,3-ジオール 1,3-ブチレングリコール	×	香料
Butane-1-ol	Butanol 1-Butanol Butyl alcohol	ブタノール 1-ブタノール ブタン-1-オール ブチルアルコール	○，指定	香料
Butane-2-ol	2-Butanol Ethyl methyl ketone	エチルメチルケトン 2-ブタノール ブタン-2-オール	×	香料
1,4-Butanedicarboxylic acid	Adipic acid Hexanedioic acid	アジピン酸 1,4-ブタンジカルボン酸 ヘキサン二酸	◎，指定	製造用剤 水素イオン濃度調整剤（pH 調整剤） 膨脹剤 酸味料
Butanoic acid	Butyric acid *n* -Butyric acid Ethyl-acetic acid	ブタン酸 酪酸 *n* -酪酸	○，指定	香料
Butanol	Butane-1-ol 1-Butanol Butyl alcohol	ブタノール 1-ブタノール ブタン-1-オール ブチルアルコール	○，指定	香料
1-Butanol	Butane-1-ol Butanol Butyl alcohol	ブタノール 1-ブタノール ブタン-1-オール ブチルアルコール	○，指定	香料
2-Butanol	Butane-2-ol	2-ブタノール ブタン-2-オール	×	香料
2-Butanone	Methyl ethyl ketone	メチルエチルケトン	○，指定	香料
Butonedioic acid	Succinic acid Butandioic acid	コハク酸 ブタンデオイック酸	◎，指定	水素イオン濃度調整剤（pH 調整剤） 酸味料 調味料
Butter Yellow		バターイエロー	×	着色料
Butyl acetate	Acetic butyl ester Butyl ethanoate	酢酸ブチル 酢酸ブチルエステル	○，指定	香料

◎：許可（使用基準なし） Legal（Accepted with no standard of use）
○：許可（使用基準あり） Legal（Accepted with standard of use）
指定：Designated Food Additives　既存：Existing Food Additives
×：使用不可 Illegal（Prohibited）
※：個別判断を要するもの Required individual special judgement

EU E No.	EU FL No.	CAS No.	CFR No.	CNS 号.	備考 Remarks
	11.003	109-73-9			着香の目的以外に使用してはならない
	11.005	13952-84-6			令和元年6月6日省令別表第1に新規指定 着香の目的以外に使用してはならない 小分け等の加工を行ったものは添加物製剤とみなされる
E943a			(*n*-Butane and iso-butane として) 184.1165		
			(1,3-Butylene glycol として) 172.712 (1,3-Butylene glycol として) 173.220		
	02.004	71-36-3			着香の目的以外に使用してはならない
E355		124-04-9	184.1009	01.109	
	08.005	107-92-6			着香の目的以外に使用してはならない
	02.004	71-36-3			着香の目的以外に使用してはならない
	02.004	71-36-3			着香の目的以外に使用してはならない
	07.053	78-93-3			**ケトン類** 着香の目的以外に使用してはならない 類又は誘導体として指定されている18項目の香料リストのSEQ No.1648(解説編2-(1)-(vi)参照)
E363		110-15-6	184.1091		
	09.004	123-86-4			着香の目的以外に使用してはならない

色文字：法令上の指定添加物名（除く別名）　red：Name on Ministerial Ordinance of Designated Food Additives
色文字：法令上の既存添加物名（除く別名）　red：Name on Ministerial Notification of Existing Food Additives

英　名 English name	英名別名 English name	和名，和名別名 Japanese name	許可状況 Legal/Illegal	主な用途 Main uses
Butyl alcohol	Butane-1-ol Butanol 1-Butanol	ブタノール 1-ブタノール ブタン-1-オール ブチルアルコール	○，指定	香料
Butylamine	1-Aminobutane 1-Butanamine	1-アミノブタン 1-ブタンアミン ブチルアミン	○，指定	香料
sec - Butylamine	2-Butanamine	2-ブタンアミン *sec* -ブチルアミン	○，指定	香料
Butylated hydroxyanisole	BHA	BHA ブチルヒドロキシアニソール	○，指定	酸化防止剤
Butylated hydroxytoluene	BHT	ジブチルヒドロキシトルエン BHT	○，指定	酸化防止剤
n **-Butyl-** ***n*** **-butanoate**	Butyl butyrate *n* -Butyl- *n* -butyrate *n* -Butyric acid, *n* -butyl ester	*n* -ブタン酸 *n* -ブチル 酪酸ブチル *n* -酪酸 *n* -ブチルエステル	○，指定	香料
Butyl butyrate	*n* -Butyl- *n* -butanoate *n* -Butyl- *n* -butyrate *n* -Butyric acid, *n* -butyl ester	*n* -ブタン酸 *n* -ブチル 酪酸ブチル *n* -酪酸 *n* -ブチルエステル	○，指定	香料
n **-Butyl-** ***n*** **-butyrate**	*n* -Butyl- *n* -butanoate Butyl butyrate *n* -Butyric acid, *n* -butyl ester	*n* -ブタン酸 *n* -ブチル 酪酸ブチル *n* -酪酸 *n* -ブチルエステル	○，指定	香料
Butyl carbinol	Amylalcohol 1-Pentanol Pentyl alcohol	アミルアルコール ブチルカルビノール 1-ペンタノール ペンチルアルコール	○，指定	香料
1,3-Butylene glycol	Butane-1,3-diol	ブタン-1,3-ジオール 1,3-ブチレングリコール	×	香料
Butyl ethanoate	Acetic butyl ester Butyl acetate	酢酸ブチル 酢酸ブチルエステル	○，指定	香料
Butyl p-hydroxybenzoate		パラオキシ安息香酸ブチル パラヒドロキシ安息香酸ブチル	○，指定	保存料
Butyl rubber	Polyisobutylene	ブチルゴム ポリイソブチレン	○，指定	チューインガム基礎剤
Butyraldehyde	Butanal	ブタナール ブチルアルデヒド	○，指定	香料
n **-Butyric acid**	Butanoic acid Butyric acid Ethyl-acetic acid	ブタン酸 酪酸 *n* -酪酸	○，指定	香料

◎：許可（使用基準なし） Legal（Accepted with no standard of use）
○：許可（使用基準あり） Legal（Accepted with standard of use）
指定：Designated Food Additives 既存：Existing Food Additives
×：使用不可 Illegal（Prohibited）
※：個別判断を要するもの Required individual special judgement

EU E No.	EU FL No.	CAS No.	CFR No.	CNS 号.	備考 Remarks
	02.004	71-36-3			着香の目的以外に使用してはならない
	11.003	109-73-9			着香の目的以外に使用してはならない
	11.005	13952-84-6			令和元年6月6日省令別表第1に新規指定 着香の目的以外に使用してはならない 小分け等の加工を行ったものは添加物製剤とみなされる
E320		25013-16-5	(Food preservatives として) 172.110 (GRAS 物質の Chemical preservatives として) 182.3169	04.001	
E321		128-37-0	(Food preservatives として) 172.115 (GRAS 物質の Chemical preservatires として) 182.3173	04.002	
	09.042	109-21-7			着香の目的以外に使用してはならない
	09.042	109-21-7			着香の目的以外に使用してはならない
	09.042	109-21-7			着香の目的以外に使用してはならない
	02.040	71-41-0			着香の目的以外に使用してはならない
			(1,3-Butylene glycol として) 172.712 (1,3-Butylene glycol として) 173.220		
	09.004	123-86-4			着香の目的以外に使用してはならない
		94-26-8			
		9003-27-4			チューインガム基礎剤の目的以外に使用してはならない
	05.003	123-72-8			着香の目的以外に使用してはならない
	08.005	107-92-6			着香の目的以外に使用してはならない

B

色文字：法令上の指定添加物名（除く別名）　red：Name on Ministerial Ordinance of Designated Food Additives
色文字：法令上の既存添加物名（除く別名）　red：Name on Ministerial Notification of Existing Food Additives

英　名 English name	英名別名 English name	和名，和名別名 Japanese name	許可状況 Legal/Illegal	主な用途 Main uses
Butyric acid	Butanoic acid *n*-Butyric acid Ethyl-acetic acid	ブタン酸 酪酸 *n*-酪酸	○，指定	香料
***n*-Butyric acid, *n*-butyl ester**	*n*-Butyl-*n*-butanoate Butyl butyrate *n*-Butyl-*n*-butyrate	*n*-ブタン酸*n*-ブチル 酪酸ブチル *n*-酪酸*n*-ブチルエステル	○，指定	香料
Butyric ether	Ethyl *n*-butanoate Ethyl butyrate	*n*-ブタン酸エチル 酪酸エチル 酪酸エーテル	○，指定	香料

◎：許可（使用基準なし） Legal（Accepted with no standard of use）
○：許可（使用基準あり） Legal（Accepted with standard of use）
指定：Designated Food Additives　既存：Existing Food Additives
×：使用不可 Illegal（Prohibited）
※：個別判断を要するもの Required individual special judgement

EU E No.	EU FL No.	CAS No.	CFR No.	CNS 号.	備考 Remarks
	08.005	107-92-6			着香の目的以外に使用してはならない
	09.042	109-21-7			着香の目的以外に使用してはならない
	09.039	105-54-4			着香の目的以外に使用してはならない

色文字：法令上の指定添加物名（除く別名） red：Name on Ministerial Ordinance of Designated Food Additives
色文字：法令上の既存添加物名（除く別名） red：Name on Ministerial Notification of Existing Food Additives

英 名 English name	英名別名 English name	和名，和名別名 Japanese name	許可状況 Legal/Illegal	主な用途 Main uses
Cacao color		カカオ色素（カカオの種子から得られた，アントシアニンの重合物を主成分とするものをいう。） ココア色素	○，既存	着色料
Caffeic acid 3-methyl ether	Ferulic acid 4-Hydroxy-3-methoxycinnamic acid	カフェー酸3-メチルエーテル 4-ヒドロキシ-3-メトキシケイ皮酸 フェルラ酸	◎，既存	酸化防止剤
	Ferulic acid 4-Hydroxy-3-methoxycinnamic acid	カフェー酸3-メチルエーテル 4-ヒドロキシ-3-メトキシケイ皮酸 フェルラ酸	※	特別用途食品
Caffeine (extract)		カフェイン（抽出物）（コーヒーの種子又はチャの葉から得られた，カフェインを主成分とするものをいう。）	◎，既存	苦味料
Cajeputol	Cineole 1,8-Cineole 1,8-Epoxy-*p*-menthane Eucalyptol *p*-Menthane-1,8-oxide 1,8-Oxido-*p*-menthane	1,8-エポキシパラメンタン 1,8-オキシドパラメンタン カエプトール シネオール 1,8-シネオール ユーカリプトール	○，指定	香料
Calciferol	Ergocalciferol Vitamin D_2	エルゴカルシフェロール カルシフェロール ビタミンD_2	◎，指定	強化剤
Calcinated bone calcium	Calcinated calcium	骨カルシウム 骨焼成カルシウム 焼成カルシウム（うに殻，貝殻，造礁サンゴ，ホエイ，骨，又は卵殻を焼成して得られた，カルシウム化合物を主成分とするものをいう。）	◎，既存	製造用剤 強化剤
Calcinated calcium	Calcinated bone calcium Calcinated coral calcium Calcinated eggshell calcium Calcinated sea urchin shell calcium Calcinated shell calcium Tricalcium phosphate	うに殻焼成カルシウム 貝殻焼成カルシウム 骨カルシウム 骨焼成カルシウム 焼成カルシウム（うに殻，貝殻，造礁サンゴ，ホエイ，骨，又は卵殻を焼成して得られた，カルシウム化合物を主成分とするものをいう。） 造礁サンゴ焼成カルシウム 乳清焼成カルシウム 卵殻焼成カルシウム	◎，既存	製造用剤 強化剤
Calcinated coral calcium	Calcinated calcium	焼成カルシウム（うに殻，貝殻，造礁サンゴ，ホエイ，骨，又は卵殻を焼成して得られた，カルシウム化合物を主成分とするものをいう。） 造礁サンゴ焼成カルシウム	◎，既存	製造用剤 強化剤

◎：許可（使用基準なし） Legal（Accepted with no standard of use）
○：許可（使用基準あり） Legal（Accepted with standard of use）
指定：Designated Food Additives　既存：Existing Food Additives
×：使用不可 Illegal（Prohibited）
※：個別判断を要するもの Required individual special judgement

EU E No.	EU FL No.	CAS No.	CFR No.	CNS 号.	備考 Remarks
					資料1により既存添加物扱いと思料されるが，指定されていない添加物に該当する場合があるので留意する
	16.016	（1水和物） 5743-12-4 （無水物） 58-08-2	182.1180	00.007	告示成分規格の nH_2O は n=1又は0 FL No.16.016はCAS No.58-08-2に対応
	03.001	470-82-6			着香の目的以外に使用してはならない
		50-14-6	（直接添加物 Vit D_2として） 172.379 （直接添加物 Vit D_2 bakers extract として） 172.381 （直接添加物 Vit D_2 mush-room powder として） 172.382 （GRAS 物質の Vit D_2, D_3 として） 184.1950		
					焼成カルシウム参照
					焼成カルシウム参照
					焼成カルシウム参照

色文字：法令上の指定添加物名（除く別名）　red：Name on Ministerial Ordinance of Designated Food Additives
色文字：法令上の既存添加物名（除く別名）　red：Name on Ministerial Notification of Existing Food Additives

英　名 English name	英名別名 English name	和名，和名別名 Japanese name	許可状況 Legal/Illegal	主な用途 Main uses
Calcinated eggshell calcium	Calcinated calcium	焼成カルシウム（うに殻，貝殻，造礁サンゴ，ホエイ，骨，又は卵殻を焼成して得られた，カルシウム化合物を主成分とするものをいう。） 卵殻焼成カルシウム	◎，既存	製造用剤 強化剤
Calcinated sea urchin shell calcium	Calcinated calcium	うに殻焼成カルシウム 焼成カルシウム（うに殻，貝殻，造礁サンゴ，ホエイ，骨，又は卵殻を焼成して得られた，カルシウム化合物を主成分とするものをいう。）	◎，既存	製造用剤 強化剤
Calcinated shell calcium	Calcinated calcium	貝殻焼成カルシウム 焼成カルシウム（うに殻，貝殻，造礁サンゴ，ホエイ，骨，又は卵殻を焼成して得られた，カルシウム化合物を主成分とするものをいう。）	◎，既存	製造用剤 強化剤
Calcined magnesia	Deadburned magnesite Magnesia Magnesia clinker Magnesium oxide	か焼マグネシア 酸化マグネシウム 死焼マグネシア マグネシア マグネシアクリンカー	◎，指定	製造用剤 強化剤
Calcite	Aragonite Calcium carbonate Calcium carbonate Ⅰ Lime stone	アラゴナイト 石灰石 炭酸カルシウム 炭酸カルシウムⅠ	◎，指定	製造用剤 膨脹剤 強化剤 ガムベース 着色料 イーストフード
Calcium acetate	Acetic acid calcium salt Calcium acetate monohydrate	酢酸カルシウム	◎，指定	水素イオン濃度調整剤（pH 調整剤） 強化剤 増粘安定剤 ゲル化剤 糊料
Calcium acetate monohydrate	Acetic acid calcium salt Calcium acetate	酢酸カルシウム	◎，指定	水素イオン濃度調整剤（pH 調整剤） 強化剤 増粘安定剤 ゲル化剤 糊料
Calcium adipate		アジピン酸カルシウム	×	水素イオン濃度調整剤（pH 調整剤） 酸味料
Calcium alginate		アルギン酸カルシウム	◎，指定	強化剤 増粘安定剤 乳化剤 ゲル化剤 糊料
Calcium aluminium silicate	Aluminium calcium silicate	ケイ酸アルミニウムカルシウム	×	製造用剤
Calcium L-ascorbate		L-アスコルビン酸カルシウム	◎，指定	製造用剤 強化剤
Calcium benzoate		安息香酸カルシウム	×	保存料 強化剤

◎：許可（使用基準なし） Legal（Accepted with no standard of use）
○：許可（使用基準あり） Legal（Accepted with standard of use）
指定：Designated Food Additives 既存：Existing Food Additives
×：使用不可 Illegal（Prohibited）
※：個別判断を要するもの Required individual special judgement

EU E No.	EU FL No.	CAS No.	CFR No.	CNS 号.	備考 Remarks
					焼成カルシウム参照
					焼成カルシウム参照
					焼成カルシウム参照
E530		1309-48-4	(Magnesium oxide として) 184.1431		
E170		(炭酸カルシウムとして) 471-34-1	(Calcium carbonate として) 73.70 184.1191 (Ground limestone として) 184.1409	13.006	平成29年6月23日告示第226号により，使用基準は削除するものの，その使用に当たっては，適切な製造工程管理を行い，食品中で目的とする効果を得る上で必要とされる量を超えてないものとする指導に改正された CFR No. 73.70は2019年版で追加 令和2年12月4日厚生労働省告示第381号にて「昭和34年厚生省告示第370号」に定められている「炭酸カルシウム」の成分規格上の名称を「炭酸カルシウムⅠ」と改め，新たに「炭酸カルシウムⅡ」が新設された．(炭酸カルシウムⅡ参照)
E263		(1水和物) 5743-26-0 (無水物) 62-54-4	184.1185		適切な製造工程管理を行い，食品中で目的とする効果を得る量を超えないこと 平成25年12月4日省令別表第1に新規指定 告示成分規格の nH_2O は n ＝1又は0
E263		(1水和物) 5743-26-0 (無水物) 62-54-4	184.1185		適切な製造工程管理を行い，食品中で目的とする効果を得る量を超えないこと 平成25年12月4日省令別表第1に新規指定 告示成分規格の nH_2O は n ＝1又は0
E404		9005-35-0	184.1187		
			(Aluminum calcium silicate として) 182.2122		E556：Aluminium calcium silicate は「Commission Regulation (EU) No.380/2012 of 3 May 2012」で削除
E302		(2水和物) 5743-28-2	182.3189	04.009	告示成分規格の nH_2O は n ＝2 目的とする効果を得るうえで必要とされる量を超えないこと CNS 号04.009は calcium ascorbate (L-なし)
E213					

色文字：法令上の指定添加物名（除く別名）　red：Name on Ministerial Ordinance of Designated Food Additives
色文字：法令上の既存添加物名（除く別名）　red：Name on Ministerial Notification of Existing Food Additives

英　名 English name	英名別名 English name	和名，和名別名 Japanese name	許可状況 Legal/Illegal	主な用途 Main uses
Calcium carbonate	Aragonite Calcite Calcium carbonate Ⅰ Lime stone	アラゴナイト 石灰石 炭酸カルシウム 炭酸カルシウムⅠ	◎，指定	製造用剤 膨脹剤 強化剤 ガムベース 着色料 イーストフード
Calcium carbonate Ⅰ	Aragonite Calcite Calcium carbonate Lime stone	アラゴナイト 石灰石 炭酸カルシウム 炭酸カルシウムⅠ	◎，指定	製造用剤 膨脹剤 強化剤 ガムベース 着色料 イーストフード
Calcium carbonate Ⅱ		炭酸カルシウムⅡ	○，指定	製造用剤
Calcium carboxymethylcellulose	Calcium cellulose glycolate	カルボキシメチルセルロースカルシウム 繊維素グリコール酸カルシウム	○，指定	製造用剤 増粘安定剤 糊料
Calcium cellulose glycolate	Calcium carboxymethylcellulose	カルボキシメチルセルロースカルシウム 繊維素グリコール酸カルシウム	○，指定	製造用剤 増粘安定剤 糊料
Calcium chloride		塩化カルシウム	○，指定	製造用剤 強化剤 豆腐用凝固剤
Calcium citrate	Tricalcium citrate	クエン酸カルシウム クエン酸三カルシウム	○，指定	製造用剤 水素イオン濃度調整剤（pH 調整剤） 膨脹剤 強化剤 乳化剤
Calcium cyclamate		サイクラミン酸カルシウム	×	甘味料
Calcium diacetate		二酢酸カルシウム	×	強化剤
Calcium diglutamate		グルタミン酸カルシウム	※	強化剤 調味料
Calcium di-L-glutamate	Monocalcium di-L-glutamate	L-グルタミン酸カルシウム	○，指定	強化剤 調味料
Calcium dihydrogen diphosphate	Acidic calcium pyrophosphate Calcium dihydrogen pyrophosphate	酸性ピロリン酸カルシウム 重リン酸二水素カルシウム ピロリン酸二水素カルシウム	○，指定	膨脹剤 強化剤 乳化剤

◎：許可（使用基準なし） Legal（Accepted with no standard of use）
○：許可（使用基準あり） Legal（Accepted with standard of use）
指定：Designated Food Additives　既存：Existing Food Additives
×：使用不可　Illegal（Prohibited）
※：個別判断を要するもの　Required individual special judgement

EU E No.	EU FL No.	CAS No.	CFR No.	CNS 号.	備　考 Remarks
E170		（炭酸カルシウムとして） 471-34-1	（Calcium carbonate として） 73.70 184.1191 （Ground limestone として） 184.1409	13.006	平成29年6月23日告示第226号により，使用基準は削除するものの，その使用に当たっては，適切な製造工程管理を行い，食品中で目的とする効果を得る上で必要とされる量を超えてないものとする指導に改正された CFR No. 73.70は2019年版で追加 令和2年12月4日厚生労働省告示第381号にて「昭和34年厚生省告示第370号」に定められている「**炭酸カルシウム**」の成分規格上の名称を「**炭酸カルシウムⅠ**」と改め，新たに「**炭酸カルシウムⅡ**」が新設された．（**炭酸カルシウムⅡ**参照）
E170		（炭酸カルシウムとして） 471-34-1	（Calcium carbonate として） 73.70 184.1191 （Ground limestone として） 184.1409	13.006	平成29年6月23日告示第226号により，使用基準は削除するものの，その使用に当たっては，適切な製造工程管理を行い，食品中で目的とする効果を得る上で必要とされる量を超えてないものとする指導に改正された CFR No. 73.70は2019年版で追加 令和2年12月4日厚生労働省告示第381号にて「昭和34年厚生省告示第370号」に定められている「**炭酸カルシウム**」の成分規格上の名称を「**炭酸カルシウムⅠ**」と改め，新たに「**炭酸カルシウムⅡ**」が新設された．（**炭酸カルシウムⅡ**参照）
		471-34-1			令和2年12月4日厚生労働省告示第381号にて，「**炭酸カルシウムⅡ**」として成分規格及び使用基準が新設された．**炭酸カルシウムⅡ**は，ぶどう酒の製造に用いるぶどう果汁及びぶどう酒以外の食品に使用することはできず，使用にあたっては，適切な製造工程管理を行い食品中で目的とする効果を得る上で必要とされる量を超えないものとする特記あり 本品は，「炭酸カルシウムを主成分とし，L-酒石酸・L-リンゴ酸カルシウム複塩を含みうる方法で製造されたもの」と定義され，現時点で日本の「**炭酸カルシウムⅡ**」の定義に相応するE No.，CFR No.及びCNS号の資料は見当たらない また，本書の編集上「**炭酸カルシウム**」の別名は採用しない
		9050-04-8			
		9050-04-8			
E509		（2水和物） 10035-04-8 （無水物） 10043-52-4	184.1193	18.002	食品の製造又は加工上必要不可欠な場合及び栄養の目的以外に使用してはならない 告示成分規格の nH_2O は n ＝2，1，1/2，1/3，又は0
E333(iii)		（無水物） 813-94-5	184.1195		告示成分規格の nH_2O は n ＝4
E952(iii)				19.002	通称名，チクロ
			182.6197		
E623					日本では **L-グルタミン酸カルシウム**が指定添加物となっている
E623		（4水和物） 69704-19-4			告示成分規格の nH_2O は n ＝4
E450(vii)		14866-19-4		15.016	食品の製造又は加工上必要不可欠な場合及び栄養の目的以外に使用してはならない E450(vii)は Calcium dihydrogen diphosphate

色文字：法令上の指定添加物名（除く別名）　red：Name on Ministerial Ordinance of Designated Food Additives
色文字：法令上の既存添加物名（除く別名）　red：Name on Ministerial Notification of Existing Food Additives

英　名 English name	英名別名 English name	和名，和名別名 Japanese name	許可状況 Legal/Illegal	主な用途 Main uses
Calcium dihydrogen phosphate	Acidic calcium phosphate Monobasic calcium phosphate Monocalcium phosphate	酸性リン酸カルシウム 第一リン酸カルシウム リン酸二水素カルシウム	○，指定	製造用剤 膨張剤 強化剤 乳化剤 イーストフード
Calcium dihydrogen pyrophosphate	Acidic calcium pyrophosphate Calcium dihydrogen diphosphate	酸性ピロリン酸カルシウム 重リン酸二水素カルシウム ピロリン酸二水素カルシウム	○，指定	膨張剤 強化剤 乳化剤
Calcium disodium EDTA	Calcium disodium ethylenediaminetetraacetate Calcium ethylenediamine disodium tetraacetate	EDTA カルシウム二ナトリウム エチレンジアミン四酢酸カルシウム二ナトリウム	○，指定	製造用剤 酸化防止剤
Calcium disodium ethylenediaminetetraacetate	Calcium disodium EDTA Calcium ethylenediamine disodium tetraacetate	EDTA カルシウム二ナトリウム エチレンジアミン四酢酸カルシウム二ナトリウム	○，指定	製造用剤 酸化防止剤
Calcium ethylenediamine disodium tetraacetate	Calcium disodium EDTA Calcium disodium ethylenediaminetetraacetate	EDTA カルシウム二ナトリウム エチレンジアミン四酢酸カルシウム二ナトリウム	○，指定	製造用剤 酸化防止剤
Calcium ferrocyanide	Calcium hexacyanoferrate(II) Ferrocyanides Yellow prussiate of lime	フェロシアン化カルシウム フェロシアン化物 ヘキサシアノ鉄(II)酸カルシウム	○，指定	食塩固結防止剤
Calcium fumarate		フマル酸カルシウム	×	水素イオン濃度調整剤（pH 調整剤） 酸味料 強化剤
Calcium gluconate		グルコン酸カルシウム	○，指定	強化剤
Calcium glycerophosphate		グリセロリン酸カルシウム	○，指定	強化剤
Calcium guanylate	Calcium 5'-guanylate	グアニル酸カルシウム 5'-グアニル酸カルシウム	×	強化剤 調味料
Calcium 5'-guanylate	Calcium guanylate	グアニル酸カルシウム 5'-グアニル酸カルシウム	×	強化剤 調味料
Calcium hexacyanoferrate(II)	Calcium ferrocyanide Ferrocyanides Yellow prussiate of lime	フェロシアン化カルシウム フェロシアン化物 ヘキサシアノ鉄(II)酸カルシウム	○，指定	食塩固結防止剤
Calcium hexametaphosphate		ヘキサメタリン酸カルシウム	×	強化剤
Calcium hydrogen carbonate		炭酸水素カルシウム	※	製造用剤 膨張剤 強化剤 増粘安定剤 着色料
Calcium hydrogen malate		リンゴ酸水素カルシウム	×	強化剤 調味料
Calcium hydrogen sulfite		亜硫酸水素カルシウム	×	製造用剤 保存料 強化剤

◎：許可（使用基準なし） Legal（Accepted with no standard of use）
○：許可（使用基準あり） Legal（Accepted with standard of use）
指定：Designated Food Additives　既存：Existing Food Additives
×：使用不可 Illegal（Prohibited）
※：個別判断を要するもの Required individual special judgement

EU E No.	EU FL No.	CAS No.	CFR No.	CNS 号.	備考 Remarks
E341(i)		（1水和物）7758-23-8	（Monobasic calcium phosphate として）182.6215	15.007	食品の製造又は加工上必要不可欠な場合及び栄養の目的以外に使用してはならない 告示成分規格の nH_2O は n＝1又は0
E450(vii)		14866-19-4		15.016	食品の製造又は加工上必要不可欠な場合及び栄養の目的以外に使用してはならない E450(vii)は Calcium dihydrogen diphosphate
E385		（無水物）62-33-9	（Calcium disodium EDTA として）172.120	04.020	告示成分規格の nH_2O は n＝2
E385		（無水物）62-33-9	（Calcium disodium EDTA として）172.120	04.020	告示成分規格の nH_2O は n＝2
E385		（無水物）62-33-9	（Calcium disodium EDTA として）172.120	04.020	告示成分規格の nH_2O は n＝2
E538		（無水物）13821-08-4			省令別表第1のリスト名は「**フェロシアン化物**（フェロシアン化カリウム，フェロシアン化カルシウム及びフェロシアン化ナトリウムに限る。），**Ferrocyanide compounds** (Limited to Potassium ferrocyanide, Calcium ferrocyanide and Sodium ferrocyanide)」だが，本書では各単品もリスト名としマークした 告示成分規格の nH_2O は n＝12
E578		（無水物）299-28-5	184.1199		栄養の目的以外に使用してはならない 告示成分規格の nH_2O は n＝1
		27214-00-2	184.1201		栄養の目的以外に使用してはならない E No.はないが INS No.383あり
E629					
E629					
E538		（無水物）13821-08-4			省令別表第1のリスト名は「**フェロシアン化物**（フェロシアン化カリウム，フェロシアン化カルシウム及びフェロシアン化ナトリウムに限る。），**Ferrocyanide compounds** (Limited to Potassium ferrocyanide, Calcium ferrocyanide and Sodium ferrocyanide)」だが，本書では各単品もリスト名としマークした 告示成分規格の nH_2O は n＝12
			182.6203		
E170					E170は calcium carbonate，炭酸カルシウムだが，わが国で認められているのは**炭酸カルシウム**のみ
E352(ii)					
E227					

色文字：法令上の指定添加物名（除く別名）　red：Name on Ministerial Ordinance of Designated Food Additives
色文字：法令上の既存添加物名（除く別名）　red：Name on Ministerial Notification of Existing Food Additives

英　名 English name	英名別名 English name	和名，和名別名 Japanese name	許可状況 Legal/Illegal	主な用途 Main uses
Calcium hydroxide	Lime hydrate Slaked lime	消石灰 水酸化カルシウム	○，指定	製造用剤 強化剤 豆腐用凝固剤
Calcium hypochlorite	Calcium oxychloride Chlorinated lime High-test hypochlorite	クロール石灰 高度サラシ粉 次亜塩素酸カルシウム	◎，指定	殺菌料
Calcium inosinate	Calcium 5'-inosinate	イノシン酸カルシウム 5'-イノシン酸カルシウム	×	強化剤 調味料
Calcium 5'-inosinate	Calcium inosinate	イノシン酸カルシウム 5'-イノシン酸カルシウム	×	強化剤 調味料
Calcium iodate		ヨウ素酸カルシウム	×	製造用剤 強化剤
Calcium lactate		乳酸カルシウム	○，指定	膨脹剤 強化剤 調味料
Calcium lactobionate		ラクトビオン酸カルシウム	×	強化剤 調味料
Calcium lignosulfonate		リグノスルホン酸カルシウム	×	製造用剤 強化剤
Calcium malate	Calcium DL-malate	リンゴ酸カルシウム DL-リンゴ酸カルシウム	×	製造用剤 強化剤 調味料
Calcium DL-malate	Calcium malate	リンゴ酸カルシウム DL-リンゴ酸カルシウム	×	製造用剤 強化剤 調味料
Calcium metabisulfite		ピロ亜硫酸カルシウム ピロ重亜硫酸カルシウム	×	強化剤 漂白剤
Calcium L-5-methyltetrahydrofolate		L-5-メチルテトラヒドロフォレートカルシウム	×	強化剤
Calcium monohydrogen phosphate	Dicalcium phosphate	第二リン酸カルシウム リン酸一水素カルシウム	○，指定	製造用剤 膨脹剤 強化剤 乳化剤 イーストフード
Calcium oxide	Quicklime（CaO）	酸化カルシウム	◎，指定	製造用剤 強化剤 イーストフード
Calcium oxide	Burnt lime Calx Quicklime	酸化カルシウム 焼石灰 生石灰	◎，既存	製造用剤 強化剤 イーストフード
Calcium oxychloride	Calcium hypochlorite Chlorinated lime High-test hypochlorite	クロール石灰 高度サラシ粉 次亜塩素酸カルシウム	◎，指定	殺菌料
Calcium pantothenate		パントテン酸カルシウム	○，指定	強化剤
Calcium pantothenate, calcium chloride double salt		パントテン酸カルシウム及び塩化カルシウムの複塩	○	強化剤

◎：許可（使用基準なし） Legal（Accepted with no standard of use）　×：使用不可　Illegal（Prohibited）
○：許可（使用基準あり） Legal（Accepted with standard of use）　※：個別判断を要するもの　Required individual special judgement
指定：Designated Food Additives　既存：Existing Food Additives

EU E No.	EU FL No.	CAS No.	CFR No.	CNS 号.	備　考 Remarks
E526		1305-62-0	184.1205	01.202	食品の製造又は加工上必要不可欠な場合及び栄養の目的以外に使用してはならない
E633					
E633					
			184.1206		
E327		（5水和物） 5743-47-5 （無水物） 814-80-2	184.1207	01.310	告示成分規格の nH_2O は n =5,3,1又は0
			172.720		
			172.715		
E352(i)					
E352(i)					
E341(ii)		（2水和物） 7789-77-7 （無水物） 7757-93-9		06.006	食品の製造又は加工上必要不可欠な場合及び栄養の目的以外に使用してはならない 表示成分規格の nH_2O は n =2,1 1/2,1,1/2又は0
E529		1305-78-8	184.1210		合成品扱い 平成25年10月22日，省令別表第1に新規指定 適切な製造工程管理を行い，食品中で目的とする効果を得る量を超えないこと
E529			（Calcium oxide として） 184.1210		合成品は指定添加物
		137-08-6	184.1212		
			172.330		**パントテン酸カルシウム**，**塩化カルシウム**は指定添加物なので複塩は指定扱い CFR は Special dietary use

色文字：法令上の指定添加物名（除く別名）　red：Name on Ministerial Ordinance of Designated Food Additives
色文字：法令上の既存添加物名（除く別名）　red：Name on Ministerial Notification of Existing Food Additives

英　名 English name	英名別名 English name	和名，和名別名 Japanese name	許可状況 Legal/Illegal	主な用途 Main uses
Calcium peroxide		過酸化カルシウム	×	製造用剤
Calcium phytate		フィチン酸カルシウム	○，指定	製造用剤
Calcium polyphosphate		ポリリン酸カルシウム	×	製造用剤 強化剤 乳化剤
Calcium propionate		プロピオン酸カルシウム	○，指定	保存料
Calcium pyrophosphate		ピロリン酸カルシウム	×	強化剤
Calcium 5'-ribonucleotide		5'-リボヌクレオタイドカルシウム 5'-リボヌクレオチドカルシウム	◎，指定	調味料
Calcium saccharin	Saccharate of lime	カルシウムサッカラート サッカリンカルシウム	○，指定	甘味料
Calcium salts of capric acid		カプリン酸カルシウム	×	製造用剤 乳化剤
Calcium salts of caprylic acid		カプリル酸カルシウム	×	製造用剤 乳化剤
Calcium salts of lauric acid		ラウリン酸カルシウム	×	製造用剤 乳化剤
Calcium salts of myristic acid		ミリスチン酸カルシウム	×	製造用剤 乳化剤
Calcium salts of oleic acid		オレイン酸カルシウム	×	製造用剤 乳化剤
Calcium salts of palmitic acid		パルミチン酸カルシウム	×	製造用剤 乳化剤
Calcium salts of stearic acid	Calcium stearate	ステアリン酸カルシウム	◎，指定	製造用剤 強化剤
Calcium silicate		ケイ酸カルシウム	○，指定	製造用剤 固結防止剤
Calcium sorbate		ソルビン酸カルシウム	○，指定	保存料
Calcium stearate	Calcium salts of stearic acid	ステアリン酸カルシウム	◎，指定	製造用剤 強化剤
Calcium stearoyl lactylate	Calcium stearoyl-2-lactylate Calcium stearyl　lactylate	ステアリル乳酸カルシウム ステアロイル乳酸カルシウム ステアロイル-2-乳酸カルシウム	○，指定	乳化剤

◎：許可（使用基準なし） Legal（Accepted with no standard of use）
○：許可（使用基準あり） Legal（Accepted with standard of use）
指定：Designated Food Additives　既存：Existing Food Additives
×：使用不可 Illegal（Prohibited）
※：個別判断を要するもの Required individual special judgement

EU E No.	EU FL No.	CAS No.	CFR No.	CNS 号.	備考 Remarks
		3615-82-5			令和5年7月26日省令別表第1に新規指定 ぶどう酒以外の食品に使用してはならない 製造用剤は清澄目的
E452(iv)					
E282		（無水物） 4075-81-4	184.1221	17.005	告示成分規格の nH_2O は n ＝1又は0
			182.8223		
E634					
E954(iii)		6381-91-5	(Saccharin, ammonium・calcium・sodium saccharin として) 180.37		CFR No. の Part 180.37は特別に収録 平成24年12月28日省令別表第1に新規指定 告示成分規格の nH_2O は n ＝3 1/2
E470a					E470a は脂肪酸のナトリウム，カリウム，カルシウム塩 **オレイン酸ナトリウム**及び**ステアリン酸カルシウム**以外は不可
E470a					E470a は脂肪酸のナトリウム，カリウム，カルシウム塩 **オレイン酸ナトリウム**及び**ステアリン酸カルシウム**以外は不可
E470a					E470a は脂肪酸のナトリウム，カリウム，カルシウム塩 **オレイン酸ナトリウム**及び**ステアリン酸カルシウム**以外は不可
E470a					E470a は脂肪酸のナトリウム，カリウム，カルシウム塩 **オレイン酸ナトリウム**及び**ステアリン酸カルシウム**以外は不可
E470a					E470a は脂肪酸のナトリウム，カリウム，カルシウム塩 **オレイン酸ナトリウム**及び**ステアリン酸カルシウム**以外は不可
E470a					E470a は脂肪酸のナトリウム，カリウム，カルシウム塩 **オレイン酸ナトリウム**及び**ステアリン酸カルシウム**以外は不可
E470a		1592-23-0	(Salts of fatty acids として) 172.863 (Calcium stearate として) 184.1229	10.039	E470a は脂肪酸のナトリウム，カリウム，カルシウム塩 **オレイン酸ナトリウム**及び**ステアリン酸カルシウム**以外は不可
E552		1344-95-2	（直接添加物として） 172.410 （GRAS 物質として） 182.2227	02.009	母乳代替食品及び離乳食品に使用してはならない
		7492-55-9	182.3225		E203は「Commission Regulation (EU) 98/2018 of 22 Jan. 2018」で削除
E470a		1592-23-0	(Salts of fatty acids として) 172.863 (Calcium stearate として) 184.1229	10.039	E470a は脂肪酸のナトリウム，カリウム，カルシウム塩 **オレイン酸ナトリウム**及び**ステアリン酸カルシウム**以外は不可
E482		5793-94-2	(Calcium stearoyl-2-lactylate として) 172.844	10.009	

色文字：法令上の指定添加物名（除く別名）　red：Name on Ministerial Ordinance of Designated Food Additives
色文字：法令上の既存添加物名（除く別名）　red：Name on Ministerial Notification of Existing Food Additives

英名 English name	英名別名 English name	和名，和名別名 Japanese name	許可状況 Legal/Illegal	主な用途 Main uses
Calcium stearoyl-2-lactylate	Calcium stearoyl lactylate Calcium stearyl lactylate	ステアリル乳酸カルシウム ステアロイル乳酸カルシウム ステアロイル-2-乳酸カルシウム	○，指定	乳化剤
Calcium stearyl lactylate	Calcium stearoyl lactylate Calcium stearoyl-2-lactylate	ステアリル乳酸カルシウム ステアロイル乳酸カルシウム ステアロイル-2-乳酸カルシウム	○，指定	乳化剤
Calcium succinate		コハク酸カルシウム	×	酸味料 調味料
Calcium sulfate	Chemical gypsum Gyps Gypsum Natural gypsum Plaster of Paris	化学石こう 焼石こう 石こう 天然石こう 硫酸カルシウム	○，指定	膨脹剤 強化剤 イーストフード 豆腐用凝固剤 膨張剤
	Chemical gypsum Gyps Gypsum Natural gypsum Plaster of Paris	化学石こう 焼石こう 石こう 天然石こう 硫酸カルシウム	※	特別用途食品
Calcium sulfite		亜硫酸カルシウム	×	保存料 強化剤 酸化防止剤
Calcium *d*-tartrate	Calcium L-tartrate	酒石酸カルシウム L-酒石酸カルシウム *d*-酒石酸カルシウム	○，指定	製造用剤
Calcium L-tartrate	Calcium *d*-tartrate	酒石酸カルシウム L-酒石酸カルシウム *d*-酒石酸カルシウム	○，指定	製造用剤
Calx	Burnt lime Calcium oxide Quicklime	酸化カルシウム 焼石灰 生石灰	◎，既存	製造用剤 強化剤 イーストフード
Candelilla wax		カンデリラロウ（カンデリラの茎から得られた，ヘントリアコンタンを主成分とするものをいう。） カンデリラワックス キャンデリラロウ キャンデリラワックス	◎，既存	製造用剤 ガムベース 光沢剤
Cane wax		カーンワックス ケーンワックス サトウキビロウ（サトウキビの茎から得られた，パルミチン酸ミリシルを主成分とするものをいう。）	◎，既存	ガムベース 光沢剤
Canthaxanthin		カンタキサンチン	○，指定	着色料

◎：許可（使用基準なし） Legal（Accepted with no standard of use）
○：許可（使用基準あり） Legal（Accepted with standard of use）
指定：Designated Food Additives　既存：Existing Food Additives
×：使用不可 Illegal（Prohibited）
※：個別判断を要するもの Required individual special judgement

EU E No.	EU FL No.	CAS No.	CFR No.	CNS 号.	備考 Remarks
E482		5793-94-2	(Calcium stearoyl-2-lactylate として) 172.844	10.009	
E482		5793-94-2	(Calcium stearoyl-2-lactylate として) 172.844	10.009	
E516		(2水和物) 7778-18-9	(Calcium sulfate として) 184.1230	18.001	食品の製造又は加工上必要不可欠な場合及び栄養の目的以外に使用してはならない 告示成分規格の nH_2O は n ＝2 石こう参照
E516					石こうは資料1により食品添加物に該当する可能性が考えられるが，事前に判断を受けるよう指導されている品目 石こう参照
E226					
E354		(4水和物) 5892-21-7			令和4年10月26日省令別表第1に新規指定 製造用剤は酒質安定剤，酸度調整剤 ぶどう酒以外の食品に使用してはならない E354の名称は「Calcium tartrate」 告示成分規格の nH_2O は n=4又は2
E354		(4水和物) 5892-21-7			令和4年10月26日省令別表第1に新規指定 製造用剤は酒質安定剤，酸度調整剤 ぶどう酒以外の食品に使用してはならない E354の名称は「Calcium tartrate」 告示成分規格の nH_2O は n=4又は2
E529			(Calcium oxide として) 184.1210		合成品は指定添加物
E902			184.1976		
		514-78-3	73.75		平成27年2月20日省令別表第１に新規指定 その使用にあたっては，適切な製造工程管理を行い，食品中で目的とする効果を得る上で必要とされる量を超えないものとすることの特記あり E161g は「Commission Regulation（EU）No.1129/2011 of 11 Nov. 2011」により，食品の着色料としての使用は認められないが，医薬品の着色料として認められており，E No. リストに残されている

色文字：法令上の指定添加物名（除く別名）　red：Name on Ministerial Ordinance of Designated Food Additives
色文字：法令上の既存添加物名（除く別名）　red：Name on Ministerial Notification of Existing Food Additives

英　名 English name	英名別名 English name	和名，和名別名 Japanese name	許可状況 Legal/Illegal	主な用途 Main uses
Caoutchouc	Rubber	カウチョック ゴム（パラゴムの分泌液から得られた，ポリイソプレンを主成分とするものをいう。ただし，「低分子ゴム」を除く。）	◎，既存	ガムベース
Capraldehyde	Aldehyde C-10 Capric aldehyde Caprin aldehyde Decanal *n*-Decanal Decyl aldehyde *n*-Decyl aldehyde	アルデヒドC-10 カプリックアルデヒド カプリンアルデヒド カプルアルデヒド デカナール *n*-デカナール デシルアルデヒド *n*-デシルアルデヒド	○，指定	香料
Capric aldehyde	Aldehyde C-10 Capraldehyde Caprin aldehyde Decanal *n*-Decanal Decyl aldehyde *n*-Decyl aldehyde	アルデヒドC-10 カプリックアルデヒド カプリンアルデヒド カプルアルデヒド デカナール *n*-デカナール デシルアルデヒド *n*-デシルアルデヒド	○，指定	香料
Caprin aldehyde	Aldehyde C-10 Capraldehyde Capric aldehyde Decanal *n*-Decanal Decyl aldehyde *n*-Decyl aldehyde	アルデヒドC-10 カプリックアルデヒド カプリンアルデヒド カプルアルデヒド デカナール *n*-デカナール デシルアルデヒド *n*-デシルアルデヒド	○，指定	香料
Caproic acid	*n*-Caproic acid Hexanoic acid 1-Pentanecarboxylic acid	カプロン酸 *n*-カプロン酸 ヘキサン酸 1-ペンタンカルボン酸	○，指定	香料
***n*-Caproic acid**	Caproic acid Hexanoic acid 1-Pentanecarboxylic acid	カプロン酸 *n*-カプロン酸 ヘキサン酸 1-ペンタンカルボン酸	○，指定	香料
Caproic ether	Capronic ether Ethyl caproate Ethyl capronate Ethyl hexanoate	カプロン酸エチル カプロン酸エーテル ヘキサン酸エチル	○，指定	香料
Capronic ether	Caproic ether Ethyl caproate Ethyl capronate Ethyl hexanoate	カプロン酸エチル カプロン酸エーテル ヘキサン酸エチル	○，指定	香料
Caproyl hydride	Hexane *n*-Hexane Hexyl hydride	ヘキサン	○，既存	製造用剤

◎：許可（使用基準なし） Legal（Accepted with no standard of use）
○：許可（使用基準あり） Legal（Accepted with standard of use）
指定：Designated Food Additives 既存：Existing Food Additives
×：使用不可 Illegal（Prohibited）
※：個別判断を要するもの Required individual special judgement

EU E No.	EU FL No.	CAS No.	CFR No.	CNS 号.	備考 Remarks
	05.010	112-31-2			着香の目的以外に使用してはならない
	05.010	112-31-2			着香の目的以外に使用してはならない
	05.010	112-31-2			着香の目的以外に使用してはならない
	08.009	142-62-1	(Fatty acids として) 172.860		着香の目的以外に使用してはならない 令和元年6月19日政令第31号により毒物及び劇物に指定され，その食品衛生法上の取扱いについて，同日付で基準審査課の Q&A が出されている
	08.009	142-62-1	(Fatty acids として) 172.860		着香の目的以外に使用してはならない 令和元年6月19日政令第31号により毒物及び劇物に指定され，その食品衛生法上の取扱いについて，同日付で基準審査課の Q&A が出されている
	09.060	123-66-0			着香の目的以外に使用してはならない
	09.060	123-66-0			着香の目的以外に使用してはならない
			173.270		食用油脂製造の際の油脂を抽出する目的以外に使用してはならない。 最終食品の完成前に除去しなければならない

C

色文字：法令上の指定添加物名（除く別名）　red：Name on Ministerial Ordinance of Designated Food Additives
色文字：法令上の既存添加物名（除く別名）　red：Name on Ministerial Notification of Existing Food Additives

英　名 English name	英名別名 English name	和名，和名別名 Japanese name	許可状況 Legal/Illegal	主な用途 Main uses
Capryl aldehyde	Caprylic aldehyde Octanal Octyl aldehyde *n*-Octyl aldehyde *n*-Octylic aldehyde	オクタナール *n*-オクチリックアルデヒド オクチルアルデヒド *n*-オクチルアルデヒド カプリルアルデヒド	○，指定	香料
Caprylic acid	Octanoic acid	オクタン酸 カプリル酸	○，指定	香料 過酢酸製剤用界面活性剤
Caprylic aldehyde	Capryl aldehyde Octanal Octyl aldehyde *n*-Octyl aldehyde *n*-Octylic aldehyde	オクタナール *n*-オクチリックアルデヒド オクチルアルデヒド *n*-オクチルアルデヒド カプリルアルデヒド	○，指定	香料
Capsanthin	Capsicum color Capsorubin Paprika color Paprika oleoresin	カプサンチン カプシカム色素 カプソルビン トウガラシ色素（トウガラシの果実から得られた，カプサンチン類を主成分とするものをいう。） パプリカ色素	○，既存	着色料
Capsicum color	Capsanthin Capsorubin Paprika color Paprika oleoresin	カプサンチン カプシカム色素 カプソルビン トウガラシ色素（トウガラシの果実から得られた，カプサンチン類を主成分とするものをいう。） パプリカ色素	○，既存	着色料
Capsicum water-soluble extract	Paprika water-soluble extract	カプシカム水性抽出物 トウガラシ水性抽出物（トウガラシの果実から抽出して得られた，水溶性物質を主成分とするものをいう。） パプリカ水性抽出物	◎，既存	製造用剤
Capsorubin	Capsanthin Capsicum color Paprika color Paprika oleoresin	カプサンチン カプシカム色素 カプソルビン トウガラシ色素（トウガラシの果実から得られた，カプサンチン類を主成分とするものをいう。） パプリカ色素	○，既存	着色料
Caramel	Caramel I (Plain caramel) Caramel color class I Plain caramel	カラメル カラメルI（でん粉加水分解物，糖蜜又は糖類の食用炭水化物を熱処理して得られたものをいう。ただし，「カラメルII」，「カラメルIII」及び「カラメルIV」を除く。） プレーンカラメル	◎，既存	製造用剤 着色料
	Caramel II (Sulfite caramel) Caramel color class II Caustic sulfite caramel	カラメル カラメルII（でん粉加水分解物，糖蜜又は糖類の食用炭水化物に亜硫酸化合物を加えて熱処理して得られたものをいう。ただし，「カラメルIV」を除く。） コースティックサルファイトカラメル	◎，既存	製造用剤 着色料

◎：許可（使用基準なし） Legal（Accepted with no standard of use）
○：許可（使用基準あり） Legal（Accepted with standard of use）
指定：Designated Food Additives　既存：Existing Food Additives
×：使用不可 Illegal（Prohibited）
※：個別判断を要するもの Required individual special judgement

EU E No.	EU FL No.	CAS No.	CFR No.	CNS 号.	備 考 Remarks
	05.009	124-13-0			着香の目的以外に使用してはならない
	08.010	124-07-2	(Fatty acids として) 172.860 (Caprylic acid として) 184.1025 (Peroxyacids の混合成分の1つとして) 173.370		平成28年10月6日省令別表第1に新規指定 着香の目的及び過酢酸製剤として使用する場合以外に使用してはならない 類又は誘導体として指定されている18項目の香料リストのSEQ No.2019(解説編2-(1)-(vi)参照)
	05.009	124-13-0			着香の目的以外に使用してはならない
E160c			(Paprika oleoresin として) 73.345	00.012 08.106 08.107	日本は橙色～赤色を呈するカロテノイド色素として総合しているが CNS 号は3区分あり，CNS 号00.012は paprika oleoresin，CNS 号08.106は paprika red，CNS 号08.107は paprika orange
E160c			(Paprika oleoresin として) 73.345	00.012 08.106 08.107	日本は橙色～赤色を呈するカロテノイド色素として総合しているが CNS 号は3区分あり，CNS 号00.012は paprika oleoresin，CNS 号08.106は paprika red，CNS 号08.107は paprika orange
E160c			(Paprika oleoresin として) 73.345	00.012 08.106 08.107	日本は橙色～赤色を呈するカロテノイド色素として総合しているが CNS 号は3区分あり，CNS 号00.012は paprika oleoresin，CNS 号08.106は paprika red，CNS 号08.107は paprika orange
E150a			(検定免除の着色料のカラメルとして) 73.85 (GRAS 物質のカラメルとして) 182.1235	08.108	着色料の目的では○,既存
E150b			(検定免除の着色料のカラメルとして) 73.85 (GRAS 物質のカラメルとして) 182.1235	08.151	着色料の目的では○,既存

色文字：法令上の指定添加物名（除く別名）　red：Name on Ministerial Ordinance of Designated Food Additives
色文字：法令上の既存添加物名（除く別名）　red：Name on Ministerial Notification of Existing Food Additives

英　名 English name	英名別名 English name	和名，和名別名 Japanese name	許可状況 Legal/Illegal	主な用途 Main uses
	Ammonia caramel Caramel III(Ammonia caramel) Caramel color class III	アンモニアカラメル カラメル カラメルIII(でん粉加水分解物，糖蜜又は糖類の食用炭水化物にアンモニア化合物加えて熱処理して得られたものをいう。ただし，「カラメルIV」を除く。)	◎，既存	製造用剤 着色料
	Caramel IV(Sulfite ammonia caramel) Caramel color class IV Sulfite ammonia caramel	カラメル カラメルIV(でん粉加水分解物，糖蜜又は糖類の食用炭水化物に亜硫酸化合物及びアンモニウム化合物を加えて熱処理して得られたものをいう。) サルファイトアンモニアカラメル	◎，既存	製造用剤 着色料
Caramel I(Plain caramel)	Caramel Caramel color class I Plain caramel	カラメル プレーンカラメル カラメルI(でん粉加水分解物，糖蜜又は糖類の食用炭水化物を熱処理して得られたものをいう。ただし，「カラメルII」，「カラメルIII」及び「カラメルIV」を除く。)	◎，既存	製造用剤 着色料
Caramel II(Sulfite caramel)	Caramel Caramel color class II Caustic sulfite caramel	カラメル カラメルII(でん粉加水分解物，糖蜜又は糖類の食用炭水化物に亜硫酸化合物を加えて熱処理して得られたものをいう。ただし，「カラメルIV」を除く。) コースティックサルファイトカラメル	◎，既存	製造用剤 着色料
Caramel III(Ammonia caramel)	Ammonia caramel Caramel Caramel color class III	アンモニアカラメル カラメル カラメルIII(でん粉加水分解物，糖蜜又は糖類の食用炭水化物にアンモニア化合物加えて熱処理して得られたものをいう。ただし，「カラメルIV」を除く。)	◎，既存	製造用剤 着色料
Caramel IV(Sulfite ammonia caramel)	Caramel Caramel color class IV Sulfite ammonia caramel	カラメル カラメルIV(でん粉加水分解物，糖蜜又は糖類の食用炭水化物に亜硫酸化合物及びアンモニウム化合物を加えて熱処理して得られたものをいう。) サルファイトアンモニアカラメル	◎，既存	製造用剤 着色料
Caramel color class I	Caramel Caramel I(Plain caramel) Plain caramel	カラメル カラメルI(でん粉加水分解物，糖蜜又は糖類の食用炭水化物を熱処理して得られたものをいう。ただし，「カラメルII」，「カラメルIII」及び「カラメルIV」を除く。) プレーンカラメル	◎，既存	製造用剤 着色料
Caramel color class II	Caramel Caramel II(Sulfite caramel) Caustic sulfite caramel	カラメル カラメルII(でん粉加水分解物，糖蜜又は糖類の食用炭水化物に亜硫酸化合物を加えて熱処理して得られたものをいう。ただし，「カラメルIV」を除く。) コースティックサルファイトカラメル	◎，既存	製造用剤 着色料
Caramel color class III	Ammonia caramel Caramel Caramel III(Ammonia caramel)	アンモニアカラメル カラメル カラメルIII(でん粉加水分解物，糖蜜又は糖類の食用炭水化物にアンモニア化合物加えて熱処理して得られたものをいう。ただし，「カラメルIV」を除く。)	◎，既存	製造用剤 着色料

◎：許可（使用基準なし） Legal（Accepted with no standard of use）
○：許可（使用基準あり） Legal（Accepted with standard of use）
指定：Designated Food Additives　既存：Existing Food Additives
×：使用不可 Illegal（Prohibited）
※：個別判断を要するもの Required individual special judgement

EU E No.	EU FL No.	CAS No.	CFR No.	CNS 号.	備考 Remarks
E150c			(検定免除の着色料のカラメルとして) 73.85 (GRAS 物質のカラメルとして) 182.1235	08.110	着色料の目的では○,既存
E150d			(検定免除の着色料のカラメルとして) 73.85 (GRAS 物質のカラメルとして) 182.1235	08.109	着色料の目的では○,既存
E150a			(検定免除の着色料のカラメルとして) 73.85 (GRAS 物質のカラメルとして) 182.1235	08.108	着色料の目的では○,既存
E150b			(検定免除の着色料のカラメルとして) 73.85 (GRAS 物質のカラメルとして) 182.1235	08.151	着色料の目的では○,既存
E150c			(検定免除の着色料のカラメルとして) 73.85 (GRAS 物質のカラメルとして) 182.1235	08.110	着色料の目的では○,既存
E150d			(検定免除の着色料のカラメルとして) 73.85 (GRAS 物質のカラメルとして) 182.1235	08.109	着色料の目的では○,既存
E150a			(検定免除の着色料のカラメルとして) 73.85 (GRAS 物質のカラメルとして) 182.1235	08.108	着色料の目的では○,既存
E150b			(検定免除の着色料のカラメルとして) 73.85 (GRAS 物質のカラメルとして) 182.1235	08.151	着色料の目的では○,既存
E150c			(検定免除の着色料のカラメルとして) 73.85 (GRAS 物質のカラメルとして) 182.1235	08.110	着色料の目的では○,既存

色文字：法令上の指定添加物名（除く別名）　red：Name on Ministerial Ordinance of Designated Food Additives
色文字：法令上の既存添加物名（除く別名）　red：Name on Ministerial Notification of Existing Food Additives

英　名 English name	英名別名 English name	和名，和名別名 Japanese name	許可状況 Legal/Illegal	主な用途 Main uses
Caramel color class IV	Caramel **Caramel IV (Sulfite ammonia caramel)** Sulfite ammonia caramel	カラメル **カラメルIV**（でん粉加水分解物，糖蜜又は糖類の食用炭水化物に亜硫酸化合物及びアンモニウム化合物を加えて熱処理して得られたものをいう。） サルファイトアンモニアカラメル	◎，既存	製造用剤 着色料
Carbamide	Urea	カルバミド 尿素	×	製造用剤 イーストフード
Carbohydrase	**α-Amylase** Endo-amylase	**α-アミラーゼ** 液化アミラーゼ G3分解酵素	◎，既存	製造用剤 保存料 酵素
	β-Amylase	**β-アミラーゼ** カルボヒドラーゼ	◎，既存	酵素
Carbomer	Carbomer homopolymer Polyacrylic acid polymers	カルボマー	×	増粘安定剤
Carbomer homopolymer	Carbomer Polyacrylic acid polymers	カルボマー	×	増粘安定剤
Carbon black	Bone carbon black	骨炭色素（骨を炭化して得られた、炭素を主成分とするものをいう。） 炭末色素	×	着色料
	Vegetable carbon black	**植物炭末色素**（植物を炭化して得られた、炭素を主成分とするものをいう。） 炭末色素	○，既存	着色料

◎：許可（使用基準なし） Legal（Accepted with no standard of use）
○：許可（使用基準あり） Legal（Accepted with standard of use）
指定：Designated Food Additives　既存：Existing Food Additives
×：使用不可 Illegal（Prohibited）
※：個別判断を要するもの Required individual special judgement

EU E No.	EU FL No.	CAS No.	CFR No.	CNS 号.	備考 Remarks
E150d			（検定免除の着色料のカラメルとして） 73.85 （GRAS 物質のカラメルとして） 182.1235	08.109	着色料の目的では○,既存
E927b			184.1923		
			(Carbohydrase and cellulase derived from *Aspergillus niger* として) 173.120 (Carbohydrase derived from *Rhizopus oryzae* として) 173.130 (Mixed carbohydrase and protease enzyme product として) 184.1027 (Amylase enzyme preparation from *Bacillus stearothermophilus* として) 184.1012 (Bacterially-derived carbohydrase enzyme preparation として) 184.1148		「組換え DNA 技術応用食品及び添加物の安全性審査の手続きを経た添加物」としての告示あり。詳細は厚労省 HP 参照 E No.はないが INS No.1100あり
			(Carbohydrase and cellulase derived from *Aspergillus niger* として) 173.120 (Carbohydrase derived from *Rhizopus oryzae* として) 173.130 (Mixed carbohydrase and protease enzyme product として) 184.1027 (Amylase enzyme preparation from *Bacillus stearothermophilus* として) 184.1012 (Bacterially-derived carbohydrase enzyme preparation として) 184.1148		E No.はないが INS No.1100あり 「組換え DNA 技術応用食品及び添加物の安全性審査の手続きを経た添加物」としての告示あり。詳細は厚労省 HP 参照
E1210					E1210は「Commission Regulation (EU) 2023/440 of 28 Feb. 2023」で新規制定
E1210					E1210は「Commission Regulation (EU) 2023/440 of 28 Feb. 2023」で新規制定
					「骨炭色素」は，令和2年2月26日告示第42号により既存添加物名簿から消除
E153				08.138	炭末色素参照

C

色文字：法令上の指定添加物名（除く別名）　red：Name on Ministerial Ordinance of Designated Food Additives
色文字：法令上の既存添加物名（除く別名）　red：Name on Ministerial Notification of Existing Food Additives

英　名 English name	英名別名 English name	和名，和名別名 Japanese name	許可状況 Legal/Illegal	主な用途 Main uses
Carbon black (Hydrocarbon sources)		カーボンブラック（炭化水素由来）	×	着色料
Carbon dioxide	Carbonic acid Carbonic acid gas Carbonic anhydride	炭酸 炭酸ガス **二酸化炭素**	◎，指定	水素イオン濃度調整剤（pH 調整剤） 酸味料
Carbonate of soda	Carbonic acid disodium salt Soda ash Soda calcined **Sodium carbonate** Sodium carbonate, anhydrous Solvey soda	ソーダ灰（無水物の場合） 炭酸ソーダ（結晶物の場合） **炭酸ナトリウム** 炭酸二ナトリウム 無水炭酸ナトリウム	◎，指定	製造用剤 水素イオン濃度調整剤（pH 調整剤） 膨脹剤 かんすい
Carbonic acid	**Carbon dioxide** Carbonic acid gas Carbonic anhydride	炭酸 炭酸ガス **二酸化炭素**	◎，指定	水素イオン濃度調整剤（pH 調整剤） 酸味料
Carbonic acid disodium salt	Carbonate of soda Soda ash Soda calcined **Sodium carbonate** Sodium carbonate, anhydrous Solvey soda	ソーダ灰（無水物の場合） 炭酸ソーダ（結晶物の場合） **炭酸ナトリウム** 炭酸二ナトリウム 無水炭酸ナトリウム	◎，指定	製造用剤 水素イオン濃度調整剤（pH 調整剤） 膨脹剤 かんすい
Carbonic acid gas	**Carbon dioxide** Carbonic acid Carbonic anhydride	炭酸 炭酸ガス **二酸化炭素**	◎，指定	水素イオン濃度調整剤（pH 調整剤） 酸味料
Carbonic acid mono-sodium salt	Baking soda Bicarbonate of soda Sodium acid carbonate **Sodium bicarbonate** Sodium hydrogen carbonate	酸性炭酸ナトリウム 重曹 重炭酸ソーダ 重炭酸ナトリウム **炭酸水素ナトリウム**	◎，指定	製造用剤 水素イオン濃度調整剤（pH 調整剤） 膨脹剤 かんすい
Carbonic anhydride	**Carbon dioxide** Carbonic acid Carbonic acid gas	炭酸 炭酸ガス **二酸化炭素**	◎，指定	水素イオン濃度調整剤（pH 調整剤） 酸味料
Carboxy methyl cellulose		カルボキシメチルセルロース	×	製造用剤 増粘安定剤 糊料
Carboxypeptidase		**カルボキシペプチダーゼ**	◎，既存	酵素
Carmine	Aluminium calcium lakes of carminic acid	カルミン カルミン酸のアルミニウム及びカルシウムレーキ	×	着色料
Carmines		カルミン類	×	着色料
Carminic acid	**Cochineal extract**	カルミン酸色素 **コチニール色素**（エンジムシから得られた，カルミン酸を主成分とするものをいう。）	○，既存	着色料
Carmoisine	Azorubine	アゾルビン カルモイシン	×	着色料

◎：許可（使用基準なし） Legal（Accepted with no standard of use）
○：許可（使用基準あり） Legal（Accepted with standard of use）
指定：Designated Food Additives　既存：Existing Food Additives
×：使用不可 Illegal（Prohibited）
※：個別判断を要するもの Required individual special judgement

EU E No.	EU FL No.	CAS No.	CFR No.	CNS 号.	備考 Remarks
E290		124-38-9	184.1240	17.014 17.034	CNS 号17.034は液体二氧化碳(煤气化法)
E500(i)		(1水和物) 5968-11-6 (無水物) 497-19-8	(Sodium carbonate として) 184.1742	01.302	告示成分規格の nH_2O は n =1又は0
E290		124-38-9	184.1240	17.014 17.034	CNS 号17.034は液体二氧化碳(煤气化法)
E500(i)		(1水和物) 5968-11-6 (無水物) 497-19-8	(Sodium carbonate として) 184.1742	01.302	告示成分規格の nH_2O は n =1又は0
E290		124-38-9	184.1240	17. 014 17.034	CNS 号17.034は液体二氧化碳(煤气化法)
E500(ii)		144-55-8	(Sodium bicarbonate として) 184.1736	06.001	
E290		124-38-9	184.1240	17.014 17.034	CNS 号17.034は液体二氧化碳(煤气化法)
E466					E466には **Sodium carboxymethylcellulose** も含まれる
					「組換え DNA 技術応用食品及び添加物の安全性審査の手続きを経た添加物」としての告示あり。詳細は厚労省 HP 参照
E120			(Cochineal extract：Carmine として) 73.100	08.145	日本で，**コチニール色素**(主色素カルミン酸)は既存添加物として使用が認められているが，「CFRNo.73.100 Carmine」は，アルミニウム若しくはアルミニウム・カルシウムレーキ色素であり認められていない CNS 号08.145は carmine cochineal
			(Cochineal extract：Carmine として) 73.100		日本で，**コチニール色素**(主色素カルミン酸)は既存添加物として使用が認められているが，「CFRNo.73.100 Carmine」は，アルミニウム若しくはアルミニウム・カルシウムレーキ色素であり認められていない
E120			(Cochineal extract：Carmine として) 73.100	08.145	日本で，**コチニール色素**(主色素カルミン酸)は既存添加物として使用が認められているが，「CFRNo.73.100 Carmine」はアルミニウム若しくはアルミニウム・カルシウムレーキ色素であり認められていない CNS 号08.145は carmine cochineal
E122				08.013	

C

色文字：法令上の指定添加物名（除く別名）　red：Name on Ministerial Ordinance of Designated Food Additives
色文字：法令上の既存添加物名（除く別名）　red：Name on Ministerial Notification of Existing Food Additives

英　名 English name	英名別名 English name	和名，和名別名 Japanese name	許可状況 Legal/Illegal	主な用途 Main uses
Carnauba wax	**Brazil wax**	**カルナウバロウ**（ブラジルロウヤシの葉から得られた，ヒドロキシセロチン酸セリルを主成分とするものをいう。） カルナウバワックス ブラジルワックス	◎，既存	ガムベース 光沢剤
L-Carnitine		L-カルニチン	◎	特別用途食品
Carob bean gum	Carob gum **Locust bean gum**	カロブガム **カロブビーンガム**（イナゴマメの種子の胚乳を粉砕し，又は溶解し，沈殿して得られたものをいう。） ローカストビーンガム	◎，既存	増粘安定剤 乳化剤
Carob germ	**Carob germ color**	**カロブ色素**（イナゴマメの種子の胚芽を粉砕して得られたものをいう。）	◎，既存	製造用剤 着色料
Carob germ color	Carob germ	**カロブ色素**（イナゴマメの種子の胚芽を粉砕して得られたものをいう。）	◎，既存	製造用剤 着色料
Carob gum	**Carob bean gum** **Locust bean gum**	カロブガム **カロブビーンガム**（イナゴマメの種子の胚乳を粉砕し，又は溶解し，沈殿して得られたものをいう。） ローカストビーンガム	◎，既存	増粘安定剤 乳化剤
β-Carotene		β-カロチン **β-カロテン**	○，指定	強化剤 着色料
β-Carotenes from *Blakeslea trispora*		β-カロチン（*Blakeslea trispora* 由来） β-カロテン（*Blakeslea trispora* 由来）	○，指定	強化剤 着色料
Carotenes(algae)		カロテン類(海藻)	※	着色料
Carotene(vegetable)	Plant Carotenes	カロテン(植物)	※	着色料

◎：許可（使用基準なし） Legal（Accepted with no standard of use）
○：許可（使用基準あり） Legal（Accepted with standard of use）
指定：Designated Food Additives　既存：Existing Food Additives
×：使用不可 Illegal（Prohibited）
※：個別判断を要するもの Required individual special judgement

EU E No.	EU FL No.	CAS No.	CFR No.	CNS 号.	備　考 Remarks
E903		8015-86-9	184.1978	14.008	
					資料1により食品素材扱いとする品目 本成分の使用にあたっては，過剰摂取しないよう情報提供をするとの指導あり
E410			(Locust(carob)bean gum として) 184.1343	20.023	
					着色料の目的では○，既存
					着色料の目的では○，既存
E410			(Locust(carob)bean gum として) 184.1343	20.023	
E160a(i)		7235-40-7	(検定免除着色料の carrot oil として) 73.300 (検定免除着色料の β-Carotene として) 73.95 (GRAS 物質の Beta-Carotene として) 184.1245	08.010	「E160a Carotenes」には化学的合成品と天然抽出品がある。本書は「Official Journal of the EU」に記載の定義内容により，「E160a (i) **β-Carotene** は化学的合成品」，「E160a (ii) Plant Carotenes は天然抽出品」と判断
E160a (iii)		7235-40-7	(検定免除着色料の carrot oil として) 73.300 (検定免除着色料の β-Carotene として) 73.95 (GRAS 物質の Beta-Carotene として) 184.1245		指定添加物「βカロテン」扱い 平成17年3月24日厚生労働省基準審査課発出文書「β-カロテン（*Blakeslea trispora* 由来）の取り扱いについて」による（*Blakeslea trispora* は真菌（俗称かび）） E160a (iii)：Beta-Carotene from *Blakeslea trispora*
E160a (iv)			(検定免除着色料の carrot oil として) 73.300 (検定免除着色料の β-Carotene として) 73.95 (GRAS 物質の Beta-Carotene として) 184.1245		日本では**デュナリエラ，ニンジン，パーム油の抽出カロテン**が既存添加物として使用が認められている E160a(iv)：Algal Carotenes
E160a(ii)			(検定免除着色料の carrot oil として) 73.300 (検定免除着色料の β-Carotene として) 73.95 (GRAS 物質の Beta-Carotene として) 184.1245		日本では**デュナリエラ，ニンジン，パーム油の抽出カロテン**が既存添加物として使用が認められている 「E160a Carotenes」には化学的合成品と天然抽出品がある。本書は「Official Journal of the EU」に記載の定義内容により，「E160a (i) **β-Carotene** は化学的合成品」，「E160a (ii) Plant Carotenes は天然抽出品」と判断

C

色文字：法令上の指定添加物名（除く別名）　　red：Name on Ministerial Ordinance of Designated Food Additives
色文字：法令上の既存添加物名（除く別名）　　red：Name on Ministerial Notification of Existing Food Additives

英　名 English name	英名別名 English name	和名，和名別名 Japanese name	許可状況 Legal/Illegal	主な用途 Main uses
Carotenoic acid, β-apo-8'-methyl and ethyl esters		β-アポ-8'-カロテン酸メチルエチルエステル	×	着色料
Carrageenan	**Powdered red algae** **Processed eucheuma algae** Processed eucheuma seaweed **Processed red algae** **Purified carrageenan** **Refined carrageenan** **Semirefined carrageenan**	**加工ユーケマ藻類** **カラギナン**（イバラノリ，キリンサイ，ギンナンソウ，スギノリ又はツノマタの全藻から得られた，ι-カラギナン，κ-カラギナン及びλ-カラギナンを主成分とするものをいう。） カラギーナン カラゲナン カラゲーナン カラゲニン **精製カラギナン** **ユーケマ藻末**	◎，既存	増粘安定剤 ゲル化剤
Carrageenan with polysorbate 80		ポリソルベート80添加カラギナン	○，指定	ガムベース
Carrot carotene	Carrot oil Extracted carotene	キャロットオイル キャロットカロチン キャロットカロテン 抽出カロチン 抽出カロテン ニンジンカロチン **ニンジンカロテン**（ニンジンの根から得られた，カロテンを主成分とするものをいう。）	◎，既存	強化剤 着色料
Carrot oil	**Carrot carotene** Extracted carotene	キャロットオイル キャロットカロチン キャロットカロテン 抽出カロチン 抽出カロテン ニンジンカロチン **ニンジンカロテン**（ニンジンの根から得られた，カロテンを主成分とするものをいう。）	◎，既存	強化剤 着色料
Carthamus red		カーサマス赤色素 **ベニバナ赤色素**（ベニバナの花から得られた，カルタミンを主成分とするものをいう。）	○，既存	着色料
Carthamus yellow		カーサマス黄色素 **ベニバナ黄色素**（ベニバナの花から得られた，サフラーイエロー類を主成分とするものをいう。）	○，既存	着色料
***d*-Carvone**		*d*-カルボン	○，指定	香料
***ℓ*-Carvone**		*ℓ*-カルボン	○，指定	香料
Casein	Acid casein Acidified casein	**カゼイン** 酸カゼイン	◎	製造用剤
Cassia gum		**カシアガム**（エビスグサモドキの種子を粉砕して得られた，多糖類を主成分とするものをいう。） カッシャガム	◎，既存	増粘安定剤
Castor oil		ヒマシ油	×	製造用剤

◎：許可（使用基準なし） Legal（Accepted with no standard of use）
○：許可（使用基準あり） Legal（Accepted with standard of use）
指定：Designated Food Additives　既存：Existing Food Additives
×：使用不可 Illegal（Prohibited）
※：個別判断を要するもの Required individual special judgement

EU E No.	EU FL No.	CAS No.	CFR No.	CNS 号.	備考 Remarks
E407 E407a			(Carrageenan として) 172.620 (Chondrus extract(carrageenin)として) 182.7255	20.007	EU では，E407:Carrageenan，E407a：Processed eucheuma seaweed に分かれている
			172.623		**ポリソルベート80**は指定添加物，**カラギナン**は既存添加物なので指定添加物扱いとみなす
E160a(ii)			(検定免除着色料の carrot oil として) 73.300 (検定免除着色料の β-Carotene として) 73.95 (GRAS 物質の Beta-Carotene として) 184.1245		着色料の目的では○，既存 「E160a Carotenes」には化学的合成品と天然抽出品がある。本書は「Official Journal of the EU」に記載の定義内容により，「E160a (i) **β-Carotene** は化学的合成品」，「E160a (ii) Plant Carotenes は天然抽出品」と判断
E160a(ii)			(検定免除着色料の carrot oil として) 73.300 (検定免除着色料の β-Carotene として) 73.95 (GRAS 物質の Beta-Carotene として) 184.1245		着色料の目的では○，既存 「E160a Carotenes」には化学的合成品と天然抽出品がある。本書は「Official Journal of the EU」に記載の定義内容により，「E160a (i) **β-Carotene** は化学的合成品」，「E160a (ii) Plant Carotenes は天然抽出品」と判断
				08.103	
	07.146	2244-16-8			**ケトン類** 着香の目的以外に使用してはならない 類又は誘導体として指定されている18項目の香料リストのSEQ No.344(解説編2-(1)-(vi)参照)
	07.147	6485-40-1			**ケトン類** 着香の目的以外に使用してはならない 類又は誘導体として指定されている18項目の香料リストのSEQ No.345(解説編2-(1)-(vi)参照)
					一般飲食物添加物
E427				20.045	
			172.876		

色文字：法令上の指定添加物名（除く別名）　red：Name on Ministerial Ordinance of Designated Food Additives
色文字：法令上の既存添加物名（除く別名）　red：Name on Ministerial Notification of Existing Food Additives

英　名 English name	英名別名 English name	和名，和名別名 Japanese name	許可状況 Legal/Illegal	主な用途 Main uses
Catalase		カタラーゼ	◎，既存	酵素
Catechin		カテキン	◎，既存	酸化防止剤
Caustic potash	Potassa Potassium hydrate Potassium hydroxide	カセイカリ 水酸化カリウム	○，指定	製造用剤
Caustic soda	Soda lye Sodium hydrate Sodium hydroxide White caustic	カセイソーダ 水酸化ナトリウム	○，指定	製造用剤
Caustic sulfite caramel	Caramel Caramel II (Sulfite caramel) Caramel color class II	カラメル カラメルII（でん粉加水分解物，糖蜜又は糖類の食用炭水化物に亜硫酸化合物を加えて熱処理して得られたものをいう。ただし，「カラメルIV」を除く。） コースティックサルファイトカラメル	◎，既存	製造用剤 着色料
Cellobiase	Gentiobiase β-Glucosidase	β-グルコシダーゼ ゲンチオビアーゼ セロビアーゼ	◎，既存	酵素
Cellulase		セルラーゼ 繊維素分解酵素	◎，既存	酵素
Cellulose 2-hydroxypropyl methyl ether	Hydroxypropyl methyl cellulose	ヒドロキシプロピルメチルセルロース	◎，指定	増粘安定剤 乳化剤 糊料 被膜剤
Cellulose gum		セルロースガム	※	製造用剤
Cellulose microcrystalline	Microcrystalline cellulose	結晶セルロース 微結晶セルロース（パルプから得られた，結晶セルロースを主成分とするものをいう。）	◎，既存	製造用剤 増粘安定剤 乳化剤
Cellulose powdered	Powdered cellulose	粉末セルロース（パルプを分解して得られた，セルロースを主成分とするものをいう。ただし，「微結晶セルロース」を除く。）	◎，既存	製造用剤 増粘安定剤
Cephalin	Fractionated Lecithin Lecithin Lipoinositol	セファリン 分別レシチン（「植物レシチン」又は「卵黄レシチン」から得られた，スフィンゴミエリン，フォスファチジルイノシトール，フォスファチジルエタノールアミン及びフォスファチジルコリンを主成分とするものをいう。） リポイノシトール レシチン レシチン分別物	◎，既存	乳化剤
Ceramide		セラミド	※	特別用途食品

◎：許可（使用基準なし） Legal（Accepted with no standard of use）
○：許可（使用基準あり） Legal（Accepted with standard of use）
指定：Designated Food Additives　既存：Existing Food Additives
×：使用不可 Illegal（Prohibited）
※：個別判断を要するもの Required individual special judgement

EU E No.	EU FL No.	CAS No.	CFR No.	CNS 号.	備考 Remarks
			(Catalase derived from *Micrococcus lysodeikticus* として) 173.135 (Catalase(bovine liver)として) 184.1034		
E525		1310-58-3	184.1631	01.203	最終食品の完成前に中和又は除去しなければならない
E524		(1水和物) 12200-64-5 (無水物) 1310-73-2	184.1763		最終食品の完成前に中和又は除去しなければならない 告示成分規格の nH_2O は n ＝1又は0
E150b			(検定免除の着色料のカラメルとして) 73.85 (GRAS 物質のカラメルとして) 182.1235	08.151	着色料の目的では○,既存
			(Cellulase enzyme preparation derived from *Trichoderma longibrachiatum* として) 184.1250		
E464		9004-65-3	172.874	20.028	目的とする効果を得る必要な量を超えないこと
E466			(Sodium carboxymethylcellulose として) 182.1745		カルボキシメチルグループのセルロース誘導体　カルボキシメチルセルロース参照
E460(i)				02.005	粉末セルロース参照
E460(ii)					微結晶セルロース参照
E322			(Lecithin として) 184.1400		指定，既存の別は，原材料がヒマワリレシチン，または植物レシチン，卵黄レシチン，分別レシチンのいずれの定義に該当するかにより判断する
					資料1により食品添加物に該当する可能性が考えられるが，事前に判断を受けるよう指導されている品目

C

色文字：法令上の指定添加物名（除く別名）　red：Name on Ministerial Ordinance of Designated Food Additives
色文字：法令上の既存添加物名（除く別名）　red：Name on Ministerial Notification of Existing Food Additives

英　名 English name	英名別名 English name	和名，和名別名 Japanese name	許可状況 Legal/Illegal	主な用途 Main uses
Ceresin	Ozokerite	オゾケライト セレシン	◎，既存	ガムベース
Cetylpyridinium chloride		塩化セチルピリジニウム	×	抗菌剤
Charcoal		木炭（竹材又は木材を炭化して得られたものをいう。）	◎，既存	製造用剤
Charcoal dry distilled water		炭焼の乾留水	※	特別用途食品
Chemical gypsum	Calcium sulfate Gyps Gypsum Natural gypsum Plaster of Paris	化学石こう 焼石こう 石こう 天然石こう 硫酸カルシウム	○，指定	膨脹剤 強化剤 イーストフード 豆腐用凝固剤 膨張剤
	Calcium sulfate Gyps Gypsum Natural gypsum Plaster of Paris	化学石こう 焼石こう 石こう 天然石こう 硫酸カルシウム	※	特別用途食品
Cherry color		チェリー色素	○	着色料
Chewing gum base		チューインガムベース	※	ガムベース
Chicle	Chiquibul Crown gum Nispero	クラウンガム チクブル チクル（サポジラの分泌液から得られた，アミリンアセタート及びポリイソプレンを主成分とするものをいう。） ニスペロ	◎，既存	ガムベース
Chicory color		チコリ色素	○	着色料
Chile saltpeter	Cubic niter（nitre） Soda niter（nitre） Sodium nitrate	硝酸ソーダ 硝酸ナトリウム チリ硝石	○，指定	発色剤 発酵調整剤
Chilte		チルテ（チルテの分泌液から得られた，アミリンアセタート及びポリイソプレンを主成分とするものをいう。）	◎，既存	ガムベース
China clay	Aluminium silicate Kaolin Porcelain clay Water-insoluble mineral substances	カオリン ケイ酸アルミニウム 高陵土 白陶土 不溶性鉱物性物質	○，既存	製造用剤
Chinese bayberry extract		ヤマモモ抽出物（ヤマモモの果実，樹皮又は葉から抽出して得られたものをいう。）	◎，既存	酸化防止剤
Chiquibul	Chicle Crown gum Nispero	クラウンガム チクブル チクル（サポジラの分泌液から得られた，アミリンアセタート及びポリイソプレンを主成分とするものをいう。） ニスペロ	◎，既存	ガムベース

◎：許可（使用基準なし） Legal（Accepted with no standard of use）
○：許可（使用基準あり） Legal（Accepted with standard of use）
指定：Designated Food Additives　既存：Existing Food Additives
×：使用不可 Illegal（Prohibited）
※：個別判断を要するもの Required individual special judgement

EU E No.	EU FL No.	CAS No.	CFR No.	CNS 号.	備考 Remarks
			173.375		
					資料1により食品添加物に該当する可能性が考えられるが，事前に判断を受けるよう指導されている品目
E516		（2水和物） 7778-18-9	（Calcium sulfate として） 184.1230	18.001	食品の製造又は加工上必要不可欠な場合及び栄養の目的以外に使用してはならない 告示成分規格の nH_2O は n ＝2 石こう参照
E516					石こうは資料1により食品添加物に該当する可能性が考えられるが，事前に判断を受けるよう指導されている品目 石こう参照
					一般飲食物添加物
			172.615		日本で使用が認められているのは，指定添加物で**酢酸ビニル樹脂**，**ポリイソブチレン**，**エステルガム**など，既存添加物で**チクル**，**ツヌー**，**チルテ**などがある
					一般飲食物添加物
E251(ｉ) E251(ii)		7631-99-4	（Sodium nitrate として） 172.170 （Sodium nitrate and potassium nitrate として） 181.33	09.001	CFR No. Part 181.33は特別に収載 E251(ｉ)は Solid sodium nitrate E251(ii)は Liquid sodium nitrate
					食品の製造又は加工上必要不可欠な場合以外に使用してはならない **不溶性鉱物性物質**の名称は，省令別表第1及び告示既存添加物名簿に記載されていないが，告示「食品，添加物等の規格基準－F 使用基準」にその名称があるので既存添加物名簿名扱いとする 食品添加物別名（和名）については，列記した食品添加物に類似する**不溶性鉱物性物質**も含まれる E559：Aluminium silicate（Kaolin）は「Commission Regulation（EU）No.380/2012 of 3 May 2012」で削除

C

色文字：法令上の指定添加物名（除く別名）　red：Name on Ministerial Ordinance of Designated Food Additives
色文字：法令上の既存添加物名（除く別名）　red：Name on Ministerial Notification of Existing Food Additives

英　名 English name	英名別名 English name	和名，和名別名 Japanese name	許可状況 Legal/Illegal	主な用途 Main uses
Chitin	β-1,4-Poly-*N*-acetyl-D-glucosamine	キチン β-1,4-ポリ-*N*-アセチル-D-グルコサミン	◎，既存	増粘安定剤
Chitin-glucan		キチングルカン	○，指定	製造用剤
Chitinase		キチナーゼ	◎，既存	酵素
Chitosamine	2-Amino glucose Glucosamine	2-アミノグルコース キトサミン グルコサミン	◎，既存	製造用剤 増粘安定剤
Chitosan	β-1,4-Poly-D-glucosamine	キトサン β-1,4-ポリ-D-グルコサミン	◎，既存	製造用剤 増粘安定剤
Chitosan oligosaccharide	Oligoglucosamine	オリゴグルコサミン キトサンオリゴ糖	※	特別用途食品
Chitosanase		キトサナーゼ	◎，既存	酵素
Chloramphenicol		クロラムフェニコール	×	殺菌料
Chlorella extract		クロレラ抽出液	◎	製造用剤 調味料
Chloride of ammonia	Ammonium chloride Ammonium muriate Muriate of ammonia Sal-ammoniac Salmiac	塩安 塩化アンモニウム ロシャ(硼砂)	◎，指定	製造用剤 膨脹剤 イーストフード
Chlorinated lime	Calcium hypochlorite Calcium oxychloride High-test hypochlorite	クロール石灰 高度サラシ粉 次亜塩素酸カルシウム	◎，指定	殺菌料
Chlorine		塩素	×	製造用剤 漂白剤
Chlorine dioxide		二酸化塩素	○，指定	小麦粉処理剤
Chlorine, as calcium hypochlorite		次亜塩素酸カルシウムとしての塩素	×	製造用剤
Chlorine, as sodium hypochlorite		次亜塩素酸ナトリウムとしての塩素	○，指定	漂白剤
Chlorofluorocarbon 113 and perfluorohexane		クロロフルオロカーボン113	×	製造用剤
Chloroform		クロロホルム	×	製造用剤
Chlorohydric acid	Hydrochloric acid	塩酸	○，指定	製造用剤 水素イオン濃度調整剤（pH 調整剤）

◎：許可（使用基準なし） Legal（Accepted with no standard of use）
○：許可（使用基準あり） Legal（Accepted with standard of use）
指定：Designated Food Additives　既存：Existing Food Additives
×：使用不可 Illegal（Prohibited）
※：個別判断を要するもの Required individual special judgement

EU E No.	EU FL No.	CAS No.	CFR No.	CNS 号.	備　考 Remarks
				20.018	
					令和3年1月15日省令別表第1に新規指定 使用にあたっては，適切な製造工程管理を行い，食品中で目的とする効果を得る上で必要とされる量を超えないものとする特記あり 最終食品の完成前にこれを除去しなければならない 製造用剤はぶどう酒の清澄剤，重金属及び汚染物質の除去目的 その他使用基準についての特記あり
		9055-00-9			
				20.026	
					資料1により食品添加物に該当する可能性が考えられるが，事前に判断を受けるよう指導されている品目
					一般飲食物添加物
	16.048	12125-02-9	184.1138		E No.はないがINS No.510あり EUでは香料特性のある食品成分としてFL No.あり
					E No.はないがINS No.925あり
		10049-04-4	173.300	17.028	E No.はないがINS No.926あり
					省令別表第1の**次亜塩素酸ナトリウム**として指定添加物扱い
			173.342		
E507		7647-01-0	182.1057	01.108	最終食品の完成前に中和又は除去しなければならない 平成26年4月24日告示第225号により，①生食用鮮魚介類，生食用かき及び冷凍食品（生食用冷凍鮮魚介類に限る。以下「生食用鮮魚介類等」という。）の加工基準において，**次亜塩素酸ナトリウム**に加え，**次亜塩素酸水**及び水素イオン濃度調整剤として用いる**塩酸**の使用が認められた，②容器包装詰加圧加熱殺菌食品の製造基準において，**次亜塩素酸ナトリウム**に加え**次亜塩素酸水**の使用が認められた。 同日付部長通知による運用上の注意事項としては，**次亜塩素酸水**及び**塩酸**については，①既に食品添加物として定められている使用基準の適用を受ける，②**塩酸**については，生食用鮮魚介類等に対し，**次亜塩素酸ナトリウム**の使用等に伴い水素イオン濃度調整剤として使用することは認められるが，生食用鮮魚介類等の加工時に**塩酸**を直接使用することは認められない

C

色文字：法令上の指定添加物名（除く別名）　red：Name on Ministerial Ordinance of Designated Food Additives
色文字：法令上の既存添加物名（除く別名）　red：Name on Ministerial Notification of Existing Food Additives

英　名 English name	英名別名 English name	和名，和名別名 Japanese name	許可状況 Legal/Illegal	主な用途 Main uses
Chloromethylated aminated styrene-divinylbenzene resin		クロロメチル化アミノ化スチレン－ジビニルベンゼン樹脂	×	製造用剤
Chloropentafluoroethane		クロロペンタフルオロエタン	×	製造用剤
Chlorophyll		クロロフィル	○，既存	着色料
Chlorophyllin copper complex, potassium salts		銅クロロフィリンカリウム塩	×	着色料
Chlorophylline		クロロフィリン	○，既存	着色料
Chlorous acid water		亜塩素酸水	○，指定	漂白剤 殺菌料
Chocolate Brown FB		チョコレートブラウン FB	×	着色料
Cholecalciferol	Vitamin D_3	コレカルシフェロール ビタミン D_3	◎，指定	強化剤
Cholesterol		コレステロール 動物性ステロール(魚油又は「ラノリン」から得られた,コレステロールを主成分とするものをいう。)	◎，既存	乳化剤
Cholic acid	Desoxycholic acid Powdered bile	コール酸 胆汁末(胆汁から得られた、コール酸及びデソキシコール酸を主成分とするものをいう。) デソキシコール酸	◎，既存	乳化剤
Choline acetate		酢酸コリン	※	強化剤
Choline bitartrate		重酒石酸コリン	※	強化剤
Choline carbonate		炭酸コリン	※	強化剤
Choline chloride		コリン塩酸塩	※	強化剤
Choline citrate		クエン酸コリン	※	強化剤
Choline lactate		乳酸コリン	※	強化剤
Choline salts		コリン塩	※	乳化剤
Choline-stabilised orthosilicic acid		コリン安定化オルトケイ酸	※	特別用途食品
Choline tartrate		酒石酸コリン	※	強化剤

◎：許可（使用基準なし） Legal（Accepted with no standard of use）
○：許可（使用基準あり） Legal（Accepted with standard of use）
指定：Designated Food Additives　既存：Existing Food Additives
×：使用不可 Illegal（Prohibited）
※：個別判断を要するもの Required individual special judgement

EU E No.	EU FL No.	CAS No.	CFR No.	CNS 号.	備考 Remarks
			173.70		
			173.345		
E140(i)					
E141(ii)				08.009	E141(ii)は Copper complexes of chlorophyllins だが，日本では**銅クロロフィリンナトリウム**のみが指定添加物として認められている CNS 号08.009は chlorophyllin copper complex, sodium and potassium salts　日本で使用が認められているのは Sodium copper chlorophyllin のみ
E140(ii)					
					平成25年2月1日省令別表第1に新規指定 最終食品の完成前に分解し，又は除去しなければならない 製造基準あり
		67-97-0	(直接添加物 Vit.D_3として) 172.380 (GRAS 物質 Vit.D(D_2, D_3)として) 184.1950		
		66071-96-3			
					E No.はないが INS No.1000あり
					E No.はないが INS No.1001(i)あり 生物界には広く分布している物質であり，許可状況は個別判断
			182.8250		生物界には広く分布している物質であり，許可状況は個別判断
					E No.はないが INS No.1001(ii)あり 生物界には広く分布している物質であり，許可状況は個別判断
			182.8252		E No.はないが INS No.1001(iii)あり 生物界には広く分布している物質であり，許可状況は個別判断
					E No.はないが INS No.1001(iv)あり 生物界には広く分布している物質であり，許可状況は個別判断
					E No.はないが INS No.1001(vi)あり 生物界には広く分布している物質であり，許可状況は個別判断
					E No.はないが INS No.1001あり 生物界には広く分布している物質であり，許可状況は個別判断
					資料1により食品添加物に該当する可能性が考えられるが，事前に判断を受けるよう指導されている品目
					E No.はないが INS No.1001(v)あり 生物界には広く分布している物質であり，許可状況は個別判断

色文字：法令上の指定添加物名（除く別名）　red：Name on Ministerial Ordinance of Designated Food Additives
色文字：法令上の既存添加物名（除く別名）　red：Name on Ministerial Notification of Existing Food Additives

英　名 English name	英名別名 English name	和名，和名別名 Japanese name	許可状況 Legal/Illegal	主な用途 Main uses
Chondroitin sulfate		コンドロイチン硫酸	◎	特別用途食品
Chondromucoprotein		コンドロムコタンパク	※	特別用途食品
Chondrus extract		ツノマタ類抽出物	◎，既存	増粘安定剤 ゲル化剤
Chromium picolinate	Chromium picolinic acid	クロミウムピコリネート ピコリン酸クロム	×	特別用途食品
Chromium picolinic acid	Chromium picolinate	クロミウムピコリネート ピコリン酸クロム	×	特別用途食品
Chromium(III)	Chromium(III)compound	クロム(III) クロム(III)化合物	×	特別用途食品
Chromium(III)compound	Chromium(III)	クロム(III) クロム(III)化合物	×	特別用途食品
Chrysoidine		クリソイジン	×	着色料
Chrysoine		クリソイン	×	着色料
Chymosin	**Rennet** Rennin	キモシン レンニン **レンネット**	◎，既存	酵素
Cineole	Cajeputol **1,8-Cineole** 1,8-Epoxy-*p*-menthane Eucalyptol *p*-Menthane-1,8-oxide 1,8-Oxido-*p*-menthane	1,8-エポキシパラメンタン 1,8-オキシドパラメンタン カエプトール シネオール **1,8-シネオール** ユーカリプトール	○，指定	香料
1,8-Cineole	Cajeputol Cineole 1,8-Epoxy-*p*-menthane Eucalyptol *p*-Menthane-1,8-oxide 1,8-Oxido-*p*-menthane	1,8-エポキシパラメンタン 1,8-オキシドパラメンタン カエプトール シネオール **1,8-シネオール** ユーカリプトール	○，指定	香料
Cinnamaldehyde	Cinnamyl aldehyde	ケイ皮アルデヒド シンナミックアルデヒド **シンナムアルデヒド**	○，指定	香料
Cinnamic acid	*trans*-Cinnamic acid *trans*-β-Phenylacrylic acid *trans*-3-Phenylpro-penoic acid	**ケイ皮酸** トランス-3-フェニルプロペン酸 トランスケイ皮酸 トランス-β-フェニルアクリル酸	○，指定	香料
Cinnamic alcohol	**Cinnamyl alcohol** γ-Phenylallyl alcohol Styrone Styryl carbinol	ケイ皮アルコール シンナミックアルコール **シンナミルアルコール** スチリルカルビノール スチロン γ-フェニルアリルアルコール	○，指定	香料
Cinnamyl acetate	*trans*-γ-Phenylallyl acetate	**酢酸シンナミル** 酢酸トランス-γ-フェニルアリル	○，指定	香料

◎：許可（使用基準なし） Legal（Accepted with no standard of use）
○：許可（使用基準あり） Legal（Accepted with standard of use）
指定：Designated Food Additives　既存：Existing Food Additives
×：使用不可 Illegal（Prohibited）
※：個別判断を要するもの Required individual special judgement

EU E No.	EU FL No.	CAS No.	CFR No.	CNS 号.	備考 Remarks
					資料1により食品素材扱いとする品目。**コンドロイチン硫酸ナトリウム**は指定添加物である
					資料1により食品添加物に該当する可能性が考えられるが，事前に判断を受けるよう指導されている品目
			（Chondrus extract として） 182.7255		日本では**カラギナン**が既存添加物となっている
					資料1により新たに食品添加物としての指定を受ける必要があるとする品目
					資料1により新たに食品添加物としての指定を受ける必要があるとする品目
					資料1により新たに食品添加物としての指定を受ける必要があるとする品目
					資料1により新たに食品添加物としての指定を受ける必要があるとする品目
			（Rennett（animal derived）and chymosin preparation（fermentation derived）として） 184.1685		「組換えDNA技術応用食品及び添加物の安全性審査の手続きを経た添加物」としての告示あり。詳細は厚労省HP参照
	03.001	470-82-6			着香の目的以外に使用してはならない
	03.001	470-82-6			着香の目的以外に使用してはならない
	05.014	14371-10-9		17.012	着香の目的以外に使用してはならない FL No.はCAS No.104-55-2に対応
	08.022	140-10-3			着香の目的以外に使用してはならない FL No.はCAS No.621-82-9に対応
	02.017	104-54-1			着香の目的以外に使用してはならない
	09.018	103-54-8			着香の目的以外に使用してはならない

C

色文字：法令上の指定添加物名（除く別名）　red：Name on Ministerial Ordinance of Designated Food Additives
色文字：法令上の既存添加物名（除く別名）　red：Name on Ministerial Notification of Existing Food Additives

英　名 English name	英名別名 English name	和名，和名別名 Japanese name	許可状況 Legal/Illegal	主な用途 Main uses
Cinnamyl alcohol	Cinnamic alcohol γ-Phenylallyl alcohol Styrone Styryl carbinol	ケイ皮アルコール シンナミックアルコール シンナミルアルコール スチリルカルビノール スチロン γ-フェニルアリルアルコール	○，指定	香料
Cinnamyl aldehyde	Cinnamaldehyde	ケイ皮アルデヒド シンナミックアルデヒド シンナムアルデヒド	○，指定	香料
Citral	Geranial(*trans*-Citral) Lemarome Neral(*cis*-Citral)	ゲラニアル(トランス-シトラール) シトラール ネラール(シス-シトラール) レマローム	○，指定	香料
Citranaxanthin		シトラナキサンチン	×	着色料
Citrate esters of monoglyceride	Citric acid esters of mono-and diglycerides of fatty acids Glycerol esters of citric(citrate)and fatty acids Glycerol esters of fatty acids Monoglyceride citrate Stearoyl monoglyceridyl citrate ester Stearyl monoglyceridyl citrate	クエン酸ステアリルモノグリセリジル クエン酸モノグリセライド グリセリンクエン酸脂肪酸エステル グリセリン脂肪酸エステル 脂肪酸のモノ及びジグリセライドのクエン酸エステル ステアロイルモノグリセリジルクエン酸エステル	◎，指定	製造用剤 増粘安定剤 酸化防止剤 乳化剤 ガムベース
Citric acid		クエン酸	◎，指定	製造用剤 水素イオン濃度調整剤（pH 調整剤） 膨脹剤 酸味料 酸化防止剤
Citric acid esters of mono-and diglycerides of fatty acids	Citrate esters of monoglyceride Glycerol esters of citric(citrate)and fatty acids Glycerol esters of fatty acids Monoglyceride citrate Stearoyl monoglyceridyl citrate ester Stearyl monoglyceridyl citrate	クエン酸ステアリルモノグリセリジル クエン酸モノグリセライド グリセリンクエン酸脂肪酸エステル グリセリン脂肪酸エステル 脂肪酸のモノ及びジグリセライドのクエン酸エステル ステアロイルモノグリセリジルクエン酸エステル	◎，指定	製造用剤 増粘安定剤 酸化防止剤 乳化剤 ガムベース
d-Citronellal	Citronellal ℓ-Citronellal Rhodinal	シトロネラール *d*-シトロネラール ℓ-シトロネラール ロージナール	○，指定	香料
ℓ-Citronellal	Citronellal *d*-Citronellal Rhodinal	シトロネラール *d*-シトロネラール ℓ-シトロネラール ロージナール	○，指定	香料
Citronellal	*d*-Citronellal ℓ-Citronellal Rhodinal	シトロネラール *d*-シトロネラール ℓ-シトロネラール ロージナール	○，指定	香料
Citronellalhydrate	Hydroxycitronellal Oxydihydrocitronellal	オキシジヒドロシトロネラール シトロネラールヒドレート ヒドロキシシトロネラール	○，指定	香料

◎：許可（使用基準なし） Legal（Accepted with no standard of use）
○：許可（使用基準あり） Legal（Accepted with standard of use）
指定：Designated Food Additives　既存：Existing Food Additives
×：使用不可 Illegal（Prohibited）
※：個別判断を要するもの Required individual special judgement

EU E No.	EU FL No.	CAS No.	CFR No.	CNS 号.	備考 Remarks
	02.017	104-54-1			着香の目的以外に使用してはならない
	05.014	14371-10-9		17.012	着香の目的以外に使用してはならない FL No.はCAS No.104-55-2に対応
	05.020	5392-40-5			着香の目的以外に使用してはならない 告示は「*trans*-異性体と*cis*-異性体との混合物」だが，(EU) FL No.は告示のCAS No.と同番号で「citral」としてあり
E472c			（Monoglyceride citrate として） 172.832 （Mono-and diglycerides として） 184.1505 （Stearyl monoglyceridyl citrate として） 172.755	10.032	
E330		（1水和物） 5949-29-1 （無水物） 77-92-9	184.1033	01.101	告示成分規格の nH_2O は n ＝1又は0
E472c			（Monoglyceride citrate として） 172.832 （Mono-and diglycerides として） 184.1505 （Stearyl monoglyceridyl citrate として） 172.755	10.032	
	05.021	106-23-0			着香の目的以外に使用してはならない
	05.021	106-23-0			着香の目的以外に使用してはならない
	05.021	106-23-0			着香の目的以外に使用してはならない
	05.012	107-75-5			着香の目的以外に使用してはならない EU FL No.05.012の名称は「3,7-Dimethyl-7-hydroxyoctanal」

C

色文字：法令上の指定添加物名（除く別名）　red：Name on Ministerial Ordinance of Designated Food Additives
色文字：法令上の既存添加物名（除く別名）　red：Name on Ministerial Notification of Existing Food Additives

英　名 English name	英名別名 English name	和名，和名別名 Japanese name	許可状況 Legal/Illegal	主な用途 Main uses
Citronellol	*dl*-Citronellol	シトロネロール *dl*-シトロネロール	○，指定	香料
dl-Citronellol	Citronellol	シトロネロール *dl*-シトロネロール	○，指定	香料
Citronellyl acetate		酢酸シトロネリル	○，指定	香料
Citronellyl formate		ギ酸シトロネリル	○，指定	香料
L-Citrulline		L-シトルリン	◎	特別用途食品
Citrus Red No.2		シトラスレッド No.2	×	着色料
Clove		クローブ	◎	香辛料
Clove derivatives		クローブ誘導体	×	香料
Clove extract		クローブ抽出物（チョウジのつぼみ，葉又は花から得られた，オイゲノールを主成分とするものをいう。） チョウジ抽出物	◎，既存	酸化防止剤
5'-CMP	Cytidine 5'-monophosphate 5'-Cytidylic acid	5'-シチジル酸	◎，既存	強化剤
Coatings on fresh citrus fruit		コーティング剤（生鮮カンキツ類用）	×	被膜剤
Cochineal Red A	Food Red No. 102 New coccine Ponceau 4R	コチニールレッド A 食用赤色102号 ニューコクシン ポンソー4R	○，指定	着色料
Cochineal extract	Carminic acid	カルミン酸色素 コチニール色素（エンジムシから得られた，カルミン酸を主成分とするものをいう。）	○，既存	着色料
Cocoa		ココア ココアパウダー	○	着色料
Cocoa butter substitute from coconut oil, palm kernel oil, or both oils		カカオバター代替品（ココナッツ油，パーム核油または両者から作られたもの）	◎	被膜剤
Cocoa with dioctyl sodium sulfosuccinate for manufacturing		スルホコハク酸ジオクチルナトリウム含有ココア（製造用）	×	製造用剤
Coenzyme A		コエンザイム A 補(助)酵素 A	※	特別用途食品
Coenzyme Q10	CoQ10 Ubidecarenone Ubiquinone-10 UQ-10	コエンザイム Q10 補(助)酵素 Q10 UQ-10 ユビキノン-10 ユビデカレノン	◎	特別用途食品
Coffee bean extract		生コーヒー豆抽出物（コーヒーの種子から得られた，クロロゲン酸及びポリフェノールを主成分とするものをいう。）	◎，既存	酸化防止剤
Collagen		コラーゲン	◎	特別用途食品
		コラーゲン	◎	製造用剤

◎：許可（使用基準なし） Legal（Accepted with no standard of use）
○：許可（使用基準あり） Legal（Accepted with standard of use）
指定：Designated Food Additives 既存：Existing Food Additives
×：使用不可 Illegal（Prohibited）
※：個別判断を要するもの Required individual special judgement

EU E No.	EU FL No.	CAS No.	CFR No.	CNS 号.	備 考 Remarks
	02.011	106-22-9			着香の目的以外に使用してはならない
	02.011	106-22-9			着香の目的以外に使用してはならない
	09.012	150-84-5			着香の目的以外に使用してはならない
	09.078	105-85-1			着香の目的以外に使用してはならない
					資料1により食品素材扱いとする品目
			74.302		
					食品扱い
			（Clove and its derivatives として） 184.1257		
		63-37-6			
			172.210		CFR は構成成分として Fatty acids, Polyethylene glycol, Sodium lauryl sulfate など，及び助剤として Potassium persulfate, Propylene glycol alginate などの記載あり
E124		（無水物） 2611-82-7	（Cochineal extract:Carmine として） 73.100	08.002	告示成分規格の nH_2O は n ＝ 1 1/2
E120			（Cochineal extract：Carmine として） 73.100	08.145	日本で，**コチニール色素**（主色素カルミン酸）は既存添加物として使用が認められているが，「CFRNo.73.100 Carmine」はアルミニウム若しくはアルミニウム・カルシウムレーキ色素であり認められていない CNS 号08.145は carmine cochineal
			（Cocoa butter substitute として） 184.1259		一般飲食物添加物
			172.861		CFR はショ糖，ビタミン剤等の被膜剤および一般食品との混合 食品扱い
			172.520		Dioctyl sodium sulfosuccinate は CFR No.172.810として収載
					資料1により食品添加物に該当する可能性が考えられるが，事前に判断を受けるよう指導されている品目
					資料1により食品素材扱いとする品目
					資料1により食品素材扱いとする品目
					一般飲食物添加物

C

色文字：法令上の指定添加物名（除く別名）　red：Name on Ministerial Ordinance of Designated Food Additives
色文字：法令上の既存添加物名（除く別名）　red：Name on Ministerial Notification of Existing Food Additives

英　名 English name	英名別名 English name	和名，和名別名 Japanese name	許可状況 Legal/Illegal	主な用途 Main uses
Colloidal clay	Bentonite Water-insoluble mineral substances	不溶性鉱物性物質 ベントナイト 膨潤土	○，既存	製造用剤
Combustion product gas		燃焼による生成ガス	※	製造用剤
Condensed tannins		濃縮タンニン	※	製造用剤
Copolymer condensates of ethylene oxide and propylene oxide		酸化エチレン及び酸化プロピレンの共重物の縮合体	×	製造用剤
Copolymer of vinylimidazole/vinylpyrrolidone	PVI/PVP	ビニルイミダゾール・ビニルピロリドン共重合体	○，指定	製造用剤
Copper		銅	◎，既存	製造用剤
Copper chlorophyll	Copper complexes of chlorophylls	銅クロロフィル 銅クロロフィル錯体	○，指定	着色料
Copper complexes of chlorophyllins		銅クロロフィリン錯体	×	着色料
Copper complexes of chlorophylls	Copper chlorophyll	銅クロロフィル 銅クロロフィル錯体	○，指定	着色料
Copper gluconate	Copper salts (Limited to Copper gluconate and Cupric sulfate)	グルコン酸銅 銅塩類（グルコン酸銅及び硫酸銅に限る。）	○，指定	強化剤
Copper salts (Limited to Copper gluconate and Cupric sulfate)	Copper gluconate Cupric sulfate	グルコン酸銅 銅塩類（グルコン酸銅及び硫酸銅に限る。） 硫酸銅	○，指定	製造用剤 強化剤
Copperas	Ferrous sulfate Iron vitriol Iron (II) sulfate	硫酸第一鉄 硫酸鉄(II) 緑ばん	◎，指定	強化剤 色調安定剤
CoQ10	Coenzyme Q10 Ubidecarenone Ubiquinone-10 UQ-10	コエンザイム Q10 補(助)酵素 Q10 UQ-10 ユビキノン-10 ユビデカレノン	◎	特別用途食品

◎：許可（使用基準なし） Legal（Accepted with no standard of use）
○：許可（使用基準あり） Legal（Accepted with standard of use）
指定：Designated Food Additives　既存：Existing Food Additives
×：使用不可 Illegal（Prohibited）
※：個別判断を要するもの Required individual special judgement

EU E No.	EU FL No.	CAS No.	CFR No.	CNS 号.	備考 Remarks
			(Bentonite として) 184.1155		食品の製造又は加工上必要不可欠な場合以外に使用してはならない **不溶性鉱物性物質**の名称は，省令別表第1及び告示既存添加物名簿に記載されていないが，告示「食品，添加物等の規格基準－F 使用基準」にその名称があるので既存添加物名簿名扱いとする 食品添加物別名（和名）については，列記した食品添加物に類似する**不溶性鉱物性物質**も含まれる E558：Bentonite は「Commission Regulation (EU) No. 380/2012 of 3 May 2012」で削除
			173.350		
					既存添加物名簿の**タンニン（抽出物）**（カキの果実，五倍子，タラ末，没食子又はミモザ樹皮）から得られたもの以外は不可
			172.808		
					令和3年1月15日省令別表第1に新規指定 使用にあたっては，適切な製造工程管理を行い，食品中で目的とする効果を得る上で必要とされる量を超えないものとする特記あり 最終食品の完成前に除去しなければならない 製造用剤はぶどう酒の清澄剤，重金属の除去目的
E141(i)				08.153	日本では**銅クロロフィル**が指定添加物として認められている E No.は銅クロロフィル錯体
E141(ii)				08.009	E141(ii)は Copper complexes of chlorophyllins だが，日本では**銅クロロフィリンナトリウム**のみが指定添加物として認められている CNS 号08.009は chlorophyllin copper complex, sodium and potassium salts 日本で使用が認められているのは Sodium copper chlorophyllin のみ
E141(i)				08.153	日本では**銅クロロフィル**が指定添加物として認められている E No.は銅クロロフィル錯体
			(Copper gluconate として) 184.1260		母乳代替食品及び保健機能食品以外に使用してはならない 省令別表第1のリスト名は「**銅塩類**（グルコン酸銅及び硫酸銅に限る。），**Copper salts** (Limited to Copper gluconate and Cupric sulfate)」
		(5水和物) 7758-99-8	(Copper salfate として) 184.1261		**グルコン酸銅**は母乳代替食品及び保健機能食品以外に使用してはならない **硫酸銅**はぶどう酒及び母乳代替食品以外に使用してはならない 省令別表第1のリスト名は「**銅塩類（グルコン酸銅及び硫酸銅に限る。），Copper salts (Limited to Copper gluconate and Cupric sulfate)**」 （硫酸銅）告示成分規格の nH_2O は n＝5 （硫酸銅）E No.はないが INS No.519あり
		(1水和物) 13463-43-9	184.1315	00.022	
					資料1により食品素材扱いとする品目

C

色文字：法令上の指定添加物名（除く別名）　red：Name on Ministerial Ordinance of Designated Food Additives
色文字：法令上の既存添加物名（除く別名）　red：Name on Ministerial Notification of Existing Food Additives

英　名 English name	英名別名 English name	和名，和名別名 Japanese name	許可状況 Legal/Illegal	主な用途 Main uses
Coral calcium	Non-calcinated calcium Non-calcinated coral calcium	コーラルカルシウム サンゴカルシウム サンゴ未焼成カルシウム 未焼成カルシウム（貝殻，真珠の真珠層，造礁サンゴ，骨又は卵殻を乾燥して得られた，カルシウム塩を主成分とするものをいう。）	◎，既存	強化剤
Coriandrol	Licareol Linacreol Linalool *dl*-Linalool Linalool EX HO（Natural） Phantol	コリアンドロール パントール リカレオール リナクレオール リナロオール リナロオール EX HO（天然） リナロール *dl*-リナロール	○，指定	香料
Corn cellulose		コーンセルロース トウモロコシセルロース	◎	製造用剤
Corn endosperm oil		コーン胚乳油	×	着色料
Corn gluten		コーングルテン	◎	調味料
Corn protein	Zein	ゼイン（トウモロコシの種子から得られた，植物性タンパク質を主成分とするものをいう。） トウモロコシたん白	◎，既存	製造用剤
Corn silk and corn silk extract		コーンシルク及びコーンシルク抽出物	×	香料
Corn sugar	Dextrose D-Glucose Grape sugar	D-グルコース コーンでんぷん糖 ブドウ糖	◎	甘味料
Corn syrup	Glucose syrup（sirup）	コーンシロップ ブドウ糖シロップ	◎	甘味料
Coumarone-indene resin		クマロンインデン樹脂	×	被膜剤
Cowberry color		カウベリー色素	○	着色料
CPL（as Lactic acid oligomer）	Cyclic polymerized lactate（as Lactic acid oligomer） Cyclic polymerized lactic acid（as Lactic acid oligomer）	環状重合乳酸（ただし乳酸オリゴマーとして）	◎	特別用途食品
CPL（except Lactic acid oligomer）	Cyclic polymerized lactate（except Lactic acid oligomer） Cyclic polymerized lactic acid（except Lactic acid oligomer）	環状重合乳酸（ただし乳酸オリゴマーを除く）	※	特別用途食品
Cranberry color		クランベリー色素	○	着色料
Creatine	Methylglycocyamine 1-Methylguanidino acetic acid α-Methylguanidino acetic acid	クレアチン 1-メチルグアニジノ酢酸 α-メチルグアニジノ酢酸 メチルグリコシアミン	◎	特別用途食品
Creatine ethyl ester hydrochloride	Ethyl *N*-(aminoiminomethyl)-*N*-methylglycine hydrochloride	クレアチン・エチルエステル塩酸塩	※	特別用途食品
Cristobalite		クリストバル石	○，既存	製造用剤
Cross-linked cellulose gum		架橋セルロースガム	※	製造用剤
Cross-linked sodium carboxy methyl cellulose		架橋カルボキシメチルセルロースナトリウム	×	製造用剤

◎：許可（使用基準なし） Legal（Accepted with no standard of use）
○：許可（使用基準あり） Legal（Accepted with standard of use）
指定：Designated Food Additives　　既存：Existing Food Additives

×：使用不可 Illegal（Prohibited）
※：個別判断を要するもの Required individual special judgement

EU E No.	EU FL No.	CAS No.	CFR No.	CNS 号.	備考 Remarks
					未焼成カルシウム参照
	02.013	78-70-6			着香の目的以外に使用してはならない
					一般飲食物添加物
			73.315		CFRは鶏用飼料用の制限あり
			184.1321		食品扱い
			184.1984		
			184.1262		
		50-99-7	184.1857		CFRのCAS No.は50-99-7 食品扱い
			184.1865		CFRはコーンでんぷんを酸または酵素で加水分解し，その程度によりグルコース，マルトースおよび高含量の糖類を含む 食品扱い
			172.215		CFRは柑きつ類の被膜剤
				08.105	一般飲食物添加物
					資料1により食品素材扱いとする品目
					資料1により食品添加物に該当する可能性が考えられるが，事前に判断を受けるよう指導されている品目
					一般飲食物添加物
					資料1により食品素材扱いとする品目
					資料1により食品添加物に該当する可能性が考えられるが，事前に判断を受けるよう指導されている項目
E468					日本では**メチルセルロース**，**カルボキシメチルセルロースナトリウム**及び**カルボキシメチルセルロースカルシウム**が指定添加物として認められている

色文字：法令上の指定添加物名（除く別名）　red：Name on Ministerial Ordinance of Designated Food Additives
色文字：法令上の既存添加物名（除く別名）　red：Name on Ministerial Notification of Existing Food Additives

英　名 English name	英名別名 English name	和名，和名別名 Japanese name	許可状況 Legal/Illegal	主な用途 Main uses
Crown gum	Chicle Chiquibul Nispero	クラウンガム チクブル チクル（サポジラの分泌液から得られた，アミリンアセタート及びポリイソプレンを主成分とするものをいう。） ニスペロ	◎，既存	ガムベース
Crude magnesium chloride（sea water）	Magnesium chloride	塩化マグネシウム含有物 粗製海水塩化マグネシウム（海水から塩化カリウム及び塩化ナトリウムを析出分離して得られた，塩化マグネシウムを主成分とするものをいう。）	◎，既存	製造用剤
Crude potassium chloride（sea water）		粗製海水塩化カリウム（海水から塩化ナトリウムを析出分解して得られた，塩化カリウムを主成分とするものをいう。）	◎，既存	調味料
Crystallizable acetic acid	Glacial acetic acid	氷酢酸	◎，指定	酸味料
Cubic niter（nitre）	Chile saltpeter Soda niter（nitre） Sodium nitrate	硝酸ソーダ 硝酸ナトリウム チリ硝石	○，指定	発色剤 発酵調整剤
Cupric sulfate	Copper salts（Limited to Copper gluconate and Cupric sulfate）	銅塩類（グルコン酸銅及び硫酸銅に限る。） 硫酸銅	○，指定	製造用剤 強化剤
Cuprous iodide		ヨウ化第一銅	×	強化剤
Curcumin	Turmeric oleoresin	ウコン色素（ウコンの根茎から得られた，クルクミンを主成分とするものをいう。） クルクミン ターメリック色素	○，既存	着色料
Curdlan		カードラン（アグロバクテリウム又はアルカリゲネスの培養液から得られた，β-1,3-グルカンを主成分とするものをいう。）	◎，既存	製造用剤 増粘安定剤
Cyanocobalamin	Vitamin B_{12}	シアノコバラミン ビタミンB_{12}	◎，既存	強化剤
Cyclamic acid		サイクラミン酸	×	甘味料
Cyclic polymerized lactate（as Lactic acid oligomer）	CPL（as Lactic acid oligomer） Cyclic polymerized lactic acid（as Lactic acid oligomer）	環状重合乳酸（ただし乳酸オリゴマーとして）	◎	特別用途食品
Cyclic polymerized lactate（except Lactic acid oligomer）	CPL（except Lactic acid oligomer） Cyclic polymerized lactic acid（except Lactic acid oligomer）	環状重合乳酸（ただし乳酸オリゴマーを除く）	※	特別用途食品
Cyclic polymerized lactic acid（as Lactic acid oligomer）	CPL（as Lactic acid oligomer） Cyclic polymerized lactate（as Lactic acid oligomer）	環状重合乳酸（ただし乳酸オリゴマーとして）	◎	特別用途食品
Cyclic polymerized lactic acid（except Lactic acid oligomer）	CPL（except Lactic acid oligomer） Cyclic polymerized lactate（except Lactic acid oligomer）	環状重合乳酸（ただし乳酸オリゴマーを除く）	※	特別用途食品

◎：許可（使用基準なし） Legal（Accepted with no standard of use）
○：許可（使用基準あり） Legal（Accepted with standard of use）
指定：Designated Food Additives　既存：Existing Food Additives
×：使用不可 Illegal（Prohibited）
※：個別判断を要するもの Required individual special judgement

EU E No.	EU FL No.	CAS No.	CFR No.	CNS 号.	備考 Remarks
			(Magnesium chloride として) 184.1426		**塩化マグネシウム**参照
E260		(酢酸として) 64-19-7	(Acetic acid として) 184.1005	01.107 01.112	省令別表第1のリスト名は「**氷酢酸，Glacial acetic acid**」，EU では酢酸として指定 告示成分規格の酢酸は30％濃度 CNS 号01.112は低圧羰基化法
E251(ⅰ) E251(ⅱ)		7631-99-4	(Sodium nitrate として) 172.170 (Sodium nitrate and potassium nitrate として) 181.33	09.001	CFR No. Part 181.33は特別に収載 E251(ⅰ)は Solid sodium nitrate E251(ⅱ)は Liquid sodium nitrate
		(5水和物) 7758-99-8	(Copper salfate として) 184.1261		ぶどう酒及び母乳代替食品以外に使用してはならない 省令別表第1のリスト名は「**銅塩類（グルコン酸銅及び硫酸銅に限る。），Copper salts（Limited to Copper gluconate and Cupric sulfate）**」 告示成分規格の nH_2O は n ＝5 E No.はないが INS No.519あり
			184.1265		
E100			(Turmeric oleoresin として) 73.615	08.132	国際的には純度の違いで Curcumin と Turmeric oleoresin に分類
		54724-00-4	172.809	20.042	E No.はないが INS No.424あり
		68-19-9	184.1945		
E952(ⅰ)					通称名，チクロ
					資料1により食品素材扱いとする品目
					資料1により食品添加物に該当する可能性が考えられるが，事前に判断を受けるよう指導されている品目
					資料1により食品素材扱いとする品目
					資料1により食品添加物に該当する可能性が考えられるが，事前に判断を受けるよう指導されている品目

C

色文字：法令上の指定添加物名（除く別名）　red：Name on Ministerial Ordinance of Designated Food Additives
色文字：法令上の既存添加物名（除く別名）　red：Name on Ministerial Notification of Existing Food Additives

英名 English name	英名別名 English name	和名，和名別名 Japanese name	許可状況 Legal/Illegal	主な用途 Main uses
α-Cycloamylose	Branched cyclodextrin α-Cyclodextrin	α-サイクロデキストリン シクロアミロース α-シクロデキストリン 分岐サイクロデキストリン 分岐シクロデキストリン	◎，既存	製造用剤
Cyclodextrin glucanotransferase		シクロデキストリングルカノトランスフェラーゼ	◎，既存	酵素
α-Cyclodextrin	Branched cyclodextrin α-Cycloamylose	α-サイクロデキストリン シクロアミロース α-シクロデキストリン 分岐サイクロデキストリン 分岐シクロデキストリン	◎，既存	製造用剤
β-Cyclodextrin		β-サイクロデキストリン β-シクロデキストリン	◎，既存	製造用剤
γ-Cyclodextrin		γ-サイクロデキストリン γ-シクロデキストリン	◎，既存	製造用剤
Cyclohexane		シクロヘキサン	○，指定	香料
Cyclohexyl acetate		酢酸シクロヘキシル	○，指定	香料
Cyclohexyl butyrate		酪酸シクロヘキシル	○，指定	香料
Cyclohexylpropionic acid allyl ester	Allyl cyclohexylpropionate Fruit ketone	シクロヘキシルプロピオン酸アリル フルーツケトン	○，指定	香料
Cyclohexylsulfamic acid		チクロ	×	甘味料
Cystathione		シスタチオン	※	特別用途食品
L-Cysteine		L-システイン	×	強化剤 調味料
L-Cysteine monohydrochloride		L-システイン塩酸塩	○，指定	品質改良剤 強化剤 酸化防止剤
L-Cystine		L-シスチン	◎，既存	強化剤 調味料
Cytidine 5'-monophosphate	5'-Cytidylic acid 5'-CMP	5'-CMP 5'-シチジル酸	◎，既存	強化剤
5'-Cytidylic acid	Cytidine 5'-monophosphate 5'-CMP	5'-CMP 5'-シチジル酸	◎，既存	強化剤

◎：許可（使用基準なし） Legal（Accepted with no standard of use）　　×：使用不可 Illegal（Prohibited）
○：許可（使用基準あり） Legal（Accepted with standard of use）　　※：個別判断を要するもの Required individual special judgement
指定：Designated Food Additives　　既存：Existing Food Additives

EU E No.	EU FL No.	CAS No.	CFR No.	CNS 号.	備　考 Remarks
		(α)10016-20-3 (β)7585-39-9 (γ)17465-86-0		18.011	既存添加物名簿名は**シクロデキストリン** 告示成分規格の記載名も法令上の名称として取り扱う 告示成分規格には α のほかに β，γ がある E No.はないが INS No.457あり
					「組換え DNA 技術応用食品及び添加物の安全性審査の手続きを経た添加物」としての告示あり。詳細は厚労省 HP 参照
		(α)10016-20-3 (β)7585-39-9 (γ)17465-86-0		18.011	既存添加物名簿名は**シクロデキストリン** 告示成分規格の記載名も法令上の名称として取り扱う 告示成分規格には α のほかに β，γ がある E No.はないが INS No.457あり
E459		7585-39-9		20.024	既存添加物名簿名は**シクロデキストリン** 告示成分規格の記載名も法令上の名称として取り扱う 告示成分規格には α のほかに β，γ がある
		17465-86-0		18.012	既存添加物名簿名は**シクロデキストリン** 告示成分規格の記載名も法令上の名称として取り扱う 告示成分規格には α のほかに β，γ がある E No.はないが INS No.458あり
		110-82-7			**脂肪族高級炭化水素類** 着香の目的以外に使用してはならない(特例：油脂の抽出剤として使用可能) 類又は誘導体として指定されている18項目の香料リストの SEQ NO.2836(解説編2-(1)-(vi)参照)
	09.027	622-45-7			着香の目的以外に使用してはならない
	09.230	1551-44-6			着香の目的以外に使用してはならない
	09.498	2705-87-5			着香の目的以外に使用してはならない
E952(i) E952(ii) E952(iii)					チクロは通称名，サイクラミン酸，サイクラミン酸塩が正式名称
					資料1により食品添加物に該当する可能性が考えられるが，事前に判断を受けるよう指導されている品目
E920			184.1271	13.003	CNS 号13.003は L-cysteine and its hydrochlorides sodium and potassium salts 日本で使用が認められているのは its hydrochlorides のみ
		(1水和物) 7048-04-6	(Amino acids, L-Cysteine monohydrochloride として) 172.320	13.003	告示成分規格の nH_2O は n ＝1 CNS 号13.003は L-cysteine and its hydrochlorides sodium and potassium salts 日本で使用が認められているのは its hydrochlorides のみ
		56-89-3	(Amino acids, L-Cystine として) 172.320		E No.はないが INS No.921あり
		63-37-6			
		63-37-6			

D

色文字：法令上の指定添加物名（除く別名）　red：Name on Ministerial Ordinance of Designated Food Additives
色文字：法令上の既存添加物名（除く別名）　red：Name on Ministerial Notification of Existing Food Additives

英名 English name	英名別名 English name	和名，和名別名 Japanese name	許可状況 Legal/Illegal	主な用途 Main uses
Daidai extract		ダイダイ抽出物	◎	苦味料等
Dammar gum		ダンマルガム ダンマル樹脂	×	増粘安定剤
Dark sweet cherry color		ダークスイートチェリー色素	○	着色料
Deadburned magnesite	Calcined magnesia Magnesia Magnesia clinker Magnesium oxide	か焼マグネシア 酸化マグネシウム 死焼マグネシア マグネシア マグネシアクリンカー	◎，指定	製造用剤 強化剤
5'-Deaminase		5'-デアミナーゼ	◎，既存	酵素
Debranching enzyme	Isoamylase	イソアミラーゼ 枝切り酵素	◎，既存	酵素
Decanal	Aldehyde C-10 Capraldehyde Capric aldehyde Caprin aldehyde *n*-Decanal Decyl aldehyde *n*-Decyl aldehyde	アルデヒドC-10 カプリックアルデヒド カプリンアルデヒド カプルアルデヒド デカナール *n*-デカナール デシルアルデヒド *n*-デシルアルデヒド	○，指定	香料
n-Decanal	Aldehyde C-10 Capraldehyde Capric aldehyde Caprin aldehyde Decanal Decyl aldehyde *n*-Decyl aldehyde	アルデヒドC-10 カプリックアルデヒド カプリンアルデヒド カプルアルデヒド デカナール *n*-デカナール デシルアルデヒド *n*-デシルアルデヒド	○，指定	香料
Decanol	1-Decanol Decyl alcohol	デカノール 1-デカノール デシルアルコール	○，指定	香料
1-Decanol	Decanol Decyl alcohol	デカノール 1-デカノール デシルアルコール	○，指定	香料
Decyl alcohol	Decanol 1-Decanol	デカノール 1-デカノール デシルアルコール	○，指定	香料
Decyl aldehyde	Aldehyde C-10 Capraldehyde Capric aldehyde Caprin aldehyde Decanal *n*-Decanal *n*-Decyl aldehyde	アルデヒドC-10 カプリックアルデヒド カプリンアルデヒド カプルアルデヒド デカナール *n*-デカナール デシルアルデヒド *n*-デシルアルデヒド	○，指定	香料

◎：許可（使用基準なし） Legal（Accepted with no standard of use）
○：許可（使用基準あり） Legal（Accepted with standard of use）
指定：Designated Food Additives　既存：Existing Food Additives
×：使用不可 Illegal（Prohibited）
※：個別判断を要するもの Required individual special judgement

EU E No.	EU FL No.	CAS No.	CFR No.	CNS 号.	備考 Remarks
					一般飲食物添加物
					日本ではダンマル樹脂は平成23年5月6日食安発0506第1号にて既存添加物から消除された（特記）
					一般飲食物添加物
E530		1309-48-4	(Magnesium oxide として) 184.1431		
	05.010	112-31-2			着香の目的以外に使用してはならない
	05.010	112-31-2			着香の目的以外に使用してはならない
	02.024	112-30-1			着香の目的以外に使用してはならない
	02.024	112-30-1			着香の目的以外に使用してはならない
	02.024	112-30-1			着香の目的以外に使用してはならない
	05.010	112-31-2			着香の目的以外に使用してはならない

D

色文字：法令上の指定添加物名（除く別名）　red：Name on Ministerial Ordinance of Designated Food Additives
色文字：法令上の既存添加物名（除く別名）　red：Name on Ministerial Notification of Existing Food Additives

英　名 English name	英名別名 English name	和名，和名別名 Japanese name	許可状況 Legal/Illegal	主な用途 Main uses
***n*-Decyl aldehyde**	Aldehyde C-10 Capraldehyde Capric aldehyde Caprin aldehyde **Decanal** *n*-Decanal Decyl aldehyde	アルデヒドC-10 カプリックアルデヒド カプリンアルデヒド カプルアルデヒド **デカナール** *n*-デカナール デシルアルデヒド *n*-デシルアルデヒド	○，指定	香料
Dehydrated beet	Beet powder	脱水ビート ビート粉末	○	着色料
Dehydroacetic acid		デヒドロ酢酸	×	保存料
DEPC	Diethylpyrocarbonate	ジエチルピロカーボネート ピロ炭酸ジエチル	×	保存料
Depolymerized natural rubber		**低分子ゴム**(パラゴムの分泌液を分解して得られた，ポリイソプレンを主成分とするものをいう。)	◎，既存	ガムベース
Desoxycholic acid	Cholic acid **Powdered bile**	コール酸 **胆汁末**(胆汁から得られた、コール酸及びデソキシコール酸を主成分とするものをいう。) デソキシコール酸	◎，既存	乳化剤
Dextran		**デキストラン**	◎，既存	増粘安定剤
Dextranase		**デキストラナーゼ**	◎，既存	酵素
Dextrin	Roasted starch White and yellow roasted starch	デキストリン 白色及び黄色焙焼でん粉 ローストでん粉	◎	特別用途食品 増粘安定剤 糊料
Dextrin, roasted starch	Modified starch	加工デンプン 焙焼デキストリン	◎	増粘安定剤 ゲル化剤 糊料
Dextrose	Corn sugar D-Glucose Grape sugar	D-グルコース コーンでんぷん糖 ブドウ糖	◎	甘味料
Dextrotartaric acid	*d*-Tartaric acid **L-Tartaric acid**	*d*-酒石酸 **L-酒石酸**	◎，指定	製造用剤 水素イオン濃度調整剤（pH 調整剤） 膨脹剤 酸味料
DF	Dietary fiber	食物繊維	◎	特別用途食品
Diacetin	Glycerol esters of acetic acid **Glycerol esters of fatty acids** Glyceryl diacetate	グリセリン酢酸エステル グリセリンジアセテート **グリセリン脂肪酸エステル** ジアセチン ジ酢酸グリセリル	◎，指定	製造用剤 増粘安定剤 乳化剤 ガムベース
Diacetyl		ジアセチル	○，指定	香料

◎：許可（使用基準なし） Legal（Accepted with no standard of use）
○：許可（使用基準あり） Legal（Accepted with standard of use）
指定：Designated Food Additives 既存：Existing Food Additives
×：使用不可 Illegal（Prohibited）
※：個別判断を要するもの Required individual special judgement

EU E No.	EU FL No.	CAS No.	CFR No.	CNS 号.	備考 Remarks
	05.010	112-31-2			着香の目的以外に使用してはならない
			73.40		日本では**ビートレッド**(アカビート色素)が既存添加物として認められている
			172.130	17.009 (ｉ)	
					E No.はないがINS No.1000あり
			(Dextrinとして) 184.1277		資料1により食品素材扱いとする品目
			(Food starch-modifiedとして) 172.892 (Dextrinとして) 184.1277		食品扱い
		50-99-7	184.1857		CFRのCAS No.は50-99-7 食品扱い
E334		87-69-4	(Tartaric acidとして) 184.1099	01.111	
					資料1により食品素材扱いとする品目
E1517			(Acetylated monoglyceri-desとして) 172.828 (Mono-and diglyceridesとして) 184.1505		
	07.052	431-03-8	184.1278		**ケトン類** 着香の目的以外に使用してはならない 類又は誘導体として指定されている18項目の香料リストのSEQ No.533(解説編2-(1)-(vi)参照)

色文字：法令上の指定添加物名（除く別名）　red：Name on Ministerial Ordinance of Designated Food Additives
色文字：法令上の既存添加物名（除く別名）　red：Name on Ministerial Notification of Existing Food Additives

英　名 English name	英名別名 English name	和名，和名別名 Japanese name	許可状況 Legal/Illegal	主な用途 Main uses
Diacetyltartarate esters of monoglyceride	Diacetyltartaric acid esters of mono-and diglycerides of fatty acids Glycerol esters of diacetyl tartaric (tartrate) and fatty acids Glycerol esters of fatty acids Mono-and diacetyl tartaric acid esters of mono-and diglycerides of fatty acids	グリセリンジアセチル酒石酸脂肪酸エステル グリセリン脂肪酸エステル ジアセチル酒石酸モノグリセライド 脂肪酸のモノ及びジグリセライドのジアセチル酒石酸エステル 脂肪酸のモノ及びジグリセライドのモノ及びジアセチル酒石酸エステル	◎，指定	製造用剤 増粘安定剤 乳化剤 ガムベース
Diacetyltartaric acid esters of mono-and diglycerides of fatty acids	Diacetyltartarate esters of monoglyceride Glycerol esters of diacetyl tartaric (tartrate) and fatty acids Glycerol esters of fatty acids Mono-and diacetyl tartaric acid esters of mono-and diglycerides of fatty acids	グリセリンジアセチル酒石酸脂肪酸エステル グリセリン脂肪酸エステル ジアセチル酒石酸モノグリセライド 脂肪酸のモノ及びジグリセライドのジアセチル酒石酸エステル 脂肪酸のモノ及びジグリセライドのモノ及びジアセチル酒石酸エステル	◎，指定	製造用剤 増粘安定剤 乳化剤 ガムベース
Diammonium hydrogen phosphate	Diammonium phosphate Dibasic ammonium phosphate Secondary ammonium phosphate	第二リン酸アンモニウム 二塩基性リン酸アンモニウム リン酸水素二アンモニウム リン酸二アンモニウム	◎，指定	製造用剤 乳化剤 イーストフード 醸造用剤
Diammonium phosphate	Diammonium hydrogen phosphate Dibasic ammonium phosphate Secondary ammonium phosphate	第二リン酸アンモニウム 二塩基性リン酸アンモニウム リン酸水素二アンモニウム リン酸二アンモニウム	◎，指定	製造用剤 乳化剤 イーストフード 醸造用剤
Diatomaceous earth	Water-insoluble mineral substances	ケイソウ土 不溶性鉱物性物質	○，既存	製造用剤
Dibasic ammonium phosphate	Diammonium hydrogen phosphate Diammonium phosphate Secondary ammonium phosphate	第二リン酸アンモニウム 二塩基性リン酸アンモニウム リン酸水素二アンモニウム リン酸二アンモニウム	◎，指定	製造用剤 乳化剤 イーストフード 醸造用剤
Dibasic potassium phosphate	Dipotassium hydrogen phosphate Dipotassium phosphate	第二リン酸カリウム リン酸水素二カリウム リン酸二カリウム	◎，指定	製造用剤 水素イオン濃度調整剤（pH 調整剤） 膨脹剤 調味料 かんすい 乳化剤
Dibasic sodium phosphate	Disodium hydrogen phosphate Disodium phosphate DSP Secondary sodium orthophosphate Sodium phosphate, dibasic	第二リン酸ナトリウム DSP 二塩基性リン酸ナトリウム リン酸水素二ナトリウム リン酸二ナトリウム	◎，指定	製造用剤 水素イオン濃度調整剤（pH 調整剤） 膨脹剤 調味料 かんすい 乳化剤
Dibenzoyl peroxide	Benzoyl peroxide BPO	過酸化ベンゾイル ジベンゾイルパーオキサイド BPO	○，指定	小麦粉処理剤
Dibenzoyl thiamine		ジベンゾイルチアミン	◎，指定	強化剤

◎：許可（使用基準なし） Legal（Accepted with no standard of use）
○：許可（使用基準あり） Legal（Accepted with standard of use）
指定：Designated Food Additives　既存：Existing Food Additives

×：使用不可 Illegal（Prohibited）
※：個別判断を要するもの Required individual special judgement

EU E No.	EU FL No.	CAS No.	CFR No.	CNS 号.	備 考 Remarks
E472e			(Diacetyl tartaric acid esters of mono-and diglycerides として) 184.1101 (Mono-and diglycerides として) 184.1505	10.010	
E472e			(Diacetyl tartaric acid esters of mono-and diglycerides として) 184.1101 (Mono-and diglycerides として) 184.1505	10.010	
		7783-28-0	(Ammonium phosphate, dibasic として) 184.1141b	06.008	E No.はないがINS No.342(ii)あり
		7783-28-0	(Ammonium phosphate, dibasic として) 184.1141b	06.008	E No.はないがINS No.342(ii)あり
					食品の製造又は加工上必要不可欠な場合以外に使用してはならない 不溶性鉱物性物質の名称は，省令別表第1及び告示既存添加物名簿に記載されていないが，告示「食品，添加物等の規格基準－F使用基準」にその名称があるので既存添加物名簿名扱いとする 食品添加物別名（和名）については，列記した食品添加物に類似する不溶性鉱物性物質も含まれる
		7783-28-0	(Ammonium phosphate, dibasic として) 184.1141b	06.008	E No.はないがINS No.342(ii)あり
E340(ii)		7758-11-4	182.6285	15.009	
E339(ii)		(12水和物) 10039-32-4 (無水物) 7558-79-4	(Disodium phosphate として) 182.6290	15.006	表示成分規格の nH_2O は n＝12,10,8,7,5,2又は0
			184.1157		E No.はないがINS No.928あり ミョウバン，リン酸のカルシウム塩類，硫酸カルシウム，炭酸カルシウム，炭酸マグネシウム及びデンプンのうち1種又は2種以上を配合して希釈過酸化ベンゾイルとして使用する場合以外に使用してはならない
		299-88-7			

色文字：法令上の指定添加物名（除く別名）　red：Name on Ministerial Ordinance of Designated Food Additives
色文字：法令上の既存添加物名（除く別名）　red：Name on Ministerial Notification of Existing Food Additives

英　名 English name	英名別名 English name	和名，和名別名 Japanese name	許可状況 Legal/Illegal	主な用途 Main uses
Dibenzoyl thiamine hydrochloride		ジベンゾイルチアミン塩酸塩	◎，指定	強化剤
Dibenzyl ether		ジベンジルエーテル	○，指定	香料
Dibutyl sebacate		セバシン酸ジブチル	○，指定	香料
Dicalcium citrate		クエン酸二カルシウム	×	強化剤 調味料
Dicalcium diphosphate	Dicalcium pyrophosphate	ピロリン酸二カルシウム	×	製造用剤 強化剤 イーストフード
Dicalcium phosphate	Calcium monohydrogen phosphate	第二リン酸カルシウム リン酸一水素カルシウム	○，指定	製造用剤 膨脹剤 強化剤 乳化剤 イーストフード
Dicalcium pyrophosphate	Dicalcium diphosphate	ピロリン酸二カルシウム	×	製造用剤 強化剤 イーストフード
Dichlorodifluoromethane		ジクロロジフルオロメタン	×	製造用剤
1,1-Dichloroethane		1,1-ジクロロエタン	×	製造用剤
1,2-Dichloroethane		1,2-ジクロロエタン	×	製造用剤
Dichloromethane		ジクロロメタン	×	製造用剤
Dietary fiber	DF	食物繊維	◎	特別用途食品
2,3-Diethyl-5-methylpyrazine		2,3-ジエチル-5-メチルピラジン	○，指定	香料
Diethyl tartrate		酒石酸ジエチル	○，指定	製造用剤 香料
Diethylene glycol		ジエチレングリコール	×	製造用剤
Diethylene glycol monoethyl ether		ジエチレングリコールモノエチルエーテル	×	製造用剤
Diethylene glycol monopropyl ether		ジエチレングリコールモノプロピルエーテル	×	製造用剤
2,3-Diethylpyrazine		2,3-ジエチルピラジン	○，指定	香料
Diethylpyrocarbonate	DEPC	ジエチルピロカーボネート DEPC ピロ炭酸ジエチル	×	保存料
Difenoconazole		ジフェノコナゾール	○，指定	防かび剤

◎：許可（使用基準なし） Legal（Accepted with no standard of use）　×：使用不可 Illegal（Prohibited）
○：許可（使用基準あり） Legal（Accepted with standard of use）　※：個別判断を要するもの Required individual special judgement
指定：Designated Food Additives　既存：Existing Food Additives

EU E No.	EU FL No.	CAS No.	CFR No.	CNS 号.	備　考 Remarks
		（3水和物） 35660-60-7			告示成分規格の nH_2O は n =3
	03.004	103-50-4			**エーテル類** 着香の目的以外に使用してはならない 類又は誘導体として指定されている18項目の香料リストのSEQ No.538（解説編2-(1)-(vi)参照）
	09.474	109-43-3			**エステル類** 着香の目的以外に使用してはならない 類又は誘導体として指定されている18項目の香料リストのSEQ No.541（解説編2-(1)-(vi)参照）
E333(ii)					
E450(vi)					
E341(ii)		（2水和物） 7789-77-7 （無水物） 7757-93-9		06.006	食品の製造又は加工上必要不可欠な場合及び栄養の目的以外に使用してはならない 表示成分規格の nH_2O は n =2,1 1/2,1,1/2又は0
E450(vi)					
			173.355		
					資料1により食品素材扱いとする品目
	14.056	18138-04-0			着香の目的以外に使用してはならない
	09.446	87-91-2			**エステル類** 着香の目的以外に使用してはならない 製造用剤の目的では不可 類又は誘導体として指定されている18項目の香料リストのSEQ No.557（解説編2-(1)-(vi)参照）
	14.005	15707-24-1			香料の目的以外に使用してはならない 平成26年11月17日省令別表第1に新規指定
		119446-68-3	180.475（Title40 Part180）		令和2年6月18日省令別表第1に新規指定 CFR では，本書に関連する「Title21」ではなく pre- and post-harvest 関連の「Title40 Part 180.475」に収録されている

D

色文字：法令上の指定添加物名（除く別名）　red：Name on Ministerial Ordinance of Designated Food Additives
色文字：法令上の既存添加物名（除く別名）　red：Name on Ministerial Notification of Existing Food Additives

英　名 English name	英名別名 English name	和名，和名別名 Japanese name	許可状況 Legal/Illegal	主な用途 Main uses
Dihydroanethole	1-Methoxy-4-propylbenzene Methyl *p*-propylphenyl ether *p*-Propylanisole Propylmethoxybenzene	ジヒドロアネトール パラプロピルアニソール プロピルメトキシベンゼン メチルパラプロピルフェニルエーテル	○，指定	香料
Dihydrocoumarin		ジヒドロクマリン	○，指定	香料
2,3-Dihydroxybutanedioic acid	*α*, *β*-Dihydroxysuccinic acid **DL-Tartaric acid** *dl*-Tartaric acid	2,3-ジヒドロキシブタンジオン酸 **DL-酒石酸** *dl*-酒石酸	◎，指定	水素イオン濃度調整剤（pH 調整剤） 膨脹剤 酸味料
1,2-Dihydroxypropane	Propane-1,2-diol 1,2-Propanediol **Propylene glycol**	1,2-ジヒドロキシプロパン 1,2-プロパンジオール プロパン-1,2-ジオール **プロピレングリコール**	○，指定	製造用剤 品質改良剤
***α*, *β*-Dihydroxysuccinic acid**	2,3-Dihydroxybutanedioic acid **DL-Tartaric acid** *dl*-Tartaric acid	2,3-ジヒドロキシブタンジオン酸 **DL-酒石酸** *dl*-酒石酸	◎，指定	水素イオン濃度調整剤（pH 調整剤） 膨脹剤 酸味料
1,2-dihydro-6-ethoxy-2,2,4-trimethylquinoline	Ethoxyquin	エトキシキン 1,2-ジヒドロ-6-エトキシ-2,2,4-トリメチルキノリン	×	酸化防止剤
Dilauryl thiodipropionate		チオジプロピオン酸ジラウリル	×	保存料 酸化防止剤
Dilauryl thiopropionate		チオプロピオン酸ジラウリル	×	酸化防止剤
Dill and its derivatives		ディル誘導体	×	香料
Diluted benzoyl peroxide		希釈過酸化ベンゾイル	○，指定	小麦粉処理剤
Dimagnesium phosphate	Magnesium hydrogen phosphate **Magnesium monohydrogen phosphate** Magnesium monohydrogen phosphate trihydrate	**リン酸一水素マグネシウム**	◎，指定	水素イオン濃度調整剤（pH 調整剤） 強化剤
Dimethyl anthranilate	2-Methylamino methylbenzoate **Methyl *N*-methylanthranilate**	アントラニル酸ジメチル *N*-メチルアンスラニル酸メチル メチル安息香酸2-メチルアミノ ***N*-メチルアントラニル酸メチル**	○，指定	香料
Dimethyl dicarbonate		**二炭酸ジメチル**	○，指定	保存料
Dimethyl polysiloxane	Polydimethyl siloxane **Silicone resin**	ジメチルポリシロキサン **シリコーン樹脂** ポリジメチルシロキサン	○，指定	消泡剤
2,6-Dimethyl-5-heptenal	Melonal	2,6-ジメチル-5-ヘプテナール メロナール	○，指定	香料

◎：許可（使用基準なし） Legal（Accepted with no standard of use）
○：許可（使用基準あり） Legal（Accepted with standard of use）
指定：Designated Food Additives　既存：Existing Food Additives
×：使用不可 Illegal（Prohibited）
※：個別判断を要するもの Required individual special judgement

EU E No.	EU FL No.	CAS No.	CFR No.	CNS 号.	備考 Remarks
	04.039	104-45-0			**フェノールエーテル類** 着香の目的以外に使用してはならない 類又は誘導体として指定されている18項目の香料リストのSEQ No.2215(解説編2-(1)-(vi)参照)
	13.009	119-84-6			**ラクトン類** 着香の目的以外に使用してはならない 類又は誘導体として指定されている18項目の香料リストのSEQ No.580(解説編2-(1)-(vi)参照)
E334		133-37-9	(Tartaric acid として) 184.1099	01.313	
E1520		57-55-6	184.1666	18.004	
E334		133-37-9	(Tartaric acid として) 184.1099	01.313	
			172.140	17.010	CFR はチリパウダー，パプリカ，南極オキアミミールなどの着色料の酸化防止剤
			182.3280	04.012	
			184.1282		ディル抽出物は既存添加物リストの**香辛料抽出物**に含まれる
		(過酸化ベンゾイルとして) 94-36-0	(Benzoyl peroxide として) 184.1157		日本では**過酸化ベンゾイル**が指定添加物となっている
E343(ii)		(3水和物) 7782-75-4	(Magnesium phosphate として) 184.1434		平成24年11月2日省令別表第1に新規指定 使用基準は設定されていないが，小児の通常の食品以外からの摂取量の耐用上限量は5mg/kg 体重/日とされていることを踏まえ，その使用にあたっては，適切な製造工程管理を行い，食品中で目的とする効果を得る上で必要とされる量を超えないものとする指導あり 告示成分規格の nH_2O は n ＝3 E No.343(ii):Dimagnesium phosphate INS No.343(ii):Magnesium hydrogen phosphate
	09.781	85-91-6			着香の目的以外に使用してはならない
E242		4525-33-1	172.133	17.033	令和2年1月15日省令別表第1に新規指定 製造後，十分な時間が経過した後消費されるよう，製造から出荷までの期間に留意すること
E900				03.007	消泡の目的以外に使用してはならない 「CFR No.173.340 Defoaming agents」があるが，本品の記載はない
	05.074	106-72-9			**脂肪族高級アルデヒド類** 着香の目的以外に使用してはならない 類又は誘導体として指定されている18項目の香料リストのSEQ No.1498(解説編2-(1)-(vi)参照)

D

色文字：法令上の指定添加物名（除く別名） red：Name on Ministerial Ordinance of Designated Food Additives
色文字：法令上の既存添加物名（除く別名） red：Name on Ministerial Notification of Existing Food Additives

英　名 English name	英名別名 English name	和名，和名別名 Japanese name	許可状況 Legal/Illegal	主な用途 Main uses
Dimethylamine-epichlorohydrin copolymer		ジメチルアミン-エピクロロヒドリン共重合物	×	製造用剤
Dimethyldialkylammonium chloride		塩化ジメチルジアルキルアンモニウム	×	殺菌料
Dimethylketone	Acetone β-Ketopropane 2-Propanone	アセトン β-ケトプロパン ジメチルケトン 2-プロパノン	○，指定	製造用剤
***N,N*-Dimethylmethanamine**	Trimethylamine	*N,N*ジメチルメタンアミン トリメチルアミン	○，指定	香料
2,3-Dimethylpyrazine		2,3ジメチルピラジン	○，指定	香料
2,5-Dimethylpyrazine		2,5ジメチルピラジン	○，指定	香料
2,6-Dimethylpyrazine		2,6ジメチルピラジン	○，指定	香料
2,6-Dimethylpyridine		2,6-ジメチルピリジン	○，指定	香料
Dinitrogen monooxide	Dinitrogen oxide Laughing gas Nitrogen oxide Nitrous oxide	亜酸化窒素 一酸化二窒素 酸化窒素 酸化二窒素 笑気	○，指定	噴射剤（プロペラント）
Dinitrogen oxide	Dinitrogen monooxide Laughing gas Nitrogen oxide Nitrous oxide	亜酸化窒素 一酸化二窒素 酸化窒素 酸化二窒素 笑気	○，指定	噴射剤（プロペラント）
Dioctyl sodium sulfosuccinate		スルホコハク酸ジオクチルナトリウム	×	製造用剤 乳化剤
Dioxyethylene protocatechuic aldehyde	Heliotropine Piperonal Piperonyl aldehyde Protocatechu aldehyde methylene ether	ジオキシエチレンプロトカテキュアルデヒド ピペロナール ピペロニルアルデヒド プロトカテキュアルデヒドメチレンエーテル ヘリオトロピン	○，指定	香料
Diphenyl	Biphenyl Phenylbenzene	ジフェニル ビフェニル フェニールベンゼン	○，指定	防かび剤
Diphosphoric acid tetrapotassium salt	Potassium diphosphate Potassium pyrophosphate Tetrapotassium diphosphate Tetrapotassium pyrophosphate	重リン酸カリウム 重リン酸四カリウム ピロリン酸カリウム ピロリン酸四カリウム	◎，指定	製造用剤 膨脹剤 かんすい 乳化剤 結着剤
Dipotassium diphosphate		ピロリン酸二カリウム	×	製造用剤
Dipotassium guanylate	Dipotassium 5'-guanylate	グアニル酸二カリウム 5'-グアニル酸二カリウム	×	調味料
Dipotassium 5'-guanylate	Dipotassium guanylate	グアニル酸二カリウム 5'-グアニル酸二カリウム	×	調味料

◎：許可（使用基準なし） Legal（Accepted with no standard of use）
○：許可（使用基準あり） Legal（Accepted with standard of use）
指定：Designated Food Additives 既存：Existing Food Additives
×：使用不可 Illegal（Prohibited）
※：個別判断を要するもの Required individual special judgement

EU E No.	EU FL No.	CAS No.	CFR No.	CNS 号.	備考 Remarks
			173.60		
			173.400		
	07.050	67-64-1	173.210		ガラナ飲料を製造する際のガラナ豆の成分を抽出する目的及び油脂の成分を分別する目的以外に使用してはならない。また最終食品の完成前に除去しなければならない EU では香料特性のある食品成分として FL No. あり 類又は誘導体として指定されている18項目の香料リストの SEQ No.45(解説編2-(1)-(vi)参照)
	11.009	75-50-3			着香の目的以外に使用してはならない 平成24年12月28日省令別表第1に新規指定
	14.050	5910-89-4			着香の目的以外に使用してはならない
	14.020	123-32-0			着香の目的以外に使用してはならない
	14.021	108-50-9			着香の目的以外に使用してはならない
	14.065	108-48-5			着香の目的以外に使用してはならない
E942		10024-97-2	184.1545		ホイップクリーム類（乳脂肪分又は乳脂肪代替食品（植物性脂肪分，ゼラチン，卵白，寒天等）を主原料として泡立てた食品）以外の食品に使用してはならない また，一般的に容易に販売されているカートリッジ式容器に入れた**亜酸化窒素**は，成分規格外としてその使用は認められない
E942		10024-97-2	184.1545		ホイップクリーム類（乳脂肪分又は乳脂肪代替食品（植物性脂肪分，ゼラチン，卵白，寒天等）を主原料として泡立てた食品）以外の食品に使用してはならない また，一般的に容易に販売されているカートリッジ式容器に入れた**亜酸化窒素**は，成分規格外としてその使用は認められない
			172.810		
	05.016	120-57-0			着香の目的以外に使用してはならない
		92-52-4			CFR「Title40」には「180.190 Diphenylamine」はあるが，本品は収録されていない E No. はないが INS No.230あり
E450(v)		7320-34-5		15.017	E450(v)は Tetrapotassium diphosphate
E628					
E628					

色文字：法令上の指定添加物名（除く別名）　red：Name on Ministerial Ordinance of Designated Food Additives
色文字：法令上の既存添加物名（除く別名）　red：Name on Ministerial Notification of Existing Food Additives

英　名 English name	英名別名 English name	和名，和名別名 Japanese name	許可状況 Legal/Illegal	主な用途 Main uses
Dipotassium hydrogen phosphate	Dibasic potassium phosphate Dipotassium phosphate	第二リン酸カリウム リン酸水素二カリウム リン酸二カリウム	◎，指定	製造用剤 水素イオン濃度調整剤（pH 調整剤） 膨脹剤 調味料 かんすい 乳化剤
Dipotassium inosinate	Dipotassium 5'-inosinate	イノシン酸二カリウム 5'-イノシン酸二カリウム	×	調味料
Dipotassium 5'-inosinate	Dipotassium inosinate	イノシン酸二カリウム 5'-イノシン酸二カリウム	×	調味料
Dipotassium phosphate	Dibasic potassium phosphate Dipotassium hydrogen phosphate	第二リン酸カリウム リン酸水素二カリウム リン酸二カリウム	◎，指定	製造用剤 水素イオン濃度調整剤（pH 調整剤） 膨脹剤 調味料 かんすい 乳化剤
Dipotassium tartrate		酒石酸二カリウム	×	調味料
Dipotassium DL-tartrate	Dipotassium *dl* -tartrate	DL-酒石酸カリウム *dl* -酒石酸カリウム	○，指定	製造用剤
Dipotassium *dl* -tartrate	Dipotassium DL-tartrate	DL-酒石酸カリウム *dl* -酒石酸カリウム	○，指定	製造用剤
Dipotassium L-tartrate	Dipotassium *d* -tartrate	L-酒石酸カリウム *d* -酒石酸カリウム	○，指定	製造用剤
Dipotassium *d* -tartrate	Dipotassium L-tartrate	L-酒石酸カリウム *d* -酒石酸カリウム	○，指定	製造用剤
Dipropylene glycol		ジプロピレングリコール	×	製造用剤
Disodium citrate		クエン酸二ナトリウム	×	調味料

◎：許可（使用基準なし） Legal（Accepted with no standard of use）
○：許可（使用基準あり） Legal（Accepted with standard of use）
指定：Designated Food Additives　既存：Existing Food Additives
×：使用不可 Illegal（Prohibited）
※：個別判断を要するもの Required individual special judgement

EU E No.	EU FL No.	CAS No.	CFR No.	CNS 号.	備 考 Remarks
E340(ii)		7758-11-4	182.6285	15.009	
E632					
E632					
E340(ii)		7758-11-4	182.6285	15.009	
E336(ii)					INS No.336(ⅱ)(E No.と同じ)は「シリアルベースの乳幼児用加工食品」及び「油脂及びその混合スプレッド」への使用が取り消された（2019年7月第42回 CAC 総会）。
E336(ⅱ)					令和3年1月15日省令別表第1に新規指定 使用にあたっては，適切な製造工程管理を行い，食品中で目的とする効果を得る上で必要とされる量を超えないものとする特記あり 製造用剤はぶどう酒の除カリウム剤及び除酸剤 ぶどう酒以外の食品に使用してはならない E336（ⅱ）の名称は「Dipotassium tartrate」
E336(ⅱ)					令和3年1月15日省令別表第1に新規指定 使用にあたっては，適切な製造工程管理を行い，食品中で目的とする効果を得る上で必要とされる量を超えないものとする特記あり 製造用剤はぶどう酒の除カリウム剤及び除酸剤 ぶどう酒以外の食品に使用してはならない E336（ⅱ）の名称は「Dipotassium tartrate」
E336(ⅱ)		6100-19-2			令和2年12月4日省令別表第1に新規指定 使用にあたっては，適切な製造工程管理を行い，食品中で目的とする効果を得る上で必要とされている量を超えないものとする特記あり 製造用剤はぶどう酒の除酸目的 ぶどう酒の製造に用いるぶどう果汁及びぶどう酒以外の食品に使用してはならない E336（ⅱ）の名称は「Dipotassium tartrate」 告示成分規格の nH_2O は n=1/2
E336(ⅱ)		6100-19-2			令和2年12月4日省令別表第1に新規指定 使用にあたっては，適切な製造工程管理を行い，食品中で目的とする効果を得る上で必要とされている量を超えないものとする特記あり 製造用剤はぶどう酒の除酸目的 ぶどう酒の製造に用いるぶどう果汁及びぶどう酒以外の食品に使用してはならない E336（ⅱ）の名称は「Dipotassium tartrate」 告示成分規格の nH_2O は n=1/2
E331(ii)					

色文字：法令上の指定添加物名（除く別名）　**red**：Name on Ministerial Ordinance of Designated Food Additives
色文字：法令上の既存添加物名（除く別名）　**red**：Name on Ministerial Notification of Existing Food Additives

英　名 English name	英名別名 English name	和名，和名別名 Japanese name	許可状況 Legal/Illegal	主な用途 Main uses
Disodium 5'-cytidilate	Sodium 5'-cytidilate	5'-シチジル酸ナトリウム **5'-シチジル酸二ナトリウム**	◎，指定	調味料
Disodium dihydrogen pyrophosphate	Acidic disodium pyrophosphate Disodium diphosphate Disodium pyrophosphate SAPP Sodium acid pyrophosphate	SAPP 酸性ピロリン酸ナトリウム 重リン酸二ナトリウム ピロリン酸ナトリウム **ピロリン酸二水素二ナトリウム**	◎，指定	水素イオン濃度調整剤（pH 調整剤） 膨脹剤 かんすい 乳化剤 結着剤
Disodium diphosphate	Acidic disodium pyrophosphate **Disodium dihydrogen pyrophosphate** Disodium pyrophosphate SAPP Sodium acid pyrophosphate	SAPP 酸性ピロリン酸ナトリウム 重リン酸二ナトリウム ピロリン酸ナトリウム **ピロリン酸二水素二ナトリウム**	◎，指定	水素イオン濃度調整剤（pH 調整剤） 膨脹剤 かんすい 乳化剤 結着剤
Disodium edetate	Disodium EDTA **Disodium ethylenediaminetetraacetate** EDTA-2 Na Ethylenediaminetetraacetic acid, disodium salt	EDTA-2Na EDTA 二ナトリウム **エチレンジアミン四酢酸二ナトリウム**	○，指定	製造用剤 酸化防止剤
Disodium EDTA	Disodium edetate **Disodium ethylenediaminetetraacetate** EDTA-2 Na Ethylenediaminetetraacetic acid, disodium salt	EDTA-2Na EDTA 二ナトリウム **エチレンジアミン四酢酸二ナトリウム**	○，指定	製造用剤 酸化防止剤
Disodium ethylenediaminetetraacetate	Disodium edetate Disodium EDTA EDTA-2 Na Ethylenediaminetetraacetic acid, disodium salt	EDTA-2Na EDTA 二ナトリウム **エチレンジアミン四酢酸二ナトリウム**	○，指定	製造用剤 酸化防止剤
Disodium glycyrrhizinate		**グリチルリチン酸二ナトリウム**	○，指定	甘味料
Disodium guanylate	**Disodium 5'-guanylate** Sodium 5'-guanylate	5'-グアニル酸ナトリウム グアニル酸二ナトリウム **5'-グアニル酸二ナトリウム**	◎，指定	調味料
Disodium 5'-guanylate	Disodium guanylate Sodium 5'-guanylate	5'-グアニル酸ナトリウム グアニル酸二ナトリウム **5'-グアニル酸二ナトリウム**	◎，指定	調味料
Disodium hydrogen phosphate	Dibasic sodium phosphate Disodium phosphate DSP Secondary sodium orthophosphate Sodium phosphate, dibasic	第二リン酸ナトリウム DSP 二塩基性リン酸ナトリウム **リン酸水素二ナトリウム** リン酸二ナトリウム	◎，指定	製造用剤 水素イオン濃度調整剤（pH 調整剤） 膨脹剤 調味料 かんすい 乳化剤
Disodium inosinate	**Disodium 5'-inosinate** Sodium 5'-inosinate	5'-イノシン酸ナトリウム イノシン酸二ナトリウム **5'-イノシン酸二ナトリウム**	◎，指定	調味料
Disodium 5'-inosinate	Disodium inosinate Sodium 5'-inosinate	5'-イノシン酸ナトリウム イノシン酸二ナトリウム **5'-イノシン酸二ナトリウム**	◎，指定	調味料

◎：許可（使用基準なし） Legal（Accepted with no standard of use）
○：許可（使用基準あり） Legal（Accepted with standard of use）
指定：Designated Food Additives　　既存：Existing Food Additives
×：使用不可 Illegal（Prohibited）
※：個別判断を要するもの Required individual special judgement

EU E No.	EU FL No.	CAS No.	CFR No.	CNS 号.	備　考 Remarks
		6757-06-8			
E450(i)		7758-16-9	(Sodium acid pyrophosphate として) 182.1087	15.008	E450(i)は Disodium diphosphate
E450(i)		7758-16-9	(Sodium acid pyrophosphate として) 182.1087	15.008	E450(i)は Disodium diphosphate
		(2水和物) 6381-92-6	172.135	18.005	本品は最終食品の完成前に**エチレンジアミン四酢酸カルシウムニナトリウム**にしなければならない 告示成分規格の nH_2O は n =2 E No.はないが INS No.386あり
		(2水和物) 6381-92-6	172.135	18.005	本品は最終食品の完成前に**エチレンジアミン四酢酸カルシウムニナトリウム**にしなければならない 告示成分規格の nH_2O は n =2 E No.はないが INS No.386あり
		(2水和物) 6381-92-6	172.135	18.005	本品は最終食品の完成前に**エチレンジアミン四酢酸カルシウムニナトリウム**にしなければならない 告示成分規格の nH_2O は n =2 E No.はないが INS No.386あり
E627		5550-12-9	172.530	12.002	
E627		5550-12-9	172.530	12.002	
E339(ii)		(12水和物) 10039-32-4 (無水物) 7558-79-4	(Disodium phosphate として) 182.6290	15.006	表示成分規格の nH_2O は n =12,10,8,7,5,2又は0
E631		4691-65-0	(Disodium inosinate として) 172.535	12.003	
E631		4691-65-0	(Disodium inosinate として) 172.535	12.003	

D

色文字：法令上の指定添加物名（除く別名）　red：Name on Ministerial Ordinance of Designated Food Additives
色文字：法令上の既存添加物名（除く別名）　red：Name on Ministerial Notification of Existing Food Additives

英　名 English name	英名別名 English name	和名，和名別名 Japanese name	許可状況 Legal/Illegal	主な用途 Main uses
Disodium phosphate	Dibasic sodium phosphate Disodium hydrogen phosphate DSP Secondary sodium orthophosphate Sodium phosphate, dibasic	第二リン酸ナトリウム DSP 二塩基性リン酸ナトリウム リン酸水素二ナトリウム リン酸二ナトリウム	◎，指定	製造用剤 水素イオン濃度調整剤（pH 調整剤） 膨脹剤 調味料 かんすい 乳化剤
Disodium pyrophosphate	Acidic disodium pyrophosphate Disodium dihydrogen pyrophosphate Disodium diphosphate SAPP Sodium acid pyrophosphate	SAPP 酸性ピロリン酸ナトリウム 重リン酸二ナトリウム ピロリン酸ナトリウム ピロリン酸二水素二ナトリウム	◎，指定	水素イオン濃度調整剤（pH 調整剤） 膨脹剤 かんすい 乳化剤 結着剤
Disodium 5'-ribonucleotide	Sodium 5'-ribonucleotide	5'-リボヌクレオタイドナトリウム 5'-リボヌクレオチドナトリウム 5'-リボヌクレオチドニナトリウム	◎，指定	調味料
Disodium selenite pentahydrate	Sodium selenite	亜セレン酸ナトリウム 亜セレン酸ナトリウム・５水和物	○，指定	強化剤
Disodium succinate		コハク酸二ナトリウム	◎，指定	水素イオン濃度調整剤（pH 調整剤） 酸味料 調味料
Disodium tartrate	Disodium *d*-tartrate Disodium L-tartrate	L-酒石酸ナトリウム *d*-酒石酸ナトリウム 酒石酸二ナトリウム	◎，指定	水素イオン濃度調整剤（pH 調整剤） 酸味料 調味料
	Disodium DL-tartrate Disodium *dl*-tartrate	DL-酒石酸ナトリウム *dl*-酒石酸ナトリウム 酒石酸二ナトリウム	◎，指定	水素イオン濃度調整剤（pH 調整剤） 酸味料 調味料
Disodium *d*-tartrate	Disodium tartrate Disodium L-tartrate	L-酒石酸ナトリウム *d*-酒石酸ナトリウム 酒石酸二ナトリウム	◎，指定	水素イオン濃度調整剤（pH 調整剤） 酸味料 調味料
Disodium DL-tartrate	Disodium tartrate Disodium *dl*-tartrate	DL-酒石酸ナトリウム *dl*-酒石酸ナトリウム 酒石酸二ナトリウム	◎，指定	水素イオン濃度調整剤（pH 調整剤） 酸味料 調味料
Disodium *dl*-tartrate	Disodium tartrate Disodium DL-tartrate	DL-酒石酸ナトリウム *dl*-酒石酸ナトリウム 酒石酸二ナトリウム	◎，指定	水素イオン濃度調整剤（pH 調整剤） 酸味料 調味料

◎：許可（使用基準なし） Legal（Accepted with no standard of use）　×：使用不可 Illegal（Prohibited）
○：許可（使用基準あり） Legal（Accepted with standard of use）　※：個別判断を要するもの Required individual special judgement
指定：Designated Food Additives　既存：Existing Food Additives

EU E No.	EU FL No.	CAS No.	CFR No.	CNS 号.	備考 Remarks
E339(ii)		（12水和物） 10039-32-4 （無水物） 7558-79-4	（Disodium phosphate として） 182.6290	15.006	表示成分規格の nH_2O は n＝12,10,8,7,5,2又は0
E450(i)		7758-16-9	（Sodium acid pyrophosphate として） 182.1087	15.008	E450(i)は Disodium diphosphate
E635				12.004	
		（5水和物）26970-82-1			平成28年9月26日　省令別表第1に新規指定 告示成分規格の nH_2O は n＝5 使用にあたっては，適切な製造工程管理を行い，食品中で目的とする効果を得る上で必要とされる量を超えないものとすることの特記あり 使用基準として，厚生労働大臣の承認を受けた調製粉乳，調製液状乳を除き，母乳代替食品100kcal 当たりの亜セレン酸ナトリウムの含有量がセレンとして5.5μg 以下でなければならない旨の特記あり （参考）厚生労働大臣の承認を受けた調製粉乳，調製液状乳及び母乳代替品とは，調製粉乳，調製液状乳及び母乳代替食品（乳及び乳製品の成分規格等に関する省令別表の二乳等の成分規格並びに製造，調理及び保存の方法の基準の部(五)　乳等の成分又は製造若しくは保存の方法に関するその他の規格又は基準の款(6)の規定による厚生労働大臣の承認を受けたもの）
	08.113	（無水物） 150-90-3		12.005	告示成分規格の nH_2O は n＝6又は0 E No.はないが INS No.364(ii)あり EU では香料特性のある食品成分として FL No.あり
E335(ii)		（2水和物） 6106-24-7			告示成分規格の nH_2O は n＝2 E335(ii)は Disodium tartrate であり，L，DL の区別なし
E335(ii)					E335(ii)は Disodium tartrate であり，L，DL の区別なし
E335(ii)		（2水和物） 6106-24-7			告示成分規格の nH_2O は n＝2 E335(ii)は Disodium tartrate であり，L，DL の区別なし
E335(ii)					E335(ii)は Disodium tartrate であり，L，DL の区別なし
E335(ii)					E335(ii)は Disodium tartrate であり，L，DL の区別なし

D

色文字：法令上の指定添加物名（除く別名）　red：Name on Ministerial Ordinance of Designated Food Additives
色文字：法令上の既存添加物名（除く別名）　red：Name on Ministerial Notification of Existing Food Additives

英名 English name	英名別名 English name	和名，和名別名 Japanese name	許可状況 Legal/Illegal	主な用途 Main uses
Disodium L-tartrate	Disodium tartrate Disodium *d*-tartrate	L-酒石酸ナトリウム *d*-酒石酸ナトリウム 酒石酸二ナトリウム	◎，指定	水素イオン濃度調整剤（pH 調整剤） 酸味料 調味料
Disodium 5'-uridylate	Sodium 5'-uridylate	5'-ウリジル酸ナトリウム 5'-ウリジル酸二ナトリウム	◎，指定	調味料
Distarch phosphate	Modified starch	加工デンプン リン酸架橋デンプン	◎，指定	増粘安定剤 ゲル化剤 糊料
Distearyl thiodipropionate		チオジプロピオン酸ジステアリル	×	酸化防止剤
Divinylbenzene copolymer		ジビニルベンゼン共重合物	×	製造用剤
Docosahexaenoic acid(DHA)		ドコサヘキサエン酸(DHA)	◎	特別用途食品
Dodecyl gallate		没食子酸ドデシル	×	酸化防止剤
Dolomite		ドロマイト鉱石	○	特別用途食品
Dracylic acid	Benzencarboxylic acid Benzene formic acid Benzoic acid Phenylformic acid	安息香酸 ベンゼンカルボン酸	○，指定	保存料
Dried algae meal		乾燥藻類粉末	○	着色料
Dried yeasts		乾燥酵母	◎	調味料
Dry formed acetic acid	Sodium diacetate Sodium hydrogen acetate	酸性酢酸ナトリウム 二酢酸ナトリウム 粉末酢酸	※	製造用剤 防かび剤
Dry formed vitamin A		粉末ビタミン A	◎，指定	強化剤
DSP	Dibasic sodium phosphate Disodium hydrogen phosphate Disodium phosphate Secondary sodium orthophosphate Sodium phosphate, dibasic	第二リン酸ナトリウム 二塩基性リン酸ナトリウム リン酸水素二ナトリウム リン酸二ナトリウム	◎，指定	製造用剤 水素イオン濃度調整剤（pH 調整剤） 膨脹剤 調味料 かんすい 乳化剤
Dulcin	*p*-Phenethyl carbamide *p*-Phenethyl urea	ズルチン パラフェネチルカルバミド パラフェネチル尿素	×	甘味料
Dunaliella carotene	Algae carotene Extracted carotene	藻類カロチン 藻類カロテン 抽出カロチン 抽出カロテン デュナリエラカロチン デュナリエラカロテン（デュナリエラの全藻から得られた，β-カロテンを主成分とするものをいう。） ドナリエラカロチン ドナリエラカロテン	◎，既存	強化剤 着色料

◎：許可（使用基準なし） Legal（Accepted with no standard of use）
○：許可（使用基準あり） Legal（Accepted with standard of use）
指定：Designated Food Additives　既存：Existing Food Additives
×：使用不可 Illegal（Prohibited）
※：個別判断を要するもの Required individual special judgement

EU E No.	EU FL No.	CAS No.	CFR No.	CNS 号.	備考 Remarks
E335(ii)		(2水和物) 6106-24-7			告示成分規格の nH_2O は n ＝2 E335(ii)は Disodium tartrate であり，L，DL の区別なし
		3387-36-8			告示以外の CAS No.は(無水物)7545-48-4
E1412		55963-33-2	(Food starch-modified として) 172.892	20.034	適切な製造工程管理を行い，食品中で目的とする効果を得る量を超えないこと
			173.65		
					資料1により食品素材扱いとする品目
					E312は「Commission Regulation(EU) 2018/1481 of 4 Oct. 2018」で削除
					タルク(既存添加物)はドロマイト等の滑石片等より混在物を除き微粉化したもの **不溶性鉱物性物質**の分類に包含される。**不溶性鉱物性物質**扱いの使用は○ 資料1により食品素材扱いの使用は◎
E210		65-85-0	184.1021	17.001	
			73.275		食品扱い CFR No.73.275はチキン用飼料のみに可
			172.896		食品扱い
E262(ii)			(Sodium diacetate として) 184.1754	17.013	酢酸(日本では省令別表第1の**氷酢酸**)と同**酢酸ナトリウム**の混合物であれば使用できる
			(VitaminA として) 184.1930		省令別表第1のリスト名は「**ビタミンA，Vitamin A**」
E339(ii)		(12水和物) 10039-32-4 (無水物) 7558-79-4	(Disodium phosphate として) 182.6290	15.006	表示成分規格の nH_2O は n ＝12，10，8，7，5，2又は0
					Dulcin は商標
E160a(iv)			(検定免除着色料の carrot oil として) 73.300 (検定免除着色料の β-Carotene として) 73.95 (GRAS 物質の Beta-Carotene として) 184.1245		着色料の目的では○，既存 E160a(iv)：Algal Carotene

D

E

色文字：法令上の指定添加物名（除く別名）　red：Name on Ministerial Ordinance of Designated Food Additives
色文字：法令上の既存添加物名（除く別名）　red：Name on Ministerial Notification of Existing Food Additives

英　名 English name	英名別名 English name	和名，和名別名 Japanese name	許可状況 Legal/Illegal	主な用途 Main uses
Edible gelatin	Gelatin	食用ゼラチン ゼラチン	◎	製造用剤 特別用途食品 増粘安定剤 乳化剤
EDTA-2 Na	Disodium edetate Disodium EDTA **Disodium ethylenediaminetetraacetate** Ethylenediaminetetraacetic acid, disodium salt	EDTA 二ナトリウム **エチレンジアミン四酢酸二ナトリウム**	○，指定	製造用剤 酸化防止剤
Egg white		**卵白**	◎	製造用剤
Eicosapentaenoic acid(EPA)	Icosapentaenoic acid(EPA)	アイコサペンタエン酸(EPA) アイコサペントエン酸(EPA) イコサペンタエン酸(EPA) イコサペント酸(EPA) エイコサペンタエン酸(EPA) エイコサペントエン酸(EPA)	◎	特別用途食品
Elderberry color		**エルダーベリー色素**	○	着色料
Elemi resin		**エレミ樹脂**(エレミの分泌液から得られた，β-アミリンを主成分とするものをいう。)	◎，既存	増粘安定剤 ガムベース
Endo-amylase	**α-Amylase** Carbohydrase	**α-アミラーゼ** 液化アミラーゼ カルボヒドラーゼ G3分解酵素	◎，既存	製造用剤 保存料 酵素
Enju extract	**Japanese pagoda tree extract** **Rutin(extract)**	**エンジュ抽出物** **ルチン(抽出物)**(アズキの全草，エンジュのつぼみ若しくは花又はソバの全草から得られた，ルチンを主成分とするものをいう。)	◎，既存	強化剤 酸化防止剤 着色料
Enocianin	Anthocyanins **Grape skin color** **Grape skin extract**	アントシアニン類 エノシアニン **ブドウ果皮色素**(アメリカブドウ又はブドウの果皮から得られた，アントシアニンを主成分とするものをいう。) ブドウ色素	○，既存	着色料
Enzymatically decomposed apple extract		**酵素分解リンゴ抽出物**(リンゴの果実を酵素分解して得られた，カテキン類及びクロロゲン酸を主成分とするものをいう。)	◎，既存	酸化防止剤

◎：許可（使用基準なし） Legal（Accepted with no standard of use）
○：許可（使用基準あり） Legal（Accepted with standard of use）
指定：Designated Food Additives　既存：Existing Food Additives
×：使用不可 Illegal（Prohibited）
※：個別判断を要するもの Required individual special judgement

EU E No.	EU FL No.	CAS No.	CFR No.	CNS 号.	備考 Remarks
					資料1により食品素材扱いとする品目 E No.はないがINS No.428あり
		（2水和物） 6381-92-6	172.135	18.005	本品は最終食品の完成前に**エチレンジアミン四酢酸カルシウムニナトリウム**にしなければならない 告示成分規格の nH_2O は n＝2 E No.はないがINS No.386あり
					一般飲食物添加物
					資料1により食品素材扱いとする品目
					一般飲食物添加物
			（Carbohydrase and cellulase derived from *Aspergillus niger* として） 173.120 （Carbohydrase derived from *Rhizopus oryzae* として） 173.130 （Mixed carbohydrase and protease enzyme product として） 184.1027 （Amylase enzyme preparation from *Bacillus stearothermophilus* として） 184.1012 （Bacterially-derived carbohydrase enzyme preparation として） 184.1148		「組換えDNA技術応用食品及び添加物の安全性審査の手続きを経た添加物」としての告示あり。詳細は厚労省HP参照 E No.はないがINS No.1100あり
		（ルチン3水和物） 250249-75-3			着色料の目的では○,既存 **ルチン（抽出物）**参照
E163			（Grape skin extract（enocianina）として） 73.170 （Vegetable juice として） 73.260	08.135	E163の正式名称はAnthocyanins（アントシアニン類）

E

色文字：法令上の指定添加物名（除く別名）　red：Name on Ministerial Ordinance of Designated Food Additives
色文字：法令上の既存添加物名（除く別名）　red：Name on Ministerial Notification of Existing Food Additives

英　名 English name	英名別名 English name	和名，和名別名 Japanese name	許可状況 Legal/Illegal	主な用途 Main uses
Enzymatically decomposed lecithin		酵素分解レシチン（「植物レシチン」又は「卵黄レシチン」から得られた，フォスファチジン酸及びリゾレシチンを主成分とするものをいう。）	◎，既存	乳化剤
Enzymatically decomposed rice bran		コメヌカ酵素分解物（脱脂米ぬかから得られた，フィチン酸及びペプチドを主成分とするものをいう。）	◎，既存	酸化防止剤
Enzymatically decomposed rutin		ルチン酵素分解物（「ルチン（抽出物）」から得られた，イソクエルシトリンを主成分とするものをいう。）	◎，既存	酸化防止剤
Enzymatically hydrolyzed carboxy methyl cellulose（Enzymatically hydrolyzed cellulose gum）		カルボキシメチルセルロース酵素加水分解物	×	製造用剤 増粘安定剤 糊料
Enzymatically hydrolyzed cellulose gum		酵素処理セルロースガム	※	製造用剤
Enzymatically hydrolyzed guar flour	Enzymatically hydrolyzed guar gum	グァーガム酵素分解物（グァーの種子を粉砕し，分解して得られた，多糖類を主成分とするものをいう。） グァーフラワー酵素分解物 グァルガム酵素分解物	◎，既存	増粘安定剤
Enzymatically hydrolyzed guar gum	Enzymatically hydrolyzed guar flour	グァーガム酵素分解物（グァーの種子を粉砕し，分解して得られた，多糖類を主成分とするものをいう。） グァーフラワー酵素分解物 グァルガム酵素分解物	◎，既存	増粘安定剤
Enzymatically hydrolyzed licorice extract		酵素分解カンゾウ（「カンゾウ抽出物」を酵素分解して得られた，グリチルレチン酸-3-グルクロニドを主成分とするものをいう。）	◎，既存	甘味料
Enzymatically modified hesperidin	Glucosyl hesperidin Glucosyl vitamin P	酵素処理ヘスペリジン（「ヘスペリジン」にシクロデキストリングルコシルトランスフェラーゼを用いてグルコースを付加して得られたものをいう。） 糖転移ビタミンP 糖転移ヘスペリジン	◎，既存	強化剤
Enzymatically modified isoquercitrin	Transglycosylated isoquercitrin	酵素処理イソクエルシトリン（「ルチン酵素分解物」から得られた，α-グルコシルイソクエルシトリンを主成分とするものをいう。） 糖転移イソクエルシトリン	◎，既存	酸化防止剤
Enzymatically modified lecithin		酵素処理レシチン（「植物レシチン」又は「卵黄レシチン」から得られた，ホスファチジルグリセロールを主成分とするものをいう。）	◎，既存	乳化剤
Enzymatically modified naringin	Glucosyl naringin	酵素処理ナリンジン（「ナリンジン」から得られた，α-グルコシルナリンジンを主成分とするものをいう。） 糖転移ナリンジン	◎，既存	苦味料
Enzymatically modified rutin（extract）	Glucosyl rutin（extract）	酵素処理ルチン（抽出物）（「ルチン（抽出物）」から得られた，α-グルコシルルチンを主成分とするものをいう。） 糖転移ルチン（抽出物）	◎，既存	強化剤 酸化防止剤 着色料
Enzymatically modified stevia	α-Glucosyltransferase-treated stevia	α-グルコシルトランスフェラーゼ処理ステビア（「ステビア抽出物」から得られた，α-グルコシルステビオシドを主成分とするものをいう。） 酵素処理ステビア	◎，既存	甘味料

◎：許可（使用基準なし） Legal（Accepted with no standard of use）
○：許可（使用基準あり） Legal（Accepted with standard of use）
指定：Designated Food Additives 既存：Existing Food Additives
×：使用不可 Illegal（Prohibited）
※：個別判断を要するもの Required individual special judgement

EU E No.	EU FL No.	CAS No.	CFR No.	CNS 号.	備 考 Remarks
E469					
			(Enzyme-modified lecithin として) 184.1063		
					着色料の目的では○,既存

色文字：法令上の指定添加物名（除く別名）　red：Name on Ministerial Ordinance of Designated Food Additives
色文字：法令上の既存添加物名（除く別名）　red：Name on Ministerial Notification of Existing Food Additives

英　名 English name	英名別名 English name	和名，和名別名 Japanese name	許可状況 Legal/Illegal	主な用途 Main uses
Enzymatically produced steviol glycosides	Rebaudioside AM Rebaudioside D Rebaudioside M	レバウジオシド AM レバウジオシド M レバウジオシド D レバウディオサイド AM レバウディオサイド M レバウディオサイド D	※	甘味料
Enzymatically treated starch	Modified starch	加工デンプン 酵素処理デンプン	◎	増粘安定剤 ゲル化剤 糊料
Enzyme-modified fats		酵素処理脂肪	◎	製造用剤 香料
Epichlorohydrin		エピクロロヒドリン	×	製造用剤
Epoxidized soybean oil		エポキシ化大豆油	×	製造用剤
1,8-Epoxy-*p*-menthane	Cajeputol Cineole 1,8-Cineole Eucalyptol *p*-Menthane-1,8-oxide 1,8-Oxido-*p*-menthane	1,8-エポキシパラメンタン 1,8-オキシドパラメンタン カエプトール シネオール 1,8-シネオール ユーカリプトール	○，指定	香料
Ergocalciferol	Calciferol Vitamin D_2	エルゴカルシフェロール カルシフェロール ビタミン D_2	◎，指定	強化剤
Erythorbic acid	Isoascorbic acid	イソアスコルビン酸 エリソルビン酸	○，指定	品質改良剤 酸化防止剤
Erythritol		エリスリトール	◎	製造用剤 調味料 甘味料
Erythrosine	FD & C Red No.3 Food Red No.3	エリスロシン 食用赤色3号	○，指定	着色料
Erythrosine aluminium lake	Food Red No.3 aluminium lake	エリスロシンアルミニウムレーキ 食用赤色3号アルミニウムレーキ	○，指定	着色料
Esdragole	Estragole	エストラゴール エスドラゴール	○，指定	香料
Essential oil-removed fennel extract		精油除去ウイキョウ抽出物（ウイキョウの種子から得られた，グルコシルシナピルアルコールを主成分とするものをいう。） 精油除去フェンネル抽出物	◎，既存	酸化防止剤

◎：許可（使用基準なし） Legal（Accepted with no standard of use）
○：許可（使用基準あり） Legal（Accepted with standard of use）
指定：Designated Food Additives　既存：Existing Food Additives
×：使用不可 Illegal（Prohibited）
※：個別判断を要するもの Required individual special judgement

EU E No.	EU FL No.	CAS No.	CFR No.	CNS 号.	備考 Remarks
E960c（i） E960c（ii） E960c（iii） E960c（iv）					E960c（i）は Rebaudioside M produced via enzyme modification of steviol glycosides from stevia の名称で「Commission Regulation（EU）2021/1156 of 13 July 2021」により新規指定。 E960c（ii）は Rebaudioside M produced via enzymatic conversion of highly purified rebaudioside a stevia leaf extracts の名称で，E960c（iii）は Rebaudioside D produced via enzymatic conversion of highly purified rebaudioside a stevia leaf extracts の名称で，E960c（iv）は Rebaudioside AM produced via enzymatic conversion of highly purified rebaudioside a stevia leaf extracts の名称で「Commission Regulation（EU）2022/1922 of 10 Oct. 2022」により新規指定
			(Food starch-modified として) 172.892		食品扱い
			184.1287		CFR は精製牛脂，バターまたは乳脂，蒸気溶出した鶏脂を酵素で脂肪分解し，その後酵素を不活性化したもの 食品扱い
			172.723		
	03.001	470-82-6			着香の目的以外に使用してはならない
		50-14-6	(直接添加物 Vit D_2として) 172.379 (直接添加物 Vit D_2 bakers extract として) 172.381 (直接添加物 Vit D_2 mushroom powder として) 172.382 (GRAS 物質の Vit D_2, D_3 として) 184.1950		
E315		89-65-6	182.3041	04.004	魚肉ねり製品(魚肉すり身を除く)及びパンにあっては，栄養の目的に使用してはならない その他の食品は酸化防止の目的以外に使用してはならない
E968				19.018	食品扱い
E127		(無水物) 16423-68-0	74.303	08.003	省令別表第1のリスト名は「**食用赤色3号及びそのアルミニウムレーキ，Food Red No. 3 and its Aluminium lake**」だが，本書では各単品もリスト名としマークした 告示成分規格の nH_2O は n ＝1
E127				08.003	省令別表第1のリスト名は「**食用赤色3号及びそのアルミニウムレーキ，Food Red No. 3 and its Aluminium lake**」だが，本書では各単品もリスト名としマークした
		140-67-0			**フェノールエーテル類** 着香の目的以外に使用してはならない 類又は誘導体として指定されている18項目の香料リストの SEQ NO.721(解説編2-(1)-(vi)参照)

色文字：法令上の指定添加物名（除く別名）　red：Name on Ministerial Ordinance of Designated Food Additives
色文字：法令上の既存添加物名（除く別名）　red：Name on Ministerial Notification of Existing Food Additives

英　名 English name	英名別名 English name	和名，和名別名 Japanese name	許可状況 Legal/Illegal	主な用途 Main uses
Ester gum	Glycerol esters of wood rosins Rosin ester	エステルガム ロジンエステル	○，指定	チューインガム基礎剤
Esterase		エステラーゼ	◎，既存	酵素
Esters		エステル類	○，指定	香料
Esters of glycerol and thermally oxidized soy bean(soya bean)fatty acids		熱酸化大豆油とグリセリンのエステル	×	製造用剤 乳化剤
Estragole	Esdragole	エストラゴール エスドラゴール	○，指定	香料
Ethanal	Acetaldehyde Acetic aldehyde Ethyl aldehyde	アセトアルデヒド エタナール エチルアルデヒド 酢酸アルデヒド	○，指定	香料
Ethanedioic acid	Oxalic acid	エタンディオイック酸 シュウ酸	○，指定	製造用剤
Ethanol	Ethyl alcohol	エタノール エチルアルコール	◎	製造用剤
Ethers		エーテル類	○，指定	香料
Ethovan	Bourbonal Ethyl procatechuric aldehyde Ethylvanillin Vanirom	エチルバニリン エチルプロカテチュリックアルデヒド エチルワニリン エトバン バニロム ボルボナール	○，指定	香料
Ethoxylated mono-and diglycerides		エトキシル化モノ及びジグリセリド	×	乳化剤
Ethoxyquin	1,2-dihydro-6-ethoxy-2,2,4-trimethylquinoline	エトキシキン 1,2-ジヒドロ-6-エトキシ-2,2,4-トリメチルキノリン	×	酸化防止剤
Ethyl acetate	Acetic acid ethyl ester Acetic ether Vinegarnaphtha	酢酸エチル 酢酸エチルエステル ビネガーナフサ	○，指定	製造用剤 香料
Ethyl-acetic acid	Butanoic acid Butyric acid *n*-Butyric acid	ブタン酸 酪酸 *n*-酪酸	○，指定	香料
Ethyl acetoacetate	Ethyl-3-oxobutanoate 3-Oxobutanoic acid,ethyl ester	アセト酢酸エチル 3-オキソブタン酸エチル 3-オキソブタン酸エチルエステル	○，指定	香料
Ethyl alcohol	Ethanol	エタノール エチルアルコール	◎	製造用剤

◎：許可（使用基準なし） Legal（Accepted with no standard of use）
○：許可（使用基準あり） Legal（Accepted with standard of use）
指定：Designated Food Additives　既存：Existing Food Additives
×：使用不可 Illegal（Prohibited）
※：個別判断を要するもの Required individual special judgement

EU E No.	EU FL No.	CAS No.	CFR No.	CNS 号.	備考 Remarks
E445			(Glycerol ester of rosin として) 172.735	10.013	チューインガム基礎剤の目的以外に使用してはならない E445は Glycerol esters of wood rosins
			(Esterase-lipase derived from *Mucor miehei* として) 173.140		
					着香の目的以外に使用してはならない 類又は誘導体として指定されている18項目の香料リスト(解説編2-(1)-(vi)参照)
		140-67-0			**フェノールエーテル類** 着香の目的以外に使用してはならない 類又は誘導体として指定されている18項目の香料リストのSEQ NO.721(解説編2-(1)-(vi)参照)
	05.001	75-07-0			着香の目的以外に使用してはならない
		(2水和物) 6153-56-6			最終食品の完成前に除去しなければならない 告示成分規格の nH_2O は n =2
			184.1293		一般飲食物添加物
					着香の目的以外に使用してはならない 類又は誘導体として指定されている18項目の香料リスト(解説編2-(1)-(vi)参照)
	05.019	121-32-4			着香の目的以外に使用してはならない
			172.834		
			172.140	17.010	CFR はチリパウダー，パプリカ，南極オキアミミールなどの着色料の酸化防止剤
	09.001	141-78-6	173.228		着香の目的以外に使用してはならない(ただし,柿の脱渋に使用するアルコール等の場合の除外規定あり)
	08.005	107-92-6			着香の目的以外に使用してはならない
	09.402	141-97-9			着香の目的以外に使用してはならない
			184.1293		一般飲食物添加物

色文字：法令上の指定添加物名（除く別名）　red：Name on Ministerial Ordinance of Designated Food Additives
色文字：法令上の既存添加物名（除く別名）　red：Name on Ministerial Notification of Existing Food Additives

英　名 English name	英名別名 English name	和名，和名別名 Japanese name	許可状況 Legal/Illegal	主な用途 Main uses
Ethyl aldehyde	Acetaldehyde Acetic aldehyde Ethanal	アセトアルデヒド エタナール エチルアルデヒド 酢酸アルデヒド	○，指定	香料
Ethyl *N*-(aminoiminomethyl)-*N*-methylglycine hydrochloride	Creatine ethyl ester hydrochloride	クレアチン・エチルエステル塩酸塩	※	特別用途食品
Ethyl *n*-butanoate	Butyric ether Ethyl butyrate	*n*-ブタン酸エチル 酪酸エチル 酪酸エーテル	○，指定	香料
Ethyl butyrate	Butyric ether Ethyl *n*-butanoate	*n*-ブタン酸エチル 酪酸エチル 酪酸エーテル	○，指定	香料
Ethyl caprate	Ethyl decanoate	カプリン酸エチル デカン酸エチル	○，指定	香料
Ethyl caproate	Caproic ether Capronic ether Ethyl capronate Ethyl hexanoate	カプロン酸エチル カプロン酸エーテル ヘキサン酸エチル	○，指定	香料
Ethyl capronate	Caproic ether Capronic ether Ethyl caproate Ethyl hexanoate	カプロン酸エチル カプロン酸エーテル ヘキサン酸エチル	○，指定	香料
Ethyl caprylate	Ethyl octanoate	オクタン酸エチル カプリル酸エチル	○，指定	香料
Ethyl cellulose		エチルセルロース	×	製造用剤 糊料
Ethyl cinnamate	Ethyl phenylacrylate	エチルフェニルアクリレート ケイ皮酸エチル	○，指定	香料
Ethyl citrate	Triethyl citrate	クエン酸三エチル クエン酸トリエチル トリエチルシトレート	○，指定	香料 増粘安定剤 乳化剤
Ethyl decanoate	Ethyl caprate	カプリン酸エチル デカン酸エチル	○，指定	香料
2-Ethyl-3,5-dimethylpyrazine		2-エチル-3,5-ジメチルピラジン	○，指定	香料
2-Ethyl-3(5 or 6)-dimethylpyrazine	Mixture of 2-ethyl-3,5-dimethylpyrazine and 2-ethyl-3,6-dimethylpyrazine	2-エチル-3,5-ジメチルピラジン及び2-エチル-3,6-ジメチルピラジンの混合物	○，指定	香料
2-Ethyl-3,6-dimethylpyrazine		2-エチル-3,6-ジメチルピラジン	○，指定	香料

◎：許可（使用基準なし） Legal（Accepted with no standard of use）
○：許可（使用基準あり） Legal（Accepted with standard of use）
指定：Designated Food Additives 既存：Existing Food Additives
×：使用不可 Illegal（Prohibited）
※：個別判断を要するもの Required individual special judgement

EU E No.	EU FL No.	CAS No.	CFR No.	CNS 号.	備考 Remarks
	05.001	75-07-0			着香の目的以外に使用してはならない
					資料1により食品添加物に該当する可能性が考えられるが，事前に判断を受けるよう指導されている項目
	09.039	105-54-4			着香の目的以外に使用してはならない
	09.039	105-54-4			着香の目的以外に使用してはならない
	09.059	110-38-3			着香の目的以外に使用してはならない
	09.060	123-66-0			着香の目的以外に使用してはならない
	09.060	123-66-0			着香の目的以外に使用してはならない
	09.111	106-32-1			着香の目的以外に使用してはならない
E462			172.868		
	09.730	103-36-6			着香の目的以外に使用してはならない
E1505	09.512	77-93-0	184.1911		平成27年5月19日省令別表第1に新規指定 その使用にあたっては，適切な製造工程管理を行い，食品中で目的とする効果を得る上で必要とする量を越えないものとすることの特記あり 香料の目的で使用する場合は，着香の目的以外に使用してはならない。 類又は誘導体として指定されている18項目の香料リストのSEQ No.2415(解説編2-(1)-(vi)参照) 特例としてENo.とFLNo.の両方あり
	09.059	110-38-3			着香の目的以外に使用してはならない
					着香の目的以外に使用してはならない 別表第1の名称は3,5と3,6の混合物だが，本書では単品も指定添加物扱いとした （参考 (EU)FL No. 14.024) （参考 CAS No. 13925-07-0)
	14.100	(混合物) 27043-05-6			着香の目的以外に使用してはならない 日本の指定名称に相当する(EU)FL No.14.100のCAS No.は「55031-15-7」
					着香の目的以外に使用してはならない 別表第1の名称は3,5と3,6の混合物だが，本書では単品も指定添加物扱いとした （参考 (EU)FL No. 14.100) （参考 CAS No. 55031-15-7)

E

色文字：法令上の指定添加物名（除く別名）　red：Name on Ministerial Ordinance of Designated Food Additives
色文字：法令上の既存添加物名（除く別名）　red：Name on Ministerial Notification of Existing Food Additives

英　名 English name	英名別名 English name	和名，和名別名 Japanese name	許可状況 Legal/Illegal	主な用途 Main uses
Ethyl dodecanoate	Ethyl laurate	ドデカン酸エチル ラウリン酸エチル	○，指定	香料
Ethylenediaminetetraacetic acid, disodium salt	Disodium edetate Disodium EDTA **Disodium ethylenediaminetetraacetate** EDTA-2 Na	EDTA-2Na EDTA 二ナトリウム **エチレンジアミン四酢酸二ナトリウム**	○，指定	製造用剤 酸化防止剤
Ethylene dichloride		二塩化エチレン	×	製造用剤
Ethylene oxide		エチレンオキサイド	×	製造用剤 保存料
Ethylene oxide polymer		酸化エチレン重合物	×	製造用剤
Ethyl ester of β-apo-8'-carotenic acid (C30)		β-アポ-8'-カロテン酸エチルエステル(C30)	×	着色料
Ethyl formate		ギ酸エチル	○，指定	香料
Ethyl heptanoate	Ethyl oenanthate	エナント酸エチル **ヘプタン酸エチル**	○，指定	香料
Ethyl hexanoate	Caproic ether Capronic ether Ethyl caproate Ethyl capronate	カプロン酸エチル カプロン酸エーテル **ヘキサン酸エチル**	○，指定	香料
2-Ethyl-1-hexanol		2-エチル-1-ヘキサノール	○，指定	香料
Ethyl *p*-hydroxybenzoate		**パラオキシ安息香酸エチル** パラヒドロキシ安息香酸エチル	○，指定	保存料
Ethylhydroxyethyl cellulose		エチルヒドロキシエチルセルロース	×	増粘安定剤 乳化剤 糊料
Ethyl isovalerate	Ethyl isovalerianate	**イソ吉草酸エチル**	○，指定	香料
Ethyl isovalerianate	**Ethyl isovalerate**	**イソ吉草酸エチル**	○，指定	香料
Ethyl lactate		乳酸エチル	○，指定	香料
Ethyl laurate	Ethyl dodecanoate	ドデカン酸エチル ラウリン酸エチル	○，指定	香料
Ethyl lauroyl arginate		エチルラウロイルアルギニン酸塩	×	保存料
Ethyl maltol		エチルマルトール	○，指定	香料

◎：許可（使用基準なし） Legal（Accepted with no standard of use）
○：許可（使用基準あり） Legal（Accepted with standard of use）
指定：Designated Food Additives　既存：Existing Food Additives
×：使用不可 Illegal（Prohibited）
※：個別判断を要するもの Required individual special judgement

EU E No.	EU FL No.	CAS No.	CFR No.	CNS 号.	備考 Remarks
	09.099	106-33-2			**エステル類** 着香の目的以外に使用してはならない 類又は誘導体として指定されている18項目の香料リストのSEQ No.844(解説編2-(1)-(vi)参照)
		(2水和物) 6381-92-6	172.135	18.005	本品は最終食品の完成前に**エチレンジアミン四酢酸カルシウムニナトリウム**にしなければならない 告示成分規格の nH_2O は n ＝2 E No.はないがINS No.386あり
			173.230		
			172.770		
					E160f は「Commission Regulation（EU）No.1129/2011 of 11 Nov. 2011」で削除
	09.072	109-94-4	184.1295		**エステル類** 着香の目的以外に使用してはならない 類又は誘導体として指定されている18項目の香料リストのSEQ No.830(解説編2-(1)-(vi)参照)
	09.093	106-30-9			着香の目的以外に使用してはならない
	09.060	123-66-0			着香の目的以外に使用してはならない
	02.082	104-76-7			**脂肪族高級アルコール類** 着香の目的以外に使用してはならない 類又は誘導体として指定されている18項目の香料リストのSEQ No.922(解説編2-(1)-(vi)参照)
E214		120-47-8		17.007	
	09.447	108-64-5			着香の目的以外に使用してはならない
	09.447	108-64-5			着香の目的以外に使用してはならない
	09.433	97-64-3			**エステル類** 着香の目的以外に使用してはならない 類又は誘導体として指定されている18項目の香料リストのSEQ No.843(解説編2-(1)-(vi)参照)
	09.099	106-33-2			**エステル類** 着香の目的以外に使用してはならない 類又は誘導体として指定されている18項目の香料リストのSEQ No.844(解説編2-(1)-(vi)参照)
E243					E243は「Commission Regulation（EU）No.506/2014 of 15 May 2014」で新規制定
	07.047	4940-11-8			**ケトン類** 着香の目的以外に使用してはならない 類又は誘導体として指定されている18項目の香料リストのSEQ No.850(解説編2-(1)-(vi)参照) E No.にはないがINS No.637あり

E

色文字：法令上の指定添加物名（除く別名）　red：Name on Ministerial Ordinance of Designated Food Additives
色文字：法令上の既存添加物名（除く別名）　red：Name on Ministerial Notification of Existing Food Additives

英　名 English name	英名別名 English name	和名，和名別名 Japanese name	許可状況 Legal/Illegal	主な用途 Main uses
Ethyl methyl cellulose	Methyl ethyl cellulose	エチルメチルセルロース メチルエチルセルロース	×	製造用剤 増粘安定剤 乳化剤 糊料
Ethyl methyl ketone	Butane-2-ol 2-Butanol	エチルメチルケトン 2-ブタノール ブタン-2-オール	×	香料
2-Ethyl-3-methylpyrazine		2-エチル-3-メチルピラジン	○，指定	香料
2-Ethyl-6-methylpyrazine	Mixture of 2-ethyl-6-methylpyrazine and 2-ethyl-5-methylpyrazine	2-エチル-6-メチルピラジン 2-エチル-6-メチルピラジンと2-エチル-5-メチルピラジンの混合物	○，指定	香料
Ethyl-5-methylpyrazine		2-エチル-5-メチルピラジン	○，指定	香料
5-Ethyl-2-methylpyridine		5-エチル-2-メチルピリジン	○，指定	香料
Ethyl nonanoate		ノナン酸エチル	○，指定	香料
Ethyl octanoate	Ethyl caprylate	オクタン酸エチル カプリル酸エチル	○，指定	香料
Ethyl oenanthate	Ethyl heptanoate	エナント酸エチル ヘプタン酸エチル	○，指定	香料
Ethyl-3-oxobutanoate	Ethyl acetoacetate 3-Oxobutanoic acid.ethyl ester	アセト酢酸エチル 3-オキソブタン酸エチル 3-オキソブタン酸エチルエステル	○，指定	香料
Ethyl phenylacetate	Ethyl-α-toluate	エチル-α-トルイル酸 フェニル酢酸エチル	○，指定	香料
Ethyl phenylacrylate	Ethyl cinnamate	エチルフェニルアクリレート ケイ皮酸エチル	○，指定	香料
Ethyl phenylglycidate	Ethyl-β-methyl-β-phenylglicidate	フェニルグリシド酸エチル	○，指定	香料
Ethyl procatechuric aldehyde	Bourbonal Ethovan Ethylvanillin Vanirom	エチルバニリン エチルプロカテチュリックアルデヒド エチルワニリン エトバン バニロム ボルボナール	○，指定	香料
Ethyl propanoate	Ethyl propionate Propionic ether	プロパン酸エチル プロピオン酸エチル プロピオン酸エーテル	○，指定	香料
Ethyl propionate	Ethyl propanoate Propionic ether	プロパン酸エチル プロピオン酸エチル プロピオン酸エーテル	○，指定	香料

◎：許可（使用基準なし） Legal（Accepted with no standard of use）
○：許可（使用基準あり） Legal（Accepted with standard of use）
指定：Designated Food Additives　既存：Existing Food Additives
×：使用不可 Illegal（Prohibited）
※：個別判断を要するもの Required individual special judgement

EU E No.	EU FL No.	CAS No.	CFR No.	CNS 号.	備 考 Remarks
E465			172.872		
	14.006	15707-23-0			着香の目的以外に使用してはならない
		36731-41-6			着香の目的以外に使用してはならない 平成24年12月28日省令別表第1に新規指定 告示「添加物成分規格」の定義は2-エチル-6-メチルピラジンと2-エチル-5-メチルピラジンの混合物と規定されている。これを JECFA の呼称に基づき2-エチル-6-メチルピラジンの単品名として指定している （EU）FL No. なし（告示品は混合物）
	14.017	13360-64-0			着香の目的以外に使用してはならない
	14.066	104-90-5			着香の目的以外に使用してはならない
	09.107	123-29-5			**エステル類** 着香の目的以外に使用してはならない 類又は誘導体として指定されている18項目の香料リストのSEQ No.858(解説編2-(1)-(vi)参照)
	09.111	106-32-1			着香の目的以外に使用してはならない
	09.093	106-30-9			着香の目的以外に使用してはならない
	09.402	141-97-9			着香の目的以外に使用してはならない
	09.784	101-97-3			着香の目的以外に使用してはならない
	09.730	103-36-6			着香の目的以外に使用してはならない
	16.015	77-83-8			**エステル類** 着香の目的以外に使用してはならない 類又は誘導体として指定されている18項目の香料リストのSEQ No.853(解説編2-(1)-(vi)参照) 香料リスト名は Ethyl bata-methyl-bata-phenylglicidate
	05.019	121-32-4			着香の目的以外に使用してはならない
	09.121	105-37-3			着香の目的以外に使用してはならない
	09.121	105-37-3			着香の目的以外に使用してはならない

色文字：法令上の指定添加物名（除く別名）　red：Name on Ministerial Ordinance of Designated Food Additives
色文字：法令上の既存添加物名（除く別名）　red：Name on Ministerial Notification of Existing Food Additives

英　名 English name	英名別名 English name	和名，和名別名 Japanese name	許可状況 Legal/Illegal	主な用途 Main uses
Ethyl protocatechuate		プロトカテキュ酸エチル	×	酸化防止剤
Ethylpyrazine	2-Ethylpyrazine	エチルピラジン 2-エチルピラジン	○，指定	香料
2-Ethylpyrazine	Ethylpyrazine	エチルピラジン 2-エチルピラジン	○，指定	香料
3-Ethylpyridine		3-エチルピリジン	○，指定	香料
Ethyl-α-toluate	Ethyl phenylacetate	エチル-α-トルイル酸 フェニル酢酸エチル	○，指定	香料
Ethylvanillin	Bourbonal Ethovan Ethyl procatechuric aldehyde Vanirom	エチルバニリン エチルプロカテチュリックアルデヒド エチルワニリン エトバン バニロム ボルボナール	○，指定	香料
Ethyl-β-methyl-β-phenylglicidate	Ethyl phenylglycidate	フェニルグリシド酸エチル	○，指定	香料
Etidronic acid	HEDP 1-Hydroxyethylidene-1,1-diphosphonic acid	HEDP エチドロン酸 1-ヒドロキシエチリデン-1,1-ジホスホン酸	○，指定	殺菌料
Eucalyptol	Cajeputol Cineole 1,8-Cineole 1,8-Epoxy-p-menthane p-Menthane-1,8-oxide 1,8-Oxido-p-menthane	1,8-エポキシパラメンタン 1,8-オキシドパラメンタン カエプトール シネオール 1,8-シネオール ユーカリプトール	○，指定	香料
Eugenic acid	Eugenol	オイゲノール	○，指定	香料
Eugenol	Eugenic acid	オイゲノール	○，指定	香料
European dewberry color		デュベリー色素	○	着色料
Exomaltotetraohydrolase		エキソマルトテトラオヒドロラーゼ G4生成酵素	◎，既存	酵素
Extracted carotene	Algae carotene Dunaliella carotene	藻類カロチン 藻類カロテン 抽出カロチン 抽出カロテン デュナリエラカロチン デュナリエラカロテン（デュナリエラの全藻から得られた，β-カロテンを主成分とするものをいう。） ドナリエラカロチン ドナリエラカロテン	◎，既存	強化剤 着色料

◎：許可（使用基準なし） Legal（Accepted with no standard of use）
○：許可（使用基準あり） Legal（Accepted with standard of use）
指定：Designated Food Additives　既存：Existing Food Additives
×：使用不可 Illegal（Prohibited）
※：個別判断を要するもの Required individual special judgement

EU E No.	EU FL No.	CAS No.	CFR No.	CNS 号.	備考 Remarks
	14.022	13925-00-3			着香の目的以外に使用してはならない
	14.022	13925-00-3			着香の目的以外に使用してはならない
	14.061	536-78-7			着香の目的以外に使用してはならない 平成25年8月6日省令別表第1に新規指定
	09.784	101-97-3			着香の目的以外に使用してはならない
	05.019	121-32-4			着香の目的以外に使用してはならない
	16.015	77-83-8			**エステル類** 着香の目的以外に使用してはならない 類又は誘導体として指定されている18項目の香料リストのSEQ No.853(解説編2-(1)-(vi)参照)
		2809-21-4	（Peroxyacids の混合成分の1つとして） 173.370		殺菌料は過酢酸製剤用キレート剤 平成28年10月6日省令別表第1に新規指定 過酢酸製剤として使用する場合以外に使用してはならない
	03.001	470-82-6			着香の目的以外に使用してはならない
	04.003	97-53-0			着香の目的以外に使用してはならない
	04.003	97-53-0			着香の目的以外に使用してはならない
					一般飲食物添加物
					「組換え DNA 技術応用食品及び添加物の安全性審査の手続きを経た添加物」としての告示あり。詳細は厚労省 HP 参照
E160a (iv)			（検定免除着色料の carrot oil として） 73.300 （検定免除着色料の β-Carotene として） 73.95 （GRAS 物質の Beta-Carotene として） 184.1245		着色料の目的では○,既存 E160a(iv)：Algal Carotene

色文字：法令上の指定添加物名（除く別名）　**red**：Name on Ministerial Ordinance of Designated Food Additives
色文字：法令上の既存添加物名（除く別名）　**red**：Name on Ministerial Notification of Existing Food Additives

英　名 English name	英名別名 English name	和名，和名別名 Japanese name	許可状況 Legal/Illegal	主な用途 Main uses
	Carrot carotene Carrot oil	キャロットオイル キャロットカロチン キャロットカロテン 抽出カロチン 抽出カロテン ニンジンカロチン **ニンジンカロテン**（ニンジンの根から得られた，カロテンを主成分とするものをいう。）	◎，既存	強化剤 着色料
	Palm oil carotene	抽出カロチン 抽出カロテン パーム油カロチン **パーム油カロテン**（アブラヤシの果実から得られた，カロテンを主成分とするものをいう。）	◎，既存	強化剤 着色料

◎：許可（使用基準なし） Legal（Accepted with no standard of use）
○：許可（使用基準あり） Legal（Accepted with standard of use）
指定：Designated Food Additives　既存：Existing Food Additives
×：使用不可 Illegal（Prohibited）
※：個別判断を要するもの Required individual special judgement

EU E No.	EU FL No.	CAS No.	CFR No.	CNS 号.	備考 Remarks
E160a (ii)			（検定免除着色料の carrot oil として） 73.300 （検定免除着色料の β-Carotene として） 73.95 （GRAS 物質の Beta-Carotene として） 184.1245		着色料の目的では○，既存 「E160a Carotenes」には化学的合成品と天然抽出品がある。本書は「Official Journal of the EU」に記載の定義内容により，「E160a (i) **β-Carotene** は化学的合成品」，「E160a (ii) Plant Carotenes は天然抽出品」と判断
E160a (ii)			（検定免除着色料の carrot oil として） 73.300 （検定免除着色料の β-Carotene として） 73.95 （GRAS 物質の Beta-Carotene として） 184.1245		着色料の目的では○，既存 「E160a Carotenes」には化学的合成品と天然抽出品がある。本書は「Official Journal of the EU」に記載の定義内容により，「E160a (i) **β-Carotene** は化学的合成品」，「E160a (ii) Plant Carotenes は天然抽出品」と判断

F

色文字：法令上の指定添加物名（除く別名）　red：Name on Ministerial Ordinance of Designated Food Additives
色文字：法令上の既存添加物名（除く別名）　red：Name on Ministerial Notification of Existing Food Additives

英　名 English name	英名別名 English name	和名，和名別名 Japanese name	許可状況 Legal/Illegal	主な用途 Main uses
FD & C Blue No.1	Brilliant Blue FCF Food Blue No.1	食用青色1号 ブリリアントブルー FCF	○，指定	着色料
FD & C Blue No.2	Food Blue No.2 Indigo carmine Indigotine	インジゴカルミン 食用青色2号	○，指定	着色料
FD & C Green No.3	Fast Green FCF Food Green No.3	食用緑色3号 ファストグリーン FCF	○，指定	着色料
FD & C Red No.3	Erythrosine Food Red No.3	エリスロシン 食用赤色3号	○，指定	着色料
FD & C Red No.4		食用赤色4号	×	着色料
FD & C Red No.40	Allura Red AC Food Red No.40	アルラレッド AC 食用赤色40号	○，指定	着色料
FD & C Yellow No.5	Food Yellow No.4 Tartrazine	食用黄色4号 食用黄色5号(米国) タートラジン	○，指定	着色料
FD & C Yellow No.6	Food Yellow No.5 Sunset Yellow FCF	サンセットイエロー FCF 食用黄色5号 食用黄色6号(米国)	○，指定	着色料
Fast Green FCF	FD & C Green No.3 Food Green No.3	食用緑色3号 ファストグリーン FCF	○，指定	着色料
Fast Green FCF aluminium lake	Food Green No.3 aluminium lake	食用緑色3号アルミニウムレーキ ファストグリーン FCF アルミニウムレーキ	○，指定	着色料
Fast Red E		ファストレッド E	×	着色料
Fast Yellow AB		ファストイエロー AB	×	着色料
Fatty acid esters of ascorbic acid			※	強化剤 酸化防止剤
Fatty acids		脂肪酸類	○，指定	香料
Fermentation-derived cellulose		醸造セルロース ナタデココ 発酵セルロース	◎	増粘安定剤

◎：許可（使用基準なし） Legal（Accepted with no standard of use）
○：許可（使用基準あり） Legal（Accepted with standard of use）
指定：Designated Food Additives　既存：Existing Food Additives
×：使用不可 Illegal（Prohibited）
※：個別判断を要するもの Required individual special judgement

EU E No.	EU FL No.	CAS No.	CFR No.	CNS 号.	備考 Remarks
E133		3844-45-9	(要検定リストとして) 74.101 (要検定暫定リストとして) 82.101	08.007	省令別表第1のリスト名は「**食用青色1号及びそのアルミニウムレーキ, Food Blue No. 1 and its Aluminium lake**」だが,本書では各単品もリスト名としマークした CNS 号08.007は brilliant blue（FCF なし）
E132		860-22-0	(要検定リストとして) 74.102 (要検定暫定リストとして) 82.102	08.008	省令別表第1のリスト名は「**食用青色2号及びそのアルミニウムレーキ, Food Blue No. 2 and its Aluminium lake**」だが,本書では各単品もリスト名としマークした
		2353-45-9	(要検定リストとして) 74.203 (要検定暫定リストとして) 82.203		省令別表第1のリスト名は「**食用緑色3号及びそのアルミニウムレーキ, Food Green No. 3 and its Aluminium lake**」だが,本書では各単品もリスト名としマークした ENo. 142:Green S は本品と異なる
E127		(無水物) 16423-68-0	74.303	08.003	省令別表第1のリスト名は「**食用赤色3号及びそのアルミニウムレーキ, Food Red No. 3 and its Aluminium lake**」だが,本書では各単品もリスト名としマークした 告示成分規格の nH_2O は n =1
			82.304		CFR の主成分は Disodium salt of 3-[(2,4-dimethyl-5-sulfophenyl) azo] -4-hydroxy-1-naphthalenesulfonic acid であり，外用医薬品及び化粧品用の制限あり
E129		25956-17-6	74.340	08.012	省令別表第1のリスト名は「**食用赤色40号及びそのアルミニウムレーキ, Food Red No. 40 and its Aluminium lake**」だが,本書では各単品もリスト名としマークした CNS 号08.012は allura red（AC なし）
E102		1934-21-0	(要検定リストとして) 74.705 (要検定暫定リストとして) 82.705	08.005	米国では FD & C Yellow No. 5(食用黄色5号)である 省令別表第1のリスト名は「**食用黄色4号及びそのアルミニウムレーキ, Food Yellow No. 4 and its Aluminium lake**」だが,本書では各単品もリスト名としマークした
E110		2783-94-0	(要検定リストとして) 74.706 (要検定暫定リストとして) 82.706	08.006	米国では FD & C Yellow No. 6(食用黄色6号)である 省令別表第1のリスト名は「**食用黄色5号及びそのアルミニウムレーキ, Food Yellow No. 5 and its Aluminium lake**」だが,本書では各単品もリスト名としマークした CNS 号08.006は sunset yellow（FCF なし）
		2353-45-9	(要検定リストとして) 74.203 (要検定暫定リストとして) 82.203		省令別表第1のリスト名は「**食用緑色3号及びそのアルミニウムレーキ, Food Green No. 3 and its Aluminium lake**」だが,本書では各単品もリスト名としマークした ENo. 142:Green S は本品と異なる
			(Lakes(FD & C)として) 82.51		省令別表第1のリスト名は「**食用緑色3号及びそのアルミニウムレーキ, Food Green No. 3 and its Aluminium lake**」だが,本書では各単品もリスト名としマークした ENo. 142:Green S は本品と異なる
E304					**L-アスコルビン酸ステアリン酸エステル**及び**L-アスコルビン酸パルミチン酸エステル**は指定添加物
E570			172.860		着香の目的以外に使用してはならない 類又は誘導体として指定されている18項目の香料リスト(解説編2-(1)-(vi)参照)
					一般飲食物添加物

F

色文字：法令上の指定添加物名（除く別名）　red：Name on Ministerial Ordinance of Designated Food Additives
色文字：法令上の既存添加物名（除く別名）　red：Name on Ministerial Notification of Existing Food Additives

英　名 English name	英名別名 English name	和名，和名別名 Japanese name	許可状況 Legal/Illegal	主な用途 Main uses
Ferric ammonium citrate	Iron ammonium citrate	クエン酸鉄アンモニウム	◎，指定	製造用剤 強化剤
Ferric chloride	Iron trichloride Iron(III) chloride	塩化第二鉄 塩化鉄(III)	◎，指定	強化剤
Ferric citrate		クエン酸鉄	◎，指定	強化剤
Ferric oxide red	Ferric oxide(III) Hematite maghemite Indian red Iron oxides and hydroxides Iron sesquioxide Iron trioxide Red iron oxide Rouge Vitriol red	インディアンレッド 酸化鉄(III) 三酸化二鉄 三二酸化鉄 赤色酸化第二鉄 ベンガラ	○，指定	着色料
Ferric oxide(III)	Ferric oxide red Hematite maghemite Indian red Iron oxides and hydroxides Iron sesquioxide Iron trioxide Red iron oxide Rouge Vitriol red	インディアンレッド 酸化鉄(III) 三酸化二鉄 三二酸化鉄 赤色酸化第二鉄 ベンガラ	○，指定	着色料
Ferric phosphate		リン酸第二鉄	×	強化剤
Ferric pyrophosphate		ピロリン酸第二鉄	◎，指定	強化剤
Ferric sulfate		硫酸第二鉄	×	強化剤
Ferritin		フェリチン	×	強化剤
Ferrocyanides	Calcium ferrocyanide Potassium ferrocyanide Sodium ferrocyanide	フェロシアン化カリウム フェロシアン化カルシウム フェロシアン化ナトリウム フェロシアン化物	○，指定	食塩固結防止剤
Ferrous ammonium phosphate		リン酸鉄アンモニウム	×	強化剤
Ferrous ascorbate		アスコルビン酸第一鉄	×	強化剤
Ferrous carbonate		炭酸第一鉄	×	強化剤
Ferrous citrate		クエン酸第一鉄	×	強化剤
Ferrous fumarate		フマル酸第一鉄	×	強化剤
Ferrous gluconate	Iron gluconate	グルコン酸第一鉄 グルコン酸鉄	○，指定	製造用剤 強化剤 色調安定剤
Ferrous glycinate (Processed with citric acid)		グリシン酸鉄（クエン酸処理）	×	強化剤

◎：許可（使用基準なし） Legal（Accepted with no standard of use）
○：許可（使用基準あり） Legal（Accepted with standard of use）
指定：Designated Food Additives　既存：Existing Food Additives
×：使用不可 Illegal（Prohibited）
※：個別判断を要するもの Required individual special judgement

EU E No.	EU FL No.	CAS No.	CFR No.	CNS 号.	備　考 Remarks
	16.089	1185-57-5	(Iron ammonium citrate として) 172.430 (Ferric ammonium citrate として) 184.1296	02.010	E No.はないが INS No.381あり EU では香料特性のある食品成分として FL No.あり
		10025-77-1	184.1297		
			184.1298		
E172		(三二酸化鉄として) 1309-37-1	(Synthetic iron oxide として) 73.200		省令別表第1の**三二酸化鉄**以外は不可 E172は「Commission Regulation（EU）No.510/2013 of 3 June 2013」で新規制定
E172		(三二酸化鉄として) 1309-37-1	(Synthetic iron oxide として) 73.200		省令別表第1の**三二酸化鉄**以外は不可 E172は「Commission Regulation（EU）No.510/2013 of 3 June 2013」で新規制定
			184.1301		
			184.1304		
			184.1307		
					令和2年2月26日告示第42号により既存添加物名簿から消除
E535 E536 E538		(3水和物) 13943-58-3		02.001 02.008	省令別表第1のリスト名は「**フェロシアン化物**(フェロシアン化カリウム，フェロシアン化カルシウム及びフェロシアン化ナトリウムに限る。)，**Ferrocyanide compounds** (Limited to Potassium ferrocyanide, Calcium ferrocyanide and Sodium ferrocyanide)」だが，本書では各単品もリスト名としマークした 告示成分規格の nH_2O は n＝3 **フェロシアン化カルシウム**は CNS 号なし
			184.1307a		
			184.1307b		
			184.1307c		
			184.1307d		
E579		(無水物) 299-29-6	(検定免除着色料として) 73.160 (GRAS 物質として) 184.1308	09.005	オリーブ，母乳代替品，離乳食及び妊産婦・授乳婦用粉乳以外に使用してはならない 告示成分規格の nH_2O は n＝2又は0

F

色文字：法令上の指定添加物名（除く別名）　red：Name on Ministerial Ordinance of Designated Food Additives
色文字：法令上の既存添加物名（除く別名）　red：Name on Ministerial Notification of Existing Food Additives

英　名 English name	英名別名 English name	和名，和名別名 Japanese name	許可状況 Legal/Illegal	主な用途 Main uses
Ferrous lactate	Iron lactate	乳酸第一鉄 乳酸鉄	◎，指定	製造用剤 強化剤
Ferrous manganocyanide		シアン化マンガン鉄	×	製造用剤 固結防止剤
Ferrous pyrophosphate		ピロリン酸第一鉄	×	強化剤
Ferrous sulfate	Copperas Iron vitriol Iron(II)sulfate	硫酸第一鉄 硫酸鉄(II) 緑ばん	◎，指定	強化剤 色調安定剤
Ferulic acid	Caffeic acid 3-methyl ether 4-Hydroxy-3-methoxycinnamic acid	カフェー酸3-メチルエーテル 4-ヒドロキシ-3-メトキシケイ皮酸 フェルラ酸	◎，既存	酸化防止剤
	Caffeic acid 3-methyl ether 4-Hydroxy-3-methoxycinnamic acid	カフェー酸3-メチルエーテル 4-ヒドロキシ-3-メトキシケイ皮酸 フェルラ酸	※	特別用途食品
Ficin		ファイシン フィシン	◎，既存	酵素
Fish protein isolate		魚類たん白質分離物	◎	調味料
Fish scale foil		魚鱗箔(魚類の上皮部から抽出して得られたものをいう。)	×	着色料
Fludioxonil		フルジオキソニル	○，指定	防かび剤
Fluorine		フッ素	×	特別用途食品
Folacin	Folic acid	ホラシン 葉酸	◎，指定	強化剤
Folic acid	Folacin	ホラシン 葉酸	◎，指定	強化剤
Food Blue No.1	Brilliant Blue FCF FD & C Blue No.1	食用青色1号 ブリリアントブルー FCF	○，指定	着色料
Food Blue No.1 aluminium lake	Brilliant Blue FCF aluminium lake	食用青色1号アルミニウムレーキ ブリリアントブルー FCF アルミニウムレーキ	○，指定	着色料
Food Blue No.2	FD & C Blue No.2 Indigo carmine Indigotine	インジゴカルミン 食用青色2号	○，指定	着色料
Food Blue No.2 aluminium lake	Indigo carmine aluminium lake	インジゴカルミンアルミニウムレーキ 食用青色2号アルミニウムレーキ	○，指定	着色料

◎：許可（使用基準なし） Legal（Accepted with no standard of use）
○：許可（使用基準あり） Legal（Accepted with standard of use）
指定：Designated Food Additives　既存：Existing Food Additives
×：使用不可 Illegal（Prohibited）
※：個別判断を要するもの Required individual special judgement

EU E No.	EU FL No.	CAS No.	CFR No.	CNS 号.	備考 Remarks
E585			（検定免除の着色料として） 73.165 （GRAS物質として） 184.1311		EUの食品添加物の乳酸第一鉄と日本の指定食品添加物の**乳酸鉄**とは成分規格が若干異なる
		（1水和物） 13463-43-9	184.1315	00.022	
					資料1により既存添加物扱いと思料されるが，指定されていない添加物に該当する場合があるので留意する
			184.1316		E No.はないがINS No.1101（iv）あり
			172.340		食品扱い
					令和2年2月26日告示第42号により既存添加物名簿から消除
		131341-86-1	180.516（Title40 Part180）		CFRでは，本書に関連する「Title21」ではなくpre- and post-haevest関連の「Title40 Part 180.516」に収録されている
					資料1により，新たに食品添加物としての指定を受ける必要があるとする品目
		59-30-3	（Folic acid（folacin）として） 172.345		
		59-30-3	（Folic acid（folacin）として） 172.345		
E133		3844-45-9	（要検定リストとして） 74.101 （要検定暫定リストとして） 82.101	08.007	省令別表第1のリスト名は「**食用青色1号及びそのアルミニウムレーキ，Food Blue No.1 and its Aluminium lake**」だが，本書では各単品もリスト名としマークした CNS号08.007はbrilliant blue（FCFなし）
E133			（Lakes（FD & C）として） 82.51	08.007	省令別表第1のリスト名は「**食用青色1号及びそのアルミニウムレーキ，Food Blue No.1 and its Aluminium lake**」だが，本書では各単品もリスト名としマークした CNS号08.007はbrilliant blue aluminum lake（FCFなし）
E132		860-22-0	（要検定リストとして） 74.102 （要検定暫定リストとして） 82.102	08.008	省令別表第1のリスト名は「**食用青色2号及びそのアルミニウムレーキ，Food Blue No.2 and its Aluminium lake**」だが，本書では各単品もリスト名としマークした
E132			（Lakes（FD & C）として） 82.51	08.008	省令別表第1のリスト名は「**食用青色2号及びそのアルミニウムレーキ，Food Blue No.2 and its Aluminium lake**」だが，本書では各単品もリスト名としマークした CNS号08.008はindigotine aluminum lake（carmineなし）

色文字：法令上の指定添加物名（除く別名）　**red**：Name on Ministerial Ordinance of Designated Food Additives
色文字：法令上の既存添加物名（除く別名）　**red**：Name on Ministerial Notification of Existing Food Additives

英　名 English name	英名別名 English name	和名，和名別名 Japanese name	許可状況 Legal/Illegal	主な用途 Main uses
Food Green No.3	FD & C Green No.3 Fast Green FCF	**食用緑色3号** ファストグリーン FCF	○，指定	着色料
Food Green No.3 aluminium lake	Fast Green FCF aluminium lake	**食用緑色3号アルミニウムレーキ** ファストグリーン FCF アルミニウムレーキ	○，指定	着色料
Food Red No.2	Amaranth	アマランス **食用赤色2号**	○，指定	着色料
Food Red No.2 aluminium lake	Amaranth aluminium lake	アマランスアルミニウムレーキ **食用赤色2号アルミニウムレーキ**	○，指定	着色料
Food Red No.3	Erythrosine FD & C Red No.3	エリスロシン **食用赤色3号**	○，指定	着色料
Food Red No.3 aluminium lake	Erythrosine aluminium lake	エリスロシンアルミニウムレーキ **食用赤色3号アルミニウムレーキ**	○，指定	着色料
Food Red No.40	Allura Red AC FD & C Red No.40	アルラレッド AC **食用赤色40号**	○，指定	着色料
Food Red No.40 aluminium lake	Allura Red AC aluminium lake	アルラレッド AC アルミニウムレーキ **食用赤色40号アルミニウムレーキ**	○，指定	着色料
Food Red No.102	Cochineal Red A New coccine Ponceau 4R	コチニールレッド A **食用赤色102号** ニューコクシン ポンソー4R	○，指定	着色料
Food Red No.104	Phloxine	**食用赤色104号** フロキシン	○，指定	着色料
Food Red No.105	Rose bengale	**食用赤色105号** ローズベンガル	○，指定	着色料
Food Red No.106	Acid Red	アシッドレッド **食用赤色106号**	○，指定	着色料
Food Yellow No.4	FD & C Yellow No.5 Tartrazine	**食用黄色4号** 食用黄色5号(米国) タートラジン	○，指定	着色料
Food Yellow No.4 aluminium lake	Tartrazine aluminium lake	**食用黄色4号アルミニウムレーキ** タートラジンアルミニウムレーキ	○，指定	着色料
Food Yellow No.5	FD & C Yellow No.6 Sunset Yellow FCF	サンセットイエロー FCF **食用黄色5号** 食用黄色6号(米国)	○，指定	着色料

◎：許可（使用基準なし） Legal（Accepted with no standard of use）
○：許可（使用基準あり） Legal（Accepted with standard of use）
指定：Designated Food Additives　既存：Existing Food Additives
×：使用不可 Illegal（Prohibited）
※：個別判断を要するもの Required individual special judgement

EU E No.	EU FL No.	CAS No.	CFR No.	CNS 号.	備考 Remarks
		2353-45-9	(要検定リストとして) 74.203 (要検定暫定リストとして) 82.203		省令別表第1のリスト名は「**食用緑色3号及びそのアルミニウムレーキ, Food Green No. 3 and its Aluminium lake**」だが，本書では各単品もリスト名としマークした ENo.142:Green S は本品と異なる
			(Lakes(FD & C)として) 82.51		省令別表第1のリスト名は「**食用緑色3号及びそのアルミニウムレーキ, Food Green No. 3 and its Aluminium lake**」だが，本書では各単品もリスト名としマークした ENo.142:Green S は本品と異なる
E123		915-67-3		08.001 08.130	省令別表第1のリスト名は「**食用赤色2号及びそのアルミニウムレーキ, Food Red No. 2 and its Aluminium lake**」だが，本書では各単品もリスト名としマークした CNS 号08.130は natural amaranthus red
E123				08.001	省令別表第1のリスト名は「**食用赤色2号及びそのアルミニウムレーキ, Food Red No. 2 and its Aluminium lake**」だが，本書では各単品もリスト名としマークした
E127		(無水物) 16423-68-0	74.303	08.003	省令別表第1のリスト名は「**食用赤色3号及びそのアルミニウムレーキ, Food Red No. 3 and its Aluminium lake**」だが，本書では各単品もリスト名としマークした 告示成分規格の nH_2O は n ＝1
E127				08.003	省令別表第1のリスト名は「**食用赤色3号及びそのアルミニウムレーキ, Food Red No. 3 and its Aluminium lake**」だが，本書では各単品もリスト名としマークした
E129		25956-17-6	74.340	08.012	省令別表第1のリスト名は「**食用赤色40号及びそのアルミニウムレーキ, Food Red No. 40 and its Aluminium lake**」だが，本書では各単品もリスト名としマークした CNS 号08.012は allura red（AC なし）
E129				08.012	省令別表第1のリスト名は「**食用赤色40号及びそのアルミニウムレーキ, Food Red No. 40 and its Aluminium lake**」だが，本書では各単品もリスト名としマークした CNS 号08.012は allura aluminum lake（red AC なし）
E124		(無水物) 2611-82-7	(Cochineal extract:Carmine として) 73.100	08.002	告示成分規格の nH_2O は n ＝ 1 1/2
		18472-87-2			
		632-69-9			
		3520-42-1			
E102		1934-21-0	(要検定リストとして) 74.705 (要検定暫定リストとして) 82.705	08.005	米国では FD & C Yellow No.5(食用黄色5号)である 省令別表第1のリスト名は「**食用黄色4号及びそのアルミニウムレーキ, Food Yellow No. 4 and its Aluminium lake**」だが，本書では各単品もリスト名としマークした
E102			(Lakes(FD & C)として) 82.51	08.005	米国では FD & C Yellow No.5(食用黄色5号)である 省令別表第1のリスト名は「**食用黄色4号及びそのアルミニウムレーキ, Food Yellow No. 4 and its Aluminium lake**」だが，本書では各単品もリスト名としマークした
E110		2783-94-0	(要検定リストとして) 74.706 (要検定暫定リストとして) 82.706	08.006	米国では FD & C Yellow No.6(食用黄色6号)である 省令別表第1のリスト名は「**食用黄色5号及びそのアルミニウムレーキ, Food Yellow No. 5 and its Aluminium lake**」だが，本書では各単品もリスト名としマークした CNS 号08.006は sunset yellow（FCF なし）

色文字：法令上の指定添加物名（除く別名）　red：Name on Ministerial Ordinance of Designated Food Additives
色文字：法令上の既存添加物名（除く別名）　red：Name on Ministerial Notification of Existing Food Additives

英名 English name	英名別名 English name	和名，和名別名 Japanese name	許可状況 Legal/Illegal	主な用途 Main uses
Food Yellow No. 5 aluminium lake	Sunset Yellow FCF aluminium lake	サンセットイエロー FCF アルミニウムレーキ 食用黄色5号アルミニウムレーキ	○，指定	着色料
Formic acid		ギ酸	○，指定	香料
2-Formyl furan	Fural Furan-2-aldehyde Furfural (except harmful substances) Furfuraldehyde Furfurancarboxyaldehyde Furfurol Pyromucic aldehyde	ピロムシックアルデヒド フラール フラン-2-アルデヒド フルフラール（毒性が激しいと一般に認められるものを除く。） フルフランカルボキシアルデヒド フルフリルアルデヒド フルフロール 2-ホルミルフラン	○，指定	香料
Fractionated Lecithin	Cephalin Lecithin Lipoinositol	セファリン 分別レシチン（「植物レシチン」又は「卵黄レシチン」から得られた，スフィンゴミエリン，フォスファチジルイノシトール，フォスファチジルエタノールアミン及びフォスファチジルコリンを主成分とするものをいう。） リポイノシトール レシチン レシチン分別物	◎，既存	乳化剤
Fructan	Levan	フラクタン レバン（枯草菌の培養液から得られた，多糖類を主成分とするものをいう。）	×	増粘安定剤
Fructose	Fruit sugar	果糖	◎	特別用途食品
Fructosyl transferase		フルクトシルトランスフェラーゼ	◎，既存	酵素
Fruit juice		果汁 フルーツジュース	○	着色料

◎：許可（使用基準なし） Legal（Accepted with no standard of use）　×：使用不可 Illegal（Prohibited）
○：許可（使用基準あり） Legal（Accepted with standard of use）　※：個別判断を要するもの Required individual special judgement
指定：Designated Food Additives　既存：Existing Food Additives

EU E No.	EU FL No.	CAS No.	CFR No.	CNS 号.	備考 Remarks
E110			(Lakes(FD & C)として) 82.51	08.006	米国ではFD & C Yellow No.6(食用黄色6号)である 省令別表第1のリスト名は「**食用黄色5号及びそのアルミニウムレーキ，Food Yellow No. 5 and its Aluminium lake**」だが，本書では各単品もリスト名としマークした CNS 号08.006は sunset yellow aluminum lake（FCF なし）
	08.001	64-18-6			**脂肪酸類** 着香の目的以外に使用してはならない 類又は誘導体として指定されている18項目の香料リストの SEQ No.958(解説編2-(1)-(vi)参照) E No.はないが INS No.236あり
	13.018				着香の目的以外に使用してはならない 省令別表第1のリスト名は「**フルフラール及びその誘導体(毒性が激しいと一般に認められるものを除く。)，Furfurals and its derivatives (except harmful substances)**」だが，本書では各単品もリスト名としてマークした 類又は誘導体として指定されている18項目の香料リスト(解説編2-(1)-(vi)参照)
E322			(Lecithin として) 184.1400	04.010	指定，既存の別は，原材料が**ヒマワリレシチン**，または植物レシチン，卵黄レシチン，分別レシチンのいずれの定義に該当するかにより判断する CNS 号04.010は phospholipid
					「レバン」は，令和2年2月26日告示第42号により既存添加物名簿から消除
					資料1により食品素材扱いとする品目
			73.250		一般飲食物添加物 通知上の果汁の種類： **ウグイスカグラ** **エルダーベリー** **オレンジ** **カウベリー** **グースベリー** **クランベリー** **サーモンベリー** **ストロベリー** **ダークスイートチェリー** **チェリー** **チンブルベリー** **デュベリー** **パイナップル** **ハクルベリー** **ブドウ** **ブラックカーラント** **ブラックベリー**

F

色文字：法令上の指定添加物名（除く別名）　red：Name on Ministerial Ordinance of Designated Food Additives
色文字：法令上の既存添加物名（除く別名）　red：Name on Ministerial Notification of Existing Food Additives

英　名 English name	英名別名 English name	和名，和名別名 Japanese name	許可状況 Legal/Illegal	主な用途 Main uses
Fruit ketone	Allyl cyclohexylpropionate Cyclohexylpropionic acid allyl ester	シクロヘキシルプロピオン酸アリル フルーツケトン	○，指定	香料
Fruit sugar	Fructose	果糖	◎	特別用途食品
2-Fucosyllactose		2-フコシルラクトース	※	特別用途食品
Fukurofunori extract	Fukurofunori polysaccharide Fukuronori extract Fukuronori polysaccharide	フクロノリ抽出物（フクロノリの全藻から得られた，多糖類を主成分とするものをいう。）	◎，既存	増粘安定剤
Fukurofunori polysaccharide	Fukurofunori extract Fukuronori extract Fukuronori polysaccharide	フクロノリ抽出物（フクロノリの全藻から得られた，多糖類を主成分とするものをいう。）	◎，既存	増粘安定剤
Fukuronori extract	Fukurofunori extract Fukurofunori polysaccharide Fukuronori polysaccharide	フクロノリ抽出物（フクロノリの全藻から得られた，多糖類を主成分とするものをいう。）	◎，既存	増粘安定剤
Fukuronori polysaccharide	Fukurofunori extract Fukurofunori polysaccharide Fukuronori extract	フクロノリ抽出物（フクロノリの全藻から得られた，多糖類を主成分とするものをいう。）	◎，既存	増粘安定剤
Fulvic acid		フルボ酸	◎	特別用途食品
Fumaric acid		フマル酸	◎，指定	水素イオン濃度調整剤（pH 調整剤） 膨脹剤 酸味料
Fural	2-Formyl furan Furan-2-aldehyde Furfural (except harmful substances) Furfuraldehyde Furfurancarboxyaldehyde Furfurol Pyromucic aldehyde	ピロムシックアルデヒド フラール フラン-2-アルデヒド フルフラール（毒性が激しいと一般に認められるものを除く。） フルフランカルボキシアルデヒド フルフリルアルデヒド フルフロール 2-ホルミルフラン	○，指定	香料
Furan-2-aldehyde	2-Formyl furan Fural Furfural (except harmful substances) Furfuraldehyde Furfurancarboxyaldehyde Furfurol Pyromucic aldehyde	ピロムシックアルデヒド フラール フラン-2-アルデヒド フルフラール（毒性が激しいと一般に認められるものを除く。） フルフランカルボキシアルデヒド フルフリルアルデヒド フルフロール 2-ホルミルフラン	○，指定	香料

◎：許可（使用基準なし） Legal（Accepted with no standard of use）
○：許可（使用基準あり） Legal（Accepted with standard of use）
指定：Designated Food Additives　既存：Existing Food Additives
×：使用不可 Illegal（Prohibited）
※：個別判断を要するもの Required individual special judgement

EU E No.	EU FL No.	CAS No.	CFR No.	CNS 号.	備考 Remarks
					プラム ブルーベリー ベリー ボイセンベリー ホワートルベリー マルベリー モレロチェリー ラズベリー レッドカーラント レモン ローガンベリー
	09.498	2705-87-5			着香の目的以外に使用してはならない
					資料1により食品素材扱いとする品目
					資料1により食品添加物に該当する可能性が考えられるが，事前に判断を受けるよう指導されている品目
					資料1により食品素材扱いとする品目
E297		110-17-8	(Fummaric acid and salts of fumaric acid として) 172.350	01.110	
	13.018				着香の目的以外に使用してはならない 省令別表第1のリスト名は「**フルフラール及びその誘導体（毒性が激しいと一般に認められるものを除く。），Furfurals and its derivatives (except harmful substances)**」だが，本書では各単品もリスト名としてマークした 類又は誘導体として指定されている18項目の香料リスト（解説編2-(1)-(vi)参照）
	13.018				着香の目的以外に使用してはならない 省令別表第1のリスト名は「**フルフラール及びその誘導体（毒性が激しいと一般に認められるものを除く。），Furfurals and its derivatives (except harmful substances)**」だが，本書では各単品もリスト名としてマークした 類又は誘導体として指定されている18項目の香料リスト（解説編2-(1)-(vi)参照）

F

色文字：法令上の指定添加物名（除く別名）　red：Name on Ministerial Ordinance of Designated Food Additives
色文字：法令上の既存添加物名（除く別名）　red：Name on Ministerial Notification of Existing Food Additives

英　名 English name	英名別名 English name	和名，和名別名 Japanese name	許可状況 Legal/Illegal	主な用途 Main uses
Furcellaran		ファーセレラン(フルセラリアの全藻から得られた，多糖類を主成分とするものをいう。)	◎，既存	増粘安定剤 ゲル化剤
Furfural derivatives (except harmful substances)		フルフラール誘導体(毒性が激しいと一般に認められるものを除く。)	○，指定	香料
Furfural (except harmful substances)	2-Formyl furan Fural Furan-2-aldehyde Furfuraldehyde Furfurancarboxyaldehyde Furfurol Pyromucic aldehyde	ピロムシックアルデヒド フラール フラン-2-アルデヒド フルフラール(毒性が激しいと一般に認められるものを除く。) フルフランカルボキシアルデヒド フルフリルアルデヒド フルフロール 2-ホルミルフラン	○，指定	香料
Furfuraldehyde	2-Formyl furan Fural Furan-2-aldehyde Furfural (except harmful substances) Furfurancarboxyaldehyde Furfurol Pyromucic aldehyde	ピロムシックアルデヒド フラール フラン-2-アルデヒド フルフラール(毒性が激しいと一般に認められるものを除く。) フルフランカルボキシアルデヒド フルフリルアルデヒド フルフロール 2-ホルミルフラン	○，指定	香料
Furfurancarboxyaldehyde	2-Formyl furan Fural Furan-2-aldehyde Furfural (except harmful substances) Furfuraldehyde Furfurol Pyromucic aldehyde	ピロムシックアルデヒド フラール フラン-2-アルデヒド フルフラール(毒性が激しいと一般に認められるものを除く。) フルフランカルボキシアルデヒド フルフリルアルデヒド フルフロール 2-ホルミルフラン	○，指定	香料
Furfurol	2-Formyl furan Fural Furan-2-aldehyde Furfural (except harmful substances) Furfuraldehyde Furfurancarboxyaldehyde Pyromucic aldehyde	ピロムシックアルデヒド フラール フラン-2-アルデヒド フルフラール(毒性が激しいと一般に認められるものを除く。) フルフランカルボキシアルデヒド フルフリルアルデヒド フルフロール 2-ホルミルフラン	○，指定	香料

◎：許可（使用基準なし） Legal（Accepted with no standard of use）
○：許可（使用基準あり） Legal（Accepted with standard of use）
指定：Designated Food Additives 既存：Existing Food Additives
×：使用不可 Illegal（Prohibited）
※：個別判断を要するもの Required individual special judgement

EU E No.	EU FL No.	CAS No.	CFR No.	CNS 号.	備考 Remarks
			172.655		CFR172.655は Furcelleran
					着香の目的以外に使用してはならない 省令別表第1のリスト名は「**フルフラール及びその誘導体**(毒性が激しいと一般に認められるものを除く。), **Furfurals and its derivatives**(except harmful substances)」だが，本書では各単品もリスト名としてマークした 類又は誘導体として指定されている18項目の香料リスト(解説編2-(1)-(vi)参照)
	13.018				着香の目的以外に使用してはならない 省令別表第1のリスト名は「**フルフラール及びその誘導体(毒性が激しいと一般に認められるものを除く。), Furfurals and its derivatives (except harmful substances)**」だが，本書では各単品もリスト名としてマークした 類又は誘導体として指定されている18項目の香料リスト(解説編2-(1)-(vi)参照)
	13.018				着香の目的以外に使用してはならない 省令別表第1のリスト名は「**フルフラール及びその誘導体(毒性が激しいと一般に認められるものを除く。), Furfurals and its derivatives (except harmful substances)**」だが，本書では各単品もリスト名としてマークした 類又は誘導体として指定されている18項目の香料リスト(解説編2-(1)-(vi)参照)
	13.018				着香の目的以外に使用してはならない 省令別表第1のリスト名は「**フルフラール及びその誘導体(毒性が激しいと一般に認められるものを除く。), Furfurals and its derivatives (except harmful substances)**」だが，本書では各単品もリスト名としてマークした 類又は誘導体として指定されている18項目の香料リスト(解説編2-(1)-(vi)参照)
	13.018				着香の目的以外に使用してはならない 省令別表第1のリスト名は「**フルフラール及びその誘導体(毒性が激しいと一般に認められるものを除く。), Furfurals and its derivatives (except harmful substances)**」だが，本書では各単品もリスト名としてマークした 類又は誘導体として指定されている18項目の香料リスト(解説編2-(1)-(vi)参照)

G

色文字：法令上の指定添加物名（除く別名）　red：Name on Ministerial Ordinance of Designated Food Additives
色文字：法令上の既存添加物名（除く別名）　red：Name on Ministerial Notification of Existing Food Additives

英　名 English name	英名別名 English name	和名，和名別名 Japanese name	許可状況 Legal/Illegal	主な用途 Main uses
GABA	γ-Aminobutanoic acid γ-Aminobutyric acid	γ-アミノブタン酸 γ-アミノ酪酸 ギャバ	◎	特別用途食品
α-Galactosidase	Melibiase	α-ガラクトシダーゼ メリビアーゼ	◎，既存	酵素
β-Galactosidase	β-D-Galactoside galactohydrolase Lactase	β-ガラクトシダーゼ β-D-ガラクトシドガラクトハイドロラーゼ ラクターゼ	◎，既存	酵素
β-D-Galactoside galactohydrolase	β-Galactosidase Lactase	β-ガラクトシダーゼ β-D-ガラクトシドガラクトハイドロラーゼ ラクターゼ	◎，既存	酵素
Gallic acid		没食子酸	◎，既存	酸化防止剤
Gardenia blue		クチナシ青色素（クチナシの果実から得られたイリドイド配糖体とタンパク質分解物の混合物にβ-グルコシダーゼを添加して得られたものをいう。）	○，既存	着色料
Gardenia red		クチナシ赤色素（クチナシの果実から得られたイリドイド配糖体のエステル加水分解物とタンパク質分解物の混合物にβ-グルコシダーゼを添加して得られたものをいう。）	○，既存	着色料
Gardenia yellow		クチナシ黄色素（クチナシの果実から得られた，クロシン及びクロセチンを主成分とするものをいう。）	○，既存	着色料
Garlic and its derivatives		ガーリック誘導体	×	香料
Gelatin	Edible gelatin	食用ゼラチン ゼラチン	◎	製造用剤 特別用途食品 増粘安定剤 乳化剤
		ゼラチン	◎	製造用剤
Gellan gum	Gellan polysaccharide	ジェランガム（シュードモナスの培養液から得られた，多糖類を主成分とするものをいう。） ジェラン多糖類	◎，既存	増粘安定剤 ゲル化剤
Gellan polysaccharide	Gellan gum	ジェランガム（シュードモナスの培養液から得られた，多糖類を主成分とするものをいう。） ジェラン多糖類	◎，既存	増粘安定剤 ゲル化剤
Gentian root extract		ゲンチアナ抽出物（ゲンチアナの根又は根茎から得られた，アマロゲンチン及びゲンチオピクロシドを主成分とするものをいう。）	◎，既存	苦味料
Gentiobiase	Cellobiase β-Glucosidase	β-グルコシダーゼ ゲンチオビアーゼ セロビアーゼ	◎，既存	酵素

◎：許可（使用基準なし） Legal（Accepted with no standard of use）　×：使用不可 Illegal（Prohibited）
○：許可（使用基準あり） Legal（Accepted with standard of use）　※：個別判断を要するもの Required individual special judgement
指定：Designated Food Additives　既存：Existing Food Additives

EU E No.	EU FL No.	CAS No.	CFR No.	CNS 号.	備考 Remarks
					資料1により食品素材扱いとする品目
			(Alpha-Galactosidase derived from *Mortierella vinaceae* var. *raffinoseutilizer* として) 173.145		
			(Lactase enzyme preparation from *Candida pseudotropicalis* として) 184.1387 (Lactase enzyme preparation from *Kluyveromyces lactis* として) 184.1388	00.023	「組換え DNA 技術応用食品及び添加物の安全性審査の手続きを経た添加物」としての告示あり。詳細は厚労省 HP 参照
			(Lactase enzyme preparation from *Candida pseudotropicalis* として) 184.1387 (Lactase enzyme preparation from *Kluyveromyces lactis* として) 184.1388	00.023	「組換え DNA 技術応用食品及び添加物の安全性審査の手続きを経た添加物」としての告示あり。詳細は厚労省 HP 参照
				08.123	E No.はないが INS No.165あり
				08.112	E No.はないが INS No.164あり
			184.1317		
					資料1により食品素材扱いとする品目 E No.はないが INS No.428あり
				20.002	一般飲食物添加物 E No.はないが INS No.428あり
E418		71010-52-1	172.665	20.027	
E418		71010-52-1	172.665	20.027	

G

色文字：法令上の指定添加物名（除く別名）　red：Name on Ministerial Ordinance of Designated Food Additives
色文字：法令上の既存添加物名（除く別名）　red：Name on Ministerial Notification of Existing Food Additives

英　名 English name	英名別名 English name	和名，和名別名 Japanese name	許可状況 Legal/Illegal	主な用途 Main uses
Geranial (*trans*-Citral)	Citral Lemarome Neral (*cis*-Citral)	ゲラニアル（トランス-シトラール） シトラール ネラール（シス-シトラール） レマローム	○，指定	香料
Geraniol		ゲラニオール	○，指定	香料
Geraniol formate	Geranyl formate	ギ酸ゲラニオール ギ酸ゲラニル	○，指定	香料
Geranyl acetate		酢酸ゲラニル	○，指定	香料
Geranyl acetoacetate		アセト酢酸ゲラニル	○，指定	香料
Geranyl formate	Geraniol formate	ギ酸ゲラニオール ギ酸ゲラニル	○，指定	香料
Germanium		ゲルマニウム	◎	特別用途食品
Gibberellic acid		ジベレリン酸	×	その他（植物ホルモン）
Ginger extract		ショウガ抽出物（ショウガの根茎から得られた，ショウガオール及びジンゲロールを主成分とするものをいう。） ジンジャー抽出物	◎，既存	製造用剤
Glacial acetic acid	Crystallizable acetic acid	氷酢酸	◎，指定	酸味料
Glauber's salt	Sodium sulfate	ボウ硝 硫酸ナトリウム	◎，指定	製造用剤
Glucanase		グルカナーゼ	◎，既存	酵素
4-α-Glucanotransferase	6-α-Glucanotransferase α-Glucosyltransferase	4-α-グルカノトランスフェラーゼ 6-α-グルカノトランスフェラーゼ α-グルコシルトランスフェラーゼ	◎，既存	酵素
6-α-Glucanotransferase	4-α-Glucanotransferase α-Glucosyltransferase	4-α-グルカノトランスフェラーゼ 6-α-グルカノトランスフェラーゼ α-グルコシルトランスフェラーゼ	◎，既存	酵素
Glucoamylase	γ-Amylase Amyloglucosidase	アミログルコシダーゼ グルコアミラーゼ 糖化アミラーゼ	◎，既存	酵素
Glucomannan	Glucomannoglycan Konjac extract Konjac glucomannan	グルコマンナン グルコマンノグリカン コンニャクイモ抽出物 コンニャクグルコマンナン	◎	特別用途食品
Glucomannoglycan	Glucomannan Konjac extract Konjac glucomannan	グルコマンナン グルコマンノグリカン コンニャクイモ抽出物 コンニャクグルコマンナン	◎	特別用途食品

◎：許可（使用基準なし） Legal（Accepted with no standard of use）　×：使用不可 Illegal（Prohibited）
○：許可（使用基準あり） Legal（Accepted with standard of use）　※：個別判断を要するもの Required individual special judgement
指定：Designated Food Additives　既存：Existing Food Additives

EU E No.	EU FL No.	CAS No.	CFR No.	CNS 号.	備考 Remarks
	05.020	5392-40-5			着香の目的以外に使用してはならない 告示は「*trans*-異性体と *cis*-異性体との混合物」だが，(EU) FL No. は告示の CAS No. と同番号で「citral」としてあり
	02.012	106-24-1			着香の目的以外に使用してはならない
	09.076	105-86-2			着香の目的以外に使用してはならない
	09.011	105-87-3			着香の目的以外に使用してはならない
	09.405	10032-00-5			**エステル類** 着香の目的以外に使用してはならない 類又は誘導体として指定されている18項目の香料リストの SEQ No.998（解説編2-(1)-(vi) 参照）
	09.076	105-86-2			着香の目的以外に使用してはならない
					資料1により食品素材扱いとする品目。ゲルマニウムを含有させた食品について行政指導あり
			（Gibberellic acid and its potassium salt として） 172.725		
E260		（酢酸として） 64-19-7	（Acetic acid として） 184.1005	01.107 01.112	省令別表第1のリスト名は「**氷酢酸，Glacial acetic acid**」，EU では酢酸として指定 告示成分規格の酢酸は30%濃度 CNS 号01.112は低圧羰基化法
E514(i)		（1水和物） 7727-73-3 （無水物） 7757-82-6			告示成分規格の nH_2O は n ＝1又は0
					「組換え DNA 技術応用食品及び添加物の安全性審査の手続きを経た添加物」としての告示あり。詳細は厚労省 HP 参照
					「組換え DNA 技術応用食品及び添加物の安全性審査の手続きを経た添加物」としての告示あり。詳細は厚労省 HP 参照
			（Amyloglucosidase derived from *Rhizopus niveus* として） 173.110		「組換え DNA 技術応用食品及び添加物の安全性審査の手続きを経た添加物」としての告示あり。詳細は厚労省 HP 参照 E No. はないが INS No.1100あり
E425(ii)					グルコマンナンは，資料1により食品素材扱いとする品目
E425(ii)					グルコマンナンは，資料1により食品素材扱いとする品目

G

色文字：法令上の指定添加物名（除く別名）　red：Name on Ministerial Ordinance of Designated Food Additives
色文字：法令上の既存添加物名（除く別名）　red：Name on Ministerial Notification of Existing Food Additives

英　名 English name	英名別名 English name	和名，和名別名 Japanese name	許可状況 Legal/Illegal	主な用途 Main uses
Gluconic acid		グルコン酸	◎，指定	酸味料 調味料
Glucono lactone	Glucono-δ-lactone	グルコノデルタラクトン グルコノラクトン	◎，指定	製造用剤 水素イオン濃度調整剤（pH 調整剤） 膨張剤 酸味料 豆腐用凝固剤
Glucono-δ-lactone	Glucono lactone	グルコノデルタラクトン グルコノラクトン	◎，指定	製造用剤 水素イオン濃度調整剤（pH 調整剤） 膨張剤 酸味料 豆腐用凝固剤
α-D-Glucopyranoside	α-D-Glucopyranosyl Trehalose	α-D-グルコピラノシド α-D-グルコピラノシール トレハロース	◎，既存	製造用剤
α-D-Glucopyranosyl	α-D-Glucopyranoside Trehalose	α-D-グルコピラノシド α-D-グルコピラノシール トレハロース	◎，既存	製造用剤
Glucosamine	2-Amino glucose Chitosamine	2-アミノグルコース キトサミン グルコサミン	◎，既存	製造用剤 増粘安定剤
D-Glucose	Corn sugar Dextrose Grape sugar	D-グルコース コーンでんぷん糖 ブドウ糖	◎	甘味料
Glucose isomerase	D-Xylose ketol isomerase	D-キシロースケトールイソメラーゼ グルコースイソメラーゼ	◎，既存	酵素
Glucose oxidase	β-D-Glucose oxygen oxido-reductase	β-D-グルコースオキシゲンオキシドリダクターゼ グルコースオキシダーゼ	◎，既存	酵素
β-D-Glucose oxygen oxido-reductase	Glucose oxidase	β-D-グルコースオキシゲンオキシドリダクターゼ グルコースオキシダーゼ	◎，既存	酵素
Glucose syrup (sirup)	Corn syrup	コーンシロップ ブドウ糖シロップ	◎	甘味料
α-Glucosidase	Maltase	α-グルコシダーゼ マルターゼ	◎，既存	酵素
β-Glucosidase	Cellobiase Gentiobiase	β-グルコシダーゼ ゲンチオビアーゼ セロビアーゼ	◎，既存	酵素
Glucosyl hesperidin	Enzymatically modified hesperidin Glucosyl vitamin P	酵素処理ヘスペリジン（「ヘスペリジン」にシクロデキストリングルコシルトランスフェラーゼを用いてグルコースを付加して得られたものをいう。） 糖転移ビタミンP 糖転移ヘスペリジン	◎，既存	強化剤

◎：許可（使用基準なし） Legal（Accepted with no standard of use）
○：許可（使用基準あり） Legal（Accepted with standard of use）
指定：Designated Food Additives　既存：Existing Food Additives
×：使用不可 Illegal（Prohibited）
※：個別判断を要するもの Required individual special judgement

EU E No.	EU FL No.	CAS No.	CFR No.	CNS 号.	備考 Remarks
E574					
E575		90-80-2	184.1318	18.007	
E575		90-80-2	184.1318	18.007	
		9055-00-9			
		50-99-7	184.1857		CFR の CAS No.は50-99-7 食品扱い
					E No.はないが INS No.1102あり 「組換え DNA 技術応用食品及び添加物の安全性審査の手続きを経た添加物」としての告示あり。詳細は厚労省 HP 参照
					E No.はないが INS No.1102あり 「組換え DNA 技術応用食品及び添加物の安全性審査の手続きを経た添加物」としての告示あり。詳細は厚労省 HP 参照
			184.1865		CFR はコーンでんぷんを酸または酵素で加水分解し，その程度によりグルコース，マルトースおよび高含量の糖類を含む 食品扱い
					「組換え DNA 技術応用食品及び添加物の安全性審査の手続きを経た添加物」としての告示あり．詳細は厚労省 HP 参照

色文字：法令上の指定添加物名（除く別名）　red：Name on Ministerial Ordinance of Designated Food Additives
色文字：法令上の既存添加物名（除く別名）　red：Name on Ministerial Notification of Existing Food Additives

英　名 English name	英名別名 English name	和名，和名別名 Japanese name	許可状況 Legal/Illegal	主な用途 Main uses
Glucosyl naringin	Enzymatically modified naringin	酵素処理ナリンジン(「ナリンジン」から得られた，α-グルコシルナリンジンを主成分とするものをいう。) 糖転移ナリンジン	◎，既存	苦味料
Glucosyl rutin(extract)	Enzymatically modified rutin(extract)	酵素処理ルチン（抽出物）（「ルチン（抽出物）」から得られた，α-グルコシルルチンを主成分とするものをいう。) 糖転移ルチン(抽出物)	◎，既存	強化剤 酸化防止剤 着色料
Glucosyl vitamin P	Enzymatically modified hesperidin Glucosyl hesperidin	酵素処理ヘスペリジン(「ヘスペリジン」にシクロデキストリングルコシルトランスフェラーゼを用いてグルコースを付加して得られたものをいう。) 糖転移ビタミンP 糖転移ヘスペリジン	◎，既存	強化剤
Glucosylated steviol glycosides'		グルコシル化ステビオール配糖体	※	甘味料
α-Glucosyltransferase	4-α-Glucanotransferase 6-α-Glucanotransferase	4-α-グルカノトランスフェラーゼ 6-α-グルカノトランスフェラーゼ α-グルコシルトランスフェラーゼ	◎，既存	酵素
α-Glucosyltransferase-treated stevia	Enzymatically modified stevia	α-グルコシルトランスフェラーゼ処理ステビア(「ステビア抽出物」から得られた，α-グルコシルステビオシドを主成分とするものをいう。) 酵素処理ステビア	◎，既存	甘味料
Glutamate of soda	Monosodium glutamate	グルタミン酸ソーダ グルタミン酸ナトリウム	※	強化剤 調味料
L-Glutamic acid		L-グルタミン酸	◎，指定	調味料
Glutamic acid		グルタミン酸	※	調味料
Glutamic acid hydrochloride		グルタミン酸塩酸塩	×	調味料
Glutaminase		グルタミナーゼ	◎，既存	酵素
L-Glutamine		L-グルタミン	◎，既存	強化剤 調味料
Glutamyl-valyl-glycine		グルタミルバリルグリシン	◎，指定	調味料
Gluten		グルテン	◎	増粘安定剤
Gluten decomposites		グルテン分解物	◎	増粘安定剤
Glycerides and polyglycerides of hydrogenated vegetable oils		水素添加植物油脂のグリセライド及びポリグリセライド	※	製造用剤 増粘安定剤 乳化剤 ガムベース
Glycerin	Glycerol	グリセリン グリセロール	◎，指定	製造用剤 チューインガム軟化剤
sn-Glycero(3)phosphocholine	L-α-Glycerophosphorylcholine	*sn*-グリセロ(3)ホスホコリン L-α-グリセロホスホリルコリン	※	特別用途食品

◎：許可（使用基準なし） Legal（Accepted with no standard of use）　×：使用不可 Illegal（Prohibited）
○：許可（使用基準あり） Legal（Accepted with standard of use）　※：個別判断を要するもの Required individual special judgement
指定：Designated Food Additives　既存：Existing Food Additives

EU E No.	EU FL No.	CAS No.	CFR No.	CNS 号.	備考 Remarks
					着色料の目的では○,既存
E960d					E960d は「Commission Regulation（EU）2023/447 of 1 March 2023」により新規指定
					「組換え DNA 技術応用食品及び添加物の安全性審査の手続きを経た添加物」としての告示あり。詳細は厚労省 HP 参照
E621				12.001	日本では **L-グルタミン酸ナトリウム**が指定添加物となっている
E620		56-86-0	（Amino acids, L-Glutamic acid として） 172.320 （Glutamic acid として） 182.1045		
E620					日本では **L-グルタミン酸**が指定添加物となっている
			182.1047		
		56-85-9	（Amino acids, L-Glutamine として） 172.320		
	17.038	38837-70-6			平成26年8月8日省令別表第1に新規指定 使用基準は設定しないものの，その使用にあたっては，適切な製造工程管理を行い，食品中で目的とする効果を得る上で必要とされる量を超えないものとすることの特記あり EU では香料特性のある食品成分として FL No. あり
					一般飲食物添加物
					一般飲食物添加物
			172.736		
E422		56-81-5	182.1320	15.014	
					資料1により食品添加物に該当する可能性が考えられるが，事前に判断を受けるよう指導されている項目

色文字：法令上の指定添加物名（除く別名）　red：Name on Ministerial Ordinance of Designated Food Additives
色文字：法令上の既存添加物名（除く別名）　red：Name on Ministerial Notification of Existing Food Additives

英名 English name	英名別名 English name	和名，和名別名 Japanese name	許可状況 Legal/Illegal	主な用途 Main uses
Glycerol	Glycerin	グリセリン グリセロール	◎，指定	製造用剤 チューインガム軟化剤
Glycerol ester of gum rosin		グリセロールガムロジンエステル	×	乳化剤
Glycerol ester of tall oil rosin		グリセロールトール油ロジンエステル	×	乳化剤
Glycerol esters of acetic acid	Diacetin Glycerol esters of fatty acids Glyceryl diacetate	グリセリン酢酸エステル グリセリンジアセテート グリセリン脂肪酸エステル ジアセチン ジ酢酸グリセリル	◎，指定	製造用剤 増粘安定剤 乳化剤 ガムベース
	Glycerol esters of fatty acids Glyceryl triacetate Triacetin	グリセリン酢酸エステル グリセリン脂肪酸エステル グリセリントリアセテート トリアセチン トリ酢酸グリセリル	◎，指定	製造用剤 増粘安定剤 乳化剤 ガムベース
Glycerol esters of acetic (acetate) and fatty acids	Acetate esters of monoglyceride Acetic acid esters of mono-and diglycerides of fatty acids Glycerol esters of fatty acids	グリセリン酢酸脂肪酸エステル グリセリン脂肪酸エステル 酢酸モノグリセライド 脂肪酸のモノ及びジグリセライドの酢酸エステル	◎，指定	製造用剤 増粘安定剤 乳化剤 ガムベース
Glycerol esters of citric (citrate) and fatty acids	Citrate esters of monoglyceride Citric acid esters of mono-and diglycerides of fatty acids Glycerol esters of fatty acids Monoglyceride citrate Stearoyl monoglyceridyl citrate ester Stearyl monoglyceridyl citrate	クエン酸ステアリルモノグリセリジル クエン酸モノグリセライド グリセリンクエン酸脂肪酸エステル グリセリン脂肪酸エステル 脂肪酸のモノ及びジグリセライドのクエン酸エステル ステアロイルモノグリセリジルクエン酸エステル	◎，指定	製造用剤 増粘安定剤 酸化防止剤 乳化剤 ガムベース
Glycerol esters of diacetyl tartaric (tartrate) and fatty acids	Diacetyltartarate esters of monoglyceride Diacetyltartaric acid esters of mono-and diglycerides of fatty acids Glycerol esters of fatty acids Mono-and diacetyl tartaric acid esters of mono-and diglycerides of fatty acids	グリセリンジアセチル酒石酸脂肪酸エステル グリセリン脂肪酸エステル ジアセチル酒石酸モノグリセライド 脂肪酸のモノ及びジグリセライドのジアセチル酒石酸エステル 脂肪酸のモノ及びジグリセライドのモノ及びジアセチル酒石酸エステル	◎，指定	製造用剤 増粘安定剤 乳化剤 ガムベース
Glycerol esters of fatty acids	Acetate esters of monoglyceride Acetic acid esters of mono-and diglycerides of fatty acids Glycerol esters of acetic (acetate) and fatty acids	グリセリン酢酸脂肪酸エステル グリセリン脂肪酸エステル 酢酸モノグリセライド 脂肪酸のモノ及びジグリセライドの酢酸エステル	◎，指定	製造用剤 増粘安定剤 乳化剤 ガムベース
	Acetylated monoglyceride	アセチル化モノグリセライド グリセリン脂肪酸エステル	◎，指定	製造用剤 増粘安定剤 乳化剤 ガムベース

◎：許可（使用基準なし） Legal（Accepted with no standard of use）
○：許可（使用基準あり） Legal（Accepted with standard of use）
指定：Designated Food Additives　既存：Existing Food Additives
×：使用不可 Illegal（Prohibited）
※：個別判断を要するもの Required individual special judgement

EU E No.	EU FL No.	CAS No.	CFR No.	CNS 号.	備考 Remarks
E422		56-81-5	182.1320	15.014	
E1517			(Acetylated monoglycerides として) 172.828 (Mono-and diglycerides として) 184.1505		
E1518			(Triacetin として) 184.1901 (Mono-and diglycerides として) 184.1505		
E472a			(Acetylated monoglycerides として) 172.828 (Mono-and diglycerides として) 184.1505	10.027	
E472c			(Monoglyceride citrate として) 172.832 (Mono-and diglycerides として) 184.1505 (Stearyl monoglyceridyl citrate として) 172.755	10.032	
E472e			(Diacetyl tartaric acid esters of mono-and diglycerides として) 184.1101 (Mono-and diglycerides として) 184.1505	10.010	
E472a			(Acetylated monoglycerides として) 172.828 (Mono-and diglycerides として) 184.1505	10.027	
E471			(Acetylated monoglycerides として) 172.828 (Mono-and diglycerides として) 184.1505		

色文字：法令上の指定添加物名（除く別名）　red：Name on Ministerial Ordinance of Designated Food Additives
色文字：法令上の既存添加物名（除く別名）　red：Name on Ministerial Notification of Existing Food Additives

英　名 English name	英名別名 English name	和名，和名別名 Japanese name	許可状況 Legal/Illegal	主な用途 Main uses
	Citrate esters of monoglyceride Citric acid esters of mono-and diglycerides of fatty acids Glycerol esters of citric (citrate) and fatty acids Monoglyceride citrate Stearoyl monoglyceridyl citrate ester Stearyl monoglyceridyl citrate	クエン酸ステアリルモノグリセリジル クエン酸モノグリセライド グリセリンクエン酸脂肪酸エステル グリセリン脂肪酸エステル 脂肪酸のモノ及びジグリセライドのクエン酸エステル ステアロイルモノグリセリジルクエン酸エステル	◎，指定	製造用剤 増粘安定剤 酸化防止剤 乳化剤 ガムベース
	Diacetin Glycerol esters of acetic acid Glyceryl diacetate	グリセリン酢酸エステル グリセリンジアセテート グリセリン脂肪酸エステル ジアセチン ジ酢酸グリセリル	◎，指定	製造用剤 増粘安定剤 乳化剤 ガムベース
	Diacetyltartarate esters of monoglyceride Diacetyltartaric acid esters of mono-and diglycerides of fatty acids Glycerol esters of diacetyl tartaric (tartrate) and fatty acids Mono-and diacetyl tartaric acid esters of mono-and diglycerides of fatty acids	グリセリンジアセチル酒石酸脂肪酸エステル ジアセチル酒石酸モノグリセライド 脂肪酸のモノ及びジグリセライドのジアセチル酒石酸エステル 脂肪酸のモノ及びジグリセライドのモノ及びジアセチル酒石酸エステル	◎，指定	製造用剤 増粘安定剤 乳化剤 ガムベース
	Glycerol esters of acetic acid Glyceryl triacetate Triacetin	グリセリン酢酸エステル グリセリン脂肪酸エステル グリセリントリアセテート トリアセチン トリ酢酸グリセリル	◎，指定	製造用剤 増粘安定剤 乳化剤 ガムベース
	Glycerol esters of lactic (lactate) and fatty acids Glyceryl-lacto esters of fatty acids Lactate ester of mono-glyceride Lactic acid esters of mono-and diglycerides of fatty acids	グリセリン脂肪酸エステル 脂肪酸のモノ及びジグリセライドの乳酸エステル 乳酸モノグリセライド	◎，指定	製造用剤 増粘安定剤 乳化剤 ガムベース
	Glycerol esters of succinic (succinate) and fatty acids Succinate ester of monoglyceride Succinylated monoglycerides	グリセリンコハク酸脂肪酸エステル グリセリン脂肪酸エステル コハク酸モノグリセライド	◎，指定	製造用剤 増粘安定剤 乳化剤 ガムベース
	Glycerol esters of tartaric (tartrate) and fatty acids Tartaric acid esters of mono-and diglycerides of fatty acids Tartrate esters of mono-glyceride	グリセリン脂肪酸エステル グリセリン酒石酸脂肪酸エステル 脂肪酸のモノ及びジグリセライドの酒石酸エステル 酒石酸モノグリセライド	※	製造用剤 増粘安定剤 乳化剤 ガムベース
	Glyceryl behenate	グリセリン脂肪酸エステル グリセリンベヘン酸エステル	◎，指定	製造用剤 増粘安定剤 乳化剤 ガムベース
	Glyceryl monooleate	グリセリンオレイン酸エステル グリセリン脂肪酸エステル	◎，指定	製造用剤 増粘安定剤 乳化剤 ガムベース

◎：許可（使用基準なし） Legal（Accepted with no standard of use）
○：許可（使用基準あり） Legal（Accepted with standard of use）
指定：Designated Food Additives　既存：Existing Food Additives
×：使用不可 Illegal（Prohibited）
※：個別判断を要するもの Required individual special judgement

EU E No.	EU FL No.	CAS No.	CFR No.	CNS 号.	備考 Remarks
E472c			(Monoglyceride citrate として) 172.832 (Mono-and diglycerides として) 184.1505 (Stearyl monoglyceridyl citrate として) 172.755	10.032	
E1517			(Acetylated monoglycerides として) 172.828 (Mono-and diglycerides として) 184.1505		
E472e			(Diacetyl tartaric acid esters of mono-and diglycerides として) 184.1101 (Mono-and diglycerides として) 184.1505	10.010	
E1518			(Triacetin として) 184.1901 (Mono-and diglycerides として) 184.1505		
E472b			(Glyceryl-lacto esters of fatty acids として) 172.852 (Mono-and diglycerides として) 184.1505	10.031	
E471			(Succinylated monoglycerides として) 172.830 (Mono-and diglycerides として) 184.1505	10.038	
E472d			(Diacetyl tartanic acid esters of mono-and diglycerides として) 184.1011 (Mono-and diglycerides として) 184.1505		
E471			(Glyceryl behenate として) 184.1328 (Mono-and diglycerides として) 184.1505		
E471			(Glyceryl monooleate として) 184.1323 (Mono-and diglycerides として) 184.1505		

G

色文字：法令上の指定添加物名（除く別名）　red：Name on Ministerial Ordinance of Designated Food Additives
色文字：法令上の既存添加物名（除く別名）　red：Name on Ministerial Notification of Existing Food Additives

英　名 English name	英名別名 English name	和名，和名別名 Japanese name	許可状況 Legal/Illegal	主な用途 Main uses
	Glyceryl monostearate	グリセリン脂肪酸エステル グリセリンステアリン酸エステル	◎，指定	製造用剤 増粘安定剤 乳化剤 ガムベース
	Glyceryl palmitostearote	グリセリン脂肪酸エステル グリセリンパルミチン酸ステアリン酸エステル	◎，指定	製造用剤 増粘安定剤 乳化剤 ガムベース
	Glyceryl tristearate	グリセリン三ステアリン酸エステル グリセリン脂肪酸エステル	◎，指定	製造用剤 増粘安定剤 乳化剤 ガムベース
	Mixed acetic and tartaric acid esters of mono-and diglycerides of fatty acids	グリセリン脂肪酸エステル 脂肪酸のモノ及びジグリセライドの酢酸及び酒石酸エステルの混合物	※	製造用剤 増粘安定剤 乳化剤 ガムベース
	Mono-and diglycerides of fatty acids	グリセリン脂肪酸エステル 脂肪酸のモノ及びジグリセリド	◎，指定	製造用剤 増粘安定剤 乳化剤 ガムベース
	Polyglycerol esters of condensation ricinoleic acid Polyglycerol esters of polymerization ricinolic acid Polyglycerol polyricinoleate	グリセリン脂肪酸エステル ポリグリセリン重合リシノール酸エステル ポリグリセリン縮合リシノレイン酸エステル ポリグリセリンポリリシノール酸エステル ポリリシノール酸のポリグリセリンエステル	◎，指定	製造用剤 増粘安定剤 乳化剤 ガムベース
	Polyglycerol esters of fatty acids	グリセリン脂肪酸エステル ポリグリセリン脂肪酸エステル	◎，指定	製造用剤 増粘安定剤 乳化剤 ガムベース
Glycerol esters of lactic(lactate)and fatty acids	Glycerol esters of fatty acids Glyceryl-lacto esters of fatty acids Lactate ester of mono-glyceride Lactic acid esters of mono-and diglycerides of fatty acids	グリセリン脂肪酸エステル 脂肪酸のモノ及びジグリセライドの乳酸エステル 乳酸モノグリセライド	◎，指定	製造用剤 増粘安定剤 乳化剤 ガムベース
Glycerol esters of succinic(succinate)and fatty acids	Glycerol esters of fatty acids Succinate ester of monoglyceride Succinylated monoglycerides	グリセリンコハク酸脂肪酸エステル グリセリン脂肪酸エステル コハク酸モノグリセライド	◎，指定	製造用剤 増粘安定剤 乳化剤 ガムベース

◎：許可（使用基準なし） Legal（Accepted with no standard of use）
○：許可（使用基準あり） Legal（Accepted with standard of use）
指定：Designated Food Additives　既存：Existing Food Additives
×：使用不可 Illegal（Prohibited）
※：個別判断を要するもの Required individual special judgement

EU E No.	EU FL No.	CAS No.	CFR No.	CNS 号.	備考 Remarks
E471			（Glyceryl monostearate として） 184.1324 （Mono-and diglycerides として） 184.1505		
E471			（Glyceryl palmitostea-rate として） 184.1329 （Mono-and diglycerides として） 184.1505		
E471			（Glyceryl tristearate として） 172.811 （Mono-and diglycerides として） 184.1505		
E472f			（Mono-and diglycerides として） 184.1505		
E471			（Mono-and diglycerides として） 184.1505	10.006	
E476			（Polyglycerol esters of fatty acids として） 172.854 （Mono-and diglycerides として） 184.1505	10.029	
E475			（Polyglycerol esters of fatty acids として） 172.854 （Mono-and diglycerides として） 184.1505	10.022	
E472b			（Glyceryl-lacto esters of fatty acids として） 172.852 （Mono-and diglycerides として） 184.1505	10.031	
E471			（Succinylated monoglycerides として） 172.830 （Mono-and diglycerides として） 184.1505	10.038	

色文字：法令上の指定添加物名（除く別名）　red：Name on Ministerial Ordinance of Designated Food Additives
色文字：法令上の既存添加物名（除く別名）　red：Name on Ministerial Notification of Existing Food Additives

英　名 English name	英名別名 English name	和名，和名別名 Japanese name	許可状況 Legal/Illegal	主な用途 Main uses
Glycerol esters of tartaric (tartrate) and fatty acids	Glycerol esters of fatty acids Tartaric acid esters of mono-and diglycerides of fatty acids Tartrate esters of mono-glyceride	グリセリン脂肪酸エステル グリセリン酒石酸脂肪酸エステル 脂肪酸のモノ及びジグリセライドの酒石酸エステル 酒石酸モノグリセライド	※	製造用剤 増粘安定剤 乳化剤 ガムベース
Glycerol esters of wood rosins	Ester gum Rosin ester	エステルガム ロジンエステル	○，指定	チューインガム基礎剤
Glycerol-esterhydrolase	Lipase	脂肪分解酵素 リパーゼ	◎，既存	酵素
L-α-Glycerophosphorylcholine	*sn*-Glycero(3)phosphocholine	*sn*-グリセロ(3)ホスホコリン L-α-グリセロホスホリルコリン	※	特別用途食品
Glyceryl behenate	Glycerol esters of fatty acids	グリセリン脂肪酸エステル グリセリンベヘン酸エステル	◎，指定	製造用剤 増粘安定剤 乳化剤 ガムベース
Glyceryl diacetate	Diacetin Glycerol esters of acetic acid Glycerol esters of fatty acids	グリセリン酢酸エステル グリセリンジアセテート グリセリン脂肪酸エステル ジアセチン ジ酢酸グリセリル	◎，指定	製造用剤 増粘安定剤 乳化剤 ガムベース
Glyceryl monooleate	Glycerol esters of fatty acids	グリセリンオレイン酸エステル グリセリン脂肪酸エステル	◎，指定	製造用剤 増粘安定剤 乳化剤 ガムベース
Glyceryl monostearate	Glycerol esters of fatty acids	グリセリン脂肪酸エステル グリセリンステアリン酸エステル	◎，指定	製造用剤 増粘安定剤 乳化剤 ガムベース
Glyceryl palmitostearote	Glycerol esters of fatty acids	グリセリン脂肪酸エステル グリセリンパルミチン酸ステアリン酸エステル	◎，指定	製造用剤 増粘安定剤 乳化剤 ガムベース
Glyceryl triacetate	Glycerol esters of acetic acid Glycerol esters of fatty acids Triacetin	グリセリン酢酸エステル グリセリン脂肪酸エステル グリセリントリアセテート トリアセチン トリ酢酸グリセリル	◎，指定	製造用剤 増粘安定剤 乳化剤 ガムベース

◎：許可（使用基準なし） Legal（Accepted with no standard of use）
○：許可（使用基準あり） Legal（Accepted with standard of use）
指定：Designated Food Additives　既存：Existing Food Additives
×：使用不可 Illegal（Prohibited）
※：個別判断を要するもの Required individual special judgement

EU E No.	EU FL No.	CAS No.	CFR No.	CNS 号.	備　考 Remarks
E472d			（Diacetyl tartaric acid esters of mono-and diglycerides として） 184.1101 （Mono-and diglycerides として） 184.1505		
E445			(Glycerol ester of rosin として) 172.735	10.013	チューインガム基礎剤の目的以外に使用してはならない E445は Glycerol esters of wood rosins
			（Animal lipase として） 184.1415 (Lipase enzyme preparation derived from *Rhizopus niveus* として) 184.1420		「組換え DNA 技術応用食品及び添加物の安全性審査の手続きを経た添加物」としての告示あり。詳細は厚労省 HP 参照 E No.はないが INS No.1104あり
					資料1により食品添加物に該当する可能性が考えられるが，事前に判断を受けるよう指導されている項目
E471			(Glyceryl behenate として) 184.1328 (Mono-and diglycerides として) 184.1505		
E1517			(Acetylated monoglycerides として) 172.828 (Mono-and diglycerides として) 184.1505		
E471			(Glyceryl monooleate として) 184.1323 (Mono-and diglycerides として) 184.1505		
E471			(Glyceryl monostearate として) 184.1324 (Mono-and diglycerides として) 184.1505		
E471			(Glyceryl palmitostearate として) 184.1329 (Mono-and diglycerides として) 184.1505		
E1518			(Triacetin として) 184.1901 (Mono-and diglycerides として) 184.1505		

G

色文字：法令上の指定添加物名（除く別名）　red：Name on Ministerial Ordinance of Designated Food Additives
色文字：法令上の既存添加物名（除く別名）　red：Name on Ministerial Notification of Existing Food Additives

英　名 English name	英名別名 English name	和名，和名別名 Japanese name	許可状況 Legal/Illegal	主な用途 Main uses
Glyceryl tristearate	Glycerol esters of fatty acids	グリセリン三ステアリン酸エステル グリセリン脂肪酸エステル	◎，指定	製造用剤 増粘安定剤 乳化剤 ガムベース
Glyceryl-lacto esters of fatty acids	Glycerol esters of fatty acids Glycerol esters of lactic (lactate) and fatty acids Lactate ester of mono-glyceride Lactic acid esters of mono-and diglycerides of fatty acids	グリセリン脂肪酸エステル 脂肪酸のモノ及びジグリセライドの乳酸エステル 乳酸モノグリセライド	◎，指定	製造用剤 増粘安定剤 乳化剤 ガムベース
Glycine		グリシン	◎，指定	強化剤 調味料
Glycine sodium salt		グリシンナトリウム塩	×	強化剤 調味料
Glycolipids		グリコリピッド（糖脂質）	※	保存料
Glycyrrhizin	Licorice extract	カンゾウエキス カンゾウ抽出物（ウラルカンゾウ，チョウカカンゾウ又はヨウカンゾウの根又は根茎から得られた，グリチルリチン酸を主成分とするものをいう。） グリチルリチン リコリス抽出物	◎，既存	甘味料
Goat's thorn	Basora gum Gum tragacanth Hog gum Leaf gum Syrian gum Tragacanth gum	シリアンガム トラガントガム（トラガントの分泌液から得られた，多糖類を主成分とするものをいう。） バソラガム ホッグガム リーフガム	◎，既存	増粘安定剤 乳化剤
Gold	Gold foil	金 金箔	◎，既存	製造用剤 着色料
Gold foil	Gold	金 金箔	◎，既存	製造用剤 着色料
Gooseberry color		グースベリー色素	○	着色料
Granite porphyry	Bakuhanseki	花こう斑岩 麦飯石	○，既存	製造用剤 特別用途食品
Grape juice color		ブドウ果汁色素	○	着色料
Grape seed extract		ブドウ種子抽出物（アメリカブドウ又はブドウの種子から得られた，プロアントシアニジンを主成分とするものをいう。）	◎，既存	製造用剤 酸化防止剤

◎：許可（使用基準なし） Legal（Accepted with no standard of use）
○：許可（使用基準あり） Legal（Accepted with standard of use）
指定：Designated Food Additives　既存：Existing Food Additives
×：使用不可 Illegal（Prohibited）
※：個別判断を要するもの Required individual special judgement

EU E No.	EU FL No.	CAS No.	CFR No.	CNS 号.	備考 Remarks
E471			(Glyceryl tristearate として) 172.811 (Mono-and diglycerides として) 184.1505		
E472b			(Glyceryl-lacto esters of fatty acids として) 172.852 (Mono-and diglycerides として) 184.1505	10.031	
E640		56-40-6	(Amino acids, Aminoacetic acid(glycine)として) 172.320 (Glycine として) 172.812	12.007	E640は Glycine and its sodium salt だが，日本では**グリシン**のみが指定添加物になっている
E640					E640は Glycine and its sodium salt だが，日本では**グリシン**のみが指定添加物になっている
E246					E246は「Commission Regulation (EU) No.2022/1037 of 29 June 2022」で新規指定 糖を含む複合物質の総称で，生物界に広く分布している物質であり，許可状況は個別判断とし「※」とする なお，EU では飲料（含ビール）の保存料として新設された
			(Licorice and licorice derivatives として) 184.1408	19.010 19.012	米国では甘草，同磨さい物，甘草抽出物及び主成分のグリチルリチンのアンモニウム塩が風味増強剤として使用が認められている。日本では**カンゾウ末**が既存添加物リストの別添3の一般飲食物添加物として，また**カンゾウ抽出物及びカンゾウ油性抽出物**が既存添加物として使用が認められている E No.はないが INS No.958あり CNS 号19.010は monopotassium and tripotassium glycyrrhizinate CNS 号19.012は ammonium glycyrrhizinate
E413		9000-65-1	(Gum tragacanth として) 184.1351		
E175					着色料の目的では○，既存
E175					着色料の目的では○，既存
					一般飲食物添加物
					不溶性鉱物性物質に包含される。**不溶性鉱物性物質**扱いの使用は○ 麦飯石は資料1により既存添加物扱いとする品目にもリストアップされている
E163			(Grape color extract として) 73.169 (Vegetable juice として) 73.260		一般飲食物添加物 E163の正式名称は Anthocyanins（アントシアニン類）
					プロアントシアニジン参照

G

色文字：法令上の指定添加物名（除く別名）　red：Name on Ministerial Ordinance of Designated Food Additives
色文字：法令上の既存添加物名（除く別名）　red：Name on Ministerial Notification of Existing Food Additives

英　名 English name	英名別名 English name	和名，和名別名 Japanese name	許可状況 Legal/Illegal	主な用途 Main uses
Grape skin color	Anthocyanins Enocianin Grape skin extract	アントシアニン類 エノシアニン ブドウ果皮色素(アメリカブドウ又はブドウの果皮から得られた，アントシアニンを主成分とするものをいう。) ブドウ色素	○，既存	着色料
Grape skin extract	Anthocyanins Enocianin Grape skin color	アントシアニン類 エノシアニン ブドウ果皮色素(アメリカブドウ又はブドウの果皮から得られた，アントシアニンを主成分とするものをいう。) ブドウ色素	○，既存	着色料
Grape skin-derived substance		ブドウ果皮抽出物(アメリカブドウ又はブドウの果皮から得られた，ポリフェノールを主成分とするものをいう。)	◎，既存	製造用剤
Grape sugar	Corn sugar Dextrose D-Glucose	D-グルコース コーンでんぷん糖 ブドウ糖	◎	甘味料
Grapefruit seed extract		グレープフルーツ種子抽出物(グレープフルーツの種子から得られた，脂肪酸及びフラボノイドを主成分とするものをいう。)	◎，既存	製造用剤
Green S		グリーンS	×	着色料
Green tea extract	Oolong tea extract Tea extract	ウーロンチャ抽出物 チャ抽出物(チャの葉から得られた，カテキン類を主成分とするものをいう。) 緑茶抽出物	◎，既存	製造用剤 酸化防止剤
Ground limestone		粉砕石灰石	※	膨脹剤 強化剤 ガムベース イーストフード
Guaiac resin	Guajac resin	グアヤク脂(ユソウボクの幹枝から得られた，グアヤコン酸，グアヤレチック酸及びβ-レジンを主成分とするものをいう。)	○，既存	酸化防止剤
Guajac resin	Guaiac resin	グアヤク脂(ユソウボクの幹枝から得られた，グアヤコン酸，グアヤレチック酸及びβ-レジンを主成分とするものをいう。)	○，既存	酸化防止剤
Guajac resin(extract)		グアヤク樹脂(ユソウボクの分泌液から得られた，α-グアヤコン酸及びβ-グアヤコン酸を主成分とするものをいう。)	◎，既存	ガムベース
Guanylic acid		グアニル酸	×	調味料
Guar flour	Guar gum	グァーガム(グァーの種子から得られた，多糖類を主成分とするものをいう。ただし，「グァーガム酵素分解物」を除く。) グァーフラワー グァルガム	◎，既存	増粘安定剤 乳化剤
Guar gum	Guar flour	グァーガム(グァーの種子から得られた，多糖類を主成分とするものをいう。ただし，「グァーガム酵素分解物」を除く。) グァーフラワー グァルガム	◎，既存	増粘安定剤 乳化剤

◎：許可（使用基準なし） Legal（Accepted with no standard of use）
○：許可（使用基準あり） Legal（Accepted with standard of use）
指定：Designated Food Additives 既存：Existing Food Additives
×：使用不可 Illegal（Prohibited）
※：個別判断を要するもの Required individual special judgement

EU E No.	EU FL No.	CAS No.	CFR No.	CNS 号.	備考 Remarks
E163			(Grape skin extract(enocianina)として) 73.170 (Vegetable juiceとして) 73.260	08.135	E163の正式名称はAnthocyanins(アントシアニン類)
E163			(Grape skin extract(enocianina)として) 73.170 (Vegetable juiceとして) 73.260	08.135	E163の正式名称はAnthocyanins(アントシアニン類)
		50-99-7	184.1857		CFRのCAS No.は50-99-7 食品扱い
E142					
E170			(Ground limestoneとして) 184.1409		省令別表第1の**炭酸カルシウム**の規格に合うものは炭酸カルシウムとして使用できる 石灰石参照 E170はCalcium carbonate,炭酸カルシウムだが,わが国で認められているのは**炭酸カルシウム**のみ
E626					日本では**5'-グアニル酸二ナトリウム**が指定添加物となっている
E412			184.1339	20.025	
E412			184.1339	20.025	

G

色文字：法令上の指定添加物名（除く別名）　red：Name on Ministerial Ordinance of Designated Food Additives
色文字：法令上の既存添加物名（除く別名）　red：Name on Ministerial Notification of Existing Food Additives

英　名 English name	英名別名 English name	和名，和名別名 Japanese name	許可状況 Legal/Illegal	主な用途 Main uses
Gum Arabic	Acacia gum Acacia(gum arabic) Arabic gum Senegal gum	アカシアガム アラビアガム（アカシアの分泌液から得られた，多糖類を主成分とするものをいう。） セネガルガム	◎，既存	増粘安定剤 乳化剤
Gum ghatti		ガティガム（ガティノキの分泌液から得られた，多糖類を主成分とするものをいう。）	◎，既存	増粘安定剤
Gum tragacanth	Basora gum Goat's thorn Hog gum Leaf gum Syrian gum Tragacanth gum	シリアンガム トラガントガム（トラガントの分泌液から得られた，多糖類を主成分とするものをいう。） バソラガム ホッグガム リーフガム	◎，既存	増粘安定剤 乳化剤
Gutta hang kang		グッタハンカン（グッタハンカンの分泌液から得られた，アミリンアセタート及びポリイソプレンを主成分とするものをいう。）	◎，既存	ガムベース
Gutta percha		グッタペルカ（グッタペルカの分泌液から得られた，ポリイソプレンを主成分とするものをいう。）	◎，既存	ガムベース
Gyps	Calcium sulfate Chemical gypsum Gypsum Natural gypsum Plaster of Paris	化学石こう 焼石こう 石こう 天然石こう 硫酸カルシウム	○，指定	膨脹剤 強化剤 イーストフード 豆腐用凝固剤 膨張剤
	Calcium sulfate Chemical gypsum Gypsum Natural gypsum Plaster of Paris	化学石こう 焼石こう 石こう 天然石こう 硫酸カルシウム	※	特別用途食品
Gypsum	Calcium sulfate Chemical gypsum Gyps Natural gypsum Plaster of Paris	化学石こう 焼石こう 石こう 天然石こう 硫酸カルシウム	○，指定	膨脹剤 強化剤 イーストフード 豆腐用凝固剤 膨張剤
	Calcium sulfate Chemical gypsum Gyps Natural gypsum Plaster of Paris	化学石こう 焼石こう 石こう 天然石こう 硫酸カルシウム	※	特別用途食品

◎：許可（使用基準なし） Legal（Accepted with no standard of use）
○：許可（使用基準あり） Legal（Accepted with standard of use）
指定：Designated Food Additives　既存：Existing Food Additives
×：使用不可 Illegal（Prohibited）
※：個別判断を要するもの Required individual special judgement

EU E No.	EU FL No.	CAS No.	CFR No.	CNS 号.	備 考 Remarks
E414			(Acacia(gum arabic)として) 172.780 (GRAS 物質(同上)として) 184.1330	20.008	
		9000-28-6	184.1333		E No.はないがINS No.419あり
E413		9000-65-1	(Gum tragacanth として) 184.1351		
E516		(2水和物) 7778-18-9	(Calcium sulfate として) 184.1230	18.001	食品の製造又は加工上必要不可欠な場合及び栄養の目的以外に使用してはならない 告示成分規格の nH_2O は n =2 石こう参照
E516					石こうは資料1により食品添加物に該当する可能性が考えられるが，事前に判断を受けるよう指導されている品目 石こう参照
E516		(2水和物) 7778-18-9	(Calcium sulfate として) 184.1230	18.001	食品の製造又は加工上必要不可欠な場合及び栄養の目的以外に使用してはならない 告示成分規格の nH_2O は n =2 石こう参照
E516					石こうは資料1により食品添加物に該当する可能性が考えられるが，事前に判断を受けるよう指導されている品目 石こう参照

G

H

色文字：法令上の指定添加物名（除く別名）　red：Name on Ministerial Ordinance of Designated Food Additives
色文字：法令上の既存添加物名（除く別名）　red：Name on Ministerial Notification of Existing Food Additives

英　名 English name	英名別名 English name	和名，和名別名 Japanese name	許可状況 Legal/Illegal	主な用途 Main uses
Haematococcus algae color		ヘマトコッカス藻色素(ヘマトコッカスの全藻から得られた，アスタキサンチンを主成分とするものをいう。)	○，既存	着色料
HEDP	Etidronic acid 1-Hydroxyethylidene-1, 1-diphosphonic acid	エチドロン酸 1-ヒドロキシエチリデン-1, 1-ジホスホン酸	○，指定	殺菌料
Hego-ginkgo leaf extract		ヘゴ・イチョウ抽出物(イチョウ及びヘゴの葉から抽出して得られたものをいう。)	×	酸化防止剤
Heliotropine	Dioxyethylene protocatechuic aldehyde Piperonal Piperonyl aldehyde Protocatechu aldehyde methylene ether	ジオキシエチレンプロトカテキュアルデヒド ピペロナール ピペロニルアルデヒド プロトカテキュアルデヒドメチレンエーテル ヘリオトロピン	○，指定	香料
Helium		ヘリウム	◎，既存	製造用剤
Hematite maghemite	Ferric oxide red Ferric oxide(III) Indian red Iron oxides and hydroxides Iron sesquioxide Iron trioxide Red iron oxide Rouge Vitriol red	インディアンレッド 酸化鉄(III) 三酸化二鉄 三二酸化鉄 赤色酸化第二鉄 ベンガラ	○，指定	着色料
Heme iron		ヘム鉄	◎，既存	強化剤
Hemicellulase	Pentosanase	ヘミセルラーゼ ペントサナーゼ	◎，既存	酵素
Heptane		ヘプタン	◎，既存	製造用剤
1,4-Heptanolactone, calcium salts		1,4-ヘプタノラクトンカルシウム	×	製造用剤
1,4-Heptanolactone, sodium salts		1,4-ヘプタノラクトンナトリウム	×	製造用剤
n-Heptyl *p*-hydroxybenzoate	Heptyl paraben	パラオキシ安息香酸ヘプチル *n*-ヘプチル *p*-ハイドロキシベンゾエート ヘプチルパラベン	×	保存料
Heptyl paraben	*n*-Heptyl *p*-hydroxybenzoate	パラオキシ安息香酸ヘプチル *n*-ヘプチル *p*-ハイドロキシベンゾエート ヘプチルパラベン	×	保存料
Hesperidin	Vitamin P	ビタミンP ヘスペリジン	◎，既存	強化剤
Hesperidinase		ヘスペリジナーゼ	◎，既存	酵素
Hexahydropyridine	Pentametylenimine Piperidine	ピペリジン ヘキサヒドロピリジン ペンタメチレンイミン	○，指定	香料
Hexahydrothymol	Menthacamphor 3-*p*-Menthanol *dl*-Menthol Peppermint camphor	3-パラメンタノール ヘキサハイドロチモール ペパーミントカンファー メンタカンファー *dl*-メントール	○，指定	香料

◎：許可（使用基準なし） Legal（Accepted with no standard of use）　×：使用不可 Illegal（Prohibited）
○：許可（使用基準あり） Legal（Accepted with standard of use）　※：個別判断を要するもの Required individual special judgement
指定：Designated Food Additives　既存：Existing Food Additives

EU E No.	EU FL No.	CAS No.	CFR No.	CNS 号.	備考 Remarks
			(Haematococcus algae meal として) 73.185		CFR は魚の飼料用のみに認めている
		2809-21-4	(Peroxyacids の混合成分の1つとして) 173.370		殺菌料は過酢酸製剤用キレート剤 平成28年10月6日省令別表第1に新規指定 過酢酸製剤として使用する場合以外に使用してはならない
					令和2年2月26日告示第42号により既存添加物名簿から消除
	05.016	120-57-0			着香の目的以外に使用してはならない
E939			184.1355		
E172		(三二酸化鉄として) 1309-37-1	(Synthetic iron oxide として) 73.200		省令別表第1の**三二酸化鉄**以外は不可 E172は「Commission Regulation（EU）No.510/2013 of 3 June 2013」で新規制定
					「組換え DNA 技術応用食品及び添加物の安全性審査の手続きを経た添加物」としての告示あり。詳細は厚労省 HP 参照
			172.145		CFR は発酵モルト飲料，ノンアルコールソフト飲料などの保存料
			172.145		CFR は発酵モルト飲料，ノンアルコールソフト飲料などの保存料
	14.010	110-89-4			着香の目的以外に使用してはならない
	02.015	89-78-1			着香の目的以外に使用してはならない

色文字：法令上の指定添加物名（除く別名）　red：Name on Ministerial Ordinance of Designated Food Additives
色文字：法令上の既存添加物名（除く別名）　red：Name on Ministerial Notification of Existing Food Additives

英　名 English name	英名別名 English name	和名，和名別名 Japanese name	許可状況 Legal/Illegal	主な用途 Main uses
Hexamethylenetetramine		ヘキサメチレンテトラミン	×	保存料
1-Hexanamine	Hexylamine	1-ヘキサンアミン ヘキシルアミン	○，指定	香料
n-Hexane	Caproyl hydride Hexane Hexyl hydride	ヘキサン	○，既存	製造用剤
Hexane	Caproyl hydride *n*-Hexane Hexyl hydride	ヘキサン	○，既存	製造用剤
Hexanedioic acid	Adipic acid 1,4-Butanedicarboxylic acid	アジピン酸 1,4-ブタンジカルボン酸 ヘキサン二酸	◎，指定	製造用剤 水素イオン濃度調整剤（pH 調整剤） 膨脹剤 酸味料
Hexanoic acid	Caproic acid *n*-Caproic acid 1-Pentanecarboxylic acid	カプロン酸 *n*-カプロン酸 ヘキサン酸 1-ペンタンカルボン酸	○，指定	香料
α-Hexyl cinnamic aldehyde		α-ヘキシルシンナムアルデヒド	○，指定	香料
Hexyl hydride	Caproyl hydride Hexane *n*-Hexane	ヘキサン	○，既存	製造用剤
Hexylamine	1-Hexanamine	1-ヘキサンアミン ヘキシルアミン	○，指定	香料
Hexylene glycol		ヘキシレングリコール	×	製造用剤
4-Hexylresorcinol		4-ヘキシルレゾルシン	×	製造用剤 酸化防止剤
Hibiscus color		ハイビスカス色素 ローゼル色素	○	着色料
High acid hypochlorous acid water	Hypochlorous acid water	強酸性次亜塩素酸水 次亜塩素酸水	○，指定	殺菌料
High fructose corn syrup		高果糖コーンシロップ	◎	甘味料
High-test hypochlorite	Calcium hypochlorite Calcium oxychloride Chlorinated lime	クロール石灰 高度サラシ粉 次亜塩素酸カルシウム	◎，指定	殺菌料

◎：許可（使用基準なし） Legal（Accepted with no standard of use）
○：許可（使用基準あり） Legal（Accepted with standard of use）
指定：Designated Food Additives　既存：Existing Food Additives
×：使用不可 Illegal（Prohibited）
※：個別判断を要するもの Required individual special judgement

EU E No.	EU FL No.	CAS No.	CFR No.	CNS 号.	備　考 Remarks
E239					
	11.016	111-26-2			令和元年6月6日省令別表第1に新規指定 着香の目的以外に使用してはならない 小分け等の加工を行ったものは添加物製剤とみなされる
			173.270		食用油脂製造の際の油脂を抽出する目的以外に使用してはならない。 最終食品の完成前に除去しなければならない
			173.270		食用油脂製造の際の油脂を抽出する目的以外に使用してはならない。 最終食品の完成前に除去しなければならない
E355		124-04-9	184.1009	01.109	
	08.009	142-62-1	(Fatty acidsとして) 172.860		着香の目的以外に使用してはならない 令和元年6月19日政令第31号により毒物及び劇物に指定され，その食品衛生法上の取扱いについて，同日付で基準審査課のQ&Aが出されている
	05.041	101-86-0			**芳香族アルデヒド類** 着香の目的以外に使用してはならない 類又は誘導体として指定されている18項目の香料リストのSEQ No.1223(解説編2-(1)-(vi)参照)
			173.270		食用油脂製造の際の油脂を抽出する目的以外に使用してはならない。 最終食品の完成前に除去しなければならない
	11.016	111-26-2			令和元年6月6日省令別表第1に新規指定 着香の目的以外に使用してはならない 小分け等の加工を行ったものは添加物製剤とみなされる
E586				04.013	
					一般飲食物添加物
					生成装置等の基準あり 最終食品の完成前に除去しなければならない 指定添加物名は**次亜塩素酸水**だが，告示成分規格の記載名も法令上の名称として取り扱う 平成26年4月24日告示第225号により，①生食用鮮魚介類，生食用かき及び冷凍食品（生食用冷凍鮮魚介類に限る。以下「生食用鮮魚介類等」という。）の加工基準において，**次亜塩素酸ナトリウム**に加え，**次亜塩素酸水**及び水素イオン濃度調整剤として用いる**塩酸**の使用が認められた，②容器包装詰加圧加熱殺菌食品の製造基準において，**次亜塩素酸ナトリウム**に加え**次亜塩素酸水**の使用が認められた 同日付部長通知による運用上の注意事項としては，**次亜塩素酸水**及び**塩酸**については，①既に食品添加物として定められている使用基準の適用を受ける，②**塩酸**については，生食用鮮魚介類等に対し，**次亜塩素酸ナトリウム**の使用等に伴い水素イオン濃度調整剤として使用することは認められるが，生食用鮮魚介類等の加工時に**塩酸**を直接使用することは認められない
			184.1866		食品扱い

H

色文字：法令上の指定添加物名（除く別名）　red：Name on Ministerial Ordinance of Designated Food Additives
色文字：法令上の既存添加物名（除く別名）　red：Name on Ministerial Notification of Existing Food Additives

英　名 English name	英名別名 English name	和名，和名別名 Japanese name	許可状況 Legal/Illegal	主な用途 Main uses
Higher fatty acid		高級脂肪酸（動物性油脂又は動物性硬化油脂を加水分解して得られたものをいう。）	◎，既存	製造用剤
Hinokitiol (extract)	Thujaplicin (extract)	ツヤプリシン（抽出物）（ヒバの幹枝又は根から得られた，ツヤプリシン類を主成分とするものをいう。） ヒノキチオール（抽出物）	◎，既存	保存料
L-Histidine	2-Amino-3-imidazole propionic acid	2-アミノ-3-イミダゾールプロピオン酸 L-ヒスチジン	◎，既存	強化剤 調味料
L-Histidine monohydrochloride		L-ヒスチジン塩酸塩	◎，指定	強化剤 調味料
HMB	bis(3-Hydroxy-3-methylbutyrate) monohydrate 3-Hydroxy-3-methylbutyric acid	ビス-3-ヒドロキシ-3-メチルブチレートモノハイドレート 3-ヒドロキシ-3-メチル酪酸	※	特別用途食品
Hog gum	Basora gum Goat's thorn Gum tragacanth Leaf gum Syrian gum Tragacanth gum	シリアンガム トラガントガム（トラガントの分泌液から得られた，多糖類を主成分とするものをいう。） バソラガム ホッグガム リーフガム	◎，既存	増粘安定剤 乳化剤
Hop extract		ホップエキス ホップ抽出物	◎	苦味料等
Horseradish extract		セイヨウワサビ抽出物（セイヨウワサビの根から得られた，イソチオシアナートを主成分とするものをいう。） ホースラディッシュ抽出物	◎，既存	製造用剤 酸化防止剤
HPC	Hydroxypropyl cellulose Low-substituted hydroxypropyl cellulose (L-HPC)	HPC ヒドロキシプロピルセルロース	◎，指定	製造用剤 増粘安定剤 乳化剤 糊料
Hyaluronic acid	Mucopolysaccharides Mucosaccharides	ヒアルロン酸 ムコ多糖類	◎，既存	製造用剤 特別用途食品
Hydrangea leaves extract	Amacha extract	アマチャエキス アマチャ抽出物	◎	甘味料
Hydrocarbon waxes		炭化水素ワックス	※	香料
Hydrochloric acid	Chlorohydric acid	塩酸	○，指定	製造用剤 水素イオン濃度調整剤（pH 調整剤）
Hydrocyanic acid		シアン化水素酸	×	香料
Hydrogen		水素	◎，既存	製造用剤

◎：許可（使用基準なし） Legal（Accepted with no standard of use） ×：使用不可 Illegal（Prohibited）
○：許可（使用基準あり） Legal（Accepted with standard of use） ※：個別判断を要するもの Required individual special judgement
指定：Designated Food Additives 既存：Existing Food Additives

EU E No.	EU FL No.	CAS No.	CFR No.	CNS 号.	備　考 Remarks
			(Fatty acids として) 172.860		
		499-44-5			
		71-00-1	(Amino acids, L-Histidine として) 172.320		
		(1水和物) 7048-02-4			告示成分規格の nH_2O は n ＝1
					資料1により食品添加物に該当する可能性が考えられるが，事前に判断を受けるよう指導されている品目
E413		9000-65-1	(Gum tragacanth として) 184.1351		
					一般飲食物添加物
E463 E463a		9004-64-2	172.870		E463a：Low Substituted Hydroxypropyl cellulose（L-HPC）は「Commission Regulation（EU）2018/1461 of 28 Sept 2018」で新規制定
					資料1により既存添加物扱いとする品目
					一般飲食物添加物
					脂肪族高級炭化水素類以外は不可
E507		7647-01-0	182.1057	01.108	最終食品の完成前に中和又は除去しなければならない 平成26年4月24日告示第225号により，①生食用鮮魚介類，生食用かき及び冷凍食品（生食用冷凍鮮魚介類に限る。以下「生食用鮮魚介類等」という。）の加工基準において，**次亜塩素酸ナトリウム**に加え，**次亜塩素酸水**及び水素イオン濃度調整剤として用いる**塩酸**の使用が認められた，②容器包装詰加圧加熱殺菌食品の製造基準において，**次亜塩素酸ナトリウム**に加え**次亜塩素酸水**の使用が認められた。 同日付部長通知による運用上の注意事項としては，**次亜塩素酸水**及び**塩酸**については，①既に食品添加物として定められている使用基準の適用を受ける，②**塩酸**については，生食用鮮魚介類等に対し，**次亜塩素酸ナトリウム**の使用等に伴い水素イオン濃度調整剤として使用することは認められるが，生食用鮮魚介類等の加工時に**塩酸**を直接使用することは認められない
E949		1333-74-0			

H

色文字：法令上の指定添加物名（除く別名）　red：Name on Ministerial Ordinance of Designated Food Additives
色文字：法令上の既存添加物名（除く別名）　red：Name on Ministerial Notification of Existing Food Additives

英　名 English name	英名別名 English name	和名，和名別名 Japanese name	許可状況 Legal/Illegal	主な用途 Main uses
Hydrogen dioxide	Hydrogen peroxide Hydroperoxide	過酸化水素	○，指定	保存料 漂白剤 殺菌料
Hydrogen peroxide	Hydrogen dioxide Hydroperoxide	過酸化水素	○，指定	保存料 漂白剤 殺菌料
Hydrogenated poly-1-decene		還元ポリ-1-デセン	×	製造用剤 光沢剤
Hydrogenated sperm oil		水添まっこう鯨油	◎	製造用剤
Hydroperoxide	Hydrogen dioxide Hydrogen peroxide	過酸化水素	○，指定	保存料 漂白剤 殺菌料
Hydrosulfite	Sodium dithionite Sodium hydrosulfite Sodium hyposulfite	亜二チオン酸ナトリウム 次亜硫酸ナトリウム ハイドロサルファイト	○，指定	保存料 酸化防止剤 漂白剤
4-Hydroxy-3-methoxycinnamic acid	Caffeic acid 3-methyl ether Ferulic acid	カフェー酸3-メチルエーテル 4-ヒドロキシ-3-メトキシケイ皮酸 フェルラ酸	◎，既存	酸化防止剤
	Caffeic acid 3-methyl ether Ferulic acid	カフェー酸3-メチルエーテル 4-ヒドロキシ-3-メトキシケイ皮酸 フェルラ酸	※	特別用途食品
***p*-Hydroxybenzoic acid isopropyl**	Isopropyl *p*-hydroxybenzoate	パラオキシ安息香酸イソプロピル パラヒドロキシ安息香酸イソプロピル	○，指定	保存料
25-Hydroxycholecalciferol		25-ヒドロキシコレカルシフェロール	※	強化剤

◎：許可（使用基準なし） Legal（Accepted with no standard of use）　×：使用不可 Illegal（Prohibited）
○：許可（使用基準あり） Legal（Accepted with standard of use）　※：個別判断を要するもの Required individual special judgement
指定：Designated Food Additives　既存：Existing Food Additives

EU E No.	EU FL No.	CAS No.	CFR No.	CNS 号.	備　考 Remarks
		7722-84-1	（直接添加物の Silver nitrate and hydrogen peroxide solution として） 172.167 （副次的直接添加物の Hydrogen peroxide として） 173.356 （ＧＲＡＳ物質の Hydrogen peroxide として） 184.1366 （Peroxyacids の混合成分の1つとして） 173.370		釜揚げしらす及びしらす干しにあっては，その1kg につき 0.005g 以上残存しないように使用しなければならない。その他の食品にあっては，最終食品の完成前に分解し，又は除去しなければならない
		7722-84-1	（直接添加物の Silver nitrate and hydrogen peroxide solution として） 172.167 （副次的直接添加物の Hydrogen peroxide として） 173.356 （ＧＲＡＳ物質の Hydrogen peroxide として） 184.1366 （Peroxyacids の混合成分の1つとして） 173.370		釜揚げしらす及びしらす干しにあっては，その1kg につき 0.005g 以上残存しないように使用しなければならない。その他の食品にあっては，最終食品の完成前に分解し，又は除去しなければならない
E907					
			173.275		食品扱い
		7722-84-1	（直接添加物の Silver nitrate and hydrogen peroxide solution として） 172.167 （副次的直接添加物の Hydrogen peroxide として） 173.356 （ＧＲＡＳ物質の Hydrogen peroxide として） 184.1366 （Peroxyacids の混合成分の1つとして） 173.370		釜揚げしらす及びしらす干しにあっては，その1kg につき 0.005g 以上残存しないように使用しなければならない。その他の食品にあっては，最終食品の完成前に分解し，又は除去しなければならない
		7775-14-6		05.006	
					資料1により既存添加物扱いと思料されるが，指定されていない添加物に該当する場合があるので留意する
		4191-73-5			
					コレカルシフェロール参照 平成17年告示498号により食品成分としての存在は可

色文字：法令上の指定添加物名（除く別名）　red：Name on Ministerial Ordinance of Designated Food Additives
色文字：法令上の既存添加物名（除く別名）　red：Name on Ministerial Notification of Existing Food Additives

英　名 English name	英名別名 English name	和名，和名別名 Japanese name	許可状況 Legal/Illegal	主な用途 Main uses
Hydroxycitronellal	Citronellalhydrate Oxydihydrocitronellal	オキシジヒドロシトロネラール シトロネラールヒドレート ヒドロキシシトロネラール	○，指定	香料
Hydroxycitronellal dimethyl acetal		ヒドロキシシトロネラールジメチルアセタール	○，指定	香料
1-Hydroxyethylidene-1, 1-diphosphonic acid	Etidronic acid HEDP	HEDP エチドロン酸 1-ヒドロキシエチリデン-1, 1-ジホスホン酸	○，指定	殺菌料
Hydroxylated lecithin		水酸化レシチン	×	乳化剤
Hydroxylysine		ヒドロキシリシン	※	特別用途食品
bis(3-Hydroxy-3-methylbutyrate) monohydrate	HMB 3-Hydroxy-3-methylbutyric acid	HMB ビス-3-ヒドロキシ-3-メチルブチレートモノハイドレート 3-ヒドロキシ-3-メチル酪酸	※	特別用途食品
3-Hydroxy-3-methylbutyric acid	HMB bis(3-Hydroxy-3-methylbutyrate) monohydrate	HMB ビス-3-ヒドロキシ-3-メチルブチレートモノハイドレート 3-ヒドロキシ-3-メチル酪酸	※	特別用途食品
4-Hydroxymethyl-2,6-di-tert-butylphenol		4-ヒドロキシメチル-2,6-ジ-tert-ブチルフェノール	×	保存料 酸化防止剤
L-Hydroxyproline	Hydroxy-L-proline 4-Hydroxy-2-pyrrolidinecarboxylic acid L-γ-Hydroxy-α-pyrrolidinecarboxylic acid L-Oxyproline	L-オキシプロリン 4-ヒドロキシ-2-ピロリジンカルボキシル酸 L-γ-ヒドロキシ-α-ピロリジンカルボキシル酸 L-ヒドロキシプロリン ヒドロキシ-L-プロリン	◎，既存	強化剤 調味料
Hydroxy-L-proline	L-Hydroxyproline 4-Hydroxy-2-pyrrolidinecarboxylic acid L-γ-Hydroxy-α-pyrrolidinecarboxylic acid L-Oxyproline	L-オキシプロリン 4-ヒドロキシ-2-ピロリジンカルボキシル酸 L-γ-ヒドロキシ-α-ピロリジンカルボキシル酸 L-ヒドロキシプロリン ヒドロキシ-L-プロリン	◎，既存	強化剤 調味料
Hydroxypropyl cellulose	HPC Low-substituted hydroxypropyl cellulose（L-HPC）	HPC ヒドロキシプロピルセルロース	◎，指定	製造用剤 増粘安定剤 乳化剤 糊料
Hydroxy propyl cross-link starch phosphate	Hydroxypropyl distarch phosphate Modified starch	加工デンプン ヒドロキシプロピル化リン酸架橋デンプン ヒドロキシプロピル二デンプンリン酸エステル	◎，指定	増粘安定剤 ゲル化剤 糊料
Hydroxypropyl distarch phosphate	Hydroxy propyl cross-link starch phosphate Modified starch	加工デンプン ヒドロキシプロピル化リン酸架橋デンプン ヒドロキシプロピル二デンプンリン酸エステル	◎，指定	増粘安定剤 ゲル化剤 糊料
Hydroxypropyl methyl cellulose	Cellulose 2-hydroxypropyl methyl ether	ヒドロキシプロピルメチルセルロース	◎，指定	増粘安定剤 乳化剤 糊料 被膜剤

◎：許可（使用基準なし） Legal（Accepted with no standard of use）
○：許可（使用基準あり） Legal（Accepted with standard of use）
指定：Designated Food Additives　既存：Existing Food Additives
×：使用不可　Illegal（Prohibited）
※：個別判断を要するもの　Required individual special judgement

EU E No.	EU FL No.	CAS No.	CFR No.	CNS 号.	備　考 Remarks
	05.012	107-75-5			着香の目的以外に使用してはならない EU FL No.05.012の名称は「3,7-Dimethyl-7-hydroxyoctanal」
	06.011	141-92-4			着香の目的以外に使用してはならない EU FL No.06.011の名称は「1,1-Dimethoxy-3,7-dimethyloctan-7-ol」
		2809-21-4	（Peroxyacids の混合成分の１つとして） 173.370		殺菌料は過酢酸製剤用キレート剤 平成28年10月6日省令別表第１に新規指定 過酢酸製剤として使用する場合以外に使用してはならない
			172.814		
					資料1により食品添加物に該当する可能性が考えられるが，事前に判断を受けるよう指導されている品目
					資料1により食品添加物に該当する可能性が考えられるが，事前に判断を受けるよう指導されている品目
					資料1により食品添加物に該当する可能性が考えられるが，事前に判断を受けるよう指導されている品目
			172.150		CFR は単独または他の許可酸化防止剤と併用
		51-35-4			
		51-35-4			
E463 E463a		9004-64-2	172.870		E463a：Low Substituted Hydroxypropyl cellulose（L-HPC）は「Commission Regulation（EU）2018/1461 of 28 Sept 2018」で新規制定
E1442		53124-00-8	（Food starch-modified として） 172.892	20.016	適切な製造工程管理を行い，食品中で目的とする効果を得る量を超えないこと
E1442		53124-00-8	（Food starch-modified として） 172.892	20.016	適切な製造工程管理を行い，食品中で目的とする効果を得る量を超えないこと
E464		9004-65-3	172.874	20.028	目的とする効果を得る必要な量を超えないこと

H

色文字：法令上の指定添加物名（除く別名）　red：Name on Ministerial Ordinance of Designated Food Additives
色文字：法令上の既存添加物名（除く別名）　red：Name on Ministerial Notification of Existing Food Additives

英名 English name	英名別名 English name	和名，和名別名 Japanese name	許可状況 Legal/Illegal	主な用途 Main uses
Hydroxypropyl starch	Modified starch	加工デンプン **ヒドロキシプロピルデンプン**	◎，指定	増粘安定剤 ゲル化剤 糊料
4-Hydroxy-2-pyrrolidinecarboxylic acid	**L-Hydroxyproline** Hydroxy-L-proline L-γ-Hydroxy-α-pyrrolidinecarboxylic acid L-Oxyproline	L-オキシプロリン 4-ヒドロキシ-2-ピロリジンカルボキシル酸 L-γ-ヒドロキシ-α-ピロリジンカルボキシル酸 **L-ヒドロキシプロリン** ヒドロキシ-L-プロリン	◎，既存	強化剤 調味料
L-γ-Hydroxy-α-pyrrolidinecarboxylic acid	**L-Hydroxyproline** Hydroxy-L-proline 4-Hydroxy-2-pyrrolidinecarboxylic acid L-Oxyproline	L-オキシプロリン 4-ヒドロキシ-2-ピロリジンカルボキシル酸 L-γ-ヒドロキシ-α-ピロリジンカルボキシル酸 **L-ヒドロキシプロリン** ヒドロキシ-L-プロリン	◎，既存	強化剤 調味料
α-Hydroxytoluene	Bentanol **Benzyl alcohol** Phenyl carbinol Phenyl methanol	α-ヒドロキシトルエン フェニルカルビノール フェニルメタノール **ベンジルアルコール** ベンタノール	○，指定	香料
Hypnone	**Acetophenone** Acetylbenzene Phenyl methyl ketone 1-Phenylethanone	アセチルベンゼン **アセトフェノン** ヒプノン 1-フェニルエタノン フェニルメチルケトン	○，指定	香料
Hypobromous acid water		**次亜臭素酸水**	○，指定	殺菌料
Hypochlorite of soda	Bleaching solution Labarrque's solution Sodium hydrochlorite **Sodium hypochlorite**	次亜塩素酸ソーダ **次亜塩素酸ナトリウム** 漂白液 ラバラック氏液	○，指定	漂白剤 殺菌料
Hypochlorous acid water	**High acid hypochlorous acid water** **Low acid hypochlorous acid water** **Weakly acid hypochlorous acid water**	**次亜塩素酸水** **強酸性次亜塩素酸水** **弱酸性次亜塩素酸水** **微酸性次亜塩素酸水**	○，指定	殺菌料

◎：許可（使用基準なし） Legal（Accepted with no standard of use）
○：許可（使用基準あり） Legal（Accepted with standard of use）
指定：Designated Food Additives　既存：Existing Food Additives
×：使用不可 Illegal（Prohibited）
※：個別判断を要するもの Required individual special judgement

EU E No.	EU FL No.	CAS No.	CFR No.	CNS 号.	備考 Remarks
E1440		9049-76-7	(Food starch-modified として) 172.892	20.014	適切な製造工程管理を行い，食品中で目的とする効果を得る量を超えないこと
		51-35-4			
		51-35-4			
E1519	02.010	100-51-6			着香の目的以外に使用してはならない 特例としてE No.とFL No.の両方あり
	07.004	98-86-2			着香の目的以外に使用してはならない
		(次亜臭素酸水として) 13517-11-8			平成28年10月6日省令別表第1に新規指定 食肉の表面殺菌の目的以外に使用してはならない
					平成26年4月24日告示第225号により，①生食用鮮魚介類，生食用かき及び冷凍食品（生食用冷凍鮮魚介類に限る。以下「生食用鮮魚介類等」という。）の加工基準において，次亜塩素酸ナトリウムに加え，次亜塩素酸水及び水素イオン濃度調整剤として用いる塩酸の使用が認められた，②容器包装詰加圧加熱殺菌食品の製造基準において，次亜塩素酸ナトリウムに加え次亜塩素酸水の使用が認められた 同日付部長通知による運用上の注意事項としては，次亜塩素酸水及び塩酸については，既に食品添加物として定められている使用基準の適用を受ける，②塩酸については，生食用鮮魚介類等に対し，次亜塩素酸ナトリウムの使用等に伴い水素イオン濃度調整剤として使用することは認められるが，生食用鮮魚介類等の加工時に塩酸を直接使用することは認められない ごまに使用してはならない
					生成装置等の基準あり 最終食品の完成前に除去しなければならない 指定添加物名は次亜塩素酸水だが，告示成分規格の記載名も法令上の名称として取り扱う 平成26年4月24日告示第225号により，①生食用鮮魚介類，生食用かき及び冷凍食品（生食用冷凍鮮魚介類に限る。以下「生食用鮮魚介類等」という。）の加工基準において，次亜塩素酸ナトリウムに加え，次亜塩素酸水及び水素イオン濃度調整剤として用いる塩酸の使用が認められた，②容器包装詰加圧加熱殺菌食品の製造基準において，次亜塩素酸ナトリウムに加え次亜塩素酸水の使用が認められた 同日付部長通知による運用上の注意事項としては，次亜塩素酸水及び塩酸については，①既に食品添加物として定められている使用基準の適用を受ける，②塩酸については，生食用鮮魚介類等に対し，次亜塩素酸ナトリウムの使用等に伴い水素イオン濃度調整剤として使用することは認められるが，生食用鮮魚介類等の加工時に塩酸を直接使用することは認められない

I

色文字：法令上の指定添加物名（除く別名）　red：Name on Ministerial Ordinance of Designated Food Additives
色文字：法令上の既存添加物名（除く別名）　red：Name on Ministerial Notification of Existing Food Additives

英　名 English name	英名別名 English name	和名，和名別名 Japanese name	許可状況 Legal/Illegal	主な用途 Main uses
Icosapentaenoic acid (EPA)	Eicosapentaenoic acid (EPA)	アイコサペンタエン酸(EPA) アイコサペントエン酸(EPA) イコサペンタエン酸(EPA) イコサペント酸(EPA) エイコサペンタエン酸(EPA) エイコサペントエン酸(EPA)	◎	特別用途食品
Imazalil		**イマザリル**	○，指定	防かび剤
Indanthrene Blue RS		インダントレンブルー RS	×	着色料
Indian red	Ferric oxide red Ferric oxide (III) Hematite maghemite Iron oxides and hydroxides **Iron sesquioxide** Iron trioxide Red iron oxide Rouge Vitriol red	インディアンレッド 酸化鉄(III) 三酸化二鉄 **三二酸化鉄** 赤色酸化第二鉄 ベンガラ	○，指定	着色料
Indigo carmine	FD & C Blue No. 2 **Food Blue No. 2** Indigotine	インジゴカルミン **食用青色2号**	○，指定	着色料
Indigo carmine aluminium lake	**Food Blue No. 2 aluminium lake**	インジゴカルミンアルミニウムレーキ **食用青色2号アルミニウムレーキ**	○，指定	着色料
Indigotine	FD & C Blue No. 2 **Food Blue No. 2** Indigo carmine	インジゴカルミン **食用青色2号**	○，指定	着色料
Indole		**インドール**	○，指定	香料
Indole derivatives		**インドール誘導体**	○，指定	香料
Inosinic acid	5'-Inosinic acid	イノシン酸 5'-イノシン酸	×	調味料
5'-Inosinic acid	Inosinic acid	イノシン酸 5'-イノシン酸	×	調味料
Inosite	**Inositol**	イノシット **イノシトール**	※	特別用途食品
	Inositol	イノシット **イノシトール**	◎，既存	強化剤

◎：許可（使用基準なし） Legal（Accepted with no standard of use）　×：使用不可 Illegal（Prohibited）
○：許可（使用基準あり） Legal（Accepted with standard of use）　※：個別判断を要するもの Required individual special judgement
指定：Designated Food Additives　既存：Existing Food Additives

EU E No.	EU FL No.	CAS No.	CFR No.	CNS 号.	備考 Remarks
					資料1により食品素材扱いとする品目
		35554-44-0	180.413（Title40 Part180）		CFR では，本書に関連する「Title21」ではなく pre- and post-harvest 関連の「Title40 Part 180.413」に収録されている
E172		（三二酸化鉄として） 1309-37-1	（Synthetic iron oxide として） 73.200		省令別表第1の**三二酸化鉄**以外は不可 E172は「Commission Regulation（EU）No.510/2013 of 3 June 2013」で新規制定
E132		860-22-0	（要検定リストとして） 74.102 （要検定暫定リストとして） 82.102	08.008	省令別表第1のリスト名は「**食用青色2号及びそのアルミニウムレーキ，Food Blue No.2 and its Aluminium lake**」だが，本書では各単品もリスト名としマークした
E132			（Lakes（FD & C）として） 82.51	08.008	省令別表第1のリスト名は「**食用青色2号及びそのアルミニウムレーキ，Food Blue No.2 and its Aluminium lake**」だが，本書では各単品もリスト名としマークした CNS 号08.008は indigotine aluminum lake（carmine なし）
E132		860-22-0	（要検定リストとして） 74.102 （要検定暫定リストとして） 82.102	08.008	省令別表第1のリスト名は「**食用青色2号及びそのアルミニウムレーキ，Food Blue No.2 and its Aluminium lake**」だが，本書では各単品もリスト名としマークした
	14.007				着香の目的以外に使用してはならない 省令別表第1のリスト名は「**インドール及びその誘導体，Indole and its derivatives**」だが，本書では各単品もリスト名としマークした 類又は誘導体として指定されている18項目の香料リスト（解説編2-(1)-(vi)参照）
					着香の目的以外に使用してはならない 省令別表第1のリスト名は「**インドール及びその誘導体，Indole and its derivatives**」だが，本書では各単品もリスト名としマークした 類又は誘導体として指定されている18項目の香料リスト（解説編2-(1)-(vi)参照）
E630					日本では**5'-イノシン酸二ナトリウム**が指定添加物となっている
E630					日本では**5'-イノシン酸二ナトリウム**が指定添加物となっている
		（myo-inositol として） 87-89-8	（Inositol or myo-inositol として） 184.1370		資料1により，既存添加物扱いと思料されるが，指定されていない添加物に該当する場合があることに留意 資料1のイノシトールは D-chiro-イノシトールを含む
		（myo-inositol として） 87-89-8	（Inositol or myo-inositol として） 184.1370		

I

色文字：法令上の指定添加物名（除く別名）　red：Name on Ministerial Ordinance of Designated Food Additives
色文字：法令上の既存添加物名（除く別名）　red：Name on Ministerial Notification of Existing Food Additives

英　名 English name	英名別名 English name	和名，和名別名 Japanese name	許可状況 Legal/Illegal	主な用途 Main uses
Inositol	Inosite	イノシット イノシトール	※	特別用途食品
	Inosite	イノシット イノシトール	◎，既存	強化剤
Inositol hexaphosphate	Phytic acid	イノシトールヘキサリン酸 フィチン酸(米ぬか又はトウモロコシの種子から得られた，イノシトールヘキサリン酸を主成分とするものをいう。)	◎，既存	製造用剤 酸味料
Insoluble glucose isomerase enzyme preparations		不溶性グルコースイソメラーゼ酵素製剤	※	酵素
Insoluble polyvinylpyrrolidone	Polyvinylpolypyrrolidone	不溶性ポリビニルピロリドン ポリビニルポリピロリドン	○，指定	製造用剤
Inulase	Inulinase	イヌラーゼ イヌリナーゼ	◎，既存	酵素
Inulin		イヌリン	◎	特別用途食品
Inulinase	Inulase	イヌラーゼ イヌリナーゼ	◎，既存	酵素
Invert sugar		転化糖	◎	甘味料
Invertase	Saccharase Sucrase	インベルターゼ サッカラーゼ シュークラーゼ スクラーゼ	◎，既存	酵素
Iodine		ヨウ素	×	特別用途食品
Ion exchange resin		イオン交換樹脂	○，指定	製造用剤
Ionone		イオノン ヨノン	○，指定	香料
Iron		鉄	◎，既存	製造用剤 強化剤
Iron ammonium citrate	Ferric ammonium citrate	クエン酸鉄アンモニウム	◎，指定	製造用剤 強化剤
Iron gluconate	Ferrous gluconate	グルコン酸第一鉄 グルコン酸鉄	○，指定	製造用剤 強化剤 色調安定剤
Iron lactate	Ferrous lactate	乳酸第一鉄 乳酸鉄	◎，指定	製造用剤 強化剤
Iron oxide black		酸化鉄(黒色)	×	着色料
Iron oxide red		酸化鉄(赤色)	×	着色料
Iron oxide yellow		酸化鉄(黄色)	×	着色料

◎：許可（使用基準なし） Legal（Accepted with no standard of use）
○：許可（使用基準あり） Legal（Accepted with standard of use）
指定：Designated Food Additives　既存：Existing Food Additives
×：使用不可 Illegal（Prohibited）
※：個別判断を要するもの Required individual special judgement

EU E No.	EU FL No.	CAS No.	CFR No.	CNS 号.	備考 Remarks
		(myo-inositol として) 87-89-8	(Inositol or myo-inositol として) 184.1370		資料1により，既存添加物扱いと思料されるが，指定されていない添加物に該当する場合があることに留意 資料1のイノシトールは D-chiro-イノシトールを含む
		(myo-inositol として) 87-89-8	(Inositol or myo-inositol として) 184.1370		
				04.006	
			184.1372		既存添加物**グルコースイソメラーゼ**と指定添加物，既存添加物若しくは食品との製剤であれば日本で使用が認められる
E1202		25249-54-1	173.50		ろ過助剤以外の用途に使用してはならない。最終食品の完成前に除去しなければならない
					資料1により食品素材扱いとする品目
			184.1859		食品扱い
E1103					
					資料1により，新たに食品添加物としての指定を受ける必要があるとする品目
			173.25		最終食品の完成前に除去しなければならない
		8013-90-9			着香の目的以外に使用してはならない (EU)FLNo.なし
			(Iron elemental として) 184.1375		
	16.089	1185-57-5	(Iron ammonium citrate として) 172.430 (Ferric ammonium citrate として) 184.1296	02.010	E No.はないが INS No.381あり EU では香料特性のある食品成分として FL No.あり
E579		(無水物) 299-29-6	(検定免除着色料として) 73.160 (GRAS 物質として) 184.1308	09.005	オリーブ，母乳代替品，離乳食及び妊産婦・授乳婦用粉乳以外に使用してはならない 告示成分規格の nH_2O は n ＝2又は0
E585			(検定免除の着色料として) 73.165 (GRAS 物質として) 184.1311		EU の食品添加物の乳酸第一鉄と日本の指定食品添加物の**乳酸鉄**とは成分規格が若干異なる
				08.014	日本では**三二酸化鉄**が指定添加物となっている
				08.015	日本では**三二酸化鉄**が指定添加物となっている
					日本では**三二酸化鉄**が指定添加物となっている

I

色文字：法令上の指定添加物名（除く別名）　red：Name on Ministerial Ordinance of Designated Food Additives
色文字：法令上の既存添加物名（除く別名）　red：Name on Ministerial Notification of Existing Food Additives

英　名 English name	英名別名 English name	和名，和名別名 Japanese name	許可状況 Legal/Illegal	主な用途 Main uses
Iron oxides and hydroxides	Ferric oxide red Ferric oxide(III) Hematite maghemite Indian red **Iron sesquioxide** Iron trioxide Red iron oxide Rouge Vitriol red	インディアンレッド 酸化鉄(III) 三酸化二鉄 **三二酸化鉄** 赤色酸化第二鉄 ベンガラ	○，指定	着色料
Iron sesquioxide	Ferric oxide red Ferric oxide(III) Hematite maghemite Indian red Iron oxides and hydroxides Iron trioxide Red iron oxide Rouge Vitriol red	インディアンレッド 酸化鉄(III) 三酸化二鉄 **三二酸化鉄** 赤色酸化第二鉄 ベンガラ	○，指定	着色料
Iron tartrate		酒石酸鉄	×	食塩固結防止剤
Iron trichloride	**Ferric chloride** Iron(III)chloride	**塩化第二鉄** 塩化鉄(III)	◎，指定	強化剤
Iron trioxide	Ferric oxide red Ferric oxide(III) Hematite maghemite Indian red Iron oxides and hydroxides **Iron sesquioxide** Red iron oxide Rouge Vitriol red	インディアンレッド 酸化鉄(III) 三酸化二鉄 **三二酸化鉄** 赤色酸化第二鉄 ベンガラ	○，指定	着色料
Iron vitriol	Copperas **Ferrous sulfate** Iron(II)sulfate	**硫酸第一鉄** 硫酸鉄(II) 緑ばん	◎，指定	強化剤 色調安定剤
Iron-choline citrate complex		鉄-クエン酸コリン複合体	×	強化剤
Iron(II)sulfate	Copperas **Ferrous sulfate** Iron vitriol	**硫酸第一鉄** 硫酸鉄(II) 緑ばん	◎，指定	強化剤 色調安定剤
Iron(III)chloride	**Ferric chloride** Iron trichloride	**塩化第二鉄** 塩化鉄(III)	◎，指定	強化剤
Iso-α-bitter acid		**イソアルファー苦味酸**(ホップの花から得られた，イソフムロン類を主成分とするものをいう。) イソアルファー酸	◎，既存	苦味料
Isoamyl acetate	Amyl acetic ester Banana oil Isopentyl acetate Pear oil	酢酸アミルエステル **酢酸イソアミル** 酢酸イソペンチル ナシオイル バナナオイル	○，指定	香料

◎：許可（使用基準なし） Legal（Accepted with no standard of use）　×：使用不可 Illegal（Prohibited）
○：許可（使用基準あり） Legal（Accepted with standard of use）　※：個別判断を要するもの Required individual special judgement
指定：Designated Food Additives　既存：Existing Food Additives

EU E No.	EU FL No.	CAS No.	CFR No.	CNS 号.	備考 Remarks
E172		（三二酸化鉄として） 1309-37-1	(Synthetic iron oxide として) 73.200		省令別表第1の**三二酸化鉄**以外は不可 E172は「Commission Regulation（EU）No.510/2013 of 3 June 2013」で新規制定
E172		（三二酸化鉄として） 1309-37-1	(Synthetic iron oxide として) 73.200		省令別表第1の**三二酸化鉄**以外は不可 E172は「Commission Regulation（EU）No.510/2013 of 3 June 2013」で新規制定
E534					E534は「Commission Regulation（EU）2015/1739 of 28 Sept. 2015」で新規制定
		10025-77-1	184.1297		
E172		（三二酸化鉄として） 1309-37-1	(Synthetic iron oxide として) 73.200		省令別表第1の**三二酸化鉄**以外は不可 E172は「Commission Regulation（EU）No.510/2013 of 3 June 2013」で新規制定
		（1水和物） 13463-43-9	184.1315	00.022	
			172.370		CFRは鉄分補給
		（1水和物） 13463-43-9	184.1315	00.022	
		10025-77-1	184.1297		
	09.024	123-92-2			着香の目的以外に使用してはならない

色文字：法令上の指定添加物名（除く別名）　red：Name on Ministerial Ordinance of Designated Food Additives
色文字：法令上の既存添加物名（除く別名）　red：Name on Ministerial Notification of Existing Food Additives

英　名 English name	英名別名 English name	和名，和名別名 Japanese name	許可状況 Legal/Illegal	主な用途 Main uses
Isoamyl alcohol	Isopentyl alcohol 3-Methyl-1-butanol	イソアミルアルコール イソペンチルアルコール 3-メチル-1-ブタノール	○，指定	香料
Isoamyl butyrate		酪酸イソアミル	○，指定	香料
Isoamyl formate	Isopentyl formate	ギ酸イソアミル ギ酸イソペンチル	○，指定	香料
Isoamyl gallate		イソアミルガレート	×	酸化防止剤
Isoamyl isovalerate	Apple essence Apple oil Isoamyl isovalerianate	アップルエッセンス アップルオイル イソ吉草酸イソアミル	○，指定	香料
Isoamyl isovalerianate	Apple essence Apple oil Isoamyl isovalerate	アップルエッセンス アップルオイル イソ吉草酸イソアミル	○，指定	香料
Isoamyl phenylacetate		フェニル酢酸イソアミル	○，指定	香料
Isoamyl propionate	Isopentyl propanoate	プロピオン酸イソアミル プロピオン酸イソペンチル	○，指定	香料
Isoamylamine	Isopentylamine	イソアミルアミン イソペンチルアミン	○，指定	香料
Isoamylase	Debranching enzyme	イソアミラーゼ 枝切り酵素	◎，既存	酵素
Isoascorbic acid	Erythorbic acid	イソアスコルビン酸 エリソルビン酸	○，指定	品質改良剤 酸化防止剤
Isobutanal	Isobutyraldehyde 2-Methyl propanal	イソブタナール イソブチルアルデヒド 2-メチルプロパナール	○，指定	香料
Isobutane	Trimethylmethane	イソブタン トリメチルメタン	×	製造用剤
Isobutanol		イソブタノール	○，指定	香料
Isobutyl benzyl carbinol	Benzyl isobutyl carbinol α-Isobutylphenethyl alcohol 4-Methyl-1-phenyl-2-pentanol	α-イソブチルフェネチルアルコール イソブチルベンジルカルビノール ベンジルイソブチルカルビノール	○，指定	香料
Isobutyl p-hydroxybenzoate		パラオキシ安息香酸イソブチル パラヒドロキシ安息香酸イソブチル	○，指定	保存料
Isobutyl phenylacetate		フェニル酢酸イソブチル	○，指定	香料
Isobutylamine		イソブチルアミン	○，指定	香料
α-Isobutylphenethyl alcohol	Benzyl isobutyl carbinol Isobutyl benzyl carbinol 4-Methyl-1-phenyl-2-pentanol	α-イソブチルフェネチルアルコール イソブチルベンジルカルビノール ベンジルイソブチルカルビノール	○，指定	香料
Isobutyraldehyde	Isobutanal 2-Methyl propanal	イソブタナール イソブチルアルデヒド 2-メチルプロパナール	○，指定	香料
Isoeugenol		イソオイゲノール	○，指定	香料

◎：許可（使用基準なし） Legal（Accepted with no standard of use）
○：許可（使用基準あり） Legal（Accepted with standard of use）
指定：Designated Food Additives　既存：Existing Food Additives
×：使用不可 Illegal（Prohibited）
※：個別判断を要するもの Required individual special judgement

EU E No.	EU FL No.	CAS No.	CFR No.	CNS 号.	備考 Remarks
	02.003	123-51-3			着香の目的以外に使用してはならない
	09.055	106-27-4			着香の目的以外に使用してはならない
	09.162	110-45-2			着香の目的以外に使用してはならない EU FL No.09.162の名称は「3-Methylbutyl formate」
	09.463	659-70-1			着香の目的以外に使用してはならない EU FL No.09.463の名称は「3-Methylbutyl 3-methylbutyrate」
	09.463	659-70-1			着香の目的以外に使用してはならない EU FL No.09.463の名称は「3-Methylbutyl 3-methylbutyrate」
	09.789	102-19-2			着香の目的以外に使用してはならない EU FL No.09.789の名称は「3-Methylbutyl phenylacetate」
	09.136	105-68-0			着香の目的以外に使用してはならない EU FL No.09.136の名称は「3-Methylbutyl propionate」
	11.001	107-85-7			着香の目的以外に使用してはならない EU FL No.11.001の名称は「3-Methylbutylamine」
E315		89-65-6	182.3041	04.004	魚肉ねり製品(魚肉すり身を除く)及びパンにあっては,栄養の目的に使用してはならない その他の食品は酸化防止の目的以外に使用してはならない
	05.004	78-84-2			着香の目的以外に使用してはならない
E943b					
	02.001	78-83-1			着香の目的以外に使用してはならない
	02.065	7779-78-4			**芳香族アルコール類** 着香の目的以外に使用してはならない 類又は誘導体として指定されている18項目の香料リストのSEQ No.1374(解説編2-(1)-(vi)参照)
		4247-02-3			
	09.788	102-13-6			着香の目的以外に使用してはならない
	11.002	78.81.9			令和元年6月6日省令別表第1に新規指定 着香の目的以外に使用してはならない 小分け等の加工を行ったものは添加物製剤とみなされる
	02.065	7779-78-4			**芳香族アルコール類** 着香の目的以外に使用してはならない 類又は誘導体として指定されている18項目の香料リストのSEQ No.1374(解説編2-(1)-(vi)参照)
	05.004	78-84-2			着香の目的以外に使用してはならない
	04.004	97-54-1			着香の目的以外に使用してはならない

色文字：法令上の指定添加物名（除く別名）　red：Name on Ministerial Ordinance of Designated Food Additives
色文字：法令上の既存添加物名（除く別名）　red：Name on Ministerial Notification of Existing Food Additives

英　名 English name	英名別名 English name	和名，和名別名 Japanese name	許可状況 Legal/Illegal	主な用途 Main uses
Isofraxidin		イソフラキシジン	※	特別用途食品
L-Isoleucine		L-イソロイシン	◎，指定	強化剤 調味料
Isomalt	Isomaltitol Palatinit	イソマルチトール イソマルト パラチニット	◎	製造用剤 甘味料 光沢剤
Isomaltitol	Isomalt Palatinit	イソマルチトール イソマルト パラチニット	◎	製造用剤 甘味料 光沢剤
Isomaltodextranase		イソマルトデキストラナーゼ	◎，既存	酵素
Isopentyl acetate	Amyl acetic ester Banana oil Isoamyl acetate Pear oil	酢酸アミルエステル 酢酸イソアミル 酢酸イソペンチル ナシオイル バナナオイル	○，指定	香料
Isopentyl alcohol	Isoamyl alcohol 3-Methyl-1-butanol	イソアミルアルコール イソペンチルアルコール 3-メチル-1-ブタノール	○，指定	香料
Isopentyl formate	Isoamyl formate	ギ酸イソアミル ギ酸イソペンチル	○，指定	香料
Isopentyl propanoate	Isoamyl propionate	プロピオン酸イソアミル プロピオン酸イソペンチル	○，指定	香料
Isopentylamine	Isoamylamine	イソアミルアミン イソペンチルアミン	○，指定	香料
Isopropanol	Isopropyl alcohol Propan-2-ol 2-Propanol	イソプロパノール イソプロピルアルコール 2-プロパノール プロパン-2-オール	○，指定	香料
Isopropyl acetate		酢酸イソプロピル	○，指定	香料
Isopropyl alcohol	Isopropanol Propan-2-ol 2-Propanol	イソプロパノール イソプロピルアルコール 2-プロパノール プロパン-2-オール	○，指定	香料
Isopropyl citrate		クエン酸イソプロピル	○，指定	製造用剤 酸化防止剤
Isopropyl myristate		ミリスチン酸イソプロピル	○，指定	香料
Isopropyl *p* -hydroxybenzoate	*p* -Hydroxybenzoic acid isopropyl	パラオキシ安息香酸イソプロピル パラヒドロキシ安息香酸イソプロピル	○，指定	保存料
Isopropylamine	2-Propanamine	イソプロピルアミン 2-プロパンアミン	○，指定	香料

◎：許可（使用基準なし） Legal（Accepted with no standard of use）
○：許可（使用基準あり） Legal（Accepted with standard of use）
指定：Designated Food Additives　既存：Existing Food Additives
×：使用不可 Illegal（Prohibited）
※：個別判断を要するもの Required individual special judgement

EU E No.	EU FL No.	CAS No.	CFR No.	CNS 号.	備　考 Remarks
					資料1により食品添加物に該当する可能性が考えられるが，事前に判断を受けるよう指導されている品目
		73-32-5	(Amino acids, L-Isoleucine として) 172.320		
E953					食品扱い
E953					食品扱い
	09.024	123-92-2			着香の目的以外に使用してはならない
	02.003	123-51-3			着香の目的以外に使用してはならない
	09.162	110-45-2			着香の目的以外に使用してはならない EU FL No.09.162の名称は「3-Methylbutyl formate」
	09.136	105-68-0			着香の目的以外に使用してはならない EU FL No.09.136の名称は「3-Methylbutyl propionate」
	11.001	107-85-7			着香の目的以外に使用してはならない EU FL No.11.001の名称は「3-Methylbutylamine」
	02.079	67-63-0	173.240		着香及び食品成分の抽出の目的以外に使用してはならない 抽出の目的で使用する場合の留意事項についての指導あり（平成25年12月4日食安発1204第2号）
	09.003	108-21-4			**エステル類** 着香の目的以外に使用してはならない 類又は誘導体として指定されている18項目の香料リストのSEQ No.1401（解説編2-(1)-(vi)参照）
	02.079	67-63-0	173.240		着香及び食品成分の抽出の目的以外に使用してはならない 抽出の目的で使用する場合の留意事項についての指導あり（平成25年12月4日食安発1204第2号）
			184.1386		E No.はないがINS No.384あり
	09.105	110-27-0			**エステル類** 着香の目的以外に使用してはならない 類又は誘導体として指定されている18項目の香料リストのSEQ No.1420（解説編2-(1)-(vi)参照） EU FL No.09.105の名称は「Isopropyl tetradecanoate」
		4191-73-5			
	11.018	75.31.0			令和元年6月6日省令別表第1に新規指定 着香の目的以外に使用してはならない 小分け等の加工を行ったものは添加物製剤とみなされる

I

色文字：法令上の指定添加物名（除く別名）　red：Name on Ministerial Ordinance of Designated Food Additives
色文字：法令上の既存添加物名（除く別名）　red：Name on Ministerial Notification of Existing Food Additives

英　名 English name	英名別名 English name	和名，和名別名 Japanese name	許可状況 Legal/Illegal	主な用途 Main uses
Isoquinoline		イソキノリン	○，指定	香料
Isosafrole		イソサフロール	×	香料
Isothiocyanates (except harmful substances)		イソチオシアネート類（毒性が激しいと一般に認められるものを除く。）	○，指定	香料
Isovaleraldehyde	3-Methylbutanal 3-Methylbutyraldehyde	イソバレルアルデヒド 3-メチルブタナール 3-メチルブチルアルデヒド	○，指定	香料
Itaconic acid	Methylenesuccinic acid	イタコン酸 メチレンコハク酸	×	酸味料

◎：許可（使用基準なし） Legal（Accepted with no standard of use）
○：許可（使用基準あり） Legal（Accepted with standard of use）
×：使用不可 Illegal（Prohibited）
※：個別判断を要するもの Required individual special judgement
指定：Designated Food Additives 既存：Existing Food Additives

EU E No.	EU FL No.	CAS No.	CFR No.	CNS 号.	備考 Remarks
	14.001	119-65-3			着香の目的以外に使用してはならない
					着香の目的以外に使用してはならない 類又は誘導体として指定されている18項目の香料リスト（解説編2-(1)-(vi)参照）
	05.006	590-86-3			着香の目的以外に使用してはならない
					令和2年2月26日告示第42号により既存添加物名簿から消除

J

色文字：法令上の指定添加物名（除く別名）　**red**：Name on Ministerial Ordinance of Designated Food Additives
色文字：法令上の既存添加物名（除く別名）　**red**：Name on Ministerial Notification of Existing Food Additives

英　名 English name	英名別名 English name	和名，和名別名 Japanese name	許可状況 Legal/Illegal	主な用途 Main uses
Jamaica quassia extract	Quassia extract	カッシアエキス **ジャマイカカッシア抽出物**(ジャマイカカッシアの幹枝又は樹皮から得られた,クアシン及びネオクアシンを主成分とするものをいう。)	◎，既存	苦味料
Japan wax		日本ロウ ハゼ脂 **モクロウ**(ハゼノキの果実から得られた，グリセリンパルミタートを主成分とするものをいう。)	◎，既存	ガムベース 光沢剤
Japanese pagoda tree extract	**Enju extract**	**エンジュ抽出物**	◎，既存	強化剤 酸化防止剤 着色料
Japanese persimmon color		**カキ色素**(カキの果実から得られた，フラボノイドを主成分とするものをいう。)	○，既存	着色料
Jelutong	Pontianak	**ジェルトン**(ジェルトンの分泌液から得られた，アミリンアセタート及びポリイソプレンを主成分とするものをいう。) ポンチアナック	◎，既存	ガムベース
Jojoba wax		**ホホバロウ**(ホホバの果実から得られた,イコセン酸イコセニルを主成分とするものをいう。) ホホバワックス	◎，既存	ガムベース

◎：許可（使用基準なし） Legal（Accepted with no standard of use）
○：許可（使用基準あり） Legal（Accepted with standard of use）
指定：Designated Food Additives　既存：Existing Food Additives
×：使用不可 Illegal（Prohibited）
※：個別判断を要するもの Required individual special judgement

EU E No.	EU FL No.	CAS No.	CFR No.	CNS 号.	備考 Remarks
		（ルチン3水和物） 250249-75-3			着色料の目的では○,既存 ルチン（抽出物）参照

色文字：法令上の指定添加物名（除く別名）　red：Name on Ministerial Ordinance of Designated Food Additives
色文字：法令上の既存添加物名（除く別名）　red：Name on Ministerial Notification of Existing Food Additives

英　名 English name	英名別名 English name	和名，和名別名 Japanese name	許可状況 Legal/Illegal	主な用途 Main uses
Kansui		かんすい	◎，指定	製造用剤
Kaoliang color		キビ色素 コウリャン色素（コウリャンの種子から得られた，アピゲニニジン及びルテオリニジンを主成分とするものをいう。）	○，既存	着色料
Kaolin	Aluminium silicate China clay Porcelain clay Water-insoluble mineral substances	カオリン ケイ酸アルミニウム 高陵土 白陶土 不溶性鉱物性物質	○，既存	製造用剤
Karaya gum	Sterculia gum	カラヤガム（カラヤ又はキバナワタモドキの分泌液から得られた，多糖類を主成分とするものをいう。） ステルキュリアガム	◎，既存	増粘安定剤 乳化剤
Kelp		乾燥海藻粉末	◎	強化剤
Kelp extract		褐藻抽出物 褐藻粘質物	◎	増粘安定剤
Ketones		ケトン類	○，指定	香料
β-Ketopropane	Acetone Dimethylketone 2-Propanone	アセトン β-ケトプロパン ジメチルケトン 2-プロパノン	○，指定	製造用剤
Konjac extract	Glucomannan Glucomannoglycan Konjac glucomannan	グルコマンナン グルコマンノグリカン コンニャクイモ抽出物 コンニャクグルコマンナン	◎	特別用途食品
	Konjac flour Konjac gum	コンニャクイモ抽出物 コンニャクガム コンニャク粉	◎	製造用剤 増粘安定剤
Konjac flour	Konjac extract Konjac gum	コンニャクイモ抽出物 コンニャクガム コンニャク粉	◎	製造用剤 増粘安定剤
Konjac glucomannan	Glucomannan Glucomannoglycan Konjac extract	グルコマンナン グルコマンノグリカン コンニャクイモ抽出物 コンニャクグルコマンナン	◎	特別用途食品
Konjac gum	Konjac extract Konjac flour	コンニャクイモ抽出物 コンニャクガム コンニャク粉	◎	製造用剤 増粘安定剤
Kooroo color	Matsudai color	クーロー色素（ソメモノイモの根から抽出して得られたものをいう。） ソメモノイモ色素	×	着色料

◎：許可（使用基準なし） Legal（Accepted with no standard of use）
○：許可（使用基準あり） Legal（Accepted with standard of use）
指定：Designated Food Additives　既存：Existing Food Additives
×：使用不可 Illegal（Prohibited）
※：個別判断を要するもの Required individual special judgement

EU E No.	EU FL No.	CAS No.	CFR No.	CNS 号.	備考 Remarks
					かんすい(化学的合成品に限る)の製造基準抜粋：**炭酸カリウム,炭酸ナトリウム,炭酸水素ナトリウム**,リン酸類のカリウム塩もしくはナトリウム塩の1種もしくは2種以上の混合物
					食品の製造又は加工上必要不可欠な場合以外に使用してはならない **不溶性鉱物性物質**の名称は，省令別表第1及び告示既存添加物名簿に記載されていないが，告示「食品,添加物等の規格基準－F 使用基準」にその名称があるので既存添加物名簿名扱いとする 食品添加物別名（和名）については，列記した食品添加物に類似する**不溶性鉱物性物質**も含まれる E559：Aluminium silicate（Kaolin）は「Commission Regulation（EU）No.380/2012 of 3 May 2012」で削除
E416		9000-36-6	184.1349	18.010	
			172.365		食品扱い
			（Kelp として） 172.365		一般飲食物添加物
					着香の目的以外に使用してはならない 類又は誘導体として指定されている18項目の香料リスト(解説編2-(1)-(vi)参照)
	07.050	67-64-1	173.210		ガラナ飲料を製造する際のガラナ豆の成分を抽出する目的及び油脂の成分を分別する目的以外に使用してはならない。また最終食品の完成前に除去しなければならない EU では香料特性のある食品成分として FL No.あり 類又は誘導体として指定されている18項目の香料リストの SEQ No.45(解説編2-(1)-(vi)参照)
E425(ii)					グルコマンナンは,資料1により食品素材扱いとする品目
E425(i)					一般飲食物添加物
E425(i)					一般飲食物添加物
E425(ii)					グルコマンナンは,資料1により食品素材扱いとする品目
E425(i)					一般飲食物添加物
					令和2年2月26日告示第42号により既存添加物名簿から消除

K

L

色文字：法令上の指定添加物名（除く別名）　red：Name on Ministerial Ordinance of Designated Food Additives
色文字：法令上の既存添加物名（除く別名）　red：Name on Ministerial Notification of Existing Food Additives

英　名 English name	英名別名 English name	和名，和名別名 Japanese name	許可状況 Legal/Illegal	主な用途 Main uses
Labarrque's solution	Bleaching solution Hypochlorite of soda Sodium hydrochlorite Sodium hypochlorite	次亜塩素酸ソーダ 次亜塩素酸ナトリウム 漂白液 ラバラック氏液	○，指定	漂白剤 殺菌料
Lac color	Laccaic acid	ラッカイン酸 ラック色素（ラックカイガラムシの分泌液から得られた，ラッカイン酸類を主成分とするものをいう。）	○，既存	着色料
Lacca	Purified shellac Shellac White shellac	シェラック（ラックカイガラムシの分泌液から得られた，アレウリチン酸とシェロール酸又はアレウリチン酸とジャラール酸のエステルを主成分とするものをいう。） 白シェラック 精製シェラック セラック	◎，既存	ガムベース 光沢剤
Laccaic acid	Lac color	ラッカイン酸 ラック色素（ラックカイガラムシの分泌液から得られた，ラッカイン酸類を主成分とするものをいう。）	○，既存	着色料
Lactase	β-Galactosidase β-D-Galactoside galactohydrolase	β-ガラクトシダーゼ β-D-ガラクトシドガラクトハイドロラーゼ ラクターゼ	◎，既存	酵素
Lactate ester of mono-glyceride	Glycerol esters of fatty acids Glycerol esters of lactic(lactate)and fatty acids Glyceryl-lacto esters of fatty acids Lactic acid esters of mono-and diglycerides of fatty acids	グリセリン脂肪酸エステル 脂肪酸のモノ及びジグリセライドの乳酸エステル 乳酸モノグリセライド	◎，指定	製造用剤 増粘安定剤 乳化剤 ガムベース
Lactic acid		乳酸	◎，指定	水素イオン濃度調整剤（pH 調整剤） 膨脹剤 酸味料
Lactic acid bacteria concentrates		乳酸菌濃縮物	◎	酵素
Lactic acid esters of mono-and diglycerides of fatty acids	Glycerol esters of fatty acids Glycerol esters of lactic(lactate)and fatty acids Glyceryl-lacto esters of fatty acids Lactate ester of mono-glyceride	グリセリン脂肪酸エステル 脂肪酸のモノ及びジグリセライドの乳酸エステル 乳酸モノグリセライド	◎，指定	製造用剤 増粘安定剤 乳化剤 ガムベース
Lactitol		ラクチトール	◎	製造用剤 甘味料
Lactoferrin concentrates		ラクトフェリン濃縮物（ほ乳類の乳から得られた，ラクトフェリンを主成分とするものをいう。）	◎，既存	製造用剤

◎：許可（使用基準なし） Legal（Accepted with no standard of use）　×：使用不可 Illegal（Prohibited）
○：許可（使用基準あり） Legal（Accepted with standard of use）　※：個別判断を要するもの Required individual special judgement
指定：Designated Food Additives　既存：Existing Food Additives

EU E No.	EU FL No.	CAS No.	CFR No.	CNS 号.	備考 Remarks
					平成26年4月24日告示第225号により，①生食用鮮魚介類，生食用かき及び冷凍食品（生食用冷凍鮮魚介類に限る。以下「生食用鮮魚介類等」という。）の加工基準において，**次亜塩素酸ナトリウム**に加え，**次亜塩素酸水**及び水素イオン濃度調整剤として用いる**塩酸**の使用が認められた，②容器包装詰加圧加熱殺菌食品の製造基準において，**次亜塩素酸ナトリウム**に加え**次亜塩素酸水**の使用が認められた 同日付部長通知による運用上の注意事項としては，**次亜塩素酸水**及び**塩酸**については，既に食品添加物として定められている使用基準の適用を受ける，②**塩酸**については，生食用鮮魚介類等に対し，**次亜塩素酸ナトリウム**の使用等に伴い水素イオン濃度調整剤として使用することは認められるが，生食用鮮魚介類等の加工時に**塩酸**を直接使用することは認められない ごまに使用してはならない
E904				14.001	
			（Lactase enzyme preparation from *Candida pseudotropicalis* として） 184.1387 （Lactase enzyme preparation from *Kluyveromyces lactis* として） 184.1388	00.023	「組換え DNA 技術応用食品及び添加物の安全性審査の手続きを経た添加物」としての告示あり。詳細は厚労省 HP 参照
E472b			（Glyceryl-lacto esters of fatty acids として） 172.852 （Mono-and diglycerides として） 184.1505	10.031	
E270			184.1061	01.102	
					一般飲食物添加物
E472b			（Glyceryl-lacto esters of fatty acids として） 172.852 （Mono-and diglycerides として） 184.1505	10.031	
E966				19.014	食品扱い

色文字：法令上の指定添加物名（除く別名）　red：Name on Ministerial Ordinance of Designated Food Additives
色文字：法令上の既存添加物名（除く別名）　red：Name on Ministerial Notification of Existing Food Additives

英　名 English name	英名別名 English name	和名，和名別名 Japanese name	許可状況 Legal/Illegal	主な用途 Main uses
Lactones(except harmful substances)		**ラクトン類（毒性が激しいと一般に認められるものを除く。）**	○，指定	香料
Lactoperoxidase		**ラクトパーオキシダーゼ**	◎，既存	酵素
Lactose	Milk sugar	乳糖	◎	特別用途食品
Lactylated fatty acid esters of glycerol		ラクチル化脂肪酸グリセリンエステル	×	乳化剤
Lactylated fatty acid esters of propylene glycol		ラクチル化脂肪酸プロピレングリコールエステル	×	乳化剤
Lactylic esters of fatty acids		脂肪酸類の乳酸エステル	※	乳化剤
Lanolin	Wool wax	羊毛ロウ **ラノリン**(ヒツジの毛に付着するろう様物質から得られた，高級アルコールと α-ヒドロキシ酸のエステルを主成分とするものをいう。)	◎，既存	ガムベース 光沢剤
Laricin	Laricinic acid Larixinic acid **Maltol**	**マルトール** ラリキシン酸 ラリシン ラリシン酸	○，指定	香料
Laricinic acid	Laricin Larixinic acid **Maltol**	**マルトール** ラリキシン酸 ラリシン ラリシン酸	○，指定	香料
Larixinic acid	Laricin Laricinic acid **Maltol**	**マルトール** ラリキシン酸 ラリシン ラリシン酸	○，指定	香料
Laughing gas	Dinitrogen monooxide Dinitrogen oxide Nitrogen oxide **Nitrous oxide**	**亜酸化窒素** 一酸化二窒素 酸化窒素 酸化二窒素 笑気	○，指定	噴射剤(プロペラント)
Laver color		**ノリ色素** 海苔色素	○	着色料
Leaf gum	Basora gum Goat's thorn Gum tragacanth Hog gum Syrian gum **Tragacanth gum**	シリアンガム **トラガントガム**(トラガントの分泌液から得られた，多糖類を主成分とするものをいう。) バソラガム ホッグガム リーフガム	◎，既存	増粘安定剤 乳化剤
Leche caspi	Pendare Perillo **Sorva**	**ソルバ**(ソルバの分泌液から得られた，アミリンアセタート及びポリイソプレンを主成分とするものをいう。) ペリージョ ペンダーレ レッチェカスピ	◎，既存	ガムベース
Leche de vaca		**レッチュデバカ**(レッチュデバカの分泌液から得られた，アミリンエステルを主成分とするものをいう。)	◎，既存	ガムベース

◎：許可（使用基準なし） Legal（Accepted with no standard of use）　×：使用不可 Illegal（Prohibited）
○：許可（使用基準あり） Legal（Accepted with standard of use）　※：個別判断を要するもの Required individual special judgement
指定：Designated Food Additives　既存：Existing Food Additives

EU E No.	EU FL No.	CAS No.	CFR No.	CNS 号.	備考 Remarks
					着香の目的以外に使用してはならない 類又は誘導体として指定されている18項目の香料リスト（解説編2-(1)-(vi)参照）
					資料1により食品素材扱いとする品目
			172.850		
			172.850		
			172.848		CFR は乳酸と脂肪酸及びまたは Tall oil の脂肪酸由来のオレイン酸
					E No.はないが INS No.913あり
	07.014	118-71-8			着香の目的以外に使用してはならない E No.はないが INS No.636あり
	07.014	118-71-8			着香の目的以外に使用してはならない E No.はないが INS No.636あり
	07.014	118-71-8			着香の目的以外に使用してはならない E No.はないが INS No.636あり
E942		10024-97-2	184.1545		ホイップクリーム類（乳脂肪分又は乳脂肪代替食品（植物性脂肪分，ゼラチン，卵白，寒天等）を主原料として泡立てた食品）以外の食品に使用してはならない また，一般的に容易に販売されているカートリッジ式容器に入れた**亜酸化窒素**は，成分規格外としてその使用は認められない
					一般飲食物添加物
E413		9000-65-1	（Gum tragacanth として） 184.1351		

L

色文字：法令上の指定添加物名（除く別名）　red：Name on Ministerial Ordinance of Designated Food Additives
色文字：法令上の既存添加物名（除く別名）　red：Name on Ministerial Notification of Existing Food Additives

英　名 English name	英名別名 English name	和名，和名別名 Japanese name	許可状況 Legal/Illegal	主な用途 Main uses
Lecithin	Cephalin **Fractionated Lecithin** Lecithin, partially hydrolyzed Lipoinositol **Vegetable lecithin** **Yolk lecithin**	**植物レシチン**（アブラナ又はダイズの種子から得られた，レシチンを主成分とするものをいう。） セファリン **分別レシチン**（「植物レシチン」又は「卵黄レシチン」から得られた，スフィンゴミエリン，フォスファチジルイノシトール，フォスファチジルエタノールアミン及びフォスファチジルコリンを主成分とするものをいう。） **卵黄レシチン**（卵黄から得られた，レシチンを主成分とするものをいう。） リポイノシトール レシチン レシチン分別物	◎，既存	乳化剤
Lecithin, partially hydrolyzed		部分水解レシチン	※	乳化剤
Lecithinase	Phosphatidase **Phospholipase**	ホスファチダーゼ **ホスホリパーゼ** レシチナーゼ	◎，既存	酵素
Lemarome	**Citral** Geranial (*trans* -Citral) Neral (*cis* -Citral)	ゲラニアル（トランス-シトラール） **シトラール** ネラール（シス-シトラール） レマローム	○，指定	香料
L-Leucine	L-α-Aminoisocaproic acid	L-α-アミノイソカプロン酸 **L-ロイシン**	◎，既存	強化剤 調味料
Levan	Fructan	フラクタン レバン（枯草菌の培養液から得られた，多糖類を主成分とするものをいう。）	×	増粘安定剤
Licareol	Coriandrol Linacreol **Linalool** *dl* -Linalool Linalool EX HO (Natural) Phantol	コリアンドロール パントール リカレオール リナクレオール **リナロオール** リナロオール EX HO（天然） リナロール *dl* -リナロール	○，指定	香料
Licorice derivatives		カンゾウ誘導体	※	甘味料
Licorice extract	Glycyrrhizin	カンゾウエキス **カンゾウ抽出物**（ウラルカンゾウ，チョウカカンゾウ又はヨウカンゾウの根又は根茎から得られた，グリチルリチン酸を主成分とするものをいう。） グリチルリチン リコリス抽出物	◎，既存	甘味料
Licorice oil extract		**カンゾウ油性抽出物**（ウラルカンゾウ，チョウカカンゾウ又はヨウカンゾウの根又は根茎から得られた，フラボノイドを主成分とするものをいう。）	◎，既存	酸化防止剤

◎：許可（使用基準なし） Legal（Accepted with no standard of use）　×：使用不可 Illegal（Prohibited）
○：許可（使用基準あり） Legal（Accepted with standard of use）　※：個別判断を要するもの Required individual special judgement
指定：Designated Food Additives　既存：Existing Food Additives

EU E No.	EU FL No.	CAS No.	CFR No.	CNS 号.	備考 Remarks
E322			(Lecithin として) 184.1400		指定，既存の別は，原材料が**ヒマワリレシチン**，または植物レシチン，卵黄レシチン，分別レシチンのいずれの定義に該当するかにより判断する
					「**植物レシチン**」又は「**卵黄レシチン**」と**グリセリン**の混合物と，ホスホリパーゼ D を処理して得られる「**酵素処理レシチン**」が既存添加物として日本で認められている
					「組換え DNA 技術応用食品及び添加物の安全性審査の手続きを経た添加物」としての告示あり。詳細は厚労省 HP 参照
	05.020	5392-40-5			着香の目的以外に使用してはならない 告示は「*trans* -異性体と *cis* -異性体との混合物」だが，(EU) FL No.は告示の CAS No.と同番号で「citral」としてあり
E641		61-90-5	(Amino acids, L-Leucine として) 172.320		E641は卓上甘味料錠剤用の Tableting aid として「Commission Regulation (EU) 2015/649 of 24 April 2015」で新規制定
					「レバン」は，令和2年2月26日告示第42号により既存添加物名簿から消除
	02.013	78-70-6			着香の目的以外に使用してはならない
			(Licorice and licorice derivatives として) 184.1408		米国では甘草，同磨さい物，甘草抽出物及び主成分のグリチルリチンのアンモニウム塩が風味増強剤として使用が認められている。日本では**カンゾウ末**が既存添加物リストの別添3の一般飲食物添加物として，また**カンゾウ抽出物**及び**カンゾウ油性抽出物**が既存添加物として使用が認められている
			(Licorice and licorice derivatives として) 184.1408	19.010 19.012	米国では甘草，同磨さい物，甘草抽出物及び主成分のグリチルリチンのアンモニウム塩が風味増強剤として使用が認められている。日本では**カンゾウ末**が既存添加物リストの別添3の一般飲食物添加物として，また**カンゾウ抽出物及びカンゾウ油性抽出物**が既存添加物として使用が認められている E No.はないが INS No.958あり CNS 号19.010は monopotassium and tripotassium glycyrrhizinate CNS 号19.012は ammonium glycyrrhizinate
			(Licorice and licorice derivatives として) 184.1408	04.008	米国では甘草，同磨さい物，甘草抽出物及び主成分のグリチルリチンのアンモニウム塩が風味増強剤として使用が認められている。日本では**カンゾウ末**が既存添加物リストの別添3の一般飲食物添加物として，また**カンゾウ抽出物及びカンゾウ油性抽出物**が既存添加物として使用が認められている CNS 号04.008は antioxidant of glycyrrhiza

色文字：法令上の指定添加物名（除く別名）　red：Name on Ministerial Ordinance of Designated Food Additives
色文字：法令上の既存添加物名（除く別名）　red：Name on Ministerial Notification of Existing Food Additives

英　名 English name	英名別名 English name	和名，和名別名 Japanese name	許可状況 Legal/Illegal	主な用途 Main uses
Light magnesium carbonate	Magnesia alba Magnesium carbonate	炭酸マグネシウム	◎，指定	製造用剤 膨脹剤 強化剤 固結防止剤 強化物
Lignan	Resinol	樹脂アルコール リグナン レジノール	※	特別用途食品
Lime hydrate	Calcium hydroxide Slaked lime	消石灰 水酸化カルシウム	○，指定	製造用剤 強化剤 豆腐用凝固剤
Lime stone	Aragonite Calcite Calcium carbonate Calcium carbonate Ⅰ	アラゴナイト 石灰石 炭酸カルシウム 炭酸カルシウムⅠ	◎，指定	製造用剤 膨脹剤 強化剤 ガムベース 着色料 イーストフード
***d*-Limonene**		*d*-リモネン	○，指定	香料
Linacreol	Coriandrol Licareol Linalool *dl*-Linalool Linalool EX HO(Natural) Phantol	コリアンドロール パントール リカレオール リナクレオール リナロオール リナロオール EX HO(天然) リナロール *dl*-リナロール	○，指定	香料
Linalool	Coriandrol Licareol Linacreol *dl*-Linalool Linalool EX HO(Natural) Phantol	コリアンドロール パントール リカレオール リナクレオール リナロオール リナロオール EX HO(天然) リナロール *dl*-リナロール	○，指定	香料
***dl*-Linalool**	Coriandrol Licareol Linacreol Linalool Linalool EX HO(Natural) Phantol	コリアンドロール パントール リカレオール リナクレオール リナロオール リナロオール EX HO(天然) リナロール *dl*-リナロール	○，指定	香料

◎：許可（使用基準なし） Legal（Accepted with no standard of use）　×：使用不可 Illegal（Prohibited）
○：許可（使用基準あり） Legal（Accepted with standard of use）　※：個別判断を要するもの Required individual special judgement
指定：Designated Food Additives　既存：Existing Food Additives

EU E No.	EU FL No.	CAS No.	CFR No.	CNS 号.	備考 Remarks
E504(i)			184.1425	13.005	
					資料1により食品添加物に該当する可能性が考えられるが，事前に判断を受けるよう指導されている品目
E526		1305-62-0	184.1205	01.202	食品の製造又は加工上必要不可欠な場合及び栄養の目的以外に使用してはならない
E170		（炭酸カルシウムとして） 471-34-1	(Calcium carbonate として) 73.70 184.1191 (Ground limestone として) 184.1409	13.006	平成29年6月23日告示第226号により，使用基準は削除するものの，その使用に当たっては，適切な製造工程管理を行い，食品中で目的とする効果を得る上で必要とされる量を超えてないものとする指導に改正された CFR No. 73.70は2019年版で追加 令和2年12月4日厚生労働省告示第381号にて「昭和34年厚生省告示第370号」に定められている「**炭酸カルシウム**」の成分規格上の名称を「**炭酸カルシウムⅠ**」と改め，新たに「**炭酸カルシウムⅡ**」が新設された.（**炭酸カルシウムⅡ**参照）
	01.045	5989-27-5			**テルペン系炭化水素類** 着香の目的以外に使用してはならない 類又は誘導体として指定されている18項目の香料リストのSEQ No.1465(解説編2-(1)-(vi)参照)
	02.013	78-70-6			着香の目的以外に使用してはならない
	02.013	78-70-6			着香の目的以外に使用してはならない
	02.013	78-70-6			着香の目的以外に使用してはならない

L

色文字：法令上の指定添加物名（除く別名）　red：Name on Ministerial Ordinance of Designated Food Additives
色文字：法令上の既存添加物名（除く別名）　red：Name on Ministerial Notification of Existing Food Additives

英 名 English name	英名別名 English name	和名，和名別名 Japanese name	許可状況 Legal/Illegal	主な用途 Main uses
Linalool EX HO(Natural)	Coriandrol Licareol Linacreol **Linalool** *dl*-Linalool Phantol	コリアンドロール パントール リカレオール リナクレオール **リナロオール** リナロオール EX HO(天然) リナロール *dl*-リナロール	○，指定	香料
Linalyl acetate		**酢酸リナリル**	○，指定	香料
Linoleic acid	Linolic acid	リノール酸	◎，既存	製造用剤 香料
	Linolic acid	リノール酸	○，指定	製造用剤 香料 特別用途食品
	Linolic acid	リノール酸	◎	特別用途食品
L-Linolenic acid	Linolenic acid	リノレン酸	○，指定	製造用剤 香料 特別用途食品
	Linolenic acid	リノレン酸	◎	特別用途食品
	Linolenic acid	リノレン酸	◎，既存	製造用剤 香料
Linolenic acid	L-Linolenic acid	リノレン酸	○，指定	製造用剤 香料 特別用途食品
	L-Linolenic acid	リノレン酸	◎	特別用途食品
	L-Linolenic acid	リノレン酸	◎，既存	製造用剤 香料
Linolic acid	Linoleic acid	リノール酸	○，指定	製造用剤 香料 特別用途食品
	Linoleic acid	リノール酸	◎，既存	製造用剤 香料
	Linoleic acid	リノール酸	◎	特別用途食品

◎：許可（使用基準なし） Legal（Accepted with no standard of use）
○：許可（使用基準あり） Legal（Accepted with standard of use）
指定：Designated Food Additives　既存：Existing Food Additives
×：使用不可 Illegal（Prohibited）
※：個別判断を要するもの Required individual special judgement

EU E No.	EU FL No.	CAS No.	CFR No.	CNS 号.	備考 Remarks
	02.013	78-70-6			着香の目的以外に使用してはならない
	09.013	115-95-7			着香の目的以外に使用してはならない
	08.041	60-33-3	(Fatty acids として) 172.860 (Linoleic acid として) 184.1065		**高級脂肪酸**として既存添加物に収載 EU FL No.08.041の名称は「Octadeca-9,12-dienoic acid」
	08.041	60-33-3	(Fatty acids として) 172.860 (Linoleic acid として) 184.1065		**脂肪酸類**として指定添加物に収載 着香の目的以外に使用してはならない 類又は誘導体として指定されている18項目の香料リストのSEQ NO.1487(解説編2-(1)-(vi)参照) EU FL No.08.041の名称は「Octadeca-9,12-dienoic acid」
	08.041	60-33-3	(Fatty acids として) 172.860 (Linoleic acid として) 184.1065		資料1により食品素材扱いとする品目 EU FL No.08.041の名称は「Octadeca-9,12-dienoic acid」
		463-40-1	(Fatty acids として) 172.860		**脂肪酸類**として指定添加物に収載 着香の目的以外に使用してはならない 類又は誘導体として指定されている18項目の香料リストのSEQ NO.1488(解説編2-(1)-(vi)参照)
		463-40-1	(Fatty acids として) 172.860		資料1により食品素材扱いとする品目
		463-40-1	(Fatty acids として) 172.860		**高級脂肪酸**として既存添加物に収載
		463-40-1	(Fatty acids として) 172.860		**脂肪酸類**として指定添加物に収載 着香の目的以外に使用してはならない 類又は誘導体として指定されている18項目の香料リストのSEQ NO.1488(解説編2-(1)-(vi)参照)
		463-40-1	(Fatty acids として) 172.860		資料1により食品素材扱いとする品目
		463-40-1	(Fatty acids として) 172.860		**高級脂肪酸**として既存添加物に収載
	08.041	60-33-3	(Fatty acids として) 172.860 (Linoleic acid として) 184.1065		**脂肪酸類**として指定添加物に収載 着香の目的以外に使用してはならない 類又は誘導体として指定されている18項目の香料リストのSEQ NO.1487(解説編2-(1)-(vi)参照) EU FL No.08.041の名称は「Octadeca-9,12-dienoic acid」
	08.041	60-33-3	(Fatty acids として) 172.860 (Linoleic acid として) 184.1065		**高級脂肪酸**として既存添加物に収載 EU FL No.08.041の名称は「Octadeca-9,12-dienoic acid」
	08.041	60-33-3	(Fatty acids として) 172.860 (Linoleic acid として) 184.1065		資料1により食品素材扱いとする品目 EU FL No.08.041の名称は「Octadeca-9,12-dienoic acid」

色文字：法令上の指定添加物名（除く別名）　red：Name on Ministerial Ordinance of Designated Food Additives
色文字：法令上の既存添加物名（除く別名）　red：Name on Ministerial Notification of Existing Food Additives

英　名 English name	英名別名 English name	和名，和名別名 Japanese name	許可状況 Legal/Illegal	主な用途 Main uses
Linseed extract	Linseed gum	アマシードガム（アマの種子から得られた，多糖類を主成分とするものをいう。） アマシードガム抽出物	◎，既存	増粘安定剤
Linseed gum	Linseed extract	アマシードガム（アマの種子から得られた，多糖類を主成分とするものをいう。） アマシードガム抽出物	◎，既存	増粘安定剤
Linter cellulose		リンターセルロース（ワタの単毛から得られた，セルロースを主成分とするものをいう。）	◎，既存	製造用剤
Lipase	Glycerol-esterhydrolase	脂肪分解酵素 リパーゼ	◎，既存	酵素
Lipoic acid	α-Lipoic acid Thioctic acid	アルファリポ酸 チオクト酸 リポ酸	◎	特別用途食品
α-Lipoic acid	Lipoic acid Thioctic acid	アルファリポ酸 チオクト酸 リポ酸	◎	特別用途食品
Lipoinositol	Cephalin Fractionated Lecithin Lecithin	セファリン 分別レシチン（「植物レシチン」又は「卵黄レシチン」から得られた，スフィンゴミエリン，フォスファチジルイノシトール，フォスファチジルエタノールアミン及びフォスファチジルコリンを主成分とするものをいう。） リポイノシトール レシチン レシチン分別物	◎，既存	乳化剤
Lipoxydase	Lipoxygenase	リポキシゲナーゼ リポキシダーゼ	◎，既存	酵素
Lipoxygenase	Lipoxydase	リポキシゲナーゼ リポキシダーゼ	◎，既存	酵素
Liquid paraffin	Mineral oil White mineral oil	白鉱油 ミネラルオイル ミネラルオイルホワイト 流動パラフィン	○，既存	製造用剤
Liquid smoke	Pyroligneous acid Smoke flavourings Wood vinegar	くん液（サトウキビ、竹材、トウモロコシ又は木材を燃焼して発生したガス成分を捕集し、又は乾留して得られたものをいう。） スモークフレーバー 木酢液 リキッドスモーク	◎，既存	製造用剤 香料 着色料
Listeria specific bacteriophage preparation		リステリア菌特異性バクテリオファージ製剤	×	抗菌剤
Litholrubine BK		リソールルビンBK	×	着色料
Locust bean gum	Carob bean gum Carob gum	カロブガム カロブビーンガム（イナゴマメの種子の胚乳を粉砕し，又は溶解し，沈殿して得られたものをいう。） ローカストビーンガム	◎，既存	増粘安定剤 乳化剤

◎：許可（使用基準なし） Legal（Accepted with no standard of use）
○：許可（使用基準あり） Legal（Accepted with standard of use）
指定：Designated Food Additives　　既存：Existing Food Additives
×：使用不可 Illegal（Prohibited）
※：個別判断を要するもの Required individual special judgement

EU E No.	EU FL No.	CAS No.	CFR No.	CNS 号.	備考 Remarks
				20.020	
				20.020	
E460(ii)					E460(ii)：Powdered cellulose
			(Animal lipase として) 184.1415 (Lipase enzyme preparation derived from *Rhizopus niveus* として) 184.1420		「組換えDNA技術応用食品及び添加物の安全性審査の手続きを経た添加物」としての告示あり。詳細は厚労省HP参照 E No.はないがINS No.1104あり
					資料1により食品素材扱いとする品目 本成分の使用にあたっては，過剰摂取しないよう情報提供をすることの指導あり
					資料1により食品素材扱いとする品目 本成分の使用にあたっては，過剰摂取しないよう情報提供をすることの指導あり
E322			(Lecithin として) 184.1400		指定，既存の別は，原材料がヒマワリレシチン，または植物レシチン，卵黄レシチン，分別レシチンのいずれの定義に該当するかにより判断する
			(White mineral oil として) 172.878	14.003	パンを製造する過程における離型の目的以外に使用してはならない
					着色料の目的では○，既存 香料として用いる場合は天然香料扱い
			172.785		
E180					
E410			(Locust(carob)bean gum として) 184.1343	20.023	

L

色文字：法令上の指定添加物名（除く別名）　red：Name on Ministerial Ordinance of Designated Food Additives
色文字：法令上の既存添加物名（除く別名）　red：Name on Ministerial Notification of Existing Food Additives

英　名 English name	英名別名 English name	和名，和名別名 Japanese name	許可状況 Legal/Illegal	主な用途 Main uses
Loganberry color		ローガンベリー色素	○	着色料
Logwood color		ログウッド色素（ログウッドの心材から得られた，ヘマトキシリンを主成分とするものをいう。）	○，既存	着色料
Low acid hypochlorous acid water	Hypochlorous acid water	次亜塩素酸水 弱酸性次亜塩素酸水	○，指定	殺菌料
Low-substituted hydroxypropyl cellulose（L-HPC）	HPC Hydroxypropyl cellulose	HPC ヒドロキシプロピルセルロース	◎，指定	製造用剤 増粘安定剤 乳化剤 糊料
Luohanguo extract	Rakanka extract	ラカンカエキス ラカンカ抽出物（ラカンカの果実から得られた，モグロシド類を主成分とするものをいう。）	，既存	甘味料
Lutein		ルテイン	◎	特別用途食品
	Mixed carotenoids Xanthophylls	キサントフィル 混合カロテノイド ルテイン	※	着色料
Lycopene		リコピン	※	着色料
L-Lysine		L-リシン L-リジン	◎，既存	強化剤 調味料
L-Lysine L-aspartate		L-リシン L-アスパラギン酸塩 L-リジン L-アスパラギン酸塩	◎，指定	強化剤 調味料
L-Lysine L-glutamate		L-リシン L-グルタミン酸塩 L-リジン L-グルタミン酸塩	◎，指定	強化剤 調味料
L-Lysine monohydrochloride		L-リシン塩酸塩 L-リジン塩酸塩	◎，指定	強化剤 調味料
Lysozyme	Mucopeptide glucohydrolase	卵白リゾチーム リゾチーム	◎，既存	酵素
Lysozyme hydrochloride		リゾチーム塩酸塩	×	保存料

◎：許可（使用基準なし） Legal（Accepted with no standard of use）　×：使用不可 Illegal（Prohibited）
○：許可（使用基準あり） Legal（Accepted with standard of use）　※：個別判断を要するもの Required individual special judgement
指定：Designated Food Additives　既存：Existing Food Additives

EU E No.	EU FL No.	CAS No.	CFR No.	CNS 号.	備　考 Remarks
					一般飲食物添加物
					生成装置等の基準あり 最終食品の完成前に除去しなければならない 指定添加物名は**次亜塩素酸水**だが，告示成分規格の記載名も法令上の名称として取り扱う 平成26年4月24日告示第225号により，①生食用鮮魚介類，生食用かき及び冷凍食品（生食用冷凍鮮魚介類に限る。以下「生食用鮮魚介類等」という。）の加工基準において，**次亜塩素酸ナトリウム**に加え，**次亜塩素酸水**及び水素イオン濃度調整剤として用いる**塩酸**の使用が認められた，②容器包装詰加圧加熱殺菌食品の製造基準において，**次亜塩素酸ナトリウム**に加え**次亜塩素酸水**の使用が認められた 同日付部長通知による運用上の注意事項としては，**次亜塩素酸水**及び**塩酸**については，①既に食品添加物として定められている使用基準の適用を受ける，②**塩酸**については，生食用鮮魚介類等に対し，**次亜塩素酸ナトリウム**の使用等に伴い水素イオン濃度調整剤として使用することは認められるが，生食用鮮魚介類等の加工時に**塩酸**を直接使用することは認められない
E463 E463a		9004-64-2	172.870		E463a：Low Substituted Hydroxypropyl cellulose（L-HPC）は「Commission Regulation（EU）2018/1461 of 28 Sept 2018」で新規制定
E161b				08.146	資料1により既存添加物扱いとする品目
E161b				08.146	既存添加物名簿の名称，別名，簡略名に「キサントフィル」名がある**オレンジ**，**マリーゴールド色素**以外からの「キサントフィル」は不可 既存添加物名簿の名称，別名，簡略名に「カロテノイド」関連名がある**アナトー，オレンジ，クチナシ，デュナリエラ，トウガラシ，トマト，ニンジン，パーム油，ファフィア，ヘマトコッカス藻，マリーゴールド色素**以外からの「ルテイン」は不可
E160d （ｉ） E160d （ii） E160d （iii）			（Tomato lycopene extract：Tomato lycopene concentrate として） 73.585	08.017	E No.160d には160d（ｉ）：Synthetic licopene，160d（ii）：Lycopene from red tomatoes，160d（iii）：Lycopene from *Blakeslea trispora* のサブ No.があるが，（ii）のトマトリコピンに対応する既存添加物名簿のトマト色素以外は不可
		56-87-1	（Amino acids,L-Lysine として） 172.320		
					告示成分規格の nH_2O は n ＝2又は0
		657-27-2	（Amino acids,L-Lysine monohydrochloride として） 172.320		
E1105				17.035	
					既存添加物名簿の**リゾチーム**は使用可

L

M

色文字：法令上の指定添加物名（除く別名）　red：Name on Ministerial Ordinance of Designated Food Additives
色文字：法令上の既存添加物名（除く別名）　red：Name on Ministerial Notification of Existing Food Additives

英　名 English name	英名別名 English name	和名，和名別名 Japanese name	許可状況 Legal/Illegal	主な用途 Main uses
Macrophomopsis gum	Macrophomopsis polysaccharide	マクロホモプシスガム（マクロホモプシスの培養液から得られた，多糖類を主成分とするものをいう。） マクロホモプシス多糖類	◎，既存	増粘安定剤
Macrophomopsis polysaccharide	Macrophomopsis gum	マクロホモプシスガム（マクロホモプシスの培養液から得られた，多糖類を主成分とするものをいう。） マクロホモプシス多糖類	◎，既存	増粘安定剤
Magenta		マジェンタ	×	着色料
Magnesia	Calcined magnesia Deadburned magnesite Magnesia clinker Magnesium oxide	か焼マグネシア 酸化マグネシウム 死焼マグネシア マグネシア マグネシアクリンカー	◎，指定	製造用剤 強化剤
Magnesia alba	Light magnesium carbonate Magnesium carbonate	炭酸マグネシウム	◎，指定	製造用剤 膨脹剤 強化剤 固結防止剤 強化物
Magnesia clinker	Calcined magnesia Deadburned magnesite Magnesia Magnesium oxide	か焼マグネシア 酸化マグネシウム 死焼マグネシア マグネシア マグネシアクリンカー	◎，指定	製造用剤 強化剤
Magnesium acetate		酢酸マグネシウム	×	製造用剤
Magnesium adipate		アジピン酸マグネシウム	×	水素イオン濃度調整剤（pH 調整剤） 酸味料
Magnesium carbonate	Light magnesium carbonate Magnesia alba	炭酸マグネシウム	◎，指定	製造用剤 膨脹剤 強化剤 固結防止剤 強化物
Magnesium chloride	Crude magnesium chloride (sea water)	塩化マグネシウム含有物 粗製海水塩化マグネシウム（海水から塩化カリウム及び塩化ナトリウムを析出分離して得られた，塩化マグネシウムを主成分とするものをいう。）	◎，既存	製造用剤
		塩化マグネシウム	◎，指定	製造用剤 強化剤 イーストフード 豆腐用凝固剤
Magnesium citrate		クエン酸マグネシウム	×	水素イオン濃度調整剤（pH 調整剤） 酸味料
Magnesium diglutamate		グルタミン酸マグネシウム	※	調味料
Magnesium dihydrogen diphosphate	Magnesium phosphate	第二リン酸マグネシウム 二リン酸二水素マグネシウム	×	水素イオン濃度調整剤（pH 調整剤） 安定剤
Magnesium ferrocyanides		フェロシアン化マグネシウム	×	製造用剤

◎：許可（使用基準なし） Legal（Accepted with no standard of use）　×：使用不可 Illegal（Prohibited）
○：許可（使用基準あり） Legal（Accepted with standard of use）　※：個別判断を要するもの Required individual special judgement
指定：Designated Food Additives　既存：Existing Food Additives

EU E No.	EU FL No.	CAS No.	CFR No.	CNS 号.	備 考 Remarks
E530		1309-48-4	(Magnesium oxide として) 184.1431		
E504(i)			184.1425	13.005	
E530		1309-48-4	(Magnesium oxide として) 184.1431		
E504(i)			184.1425	13.005	
			(Magnesium chloride として) 184.1426		**塩化マグネシウム**参照
E511		(6水和物) 7791-18-6	(Magnesium chloride として) 184.1426	18.003	告示成分規格の nH_2O は n =6
E625					日本では **L-グルタミン酸マグネシウム**が指定添加物となっている
E450(ix)					E450(ix)は「Commission Regulation (EU) No.298/2014 of 21 March 2014」で新規制定

色文字：法令上の指定添加物名（除く別名）　red：Name on Ministerial Ordinance of Designated Food Additives
色文字：法令上の既存添加物名（除く別名）　red：Name on Ministerial Notification of Existing Food Additives

英　名 English name	英名別名 English name	和名，和名別名 Japanese name	許可状況 Legal/Illegal	主な用途 Main uses
Magnesium gluconate		グルコン酸マグネシウム	×	製造用剤 水素イオン濃度調整剤（pH 調整剤） 強化剤 イーストフード
Magnesium hydrogen carbonate	Magnesium hydroxide carbonate	炭酸水素マグネシウム ヒドロキシ炭酸マグネシウム	※	製造用剤
Magnesium hydrogen phosphate	Dimagnesium phosphate Magnesium monohydrogen phosphate Magnesium monohydrogen phosphate trihydrate	リン酸一水素マグネシウム	◎，指定	水素イオン濃度調整剤（pH 調整剤） 強化剤
Magnesium hydrosilicate	Magnesium silicate	ケイ酸マグネシウム マグネシウムハイドロシリケート	○，指定	製造用剤
Magnesium hydroxide		水酸化マグネシウム	◎，指定	製造用剤 強化剤
Magnesium hydroxide carbonate	Magnesium hydrogen carbonate	炭酸水素マグネシウム ヒドロキシ炭酸マグネシウム	※	製造用剤
Magnesium DL-lactate		DL-乳酸マグネシウム	×	製造用剤 強化剤 調味料
Magnesium L-lactate		L-乳酸マグネシウム	×	製造用剤 強化剤
Magnesium monohydrogen phosphate	Dimagnesium phosphate Magnesium hydrogen phosphate Magnesium monohydrogen phosphate trihydrate	リン酸一水素マグネシウム	◎，指定	水素イオン濃度調整剤（pH 調整剤） 強化剤
Magnesium monohydrogen phosphate trihydrate	Dimagnesium phosphate Magnesium hydrogen phosphate Magnesium monohydrogen phosphate	リン酸一水素マグネシウム	◎，指定	水素イオン濃度調整剤（pH 調整剤） 強化剤
Magnesium oxide	Calcined magnesia Deadburned magnesite Magnesia Magnesia clinker	か焼マグネシア 酸化マグネシウム 死焼マグネシア マグネシア マグネシアクリンカー	◎，指定	製造用剤 強化剤
Magnesium phosphate	Tribasic magnesium phosphate Trimagnesium phosphate	第三リン酸マグネシウム リン酸三マグネシウム リン酸マグネシウム	◎，指定	製造用剤 強化剤

◎：許可（使用基準なし） Legal（Accepted with no standard of use）
○：許可（使用基準あり） Legal（Accepted with standard of use）
指定：Designated Food Additives　既存：Existing Food Additives
×：使用不可　Illegal（Prohibited）
※：個別判断を要するもの　Required individual special judgement

EU E No.	EU FL No.	CAS No.	CFR No.	CNS 号.	備考 Remarks
E504(ii)					日本では**炭酸マグネシウム**が指定添加物となっている
E343(ii)		(3水和物) 7782-75-4	(Magnesium phosphate として) 184.1434		平成24年11月2日省令別表第1に新規指定 使用基準は設定されていないが，小児の通常の食品以外からの摂取量の耐用上限量は5mg/kg 体重/日とされていることを踏まえ，その使用にあたっては，適切な製造工程管理を行い，食品中で目的とする効果を得る上で必要とされる量を超えないものとする指導あり 告示成分規格の nH_2O は n =3 E No.343(ii):Dimagnesium phosphate INS No.343(ii):Magnesium hydrogen phosphate
E553a(i)		1343-88-0	(Magnesium silicate として) 182.2437		油脂のろ過助剤以外の用途に使用してはならない。また，最終食品の完成前に除去しなければならない
E528		1309-42-8	184.1428		乳幼児，小児が過剰に摂取しないように指導あり
E504(ii)					日本では**炭酸マグネシウム**が指定添加物となっている
E343(ii)		(3水和物) 7782-75-4	(Magnesium phosphate として) 184.1434		平成24年11月2日省令別表第1に新規指定 使用基準は設定されていないが，小児の通常の食品以外からの摂取量の耐用上限量は5mg/kg 体重/日とされていることを踏まえ，その使用にあたっては，適切な製造工程管理を行い，食品中で目的とする効果を得る上で必要とされる量を超えないものとする指導あり 告示成分規格の nH_2O は n =3 E No.343(ii):Dimagnesium phosphate INS No.343(ii):Magnesium hydrogen phosphate
E343(ii)		(3水和物) 7782-75-4	(Magnesium phosphate として) 184.1434		平成24年11月2日省令別表第1に新規指定 使用基準は設定されていないが，小児の通常の食品以外からの摂取量の耐用上限量は5mg/kg 体重/日とされていることを踏まえ，その使用にあたっては，適切な製造工程管理を行い，食品中で目的とする効果を得る上で必要とされる量を超えないものとする指導あり 告示成分規格の nH_2O は n =3 E No.343(ii):Dimagnesium phosphate INS No.343(ii):Magnesium hydrogen phosphate
E530		1309-48-4	(Magnesium oxide として) 184.1431		
		(8水和物) 13446-23-6 (4水和物) 13465-22-0	(Magnesium phosphate includes both magnesium phosphate, dibasic, and magnesium phosphate, tribasic. として) 184.1434		CFR No.184.1434は，**リン酸三マグネシウム**を含む 告示成分規格の nH_2O は n =8,5又は4

M

色文字：法令上の指定添加物名（除く別名）　**red**：Name on Ministerial Ordinance of Designated Food Additives
色文字：法令上の既存添加物名（除く別名）　**red**：Name on Ministerial Notification of Existing Food Additives

英　名 English name	英名別名 English name	和名，和名別名 Japanese name	許可状況 Legal/Illegal	主な用途 Main uses
Magnesium phosphate	Magnesium dihydrogen diphosphate	第二リン酸マグネシウム 二リン酸二水素マグネシウム	×	水素イオン濃度調整剤（pH 調整剤） 安定剤
Magnesium phosphate, monobasic	Monomagnesium phosphate	リン酸二水素マグネシウム	×	製造用剤
Magnesium salts of capric acid		カプリン酸マグネシウム	×	製造用剤 乳化剤
Magnesium salts of caprylic acid		カプリル酸マグネシウム	×	製造用剤 乳化剤
Magnesium salts of fatty acids		脂肪酸のマグネシウム塩	×	製造用剤
Magnesium salts of lauric acid		ラウリン酸マグネシウム	×	製造用剤 乳化剤
Magnesium salts of myristic acid		ミリスチン酸マグネシウム	×	製造用剤 乳化剤
Magnesium salts of oleic acid		オレイン酸マグネシウム	×	製造用剤 乳化剤
Magnesium salts of palmitic acid		パルミチン酸マグネシウム	×	製造用剤 乳化剤
Magnesium salts of stearic acid	**Magnesium stearate**	**ステアリン酸マグネシウム**	○，指定	製造用剤 強化剤
Magnesium silicate	Magnesium hydrosilicate	**ケイ酸マグネシウム** マグネシウムハイドロシリケート	○，指定	製造用剤
Magnesium stearate	Magnesium salts of stearic acid	**ステアリン酸マグネシウム**	○，指定	製造用剤 強化剤
Magnesium succinate		コハク酸マグネシウム	×	酸味料 調味料
Magnesium sulfate		**硫酸マグネシウム**	◎，指定	強化剤 豆腐用凝固剤 醸造用剤
Magnesium DL-tartrate		DL-酒石酸マグネシウム	×	調味料
Magnesium L-tartrate		L-酒石酸マグネシウム	×	調味料
Magnesium trisilicate		三ケイ酸マグネシウム	×	製造用剤
Malayan camphor	***d*-Borneol** Bornyl alcohol	ボルニルアルコール ***d*-ボルネオール** マラヤンカンファー	○，指定	香料
Malic acid	**DL-Malic acid** *dl*-Malic acid	リンゴ酸 **DL-リンゴ酸** *dl*-リンゴ酸	◎，指定	水素イオン濃度調整剤（pH 調整剤） 膨脹剤 酸味料

◎：許可（使用基準なし） Legal（Accepted with no standard of use）
○：許可（使用基準あり） Legal（Accepted with standard of use）
指定：Designated Food Additives　既存：Existing Food Additives
×：使用不可 Illegal（Prohibited）
※：個別判断を要するもの Required individual special judgement

EU E No.	EU FL No.	CAS No.	CFR No.	CNS 号.	備考 Remarks
E450(ix)					E450(ix)は「Commission Regulation (EU) No.298/2014 of 21 March 2014」で新規制定
E343(i)					
E470b					E470b は脂肪酸のマグネシウム塩 **ステアリン酸マグネシウム**以外は不可
E470b					E470b は脂肪酸のマグネシウム塩 **ステアリン酸マグネシウム**以外は不可
E470b					E470b は脂肪酸のマグネシウム塩 **ステアリン酸マグネシウム**以外は不可
E470b					E470b は脂肪酸のマグネシウム塩 **ステアリン酸マグネシウム**以外は不可
E470b					E470b は脂肪酸のマグネシウム塩 **ステアリン酸マグネシウム**以外は不可
E470b					E470b は脂肪酸のマグネシウム塩 **ステアリン酸マグネシウム**以外は不可
E470b					E470b は脂肪酸のマグネシウム塩 **ステアリン酸マグネシウム**以外は不可
E470b		557-04-0	(Salts of fatty acids として) 172.863 (Magnesium stearate として) 184.1440	02.006	カプセル・錠剤等通常の食品形態でない食品及び錠菓（平成29年6月23日告示第226号による）以外の食品に使用してはならない E470b は脂肪酸のマグネシウム塩 **ステアリン酸マグネシウム**以外は不可 使用にあたっては，適切な製造工程管理を行い，食品中で目的とする効果を得る上で必要とされる量を超えないものとする指導あり
E553a(i)		1343-88-0	(Magnesium silicate として) 182.2437		油脂のろ過助剤以外の用途に使用してはならない。また，最終食品の完成前に除去しなければならない
E470b		557-04-0	(Salts of fatty acids として) 172.863 (Magnesium stearate として) 184.1440	02.006	カプセル・錠剤等通常の食品形態でない食品及び錠菓（平成29年6月23日告示第226号による）以外の食品に使用してはならない E470b は脂肪酸のマグネシウム塩 **ステアリン酸マグネシウム**以外は不可 使用にあたっては，適切な製造工程管理を行い，食品中で目的とする効果を得る上で必要とされる量を超えないものとする指導あり
		(7水和物) 10034-99-8	184.1443	00.021	告示成分規格の nH_2O は n ＝7又は3 E No.はないが INS No.518あり
E553a(ii)					
		464-43-7			着香の目的以外に使用してはならない （EU）FLNo.なし
E296		6915-15-7	(L,DL form として) 184.1069	01.309	D,L リンゴ酸は不可

M

色文字：法令上の指定添加物名（除く別名）　red：Name on Ministerial Ordinance of Designated Food Additives
色文字：法令上の既存添加物名（除く別名）　red：Name on Ministerial Notification of Existing Food Additives

英　名 English name	英名別名 English name	和名，和名別名 Japanese name	許可状況 Legal/Illegal	主な用途 Main uses
DL-Malic acid	Malic acid *dl*-Malic acid	リンゴ酸 DL-リンゴ酸 *dl*-リンゴ酸	◎，指定	水素イオン濃度調整剤（pH調整剤） 膨脹剤 酸味料
dl-Malic acid	Malic acid DL-Malic acid	リンゴ酸 DL-リンゴ酸 *dl*-リンゴ酸	◎，指定	水素イオン濃度調整剤（pH調整剤） 膨脹剤 酸味料
Malt		麦芽	○	製造用剤
Malt extract	Malt syrup	麦芽エキス 麦芽抽出物	○	着色料
Malt syrup	Malt extract	麦芽エキス 麦芽抽出物	○	着色料
Maltase	α-Glucosidase	α-グルコシダーゼ マルターゼ	◎，既存	酵素
Maltitol	Reducing malt sugar Reducing maltose	還元麦芽糖 マルチトール	◎	製造用剤 特別用途食品 増粘安定剤 甘味料
Maltitol syrup		マルチトール液	◎	製造用剤 増粘安定剤 甘味料
Maltodextrin		マルトデキストリン	◎	甘味料
Maltol	Laricin Laricinic acid Larixinic acid	マルトール ラリキシン酸 ラリシン ラリシン酸	○，指定	香料
Maltose phosphorylase		マルトースホスホリラーゼ	◎，既存	酵素
Maltotriohydrolase		G3生成酵素 マルトトリオヒドロラーゼ	◎，既存	酵素
Manganese		マンガン	×	特別用途食品
Manganese chloride		塩化マンガン	×	製造用剤
Manganese citrate		クエン酸マンガン	×	製造用剤
Manganese ferrocyanide		フェロシアン化マンガン	×	製造用剤
Manganese gluconate		グルコン酸マンガン	×	製造用剤
Manganese sulfate		硫酸マンガン	×	製造用剤
Mannan		マンナン	◎	増粘安定剤
Mannentake extract		マンネンタケ抽出物 レイシ抽出物（マンネンタケの菌糸体若しくは子実体又はその培養液から抽出して得られたものをいう。）	◎，既存	苦味料
D-Mannite	Mannitol D-Mannitol	D-マンニット D-マンニトール マンニトール	○，指定	品質改良剤 甘味料
Mannitol	D-Mannite D-Mannitol	D-マンニット D-マンニトール マンニトール	○，指定	品質改良剤 甘味料

◎：許可（使用基準なし） Legal（Accepted with no standard of use）
○：許可（使用基準あり） Legal（Accepted with standard of use）
指定：Designated Food Additives 既存：Existing Food Additives
×：使用不可 Illegal（Prohibited）
※：個別判断を要するもの Required individual special judgement

EU E No.	EU FL No.	CAS No.	CFR No.	CNS 号.	備考 Remarks
E296		6915-15-7	（L,DL form として）184.1069	01.309	D,L リンゴ酸は不可
E296		6915-15-7	（L,DL form として）184.1069	01.309	D,L リンゴ酸は不可
			184.1443a		食品扱い
			184.1445		一般飲食物添加物
			184.1445		一般飲食物添加物
					「組換え DNA 技術応用食品及び添加物の安全性審査の手続きを経た添加物」としての告示あり．詳細は厚労省 HP 参照
E965（ⅰ）				19.005	資料1により食品素材扱いとする品目
E965（ⅱ）				19.022	食品扱い
			184.1444		食品扱い
	07.014	118-71-8			着香の目的以外に使用してはならない E No.はないが INS No.636あり
					資料1により，新たに食品添加物としての指定を受ける必要があるとする品目
			184.1446		
			184.1449		
			184.1452		
			184.1461		
					一般飲食物添加物
E421（ⅰ） E421（ⅱ）		69-65-8	180.25	19.017	CFR No.の Part 180.25は特別に収録 E421（ⅰ）は Mannitol E421（ⅱ）は Mannitol manufactured by fermentation
E421（ⅰ） E421（ⅱ）		69-65-8	180.25	19.017	CFR No.の Part 180.25は特別に収録 E421（ⅰ）は Mannitol E421（ⅱ）は Mannitol manufactured by fermentation

色文字：法令上の指定添加物名（除く別名）　red：Name on Ministerial Ordinance of Designated Food Additives
色文字：法令上の既存添加物名（除く別名）　red：Name on Ministerial Notification of Existing Food Additives

英　名 English name	英名別名 English name	和名，和名別名 Japanese name	許可状況 Legal/Illegal	主な用途 Main uses
D-Mannitol	D-Mannite Mannitol	D-マンニット D-マンニトール マンニトール	○，指定	品質改良剤 甘味料
Marigold color	Tagetes extract	マリーゴールド色素(マリーゴールドの花から得られた，キサントフィルを主成分とするものをいう。)	○，既存	着色料
Massaranduba balata		マッサランドババラタ(マッサランドババラタの分泌液から得られた，アミリンアセタート及びポリイソプレンを主成分とするものをいう。)	◎，既存	ガムベース
Massaranduba chocolate		マッサランドバチョコレート(マッサランドバチョコレートの分泌液から得られた，アミリンアセタート及びポリイソプレンを主成分とするものをいう。)	◎，既存	ガムベース
Mastic gum		マスチック(ヨウニュウコウの分泌液から得られた，マスチカジエノン酸を主成分とするものをいう。)	◎，既存	ガムベース
Matsudai color	Kooroo color	クーロー色素(ソメモノイモの根から抽出して得られたものをいう。) ソメモノイモ色素	×	着色料
Melaleuca oil		メラロイカ精油(メラロイカの葉から得られた，精油を主成分とするものをいう。)	◎，既存	酸化防止剤
Melibiase	α-Galactosidase	α-ガラクトシダーゼ メリビアーゼ	◎，既存	酵素
Melonal	2,6-Dimethyl-5-heptenal	2,6-ジメチル-5-ヘプテナール メロナール	○，指定	香料
Menadione	Vitamin K_3	ビタミンK_3 メナジオン	×	特別用途食品
Menaquinone(extract)	Vitamin K_2(extract)	ビタミンK_2(抽出物) メナキノン(抽出物)(アルトロバクターの培養液から得られた，メナキノン-4を主成分とするものをいう。)	◎，既存	強化剤
Menhaden oil		メンヘーデン油	◎	調味料
Menthacamphor	Hexahydrothymol 3-*p*-Menthanol *dl*-Menthol Peppermint camphor	3-パラメンタノール ヘキサハイドロチモール ペパーミントカンファー メンタカンファー *dl*-メントール	○，指定	香料
p-Menthane-1,8-oxide	Cajeputol Cineole 1,8-Cineole 1,8-Epoxy-*p*-menthane Eucalyptol 1,8-Oxido-*p*-menthane	1,8-エポキシパラメンタン 1,8-オキシドパラメンタン カエプトール シネオール 1,8-シネオール ユーカリプトール	○，指定	香料
3-*p*-Menthanol	Hexahydrothymol Menthacamphor *dl*-Menthol Peppermint camphor	3-パラメンタノール ヘキサハイドロチモール ペパーミントカンファー メンタカンファー *dl*-メントール	○，指定	香料

◎：許可（使用基準なし） Legal（Accepted with no standard of use）
○：許可（使用基準あり） Legal（Accepted with standard of use）
指定：Designated Food Additives　既存：Existing Food Additives
×：使用不可 Illegal（Prohibited）
※：個別判断を要するもの Required individual special judgement

EU E No.	EU FL No.	CAS No.	CFR No.	CNS 号.	備考 Remarks
E421（i） E421（ii）		69-65-8	180.25	19.017	CFR No.の Part 180.25は特別に収録 E421（i）は Mannitol E421（ii）は Mannitol manufactured by fermentation
			（Tagetes（Aztec marigold）meal and extract として） 73.295		E No.はないが INS No.161b（ii）あり
					令和2年2月26日告示第42号により既存添加物名簿から消除
			（Alpha-Galactosidase derived from *Mortierella vinaceae* var. *raffinoseutilizer* として） 173.145		
	05.074	106-72-9			**脂肪族高級アルデヒド類** 着香の目的以外に使用してはならない 類又は誘導体として指定されている18項目の香料リストの SEQ No.1498（解説編2-(1)-(vi)参照）
					資料1により，新たに食品添加物としての指定を受ける必要があるとする品目
		863-61-6			
			184.1472		食品扱い
	02.015	89-78-1			着香の目的以外に使用してはならない
	03.001	470-82-6			着香の目的以外に使用してはならない
	02.015	89-78-1			着香の目的以外に使用してはならない

M

色文字：法令上の指定添加物名（除く別名）　red：Name on Ministerial Ordinance of Designated Food Additives
色文字：法令上の既存添加物名（除く別名）　red：Name on Ministerial Notification of Existing Food Additives

英　名 English name	英名別名 English name	和名，和名別名 Japanese name	許可状況 Legal/Illegal	主な用途 Main uses
ℓ-Menthol		ハッカ脳 ℓ-メントール	○，指定	香料
dl-Menthol	Hexahydrothymol Menthacamphor 3-p-Menthanol Peppermint camphor	dl-ハッカ脳 3-パラメンタノール ヘキサハイドロチモール ペパーミントカンファー メンタカンファー dl-メントール	○，指定	香料
ℓ-Menthyl acetate		酢酸ℓ-メンチル ℓ-酢酸メンチル	○，指定	香料
Metatartaric acid		メタ酒石酸	○，指定	製造用剤
Methacrylic acid-divinylbenzene co-polymer		メタクリル酸-ジビニルベンゼン共重合物	×	コーティング剤
Methanecarboxylic acid	Acetic acid Vinegar acid	酢酸	◎，指定	酸味料
Methanol		メタノール	×	製造用剤
DL-Methionine		DL-メチオニン	◎，指定	強化剤 調味料
L-Methionine		L-メチオニン	◎，指定	強化剤 調味料
1-Methoxy-4-propylbenzene	Dihydroanethole Methyl p-propylphenyl ether p-Propylanisole Propylmethoxybenzene	ジヒドロアネトール パラプロピルアニソール プロピルメトキシベンゼン メチルパラプロピルフェニルエーテル	○，指定	香料
p-Methoxybenzaldehyde	Anisaldehyde Anisic aldehyde Aubepine	アニスアルデヒド オーベピン パラメトキシベンズアルデヒド	○，指定	香料
p-Methoxybenzyl acetone	Anisyl acetone	アニシルアセトン パラメトキシベンジルアセトン	○，指定	香料
Methoxyprotocatechuic aldehyde	Methyl protocatechuic aldehyde Protocatechu aldehydemethylether Vanillic aldehyde Vanillin	バニリックアルデヒド バニリン プロトカテキュアルデヒドメチルエーテル メチルプロトカテキュアルデヒド メトキシプロトカテキュアルデヒド ワニリン	○，指定	香料

◎：許可（使用基準なし） Legal（Accepted with no standard of use）
○：許可（使用基準あり） Legal（Accepted with standard of use）
指定：Designated Food Additives　既存：Existing Food Additives
×：使用不可　Illegal（Prohibited）
※：個別判断を要するもの　Required individual special judgement

EU E No.	EU FL No.	CAS No.	CFR No.	CNS 号.	備　考 Remarks
		2216-51-5			着香の目的以外に使用してはならない （EU）FL　No.なし（d-Neomenthol が FL No.02.063として あり）
	02.015	89-78-1			着香の目的以外に使用してはならない
	09.016	2623-23-6			着香の目的以外に使用してはならない 「(EU)FL No.09.016」の「CAS No.16409-45-3　Methyl acetate」は告示の CAS No.と異なる
E353		39469-81-3		01.105	令和2年12月4日省令別表第1に新規指定 使用にあたっては，適切な製造工程管理を行い，食品中で目的とする効果を得る上で必要とされている量を超えないものとする特記あり また，ぶどう酒を濃縮したものに使用される場合，使用基準は希釈後の容量として適用されるとの特記あり 製造用剤はぶどう酒の酒質安定目的
			172.775		
E260		（酢酸として） 64-19-7	（Acetic acid として） 184.1005 （Peroxyacids の混合成分の1つとして） 173.370		省令別表第1のリスト名は「**氷酢酸, Glacial acetic acid**」，EU では酢酸として指定 告示成分規格の酢酸は30％濃度
	17.014	59-51-8	（Amino acids, DL-Methionine (not for infant foods) として） 172.320		EU では香料特性のある食品成分として FL No.あり
	17.027	63-68-3	（Amino acids, L-Methionine として） 172.320		EU では香料特性のある食品成分として FL No.あり
	04.039	104-45-0			**フェノールエーテル類** 着香の目的以外に使用してはならない 類又は誘導体として指定されている18項目の香料リストの SEQ No.2215(解説編2-(1)-(vi)参照)
	05.015	123-11-5			着香の目的以外に使用してはならない EU FL No.05.015の名称は「4-Methoxybenzaldehyde」
	07.029	104-20-1			**ケトン類** 着香の目的以外に使用してはならない 類又は誘導体として指定されている18項目の香料リストの SEQ No.188(解説編2-(1)-(vi)参照) EU FL No.07.029の名称は「4-(4-Methoxyphenyl) butan-2-one」
	05.018	121-33-5			着香の目的以外に使用してはならない

色文字：法令上の指定添加物名（除く別名）　red：Name on Ministerial Ordinance of Designated Food Additives
色文字：法令上の既存添加物名（除く別名）　red：Name on Ministerial Notification of Existing Food Additives

英　名 English name	英名別名 English name	和名，和名別名 Japanese name	許可状況 Legal/Illegal	主な用途 Main uses
Methyl and ethyl esters of fatty acids produced from edible fats and oils		脂肪酸のメチル及びエチルエステル（食用油脂由来）	×	被膜剤
4-Methyl-1-phenyl-2-pentanol	Benzyl isobutyl carbinol Isobutyl benzyl carbinol α-Isobutylphenethyl alcohol	α-イソブチルフェネチルアルコール イソブチルベンジルカルビノール ベンジルイソブチルカルビノール	○，指定	香料
***(E)*-2-Methyl-2-butenal**	2-Methylcrotonaldehyde ***trans*-2-Methyl-2-butenal**	***trans*-2-メチル-2-ブテナール** 2-メチルクロトンアルデヒド	○，指定	香料
***p*-Methylacetophenone**		**パラメチルアセトフェノン**	○，指定	香料
Methyl acetyl ricinolate		アセチルリシノール酸メチル	×	ガムベース
Methyl alcohol residues		メチルアルコール残留物	×	製造用剤
Methyl 2-aminobenzoate	**Methyl anthranilate**	アンスラニル酸メチル **アントラニル酸メチル**	○，指定	香料
2-Methylamino methylbenzoate	Dimethyl anthranilate **Methyl *N*-methylanthranilate**	アントラニル酸ジメチル *N*-メチルアンスラニル酸メチル メチル安息香酸2-メチルアミノ ***N*-メチルアントラニル酸メチル**	○，指定	香料
Methyl anthranilate	Methyl 2-aminobenzoate	アンスラニル酸メチル **アントラニル酸メチル**	○，指定	香料
Methyl L-α-aspartyl-L-phenylalaninate	**Aspartame**	L-α-アスパルチル-L-フェニルアラニンメチルエステル **アスパルテーム** メチル-L-α-アスパルチル-L-フェニルアラニンメチルエステル	◎，指定	甘味料
2-Methylbutanal	**2-Methylbutyraldehyde**	2-メチルブタナール **2-メチルブチルアルデヒド**	○，指定	香料
3-Methylbutanal	**Isovaleraldehyde** 3-Methylbutyraldehyde	**イソバレルアルデヒド** 3-メチルブタナール 3-メチルブチルアルデヒド	○，指定	香料
2-Methyl butanol		**2-メチルブタノール**	○，指定	香料
3-Methyl-1-butanol	**Isoamyl alcohol** Isopentyl alcohol	**イソアミルアルコール** イソペンチルアルコール 3-メチル-1-ブタノール	○，指定	香料
3-Methyl-2-butanol	3-Methylbutan-2-ol Metylisopropylcarbinol	メチルイソプロピルカルビノール **3-メチル-2-ブタノール** 3-メチルブタン-2-オール	○，指定	香料
3-Methylbutan-2-ol	**3-Methyl-2-butanol** Metylisopropylcarbinol	メチルイソプロピルカルビノール **3-メチル-2-ブタノール** 3-メチルブタン-2-オール	○，指定	香料
3-Methyl-2-butenal		**3-メチル-2-ブテナール**	○，指定	香料
3-Methyl-2-butenol		**3-メチル-2-ブテノール**	○，指定	香料
2-Methylbutylamine		**2-メチルブチルアミン**	○，指定	香料
2-Methylbutyraldehyde	2-Methylbutanal	2-メチルブタナール **2-メチルブチルアルデヒド**	○，指定	香料

◎：許可（使用基準なし） Legal（Accepted with no standard of use）
○：許可（使用基準あり） Legal（Accepted with standard of use）
指定：Designated Food Additives　既存：Existing Food Additives
×：使用不可 Illegal（Prohibited）
※：個別判断を要するもの Required individual special judgement

EU E No.	EU FL No.	CAS No.	CFR No.	CNS 号.	備考 Remarks
			172.225		CFR は脂肪酸のメチルエステルまたはエチルエステルの単独または混合物で使用基準の記載あり
	02.065	7779-78-4			**芳香族アルコール類** 着香の目的以外に使用してはならない 類又は誘導体として指定されている18項目の香料リストのSEQ No.1374(解説編2-(1)-(vi)参照)
	05.095	497-03-0			着香の目的以外に使用してはならない 平成24年12月28日省令別表第1に新規指定
	07.022	122-00-9			着香の目的以外に使用してはならない EU FL No.07.022の名称は「4-Methylacetophenone」
			173.250		
	09.715	134-20-3			着香の目的以外に使用してはならない
	09.781	85-91-6			着香の目的以外に使用してはならない
	09.715	134-20-3			着香の目的以外に使用してはならない
E951		22839-47-0	172.804	19.004	
	05.049	96-17-3			着香の目的以外に使用してはならない
	05.006	590-86-3			着香の目的以外に使用してはならない
	02.076	137-32-6			着香の目的以外に使用してはならない
	02.003	123-51-3			着香の目的以外に使用してはならない
	02.111	598-75-4			着香の目的以外に使用してはならない
	02.111	598-75-4			着香の目的以外に使用してはならない
	05.124	107-86-8			着香の目的以外に使用してはならない。 EU FL No.05.124の名称は「3-Methylcrotonaldehyde」
	02.109	556-82-1			着香の目的以外に使用してはならない。
	11.020	96-15-1			令和元年6月6日省令別表第1に新規指定 着香の目的以外に使用してはならない 小分け等の加工を行ったものは添加物製剤とみなされる
	05.049	96-17-3			着香の目的以外に使用してはならない

色文字：法令上の指定添加物名（除く別名）　red：Name on Ministerial Ordinance of Designated Food Additives
色文字：法令上の既存添加物名（除く別名）　red：Name on Ministerial Notification of Existing Food Additives

英　名 English name	英名別名 English name	和名，和名別名 Japanese name	許可状況 Legal/Illegal	主な用途 Main uses
3-Methylbutyraldehyde	Isovaleraldehyde 3-Methylbutanal	イソバレルアルデヒド 3-メチルブタナール 3-メチルブチルアルデヒド	○，指定	香料
Methyl cellulose		メチルセルロース	○，指定	増粘安定剤
Methyl cinnamate	Methyl cinnamylate Methyl-3-phenylpropenoate	ケイ皮酸メチル 3-フェニルプロペン酸メチル メチルシンナミレート	○，指定	香料
Methyl cinnamylate	Methyl cinnamate Methyl-3-phenylpropenoate	ケイ皮酸メチル 3-フェニルプロペン酸メチル メチルシンナミレート	○，指定	香料
6-Methyl coumarin		6-メチルクマリン	×	香料
2-Methylcrotonaldehyde	*(E)* -2-Methyl-2-butenal *trans* -2-Methyl-2-butenal	*trans* -2-メチル-2-ブテナール 2-メチルクロトンアルデヒド	○，指定	香料
5-Methyl-6, 7-dihydro-5*H*-cyclopentapyrazine		5-メチル-6, 7-ジヒドロ-5*H*-シクロペンタピラジン	○，指定	香料
Methylene chloride		塩化メチレン	×	製造用剤
Methylenesuccinic acid	Itaconic acid	イタコン酸 メチレンコハク酸	×	酸味料
Methyl ethyl cellulose	Ethyl methyl cellulose	エチルメチルセルロース メチルエチルセルロース	×	製造用剤 増粘安定剤 乳化剤 糊料
Methyl ethyl ketone	2-Butanone	メチルエチルケトン	○，指定	香料
Methyl glucoside-coconut oil ester		メチルグルコシド-ココナッツ油エステル	×	乳化剤
Methylglycocyamine	Creatine 1-Methylguanidino acetic acid α -Methylguanidino acetic acid	クレアチン 1-メチルグアニジノ酢酸 α-メチルグアニジノ酢酸 メチルグリコシアミン	◎	特別用途食品
1-Methylguanidino acetic acid	Creatine Methylglycocyamine α -Methylguanidino acetic acid	クレアチン 1-メチルグアニジノ酢酸 α-メチルグアニジノ酢酸 メチルグリコシアミン	◎	特別用途食品
α -Methylguanidino acetic acid	Creatine Methylglycocyamine 1-Methylguanidino acetic acid	クレアチン 1-メチルグアニジノ酢酸 α-メチルグアニジノ酢酸 メチルグリコシアミン	◎	特別用途食品
Methyl hesperidin	Soluble vitamin P	メチルヘスペリジン 溶性ビタミンＰ	◎，指定	強化剤
Methyl- *o* -hydroxybenzoate	Methyl salicylate Synthetic wintergreen oil	オルトヒドロ安息香酸メチル サリチル酸メチル 冬緑油	○，指定	香料
Methyl *p* -hydroxybenzoate	Methylparaben	パラオキシ安息香酸メチル メチルパラベン	×	保存料

◎：許可（使用基準なし） Legal（Accepted with no standard of use）
○：許可（使用基準あり） Legal（Accepted with standard of use）
指定：Designated Food Additives　既存：Existing Food Additives
×：使用不可 Illegal（Prohibited）
※：個別判断を要するもの Required individual special judgement

EU E No.	EU FL No.	CAS No.	CFR No.	CNS 号.	備考 Remarks
	05.006	590-86-3			着香の目的以外に使用してはならない
E461		9004-67-5	182.1480	20.043	
	09.740	103-26-4			着香の目的以外に使用してはならない
	09.740	103-26-4			着香の目的以外に使用してはならない
	05.095	497-03-0			着香の目的以外に使用してはならない 平成24年12月28日省令別表第1に新規指定
	14.037	23747-48-0			着香の目的以外に使用してはならない
			173.255		
					令和2年2月26日告示第42号により既存添加物名簿から消除
E465			172.872		
	07.053	78-93-3			ケトン類 着香の目的以外に使用してはならない 類又は誘導体として指定されている18項目の香料リストのSEQ No.1648（解説編2-(1)-(vi)参照）
			172.816		
					資料1により食品素材扱いとする品目
					資料1により食品素材扱いとする品目
					資料1により食品素材扱いとする品目
	09.749	119-36-8			着香の目的以外に使用してはならない
E218			184.1490		

色文字：法令上の指定添加物名（除く別名）　red：Name on Ministerial Ordinance of Designated Food Additives
色文字：法令上の既存添加物名（除く別名）　red：Name on Ministerial Notification of Existing Food Additives

英　名 English name	英名別名 English name	和名，和名別名 Japanese name	許可状況 Legal/Illegal	主な用途 Main uses
Methylhydroxyisopropylcyclohexane	Hexahydrothymol Menthacamphor 3-*p*-Menthanol **ℓ-Menthol** Methylpropylphenylhexahydride Peppermint camphor	ハッカ脳 3-パラメンタノール ヘキサハイドロチモール ペパーミントカンファー メンタカンファー **ℓ-メントール**	○，指定	香料
Methyl *N*-methylanthranilate	Dimethyl anthranilate 2-Methylamino methylbenzoate	アントラニル酸ジメチル *N*-メチルアンスラニル酸メチル メチル安息香酸2-メチルアミノ **N-メチルアントラニル酸メチル**	○，指定	香料
1-Methylnaphthalene		**1-メチルナフタレン**	○，指定	香料
Methyl β-naphthyl ketone		**メチルβ-ナフチルケトン**	○，指定	香料
Methylparaben	Methyl *p*-hydroxybenzoate	パラオキシ安息香酸メチル メチルパラベン	×	保存料
Methyl phenylacetate		フェニル酢酸メチル	○，指定	香料
Methyl-3-phenylpropenoate	**Methyl cinnamate** Methyl cinnamylate	**ケイ皮酸メチル** 3-フェニルプロペン酸メチル メチルシンナミレート	○，指定	香料
2-Methyl propanal	Isobutanal **Isobutyraldehyde**	イソブタナール **イソブチルアルデヒド** 2-メチルプロパナール	○，指定	香料
Methyl p-propylphenyl ether	Dihydroanethole 1-Methoxy-4-propylbenzene *p*-Propylanisole Propylmethoxybenzene	ジヒドロアネトール パラプロピルアニソール プロピルメトキシベンゼン メチルパラプロピルフェニルエーテル	○，指定	香料
Methylpropylphenylhexahydride	Hexahydrothymol Menthacamphor 3-*p*-Menthanol **ℓ-Menthol** Methylhydroxyisopropylcyclohexane Peppermint camphor	ハッカ脳 3-パラメンタノール ヘキサハイドロチモール ペパーミントカンファー メンタカンファー **ℓ-メントール**	○，指定	香料
Methyl protocatechuic aldehyde	Methoxyprotocatechuic aldehyde Protocatechu aldehydemethylether Vanillic aldehyde **Vanillin**	バニリックアルデヒド **バニリン** プロトカテキュアルデヒドメチルエーテル メチルプロトカテキュアルデヒド メトキシプロトカテキュアルデヒド ワニリン	○，指定	香料
Methylpyrazine	**2-Methylpyrazine**	**2-メチルピラジン** メチルピラジン	○，指定	香料
2-Methylpyrazine	Methylpyrazine	**2-メチルピラジン** メチルピラジン	○，指定	香料
6-Methylquinoline		**6-メチルキノリン**	○，指定	香料

◎：許可（使用基準なし） Legal（Accepted with no standard of use）
○：許可（使用基準あり） Legal（Accepted with standard of use）
指定：Designated Food Additives 既存：Existing Food Additives
×：使用不可 Illegal（Prohibited）
※：個別判断を要するもの Required individual special judgement

EU E No.	EU FL No.	CAS No.	CFR No.	CNS 号.	備 考 Remarks
		2216-51-5			着香の目的以外に使用してはならない
	09.781	85-91-6			着香の目的以外に使用してはならない
		90-12-0			平成27年9月18日省令別表第1に新規指定 着香の目的以外に使用してはならない
	07.013	93-08-3			着香の目的以外に使用してはならない EU FL No.07.013の名称は「Methyl 2-naphthyl ketone」
E218			184.1490		
	09.783	101-41-7			**エステル類** 着香の目的以外に使用してはならない 類又は誘導体として指定されている18項目の香料リストのSEQ No.1702(解説編2-(1)-(vi)参照)
	09.740	103-26-4			着香の目的以外に使用してはならない
	05.004	78-84-2			着香の目的以外に使用してはならない
	04.039	104-45-0			**フェノールエーテル類** 着香の目的以外に使用してはならない 類又は誘導体として指定されている18項目の香料リストのSEQ No.2215(解説編2-(1)-(vi)参照)
		2216-51-5			着香の目的以外に使用してはならない
	05.018	121-33-5			着香の目的以外に使用してはならない
	14.027	109-08-0			着香の目的以外に使用してはならない
	14.027	109-08-0			着香の目的以外に使用してはならない
	14.042	91-62-3			着香の目的以外に使用してはならない

色文字：法令上の指定添加物名（除く別名）　red：Name on Ministerial Ordinance of Designated Food Additives
色文字：法令上の既存添加物名（除く別名）　red：Name on Ministerial Notification of Existing Food Additives

英　名 English name	英名別名 English name	和名，和名別名 Japanese name	許可状況 Legal/Illegal	主な用途 Main uses
5-Methylquinoxaline		5-メチルキノキサリン	○，指定	香料
Methyl salicylate	Methyl-*o*-hydroxybenzoate Synthetic wintergreen oil	オルトヒドロ安息香酸メチル サリチル酸メチル 冬緑油	○，指定	香料
Methyl violet		メチルバイオレット	×	着色料
Metylisopropylcarbinol	3-Methyl-2-butanol 3-Methylbutan-2-ol	メチルイソプロピルカルビノール 3-メチル-2-ブタノール 3-メチルブタン-2-オール	○，指定	香料
Mevalonic acid		メバロン酸	◎，既存	製造用剤
Mica		雲母	※	特別用途食品
Mica-based pearlescent pigments		雲母ベース真珠様光沢色素	×	着色料
Microbial rennet	Rennet(Microbial rennet)	マイクロバイアルレンネット レンネット(微生物由来)	◎	酵素
Microcapsules for flavoring substances		香料用マイクロカプセル	※	マイクロカプセル
Microcrystalline cellulose	Cellulose microcrystalline	結晶セルロース 微結晶セルロース(パルプから得られた，結晶セルロースを主成分とするものをいう。)	◎，既存	製造用剤 増粘安定剤 乳化剤
Microcrystalline wax		マイクロクリスタリンワックス ミクロクリスタリンワックス	◎，既存	ガムベース 光沢剤
Microfibrillated cellulose		微小繊維状セルロース(パルプ又は綿を微小繊維状にして得られた，セルロースを主成分とするものをいう。)	◎，既存	製造用剤 増粘安定剤
Microparticulated protein product		微粒子化たん白質製品	◎	調味料
Milk serum	Whey	乳清 ホエイ	◎	製造用剤 特別用途食品
Milk sugar	Lactose	乳糖	◎	特別用途食品
Milt digest	Milt protein Protamine	しらこたん白 しらこたん白抽出物(魚類の精巣から得られた，塩基性タンパク質を主成分とするものをいう。) しらこ分解物 プロタミン	◎，既存	保存料
Milt protein	Milt digest Protamine	しらこたん白 しらこたん白抽出物(魚類の精巣から得られた，塩基性タンパク質を主成分とするものをいう。) しらこ分解物 プロタミン	◎，既存	保存料
Mineral oil	Liquid paraffin White mineral oil	白鉱油 ミネラルオイル ミネラルオイルホワイト 流動パラフィン	○，既存	製造用剤
Mineral oil(High viscosity)		流動パラフィン(ミネラルオイル，高粘度)	○，既存	製造用剤
Mineral oil(Medium-and Low-viscosity, ClassI)		流動パラフィン(ミネラルオイル，中位及び低粘度，クラスⅠ)	○，既存	製造用剤

◎：許可（使用基準なし） Legal（Accepted with no standard of use）
○：許可（使用基準あり） Legal（Accepted with standard of use）
指定：Designated Food Additives　　既存：Existing Food Additives

×：使用不可　Illegal（Prohibited）
※：個別判断を要するもの　Required individual special judgement

EU E No.	EU FL No.	CAS No.	CFR No.	CNS 号.	備考 Remarks
	14.028	13708-12-8			着香の目的以外に使用してはならない
	09.749	119-36-8			着香の目的以外に使用してはならない
	02.111	598-75-4			着香の目的以外に使用してはならない
					資料1により食品添加物に該当する可能性が考えられるが，事前に判断を受けるよう指導されている品目
			73.350		
			(Milk-clotting enzymes, microbial として) 173.150		既存添加物**レンネット**の扱い
			172.230		CFR は構成成分として Succinylated gelatin，Arabinogalactan，Silicon dioxide などの記載あり
E460(i)				02.005	**粉末セルロース**参照
E905					
E460(ii)					E460(ii)：Powdered cellulose
			184.1498		食品扱い
			184.1979		資料1により食品素材扱いとする品目 CFR は Whey，Concentrated whey，Dry or dried whey について，日本の乳等省令に規定する定義，成分規格に類する記載あり
					資料1により食品素材扱いとする品目
			(White mineral oil として) 172.878	14.003	パンを製造する過程における離型の目的以外に使用してはならない
			(White mineral oil として) 172.878		既存添加物名簿の**流動パラフィン**扱い パンを製造する過程における離型の目的以外に使用してはならない
			(White mineral oil として) 172.878		既存添加物名簿の**流動パラフィン**扱い パンを製造する過程における離型の目的以外に使用してはならない

色文字：法令上の指定添加物名（除く別名）　red：Name on Ministerial Ordinance of Designated Food Additives
色文字：法令上の既存添加物名（除く別名）　red：Name on Ministerial Notification of Existing Food Additives

英　名 English name	英名別名 English name	和名，和名別名 Japanese name	許可状況 Legal/Illegal	主な用途 Main uses
Mineral oil (Medium-and Low-viscosity, ClassII)		流動パラフィン(ミネラルオイル，中位及び低粘度，クラス II)	○，既存	製造用剤
Mineral oil (Medium-and Low-viscosity, ClassIII)		流動パラフィン(ミネラルオイル，中位及び低粘度，クラス III)	○，既存	製造用剤
Mixed acetic and tartaric acid esters of mono-and diglycerides of fatty acids	Glycerol esters of fatty acids	グリセリン脂肪酸エステル 脂肪酸のモノ及びジグリセライドの酢酸及び酒石酸エステルの混合物	※	製造用剤 増粘安定剤 乳化剤 ガムベース
Mixed carotenes		混合カロテン	※	着色料
Mixed carotenoids	Lutein Xanthophylls	キサントフィル 混合カロテノイド ルテイン	※	着色料
Mixed tocopherols	Tocopherol-rich extract	ミックストコフェロール(植物性油脂から得られた，d-α-トコフェロール，d-β-トコフェロール，d-γ-トコフェロール及び d-δ-トコフェロールを主成分とするものをいう。) ミックスビタミンE	◎，既存	強化剤 酸化防止剤
Mixture of 2-ethyl-3, 5-dimethylpyrazine and 2-ethyl-3, 6-dimethylpyrazine	2-Ethyl-3(5 or 6)-dimethylpyrazine	2-エチル-3, 5-ジメチルピラジン及び2-エチル-3, 6-ジメチルピラジンの混合物	○，指定	香料
Mixture of 2-ethyl-6-methylpyrazine and 2-ethyl-5-methylpyrazine	2-Ethyl-6-methylpyrazine	2-エチル-6-メチルピラジン 2-エチル-6-メチルピラジンと2-エチル-5-メチルピラジンの混合物	○，指定	香料
Modified celluloses		加工セルロース	※	増粘安定剤 糊料
Modified cottonseed products intended for human consumption		綿実種子製品（食用加工用）	◎	製造用剤
Modified hop extract		変性ホップ抽出物	×	苦味料
Modified starch	Acetylated distarch adipate	アセチル化アジピン酸架橋デンプン アセチル化二デンプンアジピン酸 加工デンプン	◎，指定	増粘安定剤 ゲル化剤 糊料
	Acetylated distarch phosphate	アセチル化二デンプンリン酸エステル アセチル化リン酸架橋デンプン 加工デンプン	◎，指定	増粘安定剤 ゲル化剤 糊料

◎：許可（使用基準なし） Legal（Accepted with no standard of use）
○：許可（使用基準あり） Legal（Accepted with standard of use）
指定：Designated Food Additives　既存：Existing Food Additives
×：使用不可 Illegal（Prohibited）
※：個別判断を要するもの Required individual special judgement

EU E No.	EU FL No.	CAS No.	CFR No.	CNS 号.	備考 Remarks
			(White mineral oil として) 172.878		既存添加物名簿の**流動パラフィン**扱い パンを製造する過程における離型の目的以外に使用してはならない
			(White mineral oil として) 172.878		既存添加物名簿の**流動パラフィン**扱い パンを製造する過程における離型の目的以外に使用してはならない
E472f			(Mono-and diglycerides として) 184.1505		
E160a(ii)			(検定免除着色料の carrot oil として) 73.300 (検定免除着色料の β-Carotene として) 73.95 (GRAS 物質の Beta-Carotene として) 184.1245		日本では**デュナリエラ，ニンジン，パーム油の抽出カロテン**が既存添加物として使用が認められている 「E160a Carotenes」には化学的合成品と天然抽出品がある。本書は「Official Journal of the EU」に記載の定義内容により，「E160a (i) **β-Carotene** は化学的合成品」，「E160a (ii) Plant Carotenes は天然抽出品」と判断
E161b				08.146	既存添加物名簿の名称，別名，簡略名に「キサントフィル」名がある**オレンジ，マリーゴールド色素**以外からの「キサントフィル」は不可 既存添加物名簿の名称，別名，簡略名に「カロテノイド」関連名がある**アナトー，オレンジ，クチナシ，デュナリエラ，トウガラシ，トマト，ニンジン，パーム油，ファフィア，ヘマトコッカス藻，マリーゴールド色素**以外からの「ルテイン」は不可
E306			(Chemical preservatives の Tocopherols として) 182.3890 (Nutrients の Tocopherols として) 182.8890		
	14.100	(混合物) 27043-05-6			着香の目的以外に使用してはならない 日本の指定名称に相当する(EU)FL No.14.100の CAS No.は「55031-15-7」
		36731-41-6			着香の目的以外に使用してはならない 平成24年12月28日省令別表第1に新規指定 告示「添加物成分規格」の定義は2-エチル-6-メチルピラジンと2-エチル-5-メチルピラジンの混合物と規定されている。これを JECFA の呼称に基づき2-エチル-6-メチルピラジンの単品名として指定している (EU) FL No.なし（告示品は混合物）
					日本では**メチルセルロース，カルボキシメチルセルロースナトリウム**及び**カルボキシメチルセルロースカルシウム**が指定添加物として認められている
			172.894		食品扱い
			172.560		CFR はビール醸造時に添加する香料として，ホップをヘキサン抽出し異性化したもの
E1422			(Food starch-modified として) 172.892	20.031	適切な製造工程管理を行い，食品中で目的とする効果を得る量を超えないこと
E1414		68130-14-3	(Food starch-modified として) 172.892	20.015	適切な製造工程管理を行い，食品中で目的とする効果を得る量を超えないこと

色文字：法令上の指定添加物名（除く別名）　red：Name on Ministerial Ordinance of Designated Food Additives
色文字：法令上の既存添加物名（除く別名）　red：Name on Ministerial Notification of Existing Food Additives

英　名 English name	英名別名 English name	和名，和名別名 Japanese name	許可状況 Legal/Illegal	主な用途 Main uses
	Acetylated oxidized starch	**アセチル化酸化デンプン** 加工デンプン	◎，指定	増粘安定剤 ゲル化剤 糊料
	Acetylated starch **Starch acetate**	アセチル化デンプン 加工デンプン **酢酸デンプン**	◎，指定	増粘安定剤 ゲル化剤 糊料
	Acid treated starch	加工デンプン 酸処理デンプン	◎	増粘安定剤 ゲル化剤 糊料
	Alkaline treated starch	アルカリ処理デンプン 加工デンプン	◎	増粘安定剤 ゲル化剤 糊料
	Bleached starch	加工デンプン 漂白デンプン	◎	増粘安定剤 ゲル化剤 糊料
	Dextrin, roasted starch	加工デンプン 焙焼デキストリン	◎	増粘安定剤 ゲル化剤 糊料
	Distarch phosphate	加工デンプン **リン酸架橋デンプン**	◎，指定	増粘安定剤 ゲル化剤 糊料
	Enzymatically treated starch	加工デンプン 酵素処理デンプン	◎	増粘安定剤 ゲル化剤 糊料
	Hydroxy propyl cross-link starch phosphate **Hydroxypropyl distarch phosphate**	加工デンプン **ヒドロキシプロピル化リン酸架橋デンプン** ヒドロキシプロピル二デンプンリン酸エステル	◎，指定	増粘安定剤 ゲル化剤 糊料
	Hydroxypropyl starch	加工デンプン **ヒドロキシプロピルデンプン**	◎，指定	増粘安定剤 ゲル化剤 糊料
	Monostarch phosphate	加工デンプン **リン酸化デンプン**	◎，指定	増粘安定剤 ゲル化剤 糊料
	Oxidized starch	加工デンプン **酸化デンプン**	◎，指定	増粘安定剤 ゲル化剤 糊料
	Phosphated distarch phosphate	加工デンプン **リン酸モノエステル化リン酸架橋デンプン**	◎，指定	増粘安定剤 ゲル化剤 糊料
	Sodium carboxymethylstarch	加工デンプン **デンプングリコール酸ナトリウム**	○，指定	増粘安定剤 ゲル化剤 糊料
	Sodium starch phosphate	加工デンプン デンプンリン酸エステルナトリウム	×	増粘安定剤 ゲル化剤 糊料

◎：許可（使用基準なし） Legal（Accepted with no standard of use）
○：許可（使用基準あり） Legal（Accepted with standard of use）
指定：Designated Food Additives　　既存：Existing Food Additives
×：使用不可　Illegal（Prohibited）
※：個別判断を要するもの　Required individual special judgement

EU E No.	EU FL No.	CAS No.	CFR No.	CNS 号.	備　考 Remarks
E1451		68187-08-6	(Food starch-modified として) 172.892		適切な製造工程管理を行い，食品中で目的とする効果を得る量を超えないこと
E1420		9045-28-7	(Food starch-modified として) 172.892	20.039	適切な製造工程管理を行い，食品中で目的とする効果を得る量を超えないこと
			(Food starch-modified として) 172.892	20.032	食品扱い
			(Food starch-modified として) 172.892		食品扱い E No.はないが INS No.1402あり
			(Food starch-modified として) 172.892		食品扱い E No.はないが INS No.1403あり
			(Food starch-modified として) 172.892 (Dextrin として) 184.1277		食品扱い
E1412		55963-33-2	(Food starch-modified として) 172.892	20.034	適切な製造工程管理を行い，食品中で目的とする効果を得る量を超えないこと
			(Food starch-modified として) 172.892		食品扱い
E1442		53124-00-8	(Food starch-modified として) 172.892	20.016	適切な製造工程管理を行い，食品中で目的とする効果を得る量を超えないこと
E1440		9049-76-7	(Food starch-modified として) 172.892	20.014	適切な製造工程管理を行い，食品中で目的とする効果を得る量を超えないこと
E1410		63100-01-06	(Food starch-modified として) 172.892		適切な製造工程管理を行い，食品中で目的とする効果を得る量を超えないこと
E1404			(Food starch-modified として) 172.892	20.030	適切な製造工程管理を行い，食品中で目的とする効果を得る量を超えないこと
E1413			(Food starch-modified として) 172.892	20.017	適切な製造工程管理を行い，食品中で目的とする効果を得る量を超えないこと
		9063-38-1	(Food starch-modified として) 172.892	20.012	告示成分規格に CAS NO. の記載がないが特記
				20.013	平成21年6月4日省令別表第1より削除（特記）

色文字：法令上の指定添加物名（除く別名）　red：Name on Ministerial Ordinance of Designated Food Additives
色文字：法令上の既存添加物名（除く別名）　red：Name on Ministerial Notification of Existing Food Additives

英　名 English name	英名別名 English name	和名，和名別名 Japanese name	許可状況 Legal/Illegal	主な用途 Main uses
	Starch aluminium octenyl succinate	加工デンプン デンプンアルミニウムオクテニルコハク酸塩	×	増粘安定剤 ゲル化剤 糊料
	Starch sodium octenyl succinate	オクテニルコハク酸デンプンナトリウム 加工デンプン	◎，指定	増粘安定剤 乳化剤 ゲル化剤 糊料
Molybdenum		モリブデン	×	特別用途食品
Monascus color		ベニコウジ色素（ベニコウジカビの培養液から得られた，アンカフラビン及びモナスコルブリンを主成分とするものをいう。） モナスカス色素	○，既存	着色料
Monascus yellow		ベニコウジ黄色素（ベニコウジカビの培養液から得られた，キサントモナシン類を主成分とするものをいう。） モナスカス黄色素	○，既存	着色料
Mono-and diacetyl tartaric acid esters of mono-and diglycerides of fatty acids	Diacetyltartarate esters of monoglyceride Diacetyltartaric acid esters of mono-and diglycerides of fatty acids Glycerol esters of diacetyl tartaric (tartrate) and fatty acids Glycerol esters of fatty acids	グリセリンジアセチル酒石酸脂肪酸エステル グリセリン脂肪酸エステル ジアセチル酒石酸モノグリセライド 脂肪酸のモノ及びジグリセライドのジアセチル酒石酸エステル 脂肪酸のモノ及びジグリセライドのモノ及びジアセチル酒石酸エステル	◎，指定	製造用剤 増粘安定剤 乳化剤 ガムベース
Mono-and diglycerides of fatty acids	Glycerol esters of fatty acids	グリセリン脂肪酸エステル 脂肪酸のモノ及びジグリセリド	◎，指定	製造用剤 増粘安定剤 乳化剤 ガムベース
Monoammonium glutamate		グルタミン酸アンモニウム グルタミン酸一アンモニウム	※	調味料
Monoammonium L-glutamate		L-グルタミン酸アンモニウム	◎，指定	調味料
Monoammonium phosphate	Acidic ammonium phosphate Ammonium dihydrogen phosphate	酸性リン酸アンモニウム リン酸一アンモニウム リン酸二水素アンモニウム	◎，指定	乳化剤 イーストフード 醸造用剤
Monobasic calcium phosphate	Acidic calcium phosphate Calcium dihydrogen phosphate Monocalcium phosphate	酸性リン酸カルシウム 第一リン酸カルシウム リン酸二水素カルシウム	○，指定	製造用剤 膨脹剤 強化剤 乳化剤 イーストフード
Monobasic potassium phosphate	Monopotassium phosphate Potassium dihydrogen phosphate	第一リン酸カリウム リン酸一カリウム リン酸二水素カリウム	◎，指定	製造用剤 水素イオン濃度調整剤（pH 調整剤） 膨脹剤 調味料 かんすい 乳化剤 イーストフード

◎：許可（使用基準なし） Legal（Accepted with no standard of use）
○：許可（使用基準あり） Legal（Accepted with standard of use）
指定：Designated Food Additives　既存：Existing Food Additives
×：使用不可 Illegal（Prohibited）
※：個別判断を要するもの Required individual special judgement

EU E No.	EU FL No.	CAS No.	CFR No.	CNS 号.	備考 Remarks
E1452					
E1450			（Food starch-modified として） 172.892	10.030	適切な製造工程管理を行い，食品中で目的とする効果を得る量を超えないこと
					資料1により，新たに食品添加物としての指定を受ける必要があるとする品目
				08.120	
				08.152	
E472e			（Diacetyl tartaric acid esters of mono-and diglycerides として） 184.1101 （Mono-and diglycerides として） 184.1505	10.010	
E471			（Mono-and diglycerides として） 184.1505	10.006	
E624					日本では **L-グルタミン酸アンモニウム**が指定添加物となっている
E624		（1水和物） 139883-82-2	（Mono ammonium glutamate として） 182.1500		使用基準は設定しないものの，その使用にあたっては，適切な製造工程管理を行い，食品中で目的とする効果を得る上で必要とされる量を超えないものとすることの特記あり 告示成分規格の nH_2O は $n=1$
		7722-76-1	（Ammonium phosphate, monobasic として） 184.1141a		E No.はないが INS No.342（ i ）あり
E341(i)		（1水和物） 7758-23-8	（Monobasic calcium phosphate として） 182.6215	15.007	食品の製造又は加工上必要不可欠な場合及び栄養の目的以外に使用してはならない 告示成分規格の nH_2O は $n=1$ 又は0
E340(i)		7778-77-0		15.010	

色文字：法令上の指定添加物名（除く別名）　red：Name on Ministerial Ordinance of Designated Food Additives
色文字：法令上の既存添加物名（除く別名）　red：Name on Ministerial Notification of Existing Food Additives

英　名 English name	英名別名 English name	和名，和名別名 Japanese name	許可状況 Legal/Illegal	主な用途 Main uses
Monobasic sodium phosphate	Monosodium dihydrogen phosphate Monosodium phosphate MSP Primary sodium orthophosphate Sodium acid phosphate Sodium biphosphate **Sodium dihydrogen phosphate** Sodium phosphate, monobasic	MSP 塩基性リン酸ナトリウム 酸性リン酸ナトリウム 第一リン酸ナトリウム リン酸一ナトリウム リン酸二水素一ナトリウム **リン酸二水素ナトリウム**	◎，指定	製造用剤 水素イオン濃度調整剤（pH 調整剤） 膨脹剤 調味料 かんすい 乳化剤
Monocalcium citrate		クエン酸一カルシウム	×	強化剤 調味料
Monocalcium di-L-glutamate	Calcium di-L-glutamate	**L-グルタミン酸カルシウム**	○，指定	強化剤 調味料
Monocalcium phosphate	Acidic calcium phosphate **Calcium dihydrogen phosphate** Monobasic calcium phosphate	酸性リン酸カルシウム 第一リン酸カルシウム **リン酸二水素カルシウム**	○，指定	製造用剤 膨脹剤 強化剤 乳化剤 イーストフード
Monoglyceride citrate	Citrate esters of monoglyceride Citric acid esters of mono-and diglycerides of fatty acids Glycerol esters of citric (citrate) and fatty acids **Glycerol esters of fatty acids** Stearoyl monoglyceridyl citrate ester Stearyl monoglyceridyl citrate	クエン酸ステアリルモノグリセリジル クエン酸モノグリセライド グリセリンクエン酸脂肪酸エステル **グリセリン脂肪酸エステル** 脂肪酸のモノ及びジグリセライドのクエン酸エステル ステアロイルモノグリセリジルクエン酸エステル	◎，指定	製造用剤 増粘安定剤 酸化防止剤 乳化剤 ガムベース
Monomagnesium di-L-glutamate		**L-グルタミン酸マグネシウム**	◎，指定	調味料
Monomagnesium phosphate	Magnesium phosphate, monobasic	リン酸二水素マグネシウム	×	製造用剤
Monopotassium citrate	Potassium dihydrogen citrate	**クエン酸一カリウム**	◎，指定	製造用剤 酸味料 調味料 増粘安定剤
Monopotassium glutamate		グルタミン酸カリウム	※	調味料
Monopotassium L-glutamate		**L-グルタミン酸カリウム**	◎，指定	調味料
Monopotassium phosphate	Monobasic potassium phosphate **Potassium dihydrogen phosphate**	第一リン酸カリウム リン酸一カリウム **リン酸二水素カリウム**	◎，指定	製造用剤 水素イオン濃度調整剤（pH 調整剤） 膨脹剤 調味料 かんすい 乳化剤 イーストフード

◎：許可（使用基準なし） Legal（Accepted with no standard of use）
○：許可（使用基準あり） Legal（Accepted with standard of use）
指定：Designated Food Additives 既存：Existing Food Additives
×：使用不可 Illegal（Prohibited）
※：個別判断を要するもの Required individual special judgement

EU E No.	EU FL No.	CAS No.	CFR No.	CNS 号.	備考 Remarks
E339(i)		(2水和物) 13472-35-0 (無水物) 7558-80-7	(Sodium acid phosphate として) 182.6085 (Sodium phosphate (mono-, di-, and tribasic)として) 182.1778 182.6778 182.8778	15.005	告示成分規格の nH_2O は n ＝2又は0
E333(i)					
E623		(4水和物) 69704-19-4			告示成分規格の nH_2O は n ＝4
E341(i)		(1水和物) 7758-23-8	(Monobasic calcium phosphate として) 182.6215	15.007	食品の製造又は加工上必要不可欠な場合及び栄養の目的以外に使用してはならない 告示成分規格の nH_2O は n ＝1又は0
E472c			(Monoglyceride citrate として) 172.832 (Mono-and diglycerides として) 184.1505 (Stearyl monoglyceridyl citrate として) 172.755	10.032	
E625		(4水和物) 129160-51-6			告示成分規格の nH_2O は n ＝4
E343(i)					
E332(i)		866-83-1	(Potassium citrate として) 184.1625		省令別表第1のリスト名は「**クエン酸一カリウム及びクエン酸三カリウム, Monopotassium citrate and Tripotassium citrate**」だが,本書では各単品もリスト名としマークした
E622			(Amino acids, Monopotassium L-glutamate として) 172.320 (Monopotassium glutamate として) 182.1516		日本では **L-グルタミン酸カリウム**が指定添加物となっている
E622		(1水和物) 6382-01-0	(Amino acids, Monopotassium L-glutamate として) 172.320 (Monopotassium glutamate として) 182.1516		告示成分規格の nH_2O は n ＝1
E340(i)		7778-77-0		15.010	

色文字：法令上の指定添加物名（除く別名）　red：Name on Ministerial Ordinance of Designated Food Additives
色文字：法令上の既存添加物名（除く別名）　red：Name on Ministerial Notification of Existing Food Additives

英名 English name	英名別名 English name	和名，和名別名 Japanese name	許可状況 Legal/Illegal	主な用途 Main uses
Monopotassium tartrate	Potassium DL-bitartrate Potassium hydrogen DL-tartrate Potassium hydrogen *dl*-tartrate	DL-重酒石酸カリウム 酒石酸一カリウム DL-酒石酸水素カリウム *dl*-酒石酸水素カリウム	◎，指定	水素イオン濃度調整剤（pH 調整剤） 膨脹剤 調味料
	Potassium L-bitartrate Potassium hydrogen *d*-tartrate Potassium hydrogen L-tartrate	L-重酒石酸カリウム 酒石酸一カリウム L-酒石酸水素カリウム *d*-酒石酸水素カリウム	◎，指定	水素イオン濃度調整剤（pH 調整剤） 膨脹剤 調味料
Monosodium L-aspartate		L-アスパラギン酸ナトリウム	◎，指定	強化剤 調味料
Monosodium citrate	Sodium dihydrogen citrate	クエン酸一ナトリウム クエン酸二水素ナトリウム	×	製造用剤 調味料
Monosodium dihydrogen phosphate	Monobasic sodium phosphate Monosodium phosphate MSP Primary sodium orthophosphate Sodium acid phosphate Sodium biphosphate Sodium dihydrogen phosphate Sodium phosphate, monobasic	MSP 塩基性リン酸ナトリウム 酸性リン酸ナトリウム 第一リン酸ナトリウム リン酸一ナトリウム リン酸二水素一ナトリウム リン酸二水素ナトリウム	◎，指定	製造用剤 水素イオン濃度調整剤（pH 調整剤） 膨脹剤 調味料 かんすい 乳化剤
Monosodium fumarate	Sodium fumarate	フマル酸一ナトリウム フマル酸ナトリウム	◎，指定	水素イオン濃度調整剤（pH 調整剤） 酸味料 調味料
Monosodium glutamate	Glutamate of soda	グルタミン酸ソーダ グルタミン酸ナトリウム	※	強化剤 調味料
Monosodium L-glutamate		L-グルタミン酸ナトリウム	◎，指定	強化剤 調味料
Monosodium phosphate	Monobasic sodium phosphate Monosodium dihydrogen phosphate MSP Primary sodium orthophosphate Sodium acid phosphate Sodium biphosphate Sodium dihydrogen phosphate Sodium phosphate, monobasic	MSP 塩基性リン酸ナトリウム 酸性リン酸ナトリウム 第一リン酸ナトリウム リン酸一ナトリウム リン酸二水素一ナトリウム リン酸二水素ナトリウム	◎，指定	製造用剤 水素イオン濃度調整剤（pH 調整剤） 膨脹剤 調味料 かんすい 乳化剤
Monosodium phosphate derivatives of mono-and diglicerides		モノ及びジグリセリドのリン酸一ナトリウム誘導体	×	乳化剤
Monosodium salt of nitrous acid	Nitrous acid sodium salt Sodium nitrite	亜硝酸ナトリウム	○，指定	発色剤
Monosodium succinate		コハク酸一ナトリウム	◎，指定	水素イオン濃度調整剤（pH 調整剤） 酸味料 調味料
Monosodium tartrate		酒石酸一ナトリウム	×	調味料

◎：許可（使用基準なし） Legal（Accepted with no standard of use）
○：許可（使用基準あり） Legal（Accepted with standard of use）
指定：Designated Food Additives　既存：Existing Food Additives
×：使用不可 Illegal（Prohibited）
※：個別判断を要するもの Required individual special judgement

EU E No.	EU FL No.	CAS No.	CFR No.	CNS 号.	備考 Remarks
E336(i)			(Potassium acid tartrate として) 184.1077	06.007	INS No.336(ｉ)(E No.と同じ)は「シリアルベースの乳幼児用加工食品」及び「油脂及びその混合スプレッド」への使用が取り消された（2019年7月第42回 CAC 総会） CNS 号06.007は potassium bitartarate（DL-なし）
E336(i)		868-14-4	(Potassium acid tartrate として) 184.1077	06.007	INS No.336(ｉ)(E No.と同じ)は「シリアルベースの乳幼児用加工食品」及び「油脂及びその混合スプレッド」への使用が取り消された（2019年7月第42回 CAC 総会） CNS 号06.007は potassium bitartarate（L-なし）
		(1水和物) 3792-50-5	(Amino acids sodium salt として) 172.320		
E331(i)				01.306	
E339(i)		(2水和物) 13472-35-0 (無水物) 7558-80-7	(Sodium acid phosphate として) 182.6085 (Sodium phosphate (mono-, di-, and tribasic) として) 182.1778 182.6778 182.8778	15.005	告示成分規格の nH_2O は n＝2又は0
		5873-57-4	(Fumaric acid and salts of fumaric acid として) 172.350	01.311	E No.はないが INS No.365あり
E621				12.001	日本では **L-グルタミン酸ナトリウム**が指定添加物となっている
E621		(1水和物) 6106-04-3	(Amino acids, sodium salt として) 172.320	12.001	告示成分規格の nH_2O は n＝1 CNS 号12.001は monosodium glutamate（L-なし）
E339(i)		(2水和物) 13472-35-0 (無水物) 7558-80-7	(Sodium acid phosphate として) 182.6085 (Sodium phosphate (mono-, di-, and tribasic) として) 182.1778 182.6778 182.8778	15.005	告示成分規格の nH_2O は n＝2又は0
			184.1521		
E250		7632-00-0	(Sodium nitrite として) 172.175 (Sodium nitrite and potassium nitrite として) 181.34	09.002	CFR No.の Part 181.34は特別に収載
		2922-54-5			E No.はないが INS No.364(ｉ)あり
E335(i)					INS No.335(ｉ)(E No.と同じ)は「シリアルベースの乳幼児用加工食品」及び「油脂及びその混合スプレッド」への使用が取り消された（2019年7月第42回 CAC 総会）。

M

色文字：法令上の指定添加物名（除く別名）　red：Name on Ministerial Ordinance of Designated Food Additives
色文字：法令上の既存添加物名（除く別名）　red：Name on Ministerial Notification of Existing Food Additives

英　名 English name	英名別名 English name	和名，和名別名 Japanese name	許可状況 Legal/Illegal	主な用途 Main uses
Monosodium L-tartrate		L-酒石酸水素ナトリウム	×	製造用剤 増粘安定剤
Monostarch phosphate	Modified starch	加工デンプン リン酸化デンプン	◎，指定	増粘安定剤 ゲル化剤 糊料
Montan acid esters		モンタン酸エステル	×	製造用剤
Morello cherry color		モレロチェリー色素	○	着色料
Morpholine		モルホリン	※	被膜剤
Morpholine salts of fatty acids		モルホリン脂肪酸塩	○，指定	被膜剤
Mousouchiku dry distillate		モウソウチク乾留物（モウソウチクの茎を乾留して得られたものをいう。）	◎，既存	製造用剤
Mousouchiku extract		モウソウチク抽出物（モウソウチクの茎の表皮から得られた，2,6-ジメトキシ-1,4-ベンゾキノンを主成分とするものをいう。）	◎，既存	製造用剤
MSP	Monobasic sodium phosphate Monosodium dihydrogen phosphate Monosodium phosphate Primary sodium orthophosphate Sodium acid phosphate Sodium dihydrogen phosphate Sodium phosphate, monobasic	塩基性リン酸ナトリウム 酸性リン酸ナトリウム 第一リン酸ナトリウム リン酸一ナトリウム リン酸二水素一ナトリウム リン酸二水素ナトリウム	◎，指定	製造用剤 水素イオン濃度調整剤（pH 調整剤） 膨脹剤 調味料 かんすい 乳化剤
Mucopeptide glucohydrolase	Lysozyme	卵白リゾチーム リゾチーム	◎，既存	酵素
Mucopolysaccharides	Hyaluronic acid Mucosaccharides	ヒアルロン酸 ムコ多糖類	◎，既存	製造用剤 特別用途食品
Mucosaccharides	Hyaluronic acid Mucopolysaccharides	ヒアルロン酸 ムコ多糖類	◎，既存	製造用剤 特別用途食品
Mugwort extract		ヨモギ抽出物	◎	苦味料 その他
Mulberry color		マルベリー色素	○	着色料
Muramidase		ムラミダーゼ	◎，既存	酵素
Muriate of ammonia	Ammonium chloride Ammonium muriate Chloride of ammonia Sal-ammoniac Salmiac	塩安 塩化アンモニウム ロシャ（硇砂）	◎，指定	製造用剤 膨脹剤 イーストフード
Muriate of potash	Potassium chloride	塩化カリウム	◎，指定	調味料
Mustard extract		カラシ抽出物（カラシナの種子から得られた，イソチオシアン酸アリルを主成分とするものをいう。）	◎，既存	製造用剤
Mutastein	Aspergillus terreus glycoprotein	アスペルギルステレウス糖たん白質（アスペルギルステレウスの培養液から得られた，糖タンパク質を主成分とするものをいう。） ムタステイン	◎，既存	製造用剤

◎：許可（使用基準なし） Legal（Accepted with no standard of use）
○：許可（使用基準あり） Legal（Accepted with standard of use）
指定：Designated Food Additives　　既存：Existing Food Additives
×：使用不可 Illegal（Prohibited）
※：個別判断を要するもの Required individual special judgement

EU E No.	EU FL No.	CAS No.	CFR No.	CNS 号.	備考 Remarks
E1410		63100-01-06	(Food starch-modified として) 172.892		適切な製造工程管理を行い，食品中で目的とする効果を得る量を超えないこと
					E912は「Commission Regulation (EU) No.957/2014 of 10 Sept. 2014」で削除
					一般飲食物添加物
			172.235		日本ではモルホリン脂肪酸塩が指定添加物となっている CFR では172.860(Fatty acids)と反応させた塩類
			(Morpholine として) 172.235	14.004	果実又は野菜の表皮の被膜剤以外の用途に使用してはならない
E339(i)		(2水和物) 13472-35-0 (無水物) 7558-80-7	(Sodium acid phosphate として) 182.6085 (Sodium phosphate (mono-, di-, and tribasic)として) 182.1778 182.6778 182.8778	15.005	告示成分規格の nH_2O は n ＝2又は0
E1105				17.035	
					資料1により既存添加物扱いとする品目
					資料1により既存添加物扱いとする品目
					一般飲食物添加物
				08.129	一般飲食物添加物
	16.048	12125-02-9	184.1138		E No.はないが INS No.510あり EU では香料特性のある食品成分として FL No.あり
E508		7447-40-7	184.1622	00.008	

色文字：法令上の指定添加物名（除く別名）　red：Name on Ministerial Ordinance of Designated Food Additives
色文字：法令上の既存添加物名（除く別名）　red：Name on Ministerial Notification of Existing Food Additives

英　名 English name	英名別名 English name	和名，和名別名 Japanese name	許可状況 Legal/Illegal	主な用途 Main uses
Myrrh		ミル ミルラ(ボツヤクの分泌液から抽出して得られたものをいう。)	◎，既存	ガムベース

◎：許可（使用基準なし） Legal（Accepted with no standard of use）　×：使用不可 Illegal（Prohibited）
○：許可（使用基準あり） Legal（Accepted with standard of use）　※：個別判断を要するもの Required individual special judgement
指定：Designated Food Additives　既存：Existing Food Additives

EU E No.	EU FL No.	CAS No.	CFR No.	CNS 号.	備考 Remarks

N 色文字：法令上の指定添加物名（除く別名） red：Name on Ministerial Ordinance of Designated Food Additives
色文字：法令上の既存添加物名（除く別名） red：Name on Ministerial Notification of Existing Food Additives

英　名 English name	英名別名 English name	和名，和名別名 Japanese name	許可状況 Legal/Illegal	主な用途 Main uses
Naphthol Yellow S		旧食用黄色1号 ナフトールイエローS	×	着色料
Naringin		ナリンギン ナリンジン	◎，既存	苦味料
Naringinase		ナリンギナーゼ ナリンジナーゼ	◎，既存	酵素
Natamycin	Pimaricin	ナタマイシン ピマリシン	○，指定	表面処理剤
Natural flavoring substances and natural substances used in conjunction with flavors		天然香料物質及び香料と共に用いる天然物質	※	香料
Natural gypsum	Calcium sulfate Chemical gypsum Gyps Gypsum Plaster of Paris	化学石こう 焼石こう 石こう 天然石こう 硫酸カルシウム	○，指定	膨脹剤 強化剤 イーストフード 豆腐用凝固剤 膨張剤
	Calcium sulfate Chemical gypsum Gyps Gypsum Plaster of Paris	化学石こう 焼石こう 石こう 天然石こう 硫酸カルシウム	※	特別用途食品
Neohesperidine DC	Neohesperidine dihydrochalcone	ネオヘスペリジンDC ネオヘスペリジンジヒドロカルコン	○，指定	香料 甘味料
Neohesperidine dihydrochalcone	Neohesperidine DC	ネオヘスペリジンDC ネオヘスペリジンジヒドロカルコン	○，指定	香料 甘味料
Neotame		ネオテーム	◎，指定	甘味料 風味増強剤
Neral (*cis*-Citral)	Citral Geranial (*trans*-Citral) Lemarome	ゲラニアル（トランス-シトラール） シトラール ネラール（シス-シトラール） レマローム	○，指定	香料
Neutral methacrylate copolymer		中性メタクリル酸塩共重合物	×	コーティング剤
New coccine	Cochineal Red A Food Red No. 102 Ponceau 4R	コチニールレッドA 食用赤色102号 ニューコクシン ポンソー4R	○，指定	着色料
Niacin	Nicotinic acid	ナイアシン ニコチン酸	○，指定	強化剤 色調安定剤
Niacinamide	Nicotinamide	ナイアシンアミド ニコチン酸アミド	○，指定	強化剤 色調安定剤

◎：許可（使用基準なし） Legal（Accepted with no standard of use）
○：許可（使用基準あり） Legal（Accepted with standard of use）
指定：Designated Food Additives　既存：Existing Food Additives
×：使用不可 Illegal（Prohibited）
※：個別判断を要するもの Required individual special judgement

EU E No.	EU FL No.	CAS No.	CFR No.	CNS 号.	備考 Remarks
		10236-47-2			
E235		7681-93-8	172.155	17.030	ナチュラルチーズ(ハード及びセミハードの表面部分に限る)以外の食品に使用してはならない
			172.510		CFR は Aloe, Blackberry など個別の一般植物名称とその学名及び使用部位が一覧表で記載あり
E516		(2水和物) 7778-18-9	(Calcium sulfate として) 184.1230	18.001	食品の製造又は加工上必要不可欠な場合及び栄養の目的以外に使用してはならない 告示成分規格の nH_2O は n ＝2 石こう参照
E516					石こうは資料1により食品添加物に該当する可能性が考えられるが，事前に判断を受けるよう指導されている品目 石こう参照
E959	16.061	20702-77-6			**ケトン類** 着香の目的以外に使用してはならない 甘味料の目的では不可 類又は誘導体として指定されている18項目の香料リストのSEQ No.2920(解説編2-(1)-(vi)参照) 特例として E No. と FL No. の両方あり
E959	16.061	20702-77-6			**ケトン類** 着香の目的以外に使用してはならない 甘味料の目的では不可 類又は誘導体として指定されている18項目の香料リストのSEQ No.2920(解説編2-(1)-(vi)参照) 特例として E No. と FL No. の両方あり
E961		165450-17-9	172.829	19.019	運用上の指導あり
	05.020	5392-40-5			着香の目的以外に使用してはならない 告示は「*trans*－異性体と *cis*－異性体との混合物」だが，(EU) FL No. は告示の CAS No. と同番号で「citral」としてあり
E1206					サプリメントのコーティング剤 E1206は「Commission Regulation (EU) No.816/2013 of 28 Aug. 2013」で新規制定
E124		(無水物) 2611-82-7	(Cochineal extract:Carmine として) 73.100	08.002	告示成分規格の nH_2O は n ＝ 1 1/2
		59-67-6	184.1530		E No. はないが INS No.375あり
		98-92-0	184.1535		

N

色文字：法令上の指定添加物名（除く別名）　red：Name on Ministerial Ordinance of Designated Food Additives
色文字：法令上の既存添加物名（除く別名）　red：Name on Ministerial Notification of Existing Food Additives

英名 English name	英名別名 English name	和名，和名別名 Japanese name	許可状況 Legal/Illegal	主な用途 Main uses
Nickel		ニッケル	◎，既存	製造用剤
Nicotinamide	Niacinamide	ナイアシンアミド ニコチン酸アミド	○，指定	強化剤 色調安定剤
Nicotinamide-ascorbic acid complex		ニコチンアミド-アスコルビン酸複合体	※	強化剤
Nicotinic acid	Niacin	ナイアシン ニコチン酸	○，指定	強化剤 色調安定剤
Niger gutta		ニガーグッタ（ニガーグッタの分泌液から得られた，アミリンアセタート及びポリイソプレンを主成分とするものをいう。）	◎，既存	ガムベース
Nisin		ナイシン	○，指定	保存料
Nispero	Chicle Chiquibul Crown gum	クラウンガム チクブル チクル（サポジラの分泌液から得られた，アミリンアセタート及びポリイソプレンを主成分とするものをいう。） ニスペロ	◎，既存	ガムベース
Nitre	Nitre saltpeter Potassium nitrate Saltpeter	硝酸カリウム 硝石	○，指定	発色剤 発酵調整剤
Nitre saltpeter	Nitre Potassium nitrate Saltpeter	硝酸カリウム 硝石	○，指定	発色剤 発酵調整剤
Nitrofurazone		ニトロフラゾーン	×	殺菌料
Nitrogen		窒素	◎，既存	製造用剤
Nitrogen oxide	Dinitrogen monooxide Dinitrogen oxide Laughing gas Nitrous oxide	亜酸化窒素 一酸化二窒素 酸化窒素 酸化二窒素 笑気	○，指定	噴射剤（プロペラント）
2-Nitropropane		2-ニトロプロパン	×	製造用剤
Nitrous acid sodium salt	Monosodium salt of nitrous acid Sodium nitrite	亜硝酸ナトリウム	○，指定	発色剤
Nitrous oxide	Dinitrogen monooxide Dinitrogen oxide Laughing gas Nitrogen oxide	亜酸化窒素 一酸化二窒素 酸化窒素 酸化二窒素 笑気	○，指定	噴射剤（プロペラント）
Non-calcinated bone calcium	Non-calcinated calcium	骨未焼成カルシウム 未焼成カルシウム（貝殻，真珠の真珠層，造礁サンゴ，骨又は卵殻を乾燥して得られた，カルシウム塩を主成分とするものをいう。）	◎，既存	強化剤

◎：許可（使用基準なし） Legal（Accepted with no standard of use）
○：許可（使用基準あり） Legal（Accepted with standard of use）
指定：Designated Food Additives 既存：Existing Food Additives
×：使用不可 Illegal（Prohibited）
※：個別判断を要するもの Required individual special judgement

EU E No.	EU FL No.	CAS No.	CFR No.	CNS 号.	備考 Remarks
			184.1537		
		98-92-0	184.1535		
			172.315		CFR はアスコルビン酸とニコチン酸アミドとの反応制御
		59-67-6	184.1530		E No.はないが INS No.375あり
E234		1414-45-5	(Nisin preparation として) 184.1538	17.019	
E252		7757-79-1	(Potassium nitrate として) 172.160 (Sodium nitrate and potassium nitrate として) 181.33	09.003	CFR No.の Part 181.33は特別に収録
E252		7757-79-1	(Potassium nitrate として) 172.160 (Sodium nitrate and potassium nitrate として) 181.33	09.003	CFR No.の Part 181.33は特別に収録
E941			184.1540		
E942		10024-97-2	184.1545		ホイップクリーム類（乳脂肪分又は乳脂肪代替食品（植物性脂肪分，ゼラチン，卵白，寒天等）を主原料として泡立てた食品）以外の食品に使用してはならない また，一般的に容易に販売されているカートリッジ式容器に入れた**亜酸化窒素**は，成分規格外としてその使用は認められない
E250		7632-00-0	(Sodium nitrite として) 172.175 (Sodium nitrite and potassium nitrite として) 181.34	09.002	CFR No.の Part 181.34は特別に収載
E942		10024-97-2	184.1545		ホイップクリーム類（乳脂肪分又は乳脂肪代替食品（植物性脂肪分，ゼラチン，卵白，寒天等）を主原料として泡立てた食品）以外の食品に使用してはならない また，一般的に容易に販売されているカートリッジ式容器に入れた**亜酸化窒素**は，成分規格外としてその使用は認められない
					未焼成カルシウム参照

色文字：法令上の指定添加物名（除く別名）　red：Name on Ministerial Ordinance of Designated Food Additives
色文字：法令上の既存添加物名（除く別名）　red：Name on Ministerial Notification of Existing Food Additives

英　名 English name	英名別名 English name	和名，和名別名 Japanese name	許可状況 Legal/Illegal	主な用途 Main uses
Non-calcinated calcium	Non-calcinated bone calcium Non-calcinated coral calcium Non-calcinated eggshell calcium Non-calcinated mother-of-pearl layer calcium Non-calcinated shell calcium	貝殻未焼成カルシウム 骨未焼成カルシウム サンゴ未焼成カルシウム 真珠層未焼成カルシウム 未焼成カルシウム(貝殻,真珠の真珠層,造礁サンゴ,骨又は卵殻を乾燥して得られた,カルシウム塩を主成分とするものをいう。) 卵殻未焼成カルシウム	◎，既存	強化剤
Non-calcinated coral calcium	Coral calcium Non-calcinated calcium	コーラルカルシウム サンゴカルシウム サンゴ未焼成カルシウム 未焼成カルシウム(貝殻,真珠の真珠層,造礁サンゴ,骨又は卵殻を乾燥して得られた,カルシウム塩を主成分とするものをいう。)	◎，既存	強化剤
Non-calcinated eggshell calcium	Non-calcinated calcium	未焼成カルシウム(貝殻,真珠の真珠層,造礁サンゴ,骨又は卵殻を乾燥して得られた,カルシウム塩を主成分とするものをいう。) 卵殻未焼成カルシウム	◎，既存	強化剤
Non-calcinated mother-of-pearl layer calcium	Non-calcinated calcium	真珠層未焼成カルシウム 未焼成カルシウム(貝殻,真珠の真珠層,造礁サンゴ,骨又は卵殻を乾燥して得られた,カルシウム塩を主成分とするものをいう。)	◎，既存	強化剤
Non-calcinated shell calcium	Non-calcinated calcium	貝殻未焼成カルシウム 未焼成カルシウム(貝殻,真珠の真珠層,造礁サンゴ,骨又は卵殻を乾燥して得られた,カルシウム塩を主成分とするものをいう。)	◎，既存	強化剤
γ-Nonalactone	Aldehyde C-18 *n*-Amylbutyrolactone Nonalactone γ-Nonylactone	*n*-アミルブチロラクトン アルデヒドC-18 ノナラクトン γ-ノナラクトン γ-ノニルラクトン	○，指定	香料
Nonalactone	Aldehyde C-18 *n*-Amylbutyrolactone γ-Nonalactone γ-Nonylactone	*n*-アミルブチロラクトン アルデヒドC-18 ノナラクトン γ-ノナラクトン γ-ノニルラクトン	○，指定	香料
Nonanal		ノナナール	○，指定	香料
γ-Nonylactone	Aldehyde C-18 *n*-Amylbutyrolactone γ-Nonalactone Nonalactone	*n*-アミルブチロラクトン アルデヒドC-18 ノナラクトン γ-ノナラクトン γ-ノニルラクトン	○，指定	香料

◎：許可（使用基準なし） Legal（Accepted with no standard of use）
○：許可（使用基準あり） Legal（Accepted with standard of use）
指定：Designated Food Additives　既存：Existing Food Additives
×：使用不可 Illegal（Prohibited）
※：個別判断を要するもの Required individual special judgement

EU E No.	EU FL No.	CAS No.	CFR No.	CNS 号.	備考 Remarks
					未焼成カルシウム参照
					未焼成カルシウム参照
					未焼成カルシウム参照
					未焼成カルシウム参照
					未焼成カルシウム参照
	10.001	104-61-0			着香の目的以外に使用してはならない EU FL No.10.001の名称は「Nonano-1,4-lactone」
	10.001	104-61-0			着香の目的以外に使用してはならない EU FL No.10.001の名称は「Nonano-1,4-lactone」
	05.025	124-19-6			脂肪族高級アルデヒド類 着香の目的以外に使用してはならない 類又は誘導体として指定されている18項目の香料リストのSEQ No.1954(解説編2-(1)-(vi)参照)
	10.001	104-61-0			着香の目的以外に使用してはならない EU FL No.10.001の名称は「Nonano-1,4-lactone」

色文字：法令上の指定添加物名（除く別名）　red：Name on Ministerial Ordinance of Designated Food Additives
色文字：法令上の既存添加物名（除く別名）　red：Name on Ministerial Notification of Existing Food Additives

英　名 English name	英名別名 English name	和名，和名別名 Japanese name	許可状況 Legal/Illegal	主な用途 Main uses
Norbixin	Annatto extract Bixin	アナトー色素(ベニノキの種子の被覆物から得られた，ノルビキシン及びビキシンを主成分とするものをいう。) ノルビキシン ビキシン	○，既存	着色料
Nordihydroguaiaretic acid		ノルジヒドログアヤレック酸	×	酸化防止剤

◎：許可（使用基準なし） Legal（Accepted with no standard of use）
○：許可（使用基準あり） Legal（Accepted with standard of use）
指定：Designated Food Additives　既存：Existing Food Additives
×：使用不可 Illegal（Prohibited）
※：個別判断を要するもの Required individual special judgement

EU E No.	EU FL No.	CAS No.	CFR No.	CNS 号.	備考 Remarks
E160b（i） E160b（ii）			（Annatto extract として） 73.30	08.144	フリーのビキシン，ノルビキシンは既存添加物名簿のアナトー色素の扱い 従来の E160b（i），（ii），（iii）は2021年1月2日削除され，新たな下記分類区分にて改定された．（Commission Regulation（EU）2020/771 of 11 June 2020による） E160b（i）：Annatto bixin （I）Solvent-extracted bixin （II）Aqueous-processed bixin E160b（ii）：Annatto norbixin （I）Solvent-extracted norbixin （II）Alkali-processed norbixin，acid-precipitated （III）Alkali-processed norbixin，not acid-precipitated

色文字：法令上の指定添加物名（除く別名）　red：Name on Ministerial Ordinance of Designated Food Additives
色文字：法令上の既存添加物名（除く別名）　red：Name on Ministerial Notification of Existing Food Additives

英　名 English name	英名別名 English name	和名，和名別名 Japanese name	許可状況 Legal/Illegal	主な用途 Main uses
Oat gum		えん麦ガム	×	増粘安定剤
Oat lecithin		オーツ麦レシチン	×	乳化剤
Octacosanol		オクタコサノール	※	特別用途食品
Octafluorocyclobutane		オクタフルオロシクロブタン	×	製造用剤
Octanal	Capryl aldehyde Caprylic aldehyde Octyl aldehyde *n*-Octyl aldehyde *n*-Octylic aldehyde	オクタナール *n*-オクチリックアルデヒド オクチルアルデヒド *n*-オクチルアルデヒド カプリルアルデヒド	○，指定	香料
Octanoic acid	Caprylic acid	オクタン酸 カプリル酸	○，指定	香料 過酢酸製剤用界面活性剤
Octenyl succinic acid modified gum arabic		オクテニルコハク酸修飾アラビアガム	×	乳化剤
Octyl aldehyde	Capryl aldehyde Caprylic aldehyde Octanal *n*-Octyl aldehyde *n*-Octylic aldehyde	オクタナール *n*-オクチリックアルデヒド オクチルアルデヒド *n*-オクチルアルデヒド カプリルアルデヒド	○，指定	香料
***n*-Octyl aldehyde**	Capryl aldehyde Caprylic aldehyde Octanal Octyl aldehyde *n*-Octylic aldehyde	オクタナール *n*-オクチリックアルデヒド オクチルアルデヒド *n*-オクチルアルデヒド カプリルアルデヒド	○，指定	香料
Octyl gallate		没食子酸オクチル	×	酸化防止剤
***n*-Octylic aldehyde**	Capryl aldehyde Caprylic aldehyde Octanal Octyl aldehyde *n*-Octyl aldehyde	オクタナール *n*-オクチリックアルデヒド オクチルアルデヒド *n*-オクチルアルデヒド カプリルアルデヒド	○，指定	香料
Odorless light petroleum hydrocarbons		無臭軽石油炭化水素類	×	被膜剤 消泡剤
Oil Yellow AB	Yellow AB	エロー AB オイルエロー AB 旧食用黄色2号	×	着色料
Oil Yellow OB	Yellow OB	エロー OB オイルエロー OB 旧食用黄色3号	×	着色料
Oil of rue		ヘンルーダ油	◎	香料
Oil of virtiol	Sulfuric acid	硫酸 緑バン油	○，指定	製造用剤

◎：許可（使用基準なし） Legal（Accepted with no standard of use）
○：許可（使用基準あり） Legal（Accepted with standard of use）
指定：Designated Food Additives　既存：Existing Food Additives
×：使用不可 Illegal（Prohibited）
※：個別判断を要するもの Required individual special judgement

EU E No.	EU FL No.	CAS No.	CFR No.	CNS 号.	備考 Remarks
E322a			（Lecithin として） 184.1400		E322a は「Commission Regulation（EU）No.2022/1037 of 29 June 2022」で新規指定 日本の既存添加物名簿に定められた「基原植物」に該当しないので許可状況は×
					資料1により食品添加物に該当する可能性が考えられるが，事前に判断を受けるよう指導されている品目
			173.360		
	05.009	124-13-0			着香の目的以外に使用してはならない
	08.010	124-07-2	（Fatty acids として） 172.860 （Caprylic acid として） 184.1025 （Peroxyacids の混合成分の1つとして） 173.370		平成28年10月6日省令別表第1に新規指定 着香の目的及び過酢酸製剤として使用する場合以外に使用してはならない 類又は誘導体として指定されている18項目の香料リストのSEQ No.2019（解説編2-(1)-(vi)参照）
E423					E423は「Commission Regulation（EU）No.817/2013 of 28 Aug. 2013」で新規制定
	05.009	124-13-0			着香の目的以外に使用してはならない
	05.009	124-13-0			着香の目的以外に使用してはならない
					E311は「Commission Regulation（EU）2018/1481 of 4 Oct. 2018」で削除
	05.009	124-13-0			着香の目的以外に使用してはならない
			172.884		
			184.1699		食品扱い
E513		7664-93-9	184.1095		最終食品の完成前に中和又は除去しなければならない

O

色文字：法令上の指定添加物名（除く別名）　red：Name on Ministerial Ordinance of Designated Food Additives
色文字：法令上の既存添加物名（除く別名）　red：Name on Ministerial Notification of Existing Food Additives

英　名 English name	英名別名 English name	和名，和名別名 Japanese name	許可状況 Legal/Illegal	主な用途 Main uses
Oily vitamin A ester of fatty acid	Vitamin A in oil	ビタミンA油 油性ビタミンA脂肪酸エステル	◎，指定	強化剤
Okra extract		オクラ抽出物	◎	増粘安定剤
Oleic acid derived from tall oil fatty acids		オレイン酸（トール油脂肪酸由来）	○，指定	香料
Olestra		オレストラ	◎，指定	乳化剤 ガムベース
Oligogalacturonic acid		オリゴガラクチュロン酸	◎，既存	製造用剤
Oligoglucosamine	Chitosan oligosaccharide	オリゴグルコサミン キトサンオリゴ糖	※	特別用途食品
Oligosaccharide		オリゴ糖	◎	特別用途食品
Olive tea		オリーブ茶	○	着色料 苦味料
Onion color		タマネギ色素（タマネギのりん茎から得られた，クエルセチンを主成分とするものをいう。）	○，既存	着色料
Oolong tea extract	Green tea extract Tea extract	ウーロンチャ抽出物 チャ抽出物（チャの葉から得られた，カテキン類を主成分とするものをいう。） 緑茶抽出物	◎，既存	製造用剤 酸化防止剤
OPP	*o*-Phenylphenol	オルトフェニルフェノール	○，指定	防かび剤
OPP-Na	Sodium orthophenyl phenol Sodium *o*-phenylphenate	オルトフェニルフェノールナトリウム	○，指定	防かび剤
Orange B		オレンジB	×	着色料
Orange color		オレンジ色素（アマダイダイの果実又は果皮から得られた，カロテン及びキサントフィルを主成分とするものをいう。）	○，既存	着色料
Orcein		オルセイン	×	着色料
Orchil		オーチル	×	着色料
Oregano extract		オレガノ抽出物（オレガノの葉から得られた，カルバクロール及びチモールを主成分とするものをいう。）	◎，既存	製造用剤
Ornithine		オルニチン	◎	特別用途食品
Orotic acid (Limited to Free base, Potassium salt and Magnesium salt)		オロト酸（フリー体，カリウム塩，マグネシウム塩に限る）	※	特別用途食品
Orthophosphoric acid	Phosphoric acid	オルトリン酸 リン酸	◎，指定	水素イオン濃度調整剤（pH調整剤） 酸味料

◎：許可（使用基準なし） Legal（Accepted with no standard of use）
○：許可（使用基準あり） Legal（Accepted with standard of use）
指定：Designated Food Additives　既存：Existing Food Additives
×：使用不可 Illegal（Prohibited）
※：個別判断を要するもの Required individual special judgement

EU E No.	EU FL No.	CAS No.	CFR No.	CNS 号.	備考 Remarks
			(Vitamin Aとして) 184.1930		添加物の規格基準Dに**ビタミンA油**として規格が定められている
					一般飲食物添加物
			172.862		CFRは精製トール油脂肪酸から分離された純オレイン酸 **脂肪酸類** 着香の目的以外に使用してはならない
			(Olestraとして) 172.867		**ショ糖脂肪酸エステル** CFR：Olestra is a mixture of octa-, hepta-, and hexa-esters of sucrose with fatty acids
					資料1により食品添加物に該当する可能性が考えられるが，事前に判断を受けるよう指導されている品目
					資料1により食品素材扱いとする品目
					一般飲食物添加物 苦味料等の目的では◎
		90-43-7	180.129（Title40 Part180）		省令別表第1のリスト名は「**オルトフェニルフェノール及びオルトフェニルフェノールナトリウム, *o*-Phenylphenol and Sodium *o*-Phenylphenate**」だが，本書では各単品もリスト名としマークした CFRでは，本書に関連する「Title21」ではなくpre- and post-harvest関連の「Title40 Part 180. 129」に「*o*-Phenylphenol and its sodium salt」として収録されている E No.はないがINS No.231あり
		(無水物) 132-27-4	180.129（Title40 Part180）		省令別表第1のリスト名は「**オルトフェニルフェノール及びオルトフェニルフェノールナトリウム, *o*-Phenylphenol and Sodium *o*-phenylphenate**」だが，本書では各単品もリスト名としマークした 告示成分規格の nH_2O は n＝4 CFRでは，本書に関連する「Title21」ではなくpre- and post-harvest関連の「Title40 Part 180. 129」に「*o*-Phenylphenol and its sodium salt」として収録されている E No.はないがINS No.232あり
			74.250		CFRの主成分はDisodium salt of 1-(4-sulfophenyl)-3-ethylcarboxy-4-(4-sulfonaphthylazo)-5-hydro-xypyrazole
				08.143	
					資料1により食品素材扱いとする品目
					資料1により食品添加物に該当する可能性が考えられるが，事前に判断を受けるよう指導されている品目
E338		7664-38-2	182.1073	01.106	

色文字：法令上の指定添加物名（除く別名）　red：Name on Ministerial Ordinance of Designated Food Additives
色文字：法令上の既存添加物名（除く別名）　red：Name on Ministerial Notification of Existing Food Additives

英　名 English name	英名別名 English name	和名，和名別名 Japanese name	許可状況 Legal/Illegal	主な用途 Main uses
γ-Oryzanol		γ-オリザノール（米ぬか又は胚芽油から得られた，ステロールとフェルラ酸及びトリテルペンアルコールとフェルラ酸のエステルを主成分とするものをいう。）	◎，既存	酸化防止剤
Ox bile extract		牛胆汁エキス	◎	乳化剤
Oxalic acid	Ethanedioic acid	エタンディオイック酸 シュウ酸	○，指定	製造用剤
Oxidized polyethylene		酸化ポリエチレン	×	被膜剤
Oxidized polyethylene wax		酸化ポリエチレンワックス	×	製造用剤
Oxidized starch	Modified starch	加工デンプン 酸化デンプン	◎，指定	増粘安定剤 ゲル化剤 糊料
1,8-Oxido-*p*-menthane	Cajeputol Cineole 1,8-Cineole 1,8-Epoxy-*p*-menthane Eucalyptol *p*-Menthane-1,8-oxide	1,8-エポキシパラメンタン 1,8-オキシドパラメンタン カエプトール シネオール 1,8-シネオール ユーカリプトール	○，指定	香料
3-Oxobutanoic acid,ethyl ester	Ethyl acetoacetate Ethyl-3-oxobutanoate	アセト酢酸エチル 3-オキソブタン酸エチル 3-オキソブタン酸エチルエステル	○，指定	香料
Oxydihydrocitronellal	Citronellalhydrate Hydroxycitronellal	オキシジヒドロシトロネラール シトロネラールヒドレート ヒドロキシシトロネラール	○，指定	香料
Oxygen		酸素	◎，既存	製造用剤
L-Oxyproline	L-Hydroxyproline Hydroxy-L-proline 4-Hydroxy-2-pyrrolidinecarboxylic acid L-γ-Hydroxy-α-pyrrolidinecarboxylic acid	L-オキシプロリン 4-ヒドロキシ-2-ピロリジンカルボキシル酸 L-γ-ヒドロキシ-α-ピロリジンカルボキシル酸 L-ヒドロキシプロリン ヒドロキシ-L-プロリン	◎，既存	強化剤 調味料
Oxystearin		オキシステアリン	×	製造用剤 乳化剤
Ozokerite	Ceresin	オゾケライト セレシン	◎，既存	ガムベース
Ozone		オゾン	◎，既存	製造用剤

◎：許可（使用基準なし） Legal（Accepted with no standard of use）
〇：許可（使用基準あり） Legal（Accepted with standard of use）
指定：Designated Food Additives　既存：Existing Food Additives
×：使用不可 Illegal（Prohibited）
※：個別判断を要するもの Required individual special judgement

EU E No.	EU FL No.	CAS No.	CFR No.	CNS 号.	備考 Remarks
			184.1560		食品扱い
		(2水和物) 6153-56-6			最終食品の完成前に除去しなければならない 告示成分規格の nH_2O は n =2
			172.260		CFR は果実類の表面保護コーティング
E914					
E1404			（Food starch-modified として） 172.892	20.030	適切な製造工程管理を行い，食品中で目的とする効果を得る量を超えないこと
	03.001	470-82-6			着香の目的以外に使用してはならない
	09.402	141-97-9			着香の目的以外に使用してはならない
	05.012	107-75-5			着香の目的以外に使用してはならない EU FL No.05.012の名称は「3,7-Dimethyl-7-hydroxyoctanal」
E948					
		51-35-4			
			172.818	00.017	
			（副次的直接添加物として） 173.368 （GRAS 物質として） 184.1563		

O

色文字：法令上の指定添加物名（除く別名）　red：Name on Ministerial Ordinance of Designated Food Additives
色文字：法令上の既存添加物名（除く別名）　red：Name on Ministerial Notification of Existing Food Additives

英　名 English name	英名別名 English name	和名，和名別名 Japanese name	許可状況 Legal/Illegal	主な用途 Main uses
PVI/PVP	Copolymer of vinylimidazole/vinylpyrrolidone	ビニルイミダゾール・ビニルピロリドン共重合体	○，指定	製造用剤
Palatinit	Isomalt Isomaltitol	イソマルチトール イソマルト パラチニット	◎	製造用剤 甘味料 光沢剤
Palladium		パラジウム	◎，既存	製造用剤
Palm oil carotene	Extracted carotene	抽出カロチン 抽出カロテン パーム油カロチン パーム油カロテン（アブラヤシの果実から得られた，カロテンを主成分とするものをいう。）	◎，既存	強化剤 着色料
Pancreatin		パンクレアチン	◎，既存	酵素
D-Pantothenamide		D-パントテン酸アミド	×	強化剤
Papain		パパイン	◎，既存	酵素
Paprika		パプリカ粉末	○	着色料
Paprika color	Capsanthin Capsicum color Capsorubin Paprika oleoresin	カプサンチン カプシカム色素 カプソルビン トウガラシ色素（トウガラシの果実から得られた，カプサンチン類を主成分とするものをいう。） パプリカ色素	○，既存	着色料
Paprika oleoresin	Capsanthin Capsicum color Capsorubin Paprika color	カプサンチン カプシカム色素 カプソルビン トウガラシ色素（トウガラシの果実から得られた，カプサンチン類を主成分とするものをいう。） パプリカ色素	○，既存	着色料
Paprika water-soluble extract	Capsicum water-soluble extract	カプシカム水性抽出物 トウガラシ水性抽出物（トウガラシの果実から抽出して得られた，水溶性物質を主成分とするものをいう。） パプリカ水性抽出物	◎，既存	製造用剤
Paracoccus pigment		パラコッカス菌（Paracoccus）顔料	×	着色料
Paraffin	Paraffin wachs Paraffin wax Petroleum wax Solid wax	固形ワックス 石油ワックス パラフィン パラフィンワックス	◎，既存	ガムベース 光沢剤
Paraffin wachs	Paraffin Paraffin wax Petroleum wax Solid wax	固形ワックス 石油ワックス パラフィン パラフィンワックス	◎，既存	ガムベース 光沢剤

◎：許可（使用基準なし） Legal（Accepted with no standard of use）　×：使用不可 Illegal（Prohibited）
○：許可（使用基準あり） Legal（Accepted with standard of use）　※：個別判断を要するもの Required individual special judgement
指定：Designated Food Additives　既存：Existing Food Additives

EU E No.	EU FL No.	CAS No.	CFR No.	CNS 号.	備考 Remarks
					令和3年1月15日省令別表第1に新規指定 使用にあたっては，適切な製造工程管理を行い，食品中で目的とする効果を得る上で必要とされる量を超えないものとする特記あり 最終食品の完成前に除去しなければならない 製造用剤はぶどう酒の清澄剤，重金属の除去目的
E953					食品扱い
E160a(ii)			（検定免除着色料の carrot oil として） 73.300 （検定免除着色料の β-Carotene として） 73.95 （GRAS 物質の Beta-Carotene として） 184.1245		着色料の目的では○,既存 「E160a Carotenes」には化学的合成品と天然抽出品がある。本書は「Official Journal of the EU」に記載の定義内容により,「E160a (i) **β-Carotene** は化学的合成品」,「E160a (ii) Plant Carotenes は天然抽出品」と判断
			184.1583		
			172.335		CFR はパントテン酸の供給源
			（Proteolytic enzyme derived from *Carica papaya* L.として） 184.1585		E No.はないが INS No.1101(ⅱ)あり
			73.340		一般飲食物添加物
E160c			（Paprika oleoresin として） 73.345	00.012 08.106 08.107	日本は橙色～赤色を呈するカロテノイド色素として総合しているが CNS 号は3区分あり，CNS 号00.012は paprika oleoresin，CNS 号08.106は paprika red，CNS 号08.107は paprika orange
E160c			（Paprika oleoresin として） 73.345	00.012 08.106 08.107	日本は橙色～赤色を呈するカロテノイド色素として総合しているが CNS 号は3区分あり，CNS 号00.012は paprika oleoresin，CNS 号08.106は paprika red，CNS 号08.107は paprika orange
			73.352		CFR はサケ科魚用飼料添加物
			（Petroleum wax として） 172.886		
			（Petroleum wax として） 172.886		

P

色文字：法令上の指定添加物名（除く別名）　red：Name on Ministerial Ordinance of Designated Food Additives
色文字：法令上の既存添加物名（除く別名）　red：Name on Ministerial Notification of Existing Food Additives

英　名 English name	英名別名 English name	和名，和名別名 Japanese name	許可状況 Legal/Illegal	主な用途 Main uses
Paraffin wax	Paraffin Paraffin wachs Petroleum wax Solid wax	固形ワックス 石油ワックス パラフィン パラフィンワックス	◎，既存	ガムベース 光沢剤
Patent Blue V		パテントブルーV	×	着色料
Peach gum		モモ樹脂（モモの分泌液から得られた，多糖類を主成分とするものをいう。）	◎，既存	増粘安定剤
Peachaldehyde	Aldehyde C-14 Persicol Undecalactone γ-Undecalactone Undecyl lactone	アルデヒドC-14 ウンデカラクトン γ-ウンデカラクトン ウンデシルラクトン パーシコール ピーチアルデヒド	○，指定	香料
Pear oil	Amyl acetic ester Banana oil Isoamyl acetate Isopentyl acetate	酢酸アミルエステル 酢酸イソアミル 酢酸イソペンチル ナシオイル バナナオイル	○，指定	香料
Pearl ash	American ash Potash Potassium carbonate Potassium carbonate, anhydrous Salt of tartar	真珠灰 炭酸カリウム（無水）	◎，指定	製造用剤 水素イオン濃度調整剤（pH調整剤） 膨脹剤 かんすい イーストフード
Pecan nut color		ピーカンナッツ色素 ペカンナッツ色素（ピーカンの果皮又は渋皮から得られた，フラボノイドを主成分とするものをいう。）	○，既存	着色料
Pectin		ペクチン	◎，既存	増粘安定剤 ゲル化剤
Pectin digests		ペクチン分解物（「ペクチン」から得られた，ガラクチュロン酸を主成分とするものをいう。）	◎，既存	保存料
Pectinase		ペクチナーゼ	◎，既存	酵素
Pendare	Leche caspi Perillo Sorva	ソルバ（ソルバの分泌液から得られた，アミリンアセタート及びポリイソプレンを主成分とするものをいう。） ペリージョ ペンダーレ レッチェカスピ	◎，既存	ガムベース
Pentametylenimine	Hexahydropyridine Piperidine	ピペリジン ヘキサヒドロピリジン ペンタメチレンイミン	○，指定	香料
Pentan-2-ol	*sec*-Amyl alcohol 2-Pentanol	第二級アミルアルコール 2-ペンタノール ペンタン-2-オール	○，指定	香料
Pentanal	Valeraldehyde	バレルアルデヒド ペンタナール	○，指定	香料

◎：許可（使用基準なし） Legal（Accepted with no standard of use）
○：許可（使用基準あり） Legal（Accepted with standard of use）
指定：Designated Food Additives　　既存：Existing Food Additives
×：使用不可　Illegal（Prohibited）
※：個別判断を要するもの　Required individual special judgement

EU E No.	EU FL No.	CAS No.	CFR No.	CNS 号.	備　考 Remarks
			(Petroleum wax として) 172.886		
E131					
	10.002	104-67-6			着香の目的以外に使用してはならない
	09.024	123-92-2			着香の目的以外に使用してはならない
E501(i)		584-08-7	(Potassium Carbonate として) 184.1619	01.301	E501(i)では(無水)の限定はない
E440(i)			184.1588	20.006	
			(Pectins として) 184.1588		
					「組換え DNA 技術応用食品及び添加物の安全性審査の手続きを経た添加物」としての告示あり。詳細は厚労省 HP 参照
	14.010	110-89-4			着香の目的以外に使用してはならない
	02.088	6032-29-7			着香の目的以外に使用してはならない
	05.005	110-62-3			着香の目的以外に使用してはならない

色文字：法令上の指定添加物名（除く別名）　red：Name on Ministerial Ordinance of Designated Food Additives
色文字：法令上の既存添加物名（除く別名）　red：Name on Ministerial Notification of Existing Food Additives

英　名 English name	英名別名 English name	和名，和名別名 Japanese name	許可状況 Legal/Illegal	主な用途 Main uses
1-Pentanamine	**Pentylamine**	1-ペンタンアミン **ペンチルアミン**	○，指定	香料
1-Pentanecarboxylic acid	Caproic acid *n*-Caproic acid **Hexanoic acid**	カプロン酸 *n*-カプロン酸 **ヘキサン酸** 1-ペンタンカルボン酸	○，指定	香料
1-Pentanol	**Amylalcohol** Butyl carbinol Pentyl alcohol	**アミルアルコール** ブチルカルビノール 1-ペンタノール ペンチルアルコール	○，指定	香料
2-Pentanol	*sec*-Amyl alcohol Pentan-2-ol	第二級アミルアルコール **2-ペンタノール** ペンタン-2-オール	○，指定	香料
Pentapotassium triphosphate	Potassium tripolyphosphate	トリポリリン酸カリウム トリポリリン酸五カリウム	◎，指定	製造用剤
Pentasodium triphosphate	Sodium tripolyphosphate	トリポリリン酸ナトリウム トリポリリン酸五ナトリウム	◎，指定	製造用剤
1-Penten-3-ol		**1-ペンテン-3-オール**	○，指定	香料
***(E)*-2-Pentenal**	***trans*-2-Pentenal**	***trans*-2-ペンテナール**	○，指定	香料
Pentosanase	**Hemicellulase**	**ヘミセルラーゼ** ペントサナーゼ	◎，既存	酵素
Pentyl alcohol	**Amylalcohol** Butyl carbinol 1-Pentanol	**アミルアルコール** ブチルカルビノール 1-ペンタノール ペンチルアルコール	○，指定	香料
Pentylamine	1-Pentanamine	1-ペンタンアミン **ペンチルアミン**	○，指定	香料
Peppermint camphor	Hexahydrothymol Menthacamphor 3-*p*-Menthanol ***dl*-Menthol**	*dl*-ハッカ脳 3-パラメンタノール ヘキサハイドロチモール ペパーミントカンファー メンタカンファー ***dl*-メントール**	○，指定	香料
Pepsin		**ペプシン**	◎，既存	酵素
Peptidase		**ペプチダーゼ**	◎，既存	酵素
Peptones		ペプトン	◎	調味料

◎：許可（使用基準なし） Legal（Accepted with no standard of use）
○：許可（使用基準あり） Legal（Accepted with standard of use）
指定：Designated Food Additives　既存：Existing Food Additives
×：使用不可 Illegal（Prohibited）
※：個別判断を要するもの Required individual special judgement

EU E No.	EU FL No.	CAS No.	CFR No.	CNS 号.	備考 Remarks
	11.021	110.58.7			令和元年6月6日省令別表第1に新規指定 着香の目的以外に使用してはならない 小分け等の加工を行ったものは添加物製剤とみなされる
	08.009	142-62-1	(Fatty acids として) 172.860		着香の目的以外に使用してはならない 令和元年6月19日政令第31号により毒物及び劇物に指定され，その食品衛生法上の取扱いについて，同日付で基準審査課のQ&Aが出されている
	02.040	71-41-0			着香の目的以外に使用してはならない
	02.088	6032-29-7			着香の目的以外に使用してはならない
E451(ii)					日本では**ポリリン酸カリウム**(Potassium polyphosphate)として指定添加物になっている
E451(i)			(多目的GRAS食品物質のSodium tripolyphosphateとして) 182.1810 (GRAS物質キレート剤のSodium tripolyphosphateとして) 182.6810	15.003	日本では**ポリリン酸ナトリウム**(Sodium polyphosphate)として指定添加物になっている
	02.099	616-25-1			着香の目的以外に使用してはならない。
	05.102	1576-87-0			着香の目的以外に使用してはならない 平成24年11月2日省令別表第1に新規指定 告示のCAS No.は1576-87-0 FL No.はCAS No.764-39-6に対応し，このCAS No.はJECFAの2-ペンテナールに採用されている
					「組換えDNA技術応用食品及び添加物の安全性審査の手続きを経た添加物」としての告示あり。詳細は厚労省HP参照
	02.040	71-41-0			着香の目的以外に使用してはならない
	11.021	110.58.7			令和元年6月6日省令別表第1に新規指定 着香の目的以外に使用してはならない 小分け等の加工を行ったものは添加物製剤とみなされる
	02.015	89-78-1			着香の目的以外に使用してはならない
			184.1595		
			184.1553		食品扱い E No.はないがINS No.429あり

色文字：法令上の指定添加物名（除く別名）　red：Name on Ministerial Ordinance of Designated Food Additives
色文字：法令上の既存添加物名（除く別名）　red：Name on Ministerial Notification of Existing Food Additives

英　名 English name	英名別名 English name	和名，和名別名 Japanese name	許可状況 Legal/Illegal	主な用途 Main uses
Peracetic acid	Acetic peroxide Acetyl hydroperoxide Peroxyacetic acid	過酢酸 ペルオキシ酢酸	○，指定	殺菌料
Peracetic acid composition	Peracetic acid formulation Peracetic acid solutions	過酢酸製剤	○，指定	殺菌料
Peracetic acid formulation	Peracetic acid composition Peracetic acid solutions	過酢酸製剤	○，指定	殺菌料
Peracetic acid solutions	Peracetic acid composition Peracetic acid formulation	過酢酸製剤	○，指定	殺菌料
Percian berries		ペルシアンベリー	×	着色料
Perfluorohexane		パーフルオロヘキサン	×	製造用剤
Periandrine	Brazilian licorice extract	ブラジルカンゾウ抽出物（ブラジルカンゾウの根から得られた，ペリアンドリンを主成分とするものをいう。） ペリアンドリン	◎，既存	甘味料
Perilla color	Beefsteak plant color	シソ色素	○	着色料
Perilla extract		シソエキス シソ抽出物（シソの種子又は葉から得られた，テルペノイドを主成分とするものをいう。）	◎，既存	製造用剤
ℓ-Perillaldehyde		ℓ-ペリラアルデヒド ℓ-ペリルアルデヒド	○，指定	香料
Perillo	Leche caspi Pendare Sorva	ソルバ（ソルバの分泌液から得られた，アミリンアセタート及びポリイソプレンを主成分とするものをいう。） ペリージョ ペンダーレ レッチェカスピ	◎，既存	ガムベース
Perlite	Water-insoluble mineral substances	パーライト 不溶性鉱物性物質	○，既存	製造用剤
Peroxidase		パーオキシダーゼ ペルオキシダーゼ	◎，既存	酵素
Peroxyacetic acid	Acetic peroxide Acetyl hydroperoxide Peracetic acid	過酢酸 ペルオキシ酢酸	○，指定	殺菌料
Peroxyacids		過酸化酸類	※	抗菌剤
Persicol	Aldehyde C-14 Peachaldehyde Undecalactone γ-Undecalactone Undecyl lactone	アルデヒドC-14 ウンデカラクトン γ-ウンデカラクトン ウンデシルラクトン パーシコール ピーチアルデヒド	○，指定	香料
Persimmon extract	Tannin of persimmon Tannin(extract)	柿渋 柿タンニン 柿抽出物	◎，既存	製造用剤

◎：許可（使用基準なし） Legal（Accepted with no standard of use）
○：許可（使用基準あり） Legal（Accepted with standard of use）
指定：Designated Food Additives 既存：Existing Food Additives

×：使用不可 Illegal（Prohibited）
※：個別判断を要するもの Required individual special judgement

EU E No.	EU FL No.	CAS No.	CFR No.	CNS 号.	備考 Remarks
		79-21-0	（Peroxyacids の混合成分の１つとして） 173.370		平成28年10月6日省令別表第１に新規指定 過酢酸製剤として使用する場合以外に使用してはならない
					「過酢酸製剤」は製剤であるため，省令別表第１には記載されていないが，告示の「食品，添加物等の規格基準」には盛り込まれている
					「過酢酸製剤」は製剤であるため，省令別表第１には記載されていないが，告示の「食品，添加物等の規格基準」には盛り込まれている
					「過酢酸製剤」は製剤であるため，省令別表第１には記載されていないが，告示の「食品，添加物等の規格基準」には盛り込まれている
					一般飲食物添加物
		18031-40-8			着香の目的以外に使用してはならない FL No. 05. 117 は「Commission Regulation（EU）2015/17610 of 1 Oct 2015」で削除
					食品の製造又は加工上必要不可欠な場合以外に使用してはならない 不溶性鉱物性物質の名称は，省令別表第1及び告示既存添加物名簿に記載されていないが，告示「食品，添加物等の規格基準－F 使用基準」にその名称があるので既存添加物名簿名扱いとする 食品添加物別名（和名）については，列記した食品添加物に類似する不溶性鉱物性物質も含まれる
		79-21-0	（Peroxyacids の混合成分の１つとして） 173.370		平成28年10月6日省令別表第１に新規指定 過酢酸製剤として使用する場合以外に使用してはならない
			173.370		CFR No.173.370は，数種類の過酸化酸類の混合物
	10.002	104-67-6			着香の目的以外に使用してはならない
			（Tannic acid として） 184.1097		タンニン（抽出物）参照 E No.はないが INS No.181あり

色文字：法令上の指定添加物名（除く別名）　red：Name on Ministerial Ordinance of Designated Food Additives
色文字：法令上の既存添加物名（除く別名）　red：Name on Ministerial Notification of Existing Food Additives

英　名 English name	英名別名 English name	和名，和名別名 Japanese name	許可状況 Legal/Illegal	主な用途 Main uses
Petrolatum	Vaseline	ペトロラタム ワセリン	×	製造用剤
Petroleum benzine	Benzine	石油ベンジン ベンジン	×	製造用剤
Petroleum jelly		石油系グリース	×	製造用剤
Petroleum naphtha		石油ナフサ **ナフサ**	◎，既存	製造用剤
Petroleum wax	Paraffin Paraffin wachs **Paraffin wax** Solid wax	固形ワックス 石油ワックス パラフィン **パラフィンワックス**	◎，既存	ガムベース 光沢剤
Phaffia color	Phaffia yeast	ファフィアイースト **ファフィア色素**(ファフィアの培養液から得られた，アスタキサンチンを主成分とするものをいう。)	○，既存	着色料
Phaffia yeast	**Phaffia color**	ファフィアイースト **ファフィア色素**(ファフィアの培養液から得られた，アスタキサンチンを主成分とするものをいう。)	○，既存	着色料
Phantol	Coriandrol Licareol Linacreol **Linalool** *dl*-Linalool Linalool EX HO(Natural)	コリアンドロール パントール リカレオール リナクレオール **リナロオール** リナロオール EX HO(天然) リナロール *dl*-リナロール	○，指定	香料
Phellodendron bark extract		**キハダ抽出物**(キハダの樹皮から得られた，ベルベリンを主成分とするものをいう。)	◎，既存	苦味料
Phenethyl acetate	Phenylethyl acetate	酢酸フェニルエチル **酢酸フェネチル**	○，指定	香料
Phenethylamine	Benzeneethanamine 2-Phenylethylamine	2-フェニルエチルアミン **フェネチルアミン** ベンゼンエタンアミン	○，指定	香料
***p*-Phenethyl carbamide**	Dulcin *p*-Phenethyl urea	ズルチン パラフェネチルカルバミド パラフェネチル尿素	×	甘味料
***p*-Phenethyl urea**	Dulcin *p*-Phenethyl carbamide	ズルチン パラフェネチルカルバミド パラフェネチル尿素	×	甘味料
Phenol ethers(except harmful substances)		**フェノールエーテル類（毒性が激しいと一般に認められるものを除く。）**	○，指定	香料
Phenolase	**Polyphenol oxidase**	フェノラーゼ **ポリフェノールオキシダーゼ**	◎，既存	酵素
Phenols(except harmful substances)		**フェノール類（毒性が激しいと一般に認められるものを除く。）**	○，指定	香料

◎：許可（使用基準なし） Legal（Accepted with no standard of use）
○：許可（使用基準あり） Legal（Accepted with standard of use）
指定：Designated Food Additives　既存：Existing Food Additives
×：使用不可 Illegal（Prohibited）
※：個別判断を要するもの Required individual special judgement

EU E No.	EU FL No.	CAS No.	CFR No.	CNS 号.	備考 Remarks
			172.880		
					工業用ガソリンの一種
			172.250		
			(Petroleum wax として) 172.886		
			(Phaffia yeast として) 73.355		CFR No.73.355は魚の飼料用のみに可
			(Phaffia yeast として) 73.355		CFR No.73.355は魚の飼料用のみに可
	02.013	78-70-6			着香の目的以外に使用してはならない
	09.031	103-45-7			着香の目的以外に使用してはならない
	11.006	64-04-0			着香の目的以外に使用してはならない
					Dulcin は商標
					Dulcin は商標
					着香の目的以外に使用してはならない 類又は誘導体として指定されている18項目の香料リスト(解説編2-(1)-(vi)参照)
					着香の目的以外に使用してはならない 類又は誘導体として指定されている18項目の香料リスト(解説編2-(1)-(vi)参照)

P

色文字：法令上の指定添加物名（除く別名）　red：Name on Ministerial Ordinance of Designated Food Additives
色文字：法令上の既存添加物名（除く別名）　red：Name on Ministerial Notification of Existing Food Additives

英　名 English name	英名別名 English name	和名，和名別名 Japanese name	許可状況 Legal/Illegal	主な用途 Main uses
Phenyl carbinol	Bentanol **Benzyl alcohol** α-Hydroxytoluene Phenyl methanol	α-ヒドロキシトルエン フェニルカルビノール フェニルメタノール **ベンジルアルコール** ベンタノール	○，指定	香料
Phenyl methanol	Bentanol **Benzyl alcohol** α-Hydroxytoluene Phenyl carbinol	α-ヒドロキシトルエン フェニルカルビノール フェニルメタノール **ベンジルアルコール** ベンタノール	○，指定	香料
Phenyl methyl ketone	**Acetophenone** Acetylbenzene Hypnone 1-Phenylethanone	アセチルベンゼン **アセトフェノン** ヒプノン 1-フェニルエタノン フェニルメチルケトン	○，指定	香料
Phenylacetaldehyde		フェニルアセトアルデヒド	○，指定	香料
L-Phenylalanine		**L-フェニルアラニン**	◎，指定	強化剤 調味料
γ-Phenylallyl alcohol	Cinnamic alcohol **Cinnamyl alcohol** Styrone Styryl carbinol	ケイ皮アルコール シンナミックアルコール **シンナミルアルコール** スチリルカルビノール スチロン γ-フェニルアリルアルコール	○，指定	香料
Phenylbenzene	Biphenyl **Diphenyl**	**ジフェニル** ビフェニル フェニールベンゼン	○，指定	防かび剤
1-Phenylethanone	**Acetophenone** Acetylbenzene Hypnone Phenyl methyl ketone	アセチルベンゼン **アセトフェノン** ヒプノン 1-フェニルエタノン フェニルメチルケトン	○，指定	香料
Phenylethyl acetate	**Phenethyl acetate**	酢酸フェニルエチル **酢酸フェネチル**	○，指定	香料
2-Phenylethylamine	Benzeneethanamine **Phenethylamine**	2-フェニルエチルアミン **フェネチルアミン** ベンゼンエタンアミン	○，指定	香料
Phenylformic acid	Benzencarboxylic acid Benzene formic acid **Benzoic acid** Dracylic acid	**安息香酸** ベンゼンカルボン酸	○，指定	保存料
Phenylmethyl acetate	**Benzyl acetate**	**酢酸ベンジル** フェニルメチルアセテート	○，指定	香料

◎：許可（使用基準なし） Legal（Accepted with no standard of use）
○：許可（使用基準あり） Legal（Accepted with standard of use）
指定：Designated Food Additives　既存：Existing Food Additives
×：使用不可 Illegal（Prohibited）
※：個別判断を要するもの Required individual special judgement

EU E No.	EU FL No.	CAS No.	CFR No.	CNS 号.	備考 Remarks
E1519	02.010	100-51-6			着香の目的以外に使用してはならない 特例として E No.と FL No.の両方あり
E1519	02.010	100-51-6			着香の目的以外に使用してはならない 特例として E No.と FL No.の両方あり
	07.004	98-86-2			着香の目的以外に使用してはならない
	05.030	122-78-1			**芳香族アルデヒド類** 着香の目的以外に使用してはならない 類又は誘導体として指定されている18項目の香料リストの SEQ No.2146（解説編2-(1)-(vi)参照）
		63-91-2	（Amino acids, L-Phenylalanine として） 172.320		
	02.017	104-54-1			着香の目的以外に使用してはならない
		92-52-4			CFR「Title40」には「180.190 Diphenylamine」はあるが，本品は収録されていない E No.はないが INS No.230あり
	07.004	98-86-2			着香の目的以外に使用してはならない
	09.031	103-45-7			着香の目的以外に使用してはならない
	11.006	64-04-0			着香の目的以外に使用してはならない
E210		65-85-0	184.1021	17.001	
	09.014	140-11-4			着香の目的以外に使用してはならない

P

色文字：法令上の指定添加物名（除く別名）　red：Name on Ministerial Ordinance of Designated Food Additives
色文字：法令上の既存添加物名（除く別名）　red：Name on Ministerial Notification of Existing Food Additives

英　名 English name	英名別名 English name	和名，和名別名 Japanese name	許可状況 Legal/Illegal	主な用途 Main uses
o-Phenylphenol	OPP	OPP オルトフェニルフェノール	○，指定	防かび剤
2-(3-Phenylpropyl)pyridine		2-(3-フェニルプロピル)ピリジン	○，指定	香料
Phloxine	Food Red No. 104	食用赤色104号 フロキシン	○，指定	着色料
Phosphated distarch phosphate	Modified starch	加工デンプン リン酸モノエステル化リン酸架橋デンプン	◎，指定	増粘安定剤 ゲル化剤 糊料
Phosphatidase	Lecithinase Phospholipase	ホスファチダーゼ ホスホリパーゼ レシチナーゼ	◎，既存	酵素
Phosphatidylserine		ホスファチジルセリン	◎	特別用途食品
Phosphodiesterase		ホスホジエステラーゼ	◎，既存	酵素
Phospholipase	Lecithinase Phosphatidase	ホスファチダーゼ ホスホリパーゼ レシチナーゼ	◎，既存	酵素
Phosphomonoesterase	Acid phosphatase	酸性ホスファターゼ ホスホモノエステラーゼ	◎，既存	酵素
Phosphor	Phosphorus	リン	×	特別用途食品
Phosphoric acid	Orthophosphoric acid	オルトリン酸 リン酸	◎，指定	水素イオン濃度調整剤（pH 調整剤） 酸味料
Phosphorus	Phosphor	リン	×	特別用途食品
Phosphorus oxychloride		オキシ塩化リン	×	製造用剤
Phycocyan	Phycocyanin Spirulina blue color Spirulina color Spirulina extract	スピルリナ青 スピルリナ青色素 スピルリナ色素(スピルリナの全藻から得られた，フィコシアニンを主成分とするものをいう。) スピルリナ抽出物 フィコシアニン フィコシアン	◎，既存	特別用途食品 着色料
Phycocyanin	Phycocyan Spirulina blue color Spirulina color Spirulina extract	スピルリナ青 スピルリナ青色素 スピルリナ色素(スピルリナの全藻から得られた，フィコシアニンを主成分とするものをいう。) スピルリナ抽出物 フィコシアニン フィコシアン	◎，既存	特別用途食品 着色料
Phytase		フィターゼ	◎，既存	酵素
Phytic acid	Inositol hexaphosphate	イノシトールヘキサリン酸 フィチン酸(米ぬか又はトウモロコシの種子から得られた，イノシトールヘキサリン酸を主成分とするものをいう。)	◎，既存	製造用剤 酸味料

◎：許可（使用基準なし） Legal（Accepted with no standard of use）
○：許可（使用基準あり） Legal（Accepted with standard of use）
指定：Designated Food Additives　既存：Existing Food Additives
×：使用不可 Illegal（Prohibited）
※：個別判断を要するもの Required individual special judgement

EU E No.	EU FL No.	CAS No.	CFR No.	CNS 号.	備考 Remarks
		90-43-7	180.129（Title40 Part180）		省令別表第1のリスト名は「**オルトフェニルフェノール及びオルトフェニルフェノールナトリウム,*o*-Phenylphenol and Sodium *o*-Phenylphenate**」だが,本書では各単品もリスト名としマークした CFRでは，本書に関連する「Title21」ではなく pre- and post-harvest 関連の「Title40 Part 180. 129」に「*o*-Phenylphenol and its sodium salt」として収録されている E No.はないがINS No.231あり
	14.072	2110-18-1			着香の目的以外に使用してはならない
		18472-87-2			
E1413			（Food starch-modified として） 172.892	20.017	適切な製造工程管理を行い,食品中で目的とする効果を得る量を超えないこと
					「組換えDNA技術応用食品及び添加物の安全性審査の手続きを経た添加物」としての告示あり。詳細は厚労省HP参照
					資料1により食品素材扱いとする品目
					「組換えDNA技術応用食品及び添加物の安全性審査の手続きを経た添加物」としての告示あり。詳細は厚労省HP参照
					「組換えDNA技術応用食品及び添加物の安全性審査の手続きを経た添加物」としての告示あり。詳細は厚労省HP参照
					資料1により,新たに食品添加物としての指定を受ける必要があるとする品目
E338		7664-38-2	182.1073	01.106	
					資料1により,新たに食品添加物としての指定を受ける必要があるとする品目
			（Spirulina extract として） 73.530	08.137	資料1により既存添加物扱いとする品目。 **スピルリナ色素**が既存添加物名簿に収載 着色料の目的では○,既存
			（Spirulina extract として） 73.530	08.137	資料1により既存添加物扱いとする品目。 **スピルリナ色素**が既存添加物名簿に収載 着色料の目的では○,既存
				04.006	

P

色文字：法令上の指定添加物名（除く別名）　red：Name on Ministerial Ordinance of Designated Food Additives
色文字：法令上の既存添加物名（除く別名）　red：Name on Ministerial Notification of Existing Food Additives

英名 English name	英名別名 English name	和名，和名別名 Japanese name	許可状況 Legal/Illegal	主な用途 Main uses
Phytin(extract)		フィチン(抽出物)(米ぬか又はトウモロコシの種子から得られた，イノシトールヘキサリン酸マグネシウムを主成分とするものをいう。)	◎，既存	製造用剤
Phytonadione	Vitamin K_1	ビタミンK_1 フィトナジオン	×	特別用途食品
Phytosterol	Vegetable sterol	植物性ステロール(油糧種子から得られた，フィトステロールを主成分とするものをいう。) フィトステロール	◎，既存	乳化剤
Pimaricin	Natamycin	ナタマイシン ピマリシン	○，指定	表面処理剤
Piperidine	Hexahydropyridine Pentametylenimine	ピペリジン ヘキサヒドロピリジン ペンタメチレンイミン	○，指定	香料
Piperonal	Dioxyethylene protocatechuic aldehyde Heliotropine Piperonyl aldehyde Protocatechu aldehyde methylene ether	ジオキシエチレンプロトカテキュアルデヒド ピペロナール ピペロニルアルデヒド プロトカテキュアルデヒドメチレンエーテル ヘリオトロピン	○，指定	香料
Piperonyl aldehyde	Dioxyethylene protocatechuic aldehyde Heliotropine Piperonal Protocatechu aldehyde methylene ether	ジオキシエチレンプロトカテキュアルデヒド ピペロナール ピペロニルアルデヒド プロトカテキュアルデヒドメチレンエーテル ヘリオトロピン	○，指定	香料
Piperonyl butoxide		ピペロニルブトキサイド ピペロニルブトキシド	○，指定	防虫剤
Plain caramel	Caramel Caramel I(Plain caramel) Caramel color class I	カラメル カラメルI(でん粉加水分解物，糖蜜又は糖類の食用炭水化物を熱処理して得られたものをいう。ただし，「カラメルII」，「カラメルIII」及び「カラメルIV」を除く。) プレーンカラメル	◎，既存	製造用剤 着色料
Plant Carotenes	Carotene(vegetable)	カロテン(植物)	※	着色料
Plaster of Paris	Calcium sulfate Chemical gypsum Gyps Gypsum Natural gypsum	化学石こう 焼石こう 石こう 天然石こう 硫酸カルシウム	○，指定	膨脹剤 強化剤 イーストフード 豆腐用凝固剤 膨張剤
	Calcium sulfate Chemical gypsum Gyps Gypsum Natural gypsum	化学石こう 焼石こう 石こう 天然石こう 硫酸カルシウム	※	特別用途食品

◎：許可（使用基準なし） Legal（Accepted with no standard of use）
○：許可（使用基準あり） Legal（Accepted with standard of use）
指定：Designated Food Additives　既存：Existing Food Additives
×：使用不可 Illegal（Prohibited）
※：個別判断を要するもの Required individual special judgement

EU E No.	EU FL No.	CAS No.	CFR No.	CNS 号.	備考 Remarks
					資料1により,新たに食品添加物としての指定を受ける必要があるとする品目
E235		7681-93-8	172.155	17.030	ナチュラルチーズ(ハード及びセミハードの表面部分に限る)以外の食品に使用してはならない
	14.010	110-89-4			着香の目的以外に使用してはならない
	05.016	120-57-0			着香の目的以外に使用してはならない
	05.016	120-57-0			着香の目的以外に使用してはならない
		51-03-6			
E150a			(検定免除の着色料のカラメルとして) 73.85 (GRAS 物質のカラメルとして) 182.1235	08.108	着色料の目的では○,既存
E160a(ii)			(検定免除着色料の carrot oil として) 73.300 (検定免除着色料の β-Carotene として) 73.95 (GRAS 物質の Beta-Carotene として) 184.1245		日本では**デュナリエラ，ニンジン，パーム油の抽出カロテン**が既存添加物として使用が認められている 「E160a Carotenes」には化学的合成品と天然抽出品がある。本書は「Official Journal of the EU」に記載の定義内容により,「E160a (i) **β-Carotene** は化学的合成品」,「E160a (ii) Plant Carotenes は天然抽出品」と判断
E516		(2水和物) 7778-18-9	(Calcium sulfate として) 184.1230	18.001	食品の製造又は加工上必要不可欠な場合及び栄養の目的以外に使用してはならない 告示成分規格の nH_2O は n =2 石こう参照
E516					石こうは資料1により食品添加物に該当する可能性が考えられるが，事前に判断を受けるよう指導されている品目 石こう参照

P

色文字：法令上の指定添加物名（除く別名）　red：Name on Ministerial Ordinance of Designated Food Additives
色文字：法令上の既存添加物名（除く別名）　red：Name on Ministerial Notification of Existing Food Additives

英名 English name	英名別名 English name	和名，和名別名 Japanese name	許可状況 Legal/Illegal	主な用途 Main uses
Platinum		白金	◎，既存	製造用剤
Plum color		プラム色素	○	着色料
β-1,4-Poly-*N*-acetyl-D-glucosamine	Chitin	キチン β-1,4-ポリ-*N*-アセチル-D-グルコサミン	◎，既存	増粘安定剤
Polyacrylamide		ポリアクリルアミド	×	製造用剤
Polyacrylic acid polymers	Carbomer Carbomer homopolymer	カルボマー	×	増粘安定剤
Polybutene	Polybutylene	ポリブチレン ポリブテン	○，指定	チューインガム基礎剤
Polybutylene	Polybutene	ポリブチレン ポリブテン	○，指定	チューインガム基礎剤
Polydextrose		ポリデキストロース	◎	製造用剤 増粘安定剤
Polydimethyl siloxane	Dimethyl polysiloxane Silicone resin	ジメチルポリシロキサン シリコーン樹脂 ポリジメチルシロキサン	○，指定	消泡剤
Polyethylene glycols (PEG)		ポリエチレングリコール	×	製造用剤
Polyethylenimine		ポリエチレンイミン	×	製造用剤
β-1,4-Poly-D-glucosamine	Chitosan	キトサン β-1,4-ポリ-D-グルコサミン	◎，既存	製造用剤 増粘安定剤
Polyglycerol esters of condensation ricinoleic acid	Glycerol esters of fatty acids Polyglycerol esters of polymerization ricinolic acid Polyglycerol polyricinoleate	グリセリン脂肪酸エステル ポリグリセリン重合リシノール酸エステル ポリグリセリン縮合リシノレイン酸エステル ポリグリセリンポリリシノール酸エステル ポリリシノール酸のポリグリセリンエステル	◎，指定	製造用剤 増粘安定剤 乳化剤 ガムベース
Polyglycerol esters of fatty acids	Glycerol esters of fatty acids	グリセリン脂肪酸エステル ポリグリセリン脂肪酸エステル	◎，指定	製造用剤 増粘安定剤 乳化剤 ガムベース
Polyglycerol esters of polymerization ricinolic acid	Glycerol esters of fatty acids Polyglycerol esters of condensation ricinoleic acid Polyglycerol polyricinoleate	グリセリン脂肪酸エステル ポリグリセリン重合リシノール酸エステル ポリグリセリン縮合リシノレイン酸エステル ポリグリセリンポリリシノール酸エステル ポリリシノール酸のポリグリセリンエステル	◎，指定	製造用剤 増粘安定剤 乳化剤 ガムベース

◎：許可（使用基準なし） Legal（Accepted with no standard of use）
○：許可（使用基準あり） Legal（Accepted with standard of use）
指定：Designated Food Additives　既存：Existing Food Additives
×：使用不可 Illegal（Prohibited）
※：個別判断を要するもの Required individual special judgement

EU E No.	EU FL No.	CAS No.	CFR No.	CNS 号.	備　考 Remarks
					一般飲食物添加物
				20.018	
			172.255		CFR は Soft-shell gelatin カプセルの表面印字
E1210					E1210 は「Commission Regulation（EU）2023/440 of 28 Feb. 2023」で新規制定
					チューインガム基礎剤の目的以外に使用してはならない
					チューインガム基礎剤の目的以外に使用してはならない
E1200			172.841	20.022	食品扱い
E900				03.007	消泡の目的以外に使用してはならない 「CFR No.173.340 Defoaming agents」があるが，本品の記載はない
E1521			172.820	14.012	ENo.はカプセル，錠剤のフィルムコーティング剤として，PEG 400，3000，3350，4000，6000，8000の６種のグレードを安全評価している CFR No.172.820の表記は Polyethylene glycol (mean molecular weight 200-9,500)
				20.026	
E476			（Polyglycerol esters of fatty acids として） 172.854 （Mono-and diglycerides として） 184.1505	10.029	
E475			（Polyglycerol esters of fatty acids として） 172.854 （Mono-and diglycerides として） 184.1505	10.022	
E476			（Polyglycerol esters of fatty acids として） 172.854 （Mono-and diglycerides として） 184.1505	10.029	

色文字：法令上の指定添加物名（除く別名）　red：Name on Ministerial Ordinance of Designated Food Additives
色文字：法令上の既存添加物名（除く別名）　red：Name on Ministerial Notification of Existing Food Additives

英　名 English name	英名別名 English name	和名，和名別名 Japanese name	許可状況 Legal/Illegal	主な用途 Main uses
Polyglycerol polyricinoleate	Glycerol esters of fatty acids Polyglycerol esters of condensation ricinoleic acid Polyglycerol esters of polymerization ricinolic acid	グリセリン脂肪酸エステル ポリグリセリン重合リシノール酸エステル ポリグリセリン縮合リシノレイン酸エステル ポリグリセリンポリリシノール酸エステル ポリリシノール酸のポリグリセリンエステル	◎，指定	製造用剤 増粘安定剤 乳化剤 ガムベース
Polyglycitol syrup		ポリグリシトールシロップ	※	製造用剤 増粘安定剤 甘味料
Polyisobutylene	Butyl rubber	ブチルゴム ポリイソブチレン	○，指定	チューインガム基礎剤
ε-Polylysine		ε-ポリリシン ε-ポリリジン	◎，既存	保存料
Polymaleic acid and its sodium salt		ポリマレイン酸	×	製造用剤
Polymaleic acid derivatives		ポリマレイン酸誘導体	×	製造用剤
Polyoxyethylene(20)sorbitan monolaurate	Polysorbate 20	ポリオキシエチレン(20)ソルビタンモノラウレート ポリソルベート20	○，指定	製造用剤 乳化剤
Polyoxyethylene(20)sorbitan monooleate	Polysorbate 80	ポリオキシエチレン(20)ソルビタンモノオレエート ポリソルベート80	○，指定	製造用剤 乳化剤
Polyoxyethylene(20)sorbitan monopalmitate	Polysorbate 40	ポリオキシエチレン(20)ソルビタンモノパルミテート ポリソルベート40	×	製造用剤 乳化剤
Polyoxyethylene(20)sorbitan monostearate	Polysorbate 60	ポリオキシエチレン(20)ソルビタンモノステアレート ポリソルベート60	○，指定	製造用剤 乳化剤
Polyoxyethylene(20)sorbitan tristearate	Polysorbate 65	ポリオキシエチレン(20)ソルビタントリステアレート ポリソルベート65	○，指定	製造用剤 乳化剤
Polyoxyethylene(40)stearate		ポリオキシエチレン(40)ステアリン酸エステル	×	乳化剤
Polyoxyethylene(8)stearate		ポリオキシエチレン(8)ステアレート	×	乳化剤
Polyphenol oxidase	Phenolase	フェノラーゼ ポリフェノールオキシダーゼ	◎，既存	酵素
Polysorbate 20	Polyoxyethylene(20)sorbitan monolaurate	ポリオキシエチレン(20)ソルビタンモノラウレート ポリソルベート20	○，指定	製造用剤 乳化剤
Polysorbate 40	Polyoxyethylene(20)sorbitan monopalmitate	ポリオキシエチレン(20)ソルビタンモノパルミテート ポリソルベート40	×	製造用剤 乳化剤
Polysorbate 60	Polyoxyethylene(20)sorbitan monostearate	ポリオキシエチレン(20)ソルビタンモノステアレート ポリソルベート60	○，指定	製造用剤 乳化剤
Polysorbate 65	Polyoxyethylene(20)sorbitan tristearate	ポリオキシエチレン(20)ソルビタントリステアレート ポリソルベート65	○，指定	製造用剤 乳化剤
Polysorbate 80	Polyoxyethylene(20)sorbitan monooleate	ポリオキシエチレン(20)ソルビタンモノオレエート ポリソルベート80	○，指定	製造用剤 乳化剤

◎：許可（使用基準なし） Legal（Accepted with no standard of use）
○：許可（使用基準あり） Legal（Accepted with standard of use）
指定：Designated Food Additives　既存：Existing Food Additives
×：使用不可 Illegal（Prohibited）
※：個別判断を要するもの Required individual special judgement

EU E No.	EU FL No.	CAS No.	CFR No.	CNS 号.	備考 Remarks
E476			（Polyglycerol esters of fatty acids として） 172.854 （Mono-and diglycerides として） 184.1505	10.029	
E964					E964は「Commission Regulation（EU）No.1049/2012 of 8 Nov. 2012」で新規制定 A mixture consisting mainly of maltitol and sorbitol and lesser amounts of hydrogenated oligo and polysaccharides and maltrotriitol.
		9003-27-4			チューインガム基礎剤の目的以外に使用してはならない
				17.037	
			173.45		
E432		9005-64-5		10.025	
E433		9005-65-6	172.840	10.016	
E434				10.026	
E435		9005-67-8	172.836	10.015	
E436		9005-71-4	172.838		
E431					
E432		9005-64-5		10.025	
E434				10.026	
E435		9005-67-8	172.836	10.015	
E436		9005-71-4	172.838		
E433		9005-65-6	172.840	10.016	

P

色文字：法令上の指定添加物名（除く別名）　red：Name on Ministerial Ordinance of Designated Food Additives
色文字：法令上の既存添加物名（除く別名）　red：Name on Ministerial Notification of Existing Food Additives

英　名 English name	英名別名 English name	和名，和名別名 Japanese name	許可状況 Legal/Illegal	主な用途 Main uses
Polyvinyl acetate	PVAC	酢酸ビニル樹脂	○，指定	チューインガム基礎剤 被膜剤
Polyvinyl alcohol-polyethylene glycol-graft-copolymer	PVA-PEG graft copolymer	ポリビニルアルコール-ポリエチレングリコール-グラフト共重合物	×	コーティング剤
Polyvinyl alcohol（PVA）	Vinyl alcohol polymer（PVOH）	ビニルアルコールポリマー（PVOH） ポリビニルアルコール（PVA）	×	結着剤 被膜剤
Polyvinylpolypyrrolidone	Insoluble polyvinylpyrrolidone	不溶性ポリビニルピロリドン ポリビニルポリピロリドン	○，指定	製造用剤
Polyvinylpyrrolidone	Povidone PVP	PVP ポビドン ポリビニルピロリドン	○，指定	増粘安定剤 ゲル化剤 糊料
Polyvinylpyrrolidone-vinyl acetate copolymer		ポリビニルピロリドン-酢酸ビニル共重合物	×	コーティング剤
Ponceau 4R	Cochineal Red A Food Red No. 102 New coccine	コチニールレッドA 食用赤色102号 ニューコクシン ポンソー4R	○，指定	着色料
Ponceau 6R		ポンソー6R	×	着色料
Pontianak	Jelutong	ジェルトン（ジェルトンの分泌液から得られた，アミリンアセタート及びポリイソプレンを主成分とするものをいう。） ポンチアナック	◎，既存	ガムベース
Porcelain clay	Aluminium silicate China clay Kaolin Water-insoluble mineral substances	カオリン ケイ酸アルミニウム 高陵土 白陶土 不溶性鉱物性物質	○，既存	製造用剤
Potash	American ash Pearl ash Potassium carbonate Potassium carbonate, anhydrous Salt of tartar	真珠灰 炭酸カリウム（無水）	◎，指定	製造用剤 水素イオン濃度調整剤（pH 調整剤） 膨脹剤 かんすい イーストフード
Potassa	Caustic potash Potassium hydrate Potassium hydroxide	カセイカリ 水酸化カリウム	○，指定	製造用剤
Potassium acetate		酢酸カリウム	×	製造用剤 保存料
Potassium acid carbonate	Potassium bicarbonate Potassium hydrogen carbonate	酸性炭酸カリウム 重炭酸カリウム 炭酸水素カリウム	○，指定	製造用剤
Potassium adipate		アジピン酸カリウム	×	水素イオン濃度調整剤（pH 調整剤） 調味料

◎：許可（使用基準なし） Legal（Accepted with no standard of use）　×：使用不可 Illegal（Prohibited）
○：許可（使用基準あり） Legal（Accepted with standard of use）　※：個別判断を要するもの Required individual special judgement
指定：Designated Food Additives　既存：Existing Food Additives

EU E No.	EU FL No.	CAS No.	CFR No.	CNS 号.	備考 Remarks
					チューインガム基礎剤及び果実又は果菜の表皮被膜剤の目的以外に使用してはならない
E1209					サプリメントのコーティング剤 E1209は「Commission Regulation（EU）No.685/2014 of 20 June 2014」で新規制定
E1203				14.010	
E1202		25249-54-1	173.50		ろ過助剤以外の用途に使用してはならない。最終食品の完成前に除去しなければならない
E1201		9003-39-8	173.55		平成26年6月18日省令別表第1に新規指定。 カプセル・錠剤等通常の食品形態でない食品（菓子類は含まれない）以外の食品に使用してはならない。
E1208					サプリメントのコーティング剤 E1208は「Commission Regulation（EU）No.264/2014 of 14 March 2014」で新規制定
E124		（無水物） 2611-82-7	（Cochineal extract:Carmine として） 73.100	08.002	告示成分規格の nH_2O は n = 1 1/2
					食品の製造又は加工上必要不可欠な場合以外に使用してはならない 不溶性鉱物性物質の名称は，省令別表第1及び告示既存添加物名簿に記載されていないが，告示「食品，添加物等の規格基準－F 使用基準」にその名称があるので既存添加物名簿名扱いとする 食品添加物別名（和名）については，列記した食品添加物に類似する不溶性鉱物性物質も含まれる E559：Aluminium silicate（Kaolin）は「Commission Regulation（EU）No.380/2012 of 3 May 2012」で削除
E501(i)		584-08-7	（Potassium Carbonate として） 184.1619	01.301	E501(i)では(無水)の限定はない
E525		1310-58-3	184.1631	01.203	最終食品の完成前に中和又は除去しなければならない
E261(ｉ)					「Commission Regulation（EU）No. 25/2013 of 16 June 2013」で E261より E261(ｉ）にサブ No.化
E501(ii)		298-14-6	184.1613	01.307	令和4年8月30日省令別表第1に新規指定 使用にあたっては，適切な製造工程管理を行い，食品中で目的とする効果を得る上で必要とされる量を超えないものとする特記あり 製造用剤はぶどう酒の除酸目的
E357					

色文字：法令上の指定添加物名（除く別名）　red：Name on Ministerial Ordinance of Designated Food Additives
色文字：法令上の既存添加物名（除く別名）　red：Name on Ministerial Notification of Existing Food Additives

英　名 English name	英名別名 English name	和名，和名別名 Japanese name	許可状況 Legal/Illegal	主な用途 Main uses
Potassium alginate		アルギン酸カリウム	◎，指定	増粘安定剤 乳化剤 ゲル化剤 糊料
Potassium alum	Alum Alum, exsiccated Aluminum potassium sulfate	カリミョウバン ミョウバン 焼ミョウバン 硫酸アルミニウムカリウム	○，指定	製造用剤 膨脹剤
Potassium aluminium silicate		ケイ酸アルミニウムカリウム	×	製造用剤
Potassium ascorbate		アスコルビン酸カリウム	×	強化剤 酸化防止剤
Potassium benzoate		安息香酸カリウム	×	保存料
Potassium bicarbonate	Potassium acid carbonate Potassium hydrogen carbonate	酸性炭酸カリウム 重炭酸カリウム 炭酸水素カリウム	○，指定	製造用剤
Potassium bisulfite	Acid potassium sulfite Potassium hydrogen sulfite	亜硫酸水素カリウム 酸性亜硫酸カリウム 重亜硫酸カリウム	○，指定	保存料 酸化防止剤
Potassium DL-bitartrate	Monopotassium tartrate Potassium hydrogen DL-tartrate Potassium hydrogen *dl*-tartrate	DL-重酒石酸カリウム 酒石酸一カリウム DL-酒石酸水素カリウム *dl*-酒石酸水素カリウム	◎，指定	水素イオン濃度調整剤（pH 調整剤） 膨脹剤 調味料
Potassium L-bitartrate	Monopotassium tartrate Potassium hydrogen *d*-tartrate Potassium hydrogen L-tartrate	L-重酒石酸カリウム 酒石酸一カリウム L-酒石酸水素カリウム *d*-酒石酸水素カリウム	◎，指定	水素イオン濃度調整剤（pH 調整剤） 膨脹剤 調味料
Potassium bromate		臭素酸カリウム	○，指定	小麦粉処理剤
Potassium carbonate	American ash Pearl ash Potash Potassium carbonate, anhydrous Salt of tartar	真珠灰 炭酸カリウム（無水）	◎，指定	製造用剤 水素イオン濃度調整剤（pH 調整剤） 膨脹剤 かんすい イーストフード
Potassium carbonate, anhydrous	American ash Pearl ash Potash Potassium carbonate Salt of tartar	真珠灰 炭酸カリウム（無水）	◎，指定	製造用剤 水素イオン濃度調整剤（pH 調整剤） 膨脹剤 かんすい イーストフード
Potassium chlorate		塩素酸カリウム	×	漂白剤
Potassium chloride	Muriate of potash	塩化カリウム	◎，指定	調味料
Potassium diacetate		二酢酸カリウム	×	製造用剤 保存料

◎：許可（使用基準なし） Legal（Accepted with no standard of use）
○：許可（使用基準あり） Legal（Accepted with standard of use）
指定：Designated Food Additives　既存：Existing Food Additives
×：使用不可 Illegal（Prohibited）
※：個別判断を要するもの Required individual special judgement

EU E No.	EU FL No.	CAS No.	CFR No.	CNS 号.	備考 Remarks
E402		9005-36-1	184.1610	20.005	
E522		(12水和物) 7784-24-9 (無水物) 10043-67-1	(Aluminum potassium sulfate として) 182.1129	06.004	告示成分規格の nH_2O は n＝12,10,6,3,2又は0
E555					
E212					
E501(ii)		298-14-6	184.1613	01.307	令和4年8月30日省令別表第1に新規指定 使用にあたっては，適切な製造工程管理を行い，食品中で目的とする効果を得る上で必要とされる量を超えないものとする特記あり 製造用剤はぶどう酒の除酸目的
E228		(ピロ亜硫酸カリウムとして) 16731-55-8	(Potassium bisulfite として) 182.3616 (Potassium metabisulfite として) 182.3637		省令別表第1のリスト名は**ピロ亜硫酸カリウム**(別名，亜硫酸水素カリウム又はメタ重亜硫酸カリウム)
E336(i)			(Potassium acid tartrate として) 184.1077	06.007	INS No.336(ｉ)(E No.と同じ)は「シリアルベースの乳幼児用加工食品」及び「油脂及びその混合スプレッド」への使用が取り消された（2019年7月第42回 CAC 総会） CNS 号06.007は potassium bitartarate（DL-なし）
E336(i)		868-14-4	(Potassium acid tartrate として) 184.1077	06.007	INS No.336(ｉ)(E No.と同じ)は「シリアルベースの乳幼児用加工食品」及び「油脂及びその混合スプレッド」への使用が取り消された（2019年7月第42回 CAC 総会） CNS 号06.007は potassium bitartarate（L-なし）
		7758-01-2	172.730		最終食品の完成前に分解し，又は除去しなければならない
E501(i)		584-08-7	(Potassium Carbonate として) 184.1619	01.301	E501(i)では(無水)の限定はない
E501(i)		584-08-7	(Potassium Carbonate として) 184.1619	01.301	E501(i)では(無水)の限定はない
E508		7447-40-7	184.1622	00.008	
E261(ii)					「Commission Regulation (EU) No. 25/2013 of 16 June 2013」で E261より E261(ii) にサブ No.化

P

色文字：法令上の指定添加物名（除く別名）　red：Name on Ministerial Ordinance of Designated Food Additives
色文字：法令上の既存添加物名（除く別名）　red：Name on Ministerial Notification of Existing Food Additives

英　名 English name	英名別名 English name	和名，和名別名 Japanese name	許可状況 Legal/Illegal	主な用途 Main uses
Potassium dihydrogen citrate	Monopotassium citrate	クエン酸一カリウム	◎，指定	製造用剤 酸味料 調味料 増粘安定剤
Potassium dihydrogen phosphate	Monobasic potassium phosphate Monopotassium phosphate	第一リン酸カリウム リン酸一カリウム リン酸二水素カリウム	◎，指定	製造用剤 水素イオン濃度調整剤（pH 調整剤） 膨脹剤 調味料 かんすい 乳化剤 イーストフード
Potassium diphosphate	Diphosphoric acid tetrapotassium salt Potassium pyrophosphate Tetrapotassium diphosphate Tetrapotassium pyrophosphate	重リン酸カリウム 重リン酸四カリウム ピロリン酸カリウム ピロリン酸四カリウム	◎，指定	製造用剤 膨脹剤 かんすい 乳化剤 結着剤
Potassium disulfite	Potassium metabisulfite Potassium pyrosulfite	二亜硫酸カリウム ピロ亜硫酸カリウム メタ重亜硫酸カリウム	○，指定	保存料 酸化防止剤 漂白剤
Potassium ferrocyanide	Ferrocyanides Potassium hexacyanoferrate(II) Yellow prussiate of potash	黄血塩 黄血カリ フェロシアン化カリウム フェロシアン化物 ヘキサシアノ鉄(II)酸カリウム	○，指定	食塩固結防止剤
Potassium fumarate		フマル酸カリウム	×	水素イオン濃度調整剤（pH 調整剤） 酸味料
Potassium gluconate		グルコン酸カリウム	◎，指定	製造用剤 水素イオン濃度調整剤（pH 調整剤） 調味料 乳化剤 イーストフード 品質保持剤
Potassium hexacyanoferrate(II)	Ferrocyanides Potassium ferrocyanide Yellow prussiate of potash	黄血塩 黄血カリ フェロシアン化カリウム フェロシアン化物 ヘキサシアノ鉄(II)酸カリウム	○，指定	食塩固結防止剤
Potassium hydrate	Caustic potash Potassa Potassium hydroxide	カセイカリ 水酸化カリウム	○，指定	製造用剤
Potassium hydrogen carbonate	Potassium acid carbonate Potassium bicarbonate	酸性炭酸カリウム 重炭酸カリウム 炭酸水素カリウム	○，指定	製造用剤

◎：許可（使用基準なし） Legal（Accepted with no standard of use）
○：許可（使用基準あり） Legal（Accepted with standard of use）
指定：Designated Food Additives　既存：Existing Food Additives
×：使用不可 Illegal（Prohibited）
※：個別判断を要するもの Required individual special judgement

EU E No.	EU FL No.	CAS No.	CFR No.	CNS 号.	備考 Remarks
E332(i)		866-83-1	(Potassium citrate として) 184.1625		省令別表第1のリスト名は「**クエン酸一カリウム及びクエン酸三カリウム, Monopotassium citrate and Tri-potassium citrate**」だが，本書では各単品もリスト名としマークした
E340(i)		7778-77-0		15.010	
E450(v)		7320-34-5		15.017	E450(v)は Tetrapotassium diphosphate
E224		16731-55-8	(Potassium bisulfite として) 182.3616 (Potassium metabisulfite として) 182.3637	05.002	
E536		(3水和物) 13943-58-3		02.001	省令別表第1のリスト名は「**フェロシアン化物**(フェロシアン化カリウム, フェロシアン化カルシウム及びフェロシアン化ナトリウムに限る。), **Ferrocyanide compounds** (Limited to Potassium ferrocyanide, Calcium ferrocyanide and Sodium ferrocyanide)」だが，本書では各単品もリスト名としマークした 告示成分規格の nH_2O は n ＝3
E577		299-27-4			
E536		(3水和物) 13943-58-3		02.001	省令別表第1のリスト名は「**フェロシアン化物**(フェロシアン化カリウム, フェロシアン化カルシウム及びフェロシアン化ナトリウムに限る。), **Ferrocyanide compounds** (Limited to Potassium ferrocyanide, Calcium ferrocyanide and Sodium ferrocyanide)」だが，本書では各単品もリスト名としマークした 告示成分規格の nH_2O は n ＝3
E525		1310-58-3	184.1631	01.203	最終食品の完成前に中和又は除去しなければならない
E501(ii)		298-14-6	184.1613	01.307	令和4年8月30日省令別表第1に新規指定 使用にあたっては，適切な製造工程管理を行い，食品中で目的とする効果を得る上で必要とされる量を超えないものとする特記あり 製造用剤はぶどう酒の除酸目的

色文字：法令上の指定添加物名（除く別名）　**red**：Name on Ministerial Ordinance of Designated Food Additives
色文字：法令上の既存添加物名（除く別名）　**red**：Name on Ministerial Notification of Existing Food Additives

英名 English name	英名別名 English name	和名，和名別名 Japanese name	許可状況 Legal/Illegal	主な用途 Main uses
Potassium hydrogen DL-malate		DL-リンゴ酸水素カリウム	×	水素イオン濃度調整剤（pH 調整剤） 調味料
Potassium hydrogen sulfate		硫酸水素カリウム	×	製造用剤
Potassium hydrogen sulfite	Acid potassium sulfite Potassium bisulfite	亜硫酸水素カリウム 酸性亜硫酸カリウム 重亜硫酸カリウム	○，指定	保存料 酸化防止剤
Potassium hydrogen tartrate		酒石酸水素カリウム	※	水素イオン濃度調整剤（pH 調整剤） 膨脹剤 調味料
Potassium hydrogen *d*-tartrate	Monopotassium tartrate **Potassium L-bitartrate** Potassium hydrogen L-tartrate	L-重酒石酸カリウム 酒石酸一カリウム **L-酒石酸水素カリウム** *d*-酒石酸水素カリウム	◎，指定	水素イオン濃度調整剤（pH 調整剤） 膨脹剤 調味料
Potassium hydrogen DL-tartrate	Monopotassium tartrate **Potassium DL-bitartrate** Potassium hydrogen *dl*-tartrate	DL-重酒石酸カリウム 酒石酸一カリウム **DL-酒石酸水素カリウム** *dl*-酒石酸水素カリウム	◎，指定	水素イオン濃度調整剤（pH 調整剤） 膨脹剤 調味料
Potassium hydrogen *dl*-tartrate	Monopotassium tartrate **Potassium DL-bitartrate** Potassium hydrogen DL-tartrate	DL-重酒石酸カリウム 酒石酸一カリウム **DL-酒石酸水素カリウム** *dl*-酒石酸水素カリウム	◎，指定	水素イオン濃度調整剤（pH 調整剤） 膨脹剤 調味料
Potassium hydrogen L-tartrate	Monopotassium tartrate **Potassium L-bitartrate** Potassium hydrogen *d*-tartrate	L-重酒石酸カリウム 酒石酸一カリウム **L-酒石酸水素カリウム** *d*-酒石酸水素カリウム	◎，指定	水素イオン濃度調整剤（pH 調整剤） 膨脹剤 調味料
Potassium hydroxide	Caustic potash Potassa Potassium hydrate	カセイカリ **水酸化カリウム**	○，指定	製造用剤
Potassium 2-hydroxypropanoate	Potassium 2-hydroxypropionate **Potassium lactate**	**乳酸カリウム** 2-ヒドロキシプロピオン酸カリウム 2-ヒドロキシプロパン酸カリウム	◎，指定	水素イオン濃度調整剤（pH 調整剤） 調味料
Potassium 2-hydroxypropionate	Potassium 2-hydroxypropanoate **Potassium lactate**	**乳酸カリウム** 2-ヒドロキシプロピオン酸カリウム 2-ヒドロキシプロパン酸カリウム	◎，指定	水素イオン濃度調整剤（pH 調整剤） 調味料
Potassium inosinate		イノシン酸カリウム	×	調味料
Potassium iodate		ヨウ素酸カリウム	×	強化剤
Potassium iodide		ヨウ化カリウム	×	強化剤
Potassium lactate	Potassium 2-hydroxypropanoate Potassium 2-hydroxypropionate	**乳酸カリウム** 2-ヒドロキシプロピオン酸カリウム 2-ヒドロキシプロパン酸カリウム	◎，指定	水素イオン濃度調整剤（pH 調整剤） 調味料
Potassium malate		リンゴ酸カリウム	×	調味料

◎：許可（使用基準なし） Legal（Accepted with no standard of use）
○：許可（使用基準あり） Legal（Accepted with standard of use）
指定：Designated Food Additives 既存：Existing Food Additives
×：使用不可 Illegal（Prohibited）
※：個別判断を要するもの Required individual special judgement

EU E No.	EU FL No.	CAS No.	CFR No.	CNS 号.	備考 Remarks
E515(ii)					
E228		(ピロ亜硫酸カリウムとして) 16731-55-8	(Potassium bisulfite として) 182.3616 (Potassium metabisulfite として) 182.3637		省令別表第1のリスト名は**ピロ亜硫酸カリウム**(別名，亜硫酸水素カリウム又はメタ重亜硫酸カリウム)
					省令別表第1の **DL-酒石酸水素カリウム**，**L-酒石酸水素カリウム**以外は不可
E336(i)		868-14-4	(Potassium acid tartrate として) 184.1077	06.007	INS No.336(ｉ)(E No.と同じ)は「シリアルベースの乳幼児用加工食品」及び「油脂及びその混合スプレッド」への使用が取り消された（2019年7月第42回 CAC 総会） CNS 号06.007は potassium bitartarate（L-なし）
E336(i)			(Potassium acid tartrate として) 184.1077	06.007	INS No.336(ｉ)(E No.と同じ)は「シリアルベースの乳幼児用加工食品」及び「油脂及びその混合スプレッド」への使用が取り消された（2019年7月第42回 CAC 総会） CNS 号06.007は potassium bitartarate（DL-なし）
E336(i)			(Potassium acid tartrate として) 184.1077	06.007	INS No.336(ｉ)(E No.と同じ)は「シリアルベースの乳幼児用加工食品」及び「油脂及びその混合スプレッド」への使用が取り消された（2019年7月第42回 CAC 総会） CNS 号06.007は potassium bitartarate（DL-なし）
E336(i)		868-14-4	(Potassium acid tartrate として) 184.1077	06.007	INS No.336(ｉ)(E No.と同じ)は「シリアルベースの乳幼児用加工食品」及び「油脂及びその混合スプレッド」への使用が取り消された（2019年7月第42回 CAC 総会） CNS 号06.007は potassium bitartarate（L-なし）
E525		1310-58-3	184.1631	01.203	最終食品の完成前に中和又は除去しなければならない
E326		996-31-6	184.1639	15.011	平成25年5月15日省令別表第1に新規指定 使用基準は設定しないものの，適切な製造工程管理を行い，食品中で目的とする効果を得る上で必要とされる量を超えないよう指導あり
E326		996-31-6	184.1639	15.011	平成25年5月15日省令別表第1に新規指定 使用基準は設定しないものの，適切な製造工程管理を行い，食品中で目的とする効果を得る上で必要とされる量を超えないよう指導あり
			184.1635		
			172.375 184.1634		
E326		996-31-6	184.1639	15.011	平成25年5月15日省令別表第1に新規指定 使用基準は設定しないものの，適切な製造工程管理を行い，食品中で目的とする効果を得る上で必要とされる量を超えないよう指導あり
E351					

P

色文字：法令上の指定添加物名（除く別名）　red：Name on Ministerial Ordinance of Designated Food Additives
色文字：法令上の既存添加物名（除く別名）　red：Name on Ministerial Notification of Existing Food Additives

英　名 English name	英名別名 English name	和名，和名別名 Japanese name	許可状況 Legal/Illegal	主な用途 Main uses
Potassium metabisulfite	Potassium disulfite Potassium pyrosulfite	二亜硫酸カリウム ピロ亜硫酸カリウム メタ重亜硫酸カリウム	○，指定	保存料 酸化防止剤 漂白剤
Potassium metaphosphate		メタリン酸カリウム	◎，指定	膨脹剤 かんすい 乳化剤 結着剤
Potassium nitrate	Nitre Nitre saltpeter Saltpeter	硝酸カリウム 硝石	○，指定	発色剤 発酵調整剤
Potassium nitrite		亜硝酸カリウム	×	保存料 発色剤
Potassium norbixate	Potassium norbixin	ノルビキシンカリウム	○，指定	着色料
Potassium norbixin	Potassium norbixate	ノルビキシンカリウム	○，指定	着色料
Potassium permanganate		過マンガン酸カリウム	×	製造用剤
Potassium persulfate		過硫酸カリウム	×	製造用剤
Potassium polyaspartate		ポリアスパラギン酸カリウム	×	品質保持剤
Potassium polyphosphate		ポリリン酸カリウム	◎，指定	製造用剤 膨脹剤 かんすい 乳化剤 結着剤
Potassium propionate		プロピオン酸カリウム	×	保存料
Potassium pyrophosphate	Diphosphoric acid tetrapotassium salt Potassium diphosphate Tetrapotassium diphosphate Tetrapotassium pyrophosphate	重リン酸カリウム 重リン酸四カリウム ピロリン酸カリウム ピロリン酸四カリウム	◎，指定	製造用剤 膨脹剤 かんすい 乳化剤 結着剤
Potassium pyrosulfite	Potassium disulfite Potassium metabisulfite	二亜硫酸カリウム ピロ亜硫酸カリウム メタ重亜硫酸カリウム	○，指定	保存料 酸化防止剤 漂白剤
Potassium saccharin		サッカリンカリウム	×	甘味料
Potassium salt of gibberellic acid		ジベレリン酸カリウム	×	その他（植物ホルモン）
Potassium salts of capric acid		カプリン酸カリウム	×	製造用剤 乳化剤
Potassium salts of caprylic acid		カプリル酸カリウム	×	製造用剤 乳化剤

◎：許可（使用基準なし） Legal（Accepted with no standard of use）
○：許可（使用基準あり） Legal（Accepted with standard of use）
指定：Designated Food Additives　既存：Existing Food Additives
×：使用不可 Illegal（Prohibited）
※：個別判断を要するもの Required individual special judgement

EU E No.	EU FL No.	CAS No.	CFR No.	CNS 号.	備考 Remarks
E224		16731-55-8	(Potassium bisulfite として) 182.3616 (Potassium metabisulfite として) 182.3637	05.002	
E452(ii)					E452(ii)はメタリン酸カリウム, ポリリン酸カリウム等を含む
E252		7757-79-1	(Potassium nitrate として) 172.160 (Sodium nitrate and potassium nitrate として) 181.33	09.003	CFR No.の Part 181.33は特別に収録
E249				09.004	
				00.001	
E456					ワインの酒石酸塩結晶析出防止 E456は「Commission Regulation(EU) 2017/1399 of 28 July 2017」で新規制定
E452(ii)				15.015	E452(ii)はメタリン酸カリウム, ポリリン酸カリウム等を含む CNS 号15.015は potassium polymetaphosphate
E283					
E450(v)		7320-34-5		15.017	E450(v)は Tetrapotassium diphosphate
E224		16731-55-8	(Potassium bisulfite として) 182.3616 (Potassium metabisulfite として) 182.3637	05.002	
E954(iv)					
E470a					E470a は脂肪酸のナトリウム, カリウム, カルシウム塩 **オレイン酸ナトリウム**及び**ステアリン酸カルシウム**以外は不可
E470a					E470a は脂肪酸のナトリウム, カリウム, カルシウム塩 **オレイン酸ナトリウム**及び**ステアリン酸カルシウム**以外は不可

P

色文字：法令上の指定添加物名（除く別名）　red：Name on Ministerial Ordinance of Designated Food Additives
色文字：法令上の既存添加物名（除く別名）　red：Name on Ministerial Notification of Existing Food Additives

英　名 English name	英名別名 English name	和名，和名別名 Japanese name	許可状況 Legal/Illegal	主な用途 Main uses
Potassium salts of lauric acid		ラウリン酸カリウム	×	製造用剤 乳化剤
Potassium salts of myristic acid		ミリスチン酸カリウム	×	製造用剤 乳化剤
Potassium salts of oleic acid		オレイン酸カリウム	×	製造用剤 乳化剤
Potassium salts of palmitic acid		パルミチン酸カリウム	×	製造用剤 乳化剤
Potassium salts of stearic acid		ステアリン酸カリウム	×	製造用剤 乳化剤
Potassium sodium L-tartrate	Sodium potassium tartrate	L-酒石酸カリウムナトリウム 酒石酸ナトリウムカリウム	×	製造用剤
Potassium sorbate		**ソルビン酸カリウム**	○，指定	保存料
Potassium succinate		コハク酸カリウム	×	酸味料 調味料
Potassium sulfate		**硫酸カリウム**	◎，指定	調味料
Potassium sulfite		亜硫酸カリウム	×	製造用剤 保存料 酸化防止剤 漂白剤
Potassium tripolyphosphate	Pentapotassium triphosphate	トリポリリン酸カリウム トリポリリン酸五カリウム	◎，指定	製造用剤
Povidone	**Polyvinylpyrrolidone** PVP	PVP ポビドン **ポリビニルピロリドン**	○，指定	増粘安定剤 ゲル化剤 糊料
Powdered bile	Cholic acid Desoxycholic acid	コール酸 **胆汁末**(胆汁から得られた、コール酸及びデソキシコール酸を主成分とするものをいう。) デソキシコール酸	◎，既存	乳化剤
Powdered cellulose	Cellulose powdered	**粉末セルロース**(パルプを分解して得られた，セルロースを主成分とするものをいう。ただし，「微結晶セルロース」を除く。)	◎，既存	製造用剤 増粘安定剤
Powdered chlorella		**クロレラ末**	○	着色料
Powdered licorice		**カンゾウ末**	◎	甘味料

◎：許可（使用基準なし） Legal（Accepted with no standard of use）
○：許可（使用基準あり） Legal（Accepted with standard of use）
指定：Designated Food Additives 既存：Existing Food Additives
×：使用不可 Illegal（Prohibited）
※：個別判断を要するもの Required individual special judgement

EU E No.	EU FL No.	CAS No.	CFR No.	CNS 号.	備考 Remarks
E470a					E470aは脂肪酸のナトリウム，カリウム，カルシウム塩 **オレイン酸ナトリウム**及び**ステアリン酸カルシウム**以外は不可
E470a					E470aは脂肪酸のナトリウム，カリウム，カルシウム塩 **オレイン酸ナトリウム**及び**ステアリン酸カルシウム**以外は不可
E470a					E470aは脂肪酸のナトリウム，カリウム，カルシウム塩 **オレイン酸ナトリウム**及び**ステアリン酸カルシウム**以外は不可
E470a					E470aは脂肪酸のナトリウム，カリウム，カルシウム塩 **オレイン酸ナトリウム**及び**ステアリン酸カルシウム**以外は不可
E470a				10.028	E470aは脂肪酸のナトリウム，カリウム，カルシウム塩 **オレイン酸ナトリウム**及び**ステアリン酸カルシウム**以外は不可
E337			184.1804		
E202		24634-61-5	182.3640	17.004	
E515(i)		7778-80-5	184.1643		平成25年5月15日省令別表第1に新規指定 使用基準は設定しないものの，適切な製造工程管理を行い，食品中で目的とする効果を得る上で必要とされる量を超えないよう指導あり
E451(ii)					日本では**ポリリン酸カリウム**(Potassium polyphosphate)として指定添加物になっている
E1201		9003-39-8	173.55		平成26年6月18日省令別表第1に新規指定。 カプセル・錠剤等通常の食品形態でない食品（菓子類は含まれない）以外の食品に使用してはならない。
					E No.はないがINS No.1000あり
E460(ii)					**微結晶セルロース**参照
					一般飲食物添加物
			(Licorice and licorice derivativesとして) 184.1408		一般飲食物添加物 米国では甘草，同磨さい物，甘草抽出物及び主成分のグリチルリチンのアンモニウム塩が風味増強剤として使用が認められている。日本では**カンゾウ末**が既存添加物リストの別添3の一般飲食物添加物として，また**カンゾウ抽出物及びカンゾウ油性抽出物**が既存添加物として使用が認められている

P

色文字：法令上の指定添加物名（除く別名）　red：Name on Ministerial Ordinance of Designated Food Additives
色文字：法令上の既存添加物名（除く別名）　red：Name on Ministerial Notification of Existing Food Additives

英　名 English name	英名別名 English name	和名，和名別名 Japanese name	許可状況 Legal/Illegal	主な用途 Main uses
Powdered red algae	Carrageenan Processed eucheuma algae Processed eucheuma seaweed Processed red algae Purified carrageenan Refined carrageenan Semirefined carrageenan	加工ユーケマ藻類 カラギナン（イバラノリ，キリンサイ，ギンナンソウ，スギノリ又はツノマタの全藻から得られた，ι-カラギナン，κ-カラギナン及びλ-カラギナンを主成分とするものをいう。） カラギーナン カラゲナン カラゲーナン カラゲニン 精製カラギナン ユーケマ藻末	◎，既存	増粘安定剤 ゲル化剤
Powdered rice hulls		粉末モミガラ（イネのもみ殻から得られた，セルロースを主成分とするものをいう。）	◎，既存	ガムベース
Powdered stevia		ステビア末（ステビアの葉を粉砕して得られた，ステビオール配糖体を主成分とするものをいう。）	◎，既存	甘味料
Primary sodium orthophosphate	Monobasic sodium phosphate Monosodium dihydrogen phosphate Monosodium phosphate MSP Sodium acid phosphate Sodium biphosphate **Sodium dihydrogen phosphate** Sodium phosphate, monobasic	MSP 塩基性リン酸ナトリウム 酸性リン酸ナトリウム 第一リン酸ナトリウム リン酸一ナトリウム リン酸二水素一ナトリウム **リン酸二水素ナトリウム**	◎，指定	製造用剤 水素イオン濃度調整剤（pH 調整剤） 膨脹剤 調味料 かんすい 乳化剤
Proanthocyanidin		プロアントシアニジン	◎	特別用途食品
Processed eucheuma algae	Carrageenan Powdered red algae Processed eucheuma seaweed Processed red algae Purified carrageenan Refined carrageenan Semirefined carrageenan	加工ユーケマ藻類 カラギナン（イバラノリ，キリンサイ，ギンナンソウ，スギノリ又はツノマタの全藻から得られた，ι-カラギナン，κ-カラギナン及びλ-カラギナンを主成分とするものをいう。） カラギーナン カラゲナン カラゲーナン カラゲニン 精製カラギナン ユーケマ藻末	◎，既存	増粘安定剤 ゲル化剤
Processed eucheuma seaweed	Carrageenan Powdered red algae Processed eucheuma algae Processed red algae Purified carrageenan Refined carrageenan Semirefined carrageenan	加工ユーケマ藻類 カラギナン（イバラノリ，キリンサイ，ギンナンソウ，スギノリ又はツノマタの全藻から得られた，ι-カラギナン，κ-カラギナン及びλ-カラギナンを主成分とするものをいう。） カラギーナン カラゲナン カラゲーナン カラゲニン 精製カラギナン ユーケマ藻末	◎，既存	増粘安定剤 ゲル化剤

◎：許可（使用基準なし） Legal（Accepted with no standard of use）
○：許可（使用基準あり） Legal（Accepted with standard of use）
指定：Designated Food Additives 既存：Existing Food Additives
×：使用不可 Illegal（Prohibited）
※：個別判断を要するもの Required individual special judgement

EU E No.	EU FL No.	CAS No.	CFR No.	CNS 号.	備 考 Remarks
E407 E407a			(Carrageenan として) 172.620 (Chondrus extract(carra-gee-nin)として) 182.7255	20.007	EU では，E407:Carrageenan，E407a：Processed eucheuma seaweed に分かれている
E339(i)		(2水和物) 13472-35-0 (無水物) 7558-80-7	(Sodium acid phosphate として) 182.6085 (Sodium phosphate (mono-, di-, and triba-sic)として) 182.1778 182.6778 182.8778	15.005	告示成分規格の nH_2O は n ＝2又は0
					資料1により既存添加物扱いとする品目 **ブドウ種子抽出物**が既存添加物名簿に収載
E407 E407a			(Carrageenan として) 172.620 (Chondrus extract(carra-gee-nin)として) 182.7255	20.007	EU では，E407:Carrageenan，E407a：Processed eucheuma seaweed に分かれている
E407 E407a			(Carrageenan として) 172.620 (Chondrus extract(carra-gee-nin)として) 182.7255	20.007	EU では，E407:Carrageenan，E407a：Processed eucheuma seaweed に分かれている

P

色文字：法令上の指定添加物名（除く別名）　red：Name on Ministerial Ordinance of Designated Food Additives
色文字：法令上の既存添加物名（除く別名）　red：Name on Ministerial Notification of Existing Food Additives

英　名 English name	英名別名 English name	和名，和名別名 Japanese name	許可状況 Legal/Illegal	主な用途 Main uses
Processed red algae	Carrageenan Powdered red algae Processed eucheuma algae Processed eucheuma seaweed Purified carrageenan Refined carrageenan Semirefined carrageenan	加工ユーケマ藻類 カラギナン（イバラノリ，キリンサイ，ギンナンソウ，スギノリ又はツノマタの全藻から得られた，ι-カラギナン，κ-カラギナン及びλ-カラギナンを主成分とするものをいう。） カラギーナン カラゲナン カラゲーナン カラゲニン 精製カラギナン ユーケマ藻末	◎，既存	増粘安定剤 ゲル化剤
L-Proline	L-α-Pyrrolidine carboxylic acid Pyrrolidine-2-carboxylic acid	ピロリジン-2-カルボキシル酸 L-α-ピロリジンカルボキシル酸 L-プロリン	◎，既存	強化剤 調味料
Propan-1-ol	Propanol Propyl alcohol	プロパノール プロパン-1-オール プロピルアルコール	○，指定	香料
Propan-2-ol	Isopropanol Isopropyl alcohol 2-Propanol	イソプロパノール イソプロピルアルコール 2-プロパノール プロパン-2-オール	○，指定	香料
Propanal	Propionaldehyde	プロパナール プロピオンアルデヒド	○，指定	香料
1-Propanamine	Propylamine	1-プロパンアミン プロピルアミン	○，指定	香料
2-Propanamine	Isopropylamine	イソプロピルアミン 2-プロパンアミン	○，指定	香料
Propane		プロパン	◎，既存	製造用剤
Propane-1,2-diol	1,2-Dihydroxypropane 1,2-Propanediol Propylene glycol	1,2-ジヒドロキシプロパン 1,2-プロパンジオール プロパン-1,2-ジオール プロピレングリコール	○，指定	製造用剤 品質改良剤
Propane-1,2-diol alginate	Propylene glycol alginate	アルギン酸プロピレングリコールエステル	○，指定	増粘安定剤 乳化剤 糊料
Propane-1,2-diol esters of fatty acids	Propylene glycol esters of fatty acids Propylene glycol mono-and diesters of fats and fatty acids	プロパン-1,2-ジオール脂肪酸エステル プロピレングリコール脂肪酸エステル	◎，指定	乳化剤 ガムベース
1,2-Propanediol	1,2-Dihydroxypropane Propane-1,2-diol Propylene glycol	1,2-ジヒドロキシプロパン 1,2-プロパンジオール プロパン-1,2-ジオール プロピレングリコール	○，指定	製造用剤 品質改良剤
Propanoic acid	Propionic acid	プロパン酸 プロピオン酸	○，指定	保存料 香料
Propanol	Propan-1-ol Propyl alcohol	プロパノール プロパン-1-オール プロピルアルコール	○，指定	香料

◎：許可（使用基準なし） Legal（Accepted with no standard of use）
○：許可（使用基準あり） Legal（Accepted with standard of use）
指定：Designated Food Additives　既存：Existing Food Additives
×：使用不可 Illegal（Prohibited）
※：個別判断を要するもの Required individual special judgement

EU E No.	EU FL No.	CAS No.	CFR No.	CNS 号.	備考 Remarks
E407 E407a			（Carrageenan として） 172.620 （Chondrus extract（carra-gee-nin）として） 182.7255	20.007	EU では，E407:Carrageenan，E407a：Processed eucheuma seaweed に分かれている
		147-85-3	（Amino acids，L-Proline として） 172.320		
	02.002	71-23-8			着香の目的以外に使用してはならない
	02.079	67-63-0	173.240		着香及び食品成分の抽出の目的以外に使用してはならない 抽出の目的で使用する場合の留意事項についての指導あり（平成25年12月4日食安発1204第2号）
	05.002	123-38-6			着香の目的以外に使用してはならない
	11.004	107-10-8			令和元年6月6日省令別表第1に新規指定 着香の目的以外に使用してはならない 小分け等の加工を行ったものは添加物製剤とみなされる
	11.018	75.31.0			令和元年6月6日省令別表第1に新規指定 着香の目的以外に使用してはならない 小分け等の加工を行ったものは添加物製剤とみなされる
E944			184.1655		
E1520		57-55-6	184.1666	18.004	
E405			172.858	20.010	
E477			（Propylene glycol mono-and diesters of fats and fatty acids として） 172.856	10.020	
E1520		57-55-6	184.1666	18.004	
E280		79-09-4	184.1081	17.029	（EU）FL No.なし
	02.002	71-23-8			着香の目的以外に使用してはならない

色文字：法令上の指定添加物名（除く別名）　red：Name on Ministerial Ordinance of Designated Food Additives
色文字：法令上の既存添加物名（除く別名）　red：Name on Ministerial Notification of Existing Food Additives

英　名 English name	英名別名 English name	和名，和名別名 Japanese name	許可状況 Legal/Illegal	主な用途 Main uses
2-Propanol	Isopropanol Isopropyl alcohol Propan-2-ol	イソプロパノール イソプロピルアルコール 2-プロパノール プロパン-2-オール	○，指定	香料
2-Propanone	Acetone Dimethylketone β-Ketopropane	アセトン β-ケトプロパン ジメチルケトン 2-プロパノン	○，指定	製造用剤
2-Propene isothiocyanate	Allyl isosulfocyanate Allyl isothiocyanate Volatile oil of mustard	イソチオシアン酸アリル 揮発ガイシ油 2-プロペンイソチオシアネート	○，指定	香料
Propiconazole		プロピコナゾール	○，指定	防かび剤
Propionaldehyde	Propanal	プロパナール プロピオンアルデヒド	○，指定	香料
Propionic acid	Propanoic acid	プロパン酸 プロピオン酸	○，指定	保存料 香料
Propionic ether	Ethyl propanoate Ethyl propionate	プロパン酸エチル プロピオン酸エチル プロピオン酸エーテル	○，指定	香料
Propolis extract		プロポリス抽出物（ミツバチの巣から得られた，フラボノイドを主成分とするものをいう。）	◎，既存	酸化防止剤
Propyl alcohol	Propan-1-ol Propanol	プロパノール プロパン-1-オール プロピルアルコール	○，指定	香料
Propylamine	1-Propanamine	1-プロパンアミン プロピルアミン	○，指定	香料
p-Propylanisole	Dihydroanethole 1-Methoxy-4-propylbenzene Methyl *p*-propylphenyl ether Propylmethoxybenzene	ジヒドロアネトール パラプロピルアニソール プロピルメトキシベンゼン メチルパラプロピルフェニルエーテル	○，指定	香料
Propylene glycol	1,2-Dihydroxypropane Propane-1,2-diol 1,2-Propanediol	1,2-ジヒドロキシプロパン 1,2-プロパンジオール プロパン-1,2-ジオール プロピレングリコール	○，指定	製造用剤 品質改良剤
Propylene glycol alginate	Propane-1,2-diol alginate	アルギン酸プロピレングリコールエステル	○，指定	増粘安定剤 乳化剤 糊料
Propylene glycol esters of fatty acids	Propane-1,2-diol esters of fatty acids Propylene glycol mono-and diesters of fats and fatty acids	プロパン-1,2-ジオール脂肪酸エステル プロピレングリコール脂肪酸エステル	◎，指定	乳化剤 ガムベース
Propylene glycol mono-and diesters of fats and fatty acids	Propane-1,2-diol esters of fatty acids Propylene glycol esters of fatty acids	プロパン-1,2-ジオール脂肪酸エステル プロピレングリコール脂肪酸エステル	◎，指定	乳化剤 ガムベース

◎：許可（使用基準なし） Legal（Accepted with no standard of use）　×：使用不可 Illegal（Prohibited）
○：許可（使用基準あり） Legal（Accepted with standard of use）　※：個別判断を要するもの Required individual special judgement
指定：Designated Food Additives　既存：Existing Food Additives

EU E No.	EU FL No.	CAS No.	CFR No.	CNS 号.	備考 Remarks
	02.079	67-63-0	173.240		着香及び食品成分の抽出の目的以外に使用してはならない 抽出の目的で使用する場合の留意事項についての指導あり（平成25年12月4日食安発1204第2号）
	07.050	67-64-1	173.210		ガラナ飲料を製造する際のガラナ豆の成分を抽出する目的及び油脂の成分を分別する目的以外に使用してはならない。また最終食品の完成前に除去しなければならない EU では香料特性のある食品成分として FL No.あり 類又は誘導体として指定されている18項目の香料リストの SEQ No.45（解説編2-(1)-(vi)参照）
	12.025	57-06-7			着香の目的以外に使用してはならない
		60207-90-1	180.434（Title40 Part180）		平成30年7月3日省令別表第1に新規指定 CFR では，本書に関連する「Title21」ではなく pre- and post-harvest 関連の「Title40 Part 180.434」に収録されている
	05.002	123-38-6			着香の目的以外に使用してはならない
E280		79-09-4	184.1081	17.029	（EU）FL No.なし
	09.121	105-37-3			着香の目的以外に使用してはならない
	02.002	71-23-8			着香の目的以外に使用してはならない
	11.004	107-10-8			令和元年6月6日省令別表第1に新規指定 着香の目的以外に使用してはならない 小分け等の加工を行ったものは添加物製剤とみなされる
	04.039	104-45-0			**フェノールエーテル類** 着香の目的以外に使用してはならない 類又は誘導体として指定されている18項目の香料リストの SEQ No.2215（解説編2-(1)-(vi)参照）
E1520		57-55-6	184.1666	18.004	
E405			172.858	20.010	
E477			（Propylene glycol mono-and diesters of fats and fatty acids として） 172.856	10.020	
E477			（Propylene glycol mono-and diesters of fats and fatty acids として） 172.856	10.020	

P

色文字：法令上の指定添加物名（除く別名）　red：Name on Ministerial Ordinance of Designated Food Additives
色文字：法令上の既存添加物名（除く別名）　red：Name on Ministerial Notification of Existing Food Additives

英　名 English name	英名別名 English name	和名，和名別名 Japanese name	許可状況 Legal/Illegal	主な用途 Main uses
Propylene oxide		プロピレンオキシド	×	製造用剤 保存料
Propyl gallate		没食子酸プロピル	○，指定	酸化防止剤
Propyl p-hydroxybenzoate	Propyl paraben	パラオキシ安息香酸プロピル パラヒドロキシ安息香酸プロピル プロピルパラベン	○，指定	保存料
Propylmethoxybenzene	Dihydroanethole 1-Methoxy-4-propylbenzene Methyl *p*-propylphenyl ether *p*-Propylanisole	ジヒドロアネトール パラプロピルアニソール プロピルメトキシベンゼン メチルパラプロピルフェニルエーテル	○，指定	香料
Propyl paraben	Propyl *p*-hydroxybenzoate	パラオキシ安息香酸プロピル パラヒドロキシ安息香酸プロピル プロピルパラベン	○，指定	保存料
Protamine	Milt digest Milt protein	しらこたん白 しらこたん白抽出物（魚類の精巣から得られた，塩基性タンパク質を主成分とするものをいう。） しらこ分解物 プロタミン	◎，既存	保存料
Protease		たん白分解酵素 プロテアーゼ	◎，既存	酵素
Protocatechu aldehyde methylene ether	Dioxyethylene protocatechuic aldehyde Heliotropine Piperonal Piperonyl aldehyde	ジオキシエチレンプロトカテキュアルデヒド ピペロナール ピペロニルアルデヒド プロトカテキュアルデヒドメチレンエーテル ヘリオトロピン	○，指定	香料
Protocatechu aldehydemethylether	Methoxyprotocatechuic aldehyde Methyl protocatechuic aldehyde Vanillic aldehyde Vanillin	バニリックアルデヒド バニリン プロトカテキュアルデヒドメチルエーテル メチルプロトカテキュアルデヒド メトキシプロトカテキュアルデヒド ワニリン	○，指定	香料
Psicose epimerase	Allulose epimerase	アルロースエピメラーゼ プシコースエピメラーゼ	◎，指定	製造用剤 酵素
Psyllium husk	Psyllium seed gum	サイリウムシードガム（ブロンドサイリウムの種皮から得られた，多糖類を主成分とするものをいう。） サイリウムハスク	◎，既存	増粘安定剤
Psyllium seed gum	Psyllium husk	サイリウムシードガム（ブロンドサイリウムの種皮から得られた，多糖類を主成分とするものをいう。） サイリウムハスク	◎，既存	増粘安定剤
Pullulan		プルラン	◎，既存	製造用剤 増粘安定剤

◎：許可（使用基準なし） Legal（Accepted with no standard of use）
○：許可（使用基準あり） Legal（Accepted with standard of use）
指定：Designated Food Additives　既存：Existing Food Additives
×：使用不可 Illegal（Prohibited）
※：個別判断を要するもの Required individual special judgement

EU E No.	EU FL No.	CAS No.	CFR No.	CNS 号.	備考 Remarks
E310		121-79-9	184.1660	04.003	
		94-13-3	184.1670		E No.はないがINS No.216あり
	04.039	104-45-0			**フェノールエーテル類** 着香の目的以外に使用してはならない 類又は誘導体として指定されている18項目の香料リストのSEQ No.2215(解説編2-(1)-(vi)参照)
		94-13-3	184.1670		E No.はないがINS No.216あり
			(Bacterially-derived protease enzyme preparationとして) 184.1150		E No.はないがINS No.1101(ⅰ)あり 「組換えDNA技術応用食品及び添加物の安全性審査の手続きを経た添加物」としての告示あり。詳細は厚労省HP参照
	05.016	120-57-0			着香の目的以外に使用してはならない
	05.018	121-33-5			着香の目的以外に使用してはならない
		1618683-38-7			令和2年3月31日省令別表第1に新規指定 プシコースエピメラーゼの使用にあたっては，それを使用した食品の適切な製造工程管理を行い，目的とする効果を得る上で必要とされる量を超えないものとすること 「組換えDNA技術応用食品及び添加物の安全性審査の手続きを経た添加物」としての告示あり，詳細は厚労省HP参照
E1204				14.011	

P

色文字：法令上の指定添加物名（除く別名）　red：Name on Ministerial Ordinance of Designated Food Additives
色文字：法令上の既存添加物名（除く別名）　red：Name on Ministerial Notification of Existing Food Additives

英　名 English name	英名別名 English name	和名，和名別名 Japanese name	許可状況 Legal/Illegal	主な用途 Main uses
Pullulanase		プルラナーゼ	◎，既存	酵素
Purified carrageenan	Carrageenan Powdered red algae Processed eucheuma algae Processed eucheuma seaweed Processed red algae Refined carrageenan Semirefined carrageenan	加工ユーケマ藻類 カラギナン（イバラノリ，キリンサイ，ギンナンソウ，スギノリ又はツノマタの全藻から得られた，ι-カラギナン，κ-カラギナン及びλ-カラギナンを主成分とするものをいう。） カラギーナン カラゲナン カラゲーナン カラゲニン 精製カラギナン ユーケマ藻末	◎，既存	増粘安定剤 ゲル化剤
Purified shellac	Lacca Shellac White shellac	シェラック（ラックカイガラムシの分泌液から得られた，アレウリチン酸とシェロール酸又はアレウリチン酸とジャラール酸のエステルを主成分とするものをいう。） 白シェラック 精製シェラック セラック	◎，既存	ガムベース 光沢剤
Purple corn color		ムラサキコーン色素 ムラサキトウモロコシ色素（トウモロコシの種子から得られた，シアニジン-三-グルコシドを主成分とするものをいう。）	○，既存	着色料
Purple sweet potato color		ムラサキイモ色素（サツマイモの塊根から得られた，シアニジンアシルグルコシド及びペオニジンアシルグルコシドを主成分とするものをいう。）	○，既存	着色料
Purple yam color		ムラサキヤマイモ色素（ヤマイモの塊根から得られた，シアニジンアシルグルコシドを主成分とするものをいう。）	○，既存	着色料
PVAC	Polyvinyl acetate	酢酸ビニル樹脂	○，指定	チューインガム基礎剤 被膜剤
PVA-PEG graft copolymer	Polyvinyl alcohol-polyethylene glycol-graft-copolymer	ポリビニルアルコール-ポリエチレングリコール-グラフト共重合物	×	コーティング剤
PVP	Polyvinylpyrrolidone Povidone	PVP ポビドン ポリビニルピロリドン	○，指定	増粘安定剤 ゲル化剤 糊料
Pyragine		ピラジン	○，指定	香料
Pyridoxine hydrochloride	Vitamin B_6	ビタミンB_6 ピリドキシン塩酸塩	◎，指定	強化剤
Pyrimethanil		ピリメタニル	○，指定	防かび剤
Pyroligneous acid	Liquid smoke Smoke flavourings Wood vinegar	くん液（サトウキビ，竹材，トウモロコシ又は木材を燃焼して発生したガス成分を捕集し，又は乾留して得られたものをいう。） スモークフレーバー 木酢液 リキッドスモーク	◎，既存	製造用剤 香料 着色料

◎：許可（使用基準なし） Legal（Accepted with no standard of use）
○：許可（使用基準あり） Legal（Accepted with standard of use）
指定：Designated Food Addit ves　既存：Existing Food Additives
×：使用不可 Illegal（Prohibited）
※：個別判断を要するもの Required individual special judgement

EU E No.	EU FL No.	CAS No.	CFR No.	CNS 号.	備考 Remarks
					「組換え DNA 技術応用食品及び添加物の安全性審査の手続きを経た添加物」としての告示あり。詳細は厚労省 HP 参照
E407 E407a			(Carrageenan として) 172.620 (Chondrus extract(carra-gee-nin)として) 182.7255	20.007	EU では,E407:Carrageenan,E407a：Processed eucheuma seaweed に分かれている
E904				14.001	
				08.154	
					チューインガム基礎剤及び果実又は果菜の表皮被膜剤の目的以外に使用してはならない
E1209					サプリメントのコーティング剤 E1209は「Commission Regulation（EU）No.685/2014 of 20 June 2014」で新規制定
E1201		9003-39-8	173.55		平成26年6月18日省令別表第1に新規指定。 カプセル・錠剤等通常の食品形態でない食品（菓子類は含まれない）以外の食品に使用してはならない。
	14.144	290-37-9			着香の目的以外に使用してはならない
		58-56-0	184.1676		
		53112-28-0	180.518（Title40 Part180）		CFR では,本書に関連する「Title21」ではなく pre- and post-harvest 関連の「Title40 Part 180.518」に収録されている 平成25年8月6日省令別表第1に新規指定
					着色料の目的では○,既存 香料として用いる場合は天然香料扱い

P

色文字：法令上の指定添加物名（除く別名）　red：Name on Ministerial Ordinance of Designated Food Additives
色文字：法令上の既存添加物名（除く別名）　red：Name on Ministerial Notification of Existing Food Additives

英　名 English name	英名別名 English name	和名，和名別名 Japanese name	許可状況 Legal/Illegal	主な用途 Main uses
Pyromucic aldehyde	2-Formyl furan Fural Furan-2-aldehyde **Furfural(except harmful substances)** Furfuraldehyde Furfurancarboxyaldehyde Furfurol	ピロムシックアルデヒド フラール フラン-2-アルデヒド **フルフラール**(毒性が激しいと一般に認められるものを除く。) フルフランカルボキシアルデヒド フルフリルアルデヒド フルフロール 2-ホルミルフラン	○，指定	香料
Pyrrole		**ピロール**	○，指定	香料
Pyrrolidine	Tetrahydropyrrole Tetramethylenimine	テトラヒドロピロール テトラメチレンイミン **ピロリジン**	○，指定	香料
L-α-Pyrrolidine carboxylic acid	L-Proline Pyrrolidine-2-carboxylic acid	ピロリジン-2-カルボキシル酸 L-α-ピロリジンカルボキシル酸 L-プロリン	◎，既存	強化剤 調味料
Pyrrolidine-2-carboxylic acid	L-Proline L-α-Pyrrolidine carboxylic acid	ピロリジン-2-カルボキシル酸 L-α-ピロリジンカルボキシル酸 L-プロリン	◎，既存	強化剤 調味料
Pyrroloquinoline quinone disodium salt		ピロロキノリンキノン二ナトリウム塩	※	特別用途食品

◎：許可（使用基準なし） Legal（Accepted with no standard of use）
○：許可（使用基準あり） Legal（Accepted with standard of use）
指定：Designated Food Additives 既存：Existing Food Additives
×：使用不可 Illegal（Prohibited）
※：個別判断を要するもの Required individual special judgement

EU E No.	EU FL No.	CAS No.	CFR No.	CNS 号.	備考 Remarks
	13.018				着香の目的以外に使用してはならない 省令別表第1のリスト名は「**フルフラール及びその誘導体（毒性が激しいと一般に認められるものを除く。）, Furfurals and its derivatives (except harmful substances)**」だが，本書では各単品もリスト名としてマークした 類又は誘導体として指定されている18項目の香料リスト（解説編2-(1)-(vi)参照）
	14.041	109-97-7			着香の目的以外に使用してはならない
	14.064	123-75-1			着香の目的以外に使用してはならない
		147-85-3	(Amino acids, L-Proline として) 172.320		
		147-85-3	(Amino acids, L-Proline として) 172.320		
					資料1により食品添加物に該当する可能性が考えられるが，事前に判断を受けるよう指導されている品目

P

色文字：法令上の指定添加物名（除く別名）　red：Name on Ministerial Ordinance of Designated Food Additives
色文字：法令上の既存添加物名（除く別名）　red：Name on Ministerial Notification of Existing Food Additives

英　名 English name	英名別名 English name	和名，和名別名 Japanese name	許可状況 Legal/Illegal	主な用途 Main uses
Quassia extract	**Jamaica quassia extract**	カッシアエキス **ジャマイカカッシア抽出物**(ジャマイカカッシアの幹枝又は樹皮から得られた，クアシン及びネオクアシンを主成分とするものをいう。)	◎，既存	苦味料
Quaternary ammonium chloride combination		第四級塩化アンモニウム混合物	×	保存料
Quercetin		**クエルセチン** ケルセチン	◎，既存	酸化防止剤
Quercitron		クエルシトロン	※	着色料
Quicklime	Burnt lime Calcium oxide Calx	酸化カルシウム 焼石灰 **生石灰**	◎，既存	製造用剤 強化剤 イーストフード
Quicklime(CaO)	**Calcium oxide**	**酸化カルシウム**	◎，指定	製造用剤 強化剤 イーストフード
Quillaia extract	**Quillaja extract**	キラヤサポニン **キラヤ抽出物**(キラヤの樹皮から得られた，サポニンを主成分とするものをいう。)	◎，既存	製造用剤 乳化剤
Quillaja extract	**Quillaia extract**	キラヤサポニン **キラヤ抽出物**(キラヤの樹皮から得られた，サポニンを主成分とするものをいう。)	◎，既存	製造用剤 乳化剤
Quinine		キニーネ	×	香料
Quinine hydrochloride		塩酸キニーネ	×	香料
Quinine sulfate		硫酸キニーネ	×	香料
Quinoline yellow		キノリンイエロー	×	着色料

◎：許可（使用基準なし） Legal（Accepted with no standard of use）　×：使用不可 Illegal（Prohibited）
○：許可（使用基準あり） Legal（Accepted with standard of use）　※：個別判断を要するもの Required individual special judgement
指定：Designated Food Additives　既存：Existing Food Additives

EU E No.	EU FL No.	CAS No.	CFR No.	CNS 号.	備考 Remarks
			172.165		CFR は *n* -Dodecyl dimethyl benzyl ammonium chloride，*n* -Dodecyl dimethyl ethylbenzyl ammonium chloride などの混合物
					既存添加物名簿の**タマネギ色素**以外は不可
E529			(Calcium oxide として) 184.1210		合成品は指定添加物
E529		1305-78-8	184.1210		合成品扱い 平成25年10月22日，省令別表第1に新規指定 適切な製造工程管理を行い，食品中で目的とする効果を得る量を超えないこと
E999					サポニン参照
E999					サポニン参照
			172.575		CFR は塩酸塩または硫酸塩で，炭酸飲料用香料
E104				08.016	

R

色文字：法令上の指定添加物名（除く別名） **red**：Name on Ministerial Ordinance of Designated Food Additives
色文字：法令上の既存添加物名（除く別名） **red**：Name on Ministerial Notification of Existing Food Additives

英名 English name	英名別名 English name	和名，和名別名 Japanese name	許可状況 Legal/Illegal	主な用途 Main uses
Rakanka extract	Luohanguo extract	ラカンカエキス ラカンカ抽出物（ラカンカの果実から得られた，モグロシド類を主成分とするものをいう。）	◎，既存	甘味料
Rapeseed oil		菜種油	◎	製造用剤
Raspberry color		ラズベリー色素	○	着色料
Rebaudioside	Stevia ext. Stevia extract Steviol glycosides Stevioside	ステビアエキス ステビア抽出物（ステビアの葉から抽出して得られた，ステビオール配糖体を主成分とするものをいう。） ステビオグルコシド ステビオサイド ステビオシド レバウジオシド レバウディオサイド	◎，既存	甘味料
Rebaudioside AM	Enzymatically produced steviol glycosides	レバウジオシドAM レバウディオサイドAM	※	甘味料
Rebaudioside D	Enzymatically produced steviol glycosides	レバウジオシドD	※	甘味料
Rebaudioside M	Enzymatically produced steviol glycosides	レバウジオシドM レバウディオサイドM	※	甘味料
Red 2G		レッド2G	×	着色料
Red 10B		レッド10B	×	着色料
Red algae		紅藻	◎	増粘安定剤
Red cabbage color		アカキャベツ色素 ムラサキキャベツ色素	○	着色料
Red currant color		レッドカーラント色素	○	着色料
Red iron oxide	Ferric oxide red Ferric oxide(III) Hematite maghemite Indian red Iron oxides and hydroxides Iron sesquioxide Iron trioxide Rouge Vitriol red	インディアンレッド 酸化鉄(III) 三酸化二鉄 三二酸化鉄 赤色酸化第二鉄 ベンガラ	○，指定	着色料
Red radish color		アカダイコン色素	○	着色料
Red rice color		アカゴメ色素	○	着色料
Redbark cinchona extract		キナ抽出物（アカキナの樹皮から得られた，キニジン，キニーネ及びシンコニンを主成分とするものをいう。）	◎，既存	苦味料
Reduced lactose whey		低乳糖ホエイ	◎	製造用剤

◎：許可（使用基準なし） Legal（Accepted with no standard of use）　×：使用不可 Illegal（Prohibited）
○：許可（使用基準あり） Legal（Accepted with standard of use）　※：個別判断を要するもの Required individual special judgement
指定：Designated Food Additives　既存：Existing Food Additives

EU E No.	EU FL No.	CAS No.	CFR No.	CNS 号.	備考 Remarks
			184.1555		CFR は完全硬化した菜種油であり，飽和脂肪酸の混合物からなるトリグリセライドの混合物 食品扱い
					一般飲食物添加物
E960a				19.008	E960は「Commission Regulation（EU）No.1131/2011 of 11 Nov. 2011」で新規制定されたが，その後「Commission Regulation（EU）2021/1156 of 13 July 2021」により E960a Steviol glycosides from stevia に変更された Rebaudioside M 参照
E960c（iv）					E960c（iv）は「Commission Regulation（EU）2022/1922 of 10 Oct. 2022」により Rebaudioside AM produced via enzymatic conversion of highly purified rebaudioside a stevia leaf extracts の名称で新規指定
E960c（iii）					E960c（iii）は「Commission Regulation（EU）2022/1922 of 10 Oct. 2022」により Rebaudioside D produced via enzymatic conversion of highly purified rebaudioside a stevia leaf extracts の名称で新規指定
E960c（i） E960c（ii）					E960c（i）は「Commission Regulation（EU）2021/1156 of 13 July 2021」により Rebaudioside M produced via enzyme modification of steviol glycosides from stevia の名称で新規指定 E960c（ii）は「Commission Regulation（EU）2022/1922 of 10 Oct. 2022」により Rebaudioside M produced via enzymatic conversion of highly purified rebaudioside a stevia leaf extracts の名称で新規指定
			184.1121		食品扱い
					一般飲食物添加物
					一般飲食物添加物
E172		（三二酸化鉄として） 1309-37-1	（Synthetic iron oxide として） 73.200		省令別表第1の**三二酸化鉄**以外は不可 E172は「Commission Regulation（EU）No.510/2013 of 3 June 2013」で新規制定
				08.117	一般飲食物添加物
				08.111	一般飲食物添加物
			184.1979a		資料1により食品素材扱いとする品目 CFR はホエイから乳糖を除去したホエイで，日本の乳等省令に規定する定義，成分規格に類する記載あり

R

色文字：法令上の指定添加物名（除く別名）　red：Name on Ministerial Ordinance of Designated Food Additives
色文字：法令上の既存添加物名（除く別名）　red：Name on Ministerial Notification of Existing Food Additives

英　名 English name	英名別名 English name	和名，和名別名 Japanese name	許可状況 Legal/Illegal	主な用途 Main uses
Reduced minerals whey		低ミネラルホエイ	◎	製造用剤
Reducing malt sugar	Maltitol Reducing maltose	還元麦芽糖 マルチトール	◎	製造用剤 特別用途食品 増粘安定剤 甘味料
Reducing maltose	Maltitol Reducing malt sugar	還元麦芽糖 マルチトール	◎	製造用剤 特別用途食品 増粘安定剤 甘味料
Refined carrageenan	**Carrageenan** **Powdered red algae** **Processed eucheuma algae** Processed eucheuma seaweed **Processed red algae** **Purified carrageenan** **Semirefined carrageenan**	**加工ユーケマ藻類** **カラギナン**（イバラノリ，キリンサイ，ギンナンソウ，スギノリ又はツノマタの全藻から得られた，ι-カラギナン，κ-カラギナン及びλ-カラギナンを主成分とするものをいう。） カラギーナン カラゲナン カラゲーナン カラゲニン **精製カラギナン** **ユーケマ藻末**	◎，既存	増粘安定剤 ゲル化剤
Rennet	Chymosin Rennin	キモシン レンニン **レンネット**	◎，既存	酵素
Rennet casein		**レンネットカゼイン**	◎	増粘安定剤
Rennet (Microbial rennet)	Microbial rennet	マイクロバイアルレンネット レンネット（微生物由来）	◎	酵素
Rennin	Chymosin **Rennet**	キモシン レンニン **レンネット**	◎，既存	酵素
Resin of depolymerized natural rubber		**ゴム分解樹脂**（「ゴム」から得られた，ジテルペン，トリテルペン及びテトラテルペンを主成分とするものをいう。）	◎，既存	ガムベース
Resinol	Lignan	樹脂アルコール リグナン レジノール	※	特別用途食品
***(E)*-Resveratrol**	*trans*-Resveratrol	*trans*-レスベラトロール *(E)*-レスベラトロール	※	特別用途食品
Retinol	**Vitamin A**	**ビタミンA** レチノール	◎，指定	強化剤
Retionl esters of fatty acids	**Vitamin A esters of fatty acids**	**ビタミンA脂肪酸エステル** レチノール脂肪酸エステル	◎，指定	強化剤
L-Rhamnose		**L-ラムノース**	◎，既存	甘味料
Rhamsan gum	Rhamsan polysaccharide	**ラムザンガム**（アルカリゲネスの培養液から得られた，多糖類を主成分とするものをいう。） ラムザン多糖類	◎，既存	増粘安定剤

◎：許可（使用基準なし） Legal（Accepted with no standard of use）　×：使用不可 Illegal（Prohibited）
○：許可（使用基準あり） Legal（Accepted with standard of use）　※：個別判断を要するもの Required individual special judgement
指定：Designated Food Additives　既存：Existing Food Additives

EU E No.	EU FL No.	CAS No.	CFR No.	CNS 号.	備考 Remarks
			184.1979b		資料1により食品素材扱いとする品目 CFR はホエイからミネラル成分を除去したホエイで，日本の乳等省令に規定する定義，成分規格に類する記載あり
E965（ⅰ）				19.005	資料1により食品素材扱いとする品目
E965（ⅰ）				19.005	資料1により食品素材扱いとする品目
E407 E407a			（Carrageenan として） 172.620 （Chondrus extract（carra-gee-nin）として） 182.7255	20.007	EU では，E407:Carrageenan，E407a：Processed eucheuma seaweed に分かれている
			（Rennett（animal derived）and chymosin preparation（fermentation derived）として） 184.1685		「組換え DNA 技術応用食品及び添加物の安全性審査の手続きを経た添加物」としての告示あり。詳細は厚労省 HP 参照
					一般飲食物添加物
			（Milk-clotting enzymes, microbial として） 173.150		既存添加物レンネットの扱い
			（Rennett（animal derived）and chymosin preparation（fermentation derived）として） 184.1685		「組換え DNA 技術応用食品及び添加物の安全性審査の手続きを経た添加物」としての告示あり。詳細は厚労省 HP 参照
					資料1により食品添加物に該当する可能性が考えられるが，事前に判断を受けるよう指導されている品目
					資料1により食品添加物に該当する可能性が考えられるが，事前に判断を受けるよう指導されている品目
			184.1930		

色文字：法令上の指定添加物名（除く別名）　red：Name on Ministerial Ordinance of Designated Food Additives
色文字：法令上の既存添加物名（除く別名）　red：Name on Ministerial Notification of Existing Food Additives

英　名 English name	英名別名 English name	和名，和名別名 Japanese name	許可状況 Legal/Illegal	主な用途 Main uses
Rhamsan polysaccharide	Rhamsan gum	ラムザンガム（アルカリゲネスの培養液から得られた，多糖類を主成分とするものをいう。） ラムザン多糖類	◎，既存	増粘安定剤
Rhodamine B		ローダミンB	×	着色料
Rhodinal	Citronellal *d*-Citronellal ℓ-Citronellal	シトロネラール *d*-シトロネラール ℓ-シトロネラール ロージナール	○，指定	香料
Riboflavin	Vitamin B_2	ビタミンB_2 リボフラビン	◎，指定	強化剤 着色料
Riboflavin 5'-phosphate	Riboflavin 5'-phosphate sodium Sodium riboflavin phosphate Sodium vitamin B_2 phosphate	ビタミンB_2リン酸エステルナトリウム リボフラビン5'-リン酸 リボフラビンリン酸エステルナトリウム リボフラビン5'-リン酸エステルナトリウム	◎，指定	強化剤 着色料
Riboflavin 5'-phosphate sodium	Riboflavin 5'-phosphate Sodium riboflavin phosphate Sodium vitamin B_2 phosphate	ビタミンB_2リン酸エステルナトリウム リボフラビン5'-リン酸 リボフラビンリン酸エステルナトリウム リボフラビン5'-リン酸エステルナトリウム	◎，指定	強化剤 着色料
Riboflavin tetrabutyrate	Vitamin B_2 tetrabutyrate	ビタミンB_2酪酸エステル リボフラビン酪酸エステル	◎，指定	強化剤 着色料
D-Ribofuranose	D-Ribose	D-リボース D-リボフラノース	◎，既存	甘味料
D-Ribose	D-Ribofuranose	D-リボース D-リボフラノース	◎，既存	甘味料
Rice bran oil extract		コメヌカ油抽出物（米ぬか油から得られた，フェルラ酸を主成分とするものをいう。） コメヌカ油不けん化物	◎，既存	酸化防止剤
Rice bran wax	Rice wax	コメヌカロウ（米ぬか油から得られた，リグノセリン酸ミリシルを主成分とするものをいう。） コメヌカワックス ライスワックス	◎，既存	ガムベース 光沢剤
Rice straw ash extract		イナワラ灰抽出物（イネの茎又は葉の灰化物から抽出して得られたものをいう。） ワラ灰抽出物	◎，既存	製造用剤
Rice wax	Rice bran wax	コメヌカロウ（米ぬか油から得られた，リグノセリン酸ミリシルを主成分とするものをいう。） コメヌカワックス ライスワックス	◎，既存	ガムベース 光沢剤
Roasted rice bran extract		ばい煎コメヌカ抽出物（米ぬかから得られた，マルトールを主成分とするものをいう。）	◎，既存	製造用剤
Roasted soybean extract		ばい煎ダイズ抽出物（ダイズの種子から得られた，マルトールを主成分とするものをいう。）	◎，既存	製造用剤

◎：許可（使用基準なし） Legal（Accepted with no standard of use）　×：使用不可 Illegal（Prohibited）
○：許可（使用基準あり） Legal（Accepted with standard of use）　※：個別判断を要するもの Required individual special judgement
指定：Designated Food Additives　既存：Existing Food Additives

EU E No.	EU FL No.	CAS No.	CFR No.	CNS 号.	備　考 Remarks
	05.021	106-23-0			着香の目的以外に使用してはならない
E101(i)		83-88-5	(検定免除の着色料として) 73.450 (GRAS 物質の Riboflavin として) 184.1695	08.148	着色料の目的では○,指定 「組換え DNA 技術応用食品及び添加物の安全性審査の手続きを経た添加物」としての告示あり。詳細は厚労省 HP 参照
E101(ii)		(無水物) 130-40-5	(Riboflavin 5'-phosphate (sodium) として) 184.1697		着色料の目的では○,指定 EU の規格ではリボフラビン-5'-リン酸エステルと同ナトリウム塩の両方が含まれているが,日本では**リボフラビン5'-リン酸エステルナトリウム**のみ認められている 告示成分規格の nH_2O は n ＝2又は0
E101(ii)		(無水物) 130-40-5	(Riboflavin 5'-phosphate (sodium) として) 184.1697		着色料の目的では○,指定 EU の規格ではリボフラビン-5'-リン酸エステルと同ナトリウム塩の両方が含まれているが,日本では**リボフラビン5'-リン酸エステルナトリウム**のみ認められている 告示成分規格の nH_2O は n ＝2又は0
		752-56-7			着色料の目的では○,指定
		50-69-1			
		50-69-1			
			172.890		E No.はないが INS No.908あり
			172.890		E No.はないが INS No.908あり

色文字：法令上の指定添加物名（除く別名）　red：Name on Ministerial Ordinance of Designated Food Additives
色文字：法令上の既存添加物名（除く別名）　red：Name on Ministerial Notification of Existing Food Additives

英　名 English name	英名別名 English name	和名，和名別名 Japanese name	許可状況 Legal/Illegal	主な用途 Main uses
Roasted starch	Dextrin White and yellow roasted starch	デキストリン 白色及び黄色焙焼でん粉 ローストでん粉	◎	特別用途食品 増粘安定剤 糊料
Rose bengale	Food Red No. 105	食用赤色105号 ローズベンガル	○，指定	着色料
Rosemary extract		マンネンロウ抽出物 ローズマリー抽出物（マンネンロウの葉又は花から得られた，カルノシン酸，カルノソール及びロスマノールを主成分とするものをいう。）	◎，既存	酸化防止剤
Rosidinha		ロシディンハ（ロシディンハの分泌液から得られた，アミリンアセテート及びポリイソプレンを主成分とするものをいう。） ロジディンハ	◎，既存	ガムベース
Rosin		ロシン（マツの分泌液から得られた，アビエチン酸を主成分とするものをいう。） ロジン	◎，既存	ガムベース
Rosin ester	Ester gum Glycerol esters of wood rosins	エステルガム ロジンエステル	○，指定	チューインガム基礎剤
Rouge	Ferric oxide red Ferric oxide (III) Hematite maghemite Indian red Iron oxides and hydroxides Iron sesquioxide Iron trioxide Red iron oxide Vitriol red	インディアンレッド 酸化鉄(III) 三酸化二鉄 三二酸化鉄 赤色酸化第二鉄 ベンガラ	○，指定	着色料
Rubber	Caoutchouc	カウチョック ゴム（パラゴムの分泌液から得られた，ポリイソプレンを主成分とするものをいう。ただし，「低分子ゴム」を除く。）	◎，既存	ガムベース
Rue		ヘンルーダ	◎	香料
Rumput roman extract		カワラヨモギ抽出物（カワラヨモギの全草から得られた，カピリンを主成分とするものをいう。）	◎，既存	保存料
Ruthenium		ルテニウム	◎，既存	製造用剤
Rutin (extract)	Azuki extract Buckwheat extract Enju extract Japanese pagoda tree extract	アズキ全草抽出物 エンジュ抽出物 ソバ全草抽出物 ルチン（抽出物）（アズキの全草，エンジュのつぼみ若しくは花又はソバの全草から得られた，ルチンを主成分とするものをいう。）	◎，既存	強化剤 酸化防止剤 着色料

◎：許可（使用基準なし） Legal（Accepted with no standard of use）
○：許可（使用基準あり） Legal（Accepted with standard of use）
指定：Designated Food Additives 既存：Existing Food Additives
×：使用不可 Illegal（Prohibited）
※：個別判断を要するもの Required individual special judgement

EU E No.	EU FL No.	CAS No.	CFR No.	CNS 号.	備考 Remarks
			(Dextrin として) 184.1277		資料1により食品素材扱いとする品目
		632-69-9			
E392				04.017 04.022	CNS 号04.022は超臨界二氧化碳萃取法
E445			(Glycerol ester of rosin として) 172.735	10.013	チューインガム基礎剤の目的以外に使用してはならない E445は Glycerol esters of wood rosins
E172		(三二酸化鉄として) 1309-37-1	(Synthetic iron oxide として) 73.200		省令別表第1の**三二酸化鉄**以外は不可 E172は「Commission Regulation（EU）No.510/2013 of 3 June 2013」で新規制定
			184.1698		食品扱い
		(ルチン3水和物) 250249-75-3			着色料の目的では○,既存 ルチン(抽出物)参照

R

S

色文字：法令上の指定添加物名（除く別名）　**red**：Name on Ministerial Ordinance of Designated Food Additives
色文字：法令上の既存添加物名（除く別名）　**red**：Name on Ministerial Notification of Existing Food Additives

英名 English name	英名別名 English name	和名，和名別名 Japanese name	許可状況 Legal/Illegal	主な用途 Main uses
Saccharase	Invertase Sucrase	インベルターゼ サッカラーゼ シュークラーゼ スクラーゼ	◎，既存	酵素
Saccharate of lime	Calcium saccharin	カルシウムサッカラート サッカリンカルシウム	○，指定	甘味料
Saccharin		サッカリン	○，指定	甘味料
Saccharose	Sucrose	サッカロース ショ糖 スクロース	◎	甘味料
Saffron		サフラン	○	着色料
Saffron color		サフラン色素	○	着色料
Safrole		サフロール	×	香料
Safrole-free extract of sassafras		サフロールフリー抽出物（サッサフラス由来）	◎	香料
Sage extract		セージ抽出物（サルビアの葉から得られた，カルノシン酸及びフェノール性ジテルペンを主成分とするものをいう。）	◎，既存	酸化防止剤
SAIB	Sucrose acetate isobutyrate Sucrose esters of fatty acids Sucrose fatty acid esters	SAIB ショ糖酢酸イソブチレート ショ糖酢酸イソ酪酸エステル ショ糖脂肪酸エステル	◎，指定	乳化剤 ガムベース
Sal-ammoniac	Ammonium chloride Ammonium muriate Chloride of ammonia Muriate of ammonia Salmiac	塩安 塩化アンモニウム ロシャ（硇砂）	◎，指定	製造用剤 膨脹剤 イーストフード
Salatrim		サラトリム	◎	製造用剤
Salicylic acid		サリチル酸	○，指定	保存料 香料
Salmiac	Ammonium chloride Ammonium muriate Chloride of ammonia Muriate of ammonia Sal-ammoniac	塩安 塩化アンモニウム ロシャ（硇砂）	◎，指定	製造用剤 膨脹剤 イーストフード
Salmonberry color		サーモンベリー色素	○	着色料
Salt of aspartame-acesulfame		アスパルテーム-アセスルファム塩	×	甘味料

◎：許可（使用基準なし） Legal（Accepted with no standard of use）
○：許可（使用基準あり） Legal（Accepted with standard of use）
指定：Designated Food Additives　既存：Existing Food Additives
×：使用不可 Illegal（Prohibited）
※：個別判断を要するもの Required individual special judgement

EU E No.	EU FL No.	CAS No.	CFR No.	CNS 号.	備考 Remarks
E1103					
E954(iii)		6381-91-5	(Saccharin, ammonium・calcium・sodium saccharin として) 180.37		CFR No.の Part 180.37は特別に収録 平成24年12月28日省令別表第1に新規指定 告示成分規格の nH_2O は n＝3 1/2
E954(i)		81-07-2	(Saccharin, ammonium・calcium・sodium saccharin として) 180.37		CFR No.の Part 180.37は特別に収録
		57-50-1	184.1854		CFR は CAS No.57-50-1としてサトウキビまたはビートから作ったショ糖 食品扱い
			73.500		一般飲食物添加物
			73.500		一般飲食物添加物
			172.580		CFR は Sassafras albidum（植物名）の根皮を希釈アルコールで抽出した水溶性抽出物（参考：サフロールは特にサッサフラス油に75%含有されている香料） サッサフラスは消費者庁次長通知「食品衛生法に基づく添加物の表示等について」の別添2「天然香料基原物質リスト」に収載されている 食品扱い
E444 E473			(Sucrose acetate isobutyrate, SAIB として) 172.833 (Sucrose fatty acid esters として) 172.859	10.001	E444：Sucrose acetate isobutyrate E473：Sucrose esters of fatty acids
	16.048	12125-02-9	184.1138		E No.はないが INS No.510あり EU では香料特性のある食品成分として FL No.あり
					食品扱い
	08.112	69-72-7			**フェノール類** 着香の目的以外に使用してはならない。保存料の目的では不可 類又は誘導体として指定されている18項目の香料リストの SEQ No.2284(解説編2-(1)-(vi)参照)
	16.048	12125-02-9	184.1138		E No.はないが INS No.510あり EU では香料特性のある食品成分として FL No.あり
					一般飲食物添加物
E962				19.021	日本では、**アセスルファムカリウム**が省令別表第1にリストアップされているのでカリウム塩との単純混合物の場合は使用可(化学的結合品は×)

S

色文字：法令上の指定添加物名（除く別名）　red：Name on Ministerial Ordinance of Designated Food Additives
色文字：法令上の既存添加物名（除く別名）　red：Name on Ministerial Notification of Existing Food Additives

英　名 English name	英名別名 English name	和名，和名別名 Japanese name	許可状況 Legal/Illegal	主な用途 Main uses
Salt of tartar	American ash Pearl ash Potash Potassium carbonate Potassium carbonate, anhydrous	真珠灰 炭酸カリウム(無水)	◎，指定	製造用剤 水素イオン濃度調整剤（pH 調整剤） 膨脹剤 かんすい イーストフード
Saltpeter	Nitre Nitre saltpeter Potassium nitrate	硝酸カリウム 硝石	○，指定	発色剤 発酵調整剤
Salts of carrageenan		カラギナン塩	×	ガムベース
Salts of fumaric acid		フマル酸塩	※	調味料
Salts of furcellaran		ファーセレラン塩	×	ガムベース
Salts of oleic acids (calcium, potassium, sodium)		オレイン酸の塩類(カルシウム，カリウム，ナトリウム)	※	製造用剤 乳化剤
Salts of DL-tartaric acid		DL-酒石酸塩類	※	水素イオン濃度調整剤（pH 調整剤） 膨脹剤 調味料
Sand	Water-insoluble mineral substances	砂 不溶性鉱物性物質	○，既存	製造用剤
Sandalwood color	Sandalwood red	サンダルウッド色素 シタン色素(シタンの幹枝から得られた，サンタリンを主成分とするものをいう。)	○，既存	着色料
Sandalwood red	Sandalwood color	サンダルウッド色素 シタン色素(シタンの幹枝から得られた，サンタリンを主成分とするものをいう。)	○，既存	着色料
Saponin		サポニン	◎	特別用途食品 乳化剤
SAPP	Acidic disodium pyrophosphate Disodium dihydrogen pyrophosphate Disodium diphosphate Disodium pyrophosphate Sodium acid pyrophosphate	酸性ピロリン酸ナトリウム 重リン酸二ナトリウム ピロリン酸ナトリウム ピロリン酸二水素二ナトリウム	◎，指定	水素イオン濃度調整剤（pH 調整剤） 膨脹剤 かんすい 乳化剤 結着剤
Scarlet GN		スカーレット GN	×	着色料
Seaweed ash extract		海藻灰抽出物(褐藻類の灰化物から得られた，ヨウ化カリウムを主成分とするものをいう。)	◎，既存	製造用剤
Seaweed cellulose		海藻セルロース	◎	増粘安定剤

◎：許可（使用基準なし） Legal（Accepted with no standard of use）
○：許可（使用基準あり） Legal（Accepted with standard of use）
指定：Designated Food Additives　既存：Existing Food Additives
×：使用不可 Illegal（Prohibited）
※：個別判断を要するもの Required individual special judgement

EU E No.	EU FL No.	CAS No.	CFR No.	CNS 号.	備考 Remarks
E501(i)		584-08-7	(Potassium Carbonate として) 184.1619	01.301	E501(i)では(無水)の限定はない
E252		7757-79-1	(Potassium nitrate として) 172.160 (Sodium nitrate and potassium nitrate として) 181.33	09.003	CFR No.のPart 181.33は特別に収録
			172.626		
			(Fumaric acid and salts of fumaric acid として) 172.350		省令別表第1の**フマル酸**及び**フマル酸ーナトリウム**以外は不可
			172.660		CFR172.660はSalts of furcelleran
E470a			(Salts of fatty acids として) 172.863		E470aは脂肪酸のナトリウム,カリウム,カルシウム塩 **オレイン酸ナトリウム**及び**ステアリン酸カルシウム**以外は不可
					省令別表第1の**DL-酒石酸ナトリウム**,**L-酒石酸ナトリウム**以外は不可
					食品の製造又は加工上必要不可欠な場合以外に使用してはならない **不溶性鉱物性物質**の名称は，省令別表第1及び告示既存添加物名簿に記載されていないが，告示「食品，添加物等の規格基準－F 使用基準」にその名称があるので既存添加物名簿名扱いとする 食品添加物別名（和名）については，列記した食品添加物に類似する**不溶性鉱物性物質**も含まれる
					E No.はないがINS No.166あり
					E No.はないがINS No.166あり
					資料1により既存添加物扱いとする品目。**ダイズサポニン**，**キラヤ抽出物**が既存添加物名簿に収載
E450(i)		7758-16-9	(Sodium acid pyrophosphate として) 182.1087	15.008	E450(i)はDisodium diphosphate
					一般飲食物添加物

S

色文字：法令上の指定添加物名（除く別名）　red：Name on Ministerial Ordinance of Designated Food Additives
色文字：法令上の既存添加物名（除く別名）　red：Name on Ministerial Notification of Existing Food Additives

英　名 English name	英名別名 English name	和名，和名別名 Japanese name	許可状況 Legal/Illegal	主な用途 Main uses
Secondary ammonium phosphate	Diammonium hydrogen phosphate Diammonium phosphate Dibasic ammonium phosphate	第二リン酸アンモニウム 二塩基性リン酸アンモニウム リン酸水素二アンモニウム リン酸二アンモニウム	◎，指定	製造用剤 乳化剤 イーストフード 醸造用剤
Secondary sodium orthophosphate	Dibasic sodium phosphate Disodium hydrogen phosphate Disodium phosphate DSP Sodium phosphate, dibasic	第二リン酸ナトリウム DSP 二塩基性リン酸ナトリウム リン酸水素二ナトリウム リン酸二ナトリウム	◎，指定	製造用剤 水素イオン濃度調整剤（pH 調整剤） 膨脹剤 調味料 かんすい 乳化剤
Selenium		セレン	×	特別用途食品
Semirefined carrageenan	Carrageenan Powdered red algae Processed eucheuma algae Processed eucheuma seaweed Processed red algae Purified carrageenan Refined carrageenan	加工ユーケマ藻類 カラギナン（イバラノリ，キリンサイ，ギンナンソウ，スギノリ又はツノマタの全藻から得られた，ι-カラギナン，κ-カラギナン及びλ-カラギナンを主成分とするものをいう。） カラギーナン カラゲナン カラゲーナン カラゲニン 精製カラギナン ユーケマ藻末	◎，既存	増粘安定剤 ゲル化剤
Senegal gum	Acacia gum Acacia (gum arabic) Arabic gum Gum Arabic	アカシアガム アラビアガム（アカシアの分泌液から得られた，多糖類を主成分とするものをいう。） セネガルガム	◎，既存	増粘安定剤 乳化剤
Sepia color		イカスミ色素	○	着色料
Sepiolite		セピオライト	◎，既存	製造用剤
L-Serine		L-セリン	◎，既存	強化剤 調味料
Sesame seed oil unsaponified matter		ゴマ油不けん化物（ゴマの種子から得られた，セサモリンを主成分とするものをいう。）	◎，既存	酸化防止剤
Sesame straw ash extract		ゴマ柄灰抽出物（ゴマの茎又は葉の灰化物から抽出して得られたものをいう。）	◎，既存	製造用剤
Shea nut color		シアナット色素（シアノキの果実又は種皮から抽出して得られたものをいう。）	×	着色料
Shea nut oil		シアナット油	◎	香料 調味料
Shellac	Lacca Purified shellac White shellac	シェラック（ラックカイガラムシの分泌液から得られた，アレウリチン酸とシェロール酸又はアレウリチン酸とジャラール酸のエステルを主成分とするものをいう。） 白シェラック 精製シェラック セラック	◎，既存	ガムベース 光沢剤
Shellac wax		シェラックロウ（ラックカイガラムシの分泌液から得られた，ろう分を主成分とするものをいう。） セラックロウ	◎，既存	ガムベース 光沢剤

◎：許可（使用基準なし） Legal（Accepted with no standard of use）
○：許可（使用基準あり） Legal（Accepted with standard of use）
指定：Designated Food Additives　既存：Existing Food Additives
×：使用不可 Illegal（Prohibited）
※：個別判断を要するもの Required individual special judgement

EU E No.	EU FL No.	CAS No.	CFR No.	CNS 号.	備考 Remarks
		7783-28-0	(Ammonium phosphate, dibasic として) 184.1141b	06.008	E No.はないがINS No.342(ⅱ)あり
E339(ii)		(12水和物) 10039-32-4 (無水物) 7558-79-4	(Disodium phosphate として) 182.6290	15.006	表示成分規格の nH_2O は n ＝12,10,8,7,5,2又は0
					資料1により,新たに食品添加物としての指定を受ける必要があるとする品目
E407 E407a			(Carrageenan として) 172.620 (Chondrus extract(carra-gee-nin)として) 182.7255	20.007	EU では,E407:Carrageenan,E407a：Processed eucheuma seaweed に分かれている
E414			(Acacia(gum arabic)として) 172.780 (GRAS 物質(同上)として) 184.1330	20.008	
					一般飲食物添加物
		56-45-1	(Amino acids, L-Serine として) 172.320		
					令和2年2月26日告示第42号により既存添加物名簿から消除
			184.1702		食品扱い
E904				14.001	

色文字：法令上の指定添加物名（除く別名）　red：Name on Ministerial Ordinance of Designated Food Additives
色文字：法令上の既存添加物名（除く別名）　red：Name on Ministerial Notification of Existing Food Additives

英　名 English name	英名別名 English name	和名，和名別名 Japanese name	許可状況 Legal/Illegal	主な用途 Main uses
Silica aerogel		シリカエヤロゲル	○，指定	製造用剤
Silica gel	Silicon dioxide	シリカゲル 二酸化ケイ素	○，指定	製造用剤 固結防止剤
Silicon dioxide	Silica gel	シリカゲル 二酸化ケイ素	○，指定	製造用剤 固結防止剤
Silicon dioxide (fine)		微粒二酸化ケイ素	○，指定	製造用剤 固結防止剤
Silicone resin	Dimethyl polysiloxane Polydimethyl siloxane	ジメチルポリシロキサン シリコーン樹脂 ポリジメチルシロキサン	○，指定	消泡剤
Silk (as Silk fibroin)	Silk (as Silk protein)	絹タンパク（ただし絹タンパクとして）	◎	特別用途食品
Silk (as Silk protein)	Silk (as Silk fibroin)	絹タンパク（ただし絹タンパクとして）	◎	特別用途食品
Silk (except Silk fibroin)	Silk (except Silk protein)	絹（ただし絹タンパクを除く）	※	特別用途食品
Silk (except Silk protein)	Silk (except Silk fibroin)	絹（ただし絹タンパクを除く）	※	特別用途食品
Silver	Silver foil	銀 銀箔	○，既存	着色料
Silver foil	Silver	銀 銀箔	○，既存	着色料
Silver nitrate and hydrogen peroxide solution		硝酸銀と過酸化水素の混液	×	抗菌剤
Slaked lime	Calcium hydroxide Lime hydrate	消石灰 水酸化カルシウム	○，指定	製造用剤 強化剤 豆腐用凝固剤
Smoke flavourings	Liquid smoke Pyroligneous acid Wood vinegar	くん液（サトウキビ、竹材、トウモロコシ又は木材を燃焼して発生したガス成分を捕集し、又は乾留して得られたものをいう。） スモークフレーバー 木酢液 リキッドスモーク	◎，既存	製造用剤 香料 着色料
SOD	Superoxide dismutase	スーパーオキシドディスムターゼ	※	特別用途食品
Soda ash	Carbonate of soda Carbonic acid disodium salt Soda calcined Sodium carbonate Sodium carbonate, anhydrous Solvey soda	ソーダ灰（無水物の場合） 炭酸ソーダ（結晶物の場合） 炭酸ナトリウム 炭酸二ナトリウム 無水炭酸ナトリウム	◎，指定	製造用剤 水素イオン濃度調整剤（pH 調整剤） 膨脹剤 かんすい

◎：許可（使用基準なし） Legal（Accepted with no standard of use）　　×：使用不可　Illegal（Prohibited）
○：許可（使用基準あり） Legal（Accepted with standard of use）　　※：個別判断を要するもの　Required individual special judgement
指定：Designated Food Additives　　既存：Existing Food Additives

EU E No.	EU FL No.	CAS No.	CFR No.	CNS 号.	備　考 Remarks
			182.1711		省令別表第1の**二酸化ケイ素**扱い(微粒二酸化ケイ素を除く)
E551			(Silicon dioxide として) 172.480	02.004	固結防止剤としての使用は微粒二酸化ケイ素に限る ろ過助剤の目的以外に使用してはならない(微粒二酸化ケイ素を除く) 最終食品の完成前に除去しなければならない(微粒二酸化ケイ素を除く) 微粒二酸化ケイ素は母乳代替食品及び離乳食品に使用してはならない
E551			(Silicon dioxide として) 172.480	02.004	固結防止剤としての使用は微粒二酸化ケイ素に限る ろ過助剤の目的以外に使用してはならない(微粒二酸化ケイ素を除く) 最終食品の完成前に除去しなければならない(微粒二酸化ケイ素を除く) 微粒二酸化ケイ素は母乳代替食品及び離乳食品に使用してはならない
E551			(Silicon dioxide として) 172.480		省令別表第1のリスト名は「**二酸化ケイ素, Silicon dioxide**」 微粒二酸化ケイ素は母乳代替食品及び離乳食品に使用してはならない
E900				03.007	消泡の目的以外に使用してはならない 「CFR No.173.340 Defoaming agents」があるが，本品の記載はない
					資料1により食品素材扱いとする品目
					資料1により食品素材扱いとする品目
					資料1により食品添加物に該当する可能性が考えられるが，事前に判断を受けるよう指導されている品目
					資料1により食品添加物に該当する可能性が考えられるが，事前に判断を受けるよう指導されている品目
E174					
E174					
			172.167		CFR は Bottled water の抗菌剤
E526		1305-62-0	184.1205	01.202	食品の製造又は加工上必要不可欠な場合及び栄養の目的以外に使用してはならない
					着色料の目的では○，既存 香料として用いる場合は天然香料扱い
					資料1により食品添加物に該当する可能性が考えられるが，事前に判断を受けるよう指導されている品目
E500(i)		(1水和物) 5968-11-6 (無水物) 497-19-8	(Sodium carbonate として) 184.1742	01.302	告示成分規格の nH_2O は n ＝1又は0

S

色文字：法令上の指定添加物名（除く別名）　red：Name on Ministerial Ordinance of Designated Food Additives
色文字：法令上の既存添加物名（除く別名）　red：Name on Ministerial Notification of Existing Food Additives

英　名 English name	英名別名 English name	和名，和名別名 Japanese name	許可状況 Legal/Illegal	主な用途 Main uses
Soda calcined	Carbonate of soda Carbonic acid disodium salt Soda ash **Sodium carbonate** Sodium carbonate, anhydrous Solvey soda	ソーダ灰(無水物の場合) 炭酸ソーダ(結晶物の場合) **炭酸ナトリウム** 炭酸二ナトリウム 無水炭酸ナトリウム	◎，指定	製造用剤 水素イオン濃度調整剤（pH 調整剤） 膨脹剤 かんすい
Soda lye	Caustic soda Sodium hydrate **Sodium hydroxide** White caustic	カセイソーダ **水酸化ナトリウム**	○，指定	製造用剤
Soda niter(nitre)	Chile saltpeter Cubic niter(nitre) **Sodium nitrate**	硝酸ソーダ **硝酸ナトリウム** チリ硝石	○，指定	発色剤 発酵調整剤
Sodium acetate	Sodium acetate trihydrate	**酢酸ナトリウム**	◎，指定	水素イオン濃度調整剤（pH 調整剤） 酸味料 調味料
Sodium acetate trihydrate	**Sodium acetate**	**酢酸ナトリウム**	◎，指定	水素イオン濃度調整剤（pH 調整剤） 酸味料 調味料
Sodium acid carbonate	Baking soda Bicarbonate of soda Carbonic acid mono-sodium salt **Sodium bicarbonate** Sodium hydrogen carbonate	酸性炭酸ナトリウム 重曹 重炭酸ソーダ 重炭酸ナトリウム **炭酸水素ナトリウム**	◎，指定	製造用剤 水素イオン濃度調整剤（pH 調整剤） 膨脹剤 かんすい
Sodium acid phosphate	Monobasic sodium phosphate Monosodium dihydrogen phosphate Monosodium phosphate MSP Primary sodium orthophosphate Sodium biphosphate **Sodium dihydrogen phosphate** Sodium phosphate, monobasic	MSP 塩基性リン酸ナトリウム 酸性リン酸ナトリウム 第一リン酸ナトリウム リン酸一ナトリウム リン酸二水素一ナトリウム **リン酸二水素ナトリウム**	◎，指定	製造用剤 水素イオン濃度調整剤（pH 調整剤） 膨脹剤 調味料 かんすい 乳化剤
Sodium acid pyrophosphate	Acidic disodium pyrophosphate **Disodium dihydrogen pyrophosphate** Disodium diphosphate Disodium pyrophosphate SAPP	SAPP 酸性ピロリン酸ナトリウム 重リン酸二ナトリウム ピロリン酸ナトリウム **ピロリン酸二水素二ナトリウム**	◎，指定	水素イオン濃度調整剤（pH 調整剤） 膨脹剤 かんすい 乳化剤 結着剤
Sodium adipate		アジピン酸ナトリウム	×	水素イオン濃度調整剤（pH 調整剤） 調味料
Sodium alginate		**アルギン酸ナトリウム**	◎，指定	増粘安定剤 乳化剤 ゲル化剤 糊料
Sodium aluminium phosphate		リン酸ナトリウムアルミニウム	×	製造用剤

◎：許可（使用基準なし） Legal（Accepted with no standard of use）
○：許可（使用基準あり） Legal（Accepted with standard of use）
指定：Designated Food Additives　既存：Existing Food Additives
×：使用不可 Illegal（Prohibited）
※：個別判断を要するもの Required individual special judgement

EU E No.	EU FL No.	CAS No.	CFR No.	CNS 号.	備考 Remarks
E500(i)		（1水和物） 5968-11-6 （無水物） 497-19-8	（Sodium carbonate として） 184.1742	01.302	告示成分規格の nH_2O は n＝1又は0
E524		（1水和物） 12200-64-5 （無水物） 1310-73-2	184.1763		最終食品の完成前に中和又は除去しなければならない 告示成分規格の nH_2O は n＝1又は0
E251(i) E251(ii)		7631-99-4	（Sodium nitrate として） 172.170 （Sodium nitrate and potassium nitrate として） 181.33	09.001	CFR No. Part 181.33は特別に収載 E251(i)は Solid sodium nitrate E251(ii)は Liquid sodium nitrate
E262(i)		（3水和物） 6131-90-4 （無水物） 127-09-3	184.1721	00.013	告示成分規格の nH_2O は n＝3, 又は0
E262(i)		（3水和物） 6131-90-4 （無水物） 127-09-3	184.1721	00.013	告示成分規格の nH_2O は n＝3, 又は0
E500(ii)		144-55-8	（Sodium bicarbonate として） 184.1736	06.001	
E339(i)		（2水和物） 13472-35-0 （無水物） 7558-80-7	（Sodium acid phosphate として） 182.6085 （Sodium phosphate (mono-, di-, and tribasic) として） 182.1778 182.6778 182.8778	15.005	告示成分規格の nH_2O は n＝2又は0
E450(i)		7758-16-9	（Sodium acid pyrophosphate として） 182.1087	15.008	E450(i)は Disodium diphosphate
E356					
E401		9005-38-3	184.1724	20.004	
			（Sodium alminum phosphate として） 182.1781		

S

色文字：法令上の指定添加物名（除く別名）　red：Name on Ministerial Ordinance of Designated Food Additives
色文字：法令上の既存添加物名（除く別名）　red：Name on Ministerial Notification of Existing Food Additives

英　名 English name	英名別名 English name	和名，和名別名 Japanese name	許可状況 Legal/Illegal	主な用途 Main uses
Sodium aluminium phosphate, acidic		酸性リン酸アルミニウムナトリウム	×	製造用剤 膨脹剤
Sodium aluminium phosphate, basic		塩基性リン酸ナトリウムアルミニウム	×	膨脹剤 乳化剤
Sodium aluminium polyphosphate		ポリリン酸アルミニウムナトリウム	×	製造用剤
Sodium aluminium silicate	Sodium aluminosilicate Sodium silicoaluminate	アルミノケイ酸ナトリウム ケイ酸アルミニウムナトリウム	×	製造用剤
Sodium aluminosilicate	Sodium aluminium silicate Sodium silicoaluminate	アルミノケイ酸ナトリウム ケイ酸アルミニウムナトリウム	×	製造用剤
Sodium ascorbate	Sodium L-ascorbate Vitamin C sodium	L-アスコルビン酸ナトリウム アスコルビン酸ナトリウム ビタミンCナトリウム	◎，指定	品質改良剤 強化剤 酸化防止剤
Sodium L-ascorbate	Sodium ascorbate Vitamin C sodium	L-アスコルビン酸ナトリウム アスコルビン酸ナトリウム ビタミンCナトリウム	◎，指定	品質改良剤 強化剤 酸化防止剤
Sodium benzoate		安息香酸ナトリウム	○，指定	保存料
Sodium bicarbonate	Baking soda Bicarbonate of soda Carbonic acid mono-sodium salt Sodium acid carbonate Sodium hydrogen carbonate	酸性炭酸ナトリウム 重曹 重炭酸ソーダ 重炭酸ナトリウム 炭酸水素ナトリウム	◎，指定	製造用剤 水素イオン濃度調整剤（pH 調整剤） 膨脹剤 かんすい
Sodium biphosphate	Monobasic sodium phosphate Monosodium dihydrogen phosphate Monosodium phosphate MSP Primary sodium orthophosphate Sodium acid phosphate Sodium dihydrogen phosphate Sodium phosphate, monobasic	MSP 塩基性リン酸ナトリウム 酸性リン酸ナトリウム 第一リン酸ナトリウム リン酸一ナトリウム リン酸二水素一ナトリウム リン酸二水素ナトリウム	◎，指定	製造用剤 水素イオン濃度調整剤（pH 調整剤） 膨脹剤 調味料 かんすい 乳化剤
Sodium bisulfite	Acidic sulfite of soda Acidic sulfite of sodium Sodium hydrogen sulfite	亜硫酸水素ナトリウム 酸性亜硫酸ソーダ 酸性亜硫酸ナトリウム 重亜硫酸ナトリウム	○，指定	製造用剤 保存料 酸化防止剤
Sodium calcium aluminosilicate, hydrated	Sodium calcium silicoaluminate, hydrated	アルミノケイ酸ナトリウムカルシウム水和物	×	製造用剤
Sodium calcium polyphosphate		ポリリン酸カルシウムナトリウム	×	製造用剤 強化剤
Sodium calcium silicoaluminate, hydrated	Sodium calcium aluminosilicate, hydrated	アルミノケイ酸ナトリウムカルシウム水和物	×	製造用剤
Sodium carbonate	Carbonate of soda Carbonic acid disodium salt Soda ash Soda calcined Sodium carbonate, anhydrous Solvey soda	ソーダ灰（無水物の場合） 炭酸ソーダ（結晶物の場合） 炭酸ナトリウム 炭酸二ナトリウム 無水炭酸ナトリウム	◎，指定	製造用剤 水素イオン濃度調整剤（pH 調整剤） 膨脹剤 かんすい

◎：許可（使用基準なし） Legal（Accepted with no standard of use）
○：許可（使用基準あり） Legal（Accepted with standard of use）
指定：Designated Food Additives 既存：Existing Food Additives
×：使用不可 Illegal（Prohibited）
※：個別判断を要するもの Required individual special judgement

EU E No.	EU FL No.	CAS No.	CFR No.	CNS 号.	備考 Remarks
E541					
E554			182.2727		
E554			182.2727		
E301		134-03-2	182.3731	04.015	CNS 号04.015は sodium ascorbate（L-なし）
E301		134-03-2	182.3731	04.015	CNS 号04.015は sodium ascorbate（L-なし）
E211		532-32-1	184.1733	17.002	
E500(ii)		144-55-8	(Sodium bicarbonate として) 184.1736	06.001	
E339(i)		(2水和物) 13472-35-0 (無水物) 7558-80-7	(Sodium acid phosphate として) 182.6085 (Sodium phosphate (mono-, di-, and tribasic)として) 182.1778 182.6778 182.8778	15.005	告示成分規格の nH_2O は n =2又は0
E222		(ピロ亜硫酸ナトリウムとして) 7681-57-4	(Sodium bisulfite として) 182.3739 (Sodium metabisulfite として) 182.3766	05.005	省令別表第1のリスト名は**ピロ亜硫酸ナトリウム**(別名，亜硫酸水素ナトリウム，メタ重亜硫酸ナトリウム又は酸性亜硫酸ソーダ)
			182.2729		
E452(iii)					
			182.2729		
E500(i)		(1水和物) 5968-11-6 (無水物) 497-19-8	(Sodium carbonate として) 184.1742	01.302	告示成分規格の nH_2O は n =1又は0

S

色文字：法令上の指定添加物名（除く別名）　red：Name on Ministerial Ordinance of Designated Food Additives
色文字：法令上の既存添加物名（除く別名）　red：Name on Ministerial Notification of Existing Food Additives

英　名 English name	英名別名 English name	和名，和名別名 Japanese name	許可状況 Legal/Illegal	主な用途 Main uses
Sodium carbonate, anhydrous	Carbonate of soda Carbonic acid disodium salt Soda ash Soda calcined Sodium carbonate Solvey soda	ソーダ灰(無水物の場合) 炭酸ソーダ(結晶物の場合) 炭酸ナトリウム 炭酸二ナトリウム 無水炭酸ナトリウム	◎，指定	製造用剤 水素イオン濃度調整剤（pH 調整剤） 膨脹剤 かんすい
Sodium carboxymethylcellulose	Sodium cellulose glycolate	カルボキシメチルセルロースナトリウム 繊維素グリコール酸ナトリウム	○，指定	製造用剤 増粘安定剤 糊料
Sodium carboxymethylstarch	Modified starch	加工デンプン デンプングリコール酸ナトリウム	○，指定	増粘安定剤 ゲル化剤 糊料
Sodium caseinate		カゼインナトリウム	◎，指定	製造用剤 増粘安定剤 乳化剤
Sodium cellulose glycolate	Sodium carboxymethylcellulose	カルボキシメチルセルロースナトリウム 繊維素グリコール酸ナトリウム	○，指定	製造用剤 増粘安定剤 糊料
Sodium chloride-decreased brine (saline lake)		塩水湖水低塩化ナトリウム液(塩水湖水から塩化ナトリウムを析出分離して得られた，アルカリ金属塩類及びアルカリ土類金属塩類を主成分とするものをいう。)	◎，既存	調味料
Sodium chlorite		亜塩素酸ナトリウム	○，指定	漂白剤 殺菌料
Sodium chondroitin sulfate		コンドロイチン硫酸ナトリウム	○，指定	保水剤 安定剤
Sodium citrate	Trisodium citrate	クエン酸三ナトリウム クエン酸ナトリウム	◎，指定	製造用剤 水素イオン濃度調整剤（pH 調整剤） 酸味料 調味料 乳化剤
Sodium copper chlorophyllin		銅クロロフィリンナトリウム	○，指定	着色料
Sodium cyclamate		サイクラミン酸ナトリウム	×	甘味料
Sodium 5'-cytidilate	Disodium 5'-cytidilate	5'-シチジル酸ナトリウム 5'-シチジル酸二ナトリウム	◎，指定	調味料
Sodium dehydroacetate		デヒドロ酢酸ナトリウム	○，指定	保存料
Sodium diacetate	Dry formed acetic acid Sodium hydrogen acetate	酸性酢酸ナトリウム 二酢酸ナトリウム 粉末酢酸	※	製造用剤 防かび剤
Sodium dichloroisocyanurate (Anhydrous and Dihydrate)		ジクロロイソシアヌル酸ナトリウム（無水，二水和物）	×	殺菌料
Sodium dihydrogen citrate	Monosodium citrate	クエン酸一ナトリウム クエン酸二水素ナトリウム	×	製造用剤 調味料

◎：許可（使用基準なし） Legal（Accepted with no standard of use）
○：許可（使用基準あり） Legal（Accepted with standard of use）
指定：Designated Food Additives　既存：Existing Food Additives
×：使用不可 Illegal（Prohibited）
※：個別判断を要するもの Required individual special judgement

EU E No.	EU FL No.	CAS No.	CFR No.	CNS 号.	備考 Remarks
E500(i)		（1水和物）5968-11-6（無水物）497-19-8	(Sodium carbonate として) 184.1742	01.302	告示成分規格の nH_2O は n ＝1又は0
E466		9004-32-4	182.1745	20.003	E466には Carboxymethylcellulose カルボキシメチルセルロースも含まれるが，これは不可
		9063-38-1	(Food starch-modified として) 172.892	20.012	告示成分規格に CAS No. の記載がないが特記
		9005-46-3	182.1748	10.002	
E466		9004-32-4	182.1745	20.003	E466には Carboxymethylcellulose カルボキシメチルセルロースも含まれるが，これは不可
		7758-19-2	(Acidified sodium chlorite solutions として) 173.325		最終食品の完成前に分解し，又は除去しなければならない
E331(iii)		（2水和物）6132-04-3（無水物）68-04-2	(Sodium citrate として) 184.1751	01.303	告示成分規格の nH_2O は n ＝2又は0
E141(ii)			(Sodium copper chlorophyllin として) 73.125	08.009	E141(ii)は Copper complexes of chlorophyllins だが，日本では**銅クロロフィリンナトリウム**のみが指定添加物として認められている CNS 号08.009は chlorophyllin copper complex, sodium and potassium salts 日本で使用が認められているのは Sodium copper chlorophyllin のみ
E952(ii)				19.002	通称名，チクロ
		6757-06-8			
		（1水和物）4418-26-2		17.009 (ii)	告示成分規格の nH_2O は n ＝1 E No. はないが INS No.266あり
E262(ii)			(Sodium diacetate として) 184.1754	17.013	酢酸（日本では省令別表第1の**氷酢酸**）と同**酢酸ナトリウム**の混合物であれば使用できる
E331(i)				01.306	

S

色文字：法令上の指定添加物名（除く別名）　red：Name on Ministerial Ordinance of Designated Food Additives
色文字：法令上の既存添加物名（除く別名）　red：Name on Ministerial Notification of Existing Food Additives

英　名 English name	英名別名 English name	和名，和名別名 Japanese name	許可状況 Legal/Illegal	主な用途 Main uses
Sodium dihydrogen phosphate	Monobasic sodium phosphate Monosodium dihydrogen phosphate Monosodium phosphate MSP Primary sodium orthophosphate Sodium acid phosphate Sodium biphosphate Sodium phosphate, monobasic	MSP 塩基性リン酸ナトリウム 酸性リン酸ナトリウム 第一リン酸ナトリウム リン酸一ナトリウム リン酸二水素一ナトリウム リン酸二水素ナトリウム	◎，指定	製造用剤 水素イオン濃度調整剤（pH 調整剤） 膨脹剤 調味料 かんすい 乳化剤
Sodium disulfite	Sodium metabisulfite Sodium pyrosulfite	二亜硫酸ナトリウム ピロ亜硫酸ナトリウム メタ重亜硫酸ナトリウム	○，指定	保存料 酸化防止剤 漂白剤
Sodium dithionite	Hydrosulfite Sodium hydrosulfite Sodium hyposulfite	亜二チオン酸ナトリウム 次亜硫酸ナトリウム ハイドロサルファイト	○，指定	保存料 酸化防止剤 漂白剤
Sodium dodecylbenzenesulfonate		ドデシルベンゼンスルホン酸ナトリウム	×	殺菌料
Sodium erythorbate	Sodium isoascorbate	イソアスコルビン酸ナトリウム エリソルビン酸ナトリウム	○，指定	品質改良剤 酸化防止剤
Sodium ethyl p-hydroxybenzoate		パラオキシ安息香酸エチルナトリウム	×	保存料
Sodium ferrocyanide	Ferrocyanides Sodium hexacyanoferrate(II) Yellow prussiate of soda	黄血ソーダ フェロシアン化ナトリウム フェロシアン化物 ヘキサシアノ鉄(II)酸ナトリウム	○，指定	食塩固結防止剤
Sodium ferrous citrate	Sodium ferrous succinic citrate	クエン酸第一鉄ナトリウム クエン酸鉄ナトリウム	◎，指定	強化剤
Sodium ferrous succinic citrate	Sodium ferrous citrate	クエン酸第一鉄ナトリウム クエン酸鉄ナトリウム	◎，指定	強化剤
Sodium fumarate	Monosodium fumarate	フマル酸一ナトリウム フマル酸ナトリウム	◎，指定	水素イオン濃度調整剤（pH 調整剤） 酸味料 調味料
Sodium gluconate		グルコン酸ナトリウム	◎，指定	製造用剤 水素イオン濃度調整剤（pH 調整剤） 乳化剤 イーストフード 品質保持剤
Sodium 5'-guanylate	Disodium guanylate Disodium 5'-guanylate	5'-グアニル酸ナトリウム グアニル酸二ナトリウム 5'-グアニル酸二ナトリウム	◎，指定	調味料
Sodium hexacyanoferrate(II)	Ferrocyanides Sodium ferrocyanide Yellow prussiate of soda	黄血ソーダ フェロシアン化ナトリウム フェロシアン化物 ヘキサシアノ鉄(II)酸ナトリウム	○，指定	食塩固結防止剤

◎：許可（使用基準なし） Legal（Accepted with no standard of use）
○：許可（使用基準あり） Legal（Accepted with standard of use）
指定：Designated Food Additives 既存：Existing Food Additives
×：使用不可 Illegal（Prohibited）
※：個別判断を要するもの Required individual special judgement

EU E No.	EU FL No.	CAS No.	CFR No.	CNS 号.	備 考 Remarks
E339(i)		(2水和物) 13472-35-0 (無水物) 7558-80-7	(Sodium acid phosphate として) 182.6085 (Sodium phosphate (mono-, di-, and tribasic)として) 182.1778 182.6778 182.8778	15.005	告示成分規格の nH_2O は n ＝2又は0
E223		7681-57-4	(Sodium bisulfite として) 182.3739 (Sodium metabisulfite として) 182.3766	05.003	
		7775-14-6		05.006	
			173.405		果物，野菜の洗浄水に使用
E316		(無水物) 6381-77-7		04.018	魚肉ねり製品(魚肉すり身を除く)及びパンにあっては栄養の目的に使用してはならない その他の食品は酸化防止の目的以外に使用してはならない 告示成分規格の nH_2O は n ＝1 CNS 号04.018は sodium D-isoascorbate
E215				17.036	
E535		(10水和物) 13601-19-9	(Yellow prussiate of soda として) 172.490	02.008	省令別表第1のリスト名は「**フェロシアン化物**(フェロシアン化カリウム，フェロシアン化カルシウム及びフェロシアン化ナトリウムに限る。)，**Ferrocyanide compounds** (Limited to Potassium ferrocyanide, Calcium ferrocyanide and Sodium ferrocyanide)」だが，本書では各単品もリスト名としマークした 告示成分規格の nH_2O は n ＝10
		5873-57-4	(Fumaric acid and salts of fumaric acid として) 172.350	01.311	E No.はないが INS No.365あり
E576		527-07-1	182.6757	01.312	
E627		5550-12-9	172.530	12.002	
E535		(10水和物) 13601-19-9	(Yellow prussiate of soda として) 172.490	02.008	省令別表第1のリスト名は「**フェロシアン化物**(フェロシアン化カリウム，フェロシアン化カルシウム及びフェロシアン化ナトリウムに限る。)，**Ferrocyanide compounds** (Limited to Potassium ferrocyanide, Calcium ferrocyanide and Sodium ferrocyanide)」だが，本書では各単品もリスト名としマークした 告示成分規格の nH_2O は n ＝10

S

色文字：法令上の指定添加物名（除く別名）　red：Name on Ministerial Ordinance of Designated Food Additives
色文字：法令上の既存添加物名（除く別名）　red：Name on Ministerial Notification of Existing Food Additives

英　名 English name	英名別名 English name	和名，和名別名 Japanese name	許可状況 Legal/Illegal	主な用途 Main uses
Sodium hexametaphosphate	Sodium metaphosphate Sodium trimetaphosphate	トリメタリン酸ナトリウム ヘキサメタリン酸ナトリウム メタリン酸ナトリウム	◎，指定	膨脹剤 かんすい 乳化剤 結着剤
Sodium hydrate	Caustic soda Soda lye Sodium hydroxide White caustic	カセイソーダ 水酸化ナトリウム	○，指定	製造用剤
Sodium hydrochlorite	Bleaching solution Hypochlorite of soda Labarrque's solution Sodium hypochlorite	次亜塩素酸ソーダ 次亜塩素酸ナトリウム 漂白液 ラバラック氏液	○，指定	漂白剤 殺菌料
Sodium hydrogen acetate	Dry formed acetic acid Sodium diacetate	酸性酢酸ナトリウム 二酢酸ナトリウム 粉末酢酸	※	製造用剤 防かび剤
Sodium hydrogen carbonate	Baking soda Bicarbonate of soda Carbonic acid mono-sodium salt Sodium acid carbonate Sodium bicarbonate	酸性炭酸ナトリウム 重曹 重炭酸ソーダ 重炭酸ナトリウム 炭酸水素ナトリウム	◎，指定	製造用剤 水素イオン濃度調整剤（pH 調整剤） 膨脹剤 かんすい
Sodium hydrogen malate	Sodium hydrogen DL-malate	リンゴ酸水素ナトリウム DL-リンゴ酸水素ナトリウム	×	製造用剤 調味料
Sodium hydrogen DL-malate	Sodium hydrogen malate	リンゴ酸水素ナトリウム DL-リンゴ酸水素ナトリウム	×	製造用剤 調味料
Sodium hydrogen sulfate		硫酸水素ナトリウム	×	製造用剤
Sodium hydrogen sulfite	Acidic sulfite of soda Acidic sulfite of sodium Sodium bisulfite	亜硫酸水素ナトリウム 酸性亜硫酸ソーダ 酸性亜硫酸ナトリウム 重亜硫酸ナトリウム	○，指定	製造用剤 保存料 酸化防止剤
Sodium hydrosulfite	Hydrosulfite Sodium dithionite Sodium hyposulfite	亜二チオン酸ナトリウム 次亜硫酸ナトリウム ハイドロサルファイト	○，指定	保存料 酸化防止剤 漂白剤
Sodium hydroxide	Caustic soda Soda lye Sodium hydrate White caustic	カセイソーダ 水酸化ナトリウム	○，指定	製造用剤

◎：許可（使用基準なし） Legal（Accepted with no standard of use）
○：許可（使用基準あり） Legal（Accepted with standard of use）
指定：Designated Food Additives 既存：Existing Food Additives
×：使用不可 Illegal（Prohibited）
※：個別判断を要するもの Required individual special judgement

EU E No.	EU FL No.	CAS No.	CFR No.	CNS 号.	備考 Remarks
E452(i)			(Sodium hexametaphosphate として) 182.6760 (Sodium metaphosphate として) 182.6769		E452(i)はメタリン酸ナトリウム,ポリリン酸ナトリウム等を含む
E524		(1水和物) 12200-64-5 (無水物) 1310-73-2	184.1763		最終食品の完成前に中和又は除去しなければならない 告示成分規格の nH_2O は n =1又は0
					平成26年4月24日告示第225号により，①生食用鮮魚介類，生食用かき及び冷凍食品（生食用冷凍鮮魚介類に限る。以下「生食用鮮魚介類等」という。）の加工基準において，**次亜塩素酸ナトリウム**に加え，**次亜塩素酸水**及び水素イオン濃度調整剤として用いる**塩酸**の使用が認められた，②容器包装詰加圧加熱殺菌食品の製造基準において，**次亜塩素酸ナトリウム**に加え**次亜塩素酸水**の使用が認められた 同日付部長通知による運用上の注意事項としては，**次亜塩素酸水**及び**塩酸**については，既に食品添加物として定められている使用基準の適用を受ける，②**塩酸**については，生食用鮮魚介類等に対し，**次亜塩素酸ナトリウム**の使用等に伴い水素イオン濃度調整剤として使用することは認められるが，生食用鮮魚介類等の加工時に**塩酸**を直接使用することは認められない ごまに使用してはならない
E262(ii)			(Sodium diacetate として) 184.1754	17.013	酢酸(日本では省令別表第1の**氷酢酸**)と同**酢酸ナトリウム**の混合物であれば使用できる
E500(ii)		144-55-8	(Sodium bicarbonate として) 184.1736	06.001	
E350(ii)					
E350(ii)					
E514(ii)					
E222		(ピロ亜硫酸ナトリウムとして) 7681-57-4	(Sodium bisulfite として) 182.3739 (Sodium metabisulfite として) 182.3766	05.005	省令別表第1のリスト名は**ピロ亜硫酸ナトリウム**(別名,亜硫酸水素ナトリウム,メタ重亜硫酸ナトリウム又は酸性亜硫酸ソーダ)
		7775-14-6		05.006	
E524		(1水和物) 12200-64-5 (無水物) 1310-73-2	184.1763		最終食品の完成前に中和又は除去しなければならない 告示成分規格の nH_2O は n =1又は0

S

色文字：法令上の指定添加物名（除く別名）　red：Name on Ministerial Ordinance of Designated Food Additives
色文字：法令上の既存添加物名（除く別名）　red：Name on Ministerial Notification of Existing Food Additives

英　名 English name	英名別名 English name	和名，和名別名 Japanese name	許可状況 Legal/Illegal	主な用途 Main uses
Sodium hypochlorite	Bleaching solution Hypochlorite of soda Labarrque's solution Sodium hydrochlorite	次亜塩素酸ソーダ 次亜塩素酸ナトリウム 漂白液 ラバラック氏液	○，指定	漂白剤 殺菌料
Sodium hypophosphite		次亜リン酸ナトリウム	×	製造用剤
Sodium hyposulfite	Hydrosulfite Sodium dithionite Sodium hydrosulfite	亜二チオン酸ナトリウム 次亜硫酸ナトリウム ハイドロサルファイト	○，指定	保存料 酸化防止剤 漂白剤
Sodium 5'-inosinate	Disodium inosinate Disodium 5'-inosinate	5'-イノシン酸ナトリウム イノシン酸二ナトリウム 5'-イノシン酸二ナトリウム	◎，指定	調味料
Sodium iron chlorophyllin		鉄クロロフィリンナトリウム	○，指定	着色料
Sodium iron EDTA		エチレンジアミン四酢酸鉄ナトリウム	×	強化剤
Sodium isoascorbate	Sodium erythorbate	イソアスコルビン酸ナトリウム エリソルビン酸ナトリウム	○，指定	品質改良剤 酸化防止剤
Sodium lactate		乳酸ナトリウム	◎，指定	水素イオン濃度調整剤（pH 調整剤） 酸味料 調味料
Sodium lauryl sulfate		ラウリル硫酸ナトリウム	×	乳化剤
Sodium malate	Sodium DL-malate Sodium *dl*-malate	リンゴ酸ナトリウム DL-リンゴ酸ナトリウム *dl*-リンゴ酸ナトリウム	◎，指定	水素イオン濃度調整剤（pH 調整剤） 膨脹剤 調味料
Sodium DL-malate	Sodium malate Sodium *dl*-malate	リンゴ酸ナトリウム DL-リンゴ酸ナトリウム *dl*-リンゴ酸ナトリウム	◎，指定	水素イオン濃度調整剤（pH 調整剤） 膨脹剤 調味料
Sodium *dl*-malate	Sodium malate Sodium DL-malate	リンゴ酸ナトリウム DL-リンゴ酸ナトリウム *dl*-リンゴ酸ナトリウム	◎，指定	水素イオン濃度調整剤（pH 調整剤） 膨脹剤 調味料
Sodium metabisulfite	Sodium disulfite Sodium pyrosulfite	二亜硫酸ナトリウム ピロ亜硫酸ナトリウム メタ重亜硫酸ナトリウム	○，指定	保存料 酸化防止剤 漂白剤
Sodium metaphosphate	Sodium hexametaphosphate Sodium trimetaphosphate	トリメタリン酸ナトリウム ヘキサメタリン酸ナトリウム メタリン酸ナトリウム	◎，指定	膨脹剤 かんすい 乳化剤 結着剤

◎：許可（使用基準なし） Legal（Accepted with no standard of use）
○：許可（使用基準あり） Legal（Accepted with standard of use）
指定：Designated Food Additives　既存：Existing Food Additives
×：使用不可 Illegal（Prohibited）
※：個別判断を要するもの Required individual special judgement

EU E No.	EU FL No.	CAS No.	CFR No.	CNS 号.	備考 Remarks
					平成26年4月24日告示第225号により，①生食用鮮魚介類，生食用かき及び冷凍食品（生食用冷凍鮮魚介類に限る。以下「生食用鮮魚介類等」という。）の加工基準において，**次亜塩素酸ナトリウム**に加え，**次亜塩素酸水**及び水素イオン濃度調整剤として用いる**塩酸**の使用が認められた，②容器包装詰加圧加熱殺菌食品の製造基準において，**次亜塩素酸ナトリウム**に加え**次亜塩素酸水**の使用が認められた 同日付部長通知による運用上の注意事項としては，**次亜塩素酸水**及び**塩酸**については，既に食品添加物として定められている使用基準の適用を受ける，②**塩酸**については，生食用鮮魚介類等に対し，**次亜塩素酸ナトリウム**の使用等に伴い水素イオン濃度調整剤として使用することは認められるが，生食用鮮魚介類等の加工時に**塩酸**を直接使用することは認められない ごまに使用してはならない
			184.1764		
		7775-14-6		05.006	
E631		4691-65-0	(Disodium inosinate として) 172.535	12.003	
E316		(無水物) 6381-77-7		04.018	魚肉ねり製品(魚肉すり身を除く)及びパンにあっては栄養の目的に使用してはならない その他の食品は酸化防止の目的以外に使用してはならない 告示成分規格の nH_2O は n =1 CNS 号04.018は sodium D-isoascorbate
E325		72-17-3	184.1768	15.012	
			172.822		
E350(i)		(無水物) 676-46-0			告示成分規格の nH_2O は n =3又は1/2
E350(i)		(無水物) 676-46-0			告示成分規格の nH_2O は n =3又は1/2
E350(i)		(無水物) 676-46-0			告示成分規格の nH_2O は n =3又は1/2
E223		7681-57-4	(Sodium bisulfite として) 182.3739 (Sodium metabisulfite として) 182.3766	05.003	
E452(i)			(Sodium hexametaphosphate として) 182.6760 (Sodium metaphosphate として) 182.6769		E452(i)はメタリン酸ナトリウム,ポリリン酸ナトリウム等を含む

色文字：法令上の指定添加物名（除く別名）　red：Name on Ministerial Ordinance of Designated Food Additives
色文字：法令上の既存添加物名（除く別名）　red：Name on Ministerial Notification of Existing Food Additives

英　名 English name	英名別名 English name	和名，和名別名 Japanese name	許可状況 Legal/Illegal	主な用途 Main uses
Sodium metasilicate		メタケイ酸ナトリウム	×	製造用剤
Sodium methoxide	Sodium methylate	ナトリウムメチラート **ナトリウムメトキシド**	○，指定	製造用剤
Sodium methyl *p*-hydroxybenzoate		パラオキシ安息香酸メチルナトリウム	×	保存料
Sodium methyl sulfate		メチル硫酸ナトリウム	×	製造用剤
Sodium methylate	**Sodium methoxide**	ナトリウムメチラート **ナトリウムメトキシド**	○，指定	製造用剤
Sodium mono-and dimethyl naphthalene sulfonates		モノ及びジメチルナフタリンスルホン酸ナトリウム	×	乳化剤
Sodium nitrate	Chile saltpeter Cubic niter(nitre) Soda niter(nitre)	硝酸ソーダ **硝酸ナトリウム** チリ硝石	○，指定	発色剤 発酵調整剤
Sodium nitrite	Monosodium salt of nitrous acid Nitrous acid sodium salt	**亜硝酸ナトリウム**	○，指定	発色剤
Sodium nitrite used in processing smoked chub		亜硝酸ナトリウム（くん製チャブ加工時に用いる）	×	保存料 発色剤
Sodium norbixate	**Sodium norbixin**	**ノルビキシンナトリウム**	○，指定	着色料
Sodium norbixin	Sodium norbixate	**ノルビキシンナトリウム**	○，指定	着色料
Sodium oleate		**オレイン酸ナトリウム**	○，指定	被膜剤
Sodium orthophenyl phenol	OPP-Na **Sodium *o*-phenylphenate**	OPP-Na **オルトフェニルフェノールナトリウム**	○，指定	防かび剤
Sodium pantothenate		**パントテン酸ナトリウム**	◎，指定	強化剤
Sodium peracetate		過酢酸ナトリウム	×	保存料
Sodium percarbonate		過炭酸ナトリウム	×	保存料
Sodium *o*-phenylphenate	OPP-Na Sodium orthophenyl phenol	OPP-Na **オルトフェニルフェノールナトリウム**	○，指定	防かび剤

◎：許可（使用基準なし） Legal（Accepted with no standard of use）
○：許可（使用基準あり） Legal（Accepted with standard of use）
指定：Designated Food Additives　既存：Existing Food Additives
×：使用不可 Illegal（Prohibited）
※：個別判断を要するもの Required individual special judgement

EU E No.	EU FL No.	CAS No.	CFR No.	CNS 号.	備考 Remarks
			184.1769a		
		124-41-4			最終食品の完成前に分解し，これによって生成するメタノールを除去しなければならない
E219				17.032	
			173.385		
		124-41-4			最終食品の完成前に分解し，これによって生成するメタノールを除去しなければならない
			172.824		
E251(ⅰ) E251(ⅱ)		7631-99-4	(Sodium nitrate として) 172.170 (Sodium nitrate and potassium nitrate として) 181.33	09.001	CFR No. Part 181.33は特別に収載 E251(ⅰ)は Solid sodium nitrate E251(ⅱ)は Liquid sodium nitrate
E250		7632-00-0	(Sodium nitrite として) 172.175 (Sodium nitrite and potassium nitrite として) 181.34	09.002	CFR No.の Part 181.34は特別に収載
			172.177		Chub は淡水魚ウグイ属 **亜硝酸ナトリウム**は指定添加物であるが，使用基準違反
E470a		143-19-1	(Salts of fatty acids として) 172.863		果実及び果菜の表皮の被膜剤以外に使用してはならない E470a は脂肪酸のナトリウム，カリウム，カルシウム塩 **オレイン酸ナトリウム**及び**ステアリン酸カルシウム**以外は不可
		(無水物) 132-27-4	180.129（Title40 Part180）		省令別表第1のリスト名は「**オルトフェニルフェノール及びオルトフェニルフェノールナトリウム，*o*- Phenylphenol and Sodium *o* -phenylphenate**」だが，本書では各単品もリスト名としマークした 告示成分規格の nH_2O は n ＝4 CFR では，本書に関連する「Title21」ではなく pre- and post-harvest 関連の「Title40 Part 180. 129」に「*o* -Phenylphenol and its sodium salt」として収録されている E No.はないが INS No.232あり
		75033-16-8			告示以外の CAS No.は(無水物)867-81-2
		(無水物) 132-27-4	180.129（Title40 Part180）		省令別表第1のリスト名は「**オルトフェニルフェノール及びオルトフェニルフェノールナトリウム，*o* -Phenylphenol and Sodium *o* -phenylphenate**」だが，本書では各単品もリスト名としマークした 告示成分規格の nH_2O は n ＝4 CFR では，本書に関連する「Title21」ではなく pre- and post-harvest 関連の「Title40 Part 180. 129」に「*o* -Phenylphenol and its sodium salt」として収録されている E No.はないが INS No.232あり

色文字：法令上の指定添加物名（除く別名）　red：Name on Ministerial Ordinance of Designated Food Additives
色文字：法令上の既存添加物名（除く別名）　red：Name on Ministerial Notification of Existing Food Additives

英　名 English name	英名別名 English name	和名，和名別名 Japanese name	許可状況 Legal/Illegal	主な用途 Main uses
Sodium phosphate, dibasic	Dibasic sodium phosphate Disodium hydrogen phosphate Disodium phosphate DSP Secondary sodium orthophosphate	第二リン酸ナトリウム DSP 二塩基性リン酸ナトリウム リン酸水素二ナトリウム リン酸二ナトリウム	◎，指定	製造用剤 水素イオン濃度調整剤（pH 調整剤） 膨脹剤 調味料 かんすい 乳化剤
Sodium phosphate, monobasic	Monobasic sodium phosphate Monosodium dihydrogen phosphate Monosodium phosphate MSP Primary sodium orthophosphate Sodium acid phosphate Sodium biphosphate Sodium dihydrogen phosphate	MSP 塩基性リン酸ナトリウム 酸性リン酸ナトリウム 第一リン酸ナトリウム リン酸一ナトリウム リン酸二水素一ナトリウム リン酸二水素ナトリウム	◎，指定	製造用剤 水素イオン濃度調整剤（pH 調整剤） 膨脹剤 調味料 かんすい 乳化剤
Sodium phosphate, tribasic	Tertiary sodium orthophosphate Tertiary sodium phosphate Tribasic sodium phosphate Trisodium orthophosphate Trisodium phosphate TSP	三塩基性リン酸ナトリウム 第三リン酸ナトリウム TSP リン酸三ナトリウム	◎，指定	製造用剤 調味料 かんすい 乳化剤
Sodium polyacrylate		ポリアクリル酸ナトリウム	○，指定	増粘安定剤
Sodium polyphosphate		ポリリン酸ナトリウム	◎，指定	製造用剤 膨脹剤 かんすい 乳化剤 結着剤
Sodium, potassium and calcium salts of fatty acids		脂肪酸のナトリウム，カリウム，カルシウム塩	×	香料
Sodium potassium polyphosphate		ポリリン酸ナトリウムカリウム	×	製造用剤 乳化剤
Sodium potassium tartrate	Potassium sodium L-tartrate	L-酒石酸カリウムナトリウム 酒石酸ナトリウムカリウム	×	製造用剤
Sodium propionate		プロピオン酸ナトリウム	○，指定	保存料
Sodium propyl p-hydroxybenzoate		パラオキシ安息香酸プロピルナトリウム	×	保存料
Sodium pyrophosphate	*n*-Sodium pyrophosphate Tetrasodium diphosphate Tetrasodium pyrophosphate TSPP	TSPP ピロリン酸ナトリウム *n*-ピロリン酸ナトリウム ピロリン酸四ナトリウム	◎，指定	膨脹剤 かんすい 乳化剤 結着剤
***n*-Sodium pyrophosphate**	Sodium pyrophosphate Tetrasodium diphosphate Tetrasodium pyrophosphate TSPP	TSPP ピロリン酸ナトリウム *n*-ピロリン酸ナトリウム ピロリン酸四ナトリウム	◎，指定	膨脹剤 かんすい 乳化剤 結着剤

◎：許可（使用基準なし） Legal（Accepted with no standard of use）
○：許可（使用基準あり） Legal（Accepted with standard of use）
指定：Designated Food Additives　既存：Existing Food Additives
×：使用不可 Illegal（Prohibited）
※：個別判断を要するもの Required individual special judgement

EU E No.	EU FL No.	CAS No.	CFR No.	CNS 号.	備考 Remarks
E339(ii)		（12水和物） 10039-32-4 （無水物） 7558-79-4	(Disodium phosphate として) 182.6290	15.006	表示成分規格の nH_2O は n ＝12,10,8,7,5,2又は0
E339(i)		（2水和物） 13472-35-0 （無水物） 7558-80-7	(Sodium acid phosphate として) 182.6085 (Sodium phosphate (mono-, di-, and tribasic)として) 182.1778 182.6778 182.8778	15.005	告示成分規格の nH_2O は n ＝2又は0
E339(iii)		（12水和物） 10101-89-0 （無水物） 7601-54-9	(Sodium phosphate (mono-, di-, and tribasic) として) 182.1778 182.6778 182.8778	15.001	告示成分規格の nH_2O は n ＝12,6又は0
			173.73	20.036	
E452(i)				15.002	E452(i)はメタリン酸ナトリウム，ポリリン酸ナトリウム等を含む
E470a					E470aは脂肪酸のナトリウム，カリウム，カルシウム塩 **オレイン酸ナトリウム**及び**ステアリン酸カルシウム**以外は不可 両添加物欄参照
E337			184.1804		
E281		137-40-6	184.1784	17.006	
E450(iii)		（10水和物） 13472-36-1 （無水物） 7722-88-5	(Sodium pyrophosphate として) 182.6787 (Tetra sodium pyrophosphate として) 182.6789	15.004	告示成分規格の nH_2O は n ＝10又は0 E450(iii)は Tetrasodium diphosphate
E450(iii)		（10水和物） 13472-36-1 （無水物） 7722-88-5	(Sodium pyrophosphate として) 182.6787 (Tetra sodium pyrophosphate として) 182.6789	15.004	告示成分規格の nH_2O は n ＝10又は0 E450(iii)は Tetrasodium diphosphate

色文字：法令上の指定添加物名（除く別名）　red：Name on Ministerial Ordinance of Designated Food Additives
色文字：法令上の既存添加物名（除く別名）　red：Name on Ministerial Notification of Existing Food Additives

英　名 English name	英名別名 English name	和名，和名別名 Japanese name	許可状況 Legal/Illegal	主な用途 Main uses
Sodium pyrosulfite	Sodium disulfite Sodium metabisulfite	二亜硫酸ナトリウム ピロ亜硫酸ナトリウム メタ重亜硫酸ナトリウム	○，指定	保存料 酸化防止剤 漂白剤
Sodium riboflavin phosphate	Riboflavin 5'-phosphate Riboflavin 5'-phosphate sodium Sodium vitamin B_2 phosphate	ビタミンB_2リン酸エステルナトリウム リボフラビン5'-リン酸 リボフラビンリン酸エステルナトリウム リボフラビン5'-リン酸エステルナトリウム	◎，指定	強化剤 着色料
Sodium 5'-ribonucleotide	Disodium 5'-ribonucleotide	5'-リボヌクレオタイドナトリウム 5'-リボヌクレオチドナトリウム 5'-リボヌクレオチドニナトリウム	◎，指定	調味料
Sodium saccharin	Soluble saccharin	サッカリンナトリウム 溶性サッカリン	○，指定	甘味料
Sodium salts of capric acid		カプリン酸ナトリウム	×	製造用剤 乳化剤
Sodium salts of caprylic acid		カプリル酸ナトリウム	×	製造用剤 乳化剤
Sodium salts of lauric acid		ラウリン酸ナトリウム	×	製造用剤 乳化剤
Sodium salts of myristic acid		ミリスチン酸ナトリウム	×	製造用剤 乳化剤
Sodium salts of palmitic acid		パルミチン酸ナトリウム	×	製造用剤 乳化剤
Sodium salts of stearic acid		ステアリン酸ナトリウム	×	製造用剤 乳化剤
Sodium selenite	Disodium selenite pentahydrate	亜セレン酸ナトリウム 亜セレン酸ナトリウム・5水和物	○，指定	強化剤
Sodium sesquicarbonate		セスキ炭酸ナトリウム	※	製造用剤
Sodium silicoaluminate	Sodium aluminium silicate Sodium aluminosilicate	アルミノケイ酸ナトリウム ケイ酸アルミニウムナトリウム	×	製造用剤
Sodium sorbate		ソルビン酸ナトリウム	×	保存料

◎：許可（使用基準なし） Legal（Accepted with no standard of use）
○：許可（使用基準あり） Legal（Accepted with standard of use）
指定：Designated Food Additives　既存：Existing Food Additives
×：使用不可 Illegal（Prohibited）
※：個別判断を要するもの Required individual special judgement

EU E No.	EU FL No.	CAS No.	CFR No.	CNS 号.	備考 Remarks
E223		7681-57-4	(Sodium bisulfite として) 182.3739 (Sodium metabisulfite として) 182.3766	05.003	
E101(ii)		(無水物) 130-40-5	(Riboflavin 5'-phosphate (sodium) として) 184.1697		着色料の目的では○, 指定 EUの規格ではリボフラビン-5'-リン酸エステルと同ナトリウム塩の両方が含まれているが，日本では**リボフラビン5'-リン酸エステルナトリウム**のみ認められている 告示成分規格の nH_2O は n＝2又は0
E635				12.004	
E954(ii)		(2水和物) 6155-57-3 (無水物) 128-44-9	(Saccharin, ammonium・calcium・sodium saccharin として) 180.37	19.001	告示成分規格の nH_2O は n＝2又は0 CFR No.の Part 180.37は特別に収載
E470a					E470aは脂肪酸のナトリウム，カリウム，カルシウム塩 **オレイン酸ナトリウム**及び**ステアリン酸カルシウム**以外は不可
E470a					E470aは脂肪酸のナトリウム，カリウム，カルシウム塩 **オレイン酸ナトリウム**及び**ステアリン酸カルシウム**以外は不可
E470a					E470aは脂肪酸のナトリウム，カリウム，カルシウム塩 **オレイン酸ナトリウム**及び**ステアリン酸カルシウム**以外は不可
E470a					E470aは脂肪酸のナトリウム，カリウム，カルシウム塩 **オレイン酸ナトリウム**及び**ステアリン酸カルシウム**以外は不可
E470a					E470aは脂肪酸のナトリウム，カリウム，カルシウム塩 **オレイン酸ナトリウム**及び**ステアリン酸カルシウム**以外は不可
E470a					E470aは脂肪酸のナトリウム，カリウム，カルシウム塩 **オレイン酸ナトリウム**及び**ステアリン酸カルシウム**以外は不可
		(5水和物) 26970-82-1			平成28年9月26日　省令別表第1に新規指定 告示成分規格の nH_2O は n＝5 使用にあたっては，適切な製造工程管理を行い，食品中で目的とする効果を得る上で必要とされる量を超えないものとすることの特記あり 使用基準として，厚生労働大臣の承認を受けた調製粉乳，調製液状乳を除き，母乳代替食品100kcal当たりの亜セレン酸ナトリウムの含有量がセレンとして5.5μg以下でなければならない旨の特記あり （参考）厚生労働大臣の承認を受けた調製粉乳，調製液状乳及び母乳代替食品とは，調製粉乳，調製液状乳及び母乳代替食品（乳及び乳製品の成分規格等に関する省令別表の二乳等の成分規格並びに製造，調理及び保存の方法の基準の部㈤ 乳等の成分又は製造若しくは保存の方法に関するその他の規格又は基準の款(6)の規定による厚生労働大臣の承認を受けたもの）
E500(iii)			184.1792	01.305	省令別表第1の**炭酸ナトリウム**と**炭酸水素ナトリウム**の製剤であれば使用が認められる
E554			182.2727		
			182.3795		E No.はなく「INS No.201」があるが「油脂及びその混合スプレッド」への使用が取り消された（2019年7月第42回CAC総会）。

S

色文字：法令上の指定添加物名（除く別名）　red：Name on Ministerial Ordinance of Designated Food Additives
色文字：法令上の既存添加物名（除く別名）　red：Name on Ministerial Notification of Existing Food Additives

英　名 English name	英名別名 English name	和名，和名別名 Japanese name	許可状況 Legal/Illegal	主な用途 Main uses
Sodium starch phosphate	Modified starch	加工デンプン デンプンリン酸エステルナトリウム	×	増粘安定剤 ゲル化剤 糊料
Sodium stearoyl lactylate	Sodium stearoyl-2-lactylate Sodium stearyl lactylate	ステアリル乳酸ナトリウム **ステアロイル乳酸ナトリウム** ステアロイル-2-乳酸ナトリウム	○，指定	乳化剤
Sodium stearoyl-2-lactylate	**Sodium stearoyl lactylate** Sodium stearyl lactylate	ステアリル乳酸ナトリウム **ステアロイル乳酸ナトリウム** ステアロイル-2-乳酸ナトリウム	○，指定	乳化剤
Sodium stearyl fumarate		ステアリルフマル酸ナトリウム	×	乳化剤
Sodium stearyl lactylate	**Sodium stearoyl lactylate** Sodium stearoyl-2-lactylate	ステアリル乳酸ナトリウム **ステアロイル乳酸ナトリウム** ステアロイル-2-乳酸ナトリウム	○，指定	乳化剤
Sodium sulfate	Glauber's salt	ボウ硝 **硫酸ナトリウム**	◎，指定	製造用剤
Sodium sulfite	Sulfite of soda	亜硫酸ソーダ **亜硫酸ナトリウム**	○，指定	製造用剤 保存料 酸化防止剤 漂白剤
Sodium tetraborate	Borax	ホウ砂 四ホウ酸ナトリウム	×	保存料
Sodium thiocyanate		チオシアン酸ナトリウム	×	保存料
Sodium thiosulfate		チオ硫酸ナトリウム	×	製造用剤 酸化防止剤
Sodium trimetaphosphate	Sodium hexametaphosphate **Sodium metaphosphate**	トリメタリン酸ナトリウム ヘキサメタリン酸ナトリウム **メタリン酸ナトリウム**	◎，指定	膨脹剤 かんすい 乳化剤 結着剤
Sodium tripolyphosphate	Pentasodium triphosphate	トリポリリン酸ナトリウム トリポリリン酸五ナトリウム	◎，指定	製造用剤
Sodium 5'-uridylate	**Disodium 5'-uridylate**	5'-ウリジル酸ナトリウム **5'-ウリジル酸二ナトリウム**	◎，指定	調味料
Sodium vitamin B_2 phosphate	Riboflavin 5'-phosphate **Riboflavin 5'-phosphate sodium** Sodium riboflavin phosphate	ビタミンB_2リン酸エステルナトリウム リボフラビン5'-リン酸 リボフラビンリン酸エステルナトリウム **リボフラビン5'-リン酸エステルナトリウム**	◎，指定	強化剤 着色料

◎：許可（使用基準なし） Legal（Accepted with no standard of use）
○：許可（使用基準あり） Legal（Accepted with standard of use）
指定：Designated Food Additives　既存：Existing Food Additives
×：使用不可 Illegal（Prohibited）
※：個別判断を要するもの Required individual special judgement

EU E No.	EU FL No.	CAS No.	CFR No.	CNS 号.	備考 Remarks
				20.013	平成21年6月4日省令別表第1より削除（特記）
E481		25383-99-7	(Sodium stearoyl lactylate として) 172.846	10.011	
E481		25383-99-7	(Sodium stearoyl lactylate として) 172.846	10.011	
			172.826		
E481		25383-99-7	(Sodium stearoyl lactylate として) 172.846	10.011	
E514(i)		(1水和物) 7727-73-3 (無水物) 7757-82-6			告示成分規格の nH_2O は n ＝1又は0
E221		(7水和物) 10102-15-5 (無水物) 7757-83-7	182.3798	05.004	告示成分規格の nH_2O は n ＝7又は0
E285					
			184.1807		
E452(i)			(Sodium hexametaphosphate として) 182.6760 (Sodium metaphosphate として) 182.6769		E452(i)はメタリン酸ナトリウム，ポリリン酸ナトリウム等を含む
E451(i)			(多目的 GRAS 食品物質の Sodium tripolyphosphate として) 182.1810 (GRAS 物質キレート剤の Sodium tripolyphosphate として) 182.6810	15.003	日本では**ポリリン酸ナトリウム**(Sodium polyphosphate)として指定添加物になっている
		3387-36-8			告示以外の CAS No.は(無水物)7545-48-4
E101(ii)		(無水物) 130-40-5	(Riboflavin 5'-phosphate (sodium) として) 184.1697		着色料の目的では○，指定 EU の規格ではリボフラビン-5'-リン酸エステルと同ナトリウム塩の両方が含まれているが，日本では**リボフラビン5'-リン酸エステルナトリウム**のみ認められている 告示成分規格の nH_2O は n ＝2又は0

S

色文字：法令上の指定添加物名（除く別名）　red：Name on Ministerial Ordinance of Designated Food Additives
色文字：法令上の既存添加物名（除く別名）　red：Name on Ministerial Notification of Existing Food Additives

英　名 English name	英名別名 English name	和名，和名別名 Japanese name	許可状況 Legal/Illegal	主な用途 Main uses
Solid wax	Paraffin Paraffin wachs Paraffin wax Petroleum wax	固形ワックス 石油ワックス パラフィン パラフィンワックス	◎，既存	ガムベース 光沢剤
Soluble saccharin	Sodium saccharin	サッカリンナトリウム 溶性サッカリン	○，指定	甘味料
Soluble vitamin P	Methyl hesperidin	メチルヘスペリジン 溶性ビタミンP	◎，指定	強化剤
Solvey soda	Carbonate of soda Carbonic acid disodium salt Soda ash Soda calcined Sodium carbonate Sodium carbonate, anhydrous	ソーダ灰（無水物の場合） 炭酸ソーダ（結晶物の場合） 炭酸ナトリウム 炭酸二ナトリウム 無水炭酸ナトリウム	◎，指定	製造用剤 水素イオン濃度調整剤（pH 調整剤） 膨脹剤 かんすい
Sorbic acid		ソルビン酸	○，指定	保存料
D-Sorbit	Sorbitol D-Sorbitol	D-ソルビット ソルビトール D-ソルビトール	◎，指定	品質改良剤 甘味料 チューインガム軟化剤
D-Sorbit solution	Sorbitol syrup D-Sorbitol syrup	D-ソルビット液 ソルビトール液 D-ソルビトール液	◎，指定	製造用剤 甘味料
Sorbitan esters of fatty acids	Sorbitan monolaurate	ソルビタン脂肪酸エステル ソルビタンモノラウリン酸エステル	◎，指定	乳化剤 ガムベース
	Sorbitan monooleate	ソルビタン脂肪酸エステル ソルビタンモノオレイン酸エステル	◎，指定	乳化剤 ガムベース
	Sorbitan monopalmitate	ソルビタン脂肪酸エステル ソルビタンモノパルミチン酸エステル	◎，指定	乳化剤 ガムベース
	Sorbitan monostearate	ソルビタン脂肪酸エステル ソルビタンモノステアリン酸エステル	◎，指定	乳化剤 ガムベース
	Sorbitan tristearate	ソルビタン脂肪酸エステル ソルビタントリステアリン酸エステル	◎，指定	乳化剤 ガムベース
Sorbitan monolaurate	Sorbitan esters of fatty acids	ソルビタン脂肪酸エステル ソルビタンモノラウリン酸エステル	◎，指定	乳化剤 ガムベース
Sorbitan monooleate	Sorbitan esters of fatty acids	ソルビタン脂肪酸エステル ソルビタンモノオレイン酸エステル	◎，指定	乳化剤 ガムベース
Sorbitan monopalmitate	Sorbitan esters of fatty acids	ソルビタン脂肪酸エステル ソルビタンモノパルミチン酸エステル	◎，指定	乳化剤 ガムベース
Sorbitan monostearate	Sorbitan esters of fatty acids	ソルビタン脂肪酸エステル ソルビタンモノステアリン酸エステル	◎，指定	乳化剤 ガムベース
Sorbitan tristearate	Sorbitan esters of fatty acids	ソルビタントリステアリン酸エステル ソルビタントリステアリン酸エステル	◎，指定	乳化剤 ガムベース

◎：許可（使用基準なし） Legal（Accepted with no standard of use）
○：許可（使用基準あり） Legal（Accepted with standard of use）
指定：Designated Food Additives 既存：Existing Food Additives
×：使用不可 Illegal（Prohibited）
※：個別判断を要するもの Required individual special judgement

EU E No.	EU FL No.	CAS No.	CFR No.	CNS 号.	備考 Remarks
			(Petroleum wax として) 172.886		
E954(ii)		(2水和物) 6155-57-3 (無水物) 128-44-9	(Saccharin, ammonium・calcium・sodium saccharin として) 180.37	19.001	告示成分規格の nH_2O は n＝2又は0 CFR No. の Part 180.37は特別に収載
E500(i)		(1水和物) 5968-11-6 (無水物) 497-19-8	(Sodium carbonate として) 184.1742	01.302	告示成分規格の nH_2O は n＝1又は0
E200		110-44-1	182.3089	17.003	
E420(i)		50-70-4	(Sorbitol として) 184.1835	19.006	
E420(ii)		50-70-4	(Sorbitol として) 184.1835	19.023	省令別表第1の **D-ソルビトール**扱い
E493				10.024	
E494				10.005	
E495				10.008	
E491			(Sorbitan monostearate として) 172.842	10.003	
E492				10.004	
E493				10.024	
E494				10.005	
E495				10.008	
E491			(Sorbitan monostearate として) 172.842	10.003	
E492				10.004	

色文字：法令上の指定添加物名（除く別名）　red：Name on Ministerial Ordinance of Designated Food Additives
色文字：法令上の既存添加物名（除く別名）　red：Name on Ministerial Notification of Existing Food Additives

英　名 English name	英名別名 English name	和名，和名別名 Japanese name	許可状況 Legal/Illegal	主な用途 Main uses
Sorbitol	D-Sorbit D-Sorbitol	D-ソルビット ソルビトール D-ソルビトール	◎，指定	品質改良剤 甘味料 チューインガム軟化剤
D-Sorbitol	D-Sorbit Sorbitol	D-ソルビット ソルビトール D-ソルビトール	◎，指定	品質改良剤 甘味料 チューインガム軟化剤
D-Sorbitol syrup	D-Sorbit solution Sorbitol syrup	D-ソルビット液 ソルビトール液 D-ソルビトール液	◎，指定	製造用剤 甘味料
Sorbitol syrup	D-Sorbit solution D-Sorbitol syrup	D-ソルビット液 ソルビトール液 D-ソルビトール液	◎，指定	製造用剤 甘味料
Sorboyl palmitate		パルミチン酸ソルボイル	×	製造用剤
Sorva	**Leche caspi** Pendare Perillo	**ソルバ**（ソルバの分泌液から得られた，アミリンアセタート及びポリイソプレンを主成分とするものをいう。） ペリージョ ペンダーレ レッチェカスピ	◎，既存	ガムベース
Sorva pequena	**Sorvinha**	ソルバペケーニヤ **ソルビンハ**（ソルビンハの分泌液から得られた，アミリンアセタート及びポリイソプレンを主成分とするものをいう。）	◎，既存	ガムベース
Sorvinha	Sorva pequena	ソルバペケーニヤ **ソルビンハ**（ソルビンハの分泌液から得られた，アミリンアセタート及びポリイソプレンを主成分とするものをいう。）	◎，既存	ガムベース
Soy leghemoglobin		大豆レグヘモグロビン	×	着色料
Soybean hemicellulose	**Soybean polysaccharides**	**ダイズ多糖類** ダイズヘミセルロース	◎	製造用剤 増粘安定剤
Soybean polysaccharides	Soybean hemicellulose	**ダイズ多糖類** ダイズヘミセルロース	◎	製造用剤 増粘安定剤
Soybean saponin		**ダイズサポニン**（ダイズの種子から得られた，サポニンを主成分とするものをいう。）	◎，既存	乳化剤
Sphingolipid		**スフィンゴ脂質**（米ぬかから得られた，スフィンゴシン誘導体を主成分とするものをいう。）	◎，既存	乳化剤

◎：許可（使用基準なし） Legal（Accepted with no standard of use）
○：許可（使用基準あり） Legal（Accepted with standard of use）
指定：Designated Food Additives 既存：Existing Food Additives
×：使用不可 Illegal（Prohibited）
※：個別判断を要するもの Required individual special judgement

EU E No.	EU FL No.	CAS No.	CFR No.	CNS 号.	備考 Remarks
E420(i)		50-70-4	(Sorbitol として) 184.1835	19.006	
E420(i)		50-70-4	(Sorbitol として) 184.1835	19.006	
E420(ii)		50-70-4	(Sorbitol として) 184.1835	19.023	省令別表第1の **D-ソルビトール**扱い
E420(ii)		50-70-4	(Sorbitol として) 184.1835	19.023	省令別表第1の **D-ソルビトール**扱い
			73.520		マメ科植物の根粒にあるヘモグロビンで，赤味がかったブラウン色を有する CFR2020年版で新規指定
E426				20.044	一般飲食物添加物 CNS 号20.044は soluble soybean polysaccharide
E426				20.044	一般飲食物添加物 CNS 号20.044は soluble soybean polysaccharide
					サポニン参照

S

色文字：法令上の指定添加物名（除く別名）　red：Name on Ministerial Ordinance of Designated Food Additives
色文字：法令上の既存添加物名（除く別名）　red：Name on Ministerial Notification of Existing Food Additives

英　名 English name	英名別名 English name	和名，和名別名 Japanese name	許可状況 Legal/Illegal	主な用途 Main uses
Spice extracts		**香辛料抽出物（アサノミ、アサフェチダ、アジョワン、アニス、アンゼリカ、ウイキョウ、ウコン、オールスパイス、オレガノ、オレンジピール、カショウ、カッシア、カモミール、カラシナ、カルダモン、カレーリーフ、カンゾウ、キャラウェー、クチナシ、クミン、クレソン、クローブ、ケシノミ、ケーパー、コショウ、ゴマ、コリアンダー、サッサフラス、サフラン、サボリー、サルビア、サンショウ、シソ、シナモン、シャロット、ジュニパーベリー、ショウガ、スターアニス、スペアミント、セイヨウワサビ、セロリー、ソーレル、タイム、タマネギ、タマリンド、タラゴン、チャイブ、ディル、トウガラシ、ナツメグ、ニガヨモギ、ニジェラ、ニンジン、ニンニク、バジル、パセリ、ハッカ、バニラ、パプリカ、ヒソップ、フェネグリーク、ペパーミント、ホースミント、マジョラム、ミョウガ、ラベンダー、リンデン、レモングラス、レモンバーム、ローズ、ローズマリー、ローレル又はワサビから抽出し、又はこれを水蒸気蒸留して得られたものをいう。）** スパイス抽出物	◎，既存	苦味料 香辛料
Spinacene	Squalene Supraene	スクワレン スピナセン スプラエン	※	特別用途食品
Spirulina blue color	Phycocyan Phycocyanin **Spirulina color** Spirulina extract	スピルリナ青 スピルリナ青色素 **スピルリナ色素**（スピルリナの全藻から得られた，フィコシアニンを主成分とするものをいう。） スピルリナ抽出物 フィコシアニン フィコシアン	◎，既存	特別用途食品 着色料
Spirulina color	Phycocyan Phycocyanin Spirulina blue color Spirulina extract	スピルリナ青 スピルリナ青色素 **スピルリナ色素**（スピルリナの全藻から得られた，フィコシアニンを主成分とするものをいう。） スピルリナ抽出物 フィコシアニン フィコシアン	◎，既存	特別用途食品 着色料
Spirulina extract	Phycocyan Phycocyanin Spirulina blue color **Spirulina color**	スピルリナ青 スピルリナ青色素 スピルリナ抽出物 フィコシアニン フィコシアン	◎，既存	特別用途食品 着色料
Squalene	Spinacene Supraene	スクワレン スピナセン スプラエン	※	特別用途食品
Stannous chloride (anhydrous and dihydrated)		塩化第一スズ（無水および二水和物）	×	製造用剤 酸化防止剤
Starch acetate	Acetylated starch Modified starch	アセチル化デンプン 加工デンプン **酢酸デンプン**	◎，指定	増粘安定剤 ゲル化剤 糊料
Starch aluminium octenyl succinate	Modified starch	加工デンプン デンプンアルミニウムオクテニルコハク酸塩	×	増粘安定剤 ゲル化剤 糊料

◎：許可（使用基準なし） Legal（Accepted with no standard of use）　×：使用不可 Illegal（Prohibited）
○：許可（使用基準あり） Legal（Accepted with standard of use）　※：個別判断を要するもの Required individual special judgement
指定：Designated Food Additives　既存：Existing Food Additives

EU E No.	EU FL No.	CAS No.	CFR No.	CNS 号.	備考 Remarks
			(Spices and other natural seasonings and flavorings として) 182.10		除外品目についてただし書きあり 既存添加物名簿にて要確認 「チャービル」から抽出し，又はこれを水蒸気蒸留して得られたものについては，令和2年2月26日告示第42号により既存添加物名簿から消除
					資料1により食品添加物に該当する可能性が考えられるが，事前に判断を受けるよう指導されている品目
			(Spirulina extract として) 73.530	08.137	資料1により既存添加物扱いとする品目。 **スピルリナ色素**が既存添加物名簿に収載 着色料の目的では○,既存
			(Spirulina extract として) 73.530	08.137	資料1により既存添加物扱いとする品目。 **スピルリナ色素**が既存添加物名簿に収載 着色料の目的では○,既存
			(Spirulina extract として) 73.530	08.137	資料1により既存添加物扱いとする品目。 **スピルリナ色素**が既存添加物名簿に収載 着色料の目的では○,既存
					資料1により食品添加物に該当する可能性が考えられるが，事前に判断を受けるよう指導されている品目
E512			172. 180 184.1845		E512は二水和物のみ CFR No.172.180はガラス容器詰めアスパラガスの色調維持用として，無水・水和物の区別なし
E1420		9045-28-7	(Food starch-modified として) 172.892	20.039	適切な製造工程管理を行い，食品中で目的とする効果を得る量を超えないこと
E1452					

S

色文字：法令上の指定添加物名（除く別名）　red：Name on Ministerial Ordinance of Designated Food Additives
色文字：法令上の既存添加物名（除く別名）　red：Name on Ministerial Notification of Existing Food Additives

英　名 English name	英名別名 English name	和名，和名別名 Japanese name	許可状況 Legal/Illegal	主な用途 Main uses
Starch sodium octenyl succinate	Modified starch	オクテニルコハク酸デンプンナトリウム 加工デンプン	◎，指定	増粘安定剤 乳化剤 ゲル化剤 糊料
Starter distillate		スターター蒸留物	◎	調味料
Stearic acid		ステアリン酸	○，指定	香料
Stearoyl monoglyceridyl citrate ester	Citrate esters of monoglyceride Citric acid esters of mono-and diglycerides of fatty acids Glycerol esters of citric (citrate) and fatty acids Glycerol esters of fatty acids Monoglyceride citrate Stearyl monoglyceridyl citrate	クエン酸ステアリルモノグリセリジル クエン酸モノグリセライド グリセリンクエン酸脂肪酸エステル グリセリン脂肪酸エステル 脂肪酸のモノ及びジグリセライドのクエン酸エステル ステアロイルモノグリセリジルクエン酸エステル	◎，指定	製造用剤 増粘安定剤 酸化防止剤 乳化剤 ガムベース
Stearoyl propylene glycol hydrogen succinate	Succistearin	コハク酸水素ステアロイルプロピレングリコール サクシステアリン	×	乳化剤
Stearyl citrate		クエン酸ステアリル	×	製造用剤 乳化剤
Stearyl monoglyceridyl citrate	Citrate esters of monoglyceride Citric acid esters of mono-and diglycerides of fatty acids Glycerol esters of citric (citrate) and fatty acids Glycerol esters of fatty acids Monoglyceride citrate Stearoyl monoglyceridyl citrate ester	クエン酸ステアリルモノグリセリジル クエン酸モノグリセライド グリセリンクエン酸脂肪酸エステル グリセリン脂肪酸エステル 脂肪酸のモノ及びジグリセライドのクエン酸エステル ステアロイルモノグリセリジルクエン酸エステル	◎，指定	製造用剤 増粘安定剤 酸化防止剤 乳化剤 ガムベース
Stearyl tartrate		酒石酸ステアリル	×	製造用剤 乳化剤
Sterculia gum	Karaya gum	カラヤガム（カラヤ又はキバナワタモドキの分泌液から得られた，多糖類を主成分とするものをいう。） ステルキュリアガム	◎，既存	増粘安定剤 乳化剤
Stevia ext.	Rebaudioside Stevia extract Steviol glycosides Stevioside	ステビアエキス ステビア抽出物（ステビアの葉から抽出して得られた，ステビオール配糖体を主成分とするものをいう。） ステビオグルコシド ステビオサイド ステビオシド レバウジオシド レバウディオサイド	◎，既存	甘味料

◎：許可（使用基準なし） Legal（Accepted with no standard of use）
○：許可（使用基準あり） Legal（Accepted with standard of use）
指定：Designated Food Additives　既存：Existing Food Additives
×：使用不可 Illegal（Prohibited）
※：個別判断を要するもの Required individual special judgement

EU E No.	EU FL No.	CAS No.	CFR No.	CNS 号.	備考 Remarks
E1450			(Food starch-modified として) 172.892	10.030	適切な製造工程管理を行い，食品中で目的とする効果を得る量を超えないこと
			184.1848		食品素材扱い
	08.015	57-11-4	(Fatty acids として) 172.860 (Stearic acid として) 184.1090	14.009	**脂肪酸類** 着香の目的以外に使用してはならない 類又は誘導体として指定されている18項目の香料リストのSEQ No.2296(解説編2-(1)-(vi)参照) EU FL No.08.015の名称は「Octadecanoic acid」
E472c			(Monoglyceride citrate として) 172.832 (Mono-and diglycerides として) 184.1505 (Stearyl monoglyceridyl citrate として) 172.755	10.032	
			172.765		
			184.1851		
E472c			(Monoglyceride citrate として) 172.832 (Mono-and diglycerides として) 184.1505 (Stearyl monoglyceridyl citrate として) 172.755	10.032	
E483					
E416		9000-36-6	184.1349	18.010	
E960a				19.008	E960は「Commission Regulation（EU）No.1131/2011 of 11 Nov. 2011」で新規制定されたが，その後「Commission Regulation（EU）2021/1156 of 13 July 2021」により E960a Steviol glycosides from stevia に変更された

S

色文字：法令上の指定添加物名（除く別名）　red：Name on Ministerial Ordinance of Designated Food Additives
色文字：法令上の既存添加物名（除く別名）　red：Name on Ministerial Notification of Existing Food Additives

英　名 English name	英名別名 English name	和名，和名別名 Japanese name	許可状況 Legal/Illegal	主な用途 Main uses
Stevia extract	Rebaudioside Stevia ext. Steviol glycosides Stevioside	ステビアエキス ステビア抽出物（ステビアの葉から抽出して得られた，ステビオール配糖体を主成分とするものをいう。） ステビオグルコシド ステビオサイド ステビオシド レバウジオシド レバウディオサイド	◎，既存	甘味料
Steviol glycosides	Rebaudioside Stevia ext. Stevioside Stevia extract	ステビアエキス ステビア抽出物（ステビアの葉から抽出して得られた，ステビオール配糖体を主成分とするものをいう。） ステビオグルコシド ステビオサイド ステビオシド レバウジオシド レバウディオサイド	◎，既存	甘味料
Stevioside	Rebaudioside Stevia ext. Stevia extract Steviol glycosides	ステビアエキス ステビア抽出物（ステビアの葉から抽出して得られた，ステビオール配糖体を主成分とするものをいう。） ステビオグルコシド ステビオサイド ステビオシド レバウジオシド レバウディオサイド	◎，既存	甘味料
Stigmasterol-rich plant sterols		スチグマステリン高含量植物ステロール	×	安定剤
Strawberry color		ストロベリー色素	○	着色料
Styrone	Cinnamic alcohol Cinnamyl alcohol γ-Phenylallyl alcohol Styryl carbinol	ケイ皮アルコール シンナミックアルコール シンナミルアルコール スチリルカルビノール スチロン γ-フェニルアリルアルコール	○，指定	香料
Styryl carbinol	Cinnamic alcohol Cinnamyl alcohol γ-Phenylallyl alcohol Styrone	ケイ皮アルコール シンナミックアルコール シンナミルアルコール スチリルカルビノール スチロン γ-フェニルアリルアルコール	○，指定	香料
Succinate ester of monoglyceride	Glycerol esters of fatty acids Glycerol esters of succinic (succinate) and fatty acids Succinylated monoglycerides	グリセリンコハク酸脂肪酸エステル グリセリン脂肪酸エステル コハク酸モノグリセライド	◎，指定	製造用剤 増粘安定剤 乳化剤 ガムベース
Succinic acid	Butonedioic acid	コハク酸 ブタンデオイック酸	◎，指定	水素イオン濃度調整剤（pH 調整剤） 酸味料 調味料
Succinic anhydride		無水コハク酸	×	製造用剤
Succinic derivatives		コハク酸誘導体	×	製造用剤

◎：許可（使用基準なし） Legal（Accepted with no standard of use）
○：許可（使用基準あり） Legal（Accepted with standard of use）
指定：Designated Food Additives 既存：Existing Food Additives
×：使用不可 Illegal（Prohibited）
※：個別判断を要するもの Required individual special judgement

EU E No.	EU FL No.	CAS No.	CFR No.	CNS 号.	備考 Remarks
E960a				19.008	E960は「Commission Regulation（EU）No.1131/2011 of 11 Nov. 2011」で新規制定されたが，その後「Commission Regulation（EU）2021/1156 of 13 July 2021」によりE960a Steviol glycosides from steviaに変更された
E960a				19.008	E960は「Commission Regulation（EU）No.1131/2011 of 11 Nov. 2011」で新規制定されたが，その後「Commission Regulation（EU）2021/1156 of 13 July 2021」によりE960a Steviol glycosides from steviaに変更された
E960a				19.008	E960は「Commission Regulation（EU）No.1131/2011 of 11 Nov. 2011」で新規制定されたが，その後「Commission Regulation（EU）2021/1156 of 13 July 2021」によりE960a Steviol glycosides from steviaに変更された
E499					E499は「Commission Regulation（EU）No.739/2013 of 30 July 2013」で新規制定
					一般飲食物添加物
	02.017	104-54-1			着香の目的以外に使用してはならない
	02.017	104-54-1			着香の目的以外に使用してはならない
E471			（Succinylated monoglyceridesとして） 172.830 （Mono-and diglyceridesとして） 184.1505	10.038	
E363		110-15-6	184.1091		

S

色文字：法令上の指定添加物名（除く別名）　red：Name on Ministerial Ordinance of Designated Food Additives
色文字：法令上の既存添加物名（除く別名）　red：Name on Ministerial Notification of Existing Food Additives

英　名 English name	英名別名 English name	和名，和名別名 Japanese name	許可状況 Legal/Illegal	主な用途 Main uses
Succinylated monoglycerides	Glycerol esters of fatty acids Glycerol esters of succinic(succinate)and fatty acids Succinate ester of monoglyceride	グリセリンコハク酸脂肪酸エステル グリセリン脂肪酸エステル コハク酸モノグリセライド	◎，指定	製造用剤 増粘安定剤 乳化剤 ガムベース
Succistearin	Stearoyl propylene glycol hydrogen succinate	コハク酸水素ステアロイルプロピレングリコール サクシステアリン	×	乳化剤
Sucralose	Trichlorogalactosucrose	スクラロース トリクロロガラクトスクロース	○，指定	甘味料
Sucrase	Invertase Saccharase	インベルターゼ サッカラーゼ シュークラーゼ スクラーゼ	◎，既存	酵素
Sucroglycerides		スクログリセリド	×	乳化剤
Sucrose	Saccharose	サッカロース ショ糖 スクロース	◎	甘味料
Sucrose acetate isobutyrate	SAIB Sucrose esters of fatty acids Sucrose fatty acid esters	SAIB ショ糖酢酸イソブチレート ショ糖酢酸イソ酪酸エステル ショ糖脂肪酸エステル	◎，指定	乳化剤 ガムベース
Sucrose esters of fatty acids	SAIB Sucrose acetate isobutyrate Sucrose fatty acid esters	SAIB ショ糖酢酸イソブチレート ショ糖酢酸イソ酪酸エステル ショ糖脂肪酸エステル	◎，指定	乳化剤 ガムベース
Sucrose fatty acid esters	SAIB Sucrose acetate isobutyrate Sucrose esters of fatty acids	SAIB ショ糖酢酸イソブチレート ショ糖酢酸イソ酪酸エステル ショ糖脂肪酸エステル	◎，指定	乳化剤 ガムベース
Sucrose oligoesters		ショ糖オリゴエステル	◎，指定	乳化剤 ガムベース
Sudan I		スーダン I	×	着色料
Sudan II		スーダン II	×	着色料
Sudan III		スーダン III	×	着色料
Sudan IV		スーダン IV	×	着色料
Sugar beet extract flavor base		シュガービート抽出香料	◎	香料
Sulfate of ammonia	Ammonium sulfate	硫安 硫酸アンモニウム	◎，指定	イーストフード
Sulfated butyl oleate		オレイン酸硫酸ブチル	×	製造用剤
Sulfite ammonia caramel	Caramel Caramel IV(Sulfite ammonia caramel) Caramel color class IV	カラメル カラメル IV（でん粉加水分解物，糖蜜又は糖類の食用炭水化物に亜硫酸化合物及びアンモニウム化合物を加えて熱処理して得られたものをいう。） サルファイトアンモニアカラメル	◎，既存	製造用剤 着色料

◎：許可（使用基準なし） Legal（Accepted with no standard of use）
○：許可（使用基準あり） Legal（Accepted with standard of use）
指定：Designated Food Additives　既存：Existing Food Additives
×：使用不可 Illegal（Prohibited）
※：個別判断を要するもの Required individual special judgement

EU E No.	EU FL No.	CAS No.	CFR No.	CNS 号.	備考 Remarks
E471			(Succinylated monoglycerides として) 172.830 (Mono-and diglycerides として) 184.1505	10.038	
			172.765		
E955		56038-13-2	172.831	19.016	
E1103					
E474					
		57-50-1	184.1854		CFR は CAS No.57-50-1としてサトウキビまたはビートから作ったショ糖 食品扱い
E444 E473			(Sucrose acetate isobutyrate,SAIB として) 172.833 (Sucrose fatty acid esters として) 172.859	10.001	E444：Sucrose acetate isobutyrate E473：Sucrose esters of fatty acids
E444 E473			(Sucrose acetate isobutyrate,SAIB として) 172.833 (Sucrose fatty acid esters として) 172.859	10.001	E444：Sucrose acetate isobutyrate E473：Sucrose esters of fatty acids
E444 E473			(Sucrose acetate isobutyrate,SAIB として) 172.833 (Sucrose fatty acid esters として) 172.859	10.001	E444：Sucrose acetate isobutyrate E473：Sucrose esters of fatty acids
			172.869		シヨ糖脂肪酸エステル
			172.585		食品扱い
E517		7783-20-2	184.1143		
			172.270		CFR は干しブドウの水分調整
E150d			(検定免除の着色料のカラメルとして) 73.85 (GRAS 物質のカラメルとして) 182.1235	08.109	着色料の目的では○,既存

S

色文字：法令上の指定添加物名（除く別名）　red：Name on Ministerial Ordinance of Designated Food Additives
色文字：法令上の既存添加物名（除く別名）　red：Name on Ministerial Notification of Existing Food Additives

英　名 English name	英名別名 English name	和名，和名別名 Japanese name	許可状況 Legal/Illegal	主な用途 Main uses
Sulfite of soda	Sodium sulfite	亜硫酸ソーダ 亜硫酸ナトリウム	○，指定	製造用剤 保存料 酸化防止剤 漂白剤
Sulfur dioxide	Sulfurous acid, anhydride Sulfurous oxide	二酸化硫黄 無水亜硫酸	○，指定	保存料 酸化防止剤 漂白剤
Sulfur(as Methylsulfurylmethane)	Sulphur(as Methylsulphurylmethane)	イオウ(メチルサルフォニルメタンとして)	◎	特別用途食品
Sulfur(except Methylsulfurylmethane)	Sulphur(except Methylsulphurylmethane)	イオウ(ただしメチルサルフォニルメタンを除く)	※	特別用途食品
Sulfuric acid	Oil of virtiol	硫酸 緑バン油	○，指定	製造用剤
Sulfurous acid, anhydride	Sulfur dioxide Sulfurous oxide	二酸化硫黄 無水亜硫酸	○，指定	保存料 酸化防止剤 漂白剤
Sulfurous oxide	Sulfur dioxide Sulfurous acid, anhydride	二酸化硫黄 無水亜硫酸	○，指定	保存料 酸化防止剤 漂白剤
Sulphur(as Methylsulphurylmethane)	Sulfur(as Methylsulfurylmethane)	イオウ(メチルサルフォニルメタンとして)	◎	特別用途食品
Sulphur(except Methylsulphurylmethane)	Sulfur(except Methylsulfurylmethane)	イオウ(ただしメチルサルフォニルメタンを除く)	※	特別用途食品
Sunflower extract	Sunflower seed extract	ヒマワリエキス ヒマワリ種子エキス ヒマワリ種子抽出物(ヒマワリの種子から得られた，イソクロロゲン酸及びクロロゲン酸を主成分とするものをいう。) ヒマワリ抽出物	◎，既存	酸化防止剤
Sunflower lecithin		ヒマワリレシチン	◎，指定	乳化剤
Sunflower seed extract	Sunflower extract	ヒマワリエキス ヒマワリ種子エキス ヒマワリ種子抽出物(ヒマワリの種子から得られた，イソクロロゲン酸及びクロロゲン酸を主成分とするものをいう。) ヒマワリ抽出物	◎，既存	酸化防止剤
Sunset Yellow FCF	FD & C Yellow No.6 Food Yellow No.5	サンセットイエロー FCF 食用黄色5号 食用黄色6号(米国)	○，指定	着色料

◎：許可（使用基準なし） Legal（Accepted with no standard of use）
○：許可（使用基準あり） Legal（Accepted with standard of use）
指定：Designated Food Additives　既存：Existing Food Additives
×：使用不可 Illegal（Prohibited）
※：個別判断を要するもの Required individual special judgement

EU E No.	EU FL No.	CAS No.	CFR No.	CNS 号.	備考 Remarks
E221		（7水和物） 10102-15-5 （無水物） 7757-83-7	182.3798	05.004	告示成分規格の nH_2O は n ＝7又は0
E220			(Sulfur dioxide として) 182.3862	05.001	
					資料1により食品素材扱いとする品目
				05.007	資料1により食品添加物に該当する可能性が考えられるが，事前に判断を受けるよう指導されている品目 CNS 号05.007は添加物扱いの漂白剤，防腐剤
E513		7664-93-9	184.1095		最終食品の完成前に中和又は除去しなければならない
E220			(Sulfur dioxide として) 182.3862	05.001	
E220			(Sulfur dioxide として) 182.3862	05.001	
					資料1により食品素材扱いとする品目
				05.007	資料1により食品添加物に該当する可能性が考えられるが，事前に判断を受けるよう指導されている品目 CNS 号05.007は添加物扱いの漂白剤，防腐剤
E322			(Lecithin として) 184.1400		平成26年4月10日省令別表第1に新規指定 目的とする効果を得るうえで必要とされる量を超えないこと 既存添加物**植物レシチン**及び**卵黄レシチン**と主成分は同じであるが，各々の定義には該当しない また，**酵素処理レシチン**及び**分別レシチン**の定義にも該当しない 別名として「セファリン」「リポイノシトール」「レシチン」「レシチン分別物」の各名称が記載できるが，「**植物レシチン**」等の既存添加物の各別名と重複するため，本欄では検索上これらを省略
E110		2783-94-0	(要検定リストとして) 74.706 (要検定暫定リストとして) 82.706	08.006	米国では FD & C Yellow No.6(食用黄色6号)である 省令別表第1のリスト名は「**食用黄色5号及びそのアルミニウムレーキ，Food Yellow No. 5 and its Aluminium lake**」だが，本書では各単品もリスト名としマークした CNS 号08.006は sunset yellow（FCF なし）

色文字：法令上の指定添加物名（除く別名）　red：Name on Ministerial Ordinance of Designated Food Additives
色文字：法令上の既存添加物名（除く別名）　red：Name on Ministerial Notification of Existing Food Additives

英　名 English name	英名別名 English name	和名，和名別名 Japanese name	許可状況 Legal/Illegal	主な用途 Main uses
Sunset Yellow FCF aluminium lake	**Food Yellow No. 5 aluminium lake**	サンセットイエローFCFアルミニウムレーキ **食用黄色5号アルミニウムレーキ**	○，指定	着色料
Superoxide dismutase	SOD	SOD スーパーオキシドディスムターゼ	※	特別用途食品
Supraene	Spinacene Squalene	スクワレン スピナセン スプラエン	※	特別用途食品
Sweetpotato cellulose		**サツマイモセルロース**	◎	製造用剤 増粘安定剤
Synthetic aliphatic alcohols	Synthetic fatty alcohols	合成脂肪族アルコール類	×	香料
Synthetic fatty alcohols	Synthetic aliphatic alcohols	合成脂肪族アルコール類	×	香料
Synthetic flavoring substances and adjuvants		合成香料及び助剤	※	香料
Synthetic glycerin produced by the hydrogenolysis of carbohydrates		合成グリセリン（炭水化物の水素化分解由来）	※	製造用剤
Synthetic iron oxide		合成酸化鉄	※	着色料
Synthetic isoparaffinic petroleum hydrocarbons		合成イソパラフィン系石油炭化水素類	×	製造用剤
Synthetic paraffin		合成パラフィン	×	製造用剤
Synthetic paraffin and succinic derivatives		合成パラフィン及びコハク酸誘導体	×	被膜剤
Synthetic petroleum wax		合成石油ワックス	×	製造用剤
Synthetic triglycerides		合成トリグリセリド	◎	製造用剤 乳化剤
Synthetic wintergreen oil	Methyl-*o*-hydroxybenzoate **Methyl salicylate**	オルトヒドロ安息香酸メチル **サリチル酸メチル** 冬緑油	○，指定	香料
Syrian gum	Basora gum Goat's thorn Gum tragacanth Hog gum Leaf gum **Tragacanth gum**	シリアンガム **トラガントガム**（トラガントの分泌液から得られた，多糖類を主成分とするものをいう。） バソラガム ホッグガム リーフガム	◎，既存	増粘安定剤 乳化剤

◎：許可（使用基準なし） Legal（Accepted with no standard of use）　×：使用不可 Illegal（Prohibited）
○：許可（使用基準あり） Legal（Accepted with standard of use）　※：個別判断を要するもの Required individual special judgement
指定：Designated Food Additives　既存：Existing Food Additives

EU E No.	EU FL No.	CAS No.	CFR No.	CNS 号.	備考 Remarks
E110			(Lakes(FD & C)として) 82.51	08.006	米国ではFD & C Yellow No.6(食用黄色6号)である 省令別表第1のリスト名は「**食用黄色5号及びそのアルミニウムレーキ, Food Yellow No. 5 and its Aluminium lake**」だが,本書では各単品もリスト名としマークした CNS 号08.006は sunset yellow aluminum lake（FCF なし）
					資料1により食品添加物に該当する可能性が考えられるが，事前に判断を受けるよう指導されている品目
					資料1により食品添加物に該当する可能性が考えられるが，事前に判断を受けるよう指導されている品目
					一般飲食物添加物
			172.864		
			172.864		
			172.515		CFR は多数の個々の化学名称のリストを収載
			172.866		CFR には「CFR No.178.3500:Glycerin, synthetic」などの関連 Part があるが，これらはすべて間接添加物を対象とする Part であり，本書の収載対象外
E172			73.200		省令別表第1の**三二酸化鉄**以外は不可 E172は「Commission Regulation（EU）No.510/2013 of 3 June 2013」で新規制定
			172.882		
			172.275		CFR はグレープフルーツ，レモン，ライム等の表面保護コーティング
			182.888		
					環食化第7027号(昭和42年12月27日)で食品扱いとなっている
	09.749	119-36-8			着香の目的以外に使用してはならない
E413		9000-65-1	(Gum tragacanth として) 184.1351		

T

色文字：法令上の指定添加物名（除く別名）　red：Name on Ministerial Ordinance of Designated Food Additives
色文字：法令上の既存添加物名（除く別名）　red：Name on Ministerial Notification of Existing Food Additives

英　名 English name	英名別名 English name	和名，和名別名 Japanese name	許可状況 Legal/Illegal	主な用途 Main uses
D-Tagatose		D-タガトース	×	甘味料
Tagetes extract	Marigold color	マリーゴールド色素(マリーゴールドの花から得られた，キサントフィルを主成分とするものをいう。)	○，既存	着色料
Talc	Water-insoluble mineral substances	タルク 不溶性鉱物性物質	○，既存	製造用剤
Tamarind color		タマリンド色素(タマリンドの種子から得られた，フラボノイドを主成分とするものをいう。)	○，既存	着色料
Tamarind gum	Tamarind seed gum Tamarind seed polysaccharide	タマリンドガム タマリンドシードガム(タマリンドの種子から得られた，多糖類を主成分とするものをいう。) タマリンド種子多糖類	◎，既存	増粘安定剤
Tamarind seed gum	Tamarind gum Tamarind seed polysaccharide	タマリンドガム タマリンドシードガム(タマリンドの種子から得られた，多糖類を主成分とするものをいう。) タマリンド種子多糖類	◎，既存	増粘安定剤
Tamarind seed polysaccharide	Tamarind gum Tamarind seed gum	タマリンドガム タマリンドシードガム(タマリンドの種子から得られた，多糖類を主成分とするものをいう。) タマリンド種子多糖類	◎，既存	増粘安定剤
Tannase		タンナーゼ	◎，既存	酵素
Tannic acid(extract)	Tannin of persimmon Tannin of silver wattle Tannin(extract) Vegetable tannin	柿タンニン 植物タンニン タンニン(抽出物)（カキの果実、五倍子、タラ末、没食子又はミモザの樹皮から得られた、タンニン及びタンニン酸を主成分とするものをいう。） タンニン酸(抽出物) ミモザタンニン	◎，既存	製造用剤
Tannin of persimmon	Persimmon extract Tannin(extract)	柿渋 柿タンニン 柿抽出物 タンニン(抽出物)（カキの果実、五倍子、タラ末、没食子又はミモザの樹皮から得られた、タンニン及びタンニン酸を主成分とするものをいう。） タンニン酸(抽出物)	◎，既存	製造用剤
Tannin of silver wattle	Tannic acid(extract) Tannin(extract)	タンニン(抽出物)（カキの果実、五倍子、タラ末、没食子又はミモザの樹皮から得られた、タンニン及びタンニン酸を主成分とするものをいう。） タンニン酸(抽出物) ミモザタンニン	◎，既存	製造用剤

◎：許可（使用基準なし） Legal（Accepted with no standard of use）
○：許可（使用基準あり） Legal（Accepted with standard of use）
指定：Designated Food Additives　既存：Existing Food Additives
×：使用不可 Illegal（Prohibited）
※：個別判断を要するもの Required individual special judgement

EU E No.	EU FL No.	CAS No.	CFR No.	CNS 号.	備考 Remarks
			(Tagetes(Aztec marigold)meal and extract として) 73.295		E No.はないがINS No.161b(ii)あり
E553b				02.007	食品の製造又は加工上必要不可欠な場合以外に使用してはならない 不溶性鉱物性物質の名称は，省令別表第1及び告示既存添加物名簿に記載されていないが，告示「食品，添加物等の規格基準－F 使用基準」にその名称があるので既存添加物名簿名扱いとする 食品添加物別名（和名）については，列記した食品添加物に類似する不溶性鉱物性物質も含まれる
				20.011	E No.はないがINS No.437あり
				20.011	E No.はないがINS No.437あり
				20.011	E No.はないがINS No.437あり
			(Tannic acid として) 184.1097		E No.はないがINS No.181あり
			(Tannic acid として) 184.1097		タンニン（抽出物）参照 E No.はないがINS No.181あり
			(Tannic acid として) 184.1097		タンニン（抽出物）参照 E No.はないがINS No.181あり

色文字：法令上の指定添加物名（除く別名）　red : Name on Ministerial Ordinance of Designated Food Additives
色文字：法令上の既存添加物名（除く別名）　red : Name on Ministerial Notification of Existing Food Additives

英　名 English name	英名別名 English name	和名，和名別名 Japanese name	許可状況 Legal/Illegal	主な用途 Main uses
Tannin(extract)	Tannic acid(extract) Tannin of persimmon Tannin of silver wattle Vegetable tannin	柿タンニン 植物タンニン タンニン(抽出物)（カキの果実、五倍子、タラ末、没食子又はミモザの樹皮から得られた、タンニン及びタンニン酸を主成分とするものをいう。） タンニン酸(抽出物) ミモザタンニン	◎，既存	製造用剤
Tara gum		タラガム(タラの種子から得られた、多糖類を主成分とするものをいう。)	◎，既存	増粘安定剤
d-Tartaric acid	Dextrotartaric acid L-Tartaric acid	*d*-酒石酸 L-酒石酸	◎，指定	製造用剤 水素イオン濃度調整剤（pH 調整剤） 膨脹剤 酸味料
DL-Tartaric acid	2,3-Dihydroxybutanedioic acid α，β-Dihydroxysuccinic acid *dl*-Tartaric acid	2,3-ジヒドロキシブタンジオン酸 DL-酒石酸 *dl*-酒石酸	◎，指定	水素イオン濃度調整剤（pH 調整剤） 膨脹剤 酸味料
dl-Tartaric acid	2,3-Dihydroxybutanedioic acid α，β-Dihydroxysuccinic acid DL-Tartaric acid	2,3-ジヒドロキシブタンジオン酸 DL-酒石酸 *dl*-酒石酸	◎，指定	水素イオン濃度調整剤（pH 調整剤） 膨脹剤 酸味料
L-Tartaric acid	Dextrotartaric acid *d*-Tartaric acid	*d*-酒石酸 L-酒石酸	◎，指定	製造用剤 水素イオン濃度調整剤（pH 調整剤） 膨脹剤 酸味料
Tartaric acid esters of mono-and diglycerides of fatty acids	Glycerol esters of fatty acids Glycerol esters of tartaric(tartrate) and fatty acids Tartrate esters of mono-glyceride	グリセリン脂肪酸エステル グリセリン酒石酸脂肪酸エステル 脂肪酸のモノ及びジグリセライドの酒石酸エステル 酒石酸モノグリセライド	※	製造用剤 増粘安定剤 乳化剤 ガムベース
Tartrate esters of mono-glyceride	Glycerol esters of fatty acids Glycerol esters of tartaric(tartrate) and fatty acids Tartaric acid esters of mono-and diglycerides of fatty acids	グリセリン脂肪酸エステル グリセリン酒石酸脂肪酸エステル 脂肪酸のモノ及びジグリセライドの酒石酸エステル 酒石酸モノグリセライド	※	製造用剤 増粘安定剤 乳化剤 ガムベース
Tartrazine	FD & C Yellow No.5 Food Yellow No.4	食用黄色4号 食用黄色5号(米国) タートラジン	○，指定	着色料
Tartrazine aluminium lake	Food Yellow No.4 aluminium lake	食用黄色4号アルミニウムレーキ タートラジンアルミニウムレーキ	○，指定	着色料
Taurine(extract)		タウリン(抽出物)(魚類又はほ乳類の臓器又は肉から得られた，タウリンを主成分とするものをいう。)	◎，既存	調味料
TBHQ	Tertiary butylhydroquinone	第三級ブチルヒドロキノン ターシャリブチルヒドロキノン	×	保存料 酸化防止剤
Tea		茶	○	着色料

◎：許可（使用基準なし） Legal（Accepted with no standard of use）
○：許可（使用基準あり） Legal（Accepted with standard of use）
指定：Designated Food Additives　既存：Existing Food Additives
×：使用不可 Illegal（Prohibited）
※：個別判断を要するもの Required individual special judgement

EU E No.	EU FL No.	CAS No.	CFR No.	CNS 号.	備 考 Remarks
			(Tannic acid として) 184.1097		**タンニン（抽出物）**参照 E No.はないがINS No.181あり
E417				20.041	
E334		87-69-4	(Tartaric acid として) 184.1099	01.111	
E334		133-37-9	(Tartaric acid として) 184.1099	01.313	
E334		133-37-9	(Tartaric acid として) 184.1099	01.313	
E334		87-69-4	(Tartaric acid として) 184.1099	01.111	
E472d			(Diacetyl tartaric acid esters of mono-and diglycerides として) 184.1101 (Mono-and diglycerides として) 184.1505		
E472d			(Diacetyl tartaric acid esters of mono-and diglycerides として) 184.1101 (Mono-and diglycerides として) 184.1505		
E102		1934-21-0	(要検定リストとして) 74.705 (要検定暫定リストとして) 82.705	08.005	米国ではFD & C Yellow No.5(食用黄色5号)である 省令別表第1のリスト名は「**食用黄色4号及びそのアルミニウムレーキ, Food Yellow No. 4 and its Aluminium lake**」だが,本書では各単品もリスト名としマークした
E102			(Lakes(FD & C)として) 82.51	08.005	米国ではFD & C Yellow No.5(食用黄色5号)である 省令別表第1のリスト名は「**食用黄色4号及びそのアルミニウムレーキ, Food Yellow No. 4 and its Aluminium lake**」だが,本書では各単品もリスト名としマークした
E319		04.007	172.185	04.007	CFR No.172.185は特別に収載
					一般飲食物添加物

T

色文字：法令上の指定添加物名（除く別名）　red：Name on Ministerial Ordinance of Designated Food Additives
色文字：法令上の既存添加物名（除く別名）　red：Name on Ministerial Notification of Existing Food Additives

英　名 English name	英名別名 English name	和名，和名別名 Japanese name	許可状況 Legal/Illegal	主な用途 Main uses
Tea dry distillate		チャ乾留物（チャの葉を乾留して得られたものをいう。）	◎，既存	製造用剤
Tea extract	Green tea extract Oolong tea extract	ウーロンチャ抽出物 チャ抽出物（チャの葉から得られた，カテキン類を主成分とするものをいう。） 緑茶抽出物	◎，既存	製造用剤 酸化防止剤
Terpene hydrocarbons		テルペン系炭化水素類	○，指定	香料
Terpene resin		テルペン樹脂	×	製造用剤
Terpineol		テルピネオール	○，指定	香料
Terpinyl acetate		酢酸テルピニル	○，指定	香料
Tertiary butylhydroquinone	TBHQ	第三級ブチルヒドロキノン ターシャリブチルヒドロキノン TBHQ	×	保存料 酸化防止剤
Tertiary sodium orthophosphate	Sodium phosphate, tribasic Tertiary sodium phosphate Tribasic sodium phosphate Trisodium orthophosphate Trisodium phosphate TSP	三塩基性リン酸ナトリウム 第三リン酸ナトリウム TSP リン酸三ナトリウム	◎，指定	製造用剤 調味料 かんすい 乳化剤
Tertiary sodium phosphate	Sodium phosphate, tribasic Tertiary sodium orthophosphate Tribasic sodium phosphate Trisodium orthophosphate Trisodium phosphate TSP	三塩基性リン酸ナトリウム 第三リン酸ナトリウム TSP リン酸三ナトリウム	◎，指定	製造用剤 調味料 かんすい 乳化剤
Tetrachloroethylene		テトラクロロエチレン	×	製造用剤
Tetrahydropyrrole	Pyrrolidine Tetramethylenimine	テトラヒドロピロール テトラメチレンイミン ピロリジン	○，指定	香料
5, 6, 7, 8-Tetrahydroquinoxaline		5, 6, 7, 8-テトラヒドロキノキサリン	○，指定	香料
Tetramethylenimine	Pyrrolidine Tetrahydropyrrole	テトラヒドロピロール テトラメチレンイミン ピロリジン	○，指定	香料
2, 3, 5, 6-Tetramethylpyrazine		2, 3, 5, 6-テトラメチルピラジン	○，指定	香料
Tetrapotassium diphosphate	Diphosphoric acid tetrapotassium salt Potassium diphosphate Potassium pyrophosphate Tetrapotassium pyrophosphate	重リン酸カリウム 重リン酸四カリウム ピロリン酸カリウム ピロリン酸四カリウム	◎，指定	製造用剤 膨脹剤 かんすい 乳化剤 結着剤

◎：許可（使用基準なし） Legal（Accepted with no standard of use）
○：許可（使用基準あり） Legal（Accepted with standard of use）
指定：Designated Food Additives　既存：Existing Food Additives
×：使用不可 Illegal（Prohibited）
※：個別判断を要するもの Required individual special judgement

EU E No.	EU FL No.	CAS No.	CFR No.	CNS 号.	備考 Remarks
					着香の目的以外に使用してはならない 類又は誘導体として指定されている18項目の香料リスト(解説編2-(1)-(vi)参照) 「組換え DNA 技術応用食品及び添加物の安全性審査の手続きを経た添加物」としての告示あり。詳細は厚労省 HP 参照
			172.280		CFR は Soft gelatin カプセルの水分保護
	02.230				着香の目的以外に使用してはならない 告示成分規格は**α**, **β**, **γ**の混合物 EU では「Terpineol, CAS No.8000-41-7」として,「FL No. 02.230」あり
	09.830	（α, β, γの混合物） 8007-35-0			着香の目的以外に使用してはならない 告示成分規格は**α**, **β**, **γ**の混合物
E319			172.185	04.007	CFR No.172.185は特別に収載
E339(iii)		（12水和物） 10101-89-0 （無水物） 7601-54-9	（Sodium phosphate (mono-, di-, and tribasic）として） 182.1778 182.6778 182.8778	15.001	告示成分規格の nH_2O は n = 12,6又は0
E339(iii)		（12水和物） 10101-89-0 （無水物） 7601-54-9	（Sodium phosphate (mono-, di-, and tribasic）として） 182.1778 182.6778 182.8778	15.001	告示成分規格の nH_2O は n = 12,6又は0
	14.064	123-75-1			着香の目的以外に使用してはならない
	14.015	34413-35-9			着香の目的以外に使用してはならない
	14.064	123-75-1			着香の目的以外に使用してはならない
	14.018	1124-11-4			着香の目的以外に使用してはならない
E450(v)		7320-34-5		15.017	E450(v)は Tetrapotassium diphosphate

T

色文字：法令上の指定添加物名（除く別名）　red：Name on Ministerial Ordinance of Designated Food Additives
色文字：法令上の既存添加物名（除く別名）　red：Name on Ministerial Notification of Existing Food Additives

英名 English name	英名別名 English name	和名，和名別名 Japanese name	許可状況 Legal/Illegal	主な用途 Main uses
Tetrapotassium pyrophosphate	Diphosphoric acid tetrapotassium salt Potassium diphosphate **Potassium pyrophosphate** Tetrapotassium diphosphate	重リン酸カリウム 重リン酸四カリウム ピロリン酸カリウム **ピロリン酸四カリウム**	◎，指定	製造用剤 膨張剤 かんすい 乳化剤 結着剤
Tetrasodium diphosphate	**Sodium pyrophosphate** *n*-Sodium pyrophosphate Tetrasodium pyrophosphate TSPP	TSPP ピロリン酸ナトリウム *n*-ピロリン酸ナトリウム **ピロリン酸四ナトリウム**	◎，指定	膨張剤 かんすい 乳化剤 結着剤
Tetrasodium pyrophosphate	**Sodium pyrophosphate** *n*-Sodium pyrophosphate Tetrasodium diphosphate TSPP	TSPP ピロリン酸ナトリウム *n*-ピロリン酸ナトリウム **ピロリン酸四ナトリウム**	◎，指定	膨張剤 かんすい 乳化剤 結着剤
Thaumatin		ソーマチン **タウマチン**（タウマトコッカスダニエリの種子から得られた，タウチマンを主成分とするものをいう。）	◎，既存	甘味料
THBP	2,4,5-Trihidroxy butyrophenone	2,4,5-トリヒドロキシブチロフェノン	×	保存料
L-Theanine		**L-テアニン**	◎，指定	強化剤 調味料
Theobromine		**テオブロミン**	◎，既存	苦味料
Thermally oxidized soya bean(soybean)oil interacted with mono-and diglycerides of fatty acids		熱酸化大豆油と脂肪酸のモノ及びジグリセリドとの反応物	×	製造用剤 乳化剤
Thiabendazole		**チアベンダゾール**	○，指定	防かび剤 その他
Thiamine dicetylsulfate	Vitamin B_1 dicetylsulfate	**チアミンセチル硫酸塩** ビタミンB_1セチル硫酸塩	◎，指定	強化剤
Thiamine dilaurylsulfate	Vitamin B_1 dilaurylsulfate	**チアミンラウリル硫酸塩** ビタミンB_1ラウリル硫酸塩	◎，指定	製造用剤 強化剤
Thiamine hydrochloride	Vitamin B_1 hydrochloride	**チアミン塩酸塩** ビタミンB_1塩酸塩	◎，指定	強化剤
Thiamine mononitrate	Vitamin B_1 mononitrate	**チアミン硝酸塩** ビタミンB_1硝酸塩	◎，指定	強化剤
Thiamine naphthalene-1,5-disulfonate	Vitamin B_1 naphthalene-1,5-disulfonate	チアミンナフタリン-1,5-ジスルホン酸塩 **チアミンナフタレン-1,5-ジスルホン酸塩** ビタミンB_1ナフタレン-1,5-ジスルホン酸塩	◎，指定	強化剤
Thiamine thiocyanate	Vitamin B_1 rhodanate	**チアミンチオシアン酸塩** ビタミンB_1ロダン酸塩	◎，指定	強化剤
Thimbleberry color		スィムブルベリー色素 **チンブルベリー色素**	○	着色料
Thioalcohols	**Thiols(except harmful substances)**	チオアルコール類（毒性が激しいと一般に認められるものを除く。） **チオール類**（毒性が激しいと一般に認められるものを除く。）	○，指定	香料

◎：許可（使用基準なし） Legal（Accepted with no standard of use）
○：許可（使用基準あり） Legal（Accepted with standard of use）
指定：Designated Food Additives　既存：Existing Food Additives
×：使用不可 Illegal（Prohibited）
※：個別判断を要するもの Required individual special judgement

EU E No.	EU FL No.	CAS No.	CFR No.	CNS 号.	備 考 Remarks
E450(v)		7320-34-5		15.017	E450(v)は Tetrapotassium diphosphate
E450(iii)		(10水和物) 13472-36-1 (無水物) 7722-88-5	(Sodium pyrophosphate として) 182.6787 (Tetra sodium pyrophosphate として) 182.6789	15.004	告示成分規格の nH_2O は n = 10又は0 E450(iii)は Tetrasodium diphosphate
E450(iii)		(10水和物) 13472-36-1 (無水物) 7722-88-5	(Sodium pyrophosphate として) 182.6787 (Tetra sodium pyrophosphate として) 182.6789	15.004	告示成分規格の nH_2O は n = 10又は0 E450(iii)は Tetrasodium diphosphate
E957				19.020	
		3081-61-6			
E479b					
		148-79-8	180.242 (Title40 Part180)		CFR では，本書に関連する「Title21」ではなく pre- and post-harvest 関連の「Title40 Part 180.242」に収録されている E No.はないが INS No.233あり
					告示成分規格の nH_2O は n = 1
					告示成分規格の nH_2O は n = 1
	16.027	67-03-8	184.1875		EU では香料特性のある食品成分として FL No.あり
		532-43-4	184.1878		
					告示成分規格の nH_2O は n = 1
		(1水和物) 130131-60-1			告示成分規格の nH_2O は n = 1
					一般飲食物添加物
					着香の目的以外に使用してはならない 類又は誘導体として指定されている18項目の香料リスト(解説編2-(1)-(vi)参照)

T

色文字：法令上の指定添加物名（除く別名）　red：Name on Ministerial Ordinance of Designated Food Additives
色文字：法令上の既存添加物名（除く別名）　red：Name on Ministerial Notification of Existing Food Additives

英　名 English name	英名別名 English name	和名，和名別名 Japanese name	許可状況 Legal/Illegal	主な用途 Main uses
Thioctic acid	Lipoic acid α-Lipoic acid	アルファリポ酸 チオクト酸 リポ酸	◎	特別用途食品
Thiodipropionic acid		チオジプロピオン酸	×	酸化防止剤
Thioethers(except harmful substances)		チオエーテル類(毒性が激しいと一般に認められるものを除く。)	○，指定	香料
Thiols(except harmful substances)	Thioalcohols	チオアルコール類(毒性が激しいと一般に認められるものを除く。) チオール類(毒性が激しいと一般に認められるものを除く。)	○，指定	香料
DL-Threonine		DL-スレオニン DL-トレオニン	◎，指定	強化剤 調味料
L-Threonine		L-スレオニン L-トレオニン	◎，指定	強化剤 調味料
Thujaplicin(extract)	Hinokitiol(extract)	ツヤプリシン(抽出物)(ヒバの幹枝又は根から得られた，ツヤプリシン類を主成分とするものをいう。) ヒノキチオール(抽出物)	◎，既存	保存料
Timber ash		木灰(竹材又は木材を灰化して得られたものをいう。)	◎，既存	製造用剤
Timber ash extract		木灰抽出物(「木灰」から抽出して得られたものをいう。)	◎，既存	製造用剤
Titanium dioxide		二酸化チタン	○，指定	着色料
Toasted partially defatted cooked cottonseed flour		綿実粉（焼部分脱脂加熱）	◎	着色料
α-Tocopherol	*d*-α-Tocopherol α-Vitamin E	*d*-α-トコフェロール α-トコフェロール α-ビタミンE	◎，既存	強化剤 酸化防止剤
γ-Tocopherol	*d*-γ-Tocopherol γ-Vitamin E	*d*-γ-トコフェロール γ-トコフェロール γ-ビタミンE	◎，既存	強化剤 酸化防止剤
δ-Tocopherol	*d*-δ-Tocopherol δ-Vitamin E	*d*-δ-トコフェロール δ-トコフェロール δ-ビタミンE	◎，既存	強化剤 酸化防止剤
Tocopherol-rich extract	Mixed tocopherols	ミックストコフェロール(植物性油脂から得られた，*d*-α-トコフェロール，*d*-β-トコフェロール，*d*-γ-トコフェロール及び *d*-δ-トコフェロールを主成分とするものをいう。) ミックスビタミンE	◎，既存	強化剤 酸化防止剤

◎：許可（使用基準なし） Legal（Accepted with no standard of use）
○：許可（使用基準あり） Legal（Accepted with standard of use）
指定：Designated Food Additives 既存：Existing Food Additives
×：使用不可 Illegal（Prohibited）
※：個別判断を要するもの Required individual special judgement

EU E No.	EU FL No.	CAS No.	CFR No.	CNS 号.	備考 Remarks
					資料1により食品素材扱いとする品目 本成分の使用にあたっては，過剰摂取しないよう情報提供をすることの指導あり
			182.3109		
					着香の目的以外に使用してはならない 類又は誘導体として指定されている18項目の香料リスト(解説編2-(1)-(vi)参照)
					着香の目的以外に使用してはならない 類又は誘導体として指定されている18項目の香料リスト(解説編2-(1)-(vi)参照)
	17.021	80-68-2			EU では香料特性のある食品成分として FL No.あり
		72-19-5	(Amino acids，L-Threonine として) 172.320		
		499-44-5			
		13463-67-7	73.575	08.011	着色の目的以外に使用してはならない EU では，E171は「Commission Regulation（EU）2022/63 of 14 January 2022」により，食品の着色料としての使用は認められないが，医薬品の着色料として認められており，ENo.リストに残されている
			73.140		食品扱い
E307		59-02-9	(Chemical preservatives の Tocopherols として) 182.3890 (Nutrients の Tocopherols として) 182.8890 （α-Tocopherols として） 184.1890	04.016	日本では ***dl*-α-トコフェロール**が指定添加物となっている
E308			(Chemical preservatives の Tocopherols として) 182.3890 (Nutrients の Tocopherols として) 182.8890		日本では ***dl*-α-トコフェロール**が指定添加物となっている 日本では ***d*-γ-トコフェロール**が既存添加物となっている
E309			(Chemical preservatives の Tocopherols として) 182.3890 (Nutrients の Tocopherols として) 182.8890		日本では ***dl*- α-トコフェロール**が指定添加物となっている 日本では ***d*-δ-トコフェロール**が既存添加物となっている
E306			(Chemical preservatives の Tocopherols として) 182.3890 (Nutrients の Tocopherols として) 182.8890		

T

色文字：法令上の指定添加物名（除く別名）　red：Name on Ministerial Ordinance of Designated Food Additives
色文字：法令上の既存添加物名（除く別名）　red：Name on Ministerial Notification of Existing Food Additives

英　名 English name	英名別名 English name	和名，和名別名 Japanese name	許可状況 Legal/Illegal	主な用途 Main uses
dl-α-Tocopherol		*dl*-α-トコフェロール	○，指定	酸化防止剤
d-α-Tocopherol	α-Tocopherol α-Vitamin E	*d*-α-トコフェロール α-トコフェロール α-ビタミンE	◎，既存	強化剤 酸化防止剤
d-γ-Tocopherol	γ-Tocopherol γ-Vitamin E	*d*-γ-トコフェロール γ-トコフェロール γ-ビタミンE	◎，既存	強化剤 酸化防止剤
d-δ-Tocopherol	δ-Tocopherol δ-Vitamin E	*d*-δ-トコフェロール δ-トコフェロール δ-ビタミンE	◎，既存	強化剤 酸化防止剤
R,R,R-α-Tocopheryl acetate		*d*-α-トコフェロール酢酸エステル	○，指定	強化剤
Tocotrienol		トコトリエノール	◎，既存	酸化防止剤
Toluene		トルエン	×	製造用剤
Tomato color	Tomato lycopene	トマト色素（トマトの果実から得られた，リコピンを主成分とするものをいう。） トマトリコピン	◎，既存	着色料
Tomato lycopene	Tomato color	トマト色素（トマトの果実から得られた，リコピンを主成分とするものをいう。） トマトリコピン	◎，既存	着色料
Tororoaoi		トロロアオイ（トロロアオイの根から得られた，多糖類を主成分とするものをいう。）	◎，既存	増粘安定剤
Tragacanth gum	Basora gum Goat's thorn Gum tragacanth Hog gum Leaf gum Syrian gum	シリアンガム トラガントガム（トラガントの分泌液から得られた，多糖類を主成分とするものをいう。） バソラガム ホッグガム リーフガム	◎，既存	増粘安定剤 乳化剤
trans-Cinnamic acid	Cinnamic acid *trans*-β-Phenylacrylic acid *trans*-3-Phenylpro-penoic acid	ケイ皮酸 トランス-3-フェニルプロペン酸 トランスケイ皮酸 トランス-β-フェニルアクリル酸	○，指定	香料
Transglucosidase		トランスグルコシダーゼ	◎，既存	酵素
Transglutaminase		トランスグルタミナーゼ	◎，既存	酵素

◎：許可（使用基準なし） Legal（Accepted with no standard of use）
○：許可（使用基準あり） Legal（Accepted with standard of use）
指定：Designated Food Additives　既存：Existing Food Additives
×：使用不可 Illegal（Prohibited）
※：個別判断を要するもの Required individual special judgement

EU E No.	EU FL No.	CAS No.	CFR No.	CNS 号.	備考 Remarks
E307			(Chemical preservatives の Tocopherols として) 182.3890 (Nutrients の Tocopherols として) 182.8890		酸化防止の目的以外に使用してはならない(ただし,省令別表第1の**β-カロテン**,**ビタミンA**,**ビタミンA脂肪酸エステル**及び既存添加物リストの**流動パラフィン**の製剤中に含まれる場合を除く) 日本の法令名はEUでは同義語扱い
E307		59-02-9	(Chemical preservatives の Tocopherols として) 182.3890 (Nutrients の Tocopherols として) 182.8890 (α-Tocopherols として) 184.1890	04.016	日本では ***dl*-α-トコフェロール**が指定添加物となっている
E308			(Chemical preservatives の Tocopherols として) 182.3890 (Nutrients の Tocopherols として) 182.8890		日本では ***dl*-α-トコフェロール**が指定添加物となっている 日本では ***d*-γ-トコフェロール**が既存添加物となっている
E309			(Chemical preservatives の Tocopherols として) 182.3890 (Nutrients の Tocopherols として) 182.8890		日本では ***dl*- α-トコフェロール**が指定添加物となっている 日本では ***d*-δ-トコフェロール**が既存添加物となっている
			(α-Tocopherol acetate として) 182.8892		保健機能食品以外の食品に使用してはならない
E160d (ii)			(Tomato lycopene extract：Tomato lycopene concentrate として) 73.585	08.150	
E160d (ii)			(Tomato lycopene extract：Tomato lycopene concentrate として) 73.585	08.150	
E413		9000-65-1	(Gum tragacanth として) 184.1351		
	08.022	140-10-3			着香の目的以外に使用してはならない FL No.はCAS No.621-82-9に対応
				18.013	

色文字：法令上の指定添加物名（除く別名） red：Name on Ministerial Ordinance of Designated Food Additives
色文字：法令上の既存添加物名（除く別名） red：Name on Ministerial Notification of Existing Food Additives

英　名 English name	英名別名 English name	和名，和名別名 Japanese name	許可状況 Legal/Illegal	主な用途 Main uses
Transglycosylated isoquercitrin	Enzymatically modified isoquercitrin	酵素処理イソクエルシトリン（「ルチン酵素分解物」から得られた，α-グルコシルイソクエルシトリンを主成分とするものをいう。） 糖転移イソクエルシトリン	◎，既存	酸化防止剤
trans -2-Methyl-2-butenal	*(E)* -2-Methyl-2-butenal 2-Methylcrotonaldehyde	*trans* -2-メチル-2-ブテナール 2-メチルクロトンアルデヒド	○，指定	香料
trans -2-Pentenal	*(E)* -2-Pentenal	*trans* -2-ペンテナール	○，指定	香料
trans -β-Phenylacrylic acid	Cinnamic acid *trans* -Cinnamic acid *trans* -3-Phenylpro-penoic acid	ケイ皮酸 トランス-3-フェニルプロペン酸 トランスケイ皮酸 トランス-β-フェニルアクリル酸	○，指定	香料
trans -γ-Phenylallyl acetate	Cinnamyl acetate	酢酸シンナミル 酢酸トランス-γ-フェニルアリル	○，指定	香料
trans -3-Phenylpro-penoic acid	Cinnamic acid *trans* -Cinnamic acid *trans* -β-Phenylacrylic acid	ケイ皮酸 トランス-3-フェニルプロペン酸 トランスケイ皮酸 トランス-β-フェニルアクリル酸	○，指定	香料
trans -Resveratrol	*(E)* -Resveratrol	*trans* -レスベラトロール *(E)* -レスベラトロール	※	特別用途食品
Trehalose	α-D-Glucopyranoside α-D-Glucopyranosyl	α-D-グルコピラノシド α-D-グルコピラノシール トレハロース	◎，既存	製造用剤
Trehalose phosphorylase		トレハロースホスホリラーゼ	◎，既存	酵素
Triacetin	Glycerol esters of acetic acid Glycerol esters of fatty acids Glyceryl triacetate	グリセリン酢酸エステル グリセリン脂肪酸エステル グリセリントリアセテート トリアセチン トリ酢酸グリセリル	◎，指定	製造用剤 増粘安定剤 乳化剤 ガムベース
Triammonium citrate		クエン酸三アンモニウム	×	製造用剤 調味料
Tribasic calcium phosphate	Tricalcium phosphate	第三リン酸カルシウム リン酸三カルシウム	○，指定	製造用剤 膨脹剤 強化剤 乳化剤 イーストフード
Tribasic magnesium phosphate	Magnesium phosphate Trimagnesium phosphate	第三リン酸マグネシウム リン酸三マグネシウム リン酸マグネシウム	◎，指定	製造用剤 強化剤

◎：許可（使用基準なし） Legal（Accepted with no standard of use）
○：許可（使用基準あり） Legal（Accepted with standard of use）
指定：Designated Food Additives　既存：Existing Food Additives
×：使用不可 Illegal（Prohibited）
※：個別判断を要するもの Required individual special judgement

EU E No.	EU FL No.	CAS No.	CFR No.	CNS 号.	備　考 Remarks
	05.095	497-03-0			着香の目的以外に使用してはならない 平成24年12月28日省令別表第1に新規指定
	05.102	1576-87-0			着香の目的以外に使用してはならない 平成24年11月2日省令別表第1に新規指定 告示の CAS No. は1576-87-0 FL No. は CAS No.764-39-6に対応し，この CAS No. は JECFA の2-ペンテナールに採用されている
	08.022	140-10-3			着香の目的以外に使用してはならない FL No. は CAS No.621-82-9に対応
	09.018	103-54-8			着香の目的以外に使用してはならない
	08.022	140-10-3			着香の目的以外に使用してはならない FL No. は CAS No.621-82-9に対応
					資料1により食品添加物に該当する可能性が考えられるが，事前に判断を受けるよう指導されている品目
E1518			(Triacetin として) 184.1901 (Mono-and diglycerides として) 184.1505		
E380					
E341(iii)			(Calcium phosphate (mono-, di-, and tribasic)として) 182.1217 182.8217	02.003	食品の製造又は加工上必要不可欠な場合及び栄養の目的以外に使用してはならない CNS 号02.003は tricalcium orthophosphate
		(8水和物) 13446-23-6 (4水和物) 13465-22-0	(Magnesium phosphate includes both magnesium phosphate, dibasic, and magnesium phosphate, tribasic. として) 184.1434		CFR No.184.1434は，**リン酸三マグネシウム**を含む 告示成分規格の nH_2O は n =8,5又は4

T

色文字：法令上の指定添加物名（除く別名）　red：Name on Ministerial Ordinance of Designated Food Additives
色文字：法令上の既存添加物名（除く別名）　red：Name on Ministerial Notification of Existing Food Additives

英　名 English name	英名別名 English name	和名，和名別名 Japanese name	許可状況 Legal/Illegal	主な用途 Main uses
Tribasic potassium phosphate	Tripotassium phosphate	第三リン酸カリウム リン酸三カリウム	◎，指定	製造用剤 水素イオン濃度調整剤（pH調整剤） 膨脹剤 調味料 かんすい 乳化剤 イーストフード
Tribasic sodium phosphate	Sodium phosphate, tribasic Tertiary sodium orthophosphate Tertiary sodium phosphate Trisodium orthophosphate Trisodium phosphate TSP	三塩基性リン酸ナトリウム 第三リン酸ナトリウム TSP リン酸三ナトリウム	◎，指定	製造用剤 調味料 かんすい 乳化剤
Tributyrin		トリブチリン	×	香料
Tricalcium citrate	Calcium citrate	クエン酸カルシウム クエン酸三カルシウム	○，指定	製造用剤 水素イオン濃度調整剤（pH調整剤） 膨脹剤 強化剤 乳化剤
Tricalcium phosphate	Calcinated calcium	焼成カルシウム（うに殻，貝殻，造礁サンゴ，ホエイ，骨，又は卵殻を焼成して得られた，カルシウム化合物を主成分とするものをいう。） 乳清焼成カルシウム 乳清第三リン酸カルシウム ホエイ第三リン酸カルシウム ホエイリン酸三カルシウム	◎，既存	製造用剤 強化剤
	Tribasic calcium phosphate	第三リン酸カルシウム リン酸三カルシウム	○，指定	製造用剤 膨脹剤 強化剤 乳化剤 イーストフード
Tricalcium silicate		ケイ酸三カルシウム	×	製造用剤 強化剤
1,1,1-Trichloroethane		1,1,1-トリクロロエタン	×	製造用剤
Trichloroethylene		トリクロロエチレン	×	製造用剤
Trichlorogalactosucrose	Sucralose	スクラロース トリクロロガラクトスクロース	○，指定	甘味料
1,1,2-Trichlorotrifluoroethane		1,1,2-トリクロロトリフルオロエタン	×	製造用剤
Triethyl citrate	Ethyl citrate	クエン酸三エチル クエン酸トリエチル トリエチルシトレート	○，指定	香料 増粘安定剤 乳化剤
Trifluoromethane sulfonic acid		三フルオロメタンスルホン酸	×	製造用剤

◎：許可（使用基準なし） Legal（Accepted with no standard of use）
○：許可（使用基準あり） Legal（Accepted with standard of use）
指定：Designated Food Additives 既存：Existing Food Additives
×：使用不可 Illegal（Prohibited）
※：個別判断を要するもの Required individual special judgement

EU E No.	EU FL No.	CAS No.	CFR No.	CNS 号.	備考 Remarks
E340(iii)		（無水物） 7778-53-2		01.308	告示成分規格の nH_2O は n ＝3,1 1/2,1又は0 CNS 号01.308は tripotassium orthophosphate
E339(iii)		（12水和物） 10101-89-0 （無水物） 7601-54-9	（Sodium phosphate（mono-, di-, and tribasic）として） 182.1778 182.6778 182.8778	15.001	告示成分規格の nH_2O は n ＝12,6又は0
			184.1903		
E333(iii)		（無水物） 813-94-5	184.1195		告示成分規格の nH_2O は n ＝4
					焼成カルシウム参照
E341(iii)			（Calcium phosphate（mono-, di-, and tribasic）として） 182.1217 182.8217	02.003	食品の製造又は加工上必要不可欠な場合及び栄養の目的以外に使用してはならない CNS 号02.003は tricalcium orthophosphate
			182.2906		
			173.290		
E955		56038-13-2	172.831	19.016	
E1505	09.512	77-93-0	184.1911		平成27年5月19日省令別表第1に新規指定 その使用にあたっては，適切な製造工程管理を行い，食品中で目的とする効果を得る上で必要とする量を越えないものとすることの特記あり 香料の目的で使用する場合は，着香の目的以外に使用してはならない。 類又は誘導体として指定されている18項目の香料リストの SEQ No.2415(解説編2-(1)-(vi)参照) 特例として ENo. と FLNo. の両方あり
			173.395		

T

色文字：法令上の指定添加物名（除く別名）　red：Name on Ministerial Ordinance of Designated Food Additives
色文字：法令上の既存添加物名（除く別名）　red：Name on Ministerial Notification of Existing Food Additives

英　名 English name	英名別名 English name	和名，和名別名 Japanese name	許可状況 Legal/Illegal	主な用途 Main uses
2,4,5-Trihidroxy butyrophenone	THBP	THBP 2,4,5-トリヒドロキシブチロフェノン	×	保存料
Trimagnesium phosphate	Magnesium phosphate Tribasic magnesium phosphate	第三リン酸マグネシウム リン酸三マグネシウム リン酸マグネシウム	◎，指定	製造用剤 強化剤
Trimethylamine	*N,N*-Dimethylmethanamine	*N,N* ジメチルメタンアミン トリメチルアミン	○，指定	香料
Trimethylmethane	Isobutane	イソブタン トリメチルメタン	×	製造用剤
2,3,5-Trimethylpyrazine		2,3,5-トリメチルピラジン	○，指定	香料
Tripotassium citrate		クエン酸三カリウム	◎，指定	製造用剤 酸味料 調味料 増粘安定剤 増粘安定
Tripotassium phosphate	Tribasic potassium phosphate	第三リン酸カリウム リン酸三カリウム	◎，指定	製造用剤 水素イオン濃度調整剤（pH 調整剤） 膨脹剤 調味料 かんすい 乳化剤 イーストフード
Trisodium citrate	Sodium citrate	クエン酸三ナトリウム クエン酸ナトリウム	◎，指定	製造用剤 水素イオン濃度調整剤（pH 調整剤） 酸味料 調味料 乳化剤
Trisodium diphosphate		ピロリン酸三ナトリウム	×	製造用剤
Trisodium orthophosphate	Sodium phosphate, tribasic Tertiary sodium orthophosphate Tertiary sodium phosphate Tribasic sodium phosphate Trisodium phosphate TSP	三塩基性リン酸ナトリウム 第三リン酸ナトリウム TSP リン酸三ナトリウム	◎，指定	製造用剤 調味料 かんすい 乳化剤
Trisodium phosphate	Sodium phosphate, tribasic Tertiary sodium orthophosphate Tertiary sodium phosphate Tribasic sodium phosphate Trisodium orthophosphate TSP	三塩基性リン酸ナトリウム 第三リン酸ナトリウム TSP リン酸三ナトリウム	◎，指定	製造用剤 調味料 かんすい 乳化剤
Trypsin		トリプシン	◎，既存	酵素
L-Tryptophan		L-トリプトファン	◎，指定	強化剤 調味料
DL-Tryptophan		DL-トリプトファン	◎，指定	強化剤 調味料

◎：許可（使用基準なし） Legal（Accepted with no standard of use）
○：許可（使用基準あり） Legal（Accepted with standard of use）
指定：Designated Food Additives　既存：Existing Food Additives
×：使用不可 Illegal（Prohibited）
※：個別判断を要するもの Required individual special judgement

EU E No.	EU FL No.	CAS No.	CFR No.	CNS 号.	備考 Remarks
			172.190		CFR は単独または他の許可抗酸化剤と併用
		(8水和物) 13446-23-6 (4水和物) 13465-22-0	(Magnesium phosphate includes both magnesium phosphate, dibasic, and magnesium phosphate, tribasic. として) 184.1434		CFR No.184.1434は, **リン酸三マグネシウム**を含む 告示成分規格の nH_2O は n＝8,5又は4
	11.009	75-50-3			着香の目的以外に使用してはならない 平成24年12月28日省令別表第1に新規指定
E943b					
	14.019	14667-55-1			着香の目的以外に使用してはならない
E332(ii)		(無水物) 866-84-2		01.304	省令別表第1のリスト名は「**クエン酸一カリウム及びクエン酸三カリウム, Monopotassium citrate and Tripotassium citrate**」だが, 本書では各単品もリスト名としマークした 告示成分規格の nH_2O は n＝1
E340(iii)		(無水物) 7778-53-2		01.308	告示成分規格の nH_2O は n＝3,1 1/2,1又は0 CNS 号01.308は tripotassium orthophosphate
E331(iii)		(2水和物) 6132-04-3 (無水物) 68-04-2	(Sodium citrate として) 184.1751	01.303	告示成分規格の nH_2O は n＝2又は0
E450(ii)				15.013	
E339(iii)		(12水和物) 10101-89-0 (無水物) 7601-54-9	(Sodium phosphate (mono-, di-, and tribasic) として) 182.1778 182.6778 182.8778	15.001	告示成分規格の nH_2O は n＝12,6又は0
E339(iii)		(12水和物) 10101-89-0 (無水物) 7601-54-9	(Sodium phosphate (mono-, di-, and tribasic) として) 182.1778 182.6778 182.8778	15.001	告示成分規格の nH_2O は n＝12,6又は0
			184.1914		
		73-22-3	(Amino acids, L-Tryptophan として) 172.320		
		54-12-6			

T

色文字：法令上の指定添加物名（除く別名）　red：Name on Ministerial Ordinance of Designated Food Additives
色文字：法令上の既存添加物名（除く別名）　red：Name on Ministerial Notification of Existing Food Additives

英　名 English name	英名別名 English name	和名，和名別名 Japanese name	許可状況 Legal/Illegal	主な用途 Main uses
TSP	Sodium phosphate, tribasic Tertiary sodium orthophosphate Tertiary sodium phosphate Tribasic sodium phosphate Trisodium orthophosphate Trisodium phosphate	三塩基性リン酸ナトリウム 第三リン酸ナトリウム リン酸三ナトリウム	◎，指定	製造用剤 調味料 かんすい 乳化剤
TSPP	Sodium pyrophosphate *n*-Sodium pyrophosphate Tetrasodium diphosphate Tetrasodium pyrophosphate	ピロリン酸ナトリウム *n*-ピロリン酸ナトリウム ピロリン酸四ナトリウム	◎，指定	膨脹剤 かんすい 乳化剤 結着剤
Tunu		ツヌー（ツヌーの分泌液から得られた，アミリンアセタート及びポリイソプレンを主成分とするものをいう。）	◎，既存	ガムベース
Turmeric		ウコン ターメリック	○	着色料
Turmeric oleoresin	Curcumin	ウコン色素（ウコンの根茎から得られた，クルクミンを主成分とするものをいう。） クルクミン ターメリック色素	○，既存	着色料
L-Tyrosine		L-チロシン	◎，既存	強化剤 調味料

◎：許可（使用基準なし） Legal（Accepted with no standard of use）
○：許可（使用基準あり） Legal（Accepted with standard of use）
指定：Designated Food Additives 既存：Existing Food Additives
×：使用不可 Illegal（Prohibited）
※：個別判断を要するもの Required individual special judgement

EU E No.	EU FL No.	CAS No.	CFR No.	CNS 号.	備　考 Remarks
E339(iii)		（12水和物） 10101-89-0 （無水物） 7601-54-9	（Sodium phosphate（mono-, di-, and tribasic）として） 182.1778 182.6778 182.8778	15.001	告示成分規格の nH_2O は n ＝12, 6又は0
E450(iii)		（10水和物） 13472-36-1 （無水物） 7722-88-5	（Sodium pyrophosphate として） 182.6787 （Tetra sodium pyrophosphate として） 182.6789	15.004	告示成分規格の nH_2O は n ＝10又は0 E450(iii) は Tetrasodium diphosphate
			（Turmeric として） 73.600	08.102	一般飲食物添加物 CNS 号08.102は添加物扱いの着色料
E100			（Turmeric oleoresin として） 73.615	08.132	国際的には純度の違いで Curcumin と Turmeric oleoresin に分類
		60-18-4	（Amino acids, L-Tyrosine として） 172.320		

U

色文字：法令上の指定添加物名（除く別名）　red：Name on Ministerial Ordinance of Designated Food Additives
色文字：法令上の既存添加物名（除く別名）　red：Name on Ministerial Notification of Existing Food Additives

英　名 English name	英名別名 English name	和名，和名別名 Japanese name	許可状況 Legal/Illegal	主な用途 Main uses
Ubidecarenone	Coenzyme Q10 CoQ10 Ubiquinone-10 UQ-10	コエンザイム Q10 補(助)酵素 Q10 UQ-10 ユビキノン-10 ユビデカレノン	◎	特別用途食品
Ubiquinone-10	Coenzyme Q10 CoQ10 Ubidecarenone UQ-10	コエンザイム Q10 補(助)酵素 Q10 UQ-10 ユビキノン-10 ユビデカレノン	◎	特別用途食品
Uguisukagura color		**ウグイスカグラ色素**	○	着色料
Ultramarine	Ultramarine blue	ウルトラマリン ウルトラマリンブルー	×	着色料
Ultramarine blue	Ultramarine	ウルトラマリン ウルトラマリンブルー	×	着色料
Undecalactone	Aldehyde C-14 Peachaldehyde Persicol **γ-Undecalactone** Undecyl lactone	アルデヒド C-14 ウンデカラクトン **γ-ウンデカラクトン** ウンデシルラクトン パーシコール ピーチアルデヒド	○，指定	香料
γ-Undecalactone	Aldehyde C-14 Peachaldehyde Persicol Undecalactone Undecyl lactone	アルデヒド C-14 ウンデカラクトン **γ-ウンデカラクトン** ウンデシルラクトン パーシコール ピーチアルデヒド	○，指定	香料
Undecyl lactone	Aldehyde C-14 Peachaldehyde Persicol Undecalactone **γ-Undecalactone**	アルデヒド C-14 ウンデカラクトン **γ-ウンデカラクトン** ウンデシルラクトン パーシコール ピーチアルデヒド	○，指定	香料
UQ-10	Coenzyme Q10 CoQ10 Ubidecarenone Ubiquinone-10	コエンザイム Q10 補(助)酵素 Q10 ユビキノン-10 ユビデカレノン	◎	特別用途食品
Urea	Carbamide	カルバミド 尿素	×	製造用剤 イーストフード
Urease		**ウレアーゼ**	◎，既存	酵素
Urushi wax		**ウルシロウ**(ウルシの果実から得られた，グリセリンパルミタートを主成分とするものをいう。)	◎，既存	ガムベース 光沢剤

◎：許可（使用基準なし） Legal（Accepted with no standard of use） ×：使用不可 Illegal（Prohibited）
○：許可（使用基準あり） Legal（Accepted with standard of use） ※：個別判断を要するもの Required individual special judgement
指定：Designated Food Additives 既存：Existing Food Additives

EU E No.	EU FL No.	CAS No.	CFR No.	CNS 号.	備考 Remarks
					資料1により食品素材扱いとする品目
					資料1により食品素材扱いとする品目
				08.136	一般飲食物添加物
			73.50		
			73.50		
	10.002	104-67-6			着香の目的以外に使用してはならない
	10.002	104-67-6			着香の目的以外に使用してはならない
	10.002	104-67-6			着香の目的以外に使用してはならない
					資料1により食品素材扱いとする品目
E927b			184.1923		
			（Urease enzyme preparation from *Lactobacillus fermentum* として） 184.1924		

V

色文字：法令上の指定添加物名（除く別名） **red**：Name on Ministerial Ordinance of Designated Food Additives
色文字：法令上の既存添加物名（除く別名） **red**：Name on Ministerial Notification of Existing Food Additives

英　名 English name	英名別名 English name	和名，和名別名 Japanese name	許可状況 Legal/Illegal	主な用途 Main uses
Valeraldehyde	Pentanal	バレルアルデヒド ペンタナール	○，指定	香料
L-Valine		L-バリン	◎，指定	強化剤 調味料
Vanillic aldehyde	Methoxyprotocatechuic aldehyde Methyl protocatechuic aldehyde Protocatechu aldehydemethylether Vanillin	バニリックアルデヒド バニリン プロトカテキュアルデヒドメチルエーテル メチルプロトカテキュアルデヒド メトキシプロトカテキュアルデヒド ワニリン	○，指定	香料
Vanillin	Methoxyprotocatechuic aldehyde Methyl protocatechuic aldehyde Protocatechu aldehydemethylether Vanillic aldehyde	バニリックアルデヒド バニリン プロトカテキュアルデヒドメチルエーテル メチルプロトカテキュアルデヒド メトキシプロトカテキュアルデヒド ワニリン	○，指定	香料
Vanirom	Bourbonal Ethovan Ethyl procatechuric aldehyde Ethylvanillin	エチルバニリン エチルプロカテチュリックアルデヒド エチルワニリン エトバン バニロム ボルボナール	○，指定	香料
Vaseline	Petrolatum	ペトロラタム ワセリン	×	製造用剤
Vegetable carbon black	Carbon black	植物炭末色素（植物を炭化して得られた、炭素を主成分とするものをいう。） 炭末色素	○，既存	着色料
Vegetable fiber		植物繊維	◎	特別用途食品
Vegetable juice		野菜ジュース	○	着色料
Vegetable lecithin	Lecithin	植物レシチン（アブラナ又はダイズの種子から得られた，レシチンを主成分とするものをいう。） レシチン	◎，既存	乳化剤
Vegetable origin enzyme		植物性酵素・果汁酵素	※	特別用途食品 酵素
Vegetable sterol	Phytosterol	植物性ステロール（油糧種子から得られた，フィトステロールを主成分とするものをいう。） フィトステロール	◎，既存	乳化剤

◎：許可（使用基準なし） Legal（Accepted with no standard of use）
○：許可（使用基準あり） Legal（Accepted with standard of use）
指定：Designated Food Additives　既存：Existing Food Additives
×：使用不可 Illegal（Prohibited）
※：個別判断を要するもの Required individual special judgement

EU E No.	EU FL No.	CAS No.	CFR No.	CNS 号.	備 考 Remarks
	05.005	110-62-3			着香の目的以外に使用してはならない
		72-18-4	(Amino acids, L-Valine として) 172.320		
	05.018	121-33-5			着香の目的以外に使用してはならない
	05.018	121-33-5			着香の目的以外に使用してはならない
	05.019	121-32-4			着香の目的以外に使用してはならない
			172.880		
E153				08.138	炭末色素参照
					資料1により食品素材扱いとする品目
			73.260		一般飲食物添加物 通知上の野菜ジュースの種類： アカキャベツ アカビート シソ タマネギ トマト ニンジン
E322			(Lecithin として) 184.1400	04.010	CNS 号04.010は phospholipid
					資料1により既存添加物扱いとする品目に収載されているが，本書では種類により判断し難いものを想定し※とする

色文字：法令上の指定添加物名（除く別名）　red：Name on Ministerial Ordinance of Designated Food Additives
色文字：法令上の既存添加物名（除く別名）　red：Name on Ministerial Notification of Existing Food Additives

英　名 English name	英名別名 English name	和名，和名別名 Japanese name	許可状況 Legal/Illegal	主な用途 Main uses
Vegetable tannin	Tannic acid(extract) Tannin(extract)	植物タンニン タンニン(抽出物)（カキの果実、五倍子、タラ末、没食子又はミモザの樹皮から得られた、タンニン及びタンニン酸を主成分とするものをいう。） タンニン酸(抽出物)	◎，既存	製造用剤
Venezuelan chicle		カプーレ ベネズエラチクル（ベネズエラチクルの分泌液から得られた，アミリンアセタート及びポリイソプレンを主成分とするものをいう。）	◎，既存	ガムベース
Vermiculite		ひる石	○，既存	製造用剤
Vinegar acid	Acetic acid Methanecarboxylic acid	酢酸	◎，指定	酸味料
Vinegarnaphtha	Acetic acid ethyl ester Acetic ether Ethyl acetate	酢酸エチル 酢酸エチルエステル ビネガーナフサ	○，指定	製造用剤 香料
Vinyl alcohol polymer（PVOH）	Polyvinyl alcohol（PVA）	ビニルアルコールポリマー（PVOH） ポリビニルアルコール（PVA）	×	結着剤 被膜剤
Violet 5BN		バイオレット5BN	×	着色料
Vitamin A	Retinol	ビタミンA レチノール	◎，指定	強化剤
Vitamin A acetate		ビタミンA酢酸エステル	◎，指定	強化剤
Vitamin A esters of fatty acids	Retionl esters of fatty acids	ビタミンA脂肪酸エステル レチノール脂肪酸エステル	◎，指定	強化剤
Vitamin A in oil	Oily vitamin A ester of fatty acid	ビタミンA油 油性ビタミンA脂肪酸エステル	◎，指定	強化剤
Vitamin B_1 dicetylsulfate	Thiamine dicetylsulfate	チアミンセチル硫酸塩 ビタミンB_1セチル硫酸塩	◎，指定	強化剤
Vitamin B_1 dilaurylsulfate	Thiamine dilaurylsulfate	チアミンラウリル硫酸塩 ビタミンB_1ラウリル硫酸塩	◎，指定	製造用剤 強化剤
Vitamin B_1 hydrochloride	Thiamine hydrochloride	チアミン塩酸塩 ビタミンB_1塩酸塩	◎，指定	強化剤
Vitamin B_1 mononitrate	Thiamine mononitrate	チアミン硝酸塩 ビタミンB_1硝酸塩	◎，指定	強化剤
Vitamin B_1 naphthalene-1,5-disulfonate	Thiamine naphthalene-1,5-disulfonate	チアミンナフタリン-1,5-ジスルホン酸塩 チアミンナフタレン-1,5-ジスルホン酸塩 ビタミンB_1ナフタレン-1,5-ジスルホン酸塩	◎，指定	強化剤
Vitamin B_1 rhodanate	Thiamine thiocyanate	チアミンチオシアン酸塩 ビタミンB_1ロダン酸塩	◎，指定	強化剤
Vitamin B_2	Riboflavin	ビタミンB_2 リボフラビン	◎，指定	強化剤 着色料

◎：許可（使用基準なし） Legal（Accepted with no standard of use）
○：許可（使用基準あり） Legal（Accepted with standard of use）
指定：Designated Food Additives　既存：Existing Food Additives
×：使用不可 Illegal（Prohibited）
※：個別判断を要するもの Required individual special judgement

EU E No.	EU FL No.	CAS No.	CFR No.	CNS 号.	備考 Remarks
			（Tannic acid として） 184.1097		**タンニン（抽出物）**参照 E No.はないが INS No.181あり
E260		（酢酸として） 64-19-7	（Acetic acid として） 184.1005 （Peroxyacids の混合成分の1つとして） 173.370		省令別表第1のリスト名は「**氷酢酸，Glacial acetic acid**」，EU では酢酸として指定 告示成分規格の酢酸は30％濃度
	09.001	141-78-6	173.228		着香の目的以外に使用してはならない（ただし，柿の脱渋に使用するアルコール等の場合の除外規定あり）
E1203				14.010	
			184.1930		
					ビタミン A 脂肪酸エステル
			（Vitamin A として） 184.1930		添加物の規格基準 D に**ビタミン A 油**として規格が定められている
					告示成分規格の nH_2O は n ＝1
					告示成分規格の nH_2O は n ＝1
	16.027	67-03-8	184.1875		EU では香料特性のある食品成分として FL No.あり
		532-43-4	184.1878		
					告示成分規格の nH_2O は n ＝1
		（1水和物） 130131-60-1			告示成分規格の nH_2O は n ＝1
E101(i)		83-88-5	（検定免除の着色料として） 73.450 （GRAS 物質の Riboflavin として） 184.1695	08.148	着色料の目的では○，指定 「組換え DNA 技術応用食品及び添加物の安全性審査の手続きを経た添加物」としての告示あり。詳細は厚労省 HP 参照

色文字：法令上の指定添加物名（除く別名）　red：Name on Ministerial Ordinance of Designated Food Additives
色文字：法令上の既存添加物名（除く別名）　red：Name on Ministerial Notification of Existing Food Additives

英　名 English name	英名別名 English name	和名，和名別名 Japanese name	許可状況 Legal/Illegal	主な用途 Main uses
Vitamin B_2 tetrabutyrate	**Riboflavin tetrabutyrate**	ビタミンB_2酪酸エステル **リボフラビン酪酸エステル**	◎，指定	強化剤 着色料
Vitamin B_6	**Pyridoxine hydrochloride**	ビタミンB_6 **ピリドキシン塩酸塩**	◎，指定	強化剤
Vitamin B_7	**Biotin** Vitamin H	**ビオチン** ビタミンB_7 ビタミンH	○，指定	強化剤
Vitamin B_{12}	**Cyanocobalamin**	**シアノコバラミン** ビタミンB_{12}	◎，既存	強化剤
Vitamin C	**L-Ascorbic acid** Ascorbic acid	アスコルビン酸 **L-アスコルビン酸** ビタミンC	◎，指定	品質改良剤 膨脹剤 強化剤 酸化防止剤
Vitamin C oxidase	**Ascorbate oxidase**	**アスコルビン酸オキシダーゼ** アスコルベートオキシダーゼ ビタミンCオキシダーゼ	◎，既存	酵素
Vitamin C palmitate	**L-Ascorbyl palmitate** Ascorbyl palmitate	**L-アスコルビン酸パルミチン酸エステル** アスコルビン酸パルミチン酸エステル ビタミンCパルミテート	◎，指定	強化剤 酸化防止剤
Vitamin C sodium	Sodium ascorbate **Sodium L-ascorbate**	**L-アスコルビン酸ナトリウム** アスコルビン酸ナトリウム ビタミンCナトリウム	◎，指定	品質改良剤 強化剤 酸化防止剤
Vitamin C stearate	**L-Ascorbyl stearate** Ascorbyl stearate	アスコルビン酸ステアリン酸エステル **L-アスコルビン酸ステアリン酸エステル** ビタミンCステアレート	◎，指定	強化剤 酸化防止剤
Vitamin D		ビタミンD	※	強化剤
Vitamin D_2	Calciferol **Ergocalciferol**	**エルゴカルシフェロール** カルシフェロール ビタミンD_2	◎，指定	強化剤
Vitamin D_2 bakers yeast		ビタミンD_2パン酵母	※	製造用剤 強化剤
Vitamin D_2 mushroom powder		ビタミンD_2キノコ粉末	※	製造用剤 強化剤

◎：許可（使用基準なし） Legal（Accepted with no standard of use）
○：許可（使用基準あり） Legal（Accepted with standard of use）
指定：Designated Food Additives　既存：Existing Food Additives
×：使用不可 Illegal（Prohibited）
※：個別判断を要するもの Required individual special judgement

EU E No.	EU FL No.	CAS No.	CFR No.	CNS 号.	備 考 Remarks
		752-56-7			着色料の目的では○, 指定
		58-56-0	184.1676		
		58-85-5	182.8159		保健機能食品，調製粉乳，調製液状乳及び母乳代替食品以外の食品に使用してはならない
		68-19-9	184.1945		
E300		50-81-7	(Chemical preservatives として) 182.3013 (Nutrients として) 182.8013	04.014	CNS 号04.014は ascorbic acid（L-なし）
E304(i)		137-66-6	(Ascorbyl palmitate として) 182.3149	04.011	CNS 号04.011は ascorbyl palmitate（L-なし） E304（i）は（L-）のみを指定
E301		134-03-2	182.3731	04.015	CNS 号04.015は sodium ascorbate（L-なし）
E304(ii)		25395-66-8			
					省令別表第1の**エルゴカルシフェロール**(ビタミン D_2)と同**コレカルシフェロール**(ビタミン D_3)以外使用不可
		50-14-6	(直接添加物 Vit D_2として) 172.379 (直接添加物 Vit D_2 bakers extract として) 172.381 (直接添加物 Vit D_2 mushroom powder として) 172.382 (GRAS 物質の Vit D_2, D_3 として) 184.1950		
			172.381		CFR はパン種酵母（*Saccharomyces cerevisiae*）を紫外線照射し，Vit.D_2の供給源及び濃縮活性換装酵母として単独または通常のパン酵母と併用使用
			172.382		CFR の2021年版で新規設定された添加物で，食用 *Agaricus bisporus* mushrooms の水性ホモジネートを紫外線照射して生成された物質であり，微生物規格を含む成分規格が定められ，また VitD_2源として使用する場合の最大使用量も規定されている

V

色文字：法令上の指定添加物名（除く別名）　red：Name on Ministerial Ordinance of Designated Food Additives
色文字：法令上の既存添加物名（除く別名）　red：Name on Ministerial Notification of Existing Food Additives

英　名 English name	英名別名 English name	和名，和名別名 Japanese name	許可状況 Legal/Illegal	主な用途 Main uses
Vitamin D_3	Cholecalciferol	コレカルシフェロール ビタミンD_3	◎，指定	強化剤
α-Vitamin E	α-Tocopherol d-α-Tocopherol	d-α-トコフェロール α-トコフェロール α-ビタミンE	◎，既存	強化剤 酸化防止剤
γ-Vitamin E	γ-Tocopherol d-γ-Tocopherol	d-γ-トコフェロール γ-トコフェロール γ-ビタミンE	◎，既存	強化剤 酸化防止剤
δ-Vitamin E	δ-Tocopherol d-δ-Tocopherol	d-δ-トコフェロール δ-トコフェロール δ-ビタミンE	◎，既存	強化剤 酸化防止剤
Vitamin H	Biotin Vitamin B_7	ビオチン ビタミンB_7 ビタミンH	○，指定	強化剤
Vitamin K_1	Phytonadione	ビタミンK_1 フィトナジオン	×	特別用途食品
Vitamin K_2(extract)	Menaquinone(extract)	ビタミンK_2(抽出物) メナキノン(抽出物)(アルトロバクターの培養液から得られた，メナキノン-4を主成分とするものをいう。)	◎，既存	強化剤
Vitamin K_3	Menadione	ビタミンK_3 メナジオン	×	特別用途食品
Vitamin P	Hesperidin	ビタミンP ヘスペリジン	◎，既存	強化剤
Vitriol red	Ferric oxide red Ferric oxide(III) Hematite maghemite Indian red Iron oxides and hydroxides Iron sesquioxide Iron trioxide Red iron oxide Rouge	インディアンレッド 酸化鉄(III) 三酸化二鉄 三二酸化鉄 赤色酸化第二鉄 ベンガラ	○，指定	着色料
Volatile oil of mustard	Allyl isosulfocyanate Allyl isothiocyanate 2-Propene isothiocyanate	イソチオシアン酸アリル 揮発ガイシ油 2-プロペンイソチオシアネート	○，指定	香料

◎：許可（使用基準なし） Legal（Accepted with no standard of use）　×：使用不可　Illegal（Prohibited）
○：許可（使用基準あり） Legal（Accepted with standard of use）　※：個別判断を要するもの　Required individual special judgement
指定：Designated Food Additives　既存：Existing Food Additives

EU E No.	EU FL No.	CAS No.	CFR No.	CNS 号.	備考 Remarks
		67-97-0	(直接添加物 Vit.D_3として) 172.380 (GRAS 物質 Vit.D(D_2, D_3)として) 184.1950		
E307		59-02-9	(Chemical preservatives の Tocopherols として) 182.3890 (Nutrients の Tocopherols として) 182.8890 (α-Tocopherols として) 184.1890	04.016	日本では**dl-α-トコフェロール**が指定添加物となっている
E308			(Chemical preservatives の Tocopherols として) 182.3890 (Nutrients の Tocopherols として) 182.8890		日本では**dl-α-トコフェロール**が指定添加物となっている 日本では**d-γ-トコフェロール**が既存添加物となっている
E309			(Chemical preservatives の Tocopherols として) 182.3890 (Nutrients の Tocopherols として) 182.8890		日本では**dl- α-トコフェロール**が指定添加物となっている 日本では**d-δ-トコフェロール**が既存添加物となっている
		58-85-5	182.8159		保健機能食品，調製粉乳，調製液状乳及び母乳代替食品以外の食品に使用してはならない
					資料1により，新たに食品添加物としての指定を受ける必要があるとする品目
		863-61-6			
					資料1により，新たに食品添加物としての指定を受ける必要があるとする品目
E172		(三二酸化鉄として) 1309-37-1	(Synthetic iron oxide として) 73.200		省令別表第1の**三二酸化鉄**以外は不可 E172は「Commission Regulation (EU) No.510/2013 of 3 June 2013」で新規制定
	12.025	57-06-7			着香の目的以外に使用してはならない

V

W

色文字：法令上の指定添加物名（除く別名）　red：Name on Ministerial Ordinance of Designated Food Additives
色文字：法令上の既存添加物名（除く別名）　red：Name on Ministerial Notification of Existing Food Additives

英　名 English name	英名別名 English name	和名，和名別名 Japanese name	許可状況 Legal/Illegal	主な用途 Main uses
Water-insoluble mineral substances	Aluminium silicate China clay Kaolin Porcelain clay	カオリン ケイ酸アルミニウム 高陵土 白陶土 不溶性鉱物性物質	○，既存	製造用剤
	Acid clay	酸性白土 不溶性鉱物性物質	○，既存	製造用剤
	Bentonite Colloidal clay	ベントナイト 不溶性鉱物性物質 膨潤土	○，既存	製造用剤
	Diatomaceous earth	ケイソウ土 不溶性鉱物性物質	○，既存	製造用剤
	Perlite	パーライト 不溶性鉱物性物質	○，既存	製造用剤
	Sand	砂 不溶性鉱物性物質	○，既存	製造用剤
	Talc	タルク 不溶性鉱物性物質	○，既存	製造用剤

◎：許可（使用基準なし） Legal（Accepted with no standard of use）
○：許可（使用基準あり） Legal（Accepted with standard of use）
指定：Designated Food Additives　　既存：Existing Food Additives
×：使用不可　Illegal（Prohibited）
※：個別判断を要するもの　Required individual special judgement

EU E No.	EU FL No.	CAS No.	CFR No.	CNS 号.	備考 Remarks
					食品の製造又は加工上必要不可欠な場合以外に使用してはならない **不溶性鉱物性物質**の名称は，省令別表第1及び告示既存添加物名簿に記載されていないが，告示「食品，添加物等の規格基準－F 使用基準」にその名称があるので既存添加物名簿名扱いとする 食品添加物別名（和名）については，列記した食品添加物に類似する**不溶性鉱物性物質**も含まれる E559：Aluminium silicate（Kaolin）は「Commission Regulation（EU）No.380/2012 of 3 May 2012」で削除
					食品の製造又は加工上必要不可欠な場合以外に使用してはならない **不溶性鉱物性物質**の名称は，省令別表第1及び告示既存添加物名簿に記載されていないが，告示「食品，添加物等の規格基準－F 使用基準」にその名称があるので既存添加物名簿名扱いとする 食品添加物別名（和名）については，列記した食品添加物に類似する**不溶性鉱物性物質**も含まれる
			（Bentonite として） 184.1155		食品の製造又は加工上必要不可欠な場合以外に使用してはならない **不溶性鉱物性物質**の名称は，省令別表第1及び告示既存添加物名簿に記載されていないが，告示「食品，添加物等の規格基準－F 使用基準」にその名称があるので既存添加物名簿名扱いとする 食品添加物別名（和名）については，列記した食品添加物に類似する**不溶性鉱物性物質**も含まれる E558：Bentonite は「Commission Regulation（EU）No.380/2012 of 3 May 2012」で削除
					食品の製造又は加工上必要不可欠な場合以外に使用してはならない **不溶性鉱物性物質**の名称は，省令別表第1及び告示既存添加物名簿に記載されていないが，告示「食品，添加物等の規格基準－F 使用基準」にその名称があるので既存添加物名簿名扱いとする 食品添加物別名（和名）については，列記した食品添加物に類似する**不溶性鉱物性物質**も含まれる
					食品の製造又は加工上必要不可欠な場合以外に使用してはならない **不溶性鉱物性物質**の名称は，省令別表第1及び告示既存添加物名簿に記載されていないが，告示「食品，添加物等の規格基準－F 使用基準」にその名称があるので既存添加物名簿名扱いとする 食品添加物別名（和名）については，列記した食品添加物に類似する**不溶性鉱物性物質**も含まれる
					食品の製造又は加工上必要不可欠な場合以外に使用してはならない **不溶性鉱物性物質**の名称は，省令別表第1及び告示既存添加物名簿に記載されていないが，告示「食品，添加物等の規格基準－F 使用基準」にその名称があるので既存添加物名簿名扱いとする 食品添加物別名（和名）については，列記した食品添加物に類似する**不溶性鉱物性物質**も含まれる
E553b					食品の製造又は加工上必要不可欠な場合以外に使用してはならない **不溶性鉱物性物質**の名称は，省令別表第1及び告示既存添加物名簿に記載されていないが，告示「食品，添加物等の規格基準－F 使用基準」にその名称があるので既存添加物名簿名扱いとする 食品添加物別名（和名）については，列記した食品添加物に類似する**不溶性鉱物性物質**も含まれる

色文字：法令上の指定添加物名（除く別名）　red：Name on Ministerial Ordinance of Designated Food Additives
色文字：法令上の既存添加物名（除く別名）　red：Name on Ministerial Notification of Existing Food Additives

英　名 English name	英名別名 English name	和名，和名別名 Japanese name	許可状況 Legal/Illegal	主な用途 Main uses
Weakly acid hypochlorous acid water	Hypochlorous acid water	次亜塩素酸水 微酸性次亜塩素酸水	○，指定	殺菌料
Welan gum	Welan polysaccharide	ウェランガム(アルカリゲネスの培養液から得られた，多糖類を主成分とするものをいう。) ウェラン多糖類	◎，既存	増粘安定剤
Welan polysaccharide	Welan gum	ウェランガム(アルカリゲネスの培養液から得られた，多糖類を主成分とするものをいう。) ウェラン多糖類	◎，既存	増粘安定剤
Wheat extract		コムギ抽出物	◎	製造用剤
Wheat flour		小麦粉	◎	製造用剤
Wheat gluten		小麦グルテン	◎	調味料
Whey	Milk serum	乳清 ホエイ	◎	製造用剤 特別用途食品
Whey mineral	Whey salt	乳清ミネラル ホエイソルト ホエイミネラル	◎	調味料
Whey protein concentrate		ホエイ蛋白濃縮品	◎	製造用剤
Whey salt	Whey mineral	乳清ミネラル ホエイソルト ホエイミネラル	◎	調味料
White and yellow roasted starch	Dextrin Roasted starch	デキストリン 白色及び黄色焙焼でん粉 ローストでん粉	◎	特別用途食品 増粘安定剤 糊料
White caustic	Caustic soda Soda lye Sodium hydrate Sodium hydroxide	カセイソーダ 水酸化ナトリウム	○，指定	製造用剤
White mineral oil	Liquid paraffin Mineral oil	白鉱油 ミネラルオイル ミネラルオイルホワイト 流動パラフィン	○，既存	製造用剤

◎：許可（使用基準なし） Legal（Accepted with no standard of use）
○：許可（使用基準あり） Legal（Accepted with standard of use）
指定：Designated Food Additives　既存：Existing Food Additives
×：使用不可 Illegal（Prohibited）
※：個別判断を要するもの Required individual special judgement

EU E No.	EU FL No.	CAS No.	CFR No.	CNS 号.	備考 Remarks
					生成装置等の基準あり 最終食品の完成前に除去しなければならない 指定添加物名は**次亜塩素酸水**だが，告示成分規格の記載名も法令上の名称として取り扱う 平成26年4月24日告示第225号により，①生食用鮮魚介類，生食用かき及び冷凍食品（生食用冷凍鮮魚介類に限る。以下「生食用鮮魚介類等」という。）の加工基準において，**次亜塩素酸ナトリウム**に加え，**次亜塩素酸水**及び水素イオン濃度調整剤として用いる**塩酸**の使用が認められた，②容器包装詰加圧加熱殺菌食品の製造基準において，**次亜塩素酸ナトリウム**に加え**次亜塩素酸水**の使用が認められた 同日付部長通知による運用上の注意事項としては，**次亜塩素酸水**及び**塩酸**については，①既に食品添加物として定められている使用基準の適用を受ける，②**塩酸**については，生食用鮮魚介類等に対し，**次亜塩素酸ナトリウム**の使用等に伴い水素イオン濃度調整剤として使用することは認められるが，生食用鮮魚介類等の加工時に**塩酸**を直接使用することは認められない
			（Wheat gluten として） 184.1322		一般飲食物添加物
			（Wheat gluten として） 184.1322		一般飲食物添加物
		8002-80-0	（Wheat gluten として） 184.1322		食品扱い
			184.1979		資料1により食品素材扱いとする品目 CFR は Whey, Concentrated whey, Dry or dried whey について，日本の乳等省令に規定する定義，成分規格に類する記載あり
					一般飲食物添加物
			184.1979c		資料1により食品素材扱いとする品目 CFR はホエイから大部分の非蛋白成分を除去した成分の濃縮品で，日本の乳等省令に規定する定義，成分規格に類する記載あり
					一般飲食物添加物
			（Dextrin として） 184.1277		資料1により食品素材扱いとする品目
E524		（1水和物） 12200-64-5 （無水物） 1310-73-2	184.1763		最終食品の完成前に中和又は除去しなければならない 告示成分規格の nH_2O は n ＝1又は0
			（White mineral oil として） 172.878	14.003	パンを製造する過程における離型の目的以外に使用してはならない

色文字：法令上の指定添加物名（除く別名）　red：Name on Ministerial Ordinance of Designated Food Additives
色文字：法令上の既存添加物名（除く別名）　red：Name on Ministerial Notification of Existing Food Additives

英　名 English name	英名別名 English name	和名，和名別名 Japanese name	許可状況 Legal/Illegal	主な用途 Main uses
White shellac	Lacca Purified shellac Shellac	シェラック(ラックカイガラムシの分泌液から得られた，アレウリチン酸とシェロール酸又はアレウリチン酸とジャラール酸のエステルを主成分とするものをいう。) 白シェラック 精製シェラック セラック	◎，既存	ガムベース 光沢剤
Whole fish protein concentrate		全魚体蛋白濃縮物	◎	強化剤
Whortleberry color		ホワートルベリー色素	○	着色料
Wood chip		シュペーネ 木材チップ(ハシバミ又はブナの幹枝を粉砕して得られたものをいう。)	◎，既存	製造用剤
Wood flour		木粉	×	製造用剤
Wood sugar	Xylose D-Xylose	ウッドシュガー キシロース D-キシロース	◎，既存	甘味料
Wood vinegar	Liquid smoke Pyroligneous acid Smoke flavourings	くん液(サトウキビ、竹材、トウモロコシ又は木材を燃焼して発生したガス成分を捕集し、又は乾留して得られたものをいう。) スモークフレーバー 木酢液 リキッドスモーク	◎，既存	製造用剤 香料 着色料
Wool wax	Lanolin	羊毛ロウ ラノリン(ヒツジの毛に付着するろう様物質から得られた，高級アルコールと α-ヒドロキシ酸のエステルを主成分とするものをいう。)	◎，既存	ガムベース 光沢剤

◎：許可（使用基準なし） Legal（Accepted with no standard of use）　×：使用不可 Illegal（Prohibited）
○：許可（使用基準あり） Legal（Accepted with standard of use）　※：個別判断を要するもの Required individual special judgement
指定：Designated Food Additives　既存：Existing Food Additives

EU E No.	EU FL No.	CAS No.	CFR No.	CNS 号.	備考 Remarks
E904				14.001	
			172.385		食品扱い
					一般飲食物添加物
		(D-キシロースとして) 58-86-6			
					着色料の目的では○,既存 香料として用いる場合は天然香料扱い
					E No.はないがINS No.913あり

色文字：法令上の指定添加物名（除く別名）　red：Name on Ministerial Ordinance of Designated Food Additives
色文字：法令上の既存添加物名（除く別名）　red：Name on Ministerial Notification of Existing Food Additives

英　名 English name	英名別名 English name	和名，和名別名 Japanese name	許可状況 Legal/Illegal	主な用途 Main uses
Xanthan gum	Xanthan polysaccharide	キサンタンガム(キサントモナスの培養液から得られた，多糖類を主成分とするものをいう。) キサンタン多糖類 ザンサンガム	◎，既存	製造用剤 増粘安定剤 乳化剤
Xanthan polysaccharide	Xanthan gum	キサンタンガム(キサントモナスの培養液から得られた，多糖類を主成分とするものをいう。) キサンタン多糖類 ザンサンガム	◎，既存	製造用剤 増粘安定剤 乳化剤
Xanthophylls	Lutein Mixed carotenoids	キサントフィル 混合カロテノイド ルテイン	※	着色料
Xylanase		キシラナーゼ	◎，既存	酵素
Xylite	Xylitol	キシリット キシリトール	◎，指定	製造用剤 甘味料
Xylitol	Xylite	キシリット キシリトール	◎，指定	製造用剤 甘味料
Xylose	Wood sugar D-Xylose	ウッドシュガー キシロース D-キシロース	◎，既存	甘味料
D-Xylose	Wood sugar Xylose	ウッドシュガー キシロース D-キシロース	◎，既存	甘味料
D-Xylose ketol isomerase	Glucose isomerase	D-キシロースケトールイソメラーゼ グルコースイソメラーゼ	◎，既存	酵素

◎：許可（使用基準なし） Legal（Accepted with no standard of use）　×：使用不可　Illegal（Prohibited）
○：許可（使用基準あり） Legal（Accepted with standard of use）　※：個別判断を要するもの　Required individual special judgement
指定：Designated Food Additives　既存：Existing Food Additives

EU E No.	EU FL No.	CAS No.	CFR No.	CNS 号.	備考 Remarks
E415		11138-66-2	172.695	20.009	
E415		11138-66-2	172.695	20.009	
E161b				08.146	既存添加物名簿の名称，別名，簡略名に「キサントフィル」名があるオレンジ，マリーゴールド色素以外からの「キサントフィル」は不可 既存添加物名簿の名称，別名，簡略名に「カロテノイド」関連名があるアナトー，オレンジ，クチナシ，デュナリエラ，トウガラシ，トマト，ニンジン，パーム油，ファフィア，ヘマトコッカス藻，マリーゴールド色素以外からの「ルテイン」は不可
					「組換えDNA技術応用食品及び添加物の安全性審査の手続きを経た添加物」としての告示あり。詳細は厚労省HP参照
E967		87-99-0	172.395	19.007	
E967		87-99-0	172.395	19.007	
		(D-キシロースとして) 58-86-6			
		(D-キシロースとして) 58-86-6			

X

Y

色文字：法令上の指定添加物名（除く別名）　red：Name on Ministerial Ordinance of Designated Food Additives
色文字：法令上の既存添加物名（除く別名）　red：Name on Ministerial Notification of Existing Food Additives

英　名 English name	英名別名 English name	和名，和名別名 Japanese name	許可状況 Legal/Illegal	主な用途 Main uses
Yeast cell membrane	Yeast cell wall	酵母細胞壁（サッカロミセスの細胞壁から得られた，多糖類を主成分とするものをいう。）	◎，既存	製造用剤 増粘安定剤
Yeast cell wall	Yeast cell membrane	酵母細胞壁（サッカロミセスの細胞壁から得られた，多糖類を主成分とするものをいう。）	◎，既存	製造用剤 増粘安定剤
Yeast-malt sprout extract		イースト-麦芽抽出物	◎	香料 着香料
Yellow AB	Oil Yellow AB	エロー AB オイルエロー AB 旧食用黄色2号	×	着色料
Yellow OB	Oil Yellow OB	エロー OB オイルエロー OB 旧食用黄色3号	×	着色料
Yellow prussiate of lime	Calcium ferrocyanide Calcium hexacyanoferrate(II) Ferrocyanides	フェロシアン化カルシウム フェロシアン化物 ヘキサシアノ鉄(II)酸カルシウム	○，指定	食塩固結防止剤
Yellow prussiate of potash	Ferrocyanides Potassium ferrocyanide Potassium hexacyanoferrate(II)	黄血塩 黄血カリ フェロシアン化カリウム フェロシアン化物 ヘキサシアノ鉄(II)酸カリウム	○，指定	食塩固結防止剤
Yellow prussiate of soda	Ferrocyanides Sodium ferrocyanide Sodium hexacyanoferrate(II)	黄血ソーダ フェロシアン化ナトリウム フェロシアン化物 ヘキサシアノ鉄(II)酸ナトリウム	○，指定	食塩固結防止剤
Yolk lecithin	Lecithin	卵黄レシチン（卵黄から得られた，レシチンを主成分とするものをいう。） レシチン	◎，既存	乳化剤
Yucca foam extract	Yucca joshua tree	ユッカ抽出物 ユッカフォーム抽出物（ユッカアラボレセンス又はユッカシジゲラの全草から得られた，サポニンを主成分とするものをいう。）	◎，既存	製造用剤 乳化剤
Yucca joshua tree	Yucca foam extract	ユッカ抽出物 ユッカフォーム抽出物（ユッカアラボレセンス又はユッカシジゲラの全草から得られた，サポニンを主成分とするものをいう。）	◎，既存	製造用剤 乳化剤

◎：許可（使用基準なし） Legal（Accepted with no standard of use）
○：許可（使用基準あり） Legal（Accepted with standard of use）
指定：Designated Food Additives　既存：Existing Food Additives
×：使用不可 Illegal（Prohibited）
※：個別判断を要するもの Required individual special judgement

EU E No.	EU FL No.	CAS No.	CFR No.	CNS 号.	備考 Remarks
			172.590		食品扱い
E538		（無水物） 13821-08-4			省令別表第1のリスト名は「**フェロシアン化物**（フェロシアン化カリウム，フェロシアン化カルシウム及びフェロシアン化ナトリウムに限る。），**Ferrocyanide compounds** (Limited to Potassium ferrocyanide, Calcium ferrocyanide and Sodium ferrocyanide)」だが，本書では各単品もリスト名としマークした 告示成分規格の nH_2O は n ＝12
E536		（3水和物） 13943-58-3		02.001	省令別表第1のリスト名は「**フェロシアン化物**（フェロシアン化カリウム，フェロシアン化カルシウム及びフェロシアン化ナトリウムに限る。），**Ferrocyanide compounds** (Limited to Potassium ferrocyanide, Calcium ferrocyanide and Sodium ferrocyanide)」だが，本書では各単品もリスト名としマークした 告示成分規格の nH_2O は n ＝3
E535		（10水和物） 13601-19-9	（Yellow prussiate of soda として） 172.490	02.008	省令別表第1のリスト名は「**フェロシアン化物**（フェロシアン化カリウム，フェロシアン化カルシウム及びフェロシアン化ナトリウムに限る。），**Ferrocyanide compounds** (Limited to Potassium ferrocyanide, Calcium ferrocyanide and Sodium ferrocyanide)」だが，本書では各単品もリスト名としマークした 告示成分規格の nH_2O は n ＝10
E322			（Lecithin として） 184.1400	04.010	CNS 号04.010は phospholipid

Z

色文字：法令上の指定添加物名（除く別名）　red：Name on Ministerial Ordinance of Designated Food Additives
色文字：法令上の既存添加物名（除く別名）　red：Name on Ministerial Notification of Existing Food Additives

英　名 English name	英名別名 English name	和名，和名別名 Japanese name	許可状況 Legal/Illegal	主な用途 Main uses
Zeaxanthin（Synthetic）		ゼアキサンチン（合成）	×	強化剤 着色料
Zein	Corn protein	ゼイン（トウモロコシの種子から得られた，植物性タンパク質を主成分とするものをいう。） トウモロコシたん白	◎，既存	製造用剤
Zeolite		ゼオライト 沸石	○，既存	製造用剤
Zinc acetate		酢酸亜鉛	×	強化剤
Zinc chloride		塩化亜鉛	×	強化剤
Zinc gluconate	Zinc salts（Limited to Zinc gluconate and Zinc sulfate）	亜鉛塩類（グルコン酸亜鉛及び硫酸亜鉛に限る。） グルコン酸亜鉛	○，指定	強化剤
Zinc methionine sulfate		メチオニン硫酸亜鉛	×	強化剤
Zinc oxide		酸化亜鉛	×	強化剤
Zinc salts（Limited to Zinc gluconate and Zinc sulfate）	Zinc gluconate Zinc sulfate	亜鉛塩類（グルコン酸亜鉛及び硫酸亜鉛に限る。） グルコン酸亜鉛 硫酸亜鉛	○，指定	強化剤
Zinc stearate		ステアリン酸亜鉛	×	強化剤
Zinc sulfate	Zinc salts（Limited to Zinc gluconate and Zinc sulfate）	亜鉛塩類（グルコン酸亜鉛及び硫酸亜鉛に限る。） 硫酸亜鉛	○，指定	強化剤

◎：許可（使用基準なし） Legal（Accepted with no standard of use）
○：許可（使用基準あり） Legal（Accepted with standard of use）
指定：Designated Food Additives　既存：Existing Food Additives
×：使用不可 Illegal（Prohibited）
※：個別判断を要するもの Required individual special judgement

EU E No.	EU FL No.	CAS No.	CFR No.	CNS 号.	備考 Remarks
			184.1984		
E650					
			182.8985		
		（無水物） 82139-35-3	（Zinc gluconate として） 182.8988		母乳代替食品並びに特定保健用食品，特別用途表示の許可又は承認を受けた食品（病者用のものに限る）及び栄養機能食品以外の食品に使用してはならない 告示成分規格の nH_2O は，n＝3又は0
			172.399		CFR は錠剤形態の亜鉛供給源
			182.8991		
		（7水和物） 7446-20-0	（Zinc sulfate として） 182.8997	00.018	発泡性酒類を製造する際のイーストフード及び母乳代替食品以外の食品に使用してはならない 告示成分規格の nH_2O は,n＝7 CNS 号00.018は**硫酸亜鉛**に限る
			182.8994		
		（7水和物） 7446-20-0	（Zinc sulfate として） 182.8997	00.018	発泡性酒類を製造する際のイーストフード及び母乳代替食品以外の食品に使用してはならない 告示成分規格の nH_2O は,n＝7

第 3 編

E No. 順

(in numerical order of E No.)

指定添加物 "Designated Food Additives" :

They are food additives listed on "Attached Table 1 of Article 12 of Ministerial Ordinance", based on Article 10 of Food Sanitation Law.

Ministry of Health, Labour and Welfare designates them as not injurious to human health.

既存添加物 "Existing Food Additives" :

They are food additives listed on "Ministerial Notification of No. 120" issued on April 16, 1996.

一般飲食物添加物 "Substances generally provided as food and used as food additives" :

46 substances are picked up out of "Attached Table 3" of above Notification. They are seemed to be used as food additives with a certain intention widely.

◎ : It means Designated Food Additives/Existing Food Additives/Food Itself with no standard of use (can use freely), such as permitted food, maximum residual level, limitation of use etc.

○ : It means Designated Food Additives/Existing Food Additives/Food Itself with standard of use (can use within these limitations or conditions only), such as permitted food, maximum residual level, limitation of use etc.

× : It means illegal food additives. They are neither listed on Designated Food Additives nor Existing Food Additives.

※ : It means food additives requiring individual special judgment of legal or illegal to use, based on such as their using purpose, subject of food/raw material etc.

色文字：法令上の指定添加物名（除く別名）　red：Name on Ministerial Ordinance of Designated Food Additives
色文字：法令上の既存添加物名（除く別名）　red：Name on Ministerial Notification of Existing Food Additives

E No.	英名，英名別名 English name	和名，和名別名 Japanese name	許可状況 Legal/Illegal	主な用途 Main uses
E100	Curcumin Turmeric oleoresin	ウコン色素(ウコンの根茎から得られた，クルクミンを主成分とするものをいう。) クルクミン ターメリック色素	○，既存	着色料
E101(i)	Riboflavin Vitamin B_2	ビタミンB_2 リボフラビン	◎，指定	強化剤 着色料
E101(ii)	Riboflavin 5'-phosphate Riboflavin 5'-phosphate sodium Sodium riboflavin phosphate Sodium vitamin B_2 phosphate	ビタミンB_2リン酸エステルナトリウム リボフラビン5'-リン酸 リボフラビンリン酸エステルナトリウム リボフラビン5'-リン酸エステルナトリウム	◎，指定	強化剤 着色料
E102	FD & C Yellow No.5 Food Yellow No.4 Tartrazine	食用黄色4号 食用黄色5号(米国) タートラジン	○，指定	着色料
	Food Yellow No.4 aluminium lake Tartrazine aluminium lake	食用黄色4号アルミニウムレーキ タートラジンアルミニウムレーキ	○，指定	着色料
E104	Quinoline yellow	キノリンイエロー	×	着色料
E110	FD & C Yellow No.6 Food Yellow No.5 Sunset Yellow FCF	サンセットイエローFCF 食用黄色5号 食用黄色6号(米国)	○，指定	着色料
	Food Yellow No.5 aluminium lake Sunset Yellow FCF aluminium lake	サンセットイエローFCFアルミニウムレーキ 食用黄色5号アルミニウムレーキ	○，指定	着色料
E120	Carminic acid Cochineal extract	カルミン酸色素 コチニール色素(エンジムシから得られた，カルミン酸を主成分とするものをいう。)	○，既存	着色料
	Aluminium calcium lakes of carminic acid Carmine	カルミン カルミン酸のアルミニウム及びカルシウムレーキ	×	着色料
E122	Azorubine Carmoisine	アゾルビン カルモイシン	×	着色料
E123	Amaranth Food Red No.2	アマランス 食用赤色2号	○，指定	着色料
	Amaranth aluminium lake Food Red No.2 aluminium lake	アマランスアルミニウムレーキ 食用赤色2号アルミニウムレーキ	○，指定	着色料
E124	Cochineal Red A Food Red No.102 New coccine Ponceau 4R	コチニールレッドA 食用赤色102号 ニューコクシン ポンソー4R	○，指定	着色料

◎：許可（使用基準なし） Legal（Accepted with no standard of use）
○：許可（使用基準あり） Legal（Accepted with standard of use）
指定：Designated Food Additives　既存：Existing Food Additives
×：使用不可 Illegal（Prohibited）
※：個別判断を要するもの Required individual special judgement

CAS No.	CFR No.	CNS 号.	備考 Remarks
	（Turmeric oleoresin として） 73.615	08.132	国際的には純度の違いでCurcumin と Turmeric oleoresin に分類
83-88-5	（検定免除の着色料として） 73.450 （GRAS 物質の Riboflavin として） 184.1695	08.148	着色料の目的では○，指定 「組換え DNA 技術応用食品及び添加物の安全性審査の手続きを経た添加物」としての告示あり。詳細は厚労省 HP 参照
（無水物） 130-40-5	（Riboflavin 5'-phosphate（sodium）として） 184.1697		着色料の目的では○，指定 EU の規格ではリボフラビン-5'-リン酸エステルと同ナトリウム塩の両方が含まれているが，日本では**リボフラビン5'-リン酸エステルナトリウム**のみ認められている 告示成分規格の nH_2O は n ＝2又は0
1934-21-0	（要検定リストとして） 74.705 （要検定暫定リストとして） 82.705	08.005	米国では FD & C Yellow No.5（食用黄色5号）である 省令別表第1のリスト名は「**食用黄色4号及びそのアルミニウムレーキ，Food Yellow No.4 and its Aluminium lake**」だが，本書では各単品もリスト名としマークした
	（Lakes（FD & C）として） 82.51	08.005	米国では FD & C Yellow No.5（食用黄色5号）である 省令別表第1のリスト名は「**食用黄色4号及びそのアルミニウムレーキ，Food Yellow No.4 and its Aluminium lake**」だが，本書では各単品もリスト名としマークした
		08.016	
2783-94-0	（要検定リストとして） 74.706 （要検定暫定リストとして） 82.706	08.006	米国では FD & C Yellow No.6（食用黄色6号）である 省令別表第1のリスト名は「**食用黄色5号及びそのアルミニウムレーキ，Food Yellow No.5 and its Aluminium lake**」だが，本書では各単品もリスト名としマークした CNS 号08.006は sunset yellow（FCF なし）
	（Lakes（FD & C）として） 82.51	08.006	米国では FD & C Yellow No.6（食用黄色6号）である 省令別表第1のリスト名は「**食用黄色5号及びそのアルミニウムレーキ，Food Yellow No.5 and its Aluminium lake**」だが，本書では各単品もリスト名としマークした CNS 号08.006は sunset yellow aluminium lake（FCF なし）
	（Cochineal extract：Carmine として） 73.100	08.145	日本で，**コチニール色素**（主色素カルミン酸）は既存添加物として使用が認められているが，「CFRNo.73.100 Carmine」は，アルミニウム若しくはアルミニウム・カルシウムレーキ色素であり認められていない CNS 号08.145は carmine cochineal
	（Cochineal extract：Carmine として） 73.100	08.145	日本で，**コチニール色素**（主色素カルミン酸）は既存添加物として使用が認められているが，「CFRNo.73.100 Carmine」はアルミニウム若しくはアルミニウム・カルシウムレーキ色素であり認められていない CNS 号08.145は carmine cochineal
		08.013	
915-67-3		08.001 08.130	省令別表第1のリスト名は「**食用赤色2号及びそのアルミニウムレーキ，Food Red No.2 and its Aluminium lake**」だが，本書では各単品もリスト名としマークした CNS 号08.130は natural amaranthus red
		08.001	省令別表第1のリスト名は「**食用赤色2号及びそのアルミニウムレーキ，Food Red No.2 and its Aluminium lake**」だが，本書では各単品もリスト名としマークした
（無水物） 2611-82-7	（Cochineal extract：Carmine として） 73.100	08.002	告示成分規格の nH_2O は n ＝ 1 1/2

色文字：法令上の指定添加物名（除く別名）　red：Name on Ministerial Ordinance of Designated Food Additives
色文字：法令上の既存添加物名（除く別名）　red：Name on Ministerial Notification of Existing Food Additives

E No.	英名，英名別名 English name	和名，和名別名 Japanese name	許可状況 Legal/Illegal	主な用途 Main uses
E127	Erythrosine FD & C Red No.3 Food Red No.3	エリスロシン 食用赤色3号	○，指定	着色料
	Erythrosine aluminium lake Food Red No.3 aluminium lake	エリスロシンアルミニウムレーキ 食用赤色3号アルミニウムレーキ	○，指定	着色料
E129	Allura Red AC FD & C Red No.40 Food Red No.40	アルラレッド AC 食用赤色40号	○，指定	着色料
	Allura Red AC aluminium lake Food Red No.40 aluminium lake	アルラレッド AC アルミニウムレーキ 食用赤色40号アルミニウムレーキ	○，指定	着色料
E131	Patent Blue V	パテントブルー V	×	着色料
E132	FD & C Blue No.2 Food Blue No.2 Indigo carmine Indigotine	インジゴカルミン 食用青色2号	○，指定	着色料
	Food Blue No.2 aluminium lake Indigo carmine aluminium lake	インジゴカルミンアルミニウムレーキ 食用青色2号アルミニウムレーキ	○，指定	着色料
E133	Brilliant Blue FCF FD & C Blue No.1 Food Blue No.1	食用青色1号 ブリリアントブルー FCF	○，指定	着色料
	Brilliant Blue FCF aluminium lake Food Blue No.1 aluminium lake	食用青色1号アルミニウムレーキ ブリリアントブルー FCF アルミニウムレーキ	○，指定	着色料
E140(i)	Chlorophyll	クロロフィル	○，既存	着色料
E140(ii)	Chlorophylline	クロロフィリン	○，既存	着色料
E141(i)	Copper chlorophyll Copper complexes of chlorophylls	銅クロロフィル 銅クロロフィル錯体	○，指定	着色料
E141(ii)	Sodium copper chlorophyllin	銅クロロフィリンナトリウム	○，指定	着色料
	Chlorophyllin copper complex, potassium salts Copper complexes of chlorophyllins	銅クロロフィリンカリウム塩 銅クロロフィリン錯体	×	着色料
E142	Green S	グリーン S	×	着色料
E150a	Caramel Caramel I(Plain caramel) Caramel color class I Plain caramel	カラメル カラメル I(でん粉加水分解物，糖蜜又は糖類の食用炭水化物を熱処理して得られたものをいう。ただし，「カラメル II」，「カラメル III」及び「カラメル IV」を除く。) プレーンカラメル	◎，既存	製造用剤 着色料
E150b	Caramel Caramel II(Sulfite caramel) Caramel color class II Caustic sulfite caramel	カラメル カラメル II(でん粉加水分解物，糖蜜又は糖類の食用炭水化物に亜硫酸化合物を加えて熱処理して得られたものをいう。ただし，「カラメル IV」を除く。) コースティックサルファイトカラメル	◎，既存	製造用剤 着色料

◎：許可（使用基準なし） Legal（Accepted with no standard of use）　×：使用不可 Illegal（Prohibited）
○：許可（使用基準あり） Legal（Accepted with standard of use）　※：個別判断を要するもの Required individual special judgement
指定：Designated Food Additives　既存：Existing Food Additives

CAS No.	CFR No.	CNS 号.	備考 Remarks
（無水物） 16423-68-0	74.303	08.003	省令別表第1のリスト名は「**食用赤色3号及びそのアルミニウムレーキ，Food Red No. 3 and its Aluminium lake**」だが，本書では各単品もリスト名としマークした 告示成分規格の nH_2O は n ＝1
		08.003	省令別表第1のリスト名は「**食用赤色3号及びそのアルミニウムレーキ，Food Red No. 3 and its Aluminium lake**」だが，本書では各単品もリスト名としマークした
25956-17-6	74.340	08.012	省令別表第1のリスト名は「**食用赤色40号及びそのアルミニウムレーキ，Food Red No. 40 and its Aluminium lake**」だが，本書では各単品もリスト名としマークした CNS 号08.012は allura red（AC なし）
		08.012	省令別表第1のリスト名は「**食用赤色40号及びそのアルミニウムレーキ，Food Red No. 40 and its Aluminium lake**」だが，本書では各単品もリスト名としマークした CNS 号08.012は allura aluminum lake（red AC なし）
860-22-0	（要検定リストとして） 74.102 （要検定暫定リストとして） 82.102	08.008	省令別表第1のリスト名は「**食用青色2号及びそのアルミニウムレーキ，Food Blue No. 2 and its Aluminium lake**」だが，本書では各単品もリスト名としマークした
	（Lakes（FD & C）として） 82.51	08.008	省令別表第1のリスト名は「**食用青色2号及びそのアルミニウムレーキ，Food Blue No. 2 and its Aluminium lake**」だが，本書では各単品もリスト名としマークした CNS 号08.008は indigotine aluminum lake（carmine なし）
3844-45-9	（要検定リストとして） 74.101 （要検定暫定リストとして） 82.101	08.007	省令別表第1のリスト名は「**食用青色1号及びそのアルミニウムレーキ，Food Blue No. 1 and its Aluminium lake**」だが，本書では各単品もリスト名としマークした CNS 号08.007は brilliant blue（FCF なし）
	（Lakes（FD & C）として） 82.51	08.007	省令別表第1のリスト名は「**食用青色1号及びそのアルミニウムレーキ，Food Blue No. 1 and its Aluminium lake**」だが，本書では各単品もリスト名としマークした CNS 号08.007は brilliant blue aluminum lake（FCF なし）
		08.153	日本では**銅クロロフィル**が指定添加物として認められている E No. は銅クロロフィル錯体
	（Sodium copper chlorophyllin として） 73.125	08.009	E141(ii) は Copper complexes of chlorophyllins だが，日本では**銅クロロフィリンナトリウム**のみが指定添加物として認められている CNS 号08.009は chlorophyllin copper complex, sodium and potassium salts 日本で使用が認められているのは Sodium copper chlorophyllin のみ
		08.009	E141(ii) は Copper complexes of chlorophyllins だが，日本では**銅クロロフィリンナトリウム**のみが指定添加物として認められている CNS 号08.009は chlorophyllin copper complex, sodium and potassium salts 日本で使用が認められているのは Sodium copper chlorophyllin のみ
	（検定免除の着色料のカラメルとして） 73.85 （GRAS 物質のカラメルとして） 182.1235	08.108	着色料の目的では○，既存
	（検定免除の着色料のカラメルとして） 73.85 （GRAS 物質のカラメルとして） 182.1235	08.151	着色料の目的では○，既存

色文字：法令上の指定添加物名（除く別名）　red：Name on Ministerial Ordinance of Designated Food Additives
色文字：法令上の既存添加物名（除く別名）　red：Name on Ministerial Notification of Existing Food Additives

E No.	英名，英名別名 English name	和名，和名別名 Japanese name	許可状況 Legal/Illegal	主な用途 Main uses
E150c	Ammonia caramel Caramel Caramel III (Ammonia caramel) Caramel color class III	アンモニアカラメル カラメル カラメルIII（でん粉加水分解物，糖蜜又は糖類の食用炭水化物にアンモニア化合物加えて熱処理して得られたものをいう。ただし，「カラメルIV」を除く。）	◎，既存	製造用剤 着色料
E150d	Caramel Caramel IV (Sulfite ammonia caramel) Caramel color class IV Sulfite ammonia caramel	カラメル カラメルIV（でん粉加水分解物，糖蜜又は糖類の食用炭水化物に亜硫酸化合物及びアンモニウム化合物を加えて熱処理して得られたものをいう。） サルファイトアンモニアカラメル	◎，既存	製造用剤 着色料
E151	Black PN Brilliant Black PN	ブラックPN ブリリアントブラックPN	×	着色料
E153	Carbon black Vegetable carbon black	植物炭末色素（植物を炭化して得られた、炭素を主成分とするものをいう。） 炭末色素	○，既存	着色料
E155	Brown HT	ブラウンHT	×	着色料
E160a (i)	β-Carotene	β-カロチン β-カロテン	○，指定	強化剤 着色料
E160a (ii)	Carrot carotene Carrot oil Extracted carotene	キャロットオイル キャロットカロチン キャロットカロテン 抽出カロチン 抽出カロテン ニンジンカロチン ニンジンカロテン（ニンジンの根から得られた，カロテンを主成分とするものをいう。）	◎，既存	着色料 強化剤
	Extracted carotene Palm oil carotene	抽出カロチン 抽出カロテン パーム油カロチン パーム油カロテン（アブラヤシの果実から得られた，カロテンを主成分とするものをいう。）		
	Carotene (vegetable) Plant Carotenes	カロテン（植物）	※	着色料
	Mixed carotenes	混合カロテン		

◎：許可（使用基準なし） Legal（Accepted with no standard of use）
○：許可（使用基準あり） Legal（Accepted with standard of use）
指定：Designated Food Additives 既存：Existing Food Additives
×：使用不可 Illegal（Prohibited）
※：個別判断を要するもの Required individual special judgement

CAS No.	CFR No.	CNS 号.	備 考 Remarks
	(検定免除の着色料のカラメルとして) 73.85 (GRAS 物質のカラメルとして) 182.1235	08.110	着色料の目的では○,既存
	(検定免除の着色料のカラメルとして) 73.85 (GRAS 物質のカラメルとして) 182.1235	08.109	着色料の目的では○,既存
		08.138	炭末色素参照
7235-40-7	(検定免除着色料の carrot oil として) 73.300 (検定免除着色料の β-Carotene として) 73.95 (GRAS 物質の Beta-Carotene として) 184.1245	08.010	「E160a Carotenes」には化学的合成品と天然抽出品がある。本書は「Official Journal of the EU」に記載の定義内容により,「E160a (i) **β-Carotene** は化学的合成品」,「E160a (ii) Plant Carotenes は天然抽出品」と判断
	(検定免除着色料の carrot oil として) 73.300 (検定免除着色料の β-Carotene として) 73.95 (GRAS 物質の Beta-Carotene として) 184.1245		着色料の目的では○,既存 「E160a Carotenes」には化学的合成品と天然抽出品がある。本書は「Official Journal of the EU」に記載の定義内容により,「E160a (i) **β-Carotene** は化学的合成品」,「E160a (ii) Plant Carotenes は天然抽出品」と判断
	(検定免除着色料の carrot oil として) 73.300 (検定免除着色料の β-Carotene として) 73.95 (GRAS 物質の Beta-Carotene として) 184.1245		日本では**デュナリエラ,ニンジン,パーム油の抽出カロテン**が既存添加物として使用が認められている 「E160a Carotenes」には化学的合成品と天然抽出品がある。本書は「Official Journal of the EU」に記載の定義内容により,「E160a (i) **β-Carotene** は化学的合成品」,「E160a (ii) Plant Carotenes は天然抽出品」と判断

色文字：法令上の指定添加物名（除く別名）　**red**：Name on Ministerial Ordinance of Designated Food Additives
色文字：法令上の既存添加物名（除く別名）　**red**：Name on Ministerial Notification of Existing Food Additives

E No.	英名，英名別名 English name	和名，和名別名 Japanese name	許可状況 Legal/Illegal	主な用途 Main uses
E160a (iii)	β-Carotenes from *Blakeslea trispora*	β-カロチン（*Blakeslea trispora* 由来） β-カロテン（*Blakeslea trispora* 由来）	○，指定	強化剤 着色料
E160a (iv)	Algae carotene **Dunaliella carotene** Extract carotene	藻類カロチン 藻類カロテン 抽出カロチン 抽出カロテン デュナリエラカロチン **デュナリエラカロテン**(デュナリエラの全藻から得られた，β-カロテンを主成分とするものをいう。) ドナリエラカロチン ドナリエラカロテン	◎，既存	着色料 強化剤
	Carotenes (algae)	カロテン類(海藻)	※	着色料
E160b (i) (ii)	**Annatto extract** Bixin Norbixin	**アナトー色素**(ベニノキの種子の被覆物から得られた，ノルビキシン及びビキシンを主成分とするものをいう。) ノルビキシン ビキシン	○，既存	着色料
E160b (ii)	Annatto, water-soluble	水溶性アナトー	○，指定	着色料
E160c	Capsanthin Capsicum color Capsorubin **Paprika color** **Paprika oleoresin**	カプサンチン カプシカム色素 カプソルビン **トウガラシ色素**(トウガラシの果実から得られた，カプサンチン類を主成分とするものをいう。) パプリカ色素	○，既存	着色料
E160d (i) (ii) (iii)	Lycopene	リコピン	※	着色料
E160d (ii)	**Tomato color** Tomato lycopene	**トマト色素**(トマトの果実から得られた，リコピンを主成分とするものをいう。) トマトリコピン	○，既存	着色料

◎：許可（使用基準なし） Legal（Accepted with no standard of use）　×：使用不可 Illegal（Prohibited）
○：許可（使用基準あり） Legal（Accepted with standard of use）　※：個別判断を要するもの Required individual special judgement
指定：Designated Food Additives　既存：Existing Food Additives

CAS No.	CFR No.	CNS 号.	備考 Remarks
7235-40-7	(検定免除着色料の carrot oil として) 73.300 (検定免除着色料の β-Carotene として) 73.95 (GRAS 物質の Beta-Carotene として) 184.1245		指定添加物「βカロテン」扱い 平成17年3月24日厚生労働省基準審査課発出文書「β-カロテン（*Blakeslea trispora* 由来）の取り扱いについて」による（*Blakeslea trispora* は真菌（俗称かび）） E160a（iii）：Beta-Carotene from *Blakeslea trispora*
	(検定免除着色料の carrot oil として) 73.300 (検定免除着色料の β-Carotene として) 73.95 (GRAS 物質の Beta-Carotene として) 184.1245		着色料の目的では○，既存 E160a(iv)：Algal Carotene
	(検定免除着色料の carrot oil として) 73.300 (検定免除着色料の β-Carotene として) 73.95 (GRAS 物質の Beta-Carotene として) 184.1245		日本では**デュナリエラ，ニンジン，パーム油の抽出カロテン**が既存添加物として使用が認められている E160a(iv)：Algal Carotenes
	(Annatto extract として) 73.30	08.144	フリーのビキシン，ノルビキシンは既存添加物名簿の**アナトー色素**の扱い 従来の E160b（ｉ），（ii），（iii）は2021年1月2日削除され，新たな下記分類区分にて改定された．（Commission Regulation（EU）2020/771 of 11 June 2020による） E160b(ｉ)：Annatto bixin （Ⅰ）Solvent-extracted bixin （Ⅱ）Aqueous-processed bixin E160b(ii)：Annatto norbixin （Ⅰ）Solvent-extracted norbixin （Ⅱ）Alkali-processed norbixin，acid-precipitated （Ⅲ）Alkali-processed norbixin，not acid-precipitated
	(Annatto extract として) 73.30		水溶性アナトーは省令別表第1の**ノルビキシンカリウム**，**ノルビキシンナトリウム**の混合製剤
	(Paprika oleoresin として) 73.345	00.012 08.106 08.107	日本は橙色～赤色を呈するカロテノイド色素として総合しているが CNS 号は3区分あり、CNS 号00.012は paprika oleoresin、CNS 号08.106は paprika red、CNS 号08.107は paprika orange
	(Tomato lycopene extract：Tomato lycopene concentrate として) 73.585	08.017	E No.160d には160d(ｉ)：Synthetic licopene，160d(ii)：Lycopene from *red tomatoes*，160d(iii)：Lycopene from *Blakeslea trispora* のサブ No.があるが，(ii)のトマトリコピンに対応する既存添加物名簿のトマト色素以外は不可
	(Tomato lycopene extract：Tomato lycopene concentrate として) 73.585	08.150	

色文字：法令上の指定添加物名（除く別名）　red：Name on Ministerial Ordinance of Designated Food Additives
色文字：法令上の既存添加物名（除く別名）　red：Name on Ministerial Notification of Existing Food Additives

E No.	英名，英名別名 English name	和名，和名別名 Japanese name	許可状況 Legal/Illegal	主な用途 Main uses
E160e	β-Apo-8'-carotenal	β-アポ-8'-カロテナール	○，指定	着色料
E161b	Lutein Mixed carotenoids Xanthophylls	キサントフィル 混合カロテノイド ルテイン	※	着色料
	Lutein	ルテイン	◎	特別用途食品
E162	Beet red Beet red color Beetroot red Betanin	アカビート色素 ビートレッド(ビートの根から得られた，イソベタニン及びベタニンを主成分とするものをいう。) ベタニン	○，既存	着色料
E163	Anthocyanins Enocianin Grape skin color Grape skin extract	アントシアニン類 エノシアニン ブドウ果皮色素(アメリカブドウ又はブドウの果皮から得られた，アントシアニンを主成分とするものをいう。) ブドウ色素	○，既存	着色料
	Grape juice color	ブドウ果汁色素	○	着色料
E170	Aragonite Calcite Calcium carbonate Calcium carbonate Ⅰ Lime stone	アラゴナイト 石灰石 炭酸カルシウム 炭酸カルシウムⅠ	◎，指定	製造用剤 膨脹剤 強化剤 ガムベース 着色料 イーストフード
	Calcium hydrogen carbonate	炭酸水素カルシウム	※	製造用剤 膨脹剤 強化剤 増粘安定剤 着色料
	Ground limestone	粉砕石灰石	※	膨脹剤 強化剤 ガムベース イーストフード
E172	Ferric oxide red Ferric oxide(III) Hematite maghemite Indian red Iron oxides and hydroxides Iron sesquioxide Iron trioxide Red iron oxide Rouge Vitriol red	インディアンレッド 酸化鉄(III) 三酸化二鉄 三二酸化鉄 赤色酸化第二鉄 ベンガラ	○，指定	着色料
	Synthetic iron oxide	合成酸化鉄	※	着色料

◎：許可（使用基準なし） Legal（Accepted with no standard of use）　×：使用不可 Illegal（Prohibited）
○：許可（使用基準あり） Legal（Accepted with standard of use）　※：個別判断を要するもの Required individual special judgement
指定：Designated Food Additives　既存：Existing Food Additives

CAS No.	CFR No.	CNS 号.	備考 Remarks
1107-26-2	73.90	08.018	平成26年6月18日省令別表第１に新規指定 E No,160e 及び INS No,160e の正式名は β-Apo-8'-carotenal(C30)
		08.146	既存添加物名簿の名称、別名、簡略名に「キサントフィル」名があるオレンジ,マリーゴールド色素以外からの「キサントフィル」は不可 既存添加物名簿の名称、別名、簡略名に「カロテノイド」関連名があるアナトー,オレンジ,クチナシ,デュナリエラ,トウガラシ,トマト,ニンジン,パーム油,ファフィア,ヘマトコッカス藻,マリーゴールド色素以外からの「ルテイン」は不可
		08.146	資料1により既存添加物扱いとする品目
		08.101	
	(Grape skin extract(enocianina)として) 73.170 (Vegetable juice として) 73.260	08.135	E163の正式名称は Anthocyanins(アントシアニン類)
	(Grape color extract として) 73.169 (Vegetable juice として) 73.260		一般飲食物添加物 E163の正式名称は Anthocyanins(アントシアニン類)
(炭酸カルシウムとして) 471-34-1	(Calcium carbonate として) 73.70 184.1191 (Ground limestone として) 184.1409	13.006	平成29年6月23日告示第226号により,使用基準は削除するものの,その使用に当たっては,適切な製造工程管理を行い,食品中で目的とする効果を得る上で必要とされる量を超えてないものとする指導に改正された CFR No. 73.70は2019年版で追加 令和2年12月4日厚生労働省告示第381号にて「昭和34年厚生省告示第370号」に定められている「炭酸カルシウム」の成分規格上の名称を「炭酸カルシウムⅠ」と改め、新たに「炭酸カルシウムⅡ」が新設された.（炭酸カルシウムⅡ参照）
			E170は calcium carbonate,炭酸カルシウムだが,わが国で認められているのは炭酸カルシウムのみ
	(Ground limestone として) 184.1409		省令別表第1の炭酸カルシウムの規格に合うものは炭酸カルシウムとして使用できる 石灰石参照 E170は Calcium carbonate,炭酸カルシウムだが,わが国で認められているのは炭酸カルシウムのみ
(三二酸化鉄として) 1309-37-1	(Synthetic iron oxide として) 73.200		省令別表第1の三二酸化鉄以外は不可 E172は「Commission Regulation (EU) No.510/2013 of 3 June 2013」で新規制定
	73.200		省令別表第1の三二酸化鉄以外は不可 E172は「Commission Regulation (EU) No.510/2013 of 3 June 2013」で新規制定

色文字：法令上の指定添加物名（除く別名）　red：Name on Ministerial Ordinance of Designated Food Additives
色文字：法令上の既存添加物名（除く別名）　red：Name on Ministerial Notification of Existing Food Additives

E No.	英名，英名別名 English name	和名，和名別名 Japanese name	許可状況 Legal/Illegal	主な用途 Main uses
E173	Aluminium Aluminium powder	アルミニウム アルミ末	◎，既存	製造用剤 着色料
E174	Silver Silver foil	銀 銀箔	○，既存	着色料
E175	Gold Gold foil	金 金箔	◎，既存	製造用剤 着色料
E180	Litholrubine BK	リソールルビン BK	×	着色料
E200	Sorbic acid	ソルビン酸	○，指定	保存料
E202	Potassium sorbate	ソルビン酸カリウム	○，指定	保存料
E210	Benzencarboxylic acid Benzene formic acid Benzoic acid Dracylic acid Phenylformic acid	安息香酸 ベンゼンカルボン酸	○，指定	保存料
E211	Sodium benzoate	安息香酸ナトリウム	○，指定	保存料
E212	Potassium benzoate	安息香酸カリウム	×	保存料
E213	Calcium benzoate	安息香酸カルシウム	×	保存料 強化剤
E214	Ethyl *p* -hydroxybenzoate	パラオキシ安息香酸エチル パラヒドロキシ安息香酸エチル	○，指定	保存料
E215	Sodium ethyl *p* -hydroxybenzoate	パラオキシ安息香酸エチルナトリウム	×	保存料
E218	Methyl *p* -hydroxybenzoate Methylparaben	パラオキシ安息香酸メチル メチルパラベン	×	保存料
E219	Sodium methyl *p* -hydroxybenzoate	パラオキシ安息香酸メチルナトリウム	×	保存料
E220	Sulfur dioxide Sulfurous acid, anhydride Sulfurous oxide	二酸化硫黄 無水亜硫酸	○，指定	保存料 酸化防止剤 漂白剤
E221	Sodium sulfite Sulfite of soda	亜硫酸ソーダ 亜硫酸ナトリウム	○，指定	製造用剤 保存料 酸化防止剤 漂白剤
E222	Acidic sulfite of soda Acidic sulfite of sodium Sodium bisulfite Sodium hydrogen sulfite	亜硫酸水素ナトリウム 酸性亜硫酸ソーダ 酸性亜硫酸ナトリウム 重亜硫酸ナトリウム	○，指定	製造用剤 保存料 酸化防止剤
E223	Sodium disulfite Sodium metabisulfite Sodium pyrosulfite	二亜硫酸ナトリウム ピロ亜硫酸ナトリウム メタ重亜硫酸ナトリウム	○，指定	保存料 酸化防止剤 漂白剤
E224	Potassium disulfite Potassium metabisulfite Potassium pyrosulfite	二亜硫酸カリウム ピロ亜硫酸カリウム メタ重亜硫酸カリウム	○，指定	保存料 酸化防止剤 漂白剤

◎：許可（使用基準なし） Legal（Accepted with no standard of use）
○：許可（使用基準あり） Legal（Accepted with standard of use）
指定：Designated Food Additives　既存：Existing Food Additives
×：使用不可 Illegal（Prohibited）
※：個別判断を要するもの Required individual special judgement

CAS No.	CFR No.	CNS 号.	備　考 Remarks
			着色料の目的では○,既存
			着色料の目的では○,既存
110-44-1	182.3089	17.003	
24634-61-5	182.3640	17.004	
65-85-0	184.1021	17.001	
532-32-1	184.1733	17.002	
120-47-8		17.007	
		17.036	
	184.1490		
		17.032	
	(Sulfur dioxide として) 182.3862	05.001	
(7水和物) 10102-15-5 (無水物) 7757-83-7	182.3798	05.004	告示成分規格の nH_2O は n =7又は0
(ピロ亜硫酸ナトリウムとして) 7681-57-4	(Sodium bisulfite として) 182.3739 (Sodium metabisulfite として) 182.3766	05.005	省令別表第1のリスト名は**ピロ亜硫酸ナトリウム**(別名,亜硫酸水素ナトリウム,メタ重亜硫酸ナトリウム又は酸性亜硫酸ソーダ)
7681-57-4	(Sodium bisulfite として) 182.3739 (Sodium metabisulfite として) 182.3766	05.003	
16731-55-8	(Potassium bisulfite として) 182.3616 (Potassium metabisulfite として) 182.3637	05.002	

色文字：法令上の指定添加物名（除く別名）　**red**：Name on Ministerial Ordinance of Designated Food Additives
色文字：法令上の既存添加物名（除く別名）　**red**：Name on Ministerial Notification of Existing Food Additives

E No.	英名，英名別名 English name	和名，和名別名 Japanese name	許可状況 Legal/Illegal	主な用途 Main uses
E226	Calcium sulfite	亜硫酸カルシウム	×	保存料 強化剤 酸化防止剤
E227	Calcium hydrogen sulfite	亜硫酸水素カルシウム	×	製造用剤 保存料 強化剤
E228	Acid potassium sulfite Potassium bisulfite Potassium hydrogen sulfite	亜硫酸水素カリウム 酸性亜硫酸カリウム 重亜硫酸カリウム	○，指定	保存料 酸化防止剤
E234	**Nisin**	**ナイシン**	○，指定	保存料
E235	**Natamycin** Pimaricin	**ナタマイシン** ピマリシン	○，指定	表面処理剤
E239	Hexamethylenetetramine	ヘキサメチレンテトラミン	×	保存料
E242	**Dimethyl dicarbonate**	**二炭酸ジメチル**	○，指定	保存料
E243	Ethyl lauroyl arginate	エチルラウロイルアルギニン酸塩	×	保存料
E246	Glycolipids	グリコリピッド（糖脂質）	※	保存料
E249	Potassium nitrite	亜硝酸カリウム	×	保存料 発色剤
E250	Monosodium salt of nitrous acid Nitrous acid sodium salt **Sodium nitrite**	**亜硝酸ナトリウム**	○，指定	発色剤
E251 (i) (ii)	Chile saltpeter Cubic niter(nitre) Soda niter(nitre) **Sodium nitrate**	硝酸ソーダ **硝酸ナトリウム** チリ硝石	○，指定	発色剤 発酵調整剤
E252	Nitre Nitre saltpeter **Potassium nitrate** Saltpeter	**硝酸カリウム** 硝石	○，指定	発色剤 発酵調整剤
E260	Crystallizable acetic acid **Glacial acetic acid**	**氷酢酸**	◎，指定	酸味料
	Acetic acid Methanecarboxylic acid Vinegar acid	酢酸	◎，指定	酸味料

◎：許可（使用基準なし） Legal（Accepted with no standard of use）
○：許可（使用基準あり） Legal（Accepted with standard of use）
指定：Designated Food Additives 既存：Existing Food Additives
×：使用不可 Illegal（Prohibited）
※：個別判断を要するもの Required individual special judgement

CAS No.	CFR No.	CNS 号.	備考 Remarks
(ピロ亜硫酸カリウムとして) 16731-55-8	(Potassium bisulfite として) 182.3616 (Potassium metabisulfite として) 182.3637		省令別表第1のリスト名は**ピロ亜硫酸カリウム**(別名,亜硫酸水素カリウム又はメタ重亜硫酸カリウム)
1414-45-5	(Nisin preparation として) 184.1538	17.019	
7681-93-8	172.155	17.030	ナチュラルチーズ(ハード及びセミハードの表面部分に限る)以外の食品に使用してはならない
4525-33-1	172.133	17.033	令和2年1月15日省令別表第1に新規指定 製造後,十分な時間が経過した後消費されるよう，製造から出荷までの期間に留意すること
			E243は「Commission Regulation（EU）No.506/2014 of 15 May 2014」で新規制定
			E246は「Commission Regulation（EU）No.2022/1037 of 29 June 2022」で新規指定 糖を含む複合物質の総称で，生物界に広く分布している物質であり，許可状況は個別判断とし「※」とする なお，EU では飲料（含ビール）の保存料として新設された
		09.004	
7632-00-0	(Sodium nitrite として) 172.175 (Sodium nitrite and potassium nitrite として) 181.34	09.002	CFR No.の Part 181.34は特別に収載
7631-99-4	(Sodium nitrate として) 172.170 (Sodium nitrate and potassium nitrate として) 181.33	09.001	CFR No. Part 181.33は特別に収載 E251(ⅰ)は Solid sodium nitrate E251(ⅱ)は Liquid sodium nitrate
7757-79-1	(Potassium nitrate として) 172.160 (Sodium nitrate and potassium nitrate として) 181.33	09.003	CFR No.の Part 181.33は特別に収録
(酢酸として) 64-19-7	(Acetic acid として) 184.1005	01.107 01.112	省令別表第1のリスト名は「**氷酢酸, Glacial acetic acid**」,EU では酢酸として指定 告示成分規格の酢酸は30%濃度 CNS 号01.112は低圧羰基化法
(酢酸として) 64-19-7	(Acetic acid として) 184.1005 (Peroxyacids の混合成分の1つとして) 173.370		省令別表第1のリスト名は「**氷酢酸, Glacial acetic acid**」,EU では酢酸として指定 告示成分規格の酢酸は30%濃度

色文字：法令上の指定添加物名（除く別名）　red：Name on Ministerial Ordinance of Designated Food Additives
色文字：法令上の既存添加物名（除く別名）　red：Name on Ministerial Notification of Existing Food Additives

E No.	英名，英名別名 English name	和名，和名別名 Japanese name	許可状況 Legal/Illegal	主な用途 Main uses
E261(ⅰ)	Potassium acetate	酢酸カリウム	×	製造用剤 保存料
E261(ⅱ)	Potassium diacetate	二酢酸カリウム	×	製造用剤 保存料
E262(i)	**Sodium acetate** Sodium acetate trihydrate	**酢酸ナトリウム**	◎，指定	水素イオン濃度調整剤（pH 調整剤） 酸味料 調味料
E262(ii)	Dry formed acetic acid Sodium diacetate Sodium hydrogen acetate	酸性酢酸ナトリウム 二酢酸ナトリウム 粉末酢酸	※	製造用剤 防かび剤
E263	Acetic acid calcium salt **Calcium acetate** Calcium acetate monohydrate	**酢酸カルシウム**	◎，指定	水素イオン濃度調整剤（pH 調整剤） 強化剤 増粘安定剤 ゲル化剤 糊料
E270	**Lactic acid**	**乳酸**	◎，指定	水素イオン濃度調整剤（pH 調整剤） 膨脹剤 酸味料
E280	Propanoic acid **Propionic acid**	プロパン酸 **プロピオン酸**	○，指定	保存料 香料
E281	**Sodium propionate**	**プロピオン酸ナトリウム**	○，指定	保存料
E282	**Calcium propionate**	**プロピオン酸カルシウム**	○，指定	保存料
E283	Potassium propionate	プロピオン酸カリウム	×	保存料
E284	Boric acid	ホウ酸	×	保存料
E285	Borax Sodium tetraborate	ホウ砂 四ホウ酸ナトリウム	×	保存料
E290	**Carbon dioxide** Carbonic acid Carbonic acid gas Carbonic anhydride	炭酸 炭酸ガス **二酸化炭素**	◎，指定	水素イオン濃度調整剤（pH 調整剤） 酸味料
E296	Malic acid **DL-Malic acid** *dl*-Malic acid	リンゴ酸 **DL-リンゴ酸** *dl*-リンゴ酸	◎，指定	水素イオン濃度調整剤（pH 調整剤） 膨脹剤 酸味料
E297	**Fumaric acid**	**フマル酸**	◎，指定	水素イオン濃度調整剤（pH 調整剤） 膨脹剤 酸味料
E300	Ascorbic acid **L-Ascorbic acid** Vitamin C	アスコルビン酸 **L-アスコルビン酸** ビタミンC	◎，指定	品質改良剤 膨脹剤 強化剤 酸化防止剤

◎：許可（使用基準なし） Legal（Accepted with no standard of use）
○：許可（使用基準あり） Legal（Accepted with standard of use）
指定：Designated Food Additives　既存：Existing Food Additives
×：使用不可 Illegal（Prohibited）
※：個別判断を要するもの Required individual special judgement

CAS No.	CFR No.	CNS 号.	備考 Remarks
			「Commission Regulation（EU）No.25/2013 of 16 June 2013」で E261より E261（i）にサブ No.化
			「Commission Regulation（EU）No.25/2013 of 16 June 2013」で E261より E261（ii）にサブ No.化
(3水和物) 6131-90-4 (無水物) 127-09-3	184.1721	00.013	告示成分規格の nH_2O は n＝3, 又は0
	(Sodium diacetate として) 184.1754	17.013	酢酸(日本では省令別表第1の**氷酢酸**)と同**酢酸ナトリウム**の混合物であれば使用できる
(1水和物) 5743-26-0 (無水物) 62-54-4	184.1185		適切な製造工程管理を行い，食品中で目的とする効果を得る量を超えないこと 平成25年12月4日省令別表第1に新規指定 告示成分規格の nH_2O は n＝1又は0
	184.1061	01.102	
79-09-4	184.1081	17.029	(EU) FL No.なし
137-40-6	184.1784	17.006	
(無水物) 4075-81-4	184.1221	17.005	告示成分規格の nH_2O は n＝1又は0
124-38-9	184.1240	17.014 17.034	CNS 号17.034は液体二氧化碳(煤气化法)
6915-15-7	(L,DL form として) 184.1069	01.309	D,L リンゴ酸は不可
110-17-8	(Fummaric acid and salts of fumaric acid として) 172.350	01.110	
50-81-7	(Chemical preservatives として) 182.3013 (Nutrients として) 182.8013	04.014	CNS 号04.014は ascorbic acid（L-なし）

色文字：法令上の指定添加物名（除く別名）　red：Name on Ministerial Ordinance of Designated Food Additives
色文字：法令上の既存添加物名（除く別名）　red：Name on Ministerial Notification of Existing Food Additives

E No.	英名，英名別名 English name	和名，和名別名 Japanese name	許可状況 Legal/Illegal	主な用途 Main uses
E301	Sodium ascorbate Sodium L-ascorbate Vitamin C sodium	アスコルビン酸ナトリウム L-アスコルビン酸ナトリウム ビタミンCナトリウム	◎，指定	品質改良剤 強化剤 酸化防止剤
E302	Calcium L-ascorbate	L-アスコルビン酸カルシウム	◎，指定	製造用剤 強化剤
E304	Fatty acid esters of ascorbic acid		※	強化剤 酸化防止剤
E304(i)	Ascorbyl palmitate L-Ascorbyl palmitate Vitamin C palmitate	アスコルビン酸パルミチン酸エステル L-アスコルビン酸パルミチン酸エステル ビタミンCパルミテート	◎，指定	強化剤 酸化防止剤
E304(ii)	Ascorbyl stearate L-Ascorbyl stearate Vitamin C stearate	アスコルビン酸ステアリン酸エステル L-アスコルビン酸ステアリン酸エステル ビタミンCステアレート	◎，指定	強化剤 酸化防止剤
E306	Mixed tocopherols Tocopherol-rich extract	ミックストコフェロール（植物性油脂から得られた，*d*-α-トコフェロール，*d*-β-トコフェロール，*d*-γ-トコフェロール及び*d*-δ-トコフェロールを主成分とするものをいう。） ミックスビタミンE	◎，既存	強化剤 酸化防止剤
E307	α-Tocopherol *d*-α-Tocopherol α-Vitamin E	*d*-α-トコフェロール α-トコフェロール α-ビタミンE	◎，既存	強化剤 酸化防止剤
	dl-α-Tocopherol	*dl*-α-トコフェロール	○，指定	酸化防止剤
E308	γ-Tocopherol *d*-γ-Tocopherol γ-Vitamin E	*d*-γ-トコフェロール γ-トコフェロール γ-ビタミンE	◎，既存	強化剤 酸化防止剤
E309	δ-Tocopherol *d*-δ-Tocopherol δ-Vitamin E	*d*-δ-トコフェロール δ-トコフェロール δ-ビタミンE	◎，既存	強化剤 酸化防止剤
E310	Propyl gallate	没食子酸プロピル	○，指定	酸化防止剤
E315	Erythorbic acid Isoascorbic acid	イソアスコルビン酸 エリソルビン酸	○，指定	品質改良剤 酸化防止剤

◎：許可（使用基準なし） Legal（Accepted with no standard of use）　×：使用不可 Illegal（Prohibited）
○：許可（使用基準あり） Legal（Accepted with standard of use）　※：個別判断を要するもの Required individual special judgement
指定：Designated Food Additives　既存：Existing Food Additives

CAS No.	CFR No.	CNS 号.	備　考 Remarks
134-03-2	182.3731	04.015	CNS 号04.015は sodium ascorbate（L-なし）
（2水和物） 5743-28-2	182.3189	04.009	告示成分規格の nH_2O は n ＝2 目的とする効果を得るうえで必要とされる量を超えないこと CNS 号04.009は calcium ascorbate（L-なし）
			L-アスコルビン酸ステアリン酸エステル及び **L-アスコルビン酸パルミチン酸エステル**は指定添加物
137-66-6	（Ascorbyl palmitate として） 182.3149	04.011	CNS 号04.011は ascorbyl palmitate（L-なし） E304（ｉ）は（L-）のみを指定
25395-66-8			
	（Chemical preservatives の Tocopherols として） 182.3890 （Nutrients の Tocopherols として） 182.8890		
59-02-9	（Chemical preservatives の Tocopherols として） 182.3890 （Nutrients の Tocopherols として） 182.8890 （α-Tocopherols として） 184.1890	04.016	日本では ***dl*-α-トコフェロール**が指定添加物となっている
	（Chemical preservatives の Tocopherols として） 182.3890 （Nutrients の Tocopherols として） 182.8890		酸化防止の目的以外に使用してはならない（ただし，省令別表第1の **β-カロテン**，**ビタミンA**，**ビタミンA脂肪酸エステル**及び既存添加物リストの**流動パラフィン**の製剤中に含まれる場合を除く） 日本の法令名は EU では同義語扱い
	（Chemical preservatives の Tocopherols として） 182.3890 （Nutrients の Tocopherols として） 182.8890		日本では ***dl*-α-トコフェロール**が指定添加物となっている 日本では ***d*-γ-トコフェロール**が既存添加物となっている
	（Chemical preservatives の Tocopherols として） 182.3890 （Nutrients の Tocopherols として） 182.8890		日本では ***dl*-α-トコフェロール**が指定添加物となっている 日本では ***d*-δ-トコフェロール**が既存添加物となっている
121-79-9	184.1660	04.003	
89-65-6	182.3041	04.004	魚肉ねり製品（魚肉すり身を除く）及びパンにあっては，栄養の目的に使用してはならない その他の食品は酸化防止の目的以外に使用してはならない

色文字：法令上の指定添加物名（除く別名）　red：Name on Ministerial Ordinance of Designated Food Additives
色文字：法令上の既存添加物名（除く別名）　red：Name on Ministerial Notification of Existing Food Additives

E No.	英名，英名別名 English name	和名，和名別名 Japanese name	許可状況 Legal/Illegal	主な用途 Main uses
E316	**Sodium erythorbate** Sodium isoascorbate	イソアスコルビン酸ナトリウム **エリソルビン酸ナトリウム**	○，指定	品質改良剤 酸化防止剤
E319	TBHQ Tertiary butylhydroquinone	第三級ブチルヒドロキノン ターシャリブチルヒドロキノン TBHQ	×	保存料 酸化防止剤
E320	BHA **Butylated hydroxyanisole**	BHA **ブチルヒドロキシアニソール**	○，指定	酸化防止剤
E321	BHT **Butylated hydroxytoluene**	**ジブチルヒドロキシトルエン** BHT	○，指定	酸化防止剤
E322	**Sunflower lecithin**	**ヒマワリレシチン**	◎，指定	乳化剤
	Cephalin **Fractionated Lecithin** Lecithin Lipoinositol	セファリン **分別レシチン**（「植物レシチン」又は「卵黄レシチン」から得られた，スフィンゴミエリン，フォスファチジルイノシトール，フォスファチジルエタノールアミン及びフォスファチジルコリンを主成分とするものをいう。） リポイノシトール レシチン レシチン分別物	◎，既存	乳化剤
	Lecithin **Vegetable lecithin**	**植物レシチン**（アブラナ又はダイズの種子から得られた，レシチンを主成分とするものをいう。） レシチン	◎，既存	乳化剤
	Lecithin **Yolk lecithin**	**卵黄レシチン**（卵黄から得られた，レシチンを主成分とするものをいう。）	◎，既存	乳化剤
E322a	Oat lecithin	オーツ麦レシチン	×	乳化剤
E325	**Sodium lactate**	**乳酸ナトリウム**	◎，指定	水素イオン濃度調整剤（pH 調整剤） 酸味料 調味料
E326	Potassium 2-hydroxypropanoate Potassium 2-hydroxypropionate **Potassium lactate**	**乳酸カリウム** 2-ヒドロキシプロピオン酸カリウム 2-ヒドロキシプロパン酸カリウム	◎，指定	水素イオン濃度調整剤（pH 調整剤） 調味料
E327	**Calcium lactate**	**乳酸カルシウム**	○，指定	膨脹剤 強化剤 調味料

◎：許可（使用基準なし） Legal（Accepted with no standard of use） ×：使用不可 Illegal（Prohibited）
○：許可（使用基準あり） Legal（Accepted with standard of use） ※：個別判断を要するもの Required individual special judgement
指定：Designated Food Additives 既存：Existing Food Additives

CAS No.	CFR No.	CNS 号.	備考 Remarks
(無水物) 6381-77-7		04.018	魚肉ねり製品(魚肉すり身を除く)及びパンにあっては栄養の目的に使用してはならない その他の食品は酸化防止の目的以外に使用してはならない 告示成分規格の nH_2O は n ＝1 CNS 号04.018は sodium D-isoascorbate
04.007	172.185	04.007	CFR No.172.185は特別に収載
25013-16-5	(Food preservatives として) 172.110 (GRAS 物質の Chemical preservatives として) 182.3169	04.001	
128-37-0	(Food preservatives として) 172.115 (GRAS 物質の Chemical preservatires として) 182.3173	04.002	
	(Lecithin として) 184.1400		平成26年4月10日省令別表第1に新規指定 目的とする効果を得るうえで必要とされる量を超えないこと 既存添加物**植物レシチン**及び**卵黄レシチン**と主成分は同じであるが，各々の定義には該当しない また，**酵素処理レシチン**及び**分別レシチン**の定義にも該当しない 別名として「セファリン」「リポイノシトール」「レシチン」「レシチン分別物」の各名称が記載できるが，「**植物レシチン**」等の既存添加物の各別名と重複するため，本欄では検索上これらを省略
	(Lecithin として) 184.1400		指定，既存の別は，原材料が**ヒマワリレシチン**，または植物レシチン，卵黄レシチン，分別レシチンのいずれの定義に該当するかにより判断する
	(Lecithin として) 184.1400	04.010	CNS 号04.010は phospholipid
	(Lecithin として) 184.1400	04.010	CNS 号04.010は phospholipid
	(Lecithin として) 184.1400		E322a は「Commission Regulation（EU）No.2022/1037 of 29 June 2022」で新規指定 日本の既存添加物名簿に定められた「基原植物」に該当しないので許可状況は×
72-17-3	184.1768	15.012	
996-31-6	184.1639	15.011	平成25年5月15日省令別表第1に新規指定 使用基準は設定しないものの，適切な製造工程管理を行い，食品中で目的とする効果を得る上で必要とされる量を超えないよう指導あり
(5水和物) 5743-47-5 (無水物) 814-80-2	184.1207	01.310	告示成分規格の nH_2O は n ＝5,3,1又は0

色文字：法令上の指定添加物名（除く別名）　red：Name on Ministerial Ordinance of Designated Food Additives
色文字：法令上の既存添加物名（除く別名）　red：Name on Ministerial Notification of Existing Food Additives

E No.	英名，英名別名 English name	和名，和名別名 Japanese name	許可状況 Legal/Illegal	主な用途 Main uses
E330	Citric acid	クエン酸	◎，指定	製造用剤 水素イオン濃度調整剤（pH 調整剤） 膨脹剤 酸味料 酸化防止剤
E331 (i)	Monosodium citrate Sodium dihydrogen citrate	クエン酸一ナトリウム クエン酸二水素ナトリウム	×	製造用剤 調味料
E331 (ii)	Disodium citrate	クエン酸二ナトリウム	×	調味料
E331 (iii)	Sodium citrate Trisodium citrate	クエン酸三ナトリウム クエン酸ナトリウム	◎，指定	製造用剤 水素イオン濃度調整剤（pH 調整剤） 酸味料 調味料 乳化剤
E332 (i)	Monopotassium citrate Potassium dihydrogen citrate	クエン酸一カリウム	◎，指定	製造用剤 酸味料 調味料 増粘安定剤
E332 (ii)	Tripotassium citrate	クエン酸三カリウム	◎，指定	製造用剤 酸味料 調味料 増粘安定剤 増粘安定
E333 (i)	Monocalcium citrate	クエン酸一カルシウム	×	強化剤 調味料
E333 (ii)	Dicalcium citrate	クエン酸二カルシウム	×	強化剤 調味料
E333 (iii)	Calcium citrate Tricalcium citrate	クエン酸カルシウム クエン酸三カルシウム	○，指定	製造用剤 水素イオン濃度調整剤（pH 調整剤） 膨脹剤 強化剤 乳化剤
E334	2,3-Dihydroxybutanedioic acid α，β-Dihydroxysuccinic acid DL-Tartaric acid *dl*-Tartaric acid	2,3-ジヒドロキシブタンジオン酸 DL-酒石酸 *dl*-酒石酸	◎，指定	水素イオン濃度調整剤（pH 調整剤） 膨脹剤 酸味料
	Dextrotartaric acid *d*-Tartaric acid L-Tartaric acid	*d*-酒石酸 L-酒石酸	◎，指定	水素イオン濃度調整剤（pH 調整剤） 膨脹剤 酸味料 製造用剤
E335 (i)	Monosodium tartrate	酒石酸一ナトリウム	×	調味料
E335 (ii)	Disodium tartrate Disodium DL-tartrate Disodium *dl*-tartrate	*dl*-酒石酸ナトリウム DL-酒石酸ナトリウム 酒石酸二ナトリウム	◎，指定	水素イオン濃度調整剤（pH 調整剤） 酸味料 調味料

◎：許可（使用基準なし） Legal（Accepted with no standard of use）
○：許可（使用基準あり） Legal（Accepted with standard of use）
指定：Designated Food Additives　既存：Existing Food Additives

×：使用不可 Illegal（Prohibited）
※：個別判断を要するもの Required individual special judgement

CAS No.	CFR No.	CNS 号.	備考 Remarks
(1水和物) 5949-29-1 (無水物) 77-92-9	184.1033	01.101	告示成分規格の nH_2O は n ＝1又は0
		01.306	
(2水和物) 6132-04-3 (無水物) 68-04-2	(Sodium citrate として) 184.1751	01.303	告示成分規格の nH_2O は n ＝2又は0
866-83-1	(Potassium citrate として) 184.1625		省令別表第1のリスト名は「**クエン酸一カリウム及びクエン酸三カリウム, Monopotassium citrate and Tripotassium citrate**」だが，本書では各単品もリスト名としマークした
(無水物) 866-84-2		01.304	省令別表第1のリスト名は「**クエン酸一カリウム及びクエン酸三カリウム, Monopotassium citrate and Tripotassium citrate**」だが，本書では各単品もリスト名としマークした 告示成分規格の nH_2O は n ＝1
(無水物) 813-94-5	184.1195		告示成分規格の nH_2O は n ＝4
133-37-9	(Tartaric acid として) 184.1099	01.313	
87-69-4	(Tartaric acid として) 184.1099	01.111	
			INS No.335(ⅰ)(E No.と同じ) は「シリアルベースの乳幼児用加工食品」及び「油脂及びその混合スプレッド」への使用が取り消された（2019年7月第42回CAC総会)。
			E335(ii)は Disodium tartrate であり，L，DL の区別なし

色文字：法令上の指定添加物名（除く別名）　red：Name on Ministerial Ordinance of Designated Food Additives
色文字：法令上の既存添加物名（除く別名）　red：Name on Ministerial Notification of Existing Food Additives

E No.	英名，英名別名 English name	和名，和名別名 Japanese name	許可状況 Legal/Illegal	主な用途 Main uses
	Disodium tartrate Disodium *d*-tartrate Disodium L-tartrate	L-酒石酸ナトリウム *d*-酒石酸ナトリウム 酒石酸二ナトリウム	◎，指定	水素イオン濃度調整剤（pH 調整剤） 酸味料 調味料
E336(i)	Monopotassium tartrate Potassium DL-bitartrate Potassium hydrogen DL-tartrate Potassium hydrogen *dl*-tartrate	DL-重酒石酸カリウム 酒石酸一カリウム DL-酒石酸水素カリウム *dl*-酒石酸水素カリウム	◎，指定	水素イオン濃度調整剤（pH 調整剤） 膨脹剤 調味料
	Monopotassium tartrate Potassium L-bitartrate Potassium hydrogen *d*-tartrate Potassium hydrogen L-tartrate	L-重酒石酸カリウム 酒石酸一カリウム L-酒石酸水素カリウム *d*-酒石酸水素カリウム	◎，指定	水素イオン濃度調整剤（pH 調整剤） 膨脹剤 調味料
E336（ii）	Dipotassium DL-tartrate Dipotassium *dl*-tartrate	DL-酒石酸カリウム *dl*-酒石酸カリウム	○，指定	製造用剤
	Dipotassium L-tartrate Dipotassium *d*-tartrate	L-酒石酸カリウム *d*-酒石酸カリウム	○，指定	製造用剤
	Dipotassium tartrate	酒石酸二カリウム	×	調味料
E337	Potassium sodium L-tartrate Sodium potassium tartrate	L-酒石酸カリウムナトリウム 酒石酸ナトリウムカリウム	×	製造用剤
E338	Orthophosphoric acid Phosphoric acid	オルトリン酸 リン酸	◎，指定	水素イオン濃度調整剤（pH 調整剤） 酸味料
E339(i)	Monobasic sodium phosphate Monosodium dihydrogen phosphate Monosodium phosphate MSP Primary sodium orthophosphate Sodium acid phosphate Sodium biphosphate Sodium dihydrogen phosphate Sodium phosphate, monobasic	MSP 塩基性リン酸ナトリウム 酸性リン酸ナトリウム 第一リン酸ナトリウム リン酸一ナトリウム リン酸二水素一ナトリウム リン酸二水素ナトリウム	◎，指定	製造用剤 水素イオン濃度調整剤（pH 調整剤） 膨脹剤 調味料 かんすい 乳化剤
E339(ii)	Dibasic sodium phosphate Disodium hydrogen phosphate Disodium phosphate DSP Secondary sodium orthophosphate Sodium phosphate, dibasic	第二リン酸ナトリウム DSP 二塩基性リン酸ナトリウム リン酸水素二ナトリウム リン酸二ナトリウム	◎，指定	製造用剤 水素イオン濃度調整剤（pH 調整剤） 膨脹剤 調味料 かんすい 乳化剤

◎：許可（使用基準なし） Legal（Accepted with no standard of use）
○：許可（使用基準あり） Legal（Accepted with standard of use）
指定：Designated Food Additives 既存：Existing Food Additives
×：使用不可 Illegal（Prohibited）
※：個別判断を要するもの Required individual special judgement

CAS No.	CFR No.	CNS 号.	備考 Remarks
(2水和物) 6106-24-7			告示成分規格の nH_2O は n = 2 E335(ii)は Disodium tartrate であり，L，DL の区別なし
(L-酒石酸水素カリウムとして) 868-14-4	(Potassium acid tartrate として) 184.1077	06.007	INS No.336(ｉ)（E No.と同じ）は「シリアルベースの乳幼児用加工食品」及び「油脂及びその混合スプレッド」への使用が取り消された（2019年7月第42回 CAC 総会） CNS 号06.007は potassium bitartarate（DL-なし）
868-14-4	(Potassium acid tartrate として) 184.1077	06.007	INS No.336(ｉ)（E No.と同じ）は「シリアルベースの乳幼児用加工食品」及び「油脂及びその混合スプレッド」への使用が取り消された（2019年7月第42回 CAC 総会） CNS 号06.007は potassium bitartarate（L-なし）
			令和3年1月15日省令別表第1に新規指定 使用にあたっては，適切な製造工程管理を行い，食品中で目的とする効果を得る上で必要とされる量を超えないものとする特記あり 製造用剤はぶどう酒の除カリウム剤及び除酸剤 ぶどう酒以外の食品に使用してはならない E336（ii）の名称は「Dipotassium tartrate」
6100-19-2			令和2年12月4日省令別表第1に新規指定 使用にあたっては，適切な製造工程管理を行い，食品中で目的とする効果を得る上で必要とされている量を超えないものとする特記あり 製造用剤はぶどう酒の除酸目的 ぶどう酒の製造に用いるぶどう果汁及びぶどう酒以外の食品に使用してはならない E336（ii）の名称は「Dipotassium tartrate」 告示成分規格の nH_2O は n=1/2
			INS No.336(ii)（E No.と同じ）は「シリアルベースの乳幼児用加工食品」及び「油脂及びその混合スプレッド」への使用が取り消された（2019年7月第42回 CAC 総会）。
	184.1804		
7664-38-2	182.1073	01.106	
(2水和物) 13472-35-0 (無水物) 7558-80-7	(Sodium acid phosphate として) 182.6085 (Sodium phosphate (mono-, di-, and tribasic)として) 182.1778 182.6778 182.8778	15.005	告示成分規格の nH_2O は n = 2又は0
(12水和物) 10039-32-4 (無水物) 7558-79-4	(Disodium phosphate として) 182.6290	15.006	表示成分規格の nH_2O は n = 12,10,8,7,5,2又は0

色文字：法令上の指定添加物名（除く別名）　red：Name on Ministerial Ordinance of Designated Food Additives
色文字：法令上の既存添加物名（除く別名）　red：Name on Ministerial Notification of Existing Food Additives

E No.	英名，英名別名 English name	和名，和名別名 Japanese name	許可状況 Legal/Illegal	主な用途 Main uses
E339(iii)	Sodium phosphate, tribasic Tertiary sodium orthophosphate Tertiary sodium phosphate Tribasic sodium phosphate Trisodium orthophosphate **Trisodium phosphate** TSP	三塩基性リン酸ナトリウム 第三リン酸ナトリウム TSP **リン酸三ナトリウム**	◎，指定	製造用剤 調味料 かんすい 乳化剤
E340(i)	Monobasic potassium phosphate Monopotassium phosphate **Potassium dihydrogen phosphate**	第一リン酸カリウム リン酸一カリウム **リン酸二水素カリウム**	◎，指定	製造用剤 水素イオン濃度調整剤（pH 調整剤） 膨脹剤 調味料 かんすい 乳化剤 イーストフード
E340(ii)	Dibasic potassium phosphate **Dipotassium hydrogen phosphate** Dipotassium phosphate	第二リン酸カリウム **リン酸水素二カリウム** リン酸二カリウム	◎，指定	製造用剤 水素イオン濃度調整剤（pH 調整剤） 膨脹剤 調味料 かんすい 乳化剤
E340(iii)	Tribasic potassium phosphate **Tripotassium phosphate**	第三リン酸カリウム **リン酸三カリウム**	◎，指定	製造用剤 水素イオン濃度調整剤（pH 調整剤） 膨脹剤 調味料 かんすい 乳化剤 イーストフード
E341(i)	Acidic calcium phosphate **Calcium dihydrogen phosphate** Monobasic calcium phosphate Monocalcium phosphate	酸性リン酸カルシウム 第一リン酸カルシウム **リン酸二水素カルシウム**	○，指定	製造用剤 膨脹剤 強化剤 乳化剤 イーストフード
E341(ii)	**Calcium monohydrogen phosphate** Dicalcium phosphate	第二リン酸カルシウム **リン酸一水素カルシウム**	○，指定	製造用剤 膨脹剤 強化剤 乳化剤 イーストフード
E341(iii)	Tribasic calcium phosphate **Tricalcium phosphate**	第三リン酸カルシウム **リン酸三カルシウム**	○，指定	製造用剤 膨脹剤 強化剤 乳化剤 イーストフード
E343(i)	Magnesium phosphate, monobasic Monomagnesium phosphate	リン酸二水素マグネシウム	×	製造用剤

◎：許可（使用基準なし） Legal（Accepted with no standard of use）
○：許可（使用基準あり） Legal（Accepted with standard of use）
指定：Designated Food Additives 既存：Existing Food Additives
×：使用不可 Illegal（Prohibited）
※：個別判断を要するもの Required individual special judgement

CAS No.	CFR No.	CNS 号.	備 考 Remarks
（12水和物） 10101-89-0 （無水物） 7601-54-9	（Sodium phosphate（mono-, di-, and tribasic）として） 182.1778 182.6778 182.8778	15.001	告示成分規格の nH_2O は n ＝12,6又は0
7778-77-0		15.010	
7758-11-4	182.6285	15.009	
（無水物） 7778-53-2		01.308	告示成分規格の nH_2O は n ＝3,1 1/2,1又は0 CNS 号01.308は tripotassium orthophosphate
（1水和物） 7758-23-8	（Monobasic calcium phosphate として） 182.6215	15.007	食品の製造又は加工上必要不可欠な場合及び栄養の目的以外に使用してはならない 告示成分規格の nH_2O は n ＝1又は0
（2水和物） 7789-77-7 （無水物） 7757-93-9		06.006	食品の製造又は加工上必要不可欠な場合及び栄養の目的以外に使用してはならない 表示成分規格の nH_2O は n ＝2,1 1/2,1,1/2又は0
	（Calcium phosphate（mono- di-, and tribasic）として） 182.1217 182.8217	02.003	食品の製造又は加工上必要不可欠な場合及び栄養の目的以外に使用してはならない CNS 号02.003は tricalcium orthophosphate

色文字：法令上の指定添加物名（除く別名）　red：Name on Ministerial Ordinance of Designated Food Additives
色文字：法令上の既存添加物名（除く別名）　red：Name on Ministerial Notification of Existing Food Additives

E No.	英名，英名別名 English name	和名，和名別名 Japanese name	許可状況 Legal/Illegal	主な用途 Main uses
E343(ii)	Dimagnesium phosphate Magnesium hydrogen phosphate **Magnesium monohydrogen phosphate** Magnesium monohydrogen phosphate trihydrate	**リン酸一水素マグネシウム**	◎，指定	水素イオン濃度調整剤（pH 調整剤） 強化剤
E350(i)	Sodium malate **Sodium DL-malate** Sodium *dl*-malate	リンゴ酸ナトリウム **DL-リンゴ酸ナトリウム** *dl*-リンゴ酸ナトリウム	◎，指定	水素イオン濃度調整剤（pH 調整剤） 膨脹剤 調味料
E350(ii)	Sodium hydrogen malate Sodium hydrogen DL-malate	リンゴ酸水素ナトリウム DL-リンゴ酸水素ナトリウム	×	製造用剤 調味料
E351	Potassium malate	リンゴ酸カリウム	×	調味料
E352(i)	Calcium malate Calcium DL-malate	リンゴ酸カルシウム DL-リンゴ酸カルシウム	×	製造用剤 強化剤 調味料
E352(ii)	Calcium hydrogen malate	リンゴ酸水素カルシウム	×	強化剤 調味料
E353	Metatartaric acid	**メタ酒石酸**	○，指定	製造用剤
E354	Calcium *d*-tartrate **Calcium L-tartrate**	酒石酸カルシウム **L-酒石酸カルシウム** *d*-酒石酸カルシウム	○，指定	製造用剤
E355	**Adipic acid** 1,4-Butanedicarboxylic acid Hexanedioic acid	**アジピン酸** 1,4-ブタンジカルボン酸 ヘキサン二酸	◎，指定	製造用剤 水素イオン濃度調整剤（pH 調整剤） 膨脹剤 酸味料
E356	Sodium adipate	アジピン酸ナトリウム	×	水素イオン濃度調整剤（pH 調整剤） 調味料
E357	Potassium adipate	アジピン酸カリウム	×	水素イオン濃度調整剤（pH 調整剤） 調味料
E363	Butonedioic acid **Succinic acid**	**コハク酸** ブタンデオイック酸	◎，指定	水素イオン濃度調整剤（pH 調整剤） 酸味料 調味料
E380	Triammonium citrate	クエン酸三アンモニウム	×	製造用剤 調味料
E385	Calcium disodium EDTA **Calcium disodium ethylenediaminetetraacetate** Calcium ethylenediamine disodium tetraacetate	EDTA カルシウム二ナトリウム **エチレンジアミン四酢酸カルシウム二ナトリウム**	○，指定	製造用剤 酸化防止剤

◎：許可（使用基準なし） Legal（Accepted with no standard of use）
○：許可（使用基準あり） Legal（Accepted with standard of use）
指定：Designated Food Additives　　既存：Existing Food Additives

×：使用不可 Illegal（Prohibited）
※：個別判断を要するもの Required individual special judgement

CAS No.	CFR No.	CNS 号.	備考 Remarks
（3水和物） 7782-75-4	（Magnesium phosphate として） 184.1434		平成24年11月2日省令別表第1に新規指定 使用基準は設定されていないが，小児の通常の食品以外からの摂取量の耐用上限量は5mg/kg 体重/日とされていることを踏まえ，その使用にあたっては，適切な製造工程管理を行い，食品中で目的とする効果を得る上で必要とされる量を超えないものとする指導あり 告示成分規格の nH_2O は n ＝3 E No.343(ii):Dimagnesium phosphate INS No.343(ii):Magnesium hydrogen phosphate
（無水物） 676-46-0			告示成分規格の nH_2O は n ＝3又は1/2
39469-81-3		01.105	令和2年12月4日省令別表第1に新規指定 使用にあたっては，適切な製造工程管理を行い，食品中で目的とする効果を得る上で必要とされている量を超えないものとする特記あり また，ぶどう酒を濃縮したものに使用される場合，使用基準は希釈後の容量として適用されるとの特記あり 製造用剤はぶどう酒の酒質安定目的
（4水和物） 5892-21-7			令和4年10月26日省令別表第1に新規指定 製造用剤は酒質安定剤，酸度調整剤 ぶどう酒以外の食品に使用してはならない E354の名称は「Calcium tartrate」 告示成分規格の nH_2O は n=4又は2
124-04-9	184.1009	01.109	
110-15-6	184.1091		
（無水物） 62-33-9	(Calcium disodium EDTA として) 172.120	04.020	告示成分規格の nH_2O は n ＝2

色文字：法令上の指定添加物名（除く別名）　　red：Name on Ministerial Ordinance of Designated Food Additives
色文字：法令上の既存添加物名（除く別名）　　red：Name on Ministerial Notification of Existing Food Additives

E No.	英名，英名別名 English name	和名，和名別名 Japanese name	許可状況 Legal/Illegal	主な用途 Main uses
E392	Rosemary extract	マンネンロウ抽出物 ローズマリー抽出物(マンネンロウの葉又は花から得られた，カルノシン酸，カルノソール及びロスマノールを主成分とするものをいう。)	◎，既存	酸化防止剤
E400	Alginic acid	アルギン酸 昆布類粘質物	◎，既存	増粘安定剤 ゲル化剤
E401	Sodium alginate	アルギン酸ナトリウム	◎，指定	増粘安定剤 乳化剤 ゲル化剤 糊料
E402	Potassium alginate	アルギン酸カリウム	◎，指定	増粘安定剤 乳化剤 ゲル化剤 糊料
E403	Ammonium alginate	アルギン酸アンモニウム	◎，指定	増粘安定剤 乳化剤 ゲル化剤 糊料
E404	Calcium alginate	アルギン酸カルシウム	◎，指定	強化剤 増粘安定剤 乳化剤 ゲル化剤 糊料
E405	Propane-1,2-diol alginate Propylene glycol alginate	アルギン酸プロピレングリコールエステル	○，指定	増粘安定剤 乳化剤 糊料
E406	Agar-agar	寒天	◎	製造用剤
E407 E407a	Carrageenan Powdered red algae Processed eucheuma algae Processed eucheuma seaweed Processed red algae Purified carrageenan Refined carrageenan Semirefined carrageenan	加工ユーケマ藻類 カラギナン(イバラノリ，キリンサイ，ギンナンソウ，スギノリ又はツノマタの全藻から得られた，ι-カラギナン，κ-カラギナン及びλ-カラギナンを主成分とするものをいう。) カラギーナン カラゲナン カラゲーナン カラゲニン 精製カラギナン ユーケマ藻末	◎，既存	増粘安定剤 ゲル化剤
E410	Carob bean gum Carob gum Locust bean gum	カロブガム カロブビーンガム(イナゴマメの種子の胚乳を粉砕し，又は溶解し，沈殿して得られたものをいう。) ローカストビーンガム	◎，既存	増粘安定剤 乳化剤
E412	Guar flour Guar gum	グァーガム(グァーの種子から得られた，多糖類を主成分とするものをいう。ただし，「グァーガム酵素分解物」を除く。) グァーフラワー グァルガム	◎，既存	増粘安定剤 乳化剤

◎：許可（使用基準なし） Legal（Accepted with no standard of use） ×：使用不可 Illegal（Prohibited）
○：許可（使用基準あり） Legal（Accepted with standard of use） ※：個別判断を要するもの Required individual special judgement
指定：Designated Food Additives 既存：Existing Food Additives

CAS No.	CFR No.	CNS 号.	備 考 Remarks
		04.017 04.022	CNS 号04.022は超临界二氧化碳萃取法
9005-32-7	(Alginic acid として) 184.1011		
9005-38-3	184.1724	20.004	
9005-36-1	184.1610	20.005	
9005-34-9	184.1133		
9005-35-0	184.1187		
	172.858	20.010	
	184.1115	20.001	一般飲食物添加物
	(Carrageenan として) 172.620 (Chondrus extract (carrageenin) として) 182.7255	20.007	EU では，E407:Carrageenan，E407a：Processed eucheuma seaweed に分かれている
	(Locust (carob) bean gum として) 184.1343	20.023	
	184.1339	20.025	

色文字：法令上の指定添加物名（除く別名）　red：Name on Ministerial Ordinance of Designated Food Additives
色文字：法令上の既存添加物名（除く別名）　red：Name on Ministerial Notification of Existing Food Additives

E No.	英名，英名別名 English name	和名，和名別名 Japanese name	許可状況 Legal/Illegal	主な用途 Main uses
E413	Basora gum Goat's thorn Gum tragacanth Hog gum Leaf gum Syrian gum **Tragacanth gum**	シリアンガム **トラガントガム**（トラガントの分泌液から得られた，多糖類を主成分とするものをいう。） バソラガム ホッグガム リーフガム	◎，既存	増粘安定剤 乳化剤
E414	**Acacia gum** Acacia(gum arabic) **Arabic gum** **Gum Arabic** Senegal gum	アカシアガム **アラビアガム**（アカシアの分泌液から得られた，多糖類を主成分とするものをいう。） セネガルガム	◎，既存	増粘安定剤 乳化剤
E415	**Xanthan gum** Xanthan polysaccharide	**キサンタンガム**（キサントモナスの培養液から得られた，多糖類を主成分とするものをいう。） キサンタン多糖類 ザンサンガム	◎，既存	製造用剤 増粘安定剤 乳化剤
E416	**Karaya gum** Sterculia gum	**カラヤガム**（カラヤ又はキバナワタモドキの分泌液から得られた，多糖類を主成分とするものをいう。） ステルキュリアガム	◎，既存	増粘安定剤 乳化剤
E417	**Tara gum**	**タラガム**（タラの種子から得られた，多糖類を主成分とするものをいう。）	◎，既存	増粘安定剤
E418	**Gellan gum** Gellan polysaccharide	**ジェランガム**（シュードモナスの培養液から得られた，多糖類を主成分とするものをいう。） ジェラン多糖類	◎，既存	増粘安定剤 ゲル化剤
E420(i)	D-Sorbit Sorbitol **D-Sorbitol**	D-ソルビット **D-ソルビトール** ソルビトール	◎，指定	品質改良剤 甘味料 チューインガム軟化剤
E420(ii)	D-Sorbit solution Sorbitol syrup D-Sorbitol syrup	D-ソルビット液 ソルビトール液 D-ソルビトール液	◎，指定	製造用剤 甘味料
E421 (i) (ii)	D-Mannite Mannitol **D-Mannitol**	D-マンニット マンニトール **D-マンニトール**	○，指定	品質改良剤 甘味料
E422	Glycerin **Glycerol**	**グリセリン** グリセロール	◎，指定	製造用剤 チューインガム軟化剤
E423	Octenyl succinic acid modified gum arabic	オクテニルコハク酸修飾アラビアガム	×	乳化剤
E425(i)	**Konjac extract** Konjac flour Konjac gum	**コンニャクイモ抽出物** コンニャクガム コンニャク粉	◎	製造用剤 増粘安定剤
E425(ii)	Glucomannan Glucomannoglycan Konjac glucomannan	グルコマンナン グルコマンノグリカン コンニャクイモ抽出物 コンニャクグルコマンナン	◎	特別用途食品
E426	Soybean hemicellulose **Soybean polysaccharides**	**ダイズ多糖類** ダイズヘミセルロース	◎	製造用剤 増粘安定剤
E427	**Cassia gum**	**カシアガム**（エビスグサモドキの種子を粉砕して得られた，多糖類を主成分とするものをいう。） カッシャガム	◎，既存	増粘安定剤

◎：許可（使用基準なし） Legal（Accepted with no standard of use）
○：許可（使用基準あり） Legal（Accepted with standard of use）
指定：Designated Food Additives　既存：Existing Food Additives
×：使用不可　Illegal（Prohibited）
※：個別判断を要するもの　Required individual special judgement

CAS No.	CFR No.	CNS 号.	備考 Remarks
9000-65-1	(Gum tragacanth として) 184.1351		
	(Acacia(gum arabic)として) 172.780 (GRAS 物質(同上)として) 184.1330	20.008	
11138-66-2	172.695	20.009	
9000-36-6	184.1349	18.010	
		20.041	
71010-52-1	172.665	20.027	
50-70-4	(Sorbitol として) 184.1835	19.006	
50-70-4	(Sorbitol として) 184.1835	19.023	省令別表第1の D-ソルビトール扱い
69-65-8	180.25	19.017	CFR No.の Part 180.25は特別に収録 E421（ｉ）は Mannitol E421（ⅱ）は Mannitol manufactured by fermentation
56-81-5	182.1320	15.014	
			E423は「Commission Regulation (EU) No.817/2013 of 28 Aug. 2013」で新規制定
			一般飲食物添加物
			グルコマンナンは,資料1により食品素材扱いとする品目
		20.044	一般飲食物添加物 CNS 号20.044は soluble soybean polysaccharide
		20.045	

色文字：法令上の指定添加物名（除く別名）　red：Name on Ministerial Ordinance of Designated Food Additives
色文字：法令上の既存添加物名（除く別名）　red：Name on Ministerial Notification of Existing Food Additives

E No.	英名，英名別名 English name	和名，和名別名 Japanese name	許可状況 Legal/Illegal	主な用途 Main uses
E431	Polyoxyethylene (40) stearate	ポリオキシエチレン(40)ステアリン酸エステル	×	乳化剤
E432	Polyoxyethylene (20) sorbitan monolaurate Polysorbate 20	ポリオキシエチレン(20)ソルビタンモノラウレート ポリソルベート20	○，指定	製造用剤 乳化剤
E433	Polyoxyethylene (20) sorbitan monooleate Polysorbate 80	ポリオキシエチレン(20)ソルビタンモノオレエート ポリソルベート80	○，指定	製造用剤 乳化剤
E434	Polyoxyethylene (20) sorbitan monopalmitate Polysorbate 40	ポリオキシエチレン(20)ソルビタンモノパルミテート ポリソルベート40	×	製造用剤 乳化剤
E435	Polyoxyethylene (20) sorbitan monostearate Polysorbate 60	ポリオキシエチレン(20)ソルビタンモノステアレート ポリソルベート60	○，指定	製造用剤 乳化剤
E436	Polyoxyethylene (20) sorbitan tristearate Polysorbate 65	ポリオキシエチレン(20)ソルビタントリステアレート ポリソルベート65	○，指定	製造用剤 乳化剤
E440 (i)	Pectin	ペクチン	◎，既存	増粘安定剤 ゲル化剤
E440 (ii)	Amidated pectin	アミド化ペクチン	×	糊料
E442	Ammonium phosphatides Ammonium salts of phosphatidic acid	アンモニウムフォスファチド類 ホスファチジン酸のアンモニウム塩類	×	乳化剤
E444	SAIB Sucrose acetate isobutyrate Sucrose esters of fatty acids Sucrose fatty acid esters	SAIB ショ糖酢酸イソブチレート ショ糖酢酸イソ酪酸エステル ショ糖脂肪酸エステル	◎，指定	乳化剤 ガムベース
E445	Ester gum Glycerol esters of wood rosins Rosin ester	エステルガム ロジンエステル	○，指定	チューインガム基礎剤
E450 (i)	Acidic disodium pyrophosphate Disodium dihydrogen pyrophosphate Disodium diphosphate Disodium pyrophosphate SAPP Sodium acid pyrophosphate	SAPP 酸性ピロリン酸ナトリウム 重リン酸二ナトリウム ピロリン酸ナトリウム ピロリン酸二水素二ナトリウム	◎，指定	水素イオン濃度調整剤（pH 調整剤） 膨脹剤 かんすい 乳化剤 結着剤
E450 (ii)	Trisodium diphosphate	ピロリン酸三ナトリウム	×	製造用剤
E450 (iii)	Sodium pyrophosphate *n*-Sodium pyrophosphate Tetrasodium diphosphate Tetrasodium pyrophosphate TSPP	TSPP ピロリン酸ナトリウム *n*-ピロリン酸ナトリウム ピロリン酸四ナトリウム	◎，指定	膨脹剤 かんすい 乳化剤 結着剤
E450 (ix)	Magnesium dihydrogen diphosphate Magnesium phosphate	第二リン酸マグネシウム 二リン酸二水素マグネシウム	×	水素イオン濃度調整剤（pH 調整剤） 安定剤

◎：許可（使用基準なし） Legal（Accepted with no standard of use）
○：許可（使用基準あり） Legal（Accepted with standard of use）
指定：Designated Food Additives　既存：Existing Food Additives
×：使用不可 Illegal（Prohibited）
※：個別判断を要するもの Required individual special judgement

CAS No.	CFR No.	CNS 号.	備　考 Remarks
9005-64-5		10.025	
9005-65-6	172.840	10.016	
		10.026	
9005-67-8	172.836	10.015	
9005-71-4	172.838		
	184.1538	20.006	
		10.033	
	(Sucrose acetate isobutyrate, SAIB として) 172.833 (Sucrose fatty acid esters として) 172.859	10.001	E444：Sucrose acetate isobutyrate E473：Sucrose esters of fatty acids
	(Glycerol ester of rosin として) 172.735 (Glycerol ester of rosin として) 172.735	10.013	チューインガム基礎剤の目的以外に使用してはならない E445は Glycerol esters of wood rosins
7758-16-9	(Sodium acid pyrophosphate として) 182.1087	15.008	E450(i)は Disodium diphosphate
		15.013	
(10水和物) 13472-36-1 (無水物) 7722-88-5	(Sodium pyrophosphate として) 182.6787 (Tetra sodium pyrophosphate として) 182.6789	15.004	告示成分規格の nH_2O は n ＝10又は0 E450(iii)は Tetrasodium diphosphate
			E450(ix)は「Commision Regulation (EU) No.298/2014 of 21 March 2014」で新規制定

色文字：法令上の指定添加物名（除く別名）　red：Name on Ministerial Ordinance of Designated Food Additives
色文字：法令上の既存添加物名（除く別名）　red：Name on Ministerial Notification of Existing Food Additives

E No.	英名，英名別名 English name	和名，和名別名 Japanese name	許可状況 Legal/Illegal	主な用途 Main uses
E450(v)	Diphosphoric acid tetrapotassium salt Potassium diphosphate **Potassium pyrophosphate** Tetrapotassium diphosphate Tetrapotassium pyrophosphate	重リン酸カリウム 重リン酸四カリウム ピロリン酸カリウム **ピロリン酸四カリウム**	◎，指定	製造用剤 膨脹剤 かんすい 乳化剤 結着剤
E450(vi)	Dicalcium diphosphate Dicalcium pyrophosphate	ピロリン酸二カルシウム	×	製造用剤 強化剤 イーストフード
E450(vii)	Acidic calcium pyrophosphate Calcium dihydrogen diphosphate **Calcium dihydrogen pyrophosphate**	酸性ピロリン酸カルシウム 重リン酸二水素カルシウム **ピロリン酸二水素カルシウム**	○，指定	膨脹剤 強化剤 乳化剤
E451(i)	Pentasodium triphosphate Sodium tripolyphosphate	トリポリリン酸ナトリウム トリポリリン酸五ナトリウム	◎，指定	製造用剤
E451(ii)	Pentapotassium triphosphate Potassium tripolyphosphate	トリポリリン酸カリウム トリポリリン酸五カリウム	◎，指定	製造用剤
E452(i)	Sodium hexametaphosphate **Sodium metaphosphate** Sodium trimetaphosphate	トリメタリン酸ナトリウム ヘキサメタリン酸ナトリウム **メタリン酸ナトリウム**	◎，指定	膨脹剤 かんすい 乳化剤 結着剤
	Sodium polyphosphate	**ポリリン酸ナトリウム**	◎，指定	膨脹剤 かんすい 乳化剤 結着剤 製造用剤
E452(ii)	**Potassium metaphosphate**	**ポリリン酸カリウム**	◎，指定	製造用剤 膨脹剤 かんすい 乳化剤 結着剤
	Potassium polyphosphate	**メタリン酸カリウム**	◎，指定	膨脹剤 かんすい 乳化剤 結着剤
E452(iii)	Sodium calcium polyphosphate	ポリリン酸カルシウムナトリウム	×	製造用剤 強化剤
E452(iv)	Calcium polyphosphate	ポリリン酸カルシウム	×	製造用剤 強化剤 乳化剤
E456	Potassium polyaspartate	ポリアスパラギン酸カリウム	×	品質保持剤

◎：許可（使用基準なし） Legal（Accepted with no standard of use）
○：許可（使用基準あり） Legal（Accepted with standard of use）
指定：Designated Food Additives　既存：Existing Food Additives
×：使用不可 Illegal（Prohibited）
※：個別判断を要するもの Required individual special judgement

CAS No.	CFR No.	CNS 号.	備考 Remarks
7320-34-5		15.017	E450(v)は Tetrapotassium diphosphate
14866-19-4		15.016	食品の製造又は加工上必要不可欠な場合及び栄養の目的以外に使用してはならない E450(vii)は Calcium dihydrogen diphosphate
	(多目的 GRAS 食品物質の Sodium tripolyphosphate として) 182.1810 (GRAS 物質キレート剤の Sodium tripolyphosphate として) 182.6810	15.003	日本では**ポリリン酸ナトリウム**(Sodium polyphosphate)として指定添加物になっている
			日本では**ポリリン酸カリウム**(Potassium polyphosphate)として指定添加物になっている
	(Sodium hexametaphosphate として) 182.6760 (Sodium metaphosphate として) 182.6769		E452(i)はメタリン酸ナトリウム,ポリリン酸ナトリウム等を含む
		15.002	E452(i)はメタリン酸ナトリウム,ポリリン酸ナトリウム等を含む
		15.015	E452(ii)はメタリン酸カリウム,ポリリン酸カリウム等を含む CNS 号15.015は potassium polymetaphosphate
			E452(ii)はメタリン酸カリウム,ポリリン酸カリウム等を含む
			ワインの酒石酸塩結晶析出防止 E456は「Commission Regulation(EU) 2017/1399 of 28 July 2017」で新規制定

色文字：法令上の指定添加物名（除く別名）　red：Name on Ministerial Ordinance of Designated Food Additives
色文字：法令上の既存添加物名（除く別名）　red：Name on Ministerial Notification of Existing Food Additives

E No.	英名，英名別名 English name	和名，和名別名 Japanese name	許可状況 Legal/Illegal	主な用途 Main uses
E459	β-Cyclodextrin	β-サイクロデキストリン β-シクロデキストリン	◎，既存	製造用剤
E460(i)	Cellulose microcrystalline Microcrystalline cellulose	結晶セルロース 微結晶セルロース(パルプから得られた，結晶セルロースを主成分とするものをいう。)	◎，既存	製造用剤 増粘安定剤 乳化剤
E460(ii)	Microfibrillated cellulose	微小繊維状セルロース(パルプ又は綿を微小繊維状にして得られた，セルロースを主成分とするものをいう。)	◎，既存	製造用剤 増粘安定剤
	Cellulose powdered Powdered cellulose	粉末セルロース(パルプを分解して得られた，セルロースを主成分とするものをいう。ただし，「微結晶セルロース」を除く。)	◎，既存	製造用剤 増粘安定剤
	Linter cellulose	リンターセルロース(ワタの単毛から得られた，セルロースを主成分とするものをいう。)	◎，既存	製造用剤
E461	Methyl cellulose	メチルセルロース	○，指定	増粘安定剤
E462	Ethyl cellulose	エチルセルロース	×	製造用剤 糊料
E463 E463a	HPC Hydroxypropyl cellulose Low-substituted hydroxypropyl cellulose (L-HPC)	HPC ヒドロキシプロピルセルロース	◎，指定	製造用剤 増粘安定剤 乳化剤 糊料
E464	Cellulose 2-hydroxypropyl methyl ether Hydroxypropyl methyl cellulose	ヒドロキシプロピルメチルセルロース	◎，指定	増粘安定剤 乳化剤 糊料 被膜剤
E465	Ethyl methyl cellulose Methyl ethyl cellulose	エチルメチルセルロース メチルエチルセルロース	×	製造用剤 増粘安定剤 乳化剤 糊料
E466	Sodium carboxymethylcellulose Sodium cellulose glycolate	カルボキシメチルセルロースナトリウム 繊維素グリコール酸ナトリウム	○，指定	
	Cellulose gum	セルロースガム	※	製造用剤
	Carboxy methyl cellulose	カルボキシメチルセルロース	×	製造用剤 増粘安定剤 糊料
E468	Cross-linked sodium carboxy methyl cellulose	架橋カルボキシメチルセルロースナトリウム	×	製造用剤
E469	Enzymatically hydrolyzed carboxy methyl cellulose (Enzymatically hydrolyzed cellulose gum)	カルボキシメチルセルロース酵素加水分解物	×	製造用剤 増粘安定剤 糊料
E470a	Calcium salts of stearic acid Calcium stearate	ステアリン酸カルシウム	◎，指定	製造用剤 強化剤
	Sodium oleate	オレイン酸ナトリウム	○，指定	被膜剤

◎：許可（使用基準なし） Legal（Accepted with no standard of use）
〇：許可（使用基準あり） Legal（Accepted with standard of use）
指定：Designated Food Additives　既存：Existing Food Additives
×：使用不可　Illegal（Prohibited）
※：個別判断を要するもの　Required individual special judgement

CAS No.	CFR No.	CNS 号.	備考 Remarks
7585-39-9		20.024	既存添加物名簿名は**シクロデキストリン** 告示成分規格の記載名も法令上の名称として取り扱う 告示成分規格には α のほかに β，γ がある
		02.005	**粉末セルロース**参照
			E460(ii)：Powdered cellulose
			微結晶セルロース参照
			E460(ii)：Powdered cellulose
9004-67-5	182.1480	20.043	
	172.868		
9004-64-2	172.870		E463a：Low Substituted Hydroxypropyl cellulose（L-HPC）は「Commission Regulation（EU）2018/1461 of 28 Sept 2018」で新規制定
9004-65-3	172.874	20.028	目的とする効果を得る必要な量を超えないこと
	172.872		
9004-32-4	182.1745	20.003	E466にはCarboxymethylcellulose カルボキシメチルセルロースも含まれるが，これは不可
	（Sodium carboxymethylcellulose として） 182.1745		カルボキシメチルグループのセルロース誘導体　カルボキシメチルセルロース参照
			E466には **Sodium carboxymethylcellulose** も含まれる
			日本では**メチルセルロース**，**カルボキシメチルセルロースナトリウム**及び**カルボキシメチルセルロースカルシウム**が指定添加物として認められている
1592-23-0	(Salts of fatty acids として) 172.863 (Calcium stearate として) 184.1229		E470aは脂肪酸のナトリウム，カリウム，カルシウム塩 **オレイン酸ナトリウム**及び**ステアリン酸カルシウム**以外は不可
143-19-1	(Salts of fatty acids として) 172.863		果実及び果菜の表皮の被膜剤以外に使用してはならない E470aは脂肪酸のナトリウム，カリウム，カルシウム塩 **オレイン酸ナトリウム**及び**ステアリン酸カルシウム**以外は不可

色文字：法令上の指定添加物名（除く別名）　**red**：Name on Ministerial Ordinance of Designated Food Additives
色文字：法令上の既存添加物名（除く別名）　**red**：Name on Ministerial Notification of Existing Food Additives

E No.	英名，英名別名 English name	和名，和名別名 Japanese name	許可状況 Legal/Illegal	主な用途 Main uses
	Salts of oleic acids(calcium,potassium,sodium)	オレイン酸の塩類(カルシウム,カリウム,ナトリウム)	※	製造用剤 乳化剤
	Calcium salts of capric acid Calcium salts of caprylic acid Calcium salts of lauric acid Calcium salts of myristic acid Calcium salts of oleic acid Calcium salts of palmitic acid Potassium salts of capric acid Potassium salts of caprylic acid Potassium salts of lauric acid Potassium salts of myristic acid Potassium salts of oleic acid Potassium salts of palmitic acid Potassium salts of stearic acid Sodium salts of capric acid Sodium salts of caprylic acid Sodium salts of lauric acid Sodium salts of myristic acid Sodium salts of palmitic acid Sodium salts of stearic acid	オレイン酸カリウム オレイン酸カルシウム カプリル酸カリウム カプリル酸カルシウム カプリル酸ナトリウム カプリン酸カリウム カプリン酸カルシウム カプリン酸ナトリウム ステアリン酸カリウム ステアリン酸ナトリウム パルミチン酸カリウム パルミチン酸カルシウム パルミチン酸ナトリウム ミリスチン酸カリウム ミリスチン酸カルシウム ミリスチン酸ナトリウム ラウリン酸カリウム ラウリン酸カルシウム ラウリン酸ナトリウム	×	製造用剤 乳化剤
	Sodium,potassium and calcium salts of fatty acids	脂肪酸のナトリウム,カリウム,カルシウム塩	×	香料
E470b	Magnesium salts of stearic acid **Magnesium stearate**	**ステアリン酸マグネシウム**	○，指定	製造用剤 強化剤
	Magnesium salts of capric acid Magnesium salts of caprylic acid Magnesium salts of fatty acids Magnesium salts of lauric acid Magnesium salts of myristic acid Magnesium salts of oleic acid Magnesium salts of palmitic acid	オレイン酸マグネシウム カプリル酸マグネシウム カプリン酸マグネシウム 脂肪酸のマグネシウム塩 パルミチン酸マグネシウム ミリスチン酸マグネシウム ラウリン酸マグネシウム	×	製造用剤 乳化剤 強化剤
E471	Acetylated monoglyceride **Glycerol esters of fatty acids**	アセチル化モノグリセライド **グリセリン脂肪酸エステル**	◎，指定	製造用剤 増粘安定剤 乳化剤 ガムベース
	Glycerol esters of fatty acids Glycerol esters of succinic (succinate) and fatty acids Succinate ester of monoglyceride Succinylated monoglycerides	グリセリンコハク酸脂肪酸エステル **グリセリン脂肪酸エステル** コハク酸モノグリセライド	◎，指定	製造用剤 増粘安定剤 乳化剤 ガムベース

◎：許可（使用基準なし） Legal（Accepted with no standard of use）
○：許可（使用基準あり） Legal（Accepted with standard of use）
指定：Designated Food Additives　既存：Existing Food Additives
×：使用不可 Illegal（Prohibited）
※：個別判断を要するもの Required individual special judgement

CAS No.	CFR No.	CNS 号.	備　考 Remarks
	(Salts of fatty acids として) 172.863		E470a は脂肪酸のナトリウム, カリウム, カルシウム塩 **オレイン酸ナトリウム**及び**ステアリン酸カルシウム**以外は不可
			E470a は脂肪酸のナトリウム, カリウム, カルシウム塩 **オレイン酸ナトリウム**及び**ステアリン酸カルシウム**以外は不可
			E470a は脂肪酸のナトリウム, カリウム, カルシウム塩 **オレイン酸ナトリウム**及び**ステアリン酸カルシウム**以外は不可 両添加物欄参照
557-04-0	(Salts of fatty acids として) 172.863 (Magnesium stearate として) 184.1440		カプセル・錠剤等通常の食品形態でない食品及び錠菓（平成29年6月23日告示第226号による）以外の食品に使用してはならない E470b は脂肪酸のマグネシウム塩 **ステアリン酸マグネシウム**以外は不可 使用にあたっては, 適切な製造工程管理を行い, 食品中で目的とする効果を得る上で必要とされる量を超えないものとする指導あり
		02.006	E470b は脂肪酸のマグネシウム塩 **ステアリン酸マグネシウム**以外は不可
	(Acetylated monoglycerides として) 172.828 (Mono-and diglycerides として) 184.1505		
	(Succinylated monoglycerides として) 172.830 (Mono-and diglycerides として) 184.1505	10.038	

色文字：法令上の指定添加物名（除く別名）　red：Name on Ministerial Ordinance of Designated Food Additives
色文字：法令上の既存添加物名（除く別名）　red：Name on Ministerial Notification of Existing Food Additives

E No.	英名，英名別名 English name	和名，和名別名 Japanese name	許可状況 Legal/Illegal	主な用途 Main uses
	Glycerol esters of fatty acids Glyceryl behenate	グリセリン脂肪酸エステル グリセリンベヘン酸エステル	◎，指定	製造用剤 増粘安定剤 乳化剤 ガムベース
	Glycerol esters of fatty acids Glyceryl monooleate	グリセリンオレイン酸エステル グリセリン脂肪酸エステル	◎，指定	製造用剤 増粘安定剤 乳化剤 ガムベース
	Glycerol esters of fatty acids Glyceryl monostearate	グリセリン脂肪酸エステル グリセリンステアリン酸エステル	◎，指定	製造用剤 増粘安定剤 乳化剤 ガムベース
	Glycerol esters of fatty acids Glyceryl palmitostearote	グリセリン脂肪酸エステル グリセリンパルミチン酸ステアリン酸エステル	◎，指定	製造用剤 増粘安定剤 乳化剤 ガムベース
	Glycerol esters of fatty acids Glyceryl tristearate	グリセリン三ステアリン酸エステル グリセリン脂肪酸エステル	◎，指定	製造用剤 増粘安定剤 乳化剤 ガムベース
	Glycerol esters of fatty acids Mono-and diglycerides of fatty acids	グリセリン脂肪酸エステル 脂肪酸のモノ及びジグリセリド	◎，指定	製造用剤 増粘安定剤 乳化剤 ガムベース
E472a	Acetate esters of monoglyceride Acetic acid esters of mono-and diglycerides of fatty acids Glycerol esters of acetic(acetate)and fatty acids Glycerol esters of fatty acids	グリセリン酢酸脂肪酸エステル グリセリン脂肪酸エステル 酢酸モノグリセライド 脂肪酸のモノ及びジグリセライドの酢酸エステル	◎，指定	製造用剤 増粘安定剤 乳化剤 ガムベース
E472b	Glycerol esters of fatty acids Glycerol esters of lactic(lactate)and fatty acids Glyceryl-lacto esters of fatty acids Lactate ester of mono-glyceride Lactic acid esters of mono-and diglycerides of fatty acids	グリセリン脂肪酸エステル 脂肪酸のモノ及びジグリセライドの乳酸エステル 乳酸モノグリセライド	◎，指定	製造用剤 増粘安定剤 乳化剤 ガムベース
E472c	Citrate esters of monoglyceride Citric acid esters of mono-and diglycerides of fatty acids Glycerol esters of citric(citrate)and fatty acids Glycerol esters of fatty acids Monoglyceride citrate Stearoyl monoglyceridyl citrate ester Stearyl monoglyceridyl citrate	クエン酸ステアリルモノグリセリジル クエン酸モノグリセライド グリセリンクエン酸脂肪酸エステル グリセリン脂肪酸エステル 脂肪酸のモノ及びジグリセライドのクエン酸エステル ステアロイルモノグリセリジルクエン酸エステル	◎，指定	製造用剤 増粘安定剤 酸化防止剤 乳化剤 ガムベース

◎：許可（使用基準なし） Legal（Accepted with no standard of use）
○：許可（使用基準あり） Legal（Accepted with standard of use）
指定：Designated Food Additives 既存：Existing Food Additives
×：使用不可 Illegal（Prohibited）
※：個別判断を要するもの Required individual special judgement

CAS No.	CFR No.	CNS 号.	備 考 Remarks
	(Glyceryl behenate として) 184.1328 (Mono-and diglycerides として) 184.1505		
	(Glyceryl monooleate として) 184.1323 (Mono-and diglycerides として) 184.1505		
	(Glyceryl monostearate として) 184.1324 (Mono-and diglycerides として) 184.1505		
	(Glyceryl palmitostearate として) 184.1329 (Mono-and diglycerides として) 184.1505		
	(Glyceryl tristearate として) 172.811 (Mono-and diglycerides として) 184.1505		
	(Mono-and diglycerides として) 184.1505	10.006	E466には **Sodium carboxymethylcellulose** も含まれる
	(Acetylated monoglycerides として) 172.828 (Mono-and diglycerides として) 184.1505	10.027	
	(Glyceryl-lacto esters of fatty acids として) 172.852 (Mono-and diglycerides として) 184.1505	10.031	
	(Monoglyceride citrate として) 172.832 (Mono-and diglycerides として) 184.1505 (Stearyl monoglyceridyl citrate として) 172.755	10.032	

色文字：法令上の指定添加物名（除く別名）　red：Name on Ministerial Ordinance of Designated Food Additives
色文字：法令上の既存添加物名（除く別名）　red：Name on Ministerial Notification of Existing Food Additives

E No.	英名，英名別名 English name	和名，和名別名 Japanese name	許可状況 Legal/Illegal	主な用途 Main uses
E472d	**Glycerol esters of fatty acids** Glycerol esters of tartaric(tartrate)and fatty acids Tartaric acid esters of mono-and diglycerides of fatty acids Tartrate esters of mono-glyceride	**グリセリン脂肪酸エステル** グリセリン酒石酸脂肪酸エステル 脂肪酸のモノ及びジグリセライドの酒石酸エステル 酒石酸モノグリセライド	※	製造用剤 増粘安定剤 乳化剤 ガムベース
E472e	Diacetyltartarate esters of monoglyceride Diacetyltartaric acid esters of mono-and diglycerides of fatty acids Glycerol esters of diacetyl tartaric(tartrate)and fatty acids **Glycerol esters of fatty acids** Mono-and diacetyl tartaric acid esters of mono-and diglycerides of fatty acids	グリセリンジアセチル酒石酸脂肪酸エステル **グリセリン脂肪酸エステル** ジアセチル酒石酸モノグリセライド 脂肪酸のモノ及びジグリセライドのジアセチル酒石酸エステル 脂肪酸のモノ及びジグリセライドのモノ及びジアセチル酒石酸エステル	◎，指定	製造用剤 増粘安定剤 乳化剤 ガムベース
E472f	**Glycerol esters of fatty acids** Mixed acetic and tartaric acid esters of mono-and diglycerides of fatty acids	**グリセリン脂肪酸エステル** 脂肪酸のモノ及びジグリセライドの酢酸及び酒石酸エステルの混合物	※	製造用剤 増粘安定剤 乳化剤 ガムベース
E473	SAIB Sucrose acetate isobutyrate **Sucrose esters of fatty acids** Sucrose fatty acid esters	SAIB ショ糖酢酸イソブチレート ショ糖酢酸イソ酪酸エステル **ショ糖脂肪酸エステル**	◎，指定	乳化剤 ガムベース
E474	Sucroglycerides	スクログリセリド	×	乳化剤
E475	**Glycerol esters of fatty acids** Polyglycerol esters of fatty acids	**グリセリン脂肪酸エステル** ポリグリセリン脂肪酸エステル	◎，指定	製造用剤 増粘安定剤 乳化剤 ガムベース
E476	**Glycerol esters of fatty acids** Polyglycerol esters of condensation ricinoleic acid Polyglycerol esters of polymerization ricinolic acid Polyglycerol polyricinoleate	**グリセリン脂肪酸エステル** ポリグリセリン重合リシノール酸エステル ポリグリセリン縮合リシノレイン酸エステル ポリグリセリンポリリシノール酸エステル ポリリシノール酸のポリグリセリンエステル	◎，指定	製造用剤 増粘安定剤 乳化剤 ガムベース
E477	Propane-1,2-diol esters of fatty acids **Propylene glycol esters of fatty acids** Propylene glycol mono-and diesters of fats and fatty acids	プロパン-1,2-ジオール脂肪酸エステル **プロピレングリコール脂肪酸エステル**	◎，指定	乳化剤 ガムベース
E479b	Thermally oxidized soya bean(soybean)oil interacted with mono-and diglycerides of fatty acids	熱酸化大豆油と脂肪酸のモノ及びジグリセリドとの反応物	×	製造用剤 乳化剤
E481	**Sodium stearoyl lactylate** Sodium stearoyl-2-lactylate Sodium stearyl lactylate	ステアリル乳酸ナトリウム **ステアロイル乳酸ナトリウム** ステアロイル-2-乳酸ナトリウム	○，指定	乳化剤
E482	**Calcium stearoyl lactylate** Calcium stearoyl-2-lactylate Calcium stearyl　lactylate	ステアリル乳酸カルシウム **ステアロイル乳酸カルシウム** ステアロイル-2-乳酸カルシウム	○，指定	乳化剤
E483	Stearyl tartrate	酒石酸ステアリル	×	製造用剤 乳化剤
E491	**Sorbitan esters of fatty acids** Sorbitan monostearate	**ソルビタン脂肪酸エステル** ソルビタンモノステアリン酸エステル	◎，指定	乳化剤 ガムベース

◎：許可（使用基準なし） Legal（Accepted with no standard of use）
○：許可（使用基準あり） Legal（Accepted with standard of use）
指定：Designated Food Additives 既存：Existing Food Additives
×：使用不可 Illegal（Prohibited）
※：個別判断を要するもの Required individual special judgement

CAS No.	CFR No.	CNS 号.	備考 Remarks
	（Diacetyl tartaric acid esters of mono-and diglycerides として）184.1101 （Mono-and diglycerides として）184.1505		
	（Diacetyl tartaric acid esters of mono-and diglycerides として）184.1101 （Mono-and diglycerides として）184.1505	10.010	
	（Mono-and diglycerides として）184.1505		
	（Sucrose acetate isobutyrate, SAIB として）172.833 （Sucrose fatty acid esters として）172.859	10.001	E444：Sucrose acetate isobutyrate E473：Sucrose esters of fatty acids
	（Polyglycerol esters of fatty acids として）172.854 （Mono-and diglycerides として）184.1505	10.022	
	（Polyglycerol esters of fatty acids として）172.854 （Mono-and diglycerides として）184.1505	10.029	
	（Propylene glycol mono-and diesters of fats and fatty acids として）172.856	10.020	
25383-99-7	（Sodium stearoyl lactylate として）172.846	10.011	
5793-94-2	（Calcium stearoyl-2-lactylate として）172.844	10.009	
	（Sorbitan monostearate として）172.842	10.003	

色文字：法令上の指定添加物名（除く別名） red：Name on Ministerial Ordinance of Designated Food Additives
色文字：法令上の既存添加物名（除く別名） red：Name on Ministerial Notification of Existing Food Additives

E No.	英名，英名別名 English name	和名，和名別名 Japanese name	許可状況 Legal/Illegal	主な用途 Main uses
E492	Sorbitan esters of fatty acids Sorbitan tristearate	ソルビタン脂肪酸エステル ソルビタントリステアリン酸エステル	◎，指定	乳化剤 ガムベース
E493	Sorbitan esters of fatty acids Sorbitan monolaurate	ソルビタン脂肪酸エステル ソルビタンモノラウリン酸エステル	◎，指定	乳化剤 ガムベース
E494	Sorbitan esters of fatty acids Sorbitan monooleate	ソルビタン脂肪酸エステル ソルビタンモノオレイン酸エステル	◎，指定	乳化剤 ガムベース
E495	Sorbitan esters of fatty acids Sorbitan monopalmitate	ソルビタン脂肪酸エステル ソルビタンモノパルミチン酸エステル	◎，指定	乳化剤 ガムベース
E499	Stigmasterol-rich plant sterols	スチグマステリン高含量植物ステロール	×	安定剤
E500(i)	Carbonate of soda Carbonic acid disodium salt Soda ash Soda calcined Sodium carbonate Sodium carbonate, anhydrous Solvey soda	ソーダ灰(無水物の場合) 炭酸ソーダ(結晶物の場合) 炭酸ナトリウム 炭酸二ナトリウム 無水炭酸ナトリウム	◎，指定	製造用剤 水素イオン濃度調整剤（pH 調整剤） 膨脹剤 かんすい
E500(ii)	Baking soda Bicarbonate of soda Carbonic acid mono-sodium salt Sodium acid carbonate Sodium bicarbonate Sodium hydrogen carbonate	酸性炭酸ナトリウム 重曹 重炭酸ソーダ 重炭酸ナトリウム 炭酸水素ナトリウム	◎，指定	製造用剤 水素イオン濃度調整剤（pH 調整剤） 膨脹剤 かんすい
E500(iii)	Sodium sesquicarbonate	セスキ炭酸ナトリウム	※	製造用剤
E501(i)	American ash Pearl ash Potash Potassium carbonate Potassium carbonate, anhydrous Salt of tartar	真珠灰 炭酸カリウム(無水)	◎，指定	製造用剤 水素イオン濃度調整剤（pH 調整剤） 膨脹剤 かんすい イーストフード
E501(ii)	Potassium acid carbonate Potassium bicarbonate Potassium hydrogen carbonate	酸性炭酸カリウム 重炭酸カリウム 炭酸水素カリウム	○，指定	製造用剤
E503(i)	Ammonium carbonate	炭酸アンモニウム	◎，指定	膨脹剤 イーストフード
E503(ii)	Ammonium bicarbonate Ammonium hydrogen carbonate	重炭酸アンモニウム 炭酸水素アンモニウム	◎，指定	膨脹剤
E504(i)	Light magnesium carbonate Magnesia alba Magnesium carbonate	炭酸マグネシウム	◎，指定	製造用剤 膨脹剤 強化剤 固結防止剤 強化物
E504(ii)	Magnesium hydrogen carbonate Magnesium hydroxide carbonate	炭酸水素マグネシウム ヒドロキシ炭酸マグネシウム	※	製造用剤

◎：許可（使用基準なし） Legal（Accepted with no standard of use）
○：許可（使用基準あり） Legal（Accepted with standard of use）
指定：Designated Food Additives 既存：Existing Food Additives
×：使用不可 Illegal（Prohibited）
※：個別判断を要するもの Required individual special judgement

CAS No.	CFR No.	CNS 号.	備考 Remarks
		10.004	
		10.024	
		10.005	
		10.008	
			E499は「Commission Regulation（EU）No.739/2013 of 30 July 2013」で新規制定
（1水和物） 5968-11-6 （無水物） 497-19-8	(Sodium carbonate として) 184.1742	01.302	告示成分規格の nH_2O は n =1又は0
144-55-8	(Sodium bicarbonate として) 184.1736	06.001	
	184.1792	01.305	省令別表第1の**炭酸ナトリウム**と**炭酸水素ナトリウム**の製剤であれば使用が認められる
584-08-7	(Potassium Carbonate として) 184.1619	01.301	E501(i)では(無水)の限定はない
298-14-6	184.1613	01.307	令和4年8月30日省令別表第1に新規指定 使用にあたっては，適切な製造工程管理を行い，食品中で目的とする効果を得る上で必要とされる量を超えないものとする特記あり 製造用剤はぶどう酒の除酸目的
	184.1137		
1066-33-7	184.1135	06.002	
	184.1425	13.005	
			日本では**炭酸マグネシウム**が指定添加物となっている

色文字：法令上の指定添加物名（除く別名）　red：Name on Ministerial Ordinance of Designated Food Additives
色文字：法令上の既存添加物名（除く別名）　red：Name on Ministerial Notification of Existing Food Additives

E No.	英名，英名別名 English name	和名，和名別名 Japanese name	許可状況 Legal/Illegal	主な用途 Main uses
E507	Chlorohydric acid Hydrochloric acid	塩酸	○，指定	製造用剤 水素イオン濃度調整剤（pH 調整剤）
E508	Muriate of potash Potassium chloride	塩化カリウム	◎，指定	調味料
E509	Calcium chloride	塩化カルシウム	○，指定	製造用剤 強化剤 豆腐用凝固剤
E511	Magnesium chloride	塩化マグネシウム	◎，指定	製造用剤 強化剤 イーストフード 豆腐用凝固剤
E512	Stannous chloride（anhydrous and dihydrated）	塩化第一スズ（無水および二水和物）	×	製造用剤 酸化防止剤
E513	Oil of virtiol Sulfuric acid	硫酸 緑バン油	○，指定	製造用剤
E514(i)	Glauber' s salt Sodium sulfate	ボウ硝 硫酸ナトリウム	◎，指定	製造用剤
E514(ii)	Sodium hydrogen sulfate	硫酸水素ナトリウム	×	製造用剤
E515(i)	Potassium sulfate	硫酸カリウム	◎，指定	調味料
E515(ii)	Potassium hydrogen sulfate	硫酸水素カリウム	×	製造用剤
E516	Calcium sulfate Chemical gypsum Gyps Gypsum Natural gypsum Plaster of Paris	化学石こう 焼石こう 石こう 天然石こう 硫酸カルシウム	○，指定	膨脹剤 強化剤 イーストフード 豆腐用凝固剤 膨張剤
	Calcium sulfate Chemical gypsum Gyps Gypsum Natural gypsum Plaster of Paris	化学石こう 焼石こう 石こう 天然石こう 硫酸カルシウム	※	特別用途食品
E517	Ammonium sulfate Sulfate of ammonia	硫安 硫酸アンモニウム	◎，指定	イーストフード
E520	Aluminium sulfate	硫酸アルミニウム	×	製造用剤

◎：許可（使用基準なし） Legal（Accepted with no standard of use）
○：許可（使用基準あり） Legal（Accepted with standard of use）
指定：Designated Food Additives　既存：Existing Food Additives
×：使用不可 Illegal（Prohibited）
※：個別判断を要するもの Required individual special judgement

CAS No.	CFR No.	CNS 号.	備　考 Remarks
7647-01-0	182.1057	01.108	最終食品の完成前に中和又は除去しなければならない 平成26年4月24日告示第225号により、①生食用鮮魚介類、生食用かき及び冷凍食品（生食用冷凍鮮魚介類に限る。以下「生食用鮮魚介類等」という。）の加工基準において、**次亜塩素酸ナトリウム**に加え、**次亜塩素酸水**及び水素イオン濃度調整剤として用いる**塩酸**の使用が認められた、②容器包装詰加圧加熱殺菌食品の製造基準において、**次亜塩素酸ナトリウム**に加え**次亜塩素酸水**の使用が認められた。 同日付部長通知による運用上の注意事項としては、**次亜塩素酸水**及び**塩酸**については、①既に食品添加物として定められている使用基準の適用を受ける、②**塩酸**については、生食用鮮魚介類等に対し、**次亜塩素酸ナトリウム**の使用等に伴い水素イオン濃度調整剤として使用することは認められるが、生食用鮮魚介類等の加工時に**塩酸**を直接使用することは認められない。
7447-40-7	184.1622	00.008	
（2水和物） 10035-04-8 （無水物） 10043-52-4	184.1193	18.002	食品の製造又は加工上必要不可欠な場合及び栄養の目的以外に使用してはならない 告示成分規格の nH_2O は n =2,1,1/2,1/3,又は0
（6水和物） 7791-18-6	（Magnesium chloride として） 184.1426	18.003	告示成分規格の nH_2O は n =6
	172. 180 184.1845		E512は二水和物のみ CFR No.172.180はガラス容器詰めアスパラガスの色調維持用として，無水・水和物の区別なし
7664-93-9	184.1095		最終食品の完成前に中和又は除去しなければならない
（1水和物） 7727-73-3 （無水物） 7757-82-6			告示成分規格の nH_2O は n =1又は0
7778-80-5	184.1643		平成25年5月15日省令別表第1に新規指定 使用基準は設定しないものの，適切な製造工程管理を行い，食品中で目的とする効果を得る上で必要とされる量を超えないよう指導あり
（2水和物） 7778-18-9	（Calcium sulfate として） 184.1230	18.001	食品の製造又は加工上必要不可欠な場合及び栄養の目的以外に使用してはならない 告示成分規格の nH_2O は n =2 石こう参照
			石こうは資料1により食品添加物に該当する可能性が考えられるが，事前に判断を受けるよう指導されている品目
7783-20-2	184.1143		
	（Aluminum sulfate として） 182.1125		

色文字：法令上の指定添加物名（除く別名）　red：Name on Ministerial Ordinance of Designated Food Additives
色文字：法令上の既存添加物名（除く別名）　red：Name on Ministerial Notification of Existing Food Additives

E No.	英名，英名別名 English name	和名，和名別名 Japanese name	許可状況 Legal/Illegal	主な用途 Main uses
E521	Aluminium sodium sulfate	ナトリウムミョウバン 硫酸アルミニウムナトリウム	×	製造用剤 膨脹剤
E522	Alum Alum, exsiccated **Aluminum potassium sulfate** Potassium alum	カリミョウバン ミョウバン 焼ミョウバン **硫酸アルミニウムカリウム**	○，指定	製造用剤 膨脹剤
E523	**Aluminum ammonium sulfate** Ammonium alum	アンモニウムミョウバン 焼アンモニウムミョウバン **硫酸アルミニウムアンモニウム**	○，指定	製造用剤 膨脹剤
E524	Caustic soda Soda lye Sodium hydrate **Sodium hydroxide** White caustic	カセイソーダ **水酸化ナトリウム**	○，指定	製造用剤
E525	Caustic potash Potassa Potassium hydrate **Potassium hydroxide**	カセイカリ **水酸化カリウム**	○，指定	製造用剤
E526	**Calcium hydroxide** Lime hydrate Slaked lime	消石灰 **水酸化カルシウム**	○，指定	製造用剤 強化剤 豆腐用凝固剤
E527	**Ammonia**	**アンモニア**	◎，指定	製造用剤
	Ammonia water Ammonium hydroxide Aqueos ammonia	アンモニア水 水酸化アンモニウム	◎，指定	製造用剤
E528	**Magnesium hydroxide**	**水酸化マグネシウム**	◎，指定	製造用剤 強化剤
E529	**Calcium oxide** Quicklime (CaO)	**酸化カルシウム**	◎，指定	製造用剤 強化剤 イーストフード
	Burnt lime Calcium oxide Calx **Quicklime**	酸化カルシウム 焼石灰 **生石灰**	◎，既存	製造用剤 強化剤 イーストフード
E530	Calcined magnesia Deadburned magnesite Magnesia Magnesia clinker **Magnesium oxide**	か焼マグネシア **酸化マグネシウム** 死焼マグネシア マグネシア マグネシアクリンカー	◎，指定	製造用剤 強化剤
E534	Iron tartrate	酒石酸鉄	×	食塩固結防止剤
E535	**Ferrocyanides** **Sodium ferrocyanide** Sodium hexacyanoferrate (II) Yellow prussiate of soda	黄血ソーダ **フェロシアン化ナトリウム** **フェロシアン化物** ヘキサシアノ鉄(II)酸ナトリウム	○，指定	食塩固結防止剤

◎：許可（使用基準なし） Legal（Accepted with no standard of use）
○：許可（使用基準あり） Legal（Accepted with standard of use）
指定：Designated Food Additives　既存：Existing Food Additives
×：使用不可 Illegal（Prohibited）
※：個別判断を要するもの Required individual special judgement

CAS No.	CFR No.	CNS 号.	備　考 Remarks
	(Aluminum sodium sulfate として) 182.1131		
(12水和物) 7784-24-9 (無水物) 10043-67-1	(Aluminum potassium sulfate として) 182.1129	06.004	告示成分規格の nH_2O は n ＝12,10,6,3,2又は0
(12水和物) 7784-26-1 (無水物) 7784-25-0	(Aluminum ammonium sulfate として) 182.1127	06.005	告示成分規格の nH_2O は n ＝12,10,4,3,2,又は0
(1水和物) 12200-64-5 (無水物) 1310-73-2	184.1763		最終食品の完成前に中和又は除去しなければならない 告示成分規格の nH_2O は n ＝1又は0
1310-58-3	184.1631	01.203	最終食品の完成前に中和又は除去しなければならない
1305-62-0	184.1205	01.202	食品の製造又は加工上必要不可欠な場合及び栄養の目的以外に使用してはならない
7664-41-7	(Ammonium hydroxide として) 184.1139		E527は Ammonium hydroxide
(アンモニアとして) 7664-41-7	(Ammonium hydroxide) として 184.1139		省令別表第1のリスト名は「**アンモニア,Ammonia**」 E527は Ammonium hydroxide
1309-42-8	184.1428		乳幼児,小児が過剰に摂取しないように指導あり
1305-78-8	184.1210		合成品扱い 平成25年10月22日, 省令別表第1に新規指定 適切な製造工程管理を行い, 食品中で目的とする効果を得る量を超えないこと
	(Calcium oxide として) 184.1210		合成品は指定添加物
1309-48-4	(Magnesium oxide として) 184.1431		
			E534は「Commission Regulation (EU) 2015/1739 of 28 Sept. 2015」で新規制定
(10水和物) 13601-19-9	(Yellow prussiate of soda として) 172.490	02.008	省令別表第1のリスト名は「**フェロシアン化物**(フェロシアン化カリウム,フェロシアン化カルシウム及びフェロシアン化ナトリウムに限る。), **Ferrocyanide compounds** (Limited to Potassium ferrocyanide, Calcium ferrocyanide and Sodium ferrocyanide)」だが,本書では各単品もリスト名としマークした 告示成分規格の nH_2O は n ＝10

色文字：法令上の指定添加物名（除く別名）　red：Name on Ministerial Ordinance of Designated Food Additives
色文字：法令上の既存添加物名（除く別名）　red：Name on Ministerial Notification of Existing Food Additives

E No.	英名，英名別名 English name	和名，和名別名 Japanese name	許可状況 Legal/Illegal	主な用途 Main uses
E536	Ferrocyanides Potassium ferrocyanide Potassium hexacyanoferrate(II) Yellow prussiate of potash	黄血塩 黄血カリ フェロシアン化カリウム フェロシアン化物 ヘキサシアノ鉄(II)酸カリウム	○，指定	食塩固結防止剤
E538	Calcium ferrocyanide Calcium hexacyanoferrate(II) Ferrocyanides Yellow prussiate of lime	フェロシアン化カルシウム フェロシアン化物 ヘキサシアノ鉄(II)酸カルシウム	○，指定	食塩固結防止剤
E541	Sodium aluminium phosphate, acidic	酸性リン酸アルミニウムナトリウム	×	製造用剤 膨張剤
E551	Silica gel Silicon dioxide	シリカゲル 二酸化ケイ素	○，指定	製造用剤 固結防止剤
	Silicon dioxide(fine)	微粒二酸化ケイ素	○，指定	製造用剤 固結防止剤
E552	Calcium silicate	ケイ酸カルシウム	○，指定	製造用剤 固結防止剤
E553a(i)	Magnesium hydrosilicate Magnesium silicate	ケイ酸マグネシウム マグネシウムハイドロシリケート	○，指定	製造用剤
E553a(ii)	Magnesium trisilicate	三ケイ酸マグネシウム	×	製造用剤
E553b	Talc Water-insoluble mineral substances	タルク 不溶性鉱物性物質	○，既存	製造用剤
E554	Sodium aluminium silicate Sodium aluminosilicate Sodium silicoaluminate	アルミノケイ酸ナトリウム ケイ酸アルミニウムナトリウム	×	製造用剤
E555	Potassium aluminium silicate	ケイ酸アルミニウムカリウム	×	製造用剤
E570	Fatty acids	脂肪酸類	○，指定	香料
E574	Gluconic acid	グルコン酸	◎，指定	酸味料 調味料
E575	Glucono lactone Glucono-δ-lactone	グルコノデルタラクトン グルコノラクトン	◎，指定	製造用剤 水素イオン濃度調整剤（pH 調整剤） 膨張剤 酸味料 豆腐用凝固剤
E576	Sodium gluconate	グルコン酸ナトリウム	◎，指定	製造用剤 水素イオン濃度調整剤（pH 調整剤） 乳化剤 イーストフード 品質保持剤

◎：許可（使用基準なし） Legal（Accepted with no standard of use）　×：使用不可　Illegal（Prohibited）
○：許可（使用基準あり） Legal（Accepted with standard of use）　※：個別判断を要するもの　Required individual special judgement
指定：Designated Food Additives　既存：Existing Food Additives

CAS No.	CFR No.	CNS 号.	備　考 Remarks
(3水和物) 13943-58-3		02.001	省令別表第1のリスト名は「**フェロシアン化物**(フェロシアン化カリウム,フェロシアン化カルシウム及びフェロシアン化ナトリウムに限る。),**Ferrocyanide compounds** (Limited to Potassium ferrocyanide, Calcium ferrocyanide and Sodium ferrocyanide)」だが,本書では各単品もリスト名としマークした 告示成分規格の nH_2O は n =3
(無水物) 13821-08-4			省令別表第1のリスト名は「**フェロシアン化物**(フェロシアン化カリウム,フェロシアン化カルシウム及びフェロシアン化ナトリウムに限る。),**Ferrocyanide compounds** (Limited to Potassium ferrocyanide, Calcium ferrocyanide and Sodium ferrocyanide)」だが,本書では各単品もリスト名としマークした 告示成分規格の nH_2O は n =12
	(Silicon dioxide として) 172.480	02.004	固結防止剤としての使用は微粒二酸化ケイ素に限る ろ過助剤の目的以外に使用してはならない(微粒二酸化ケイ素を除く) 最終食品の完成前に除去しなければならない(微粒二酸化ケイ素を除く) 微粒二酸化ケイ素は母乳代替食品及び離乳食品に使用してはならない
	(Silicon dioxide として) 172.480		省令別表第1のリスト名は「**二酸化ケイ素**,**Silicon dioxide**」 微粒二酸化ケイ素は母乳代替食品及び離乳食品に使用してはならない
1344-95-2	(直接添加物として) 172.410 (GRAS 物質として) 182.2227	02.009	母乳代替食品及び離乳食品に使用してはならない
1343-88-0	(Magnesium silicate として) 182.2437		油脂のろ過助剤以外の用途に使用してはならない。また、最終食品の完成前に除去しなければならない
		02.007	食品の製造又は加工上必要不可欠な場合以外に使用してはならない **不溶性鉱物性物質**の名称は,省令別表第1及び告示既存添加物名簿に記載されていないが,告示「食品,添加物等の規格基準－F 使用基準」にその名称があるので既存添加物名簿名扱いとする 食品添加物別名（和名）については、列記した食品添加物に類似する**不溶性鉱物性物質**も含まれる
	182.2727		
	172.860		着香の目的以外に使用してはならない 類又は誘導体として指定されている18項目の香料リスト(解説編2-(1)-(vi)参照)
90-80-2	184.1318	18.007	
527-07-1	182.6757	01.312	

色文字：法令上の指定添加物名（除く別名）　red：Name on Ministerial Ordinance of Designated Food Additives
色文字：法令上の既存添加物名（除く別名）　red：Name on Ministerial Notification of Existing Food Additives

E No.	英名，英名別名 English name	和名，和名別名 Japanese name	許可状況 Legal/Illegal	主な用途 Main uses
E577	Potassium gluconate	グルコン酸カリウム	◎，指定	製造用剤 水素イオン濃度調整剤（pH 調整剤） 調味料 乳化剤 イーストフード 品質保持剤
E578	Calcium gluconate	グルコン酸カルシウム	○，指定	強化剤
E579	Ferrous gluconate Iron gluconate	グルコン酸第一鉄 グルコン酸鉄	○，指定	製造用剤 強化剤 色調安定剤
E585	Ferrous lactate Iron lactate	乳酸第一鉄 乳酸鉄	◎，指定	製造用剤 強化剤
E586	4-Hexylresorcinol	4-ヘキシルレゾルシン	×	製造用剤 酸化防止剤
E620	L-Glutamic acid	L-グルタミン酸	◎，指定	調味料
	Glutamic acid	グルタミン酸	※	調味料
E621	Monosodium L-glutamate	L-グルタミン酸ナトリウム	◎，指定	強化剤 調味料
	Glutamate of soda Monosodium glutamate	グルタミン酸ソーダ グルタミン酸ナトリウム	※	強化剤 調味料
E622	Monopotassium L-glutamate	L-グルタミン酸カリウム	◎，指定	調味料
	Monopotassium glutamate	グルタミン酸カリウム	※	調味料
E623	Calcium di-L-glutamate Monocalcium di-L-glutamate	L-グルタミン酸カルシウム	○，指定	強化剤 調味料
	Calcium diglutamate	グルタミン酸カルシウム	※	強化剤 調味料
E624	Monoammonium L-glutamate	L-グルタミン酸アンモニウム	◎，指定	調味料
	Monoammonium glutamate	グルタミン酸アンモニウム グルタミン酸一アンモニウム	※	調味料

◎：許可（使用基準なし） Legal（Accepted with no standard of use）
○：許可（使用基準あり） Legal（Accepted with standard of use）
指定：Designated Food Additives　既存：Existing Food Additives
×：使用不可 Illegal（Prohibited）
※：個別判断を要するもの Required individual special judgement

CAS No.	CFR No.	CNS 号.	備　考 Remarks
299-27-4			
（無水物） 299-28-5	184.1199		栄養の目的以外に使用してはならない 告示成分規格の nH_2O は n ＝1
（無水物） 299-29-6	（検定免除着色料として） 73.160 （GRAS 物質として） 184.1308	09.005	オリーブ，母乳代替品，離乳食及び妊産婦・授乳婦用粉乳以外に使用してはならない 告示成分規格の nH_2O は n ＝2又は0
	（検定免除の着色料として） 73.165 （GRAS 物質として） 184.1311		EU の食品添加物の乳酸第一鉄と日本の指定食品添加物の**乳酸鉄**とは成分規格が若干異なる
		04.013	
56-86-0	（Amino acids，L-Glutamic acid として） 172.320 （Glutamic acid として） 182.1045		
			日本では **L-グルタミン酸**が指定添加物となっている
（1水和物） 6106-04-3	（Amino acids，sodium salt として） 172.320	12.001	告示成分規格の nH_2O は n ＝1 CNS 号12.001は monosodium glutamate（L-なし）
		12.001	日本では **L-グルタミン酸ナトリウム**が指定添加物となっている
（1水和物） 6382-01-0	（Amino acids，Monopotassium L-glutamate として） 172.320 （Monopotassium glutamate として） 182.1516		告示成分規格の nH_2O は n ＝1
	（Amino acids，Monopotassium L-glutamate として） 172.320 （Monopotassium glutamate として） 182.1516		日本では **L-グルタミン酸カリウム**が指定添加物となっている
（4水和物） 69704-19-4			告示成分規格の nH_2O は n ＝4
			日本では **L-グルタミン酸カルシウム**が指定添加物となっている
（1水和物） 139883-82-2	（Mono ammonium glutamate として） 182.1500		使用基準は設定しないものの、その使用にあたっては、適切な製造工程管理を行い、食品中で目的とする効果を得る上で必要とされる量を超えないものとすることの特記あり 告示成分規格の nH_2O は n ＝1
			日本では **L-グルタミン酸アンモニウム**が指定添加物となっている

色文字：法令上の指定添加物名（除く別名）　**red**：Name on Ministerial Ordinance of Designated Food Additives
色文字：法令上の既存添加物名（除く別名）　**red**：Name on Ministerial Notification of Existing Food Additives

E No.	英名，英名別名 English name	和名，和名別名 Japanese name	許可状況 Legal/Illegal	主な用途 Main uses
E625	**Monomagnesium di-L-glutamate**	**L-グルタミン酸マグネシウム**	◎，指定	調味料
	Magnesium diglutamate	グルタミン酸マグネシウム	※	調味料
E626	Guanylic acid	グアニル酸	×	調味料
E627	Disodium guanylate **Disodium 5'-guanylate** Sodium 5'-guanylate	5'-グアニル酸ナトリウム グアニル酸二ナトリウム **5'-グアニル酸二ナトリウム**	◎，指定	調味料
E628	Dipotassium guanylate Dipotassium 5'-guanylate	グアニル酸二カリウム 5'-グアニル酸二カリウム	×	調味料
E629	Calcium guanylate Calcium 5'-guanylate	グアニル酸カルシウム 5'-グアニル酸カルシウム	×	強化剤 調味料
E630	Inosinic acid 5'-Inosinic acid	イノシン酸 5'-イノシン酸	×	調味料
E631	Disodium inosinate **Disodium 5'-inosinate** Sodium 5'-inosinate	5'-イノシン酸ナトリウム イノシン酸二ナトリウム **5'-イノシン酸二ナトリウム**	◎，指定	調味料
E632	Dipotassium inosinate Dipotassium 5'-inosinate	イノシン酸二カリウム 5'-イノシン酸二カリウム	×	調味料
E633	Calcium inosinate Calcium 5'-inosinate	イノシン酸カルシウム 5'-イノシン酸カルシウム	×	強化剤 調味料
E634	**Calcium 5'-ribonucleotide**	5'-リボヌクレオタイドカルシウム **5'-リボヌクレオチドカルシウム**	◎，指定	調味料
E635	**Disodium 5'-ribonucleotide** Sodium 5'-ribonucleotide	5'-リボヌクレオタイドナトリウム 5'-リボヌクレオチドナトリウム **5'-リボヌクレオチド二ナトリウム**	◎，指定	調味料
E640	**Glycine**	**グリシン**	◎，指定	強化剤 調味料
	Glycine sodium salt	グリシンナトリウム塩	×	強化剤 調味料
E641	L-α-Aminoisocaproic acid **L-Leucine**	L-α-アミノイソカプロン酸 **L-ロイシン**	◎，既存	強化剤 調味料
E650	Zinc acetate	酢酸亜鉛	×	強化剤
E900	Dimethyl polysiloxane Polydimethyl siloxane **Silicone resin**	ジメチルポリシロキサン **シリコーン樹脂** ポリジメチルシロキサン	○，指定	消泡剤
E901	**Bees wax** Bees wax, white and yellow Bees wax, yellow	オウロウ ハクロウ及びオウロウ ビースワックス ベースワックス **ミツロウ**（ミツバチの巣から得られた，パルミチン酸ミリシルを主成分とするものをいう。）	◎，既存	ガムベース 光沢剤

◎：許可（使用基準なし） Legal（Accepted with no standard of use）　×：使用不可 Illegal（Prohibited）
○：許可（使用基準あり） Legal（Accepted with standard of use）　※：個別判断を要するもの Required individual special judgement
指定：Designated Food Additives　既存：Existing Food Additives

CAS No.	CFR No.	CNS 号.	備　考 Remarks
（4水和物） 129160-51-6			告示成分規格の nH_2O は n ＝4
			日本では**L-グルタミン酸マグネシウム**が指定添加物となっている
			日本では**5'-グアニル酸二ナトリウム**が指定添加物となっている
5550-12-9	172.530	12.002	
			日本では**5'-イノシン酸二ナトリウム**が指定添加物となっている
4691-65-0	（Disodium inosinate として） 172.535	12.003	
		12.004	
56-40-6	（Amino acids，Aminoacetic acid（glycine）として） 172.320 （Glycine として） 172.812	12.007	E640は Glycine and its sodium salt だが，日本では**グリシン**のみが指定添加物になっている
			E640は Glycine and its sodium salt だが，日本では**グリシン**のみが指定添加物になっている
61-90-5	（Amino acids，L-Leucine として） 172.320		E641は卓上甘味料錠剤用の Tableting aid として「Commission Regulation（EU）2015/649 of 24 April 2015」で新規制定
		03.007	消泡の目的以外に使用してはならない 「CFR No.173.340 Defoaming agents」があるが、本品の記載はない
	（Beeswax（yellow and white）として） 184.1973	14.013	

色文字：法令上の指定添加物名（除く別名）　red：Name on Ministerial Ordinance of Designated Food Additives
色文字：法令上の既存添加物名（除く別名）　red：Name on Ministerial Notification of Existing Food Additives

E No.	英名，英名別名 English name	和名，和名別名 Japanese name	許可状況 Legal/Illegal	主な用途 Main uses
E902	Candelilla wax	カンデリラロウ（カンデリラの茎から得られた，ヘントリアコンタンを主成分とするものをいう。） カンデリラワックス キャンデリラロウ キャンデリラワックス	◎，既存	製造用剤 ガムベース 光沢剤
E903	Brazil wax Carnauba wax	カルナウバロウ（ブラジルロウヤシの葉から得られた，ヒドロキシセロチン酸セリルを主成分とするものをいう。） カルナウバワックス ブラジルワックス	◎，既存	ガムベース 光沢剤
E904	Lacca Purified shellac Shellac White shellac	シェラック（ラックカイガラムシの分泌液から得られた，アレウリチン酸とシェロール酸又はアレウリチン酸とジャラール酸のエステルを主成分とするものをいう。） 白シェラック 精製シェラック セラック	◎，既存	ガムベース 光沢剤
E905	Microcrystalline wax	マイクロクリスタリンワックス ミクロクリスタリンワックス	◎，既存	ガムベース 光沢剤
E907	Hydrogenated poly-1-decene	還元ポリ-1-デセン	×	製造用剤 光沢剤
E914	Oxidized polyethylene wax	酸化ポリエチレンワックス	×	製造用剤
E920	L-Cysteine	L-システイン	×	強化剤 調味料
E927b	Carbamide Urea	カルバミド 尿素	×	製造用剤 イーストフード
E938	Argon	アルゴン アルゴンガス	◎，指定	製造用剤
E939	Helium	ヘリウム	◎，既存	製造用剤
E941	Nitrogen	窒素	◎，既存	製造用剤
E942	Dinitrogen monooxide Dinitrogen oxide Laughing gas Nitrogen oxide Nitrous oxide	亜酸化窒素 一酸化二窒素 酸化窒素 酸化二窒素 笑気	○，指定	噴射剤（プロペラント）
E943a	Butane	ブタン	◎，既存	製造用剤
E943b	Isobutane Trimethylmethane	イソブタン トリメチルメタン	×	製造用剤
E944	Propane	プロパン	◎，既存	製造用剤
E948	Oxygen	酸素	◎，既存	製造用剤
E949	Hydrogen	水素	◎，既存	製造用剤
E950	Acesulfame K Acesulfame potassium	アセスルファムK アセスルファムカリウム	○，指定	甘味料
E951	Aspartame Methyl L-α-aspartyl-L-phenylalaninate	L-α-アスパルチル-L-フェニルアラニンメチルエステル アスパルテーム メチル-L-α-アスパルチル-L-フェニルアラニンメチルエステル	◎，指定	甘味料

◎：許可（使用基準なし） Legal（Accepted with no standard of use）　　×：使用不可　Illegal（Prohibited）
○：許可（使用基準あり） Legal（Accepted with standard of use）　　※：個別判断を要するもの　Required individual special judgement
指定：Designated Food Additives　　既存：Existing Food Additives

CAS No.	CFR No.	CNS 号.	備　考 Remarks
	184.1976		
8015-86-9	184.1978	14.008	
		14.001	
	184.127[illegible]	13.003	CNS 号13.003は L-cysteine and its hydrochlorides sodium and potassium salts 日本で使用が認められているのは its hydrochlorides のみ
	184.1923		
7440-37-1			令和元年6月6日省令別表第1に新規指定 適切な製造工程管理を行い，食品中で目的とする効果を得る量を超えないこと 小分け等の加工を行ったものは添加物製剤とみなされる
	184.1355		
	184.1540		
10024-97-2	184.1545		ホイップクリーム類（乳脂肪分又は乳脂肪代替食品（植物性脂肪分、ゼラチン、卵白、寒天等）を主原料として泡立てた食品）以外の食品に使用してはならない また、一般的に容易に販売されているカートリッジ式容器に入れた**亜酸化窒素**は、成分規格外としてその使用は認められない
	(n-Butane and iso-butane として) 184.1165		
	184.1655		
1333-74-0			
55589-62-3	172.800	19.011	
22839-47-0	172.804	19.004	

色文字：法令上の指定添加物名（除く別名）　red：Name on Ministerial Ordinance of Designated Food Additives
色文字：法令上の既存添加物名（除く別名）　red：Name on Ministerial Notification of Existing Food Additives

E No.	英名，英名別名 English name	和名，和名別名 Japanese name	許可状況 Legal/Illegal	主な用途 Main uses
E952（i）	Cyclamic acid Cyclohexylsulfamic acid	サイクラミン酸 チクロ	×	甘味料
E952（ii）	Cyclohexylsulfamic acid Sodium cyclamate	サイクラミン酸ナトリウム チクロ	×	甘味料
E952（iii）	Calcium cyclamate Cyclohexylsulfamic acid	サイクラミン酸カルシウム チクロ	×	甘味料
E953	Isomalt Isomaltitol Palatinit	イソマルチトール イソマルト パラチニット	◎	製造用剤 甘味料 光沢剤
E954（i）	Saccharin	サッカリン	○，指定	甘味料
E954（ii）	Sodium saccharin Soluble saccharin	サッカリンナトリウム 溶性サッカリン	○，指定	甘味料
E954（iii）	Calcium saccharin Saccharate of lime	カルシウムサッカラート サッカリンカルシウム	○，指定	甘味料
E954（iv）	Potassium saccharin	サッカリンカリウム	×	甘味料
E955	Sucralose Trichlorogalactosucrose	スクラロース トリクロロガラクトスクロース	○，指定	甘味料
E957	Thaumatin	ソーマチン タウマチン（タウマトコッカスダニエリの種子から得られた，タウチマンを主成分とするものをいう。）	◎，既存	甘味料
E959	Neohesperidine DC Neohesperidine dihydrochalcone	ネオヘスペリジン DC ネオヘスペリジンジヒドロカルコン	○，指定	香料 甘味料
E960a	Rebaudioside Stevia ext. Stevia extract Steviol glycosides Stevioside	ステビアエキス ステビア抽出物（ステビアの葉から抽出して得られた，ステビオール配糖体を主成分とするものをいう。） ステビオグルコシド ステビオサイド ステビオシド レバウジオシド レバウディオサイド	◎，既存	甘味料
E960c（i）（ii）	Enzymatically produced steviol glycosides Rebaudioside M	レバウジオシド M レバウディオサイド M	※	甘味料
E960c（iii）	Rebaudioside D	レバウジオシド D レバウディオサイド D	※	甘味料
E960c（iv）	Rebaudioside AM	レバウジオシド AM レバウディオサイド AM	※	甘味料

◎：許可（使用基準なし） Legal（Accepted with no standard of use）　×：使用不可 Illegal（Prohibited）
○：許可（使用基準あり） Legal（Accepted with standard of use）　※：個別判断を要するもの Required individual special judgement
指定：Designated Food Additives　既存：Existing Food Additives

CAS No.	CFR No.	CNS 号.	備考 Remarks
			通称名,チクロ チクロは通称名,サイクラミン酸,サイクラミン酸塩が正式名称
		19.002	通称名,チクロ チクロは通称名,サイクラミン酸,サイクラミン酸塩が正式名称
		19.002	通称名,チクロ チクロは通称名,サイクラミン酸,サイクラミン酸塩が正式名称
			食品扱い
81-07-2	(Saccharin,ammonium·calcium·sodium saccharin として) 180.37		CFR No.の Part 180.37は特別に収録
(2水和物) 6155-57-3 (無水物) 128-44-9	(Saccharin,ammonium・calcium・sodium saccharin として) 180.37	19.001	告示成分規格の nH_2O は n＝2又は0 CFR No.の Part 180.37は特別に収載
6381-91-5	(Saccharin,ammonium·calcium·sodium saccharin として) 180.37		CFR No.の Part 180.37は特別に収録 平成24年12月28日省令別表第1に新規指定 告示成分規格の nH_2O は n＝3 1/2
56038-13-2	172.831	19.016	
		19.020	
20702-77-6			**ケトン類** 着香の目的以外に使用してはならない 甘味料の目的では不可 類又は誘導体として指定されている18項目の香料リストの SEQ No.2920(解説編2-(1)-(vi)参照) 特例として E No.と FL No.の両方あり
		19.008	E960は「Commission Regulation (EU) No.1131/2011 of 11 Nov. 2011」で新規制定されたが,その後「Commission Regulation (EU) 2021/1156 of 13 July 2021」により E960a Steviol glycosides from stevia に変更された レバウジオシド M 参照
			E960c (i) は「Commission Regulation (EU) 2021/1156 of 13 July 2021」により Rebaudioside M produced via enzyme modification of steviol glycosides from stevia の名称で新規指定 E960c (ii) は「Commission Regulation (EU) 2022/1922 of 10 Oct. 2022」により Rebaudioside M produced via enzymatic conversion of highly purified rebaudioside a stevia leaf extracts の名称で新規指定
			E960c (iii) は「Commission Regulation (EU) 2022/1922 of 10 Oct. 2022」により Rebaudioside D produced via enzymatic conversion of highly purified rebaudioside a stevia leaf extracts の名称で新規指定
			E960c (iv) は「Commission Regulation (EU) 2022/1922 of 10 Oct. 2022」により Rebaudioside AM produced via enzymatic conversion of highly purified rebaudioside a stevia leaf extracts の名称で新規指定

色文字：法令上の指定添加物名（除く別名）　red：Name on Ministerial Ordinance of Designated Food Additives
色文字：法令上の既存添加物名（除く別名）　red：Name on Ministerial Notification of Existing Food Additives

E No.	英名，英名別名 English name	和名，和名別名 Japanese name	許可状況 Legal/Illegal	主な用途 Main uses
E960d	Glucosylated steviol glycosides'	グルコシル化ステビオール配糖体	※	甘味料
E961	Neotame	ネオテーム	◎，指定	甘味料 風味増強剤
E962	Salt of aspartame-acesulfame	アスパルテーム-アセスルファム塩	×	甘味料
E964	Polyglycitol syrup	ポリグリシトールシロップ	※	製造用剤 増粘安定剤 甘味料
E965(ⅰ)	Maltitol Reducing malt sugar Reducing maltose	還元麦芽糖 マルチトール	◎	製造用剤 特別用途食品 増粘安定剤 甘味料
E965(ii)	Maltitol syrup	マルチトール液	◎	製造用剤 増粘安定剤 甘味料
E966	Lactitol	ラクチトール	◎	製造用剤 甘味料
E967	Xylite Xylitol	キシリット キシリトール	◎，指定	製造用剤 甘味料
E968	Erythritol	エリスリトール	◎	製造用剤 調味料 甘味料
E969	Advantame	アドバンテーム	◎，指定	甘味料
E999	Quillaia extract Quillaja extract	キラヤサポニン キラヤ抽出物(キラヤの樹皮から得られた，サポニンを主成分とするものをいう。)	◎，既存	製造用剤 乳化剤
E1103	Invertase Saccharase Sucrase	インベルターゼ サッカラーゼ シュークラーゼ スクラーゼ	◎，既存	酵素
E1105	Lysozyme Mucopeptide glucohydrolase	卵白リゾチーム リゾチーム	◎，既存	酵素
E1200	Polydextrose	ポリデキストロース	◎	製造用剤 増粘安定剤
E1201	Polyvinylpyrrolidone Povidone PVP	PVP ポビドン ポリビニルピロリドン	○，指定	増粘安定剤 ゲル化剤 糊料
E1202	Insoluble polyvinylpyrrolidone Polyvinylpolypyrrolidone	不溶性ポリビニルピロリドン ポリビニルポリピロリドン	○，指定	製造用剤
E1203	Polyvinyl alcohol（PVA） Vinyl alcohol polymer（PVOH）	ビニルアルコールポリマー（PVOH） ポリビニルアルコール（PVA）	×	結着剤 被膜剤
E1204	Pullulan	プルラン	◎，既存	製造用剤 増粘安定剤
E1205	Basic methacrylate copolymer	メタクリル酸共重合物	×	コーティング剤

◎：許可（使用基準なし） Legal（Accepted with no standard of use）
○：許可（使用基準あり） Legal（Accepted with standard of use）
指定：Designated Food Additives　既存：Existing Food Additives
×：使用不可 Illegal（Prohibited）
※：個別判断を要するもの Required individual special judgement

CAS No.	CFR No.	CNS 号.	備　考 Remarks
			E960d は「Commission Regulation（EU）2023/447 of 1 March 2023」により新規指定
165450-17-9	172.829	19.019	運用上の指導あり
		19.021	日本では，アセスルファムカリウムが省令別表第1にリストアップされているのでカリウム塩との単純混合物の場合は使用可(化学的結合品は×)
			E964は「Commission Regulation（EU）No.1049/2012 of 8 Nov. 2012」で新規制定 A mixture consisting mainly of maltitol and sorbitol and lesser amounts of hydrogenated oligo and polysaccharides and maltrotriitol.
		19.005	資料1により食品素材扱いとする品目
		19.022	食品扱い
		19.014	食品扱い
87-99-0	172.395	19.007	
		19.018	食品扱い
714229-20-6	172.803		平成26年6月18日省令別表第1に新規指定 E969は「Commission Regulation（EU）No.497/2014 of 14 May 2014」で新規制定
			サポニン参照
		17.035	
	172.841	20.022	食品扱い
9003-39-8	173.55		平成26年6月18日省令別表第1に新規指定。 カプセル・錠剤等通常の食品形態でない食品（菓子類は含まれない）以外の食品に使用してはならない。
25249-54-1	173.50		ろ過助剤以外の用途に使用してはならない。最終食品の完成前に除去しなければならない
		14.010	
		14.011	
			サプリメントのコーティング剤

色文字：法令上の指定添加物名（除く別名）　red：Name on Ministerial Ordinance of Designated Food Additives
色文字：法令上の既存添加物名（除く別名）　red：Name on Ministerial Notification of Existing Food Additives

E No.	英名，英名別名 English name	和名，和名別名 Japanese name	許可状況 Legal/Illegal	主な用途 Main uses
E1206	Neutral methacrylate copolymer	中性メタクリル酸塩共重合物	×	コーティング剤
E1207	Anionic methacrylate copolymer	陰イオンメタクリル酸塩共重合物	×	コーティング剤
E1208	Polyvinylpyrrolidone-vinyl acetate copolymer	ポリビニルピロリドン-酢酸ビニル共重合物	×	コーティング剤
E1209	Polyvinyl alcohol-polyethylene glycol-graft-co-polymer PVA-PEG graft copolymer	ポリビニルアルコール-ポリエチレングリコール-グラフト共重合物	×	コーティング剤
E1210	Carbomer Carbomer homopolymer Polyacrylic acid polymers	カルボマー	×	増粘安定剤
E1404	Modified starch Oxidized starch	加工デンプン 酸化デンプン	◎，指定	増粘安定剤 ゲル化剤 糊料
E1410	Modified starch Monostarch phosphate	加工デンプン リン酸化デンプン	◎，指定	増粘安定剤 ゲル化剤 糊料
E1412	Distarch phosphate Modified starch	加工デンプン リン酸架橋デンプン	◎，指定	増粘安定剤 ゲル化剤 糊料
E1413	Modified starch Phosphated distarch phosphate	加工デンプン リン酸モノエステル化リン酸架橋デンプン	◎，指定	増粘安定剤 ゲル化剤 糊料
E1414	Acetylated distarch phosphate Modified starch	アセチル化二デンプンリン酸エステル アセチル化リン酸架橋デンプン 加工デンプン	◎，指定	増粘安定剤 ゲル化剤 糊料
E1420	Acetylated starch Modified starch Starch acetate	アセチル化デンプン 加工デンプン 酢酸デンプン	◎，指定	増粘安定剤 ゲル化剤 糊料
E1422	Acetylated distarch adipate Modified starch	アセチル化アジピン酸架橋デンプン アセチル化二デンプンアジピン酸 加工デンプン	◎，指定	増粘安定剤 ゲル化剤 糊料
E1440	Hydroxypropyl starch Modified starch	加工デンプン ヒドロキシプロピルデンプン	◎，指定	増粘安定剤 ゲル化剤 糊料
E1442	Hydroxy propyl cross-link starch phosphate Hydroxypropyl distarch phosphate Modified starch	加工デンプン ヒドロキシプロピル化リン酸架橋デンプン ヒドロキシプロピル二デンプンリン酸エステル	◎，指定	増粘安定剤 ゲル化剤 糊料
E1450	Modified starch Starch sodium octenyl succinate	オクテニルコハク酸デンプンナトリウム 加工デンプン	◎，指定	増粘安定剤 乳化剤 ゲル化剤 糊料
E1451	Acetylated oxidized starch Modified starch	アセチル化酸化デンプン 加工デンプン	◎，指定	増粘安定剤 ゲル化剤 糊料

◎：許可（使用基準なし） Legal（Accepted with no standard of use）
○：許可（使用基準あり） Legal（Accepted with standard of use）
指定：Designated Food Additives　既存：Existing Food Additives
×：使用不可 Illegal（Prohibited）
※：個別判断を要するもの Required individual special judgement

CAS No.	CFR No.	CNS 号.	備考 Remarks
			サプリメントのコーティング剤 E1206は「Commission Regulation（EU）No.816/2013 of 28 Aug. 2013」で新規制定
			サプリメントのコーティング剤 E1207は「Commission Regulation（EU）No.816/2013 of 28 Aug. 2013」で新規制定
			サプリメントのコーティング剤 E1208は「Commission Regulation（EU）No.264/2014 of 14 March 2014」で新規制定
			サプリメントのコーティング剤 E1209は「Commission Regulation（EU）No.685/2014 of 20 June 2014」で新規制定
			E1210は「Commission Regulation（EU）2023/440 of 28 Feb. 2023」で新規制定
	(Food starch-modified として) 172.892	20.030	適切な製造工程管理を行い,食品中で目的とする効果を得る量を超えないこと
63100-01-06	(Food starch-modified として) 172.892		適切な製造工程管理を行い,食品中で目的とする効果を得る量を超えないこと
55963-33-2	(Food starch-modified として) 172.892	20.034	適切な製造工程管理を行い,食品中で目的とする効果を得る量を超えないこと
	(Food starch-modified として) 172.892	20.017	適切な製造工程管理を行い,食品中で目的とする効果を得る量を超えないこと
68130-14-3	(Food starch-modified として) 172.892	20.015	適切な製造工程管理を行い,食品中で目的とする効果を得る量を超えないこと
9045-28-7	(Food starch-modified として) 172.892	20.039	適切な製造工程管理を行い,食品中で目的とする効果を得る量を超えないこと
	(Food starch-modified として) 172.892	20.031	適切な製造工程管理を行い,食品中で目的とする効果を得る量を超えないこと
9049-76-7	(Food starch-modified として) 172.892	20.014	適切な製造工程管理を行い,食品中で目的とする効果を得る量を超えないこと
53124-00-8	(Food starch-modified として) 172.892	20.016	適切な製造工程管理を行い,食品中で目的とする効果を得る量を超えないこと
	(Food starch-modified として) 172.892	10.030	適切な製造工程管理を行い,食品中で目的とする効果を得る量を超えないこと
68187-08-6	(Food starch-modified として) 172.892		適切な製造工程管理を行い、食品中で目的とする効果を得る量を超えないこと

色文字：法令上の指定添加物名（除く別名）　red：Name on Ministerial Ordinance of Designated Food Additives
色文字：法令上の既存添加物名（除く別名）　red：Name on Ministerial Notification of Existing Food Additives

E No.	英名，英名別名 English name	和名，和名別名 Japanese name	許可状況 Legal/Illegal	主な用途 Main uses
E1452	Modified starch Starch aluminium octenyl succinate	加工デンプン デンプンアルミニウムオクテニルコハク酸塩	×	増粘安定剤 ゲル化剤 糊料
E1505	Ethyl citrate **Triethyl citrate**	**クエン酸三エチル** クエン酸トリエチル トリエチルシトレート	○，指定	香料 増粘安定剤 乳化剤
E1517	Diacetin Glycerol esters of acetic acid **Glycerol esters of fatty acid** Glyceryl diacetate	グリセリン酢酸エステル グリセリンジアセテート **グリセリン脂肪酸エステル** ジアセチン ジ酢酸グリセリル	◎，指定	製造用剤 増粘安定剤 乳化剤 ガムベース
E1518	Glycerol ester of acetic acid **Glycerol ester of fatty acid** Glyceryl triacetate Triacetin	グリセリン酢酸エステル **グリセリン脂肪酸エステル** グリセリントリアセテート トリアセチン トリ酢酸グリセリル	◎，指定	製造用剤 増粘安定剤 乳化剤 ガムベース
E1519	Bentanol **Benzyl alcohol** α-Hydroxytoluene Phenyl carbinol Phenyl methanol	α-ヒドロキシトルエン フェニルカルビノール フェニルメタノール **ベンジルアルコール** ベンタノール	○，指定	香料
E1520	1,2-Dihydroxypropane Propane-1,2-diol 1,2-Propanediol **Propylene glycol**	1,2-ジヒドロキシプロパン プロパン-1,2-ジオール 1,2-プロパンジオール **プロピレングリコール**	○，指定	製造用剤 品質改良剤
E1521	Polyethylene glycols(PEG)	ポリエチレングリコール	×	製造用剤

◎：許可（使用基準なし） Legal（Accepted with no standard of use）
○：許可（使用基準あり） Legal（Accepted with standard of use）
指定：Designated Food Additives　既存：Existing Food Additives
×：使用不可 Illegal（Prohibited）
※：個別判断を要するもの Required individual special judgement

CAS No.	CFR No.	CNS 号.	備考 Remarks
77-93-0	184.1911		平成27年5月19日省令別表第1に新規指定 その使用にあたっては、適切な製造工程管理を行い、食品中で目的とする効果を得る上で必要とする量を越えないものとすることの特記あり。 香料の目的で使用する場合は、着香の目的以外に使用してはならない。 類又は誘導体として指定されている18項目の香料リストの SEQ No.2415(解説編2-(1)-(vi)参照) 特例として ENo.と FLNo.の両方あり
	(Acetylated monoglycerides として) 172.828 (Mono-and diglycerides として) 184.1505		
	(Triacetin として) 184.1901 (Mono-and diglycerides として) 184.1505		
100-51-6			着香の目的以外に使用してはならない 特例として E No.と FL No.の両方あり
57-55-6	184.1666	18.004	
	172.820	14.012	ENo.はカプセル，錠剤のフィルムコーティング剤として，PEG 400，3000，3350，4000，6000，8000の6種のグレードを安全評価している CFR No.172.820の表記は Polyethylene glycol (mean molecular weight 200-9，500)

資　料

資料1　医薬品の範囲に関する基準(食薬区分)

○無承認無許可医薬品の指導取締りについて（抄）

〔昭和46年6月1日　薬発第476号
各都道府県知事宛　厚生省薬務局長通知〕

最終改正　令和2年3月31日薬生発0331第33号

昨今，その本質，形状，表示された効能効果，用法用量等から判断して医薬品とみなされるべき物が，食品の名目のもとに製造（輸入を含む。以下同じ。）販売されている事例が少なからずみうけられている。

かかる製品は，医薬品，医療機器等の品質，有効性及び安全性の確保等に関する法律上医薬品として，その製造，販売，品質，表示，広告等について必要な規制を受けるべきものであるにもかかわらず，食品の名目で製造販売されているため，

(1)　万病に，あるいは，特定疾病に効果があるかのごとく表示広告されることにより，これを信じて服用する一般消費者に，正しい医療を受ける機会を失わせ，疾病を悪化させるなど，保健衛生上の危害を生じさせる。

(2)　不良品及び偽薬品が製造販売される。

(3)　一般人の間に存在する医薬品及び食品に対する概念を崩壊させ，医薬品の正しい使用が損われ，ひいては，医薬品に対する不信感を生じさせる。

(4)　高貴な成分を配合しているかのごとく，あるいは特殊な方法により製造したかのごとく表示広告して，高価な価格を設定し，一般消費者に不当な経済的負担を負わせる。

等の弊害をもたらすおそれのある事例がみられている。

このため，従来より各都道府県の協力をえて，医薬品，医療機器等の品質，有効性及び安全性の確保等に関する法律等の規定に基づく厳重な指導取締りを行なってきたところであるが，業者間に認識があさく，現在，なお医薬品の範囲に属する物であるにもかかわらず，食品として製造販売されているものがみられることは極めて遺憾なことである。

ついては，今般，今まで報告されてきた事例等を参考として，人が経口的に服用する物のうち「医薬品の範囲に関する基準」（以下「基準」という。）を別紙のとおり定めたので，今後は，下記の点に留意のうえ，貴管下関係業者に対して，遺憾のないように指導取締りを行なわれたい。

以下略

○食薬区分における成分本質（原材料）の取扱いの例示（抄）

〔令和２年３月31日　薬生監麻発0331第９号
各都道府県・各保健所設置市・各特別区衛生主管部（局）長宛
厚生労働省医薬・生活衛生局監視指導・麻薬対策課長通知〕

最終改正　令和５年２月17日薬生監麻発0217第１号

人が経口的に服用する物が医薬品，医療機器等の品質，有効性及び安全性の確保等に関する法律（昭和35年法律第145号）第２条第１項第２号又は第３号に規定する医薬品に該当するか否かについては，「無承認無許可医薬品の指導取締りについて」（昭和46年６月１日付け薬発第476号厚生省薬務局長通知。以下「局長通知」という。）により判断してきたところです。

今般，局長通知の別紙「医薬品の範囲に関する基準」（以下「基準」という。）の別添２「専ら医薬品として使用される成分本質（原材料）リスト」及び別添３「医薬品的効能効果を標ぼうしない限り医薬品と判断しない成分本質（原材料）リスト」を削り，別添２及び別添３の内容を本通知に規定することとしますので，下記の改正の趣旨等を御了知の上，貴管下関係業者に対する指導取締りにおいて御留意をお願いします。
以下略

別添１　専ら医薬品として使用される成分本質（原材料）リスト
　１　植物由来物等
　２　動物由来物等
　３　その他（化学物質等）
別添２　医薬品的効能効果を標ぼうしない限り医薬品と判断しない成分本質（原材料）リスト
　１　植物由来物等
　２　動物由来物等
　３　その他（化学物質等）

○「医薬品的効能効果を標ぼうしない限り医薬品と判断しない成分本質（原材料）」の食品衛生法上の取扱いの改正について

〔平成 19 年 8 月 17 日　食安基発第 0817001 号　各都道府県・各保健所設置市・各特別区衛生主管部（局）長宛　厚生労働省医薬食品局食品安全部基準審査課長通知〕

最終改正　令和元年 5 月 31 日薬生食基発 0531 第 1 号

（編注） 通知中，第 10 条とあるのは，食品衛生法の一部改正（平成 30 年 6 月 13 日法律第 46 号）により第 12 条に改正されました。

「無承認無許可医薬品の指導取締りについて」(昭和 46 年 6 月 1 日付け薬発第 476 号厚生省薬務局長通知）の別紙「医薬品の範囲に関する基準」別添 3「医薬品的効能効果を標ぼうしない限り医薬品と判断しない成分本質（原材料）リスト」に収載されているものに係る食品衛生法（昭和 22 年法律第 233 号）上の取扱いについては，「『医薬品的効能効果を標ぼうしない限り医薬品と判断しない成分本質（原材料）』の食品衛生法上の取扱いの改正について」（平成 16 年 6 月 1 日付け食安基発第 0601001 号厚生労働省医薬食品局食品安全部基準審査課長通知。以下「16 年課長通知」という。）をもって示しているところであるが，今般，「医薬品の範囲に関する基準等の一部改正について」（平成 19 年 4 月 17 日付け薬食発第 0417001 号厚生労働省医薬食品局長通知。以下「19 年局長通知」という。）により「医薬品の範囲に関する基準」が改正されたこと等から，その取扱いを下記のとおり改め，今後，別添により取り扱うこととしたので，貴職におかれては御了知の上，貴管内関係者に対する指導等について遺憾のないようにされたい。

なお，この通知に伴い，16 年課長通知は，廃止する。

記　略

（別添）

「医薬品的効能効果を標ぼうしない限り医薬品と判断しない成分本質（原材料）」の食品衛生法上の取扱い

1　「医薬品的効能効果を標ぼうしない限り医薬品と判断しない成分本質（原材料）リスト」（以下「同リスト」という。）の基本的な考え方

「医薬品的効能効果を標ぼうしない限り医薬品と判断しない」とは，医薬品的効能効果を標ぼうしない限り医薬品，医療機器等の品質，有効性及び安全性の確保等に関する法律（昭和 35 年法律第 145 号）の規制を受けないという趣旨であり，同リストに収載されているものを食品又は食品添加物として使用する場合には，当然に食品衛生法の規制の対象となるものであることに留意されたい。

2　同リストの取扱いについて

(1)　同リスト中「1．植物由来物等」及び「2．動物由来物等」については，既存添加物に該当するものか，一般に飲食に供されている物かを直ちに判断し難いものも含まれているため，管下関係者への指導に際しては，その点御留意願いたく，疑義がある場合には，あらかじめ，その使用目的，食経験等の資料を厚生労働省医薬・生活衛生局食品基準審査課添加物係あて提出し，食品添加物に該当するか否かの判断を受けるよう指導されたい。

(2)　同リスト中「3．その他（化学物質等）」のうち以下に示すものは，食品添加物に該当する。これらについて，食品衛生法施行規則別表第 1 及び既存添加物名簿（平成 8 年厚生省告示第 120 号）に収載されているもの以外のものを使用することは，食品衛生法第 10 条違反となるので留意されたい。

また，食品衛生法施行規則（昭和 23 年厚生省令第 23 号）別表第 1 及び既存添加物名簿に収載されているものにあっては，食品，添加物等の規格基準（昭和 34 年厚生省告示第 370 号）に規定する食品添加物としての規格及び基準を遵守する必要があること。

ア　指定添加物

亜鉛，アスパラギン酸，アラニン[注 1)]，イソロイシン，カリウム，カルシウム，キシリトール，クエン酸，グリシン，グリセリン，グルコン酸亜鉛，グルコン酸鉄，グルタミン酸，ケイ素，システイン，脂肪酸，酒石酸，鉄，鉄クロロフィリンナトリウム，銅，トリプトファン，トレオニン，ナイアシン，バリン，パントテン酸，ビオチン，ヒスチジン，ビタミン A，ビタミン B 1，ビタミン B 2，ビタミン B 6，ビタミン C，ビタミン D,

ビタミンE，フェニルアラニン，ベータカロチン，マグネシウム，メチオニン，葉酸及びリジン

イ　既存添加物

アスパラギン，アスタキサンチン[注2)]，アスパラギン酸，アラニン[注1)]，イノシトール（D-chiro-イノシトールを含む[注3)]），カテキン，カフェイン，カラギーナン，カリウム，カルシウム，カロチン，岩石粉，キチン，キトサン，金，グアガム，クルクミン，グルコサミン塩酸塩，グルタミン，クロロフィル，ケルセチン，サポニン，シスチン，脂肪酸，植物性酵素・果汁酵素，植物性ステロール，セリン，タルク，チロシン，鉄，銅，トコトリエノール，トレハロース，麦飯石，ヒアルロン酸，ヒスチジン，ビタミンB12，ビタミンE，ビタミンK（メナキノン），4-ヒドロキシプロリン，フィコシアニン，フェリチン鉄，フェルラ酸[注4)]，プルラン，プロアントシアニジン，プロポリス，プロリン，ヘスペリジン，ヘマトコッカス藻色素，ヘム鉄，マグネシウム，ムコ多糖類，木灰，ラクトフェリン，リジン，流動パラフィン，ルチン，ルテイン，レシチン及びロイシン

注1）　当品目は，指定添加物「DL-アラニン」，既存添加物「L-アラニン」に包含されるものと思料され，化学構造の異なる「β-アラニン」は含まれないことに留意されたい。

注2）　当品目は，通常は，既存添加物「ヘマトコッカス藻色素」に包含されるものと思料されるが，食品衛生法第10条に基づく指定がなされていない食品添加物に該当する場合もあることに留意されたい。

注3）　当品目は，通常は，既存添加物「イノシトール」に包含されるものと思料されるが，食品衛生法第10条に基づく指定がなされていない食品添加物に該当する場合もあることに留意されたい。

注4）　当品目は，通常は，既存添加物「フェルラ酸」に包含されるものと思料されるが，食品衛生法第10条に基づく指定がなされていない食品添加物に該当する場合もあることに留意されたい。

(3)　同リスト「3．その他（化学物質等）」のうち以下に示すものは，現在食品衛生法第10条に基づく指定がなされていないため，食品の製造等に使用する場合には，新たに食品添加物としての指定を受ける必要があること。

クロム（III），セレン，ビタミンK（フィトナジオン，メナジオン），ピコリン酸クロム，フッ素，マンガン，モリブデン，ヨウ素及びリン

(4)　同リスト「3．その他（化学物質等）」のうち以下に示すものは，「一般に食品として飲食に供される物であって添加物として使用されるもの」として取扱うこと。

なお，以下に示すものの製造の過程に用いられる溶媒等については，食品添加物に該当しないが，人の健康を損なうおそれがある不純物の混入等がないよう，製造業者等に対し，製品について規格を設定する等の指導を徹底されたい[注1)]。また，食品の製造の過程において使用される溶媒等は，食品添加物に該当することに留意されたい。

アルブミン，イオウ（ただし，メチルサリフォニルメタンとして），イコサペント酸（EPA），イヌリン，オリゴ糖，オルニチン，果糖，L-カルニチン[注2)]，L-シトルリン，還元麦芽糖，環状重合乳酸（ただし，乳酸オリゴマーとして），γ-アミノ酪酸，絹（ただし，絹タンパクとして），グルコマンナン，クレアチン，ゲルマニウム[注3)]，コエンザイムQ10，コラーゲン，コンドロイチン硫酸[注4)]，植物繊維，食物繊維，ゼラチン，チオクト酸[注5)]，デキストリン，ドコサヘキサエン酸（DHA），ドロマイト鉱石，乳清，乳糖，フルボ酸，ホスファチジルセリン，リノール酸及びリノレン酸

注1）　残留溶媒の規格設定の指導にあっては，「食品，添加物等の規格基準」の第2添加物のE製造基準において規定されている溶媒に対する基準や「医薬品の残留溶媒ガイドライン」（平成10年3月30日付け医薬審第307号厚生省医薬安全局審査管理課長通知。以下「残留溶媒ガイドライン」という。）等を参考にされたい。なお，トルエンなど食品衛生法において参考となる基準がなく，残留溶媒ガイドラインを参考とする場合にあっては，医薬品と食品の相違を鑑み，十分配慮することが必要である。

注2）　本成分の使用に当たっては，米国では許容一日摂取量（ADI）が20mg／kg／日と評価されていることや，スイスでは1,000mg／日を摂取の条件としていることなどから，過剰摂取しないように配慮するとともに，消費者への情報提供を適切に行うこと。

注3）　ゲルマニウムについては，「ゲルマニウムを含有させた食品の取扱いについて（昭和63年10月12日付け

衛新第12号生活衛生局長通知)」により，その取扱いについて指導をお願いしているところである。

注4) コンドロイチン硫酸ナトリウムは指定添加物である。

注5) 本成分の使用に当たっては，国内において医療用医薬品「チオクト酸」として「通常成人1日1回10～25mgを静脈内，筋肉内又は皮下に注射」の旨の用法・用量が設定されていること等から，食品等事業者においては，自らの責任において食品への安全性を確保するため，過剰摂取しないよう必要な配慮をするとともに，消費者の情報提供を適切に行うこと。

(5) 同リスト「3．その他（化学物質等）」のうち以下に示すものについては，食品添加物に該当する可能性が考えられるため，該当するものを輸入，販売，製造等をしようとする事業者がいる場合には，あらかじめ，その使用目的，食経験等の資料を厚生労働省医薬・生活衛生局食品基準審査課添加物係あて提出し，食品添加物に該当するか否かの判断を受けるよう指導されたい。

N-アセチルグルコサミン，3-アミノプロパン酸，5-アミノレブリン酸リン酸塩，アリシン，アントシアニジン，イオウ（ただし，メチルサリフォニルメタンを除く），イソフラキシジン，雲母，オクタコサノール，オロト酸（フリー体，カリウム塩，マグネシウム塩に限る），環状重合乳酸（ただし，乳酸オリゴマーを除く），キトサンオリゴ糖，絹（ただし，絹タンパクを除く），sn-グリセロ(3)ホスホコリン，クレアチン・エチルエステル塩酸塩，コエンザイムA，コリン安定化オルトケイ酸，コンドロムコタンパク，シスタチオン，スクワレン，スーパーオキシドディスムターゼ（SOD），炭焼の乾留水，石膏，セラミド，ビス-3-ヒドロキシ-3-メチルブチレートモノハイドレート，ヒドロキシリシン，ピロロキノリンキノン二ナトリウム塩，2-フコシルラクトース，リグナン及びtrans-レスベラトロール

※編著者注 （別添） 2の(5)項について

本書の初版は「平成23年6月23日 食安基発0623第1号」を，第2版では「平成26年3月14日 食安基発0314第1号」を反映し，新たに下記5品目が追加された。

5-アミノレブリン酸リン酸塩，オロト酸（フリー体，カリウム塩，マグネシウム塩に限る），コリン安定化オルトケイ酸，ピロロキノリンキノン二ナトリウム塩，trans-レスベラトロール

その後，第4版では「令和元年5月31日薬生食基発0531第1号」にて下記2品目が追加された。

3-アミノプロパン酸（β-アラニン），2-フコシルラクトース

上記7品目に限らず，2-(5)項にリストアップされているすべての品目は，通知に記載のとおり自己判断では使用できず「使用にあっては事前に当局の判断を受けるよう指導されている品目」であり，本書では「許可状況は※とし，備考欄に通知要旨を記載」しているので特に留意されたい。

資料2　E No.及び INS No.の対比(Comparison E No. and INS No.)

(a) E No.

1)「Official Journal of The European Union, Vol.55, 22 March 2012」を発出原本とし,「Commission Regulation (EU) No. 231/2012 of 9 March 2012」を基に「同 2023/447 of 1 March 2023」までの改訂を基に作成。

(註記) 2011 年以降, 削除・新規制定された E No. を資料 2 末尾に記載。

(b) INS No.

1) CLASS NAMES AND THE INTERNATIONAL NUMBERING SYSTEM FOR FOOD ADDITIVES CAC/GL 36-1989 Adopted in 1989.を発出原本とし, 第 44 回 Codex Alimentarius Commission (CAC) 総会 (2021) を基に作成。

E No.		INS No.	
E100	Curcumin	**100**	**Curcumins**
		100(i)	Curcumin
		100(ii)	Turmeric
E101		**101**	**Riboflavins**
(i)	Riboflavin	101(i)	Riboflavin, synthetic
(ii)	Riboflavin-5'-phosphate	101(ii)	Riboflavin 5'- phosphate sodium
		101(iii)	Riboflavin *from Bacillus subtilis*
		101(iv)	Riboflavin from *Ashbva aossvpll*
E102	Tartrazine	102	Tartrazine
		103	Alkanet
E104	Quinoline Yellow	104	Quinoline yellow
		105	Carthamus yellow
		107	Yellow 2G
E110	Sunset Yellow FCF	110	Sunset yellow FCF
E120	Carminic acid, Carmine	120	Carmines
		121	Citrus red No. 2
E122	Azorubine, Carmoisine	122	Azorubine (Carmoisine)
E123	Amaranth	123	Amaranth
E124	Ponceau 4R, Cochineal Red A	124	Ponceau 4R (Cochineal red A)
		125	Ponceau SX
E127	Erythrosine	127	Erythrosine
E129	Allura Red AC	129	Allura red AC
		130	Manascorubin
E131	Patent Blue V	131	Patent blue V
E132	Indigotine, Indigo carmine	132	Indigotine (Indigo carmine)
E133	Brilliant Blue FCF	133	Brilliant blue FCF
		134	Spirulina extract
E140(i)	Chlorophylls	140	Chlorophylls
(ii)	Chlorophyllins		
E141		**141**	**Chlorophylls and chlorophyllins, copper complexes**
(i)	Copper complexes of chlorophylls	141(i)	Chlorophylls, copper complexes
(ii)	Copper complexes of chlorophyllins	141(ii)	Chlorophyllins, copper complexes, potassium and sodium salts
E142	Green S	142	Green S

E No.		INS No.	
		143	Fast Green FCF
		150	**Caramels**
E150a	Plain caramel	150a	Caramel I - plain caramel
E150b	Caustic sulphite caramel	150b	Caramel II - sulfite caramel
E150c	Ammonia caramel	150c	Caramel III - ammonia caramel
E150d	Sulphite ammonia caramel	150d	Caramel IV - sulfite ammonia caramel
E151	Brilliant Black PN	151	Brilliant black (Black PN)
		152	Carbon black (Hydrocarbon)
E153	Vegetable carbon	153	Vegetable carbon
		154	Brown FK
E155	Brown HT	155	Brown HT
E160a		**160a**	**Carotenes**
	(i) Beta-carotene	160a(i)	Carotenes, *beta*-, synthetic
	(ii) Plant Carotenes	160a(ii)	Carotenes, *beta*-, vegetable
	(iii) Beta-Carotene from *Blakeslea trispora*	160a(iii)	Carotenes, *beta*-, *Blakeslea trispora*
	(iv) Algal Carotenes	160a(iv)	β-carotene-rich extract from *Dunaliella salina*
E160b		**160b**	**Annatto extracts**
	(i) Annatto bixin	160b(i)	Annatto extracts, bixin-based
	(ii) Annatto norbixin	160b(ii)	Annatto extracts, norbixin-based
E160c	Paprika extract, Capsanthin, Capsorubin	160c(i)	Paprika oleoresin
		160c(ii)	Paprika extract
E160d	Lycopene	**160d**	**Lycopenes**
	(i) Synthetic lycopene	160d(i)	Lycopene, synthetic
	(ii) Lycopene from red tomatoes	160d(ii)	Lycopene, tomato
	(iii) Lycopene from *Blakeslea trispora*	160d(iii)	Lycopene, *Blakeslea trispora*
E160e	Beta-apo-8'-carotenal (C 30)	160e	Carotenal, *beta*-apo-8'-
		160f	Carotenoic acid, ethyl ester, *beta*-apo-8'-
		161a	Flavoxanthin
E161b	Lutein	**161b**	**Luteins**
		161b(i)	Lutein from *Tagetes erecta*
		161b(ii)	Tagetes extract
		161b(iii)	Lutein esters from *Tagetes erecta*
		161c	Kryptoxanthin
		161d	Rubixanthin
		161e	Violoxanthin
		161f	Rhodoxanthin
E161g	Canthaxanthin	161g	Canthaxanthin
		161h	**Zeaxanthins**
		161h(i)	Zeaxanthin, synthetic
		161h(ii)	Zeaxanthin-rich extract from *Tagetes erecta*
E162	Beetroot Red, Betanin	162	Beet red
E163	Anthocyanins	**163**	**Anthocyanins**
		163(ii)	Grape skin extract
		163(iii)	Blackcurrant extract
		163(iv)	Purple corn colour

E No.		INS No.	
		163(v) 163(vi) 163(vii) 163(viii) 163(ix) 163(x) 163(xi)	Red cabbage colour Black carrot extract Purple sweet potate colour Red radish colour Elderberry colour Hibiscus colour Butterfly Pea Flower Extract
		164	Gardenia yellow
		165	Gardenia blue
		166	Sandalwood
E170	Calcium carbonate	**170** 170(i) 170(ii)	**Calcium carbonates** Calcium carbonate Calcium hydrogen carbonate
		171	Titanium dioxide
E172	Iron oxides and iron hydroxides	**172** 172(i) 172(ii) 172(iii)	**Iron oxides** Iron oxide, black Iron oxide, red Iron oxide, yellow
E173	Aluminium	173	Aluminium powder
E174	Silver	174	Silver
E175	Gold	175	Gold, metallic
		176 176(i) 176(ii) 176(iii)	Potassium aluminium silicate-based pearlescent pigments(PAS-BPP) Potassium aluminium silicate-based pearlescent pigments coated with titanium dioxide, Type I Potassium aluminium silicate-based pearlescent pigments coated with iron oxide, Type II Potassium aluminium silicate-based pearlescent pigments coated with titanium dioxide and iron oxide, Type III
E180	Litholrubine BK	180	Lithol rupine BK
		181	Tannic acid (Tannins)
		182	Orchil
		183	Jagua (genlpln-glycine) blue
E200	Sorbic acid	200	Sorbic acid
		201	Sodium sorbate
E202	Potassium sorbate	202	Potassium sorbate
		203	Calcium sorbate
		209	Heptyl para-hydroxybenzoate
E210	Benzoic acid	210	Benzoic acid
E211	Sodium benzoate	211	Sodium benzoate
E212	Potassium benzoate	212	Potassium benzoate
E213	Calcium benzoate	213	Calcium benzoate
E214	Ethyl p-hydroxybenzoate	214	Ethyl para-hydroxybenzoate
E215	Sodium ethyl p-hydroxybenzoate	215	Sodium ethyl para-hydroxybenzoate

E No.		INS No.	
		216	Propyl para-hydroxybenzoate
		217	Sodium propyl para-hydroxybenzoate
E218	Methyl p-hydroxybenzoate	218	Methyl para-hydroxybenzoate
E219	Sodium methyl p-hydroxybenzoate	219	Sodium methyl para-hydroxybenzoate
E220	Sulphur dioxide	220	Sulfur dioxide
E221	Sodium sulphite	221	Sodium sulfite
E222	Sodium hydrogen sulphite	222	Sodium hydrogen sulfite
E223	Sodium metabisulphite	223	Sodium metabisulfite
E224	Potassium metabisulphite	224	Potassium metabisulfite
		225	Potassium sulfite
E226	Calcium sulphite	226	Calcium sulfite
E227	Calcium hydrogen sulphite	227	Calcium hydrogen sulfite
E228	Potassium hydrogen sulphite	228	Potassium bisulfite
		230	Diphenyl
		231	Ortho-phenylphenol
		232	Sodium ortho-phenylphenol
		233	Thiabendazole
E234	Nisin	234	Nisin
E235	Natamycin	235	Natamycin (Pimaricin)
		236	Formic acid
		237	Sodium formate
		238	Calcium formate
E239	Hexamethylene tetramine	239	Hexamethylene tetramine
		240	Formaldehyde
		241	Gum guaicum
E242	Dimethyl dicarbonate	242	Dimethyl dicarbonate
E243	Ethyl lauroyl arginate	243	Lauric arginate ethyl ester
E246	Glycolipids		
E249	Potassium nitrite	249	Potassium nitrite
E250	Sodium nitrite	250	Sodium nitrite
E251	Sodium nitrate	251	Sodium nitrate
(i)	Solid sodium nitrate		
(ii)	Liquid sodium nitrate		
E252	Potassium nitrate	252	Potassium nitrate
E260	Acetic acid	260	Acetic acid, glacial
E261		**261**	**Potassium acetates**
(i)	Potassium acetate	261(i)	Potassium acetate
(ii)	Potassium diacetate	261(ii)	Potassium diacetate
E262		**262**	**Sodium acetates**
(i)	Sodium acetate	262(i)	Sodium acetate
(ii)	Sodium diacetate	262(ii)	Sodium diacetate
E263	Calcium acetate	263	Calcium acetate

E No.		INS No.	
		264	Ammonium acetate
		265	Dehydroacetic acid
		266	Sodium dehydroacetate
E270	Lactic acid	270	Lactic acid L-, D-, and DL-
E280	Propionic acid	280	Propionic acid
E281	Sodium propionate	281	Sodium propionate
E282	Calcium propionate	282	Calcium propionate
E283	Potassium propionate	283	Potassium propionate
E284	Boric acid		
E285	Sodium tetraborate (Borax)		
E290	Carbon dioxide	290	Carbon dioxide
E296	Malic acid	296	Malic acid, DL-
E297	Fumaric acid	297	Fumaric acid
E300	Ascorbic acid, L-Ascorbic acid	300	Ascorbic acid, L-
E301	Sodium ascorbate	301	Sodium ascorbate
E302	Calcium ascorbate	302	Calcium ascorbate
		303	Potassium ascorbate
E304	(i) Ascorbyl palmitate (ii) Ascorbyl stearate	304	Ascorbyl palmitate
		305	Ascorbyl stearate
E306	Tocopherol-rich extract		
E307	Alpha-tocopherol	**307**	**Tocopherols**
		307a	Tocopherol, d-*alpha*-
		307b	Tocopherol concentrate, mixed
		307c	Tocopherol, dl-*alpha*-
E308	Gamma-tocopherol	308	Tocopherol, *gamma*-, synthetic
E309	Delta-tocopherol	309	Tocopherol, *delta*-, synthetic
E310	Propyl gallate	310	Propyl gallate
		311	Octyl gallate
		312	Dodecyl gallate
		313	Ethyl gallate
		314	Guaiac resin
E315	Erythorbic acid	315	Erythorbic acid (Isoascorbic acid)
E316	Sodium erythorbate	316	Sodium erythorbate (Sodium isoascorbate)
		317	Potassium isoascorbate
		318	Calcium isoascorbate
E319	Tertiary butylhydroquinone (TBHQ)	319	Tertiary butylhydroquinone (TBHQ) (　)内特記
E320	Butylated hydroxyanisole (BHA)	320	Butylated hydroxyanisole (BHA) (　)同上
E321	Butylated hydroxytoluene (BHT)	321	Butylated hydroxytoluene (BHT) (　)同上
E322	Lecithins	**322**	**Lecithins**

E No.	INS No.
	322(i) Lecithin 322(ii) Lecithin, partially hydrolysed 322(iii) Lecithin, hydroxylated
E322a Oat lecithin	
	323 Anoxomer
	324 Ethoxyquin
E325 Sodium lactate	325 Sodium lactate
E326 Potassium lactate	326 Potassium lactate
E327 Calcium lactate	327 Calcium lactate
	328 Ammonium lactate
	329 Magnesium lactate, DL-
E330 Citric acid	330 Citric acid
E331 (i) Monosodium citrate (ii) Disodium citrate (iii) Trisodium citrate	**331 Sodium citrates** 331(i) Sodium dihydrogen citrate 331(ii) Disodium monohydrogen citrate 331(iii) Trisodium citrate
E332 (i) Monopotassium citrate (ii) Tripotassium citrate	**332 Potassium citrates** 332(i) Potassium dihydrogen citrate 332(ii) Tripotassium citrate
E333 (i) Monocalcium citrate (ii) Dicalcium citrate (iii) Tricalcium citrate	**333 Calcium citrates** 333(i) Monocalcium citrate 333(ii) Dicalcium citrate 333(iii) Tricalcium citrate
E334 L(+)-Tartaric acid, Tartaric acid	334 Tartaric acid, L(+)-
E335 (i) Monosodium tartrate (ii) Disodium tartrate	**335 Sodium tartrates** 335(i) Monosodium tartrate 335(ii) Sodium L(+)- tartrate
E336 (i) Monopotassium tartrate (ii) Dipotassium tartrate	**336 Potassium tartrates** 336(i) Monopotassium tartrate 336(ii) Dipotassium tartrate
E337 Potassium sodium tartrate	337 Potassium sodium L(+)- tartrate
E338 Phosphoric acid	338 Phosphoric acid
E339 (i) Monosodium phosphate (ii) Disodium phosphate (iii) Trisodium phosphate	**339 Sodium phosphates** 339(i) Sodium dihydrogen phosphate 339(ii) Disodium hydrogen phosphate 339(iii) Trisodium phosphate
E340 (i) Monopotassium phosphate (ii) Dipotassium phosphate (iii) Tripotassium phosphate	**340 Potassium phosphates** 340(i) Potassium dihydrogen phosphate 340(ii) Dipotassium hydrogen phosphate 340(iii) Tripotassium phosphate
E341 (i) Monocalcium phosphate (ii) Dicalcium phosphate (iii) Tricalcium phosphate	**341 Calcium phosphates** 341(i) Calcium dihydrogen phosphate 341(ii) Calcium hydrogen phosphate 341(iii) Tricalcium phosphate
	342 Ammonium phosphates 342(i) Ammonium dihydrogen phosphate 342(ii) Diammonium hydrogen phosphate

E No.	INS No.
E343 (i) Monomagnesium phosphate (ii) Dimagnesium phosphate	**343 Magnesium phosphates** 343(i) Magnesium dihydrogen phosphate 343(ii) Magnesium hydrogen phosphate 343(iii) Trimagnesium phosphate
	344 Lecithin citrate
	345 Magnesium citrate
	349 Ammonium malate
E350 (i) Sodium malate (ii) Sodium hydrogen malate	**350 Sodium malates** 350(i) Sodium hydrogen DL- malate 350(ii) Sodium DL- malate
E351 Potassium malate	**351 Potassium malates** 351(i) Potassium hydrogen malate 351(ii) Potassium malate
E352 (i) Calcium malate (ii) Calcium hydrogen malate	**352 Calcium malates** 352(i) Calcium hydrogen malate 352(ii) Calcium malate, D, L-
E353 Metatartaric acid	353 Metatartaric acid
E354 Calcium tartrate	354 Calcium tartrate, DL-
E355 Adipic acid	355 Adipic acid
E356 Sodium adipate	356 Sodium adipates
E357 Potassium adipate	357 Potassium adipates
	359 Ammonium adipates
E363 Succinic acid	363 Succinic acid
	364 Sodium succinates 364(i) Monosodium succinate 364(ii) Disodium succinate
	365 Sodium fumarates
	366 Potassium fumarates
	367 Calcium fumarates
	368 Ammonium fumarate
	370 Heptonolactone, 1, 4-
	375 Nicotinic acid
E380 Triammonium citrate	380 Triammonium citrate
	381 Ferric ammonium citrate
	383 Calcium glycerophosphate
	384 Isopropyl citrates
E385 Calcium disodium ethylene diamine tetra-acetate (Calcium disodium EDTA)	385 Calcium disodium ethylenediaminetetraacetate
	386 Disodium ethylenediaminetetraacetate
	387 Oxystearin
	388 Thiodipropionic acid
	389 Dilauryl thiodipropionate
	390 Distearyl thiodipropionate
	391 Phytic acid

E No.		INS No.	
E392	Extracts of rosemary	392	Rosemary extract
		399	Calcium lactobionate
E400	Alginic acid	400	Alginic acid
E401	Sodium alginate	401	Sodium alginate
E402	Potassium alginate	402	Potassium alginate
E403	Ammonium alginate	403	Ammonium alginate
E404	Calcium alginate	404	Calcium alginate
E405	Propane-1,2-diol alginate	405	Propylene glycol alginate
E406	Agar	406	Agar
E407	Carrageenan	407	Carrageenan
E407a	Processed eucheuma seaweed	407a	Processed *eucheuma* seaweed (PES)
		408	Bakers yeast glycan
		409	Arabinogalactan
E410	Locust bean gum	410	Carob bean gum
		411	Oat gum
E412	Guar gum	412	Guar gum
E413	Tragacanth	413	Tragacanth gum
E414	Acacia gum (Gum arabic)	414	Gum arabic (Acacia gum)
E415	Xanthan gum	415	Xanthan gum
E416	Karaya gum	416	Karaya gum
E417	Tara gum	417	Tara gum
E418	Gellan gum	418	Gellan gum
		419	Gum ghatti
E420		**420**	**Sorbitols**
(i)	Sorbitol	420(i)	Sorbitol
(ii)	Sorbitol syrup	420(ii)	Sorbitol syrup
E421(i)	Mannitol	421	Mannitol
(ii)	Mannitol manufactured by fermentation		
E422	Glycerol	422	Glycerol
E423	Octenyl succinic acid modified gum arabic	423	Octenyl succinic acid (OSA) modified gum arabic
		424	Curdlan
E425(i)	Konjac gum	425	Konjac flour
(ii)	Konjac glucomannan		
E426	Soybean hemicellulose	426	Soybean hemicellulose
E427	Cassia gum	427	Cassia gum
		428	Gelatin
		429	Peptones
		430	Polyoxyethylene (8) stearate
E431	Polyoxyethylene (40) stearate	431	Polyoxyethylene (40) stearate
E432	Polyoxyethylene sorbitan monolaurate (Polysorbate 20)	432	Polyoxyethylene (20) sorbitan monolaurate
E433	Polyoxyethylene sorbitan monooleate (Polysor-	433	Polyoxyethylene (20) sorbitan monooleate

E No.		INS No.	
	bate 80)		
E434	Polyoxyethylene sorbitan monopalmitate (Polysorbate 40)	434	Polyoxyethylene (20) sorbitan monopalmitate
E435	Polyoxyethylene sorbitan monostearate (Polysorbate 60)	435	Polyoxyethylene (20) sorbitan monostearate
E436	Polyoxyethylene sorbitan tristearate (Polysorbate 65)	436	Polyoxyethylene (20) sorbitan tristearate
		437	Tamarined seed polysaccharide
E440(i) (ii)	Pectin Amidated pectin	440	Pectins
		441	Superglycerinated hydrogenated rapeseed oil
E442	Ammonium phosphatides	442	Ammonium salts of phosphatidic acid
		443	Brominated vegetable oils
E444	Sucrose acetate isobutyrate	444	Sucrose acetate isobutyrate
E445	Glycerol esters of wood rosin	**445** 445(i) 445(ii) 445(iii)	**Glycerol esters of rosin** Glycerol ester of gum rosin Glycerol ester of tall oil rosin Glycerol ester of wood rosin
		446	Succistearin
E450 (i) (ii) (iii) (v) (vi) (vii) (ix)	 Disodium diphosphate Trisodium diphosphate Tetrasodium diphosphate Tetrapotassium diphosphate Dicalcium diphosphate Calcium dihydrogen diphosphate Magnesium dihydrogen diphosphate	**450** 450(i) 450(ii) 450(iii) 450(iv) 450(v) 450(vi) 450(vii) 450(viii) 450(ix)	**Diphosphates** Disodium diphosphate Trisodium diphosphate Tetrasodium diphosphate Dipotassium diphosphate Tetrapotassium diphosphate Dicalcium diphosphate Calcium dihydrogen diphosphate Dimagnesium diphosphate Magnesium dihydrogen diphosphate
E451 (i) (ii)	 Pentasodium triphosphate Pentapotassium triphosphate	**451** 451(i) 451(ii) 451(iii)	**Triphosphates** Pentasodium triphosphate Pentapotassium triphosphate Sodium potassium triphosphate
E452 (i) (ii) (iii) (iv)	 Sodium polyphosphate Potassium polyphosphate Sodium calcium polyphosphate Calcium polyphosphate	**452** 452(i) 452(ii) 452(iii) 452(iv) 452(v) 452(vi)	**Polyphosphates** Sodium polyphosphate Potassium polyphosphate Sodium calcium polyphosphate Calcium polyphosphate Ammonium polyphosphate Sodium potassium hexametaphosphate
		453	Ferric(Ⅲ)-orthophosphate
		454	Ferric(Ⅲ)-pyrophosphate
		455	Yeast mannoproteins
E456	Potassium polyaspartate	456	Potassium polyaspartate
		457	Cyclodextrin, *alpha*-
		458	Cyclodextrin, *gamma*-
E459	Beta-cyclodextrin	459	Cyclodextrin, *beta*-

E No.		INS No.	
E460 (i) (ii)	 Microcrystalline cellulose, Cellulose gel Powdered cellulose	**460** 460(i) 460(ii)	**Celluloses** Microcrystalline cellulose (Cellulose gel) Powdered cellulose
E461	Methyl cellulose	461	Methyl cellulose
E462	Ethyl cellulose	462	Ethyl cellulose
E463	Hydroxypropyl cellulose	463	Hydroxypropyl cellulose
E463a	Low-substitued hydroxypropyl cellulose(L-HPC)		
E464	Hydroxypropyl methyl cellulose	464	Hydroxypropyl methyl cellulose
E465	Ethyl methyl cellulose	465	Methyl ethyl cellulose
E466	Sodium carboxy methyl cellulose, Cellulose gum	466	Sodium carboxymethyl cellulose (Cellulose gum)
		467	Ethyl hydroxyethyl cellulose
E468	Cross- linked sodium carboxymethyl cellulose, Cross-linked cellulose gum	468	Cross-linked sodium carboxymethyl cellulose (Cross-linked cellulose gum)
E469	Enzymatically hydrolyzed carboxymethyl cellulose, Enzymatically hydrolyzed cellulose gum	469	Sodium carboxymethyl cellulose, enzymatically hydrolyzed (Cellulose gum, enzymatically hydrolyzed)
E470a	Sodium, potassium and calcium salts of fatty acids	**470**	**Salts of fatty acids, with base alminium, ammonium, calcium, magnesium, potassium, sodium**
E470b	Magnesium salts of fatty acids	470(i)	Salts of myristic, palmitic and stearic acids with ammonia, calcium, potassium and sodium
		470(ii)	Salts of oleic acid with calcium, potassium and sodium
		470(iii)	Magnesium stearate
E471	Mono- and diglycerides of fatty acids	471	Mono- and di-glycerides of fatty acids
E472a	Acetic acid esters of mono- and diglycerides of fatty acids	472a	Acetic and fatty acid esters of glycerol
E472b	Lactic acid esters of mono- and diglycerides of fatty acids	472b	Lactic and fatty acid esters of glycerol
E472c	Citric acid esters of mono- and diglycerides of fatty acids	472c	Citric and fatty acid esters of glycerol
E472d	Tartaric acid esters of mono- and diglycerides of fatty acids	472d	Tartaric acid esters of mono-and di-glycerides of fatty acids
E472e	Mono- and diacetyl tartaric acid esters of mono- and diglycerides of fatty acids	472e	Diacetyltartaric and fatty acid esters of glycerol
E472f	Mixed acetic and tartaric acid esters of mono- and diglycerides of fatty acids		
		472g	Succinylated monoglycerides
E473	Sucrose esters of fatty acids	473 473a	Sucrose esters of fatty acids Sucrose oligoesters, type I and type II
E474	Sucroglycerides	474	Sucroglycerides
E475	Polyglycerol esters of fatty acids	475	Polyglycerol esters of fatty acids
E476	Polyglycerol polyricinoleate	476	Polyglycerol esters of interesterified ricinoleic acid
E477	Propane-1,2-diol esters of fatty acids	477	Propylene glycol esters of fatty acids
		478	Lactylated fatty acid esters of glycerol and propylene glycol
E479b	Thermally oxidized soya bean oil interacted with	479	Thermally oxidized soya bean oil interacted with

E No.		INS No.	
	mono- and diglycerides of fatty acids		mono- and diglycerides of fatty acids
		480	Dioctyl sodium sulfosuccinate
E481	Sodium stearoyl-2-lactylate	**481** 481 (i) 481 (ii)	**Sodium lactylates** Sodium stearoyl lactylate Sodium oleyl lactylate
E482	Calcium stearoyl-2-lactylate	**482** 482 (i) 482 (ii)	**Calcium lactylates** Calcium stearoyl lactylate Calcium oleyl lactylate
E483	Stearyl tartrate	483	Stearyl tartrate
		484	Stearyl citrate
		485	Sodium stearoyl fumarate
		486	Calcium stearoyl fumarate
		487	Sodium laurylsulfate
		488	Ethoxylated mono- and di-glycerides
		489	Methyl glucoside-coconut oil ester
E491	Sorbitan monostearate	491	Sorbitan monostearate
E492	Sorbitan tristearate	492	Sorbitan tristearate
E493	Sorbitan monolaurate	493	Sorbitan monolaurate
E494	Sorbitan monooleate	494	Sorbitan monooleate
E495	Sorbitan monopalmitate	495	Sorbitan monopalmitate
		496	Sorbitan trioleate
E499	Stigmasterol-rich plant sterols	499	Stigmasterol-rich plant sterols
E500	 (i) Sodium carbonate (ii) Sodium hydrogen carbonate (iii) Sodium sesquicarbonate	**500** 500 (i) 500 (ii) 500 (iii)	**Sodium carbonates** Sodium carbonate Sodium hydrogen carbonate Sodium sesquicarbonate
E501	 (i) Potassium carbonate (ii) Potassium hydrogen carbonate	**501** 501 (i) 501 (ii)	**Potassium carbonates** Potassium carbonate Potassium hydrogen carbonate
E503	 (i) Ammonium carbonate (ii) Ammonium hydrogen carbonate	**503** 503 (i) 503 (ii)	**Ammonium carbonates** Ammonium carbonate Ammonium hydrogen carbonate
E504	 (i) Magnesium carbonate (ii) Magnesium hydroxide carbonate	**504** 504 (i) 504 (ii)	**Magnesium carbonates** Magnesium carbonate Magnesium hidroxide carbonate
		505	Ferrous carbonate
E507	Hydrochloric acid	507	Hydrochloric acid
E508	Potassium chloride	508	Potassium chloride
E509	Calcium chloride	509	Calcium chloride
		510	Ammonium chloride
E511	Magnesium chloride	511	Magnesium chloride
E512	Stannous chloride	512	Stannous chloride
E513	Sulphuric acid	513	Sulfuric acid
E514		**514**	**Sodium sulfates**

E No.	INS No.
(i) Sodium sulphate (ii) Sodium hydrogen sulphate	514 (i) Sodium sulfate 514 (ii) Sodium hydrogen sulfate
E515 (i) Potassium sulphate (ii) Potassium hydrogen sulphate	**515 Potassium sulfates** 515 (i) Potassium sulfate 515 (ii) Potassium hydrogen sulfate
E516 Calcium sulphate	516 Calcium sulfate
E517 Ammonium sulphate	517 Ammonium sulfate
	518 Magnesium sulfate
	519 Cupric sulfate
E520 Aluminium sulphate	520 Aluminium sulfate
E521 Aluminium sodium sulphate	521 Aluminium sodium sulfate
E522 Aluminium potassium sulphate	522 Aluminium potassium sulfate
E523 Aluminium ammonium sulphate	523 Aluminium ammonium sulfate
E524 Sodium hydroxide	524 Sodium hydroxide
E525 Potassium hydroxide	525 Potassium hydroxide
E526 Calcium hydroxide	526 Calcium hydroxide
E527 Ammonium hydroxide	527 Ammonium hydroxide
E528 Magnesium hydroxide	528 Magnesium hydroxide
E529 Calcium oxide	529 Calcium oxide
E530 Magnesium oxide	530 Magnesium oxide
E534 Iron tartrate	534 Iron tartrate
E535 Sodium ferrocyanide	535 Sodium ferrocyanide
E536 Potassium ferrocyanide	536 Potassium ferrocyanide
	537 Ferrous hexacyanomanganate
E538 Calcium ferrocyanide	538 Calcium ferrocyanide
	539 Sodium thiosulfate
E541 Sodium aluminium phosphate, acidic	**541 Sodium aluminium phosphates** 541 (i) Sodium aluminium phosphate, acidic 541 (ii) Sodium aluminium phosphate, basic
	542 Bone phosphate
	550 Sodium silicates 550 (i) Sodium silicate 550 (ii) Sodium metasilicate
E551 Silicon dioxide	551 Silicon dioxide, amorphous
E552 Calcium silicate	552 Calcium silicate
E553a (i) Magnesium silicate (ii) Magnesium trisilicate E553b Talc	**553 Magnesium silicates** 553 (i) Magnesium silicate, synthetic 553 (ii) Magnesium trisilicate 553 (iii) Talc
E554 Sodium aluminium silicate	554 Sodium aluminium silicate
E555 Potassium aluminium silicate	555 Potassium aluminium silicate
	556 Calcium aluminium silicate
	557 Zinc silicate

E No.		INS No.	
		558	Bentonite
		559	Aluminium silicate
		560	Potassium silicate
E570	Fatty acids	570	Fatty acids
E574	Gluconic acid	574	Gluconic acid, D-
E575	Glucono-delta-lactone	575	Glucono delta-lactone
E576	Sodium gluconate	576	Sodium gluconate
E577	Potassium gluconate	577	Potassium gluconate
E578	Calcium gluconate	578	Calcium gluconate
E579	Ferrous gluconate	579	Ferrous gluconate
		580	Magnesium gluconate
E585	Ferrous lactate	585	Ferrous lactate
E586	4-Hexylresorcinol	586	Hexylresorcinol, 4-
E620	Glutamic acid	620	Glutamic acid, L(+)-
E621	Monosodium glutamate	621	Monosodium L-glutamate
E622	Monopotassium glutamate	622	Monopotassium L-glutamate
E623	Calcium diglutamate	623	Calcium di-L-glutamate
E624	Monoammonium glutamate	624	Monoammonium L-glutamate
E625	Magnesium diglutamate	625	Magnesium di-L-glutamate
E626	Guanylic acid	626	Guanylic acid, 5'-
E627	Disodium guanylate	627	Disodium 5'-guanylate
E628	Dipotassium guanylate	628	Dipotassium 5'-guanylate
E629	Calcium guanylate	629	Calcium 5'-guanylate
E630	Inosinic acid	630	Inosinic acid, 5'-
E631	Disodium inosinate	631	Disodium 5'-inosinate
E632	Dipotassium inosinate	632	Potassium 5'-inosinate
E633	Calcium inosinate	633	Calcium 5'-inosinate
E634	Calcium 5'-ribonucleotide	634	Calcium 5'-ribonucleotides
E635	Disodium 5'-ribonucleotide	635	Disodium 5'-ribonucleotides
		636	Maltol
		637	Ethyl maltol
		638	Sodium L-aspartate
		639	Alanine, DL-
E640	Glycine and its sodium salt	640	Glycine
E641	L-Leucine	641	Leucine, L-
		642	Lysine hydrochloride
E650	Zinc acetate	650	Zinc acetate
E900	Dimethyl polysiloxane	900a	Polydimethylsiloxane
		900b	Methylphenylpolysiloxane
E901	Beeswax, white and yellow	901	Beeswax

E No.		INS No.	
E902	Candelilla wax	902	Candelilla wax
E903	Carnauba wax	903	Carnauba wax
E904	Shellac	904	Shellac, bleached
E905	Microcrystalline wax	905a	Mineral oil, food grade
		905b	Petrolatum jelly (Petroleum)
		905c 905c(i) 905c(ii)	Petroleum wax Microcrystalline wax Paraffin wax
		905d	Mineral oil, high viscosity
		905e	Mineral oil, medium viscosity
		905f	Mineral oil, medium and low viscosity, class II
		905g	Mineral oil, medium and low viscosity, class III
		906	Benzoin gum
E907	Hydrogenated poly-1-decene	907	Hydrogenated poly-1-decenes
		908	Rice bran wax
		909	Spermaceti wax
		910	Wax esters
		911	Methyl esters of fatty acids
		913	Lanolin
E914	Oxidized polyethylene wax		
		915	Glycerol, methyl, or pentaerithrytol esters of collophane
		916	Calcium iodate
		917	Potassium iodate
		918	Nitrogen oxides
		919	Nitrosyl chloride
E920	L-Cysteine	920	Cysteine, L-and its hydrochlorides sodium and potassium salts
		921	Cystine, L-and its hydrochlorides sodium and potassium salts
		922	Potassium persulfate
		923	Ammonium persulfate
		925	Chlorine
		926	Chlorine dioxide
		927a	Azodicarbonamide
E927b	Carbamide	927b	Urea (Carbamide)
		928	Benzoyl peroxide
		929	Acetone peroxide
		930	Calcium peroxide
E938	Argon		
E939	Helium		
		940	Dichlorodifluormethane

E No.		INS No.	
E941	Nitrogen	941	Nitrogen
E942	Nitrous oxide	942	Nitrous oxide
E943a	Butane	943a	Butane
E943b	Isobutane	943b	Isobutane
E944	Propane	944	Propane
		945	Chloropentafluorethane
		946	Octafluorcyclobutane
E948	Oxygen		
E949	Hydrogen	949	Hydrogen
E950	Acesulfame K	950	Acesulfame potassium
E951	Aspartame	951	Aspartame
E952 (i) (ii) (iii)	Cyclamic acid and its Na and Ca salts Cyclamic acid Sodium cyclamate Calcium cyclamate	**952** 952(i) 952(ii) 952(iv)	**Cyclamates** Cyclamic acid Calcium cyclamate Sodium cyclamate
E953	Isomalt	953	Isomalt (Hydrogenerated isomaltulose)
E954 (i) (ii) (iii) (iv)	Saccharin and its Na, K and Ca salts Saccharin Sodium saccharin Calcium saccharin Potassium saccharin	**954** 954(i) 954(ii) 954(iii) 954(iv)	**Saccharins** Saccharin Calcium saccharin Potassium saccharin Sodium saccharin
E955	Sucralose	955	Sucralose (Trichlorogalactosucrose)
		956	Alitame
E957	Thaumatin	957	Thaumatin
		958	Glycyrrhizin
E959	Neohesperidine dihydrochalcone	959	Neohesperidine dihydrochalcone
		960	**Steviol glycosides**
E960a	Steviol glycosides from stevia	960a	Steviol glycosides from *Stevia rebaudiana* Bertoni (Steviol glycosides from Stevia)
		960b 960b(i)	**Steviol glycosides from fermentation** Rebaudioside A from multiple gene donors expressed in *Yarrowia lipolytica*
E960c(i) (ii) (iii) (iv)	Rebaudioside M (註1) Rebaudioside M (註1) Rebaudioside D (註1) Rebaudioside AM (註1)	960c	Enzymatically produced steviol glycosides
E960d	Glucosylated steviol glycosides	960d	Glucosylated steviol glycosides
E961	Neotame	961	Neotame
E962	Salt of aspartame-acesulfame	962	Aspartame-acesulfame salt
		963	Tagatose, D-
E964	Polyglycitol syrup	964	Polyglycitol syrup
E965 (i) (ii)	 Maltitol Maltitol syrup	**965** 965(i) 965(ii)	**Maltitols** Maltitol Maltiol syrup

E No.		INS No.	
E966	Lactitol	966	Lactitol
E967	Xylitol	967	Xylitol
E968	Erythritol	968	Erythritol
E969	Advantame	969	Advantame
E999	Quillaia extract	**999** 999(i) 999(ii)	**Quillaia extracts** Quillaia extract type 1 Quillaia extract type 2
		1000	Cholic acid
		1001 1001(i) 1001(ii) 1001(iii) 1001(iv) 1001(v) 1001(vi)	**Choline salts and esters** Choline acetate Choline carbonate Choline chloride Choline citrate Choline tartrate Choline lactate
		1100 1100(i) 1100(ii) 1100(iii) 1100(iv) 1100(v) 1100(vi)	**Amylases** alpha-Amylase from *Asperqillus oryzae* var. alpha-Amylase from *Bacillus stearothermophilus* alpha-Amylase from *Bacillus subtilis* alpha-Amylase from *Bacillus megaterium* expressed in *Bacillus subtilis* alpha-Amylase from *Bacillus stearothermophilus* expressed in *Bacillus subtilis* Carbohydrase from *Bacillus licheniformis*
		1101 1101(i) 1101(ii) 1101(iii) 1101(iv) 1101(v) 1101(vi)	**Proteases** Protease from *Aspergillus oryzae* var. Papain Bromelain Ficin Protease from *Streptomyces fradiae* Protease from *Bacillus subtilis*
		1102	Glucose oxidase
E1103	Invertase	1103	Invertases
		1104	Lipases
E1105	Lysozyme	1105	Lysozyme
E1200	Polydextrose	1200	Polydextroses
E1201	Polyvinylpyrrolidone	1201	Polyvinylpyrrolidone
E1202	Polyvinylpolypyrrolidone	1202	Polyvinylpyrrolidone, insoluble
E1203	Polyvinyl alcohol	1203	Polyvinyl alcohol
E1204	Pullulan	1204	Pullulan
E1205	Basic methacrylate copolymer	1205	Methacrylate copolymer, basic
E1206	Neutral methacrylate copolymer	1206	Methacrylate copolymer, neutral
E1207	Anionic methacrylate copolymer	1207	Methacrylate copolymer, anionic
E1208	Polyvinylpyrrolidone-vinyl acetate copolymer	1208	Polyvinylpyrrolidone-vinyl acetate copolymer
E1209	Polyvinyl alcohol-polyethylene glycol-*graft*-copolymer	1209	Polyvinyl alcohol (PVA) -polyethylene glycol (PEG) graft co-polymer

E No.		INS No.	
E1210	Carbomer	1210	Sodium polyacrylate
		1400	Dextrins, roasted starch
		1401	Acid treated starch
		1402	Alkaline treated starch
		1403	Bleached starch
		1404	Oxidized starch
		1405	Starches, enzyme treated
E1404	Oxidised starch		
E1410	Monostarch phosphate	1410	Monostarch phosphate
E1412	Distarch phosphate	1412	Distarch phosphate
E1413	Phosphated distarch phosphate	1413	Phosphated distarch phosphate
E1414	Acetylated distarch phosphate	1414	Acetylated distarch phosphate
E1420	Acetylated starch	1420	Starch acetate
E1422	Acetylated distarch adipate	1422	Acetylated distarch adipate
E1440	Hydroxy propyl starch	1440	Hydroxypropyl starch
E1442	Hydroxy propyl distarch phosphate	1442	Hydroxypropyl distarch phosphate
E1450	Starch sodium octenyl succinate	1450	Starch sodium octenyl succinate
E1451	Acetylated oxidised starch	1451	Acetylated oxidised starch
E1452	Starch aluminium octenyl succinate	1452	Starch aluminium octenyl succinate
		1503	Castor oil
		1504(i) 1504(ii)	Cyclotetraglucose Cyclotetraglucose syrup
E1505	Triethyl citrate	1505	Triethyl citrate
E1517	Glyceryl diacetate (Diacetin)（註２）	1517	Glycerol diacetate
E1518	Glyceryl triacetate (Triacetin)（註２）	1518	Triacetin
E1519	Benzyl alcohol	1519	Benzyl alcohol
E1520	Propane-1,2-diol (Propylene glycol)（註２）	1520	Propylene glycol
E1521	Polyethylene glycol	1521	Polyethylene glycol
		1522	Calcium lygnosulfonate, 40-65

（註１）E960c(i)～(iv)の正式名称は以下の(b)新規制定に記載

（註２）E1517, 1518, 1520の（　）内用語はCommissionRegulation (EU) には同義語として扱われているが特記した。

2011年以降，削除・新規指定されたE No.と添加物名
根拠法令（Commission Regulation (EU)）は本編の該当項目の備考欄参照

(a)削除

・E154　Brown FK

・E160f　Ethyl ester of beta-apo-8'-carotenic acid (C 30)

・E161g　Canthaxanthin

（註記）食品の着色料としての使用は認められないが医薬品の着色料として認められており，E No.リストに残されている。

・E171　Titanium dioxide

（註記）食品の着色料としての使用は認められないが医薬品の着色料として認められており，E No.リストに残されている。

・E203　Calcium sorbate

・E311　Octyl gallate

・E312　Dodecyl gallate

・E556　Calcium aluminium silicate

（註記）食品の使用は認められないが医薬品の使用は認められており，ENo.リストに残されている。

・E558　Bentonite

・E559　Aluminium silicate （Kaolin）

（註記）食品の使用は認められないが医薬品の使用は認められており，ENo.リストに残されている。

・E912　Montanic acid esters

・E960　Steviol glycosides（サブ No.化し E960a、E960c(i)、E960c(ii)、E960c(iii)、E960c(iv)、E960d として新規指定）

(b)新規制定

・E172　Iron oxides and hydroxides

・E243　Ethyl lauroyl arginate

・E246　Glycolipids

・E261(i)　Potassium acetate（サブ No.化）

(ii)　Potassium diacetate（サブ No.化）

・E322a　Oat lecithin

・E423　Octenyl succinic acid modified gum arabic

・E450(ix)　Magnesium dihydrogen diphosphate

・E456　Potassium polyaspartate

・E463a　Low-substituted hydroxypropyl cellulose（L-HPC）

・E499　Stigmasterol-rich plant sterols

・E534　Iron tartrate

・E641　L- Leucine

・E960a　Steviol glycosides from stevia

・E960c(i)　Rebaudioside M produced via enzyme modification of steviol glycosides from stevia

・E960c(ii)　Rebaudioside M produced via enzymatic conversion of highly purified rebaudioside a stevia leaf extracts

・E960c(iii)　Rebaudioside D produced via enzymatic conversion of highly purified rebaudioside a stevia leaf extracts

・E960c(iv)　Rebaudioside AM produced via enzymatic conversion of highly purified rebaudioside a stevia leaf extracts

・E960d　Glucosylated steviol glycosides

・E964　Polyglycitol syrup

・E969　Advantame

・E1206　Neutral methacrylate copolymer

・E1207　Anionic methacrylate copolymer

・E1208　Polyvinylpyrrolidone-vinyl acetate copolymer

・E1209　Polyvinyl alcohol-polyethylene glycol-graft-copolyme

・E 1210　Carbomer

資料3　E No. 及び FSANZ Code No. の対比
(Comparison E No. and FSANZ Code No.)

E No.は資料2のE No., またFSANZ Code No.は「Food Standards Australia New Zealand Act 1991 (The FSANS Act)」に基づき定められた「Australia New Zealand Food Standards Code (the Code」である。
本書は「Food Standards Australia New Zealand 「Food additives-numerical list, May 2019」」を基に作成。

E No.		FSANZ Food Additive Code No.	
E100	Curcumin	100	Curcumin or turmeric
E101 (i) (ii)	Riboflavin Riboflavin-5'-phosphate	101 101	Riboflavin Riboflavin 5'-phosphate sodium
E102	Tartrazine	102	Tartrazine
		103	Alkanet or Alkannin
E104	Quinoline Yellow	104	Quinoline yellow
E110	Sunset Yellow FCF, Orange Yellow S	110	Sunset yellow FCF
E120	Carminic acid, Carmine	120	Cochineal or carmines or carminic acid
E122	Azorubine, Carmoisine	122	Azorubine or Carmoisine
E123	Amaranth	123	Amaranth
E124	Ponceau 4R, Cochineal Red A	124	Ponceau 4R
E127	Erythrosine	127	Erythrosine
E129	Allura Red AC	129	Allura red AC
E131	Patent Blue V		
E132	Indigotine, Indigo carmine	132	Indigotine
E133	Brilliant Blue FCF	133	Brilliant Blue FCF
E140 (i) (ii)	Chlorophylls Chlorophyllins	140	Chlorophyll
E141 (i) (ii)	Copper complexes of chlorophylls Copper complexes of chlorophyllins	141 141	Chlorophyll-copper complex Chlorophyllin copper complex, sodium and potassium salts
E142	Green S	142	Green S
		143	Fast green FCF
E150a	Plain caramel	150a	Caramel I
E150b	Caustic sulphite caramel	150b	Caramel II
E150c	Ammonia caramel	150c	Caramel III
E150d	Sulphite ammonia caramel	150d	Caramel IV
E151	Brilliant Black PN	151	Brilliant Black BN or Brilliant Black PN
E153	Vegetable carbon	153	Carbon blacks or Vegetable carbon
E155	Brown HT	155	Brown HT
E160a (i) (ii) (iii) (iv)	 Beta-carotene Plant-Carotenes Beta-Carotenes from *Blakeslea trispora* Algal-Carotenes	160a	Carotene
E160b (i) (ii)	 Annatto bixin Annatto norbixin	160b	Annatto extracts

E No.		FSANZ Food Additive Code No.	
E160c	Paprika extract, Capsanthin, Capsorubin	160c	Paprika oleoresins
E160d	Lycopene (i) Synthetic lycopene (ii) Lycopene from red tomatoes (iii) Lycopene from *Blakeslea trispora*	160d	Lycopene
E160e	Beta-apo-8'-carotenal (C 30)	160e	b-apo-8' Carotenal
		160f	b-apo-8' Carotenoic acid methyl or ethyl ester
		161a	Flavoxanthin
E161b	Lutein	161b	Lutein
		161c	Kryptoxanthin
		161d	Rubixanthin
		161e	Violoxanthin
		161f	Rhodoxanthin
E161g	Canthaxanthin		
E162	Beetroot Red, Betanin	162	Beet red
E163	Anthocyanins	163	Anthocyanins or Grape skin extract or Blackcurrant extract
		164	Saffron or crocetin or crocin
E170	Calcium carbonate	170	Calcium carbonate
		171	Titanium dioxide
E172	Iron oxides and iron hydroxides	172	Iron oxide
E173	Aluminium	173	Aluminium
E174	Silver	174	Silver
E175	Gold	175	Gold
E180	Litholrubine BK		
		181	Tannic acid or tannins
E200	Sorbic acid	200	Sorbic acid
		201	Sodium sorbate
E202	Potassium sorbate	202	Potassium sorbate
		203	Calcium sorbate
E210	Benzoic acid	210	Benzoic acid
E211	Sodium benzoate	211	Sodium benzoate
E212	Potassium benzoate	212	Potassium benzoate
E213	Calcium benzoate	213	Calcium benzoate
E214	Ethyl p-hydroxybenzoate		
E215	Sodium ethyl p-hydroxybenzoate		
		216	Propylparaben or Propyl-p-hydroxy-benzoate
E218	Methyl p-hydroxybenzoate	218	Methylparaben or Methyl-p-hydroxy-benzoate
E219	Sodium methyl p - hydroxybenzoate		
E220	Sulphur dioxide	220	Sulphur dioxide
E221	Sodium sulphite	221	Sodium sulphite

E No.		FSANZ Food Additive Code No.	
E222	Sodium hydrogen sulphite	222	Sodium bisulphite
E223	Sodium metabisulphite	223	Sodium metabisulphite
E224	Potassium metabisulphite	224	Potassium metabisulphite
		225	Potassium sulphite
E226	Calcium sulphite		
E227	Calcium hydrogen sulphite		
E228	Potassium hydrogen sulphite	228	Potassium bisulphite
E234	Nisin	234	Nisin
E235	Natamycin	235	Natamycin or pimaricin
E239	Hexamethylene tetramine		
E242	Dimethyl dicarbonate		
E243	Ethyl lauroyl arginate	243	Ethyl lauroyl arginate
E246	Glycolipids		
E249	Potassium nitrite	249	Potassium nitrite
E250	Sodium nitrite	250	Sodium nitrite
E251 (i) (ii)	Sodium nitrate Solid sodium nitrate Liquid sodium nitrate	251	Sodium nitrate
E252	Potassium nitrate	252	Potassium nitrate
E260	Acetic acid	260	Acetic acid, glacial
E261 (i) (ii)	Potassium acetate Potassium diacetate	261	Potassium acetate or Potassium diacetate
E262 (i) (ii)	Sodium acetate Sodium diacetate	262 262	Sodium acetate Sodium diacetate
E263	Calcium acetate	263	Calcium acetate
		264	Ammonium acetate
E270	Lactic acid	270	Lactic acid
E280	Propionic acid	280	Propionic acid
E281	Sodium propionate	281	Sodium propionate
E282	Calcium propionate	282	Calcium propionate
E283	Potassium propionate	283	Potassium propionate
E284	Boric acid		
E285	Sodium tetraborate (Borax)		
E290	Carbon dioxide	290	Carbon dioxide
E296	Malic acid	296	Malic acid
E297	Fumaric acid	297	Fumaric acid
E300	Ascorbic acid, L-Ascorbic acid	300	Ascorbic acid
E301	Sodium ascorbate	301	Sodium ascorbate
E302	Calcium ascorbate	302	Calcium ascorbate
		303	Potassium ascorbate
E304 (i) (ii)	Ascorbyl palmitate Ascorbyl stearate	304	Ascorbyl palmitate

E No.		FSANZ Food Additive Code No.	
E306	Tocopherol-rich extract		
E307	Alpha-tocopherol	307	α-Tocopherol
		307b	Tocopherols concentrate, mixed
E308	Gamma-tocopherol	308	γ-Tocopherol
E309	Delta-tocopherol	309	δ-Tocopherol
E310	Propyl gallate	310	Propyl gallate
		311	Octyl gallate
		312	Dodecyl gallate
E315	Erythorbic acid	315	Erythorbic acid
E316	Sodium erythorbate	316	Sodium erythorbate
E319	Tertiary butylhydroquinone (TBHQ)	319	*tert*-Butylhydroquinone
E320	Butylated hydroxyanisole (BHA)	320	Butylated hydroxyanisole
E321	Butylated hydroxytoluene (BHT)	321	Butylated hydroxytoluene
E322	Lecithins	322	Lecithin
E322a	Oat lecithin		
E325	Sodium lactate	325	Sodium lactate
E326	Potassium lactate	326	Potassium lactate
E327	Calcium lactate	327	Calcium lactate
		328	Ammonium lactate
		329	Magnesium lactate
E330	Citric acid	330	Citric acid
E331 (i) (ii) (iii)	Monosodium citrate Disodium citrate Trisodium citrate	331 331	Sodium citrate Sodium dihydrogen citrate
E332 (i) (ii)	Monopotassium citrate Tripotassium citrate	332 332	Potassium citrate Potassium dihydrogen citrate
E333 (i) (ii) (iii)	Monocalcium citrate Dicalcium citrate Tricalcium citrate	333	Calcium citrate
E334	L(+) - Tartaric acid, Tartaric acid	334	Tartaric acid
E335 (i) (ii)	Monosodium tartrate Disodium tartrate	335	Sodium tartrate
E336 (i) (ii)	Monopotassium tartrate Dipotassium tartrate	336	Potassium tartrate or Potassium acid tartrate
E337	Potassium sodium tartrate	337	Potassium sodium tartrate
E338	Phosphoric acid	338	Phosphoric acid
E339 (i) (ii) (iii)	Monosodium phosphate Disodium phosphate Trisodium phosphate	339 339 339	Sodium phosphate, dibasic Sodium phosphate, monobasic Sodium phosphate, tribasic
E340 (i) (ii) (iii)	Monopotassium phosphate Dipotassium phosphate Tripotassium phosphate	340 340 340	Potassium phosphate, dibasic Potassium phosphate, monobasic Potassium phosphate, tribasic
E341 (i)	Monocalcium phosphate	341	Calcium phosphate, dibasic or calcium hydrogen

E No.		FSANZ Food Additive Code No.	
(ii)	Dicalcium phosphate		phosphate
(iii)	Tricalcium phosphate	341	Calcium phosphate, monobasic or calcium dihydrogen phosphate
		341	Calcium phosphate, tribasic
		342	Ammonium phosphate, dibasic
		342	Ammonium phosphate, monobasic or Ammonium dihydrogen phosphates
E343(i)	Monomagnesium phosphate	343	Magnesium phosphate, dibasic
(ii)	Dimagnesium phosphate	343	Magnesium phosphate, monobasic
		343	Magnesium phosphate, tribasic
		349	Ammonium malate
E350(i)	Sodium malate	350	Sodium hydrogen malate
(ii)	Sodium hydrogen malate	350	Sodium malate
E351	Potassium malate	351	Potassium malate
E352(i)	Calcium malate	352	Calcium malate
(ii)	Calcium hydrogen malate		
E353	Metatartaric acid	353	Metatartaric acid
E354	Calcium tartrate	354	Calcium tartrate
E355	Adipic acid	355	Adipic acid
E356	Sodium adipate		
E357	Potassium adipate	357	Potassium adipate
		359	Ammonium adipates
E363	Succinic acid	363	Succinic acid
		365	Sodium fumarate
		366	Potassium fumarate
		367	Calcium fumarate
		368	Ammonium fumarate
E380	Triammonium citrate	380	Ammonium citrate
		380	Triammonium citrate
		381	Ferric ammonium citrate
E385	Calcium disodium ethylene diamine tetra - acetate (Calcium disodium EDTA)	385	Calcium disodium ethylenediaminetetraacetate or calcium disodium EDTA
E392	Extracts of rosemary	392	Rosemary extract
E400	Alginic acid	400	Alginic acid
E401	Sodium alginate	401	Sodium alginate
E402	Potassium alginate	402	Potassium alginate
E403	Ammonium alginate	403	Ammonium alginate
E404	Calcium alginate	404	Calcium alginate
E405	Propane-1, 2-diol alginate	405	Propylene glycol alginate
E406	Agar	406	Agar
E407	Carrageenan	407	Carrageenan
E407a	Processed eucheuma seaweed	407a	Processed eucheuma seaweed
		409	Arabinogalactan or larch gum

E No.	FSANZ Food Additive Code No.
E410 Locust bean gum	410 Locust bean gum or carob bean gum
E412 Guar gum	412 Guar gum
E413 Tragacanth	413 Tragacanth gum
E414 Acacia gum (Gum arabic)	414 Acacia or gum arabic
E415 Xanthan gum	415 Xanthan gum
E416 Karaya gum	416 Karaya gum
E417 Tara gum	417 Tara gum
E418 Gellan gum	418 Gellan gum
E420 (i) Sorbitol (ii) Sorbitol syrup	420 Sorbitol or sorbitol syrup
E421 (i) Mannitol (ii) Mannitol manufactured by fermentation	421 Mannitol
E422 Glycerol	422 Glycerin or glycerol
E423 Octenyl succinic acid modified gum arabic	
E425 (i) Konjac gum (ii) Konjac glucomannan	
E426 Soybean hemicellulose	
E427 Cassia gum	
E431 Polyoxyethylene (40) stearate	431 Polyoxyethylene (40) stearate
E432 Polyoxyethylene sorbitan monolaurate (Polysorbate 20)	432 Polysorbate 20 or Polyoxyethylene (20) sorbitan monolaurate
E433 Polyoxyethylene sorbitan monooleate (Polysorbate 80)	433 Polysorbate 80 or Polyoxyethylene (20) sorbitan monooleate
E434 Polyoxyethylene sorbitan monopalmitate (Polysorbate 40)	
E435 Polyoxyethylene sorbitan monostearate (Polysorbate 60)	435 Polysorbate 60 or Polyoxyethylene (20) sorbitan monostearate
E436 Polyoxyethylene sorbitan tristearate (Polysorbate 65)	436 Polysorbate 65 or Polyoxyethylene (20) sorbitan tristearate
E440 (i) Pectin (ii) Amidated pectin	440 Pectin
E442 Ammonium phosphatides	442 Ammonium salts of phosphatidic acid
E444 Sucrose acetate isobutyrate	444 Sucrose acetate isobutyrate
E445 Glycerol esters of wood rosin	445 Glycerol esters of wood rosins
E450 (i) Disodium diphosphate (ii) Trisodium diphosphate (iii) Tetrasodium diphosphate (v) Tetrapotassium diphosphate (vi) Dicalcium diphosphate (vii) Calcium dihydrogen diphosphate (ix) Magnesium dihydrogen diphosphate	450 Potassium pyrophosphate 450 Sodium acid pyrophosphate 450 Sodium pyrophosphate
E451 (i) Pentasodium triphosphate (ii) Pentapotassium triphosphate	451 Potassium tripolyphosphate 451 Sodium tripolyphosphate
E452 (i) Sodium polyphosphate	452 Potassium polymetaphosphate

E No.		FSANZ Food Additive Code No.	
(ii)	Potassium polyphosphate	452	Sodium metaphosphate, insoluble
(iii)	Sodium calcium polyphosphate	452	Sodium polyphosphates, glassy
(iv)	Calcium polyphosphate		
		455	Yeast mannoproteins
E456	Potassium polyaspartate		
E459	Beta-cyclodextrin		
E460(i)	Microcrystalline cellulose, Cellulose gel	460	Cellulose microcrystalline
(ii)	Powdered cellulose	460	Cellulose, powdered
E461	Methyl cellulose	461	Methyl cellulose
E462	Ethyl cellulose		
E463	Hydroxypropyl cellulose	463	Hydroxypropyl cellulose
E463a	Low-substitured hydroxypropyl cellulose (L-HPC)		
E464	Hydroxypropyl methyl cellulose	464	Hydroxypropyl methylcellulose
E465	Ethyl methyl cellulose	465	Methyl ethyl cellulose
E466	Sodium carboxy methyl cellulose, Cellullose gum	466	Sodium carboxymethylcellulose
E468	Cross- linked sodium carboxymethyl cellulose, Cross- linked cellulose gum		
E469	Enzymatically hydrolyzed carboxymethyl cellulose, Enzymatically hydrolyzed cellulose gum		
E470a	Sodium, potassium and calcium salts of fatty acids	470	Fatty acid salts of aluminium, ammonia, calcium, magnesium, potassium and sodium
E470b	Magnesium salts of fatty acids		
E471	Mono- and diglycerides of fatty acids	471	Mono- and di-glycerides of fatty acids
E472a	Acetic acid esters of mono- and diglycerides of fatty acids	472a	Acetic and fatty acid esters of glycerol
E472b	Lactic acid esters of mono- and diglycerides of fatty acids	472b	Lactic and fatty acid esters of glycerol
E472c	Citric acid esters of mono- and diglycerides of fatty acids	472c	Citric and fatty acid esters of glycerol
E472d	Tartaric acid esters of mono- and diglycerides of fatty acids		
E472e	Mono- and diacetyl tartaric acid esters of mono- and diglycerides of fatty acids	472e	Diacetyltartaric and fatty acid esters of glycerol
E472f	Mixed acetic and tartaric acid esters of mono- and diglycerides of fatty acids	472f	Mixed tartaric, acetic and fatty acid esters of glycerol or tartaric, acetic and fatty acid esters of glycerol (mixed)
E473	Sucrose esters of fatty acids	473	Sucrose esters of fatty acids
E474	Sucroglycerides		
E475	Polyglycerol esters of fatty acids	475	Polyglycerol esters of fatty acids
E476	Polyglycerol polyricinoleate	476	Polyglycerol esters of interesterified ricinoleic acid
E477	Propane-1, 2-diol esters of fatty acids	477	Propylene glycol mono- and di-esters or Propylene glycol esters of fatty acids
E479b	Thermally oxidized soya bean oil interacted with mono- and diglycerides of fatty acids		

E No.	FSANZ Food Additive Code No.
	480 Dioctyl sodium sulphosuccinate
E481 Sodium stearoyl-2-lactylate	481 Sodium lactylate 481 Sodium oleyl lactylate 481 Sodium stearoyl lactylate
E482 Calcium stearoyl-2-lactylate	482 Calcium lactylate 482 Calcium oleyl lactylate 482 Calcium stearoyl lactylate
E483 Stearyl tartrate	
E491 Sorbitan monostearate	491 Sorbitan monostearate
E492 Sorbitan tristearate	492 Sorbitan tristearate
E493 Sorbitan monolaurate	
E494 Sorbitan monooleate	
E495 Sorbitan monopalmitate	
E499 Stigmasterol-rich plant sterols	
E500 (i) Sodium carbonate (ii) Sodium hydrogen carbonate (iii) Sodium sesquicarbonate	500 Sodium bicarbonate 500 Sodium carbonate
E501 (i) Potassium carbonate (ii) Potassium hydrogen carbonate	501 Potassium bicarbonate 501 Potassium carbonate
E503 (i) Ammonium carbonate (ii) Ammonium hydrogen carbonate	503 Ammonium carbonate 503 Ammonium hydrogen carbonate
E504 (i) Magnesium carbonate (ii) Magnesium hydroxide carbonate	504 Magnesium carbonate
E507 Hydrochloric acid	507 Hydrochloric acid
E508 Potassium chloride	508 Potassium chloride
E509 Calcium chloride	509 Calcium chloride
	510 Ammonium chloride
E511 Magnesium chloride	511 Magnesium chloride
E512 Stannous chloride	512 Stannous chloride
E513 Sulphuric acid	
E514 (i) Sodium sulphate (ii) Sodium hydrogen sulphate	514 Sodium sulphate
E515 (i) Potassium sulphate (ii) Potassium hydrogen sulphate	515 Potassium sulphate
E516 Calcium sulphate	516 Calcium sulphate
E517 Ammonium sulphate	
	518 Magnesium sulphate
	519 Cupric sulphate
E520 Aluminium sulphate	
E521 Aluminium sodium sulphate	
E522 Aluminium potassium sulphate	
E523 Aluminium ammonium sulphate	
E524 Sodium hydroxide	

E No.		FSANZ Food Additive Code No.	
E525	Potassium hydroxide		
E526	Calcium hydroxide	526	Calcium hydroxide
E527	Ammonium hydroxide		
E528	Magnesium hydroxide		
E529	Calcium oxide	529	Calcium oxide
E530	Magnesium oxide	530	Magnesium oxide
E534	Iron tartrate		
E535	Sodium ferrocyanide	535	Sodium ferrocyanide
E536	Potassium ferrocyanide	536	Potassium ferrocyanide
E538	Calcium ferrocyanide		
E541	Sodium aluminium phosphate, acidic	541	Sodium aluminium phosphate
		542	Bone phosphate
E551	Silicon dioxide	551	Silicon dioxide, amorphous
E552	Calcium silicate	552	Calcium silicate
E553a (i) (ii)	Magnesium silicate Magnesium trisilicate	553	Magnesium silicate or Talc
E553b	Talc		
E554	Sodium aluminium silicate	554	Sodium aluminosilicate
E555	Potassium aluminium silicate	555	Potassium aluminium silicate
		556	Calcium aluminium silicate
		558	Bentonite
		559	Aluminium silicate
		560	Potassium silicate
E570	Fatty acids	570	Stearic acid or fatty acid
E574	Gluconic acid		
E575	Glucono-delta-lactone	575	Glucono δ-lactone or Glucono delta-lactone
E576	Sodium gluconate	576	Sodium gluconate
E577	Potassium gluconate	577	Potassium gluconate
E578	Calcium gluconate	578	Calcium gluconate
E579	Ferrous gluconate	579	Ferrous gluconate
		580	Magnesium gluconate
E585	Ferrous lactate		
E586	4-Hexylresorcinol	586	4-hexylresorcinol
E620	Glutamic acid	620	L-glutamic acid
E621	Monosodium glutamate	621	Monosodium L-glutamate or MSG
E622	Monopotassium glutamate	622	Monopotassium L-glutamate
E623	Calcium diglutamate	623	Calcium glutamate
E624	Monoammonium glutamate	624	Monoammonium L-glutamate
E625	Magnesium diglutamate	625	Magnesium glutamate
E626	Guanylic acid		
E627	Disodium guanylate	627	Disodium 5'-guanylate

E No.		FSANZ Food Additive Code No.	
E628	Dipotassium guanylate		
E629	Calcium guanylate		
E630	Inosinic acid		
E631	Disodium inosinate	631	Disodium 5'-inosinate
E632	Dipotassium inosinate		
E633	Calcium inosinate		
E634	Calcium 5'-ribonucleotides		
E635	Disodium 5'-ribonucleotides	635	Disodium 5'-ribonucleotides
		636	Maltol
		637	Ethyl maltol
E640	Glycine and its sodium salt	640	Glycine
E641	L-Leucine	641	L-Leucine
E650	Zinc acetate		
E900	Dimethyl polysiloxane		
		900a	Polydimethylsiloxane or Dimethylpolysiloxane
E901	Beeswax, white and yellow	901	Beeswax, white and yellow
E902	Candelillla wax		
E903	Carnauba wax	903	Carnauba wax
E904	Shellac	904	Shellac
E905	Microcrystalline wax		
		905b	Petrolatum or petroleum jelly
E907	Hydrogenated poly-1-decene		
E914	Oxidized polyethylene wax	914	Oxidised polyethylene
E920	L-Cysteine	920	L-cysteine monohydrochloride
E927b	Carbamide		
E938	Argon		
E939	Helium		
E941	Nitrogen	941	Nitrogen
E942	Nitrous oxide	942	Nitrous oxide
E943a	Butane	943a	Butane
E943b	Isobutane	943b	Isobutane
E944	Propane	944	Propane
		946	Octafluorocyclobutane
E948	Oxygen		
E949	Hydrogen		
E950	Acesulfame K	950	Acesulphame potassium
E951	Aspartame	951	Aspartame
E952	Cyclamic acid and its Na and Ca salts (i) Cyclamic acid (ii) Sodium cyclamate (iii) Calcium cyclamate	952	Cyclamate or calcium cyclamate or sodium cyclamate

E No.	FSANZ Food Additive Code No.
E953 Isomalt	953 Isomalt
E954 Saccharin and its Na, K and Ca salts (i) Saccharin (ii) Sodium saccharin (iii) Calcium saccharin (iv) Potassium saccharin	954 Saccharin
E955 Sucralose	955 Sucralose
	956 Alitame
E957 Thaumatin	957 Thaumatin
E959 Neohesperidine dihydrochalcone	
	960 Steviol glycosides
E960a Steviol glycosides from stevia	
E960c (i) Rebaudioside M (ii) Rebaudioside M（註１） (iii) Rebaudioside D（註１） (iv) Rebaudioside AM（註１）	
E960d Glucosylated steviol glycosides	
E961 Neotame	961 Neotame
E962 Salt of aspartame-acesulfame	962 Aspartame-acesulphame salt
E964 Polyglycitol syrup	
E965 (i) Maltitol (ii) Maltitol syrup	965 Maltitol and maltitol syrup or hydrogenated glucose syrup
E966 Lactitol	966 Lactitol
E967 Xylitol	967 Xylitol
E968 Erythritol	968 Erythritol
E969 Advantame	969 Advantame
E999 Quillaia extract	999 (i) Quillaia extract (type 1) 999 (ii) Quillaia extract (type 2)
	1001 Choline salts
	1100 α-Amylase
	1101 Proteases (papain, bromelain, ficin)
	1102 Glucose oxidase
E1103 Invertase	
	1104 Lipases
E1105 Lysozyme	1105 Lysozyme
E1200 Polydextrose	1200 Polydextrose
E1201 Polyvinylpyrrolidone	1201 Polyvinylpyrolidone
E1202 Polyvinylpolypyrrolidone	
E1203 Polyvinyl alcohol	
E1204 Pullulan	
E1205 Basic methacrylate copolymer	
E1206 Neutral methacrylate copolymer	
E1207 Anionic methacrylate copolymer	

E No.		FSANZ Food Additive Code No.	
E1208	Polyvinylpyrrolidone-vinyl acetate copolymer		
E1209	Polyvinyl alcohol-polyethylene glycol-*graft*-co-polymer		
E1210	Carbomer		
		1400	Dextrin roasted starch
		1401	Acid treated starch
		1402	Alkaline treated starch
		1403	Bleached starch
E1404	Oxidised starch	1404	Oxidised starch
		1405	Enzyme treated starches
E1410	Monostarch phosphate	1410	Monostarch phosphate
E1412	Distarch phosphate	1412	Distarch phosphate
E1413	Phosphated distarch phosphate	1413	Phosphated distarch phosphate
E1414	Acetylated distarch phosphate	1414	Acetylated distarch phosphate
E1420	Acetylated starch	1420	Starch acetate
E1422	Acetylated distarch adipate	1422	Acetylated distarch adipate
E1440	Hydroxy propyl starch	1440	Hydroxypropyl starch
E1442	Hydroxy propyl distarch phosphate	1442	Hydroxypropyl distarch phosphate
E1450	Starch sodium octenyl succinate	1450	Starch sodium octenylsuccinate
E1451	Acetylated oxidised starch	1451	Acetylated oxidised starch
E1452	Starch aluminium octenyl succinate		
E1505	Triethyl citrate	1505	Triethyl citrate
E1517	Glyceryl diacetate（Diacetin）（註２）		
E1518	Glyceryl triacetate（Triacetin）（註２）	1518	Triacetin
E1519	Benzyl alcohol		
E1520	Propane-1, 2-diol（Propylene glycol）（註２）	1520	Propylene glycol
E1521	Polyethylene glycol	1521	Polyethylene glycol 8000
		1522	Calcium lignosulphonate（40－65）
		－	Monk fruit extract or luo han guo extract
		－	Potassium polyaspartate
		－	Sodium hydrosulphite

（註１）E960c(i)～(iv)の正式名称は以下のとおり

・E960c(i) Rebaudioside M produced via enzyme modification of steviol glycosides from stevia

・E960c(ii) Rebaudioside M produced via enzymatic conversion of highly purified rebaudioside a stevia leaf extracts

・E960c(iii) Rebaudioside D produced via enzymatic conversion of highly purified rebaudioside a stevia leaf extracts

・E960c(iv) Rebaudioside AM produced via enzymatic conversion of highly purified rebaudioside a stevia leaf extracts

（註２）E1517, 1518, 1520の（　）内用語はCommissionRegulation（EU）には同義語として扱われているが特記した。

資料4　中国食品添加物CNS号・INS号とCodex INS No.の対比
(Comparison Chinese Standards and Codex INS No.)

中国食品添加物CNS号・INS号は，下記「GB2760－2014」による。
（備考）のINS No.と英名は　本書資料2による

（原　本）　中华人民共和国国家标准　　GB2760-2014
食品安全国家标准
食品添加剂使用标准

上記「食品安全国家標準－食品添加物使用標準」の「5．食品添加物の使用規定」に下記の付表が盛り込まれている。

付A　食品添加物の使用規定
- 表A.1　許可食品添加物名，対象食品，最大使用量および／または最大残存量
- 表A.2　生産上必要な適量使用許可食品添加物
- 表A.3　表A.2が適用されない食品類別表

付B　食品香料の使用規定
- 表B.1　食品用香料及びエッセンスの使用不可食品
- 表B.2　食品用使用許可の天然香料物質のリスト
- 表B.3　食品用使用許可の合成香料物質のリスト

付C　食品加工助剤の使用規定（加工助剤）
- 表C.1　使用対象食品及び残存量に関する規定がない食品加工助剤のリスト（酵素製剤は除外）
- 表C.2　機能及び使用範囲に関し規定作成を要する加工助剤のリスト（酵素製剤は除外）
- 表C.3　食品酵素製剤とその基原リスト

付D　食品添加物用途別定義（参考22分類）

付E　食品分類（参考16分類）

付F　付Aに記載の食品添加物名の索引（食品添加物名称ピンイン順）

上記A～Fの付表のうち，資料4に収録する食品添加物は「付Aの表A1，表A2」のみを対象とし，「中国食品添加物表A1，表A2のINS号と英名及び（備考）として本書資料2のINS No.との対比表」をもとに資料4－a，b，cを作成し検索の便に供する。

資料4－a　中国食品添加物　中国名ピンイン音順　（按食品添加剂名称汉语拼音顺序排列）
資料4－b　中国食品添加物　CNS号順
資料4－c　中国食品添加物　INS号順
- c（ｉ）　中国食品添加物にINS号の記載があるもの（INS号順）
- c（ii）　中国食品添加物にINS号の記載がないもの（CNS号順）

4-a 中国食品添加物／中国名ピンイン音順

CNS 号	中国名	INS 号	英名	（備考） INS No.	英名
08.018	β-阿朴-8'-胡萝卜素醛	160e	β-apo-8'-carotenal	160e	Carotenal, beta-apo-8'-
12.007	氨基乙酸(又名甘氨酸)	640	glycine	640	Glycine
10.033	铵磷脂	442	ammonium phosphatide	442	Ammonium saltsof phosphatidic acid
14.008	巴西棕榈蜡	903	carnauba wax	903	Carnauba wax
14.003	白油(又名液体石蜡)	905a	mineral oil, white (liquid paraffin)	905a	Mineral oil, food grade
13.003	L-半胱氨酸盐酸盐	920	L-cysteine and its hydrochlorides sodium and potassium salts	920	Cysteine, L-and its hydrochlorides sodium and potassium salts
17.001	苯甲酸	210	benzoic acid	210	Benzoic acid
17.002	苯甲酸钠盐	211	sodium benzoate	211	Sodium benzoate
00.020	冰结构蛋白	–	ice structuring protein		
12.006	L-丙氨酸	–	L-alanine		
18.004	丙二醇	1520	propylene glycol	1520	Propylene glycol
10.020	丙二醇脂肪酸酯	477	propylene glycol esters of fatty acid	477	Propylene glycol esters of fatty acids
17.029	丙酸	280	propionic acid	280	Propionic acid
17.006	丙酸钠盐	281	sodium propionate	281	Sodium propionate
17.005	丙酸钙盐	282	calcium propionate	282	Calcium propionate
04.005	茶多酚(又名维多酚)	–	tea polyphenol (TP)		
04.021	茶多酚棕榈酸酯	–	tea polyphenol palmitate		
08.003	赤藓红及其铝色淀	127	erythrosine, erythrosine aluminum lake	127	Erythrosine
18.010	刺梧桐胶	416	karaya gum	416	Karaya gum
20.041	刺云实胶	417	tara gum	417	Tara gum
20.039	醋酸酯淀粉	1420	starch acetate	1420	Starch acetate
10.006	单,双甘油脂肪酸酯(油酸,亚油酸,棕榈酸,山嵛酸,硬脂酸,月桂酸,亚麻酸)	471	mono-and diglycerides of fatty acids	471	Mono- and di-glycerides of fatty acids
17.031	单辛酸甘油酯	–	capryl monoglyceride		
20.013	淀粉磷酸酯钠	–	sodium starch phosphate		
08.008	靛蓝及其铝色淀	132	indigotine, indigotine aluminum lake	132	Indigotine (Indigo carmine)
04.001	丁基羟基茴香醚(BHA)	320	butylated hydroxyanisole (BHA)	320	Butylated hydroxyanisole (BHA)
17.032	对羟基苯甲酸甲酯钠	219	sodium methyl p-hydroxy benzoate	219	Sodium methyl para-hydroxybenzoate
17.007	对羟基苯甲酸乙酯	214	ethyl p-hydroxy benzoate	214	Ethyl para-hydroxybenzoate
17.036	对羟基苯甲酸乙酯钠盐	215	sodium ethyl p-hydroxy benzoate	215	Sodium ethyl para-hydroxybenzoate
04.002	二丁基羟基甲苯(BHT)	321	butylated hydroxytoluene (BHT)	321	Butylated hydroxytoluene (BHT)

CNS 号	中国名	INS 号	英名	（備考） INS No.	英名
19.019	N-[N-(3,3-二甲基丁基)]-L-α-天门冬氨-L-苯丙氨酸 1-甲酯(又名纽甜)	961	neotame	961	Neotame
17.033	二甲基二碳酸盐(又名维果灵)	242	dimethyl dicarbonate	242	Dimethyl dicarbonate
17.027	2,4-二氯苯氧乙酸	–	2, 4-dichlorophenoxy acetic acid		
02.004	二氧化硅	551	silicon dioxide	551	Silicon dioxide, amorphous
05.001	二氧化硫	220	sulfur dioxide	220	Sulfur dioxide
05.002	焦亚硫酸钾	224	potassium metabisulphite	224	Potassium metabisulfite
05.003	焦亚硫酸钠	223	sodium metabisulphite	223	Sodium metabisulfite
05.004	亚硫酸钠	221	sodium sulfite	221	Sodium sulfite
05.005	亚硫酸氢钠	222	sodium hydrogen sulfite	222	Sodium hydrogen sulfite
05.006	低亚硫酸钠	–	sodium hyposulfite		
08.011	二氧化钛	171	titanium dioxide	171	Titanium dioxide
17.014	二氧化碳	290	carbon dioxide	290	Carbon dioxide
08.150	番茄红	–	tomato red		
08.017	番茄红素	160d(i)	lycopene	160d(i)	Lycopene, synthetic
14.013	蜂蜡	901	beeswax	901	Beeswax
01.110	富马酸	297	fumaric acid	297	Fumaric acid
01.311	富马酸一钠	365	monosodium fumarate	365	Sodium fumarates
19.012	甘草酸铵	958	ammonium glycyrrhizinate	958	Glycyrrhizin
04.008	甘草抗氧化物	–	antioxidant of glycyrrhiza		
19.010	甘草酸一钾及三钾	958	monopotassium and tripotassium glycyrrhizinate	958	Glycyrrhizin
19.017	D-甘露糖醇	421	D-mannitol	421	Mannitol
08.143	柑橘黄	–	orange yellow		
00.001	高锰酸钾	–	potassium permanganate		
18.013	谷氨酰胺转氨酶	–	glutamine transaminase		
20.025	瓜尔胶	412	guar gum	412	Guar gum
02.009	硅酸钙	552	calcium silicate	552	Calcium silicate
20.006	果胶	440	pectins	440	Pectins
20.040	海萝胶	–	funoran (gloiopeltis furcata)		
20.010	海藻酸丙二醇酯	405	propylene glycol alginate	405	Propylene glycol alginate
20.004	海藻酸钠(又名褐藻酸钠)	401	sodium alginate	401	Sodium alginate
08.148	核黄素	101(i)	riboflavin	101(i)	Riboflavin, synthetic
08.114	黑豆红	–	black bean red		
08.122	黑加仑红	–	black currant red		
08.103	红花黄	–	carthamins yellow		
08.111	红米红	–	red rice red		
08.152	红曲黄色素	–	monascus yellow pigment		
08.119	红曲米	–	red kojic rice		

CNS 号	中国名	INS 号	英名	（備考） INS No.	英名
08.120	红曲红	–	monascus red		
08.010	β-胡萝卜素	160(a)	beta-carotene	160a	Carotenes
10.038	琥珀酸单甘油酯	472g	succinylated monoglycerides	472g	Succinylated monoglycerides
12.005	琥珀酸二钠	–	disodium succinate		
08.134	花生衣红	–	peanut skin red		
02.007	滑石粉	553iii	talc	553(iii)	Talc
20.023	槐豆胶(又名刺槐豆胶)	410	carob bean gum	410	Carob bean gum
20.024	β-环状糊精	459	beta-cyclodextrin	459	Cyclodextrin, *beta-*
19.002	环己基氨基磺酸钠(又名甜蜜素),环己基氨基磺酸钙	952	sodium cyclamate, calcium cyclamate	952(ii) 925(iv)	Calcium cyclamate Sodium cyclamate
20.009	黄原胶(又名汉生胶)	415	xanthan gum	415	Xanthan gum
01.109	己二酸	355	adipic acid	355	Adipic acid
04.013	4-己基间苯二酚	586	4-hexylresorcinol	586	Hexylresorcinol, 4-
20.018	甲壳素(又名几丁质)	–	chitin		
08.102	姜黄	100ii	turmeric	100(ii)	Turmeric
08.132	姜黄素	100i	curcumin	100(i)	Curcumin
08.110	焦糖色(加氨生产)	150c	caramel colour class III – ammonia process	150c	Caramel III – ammonia caramel
08.151	焦糖色(苛性硫酸盐)	150b	caramel colour class II – caustic sulfite	150b	Caramel II – sulfite caramel
08.108	焦糖色(普通法)	150a	caramel colour class I – plain	150a	Caramel I – plain caramel
08.109	焦糖色(亚硫酸铵法)	150d	caramel colour class IV – ammonia sulphite process	150d	Caramel IV – sulfite ammonia caramel
08.131	金樱子棕	–	rose laevigata michx brown		
01.111	L(+)-酒石酸	334	L(+)-tartaric acid	334	Tartaric acid, L(+)-
01.313	dl-酒石酸	–	dl-tartaric acid		
06.007	酒石酸氢钾	336	potassium bitartarate	336	Potassium tartrates
08.113	菊花黄浸膏	–	coreopsis yellow		
03.007	聚二甲基硅氧烷及其乳液	900a	polydimethyl siloxane and emulsion	900a	Polydimethylsiloxane
10.029	聚甘油蓖麻醇酸酯(PGPR)	476	polyglycerol polyricinoleate (polyglycerol esters of interesterified ricinoleic acid) (PGPR)	476	Polyglycerol esters of interesterified ricinoleic acid
10.022	聚甘油脂肪酸酯	475	polyglycerol esters of fatty acids (polyglycerol fatty acid esters)	475	Polyglycerol esters of fatty acids
17.037	ε-聚赖氨酸	–	ε-polylysine		
17.038	ε-聚赖氨酸盐酸盐	–	ε-polylysine hydrochloride		
20.022	聚葡萄糖	1200	polydextrose	1200	Polydextroses
10.025	聚氧乙烯(20)山梨醇酐单月桂酸酯(又名吐温 20)	432	polyoxyethylene (20) sorbitan monolaurate	432	Polyoxyethylene (20) sorbitan monolaurate

CNS 号	中国名	INS 号	英名	（備考） INS No.	英名
10.026	聚氧乙烯(20)山梨醇酐单棕榈酸酯(又名吐温 40)	434	polyoxyethylene (20) sorbitan monopalmitate	434	Polyoxyethylene (20) sorbitan monopalmitate
10.015	聚氧乙烯(20)山梨醇酐单硬脂酸酯(又名吐温 60)	435	polyoxyethylene (20) sorbitan monostearate	435	Polyoxyethylene (20) sorbitan monostearate
10.016	聚氧乙烯(20)山梨醇酐单油酸酯(又名吐温 80)	433	polyoxyethylene (20) sorbitan monooleat	433	Polyoxyethylene (20) sorbitan monooleate
10.017	聚氧乙烯木糖醇酐单硬脂酸酯	–	polyoxyethylene xylitan monostearate		
14.012	聚乙二醇	1521	polyethylene glycol	1521	Polyethylene glycol
14.010	聚乙烯醇	1203	polyvinyl alcohol	1203	Polyvinyl alcohol
20.045	决明胶	427	cassia gum	427	Cassia gum
00.007	咖啡因	–	caffeine		
20.007	卡拉胶	407	carrageenan	407	Carrageenan
04.014	抗坏血酸(又名维生素 C)	300	ascorbic acid (vitamin C)	300	Ascorbic acid, L
04.009	抗坏血酸钙	302	calcium ascorbate	302	Calcium ascorbate
04.015	抗坏血酸钠	301	sodium ascorbate	301	Sodium ascorbate
04.011	抗坏血酸棕榈酸酯	304	ascorbyl palmitate	304	Ascorbyl palmitate
20.042	可得然胶	424	curdlan	424	Curdlan
08.118	可可壳色	–	cacao husk pigment		
20.044	可溶性大豆多糖	–	soluble soybean polysaccharide		
08.016	喹啉黄	104	quinoline yellow	104	Quinoline yellow
08.107	辣椒橙	–	paprika orange		
08.106	辣椒红	–	paprika red		
00.012	辣椒油树脂	160c	paprika oleoresin	160c(i)	Paprika oleoresin
08.136	蓝锭果红	–	uguisukagura red		
10.002	酪蛋白酸钠(又名酪朊酸钠)	–	sodium caseinate		
17.022	联苯醚(又名二苯醚)	–	diphenyl ether (diphenyl oxide)		
08.007	亮蓝及其铝色淀	133	brilliant blue, brilliant blue aluminum lake	133	Brilliant blue FCF
01.106	磷酸	338	phosphoric acid	338	Phosphoric acid
15.008	焦磷酸二氢二钠	450i	disodium dihydrogen pyrophosphate	450(i)	Disodium diphosphate
15.004	焦磷酸钠	450iii	tetrasodium pyrophosphate	450(iii)	Tetrasodium diphosphate
15.007	磷酸二氢钙	341i	calcium dihydrogen phosphate	341(i)	Calcium dihydrogen phosphate
15.010	磷酸二氢钾	340i	potassium dihydrogen phosphate	340(i)	Potassium dihydrogen phosphate
06.008	磷酸氢二铵	342ii	diammonium hydrogen phosphate	342(ii)	Diammonium hydrogen phosphate
15.009	磷酸氢二钾	340ii	dipotassium hydrogen phosphate	340(ii)	Dipotassium hydrogen phosphate

CNS 号	中国名	INS 号	英名	（備考） INS No.	英名
06.006	磷酸氢钙	341ii	calcium hydrogen phosphate (dicalcium orthophosphate)	341(ii)	Calcium hydrogen phosphate
02.003	磷酸三钙	341iii	tricalcium orthophosphate (calcium phosphate)	341(iii)	Tricalcium phosphate
01.308	磷酸三钾	340iii	tripotassium orthophosphate	340(iii)	Tripotassium phosphate
15.001	磷酸三钠	339iii	trisodium orthophosphate	339(iii)	Trisodium phosphate
15.002	六偏磷酸钠	452i	sodium polyphosphate	452(i)	Sodium polyphosphate
15.003	三聚磷酸钠	451i	sodium tripolyphosphate	451(i)	Pentasodium triphosphate
15.005	磷酸二氢钠	339i	sodium dihydrogen phosphate	339(i)	Sodium dihydrogen phosphate
15.006	磷酸氢二钠	339ii	sodium phosphatedibasic	339(ii)	Disodium hydrogen phosphate
15.017	焦磷酸四钾	450(v)	tetrapotassium pyrophosphate	450(v)	Tetrapotassium diphosphate
15.013	焦磷酸一氢三钠	450(ii)	trisodium monohydrogen diphosphate	450(ii)	Trisodium diphosphate
15.015	聚偏磷酸钾	452(ii)	potassium polymetaphosphate	452(ii)	Potassium polyphosphate
15.016	酸式焦磷酸钙	450(vii)	calcium acid pyrophosphate	450(vii)	Calcium dihydrogen diphosphate
20.017	磷酸化二淀粉磷酸酯	1413	phosphated distarch phosphate	1413	Phosphated distarch phosphate
04.010	磷脂	322	phospholipid	322	Lecithins
04.012	硫代二丙酸二月桂酯	389	dilauryl thiodipropionate	389	Dilauryl thiodipropionate
05.007	硫磺	–	sulfur (sulphur)		
18.001	硫酸钙(又名石膏)	516	calcium sulfate	516	Calcium sulfate
06.004	硫酸铝钾(又名钾明矾)	522	aluminium potassium sulfate	522	Aluminium potassium sulfate
06.005	硫酸铝铵(又名铵明矾)	523	aluminium ammonium sulfate	523	Aluminium ammonium sulfate
00.021	硫酸镁	518	magnesium sulfate	518	Magnesium sulfate
00.018	硫酸锌	–	zinc sulfate		
00.022	硫酸亚铁	–	ferrous sulfate		
18.002	氯化钙	509	calcium chloride	509	Calcium chloride
00.008	氯化钾	508	potassium chloride	508	Potassium chloride
18.003	氯化镁	511	magnesium chloride	511	Magnesium chloride
20.011	罗望子多糖胶	–	tamarind polysaccharide gum		
08.117	萝卜红	–	radish red		
08.121	落葵红	–	basella rubra red		
14.004	吗啉脂肪酸盐(又名果蜡)	–	morpholine fatty acid salt (fruit wax)		
19.005	麦芽糖醇	965(i)	maltitol	965(i)	Maltitol
19.022	麦芽糖醇液	965(ii)	maltitol syrup	965(ii)	Maltiol syrup
08.125	玫瑰茄红	–	roselle red		
04.017	迷迭香提取物	–	rosemary extract		

CNS 号	中国名	INS 号	英名	（備考） INS No.	英名
04.022	迷迭香提取物(超临界二氧化碳萃取法)	–	rosemary extract		
08.139	密蒙黄	–	buddleia yellow		
04.003	没食子酸丙酯(PG)	310	propyl gallate (PG)	310	Propyl gallate
10.007	木糖醇酐单硬脂酸酯	–	xylitan monostearate		
17.030	纳他霉素	235	natamycin	235	Natamycin (Pimaricin)
08.005	柠檬黄及其铝色淀	102	tartrazine, tartrazine aluminum lake	102	Tartrazine
01.101	柠檬酸	330	citric acid	330	Citric acid
01.303	柠檬酸钠盐	331iii	trisodium citrate	331 (iii)	Trisodium citrate
01.304	柠檬酸钾盐	332ii	tripotassium citrate	332 (ii)	Tripotassium citrate
02.010	柠檬酸铁铵	381	ferric ammonium citrate	381	Ferric ammonium citrate
18.006	柠檬酸亚锡二钠	–	disodium stannous citrate		
10.032	柠檬酸脂肪酸甘油酯	472c	Citric and fatty acid esters of glycerol	472c	Citric and fatty acid esters of glycerol
13.004	偶氮甲酰胺	927a	azodicarbonamide	927a	Azodicarbonamide
01.105	偏酒石酸	353	metatartaric acid	353	Metatartaric acid
08.135	葡萄皮红	163ii	grape skin extract	163 (ii)	Grape skin extract
09.005	葡萄糖酸亚铁	579	ferrous gluconate	579	Ferrous gluconate
14.011	普鲁兰多糖	1204	pullulan	1204	Pullulan
20.016	羟丙基二淀粉磷酸酯	1442	hydroxypropyl distarch phosphate	1442	Hydroxypropyl distarch phosphate
00.017	羟基硬脂精(又名氧化硬脂精)	387	oxystearin	387	Oxystearin
10.013	氢化松香甘油酯	–	glycerol ester of hydrogenated rosin		
01.202	氢氧化钙	526	calcium hydroxide	526	Calcium hydroxide
01.203	氢氧化钾	525	potassium hydroxide	525	Potassium hydroxide
08.006	日落黄及其铝色淀	110	sunset yellow, sunset yellow aluminum lake	110	Sunset yellow FCF
17.035	溶菌酶	1105	lysozyme	1105	Lysozyme
17.012	肉桂醛	–	Cinnamaldehyde		
01.102	乳酸	270	lactic acid	270	Lactic acid L-, D-, and DL
01.310	乳酸钙	327	calcium lactate	327	Calcium lactate
17.019	乳酸链球菌素	234	nisin	234	Nisin
15.012	乳酸钠	325	sodium lactate	325	Sodium lactate
10.031	乳酸脂肪酸甘油酯	472b	lactic and fatty acid esters of glycerol	472b	Lactic and fatty acid esters of glycerol
19.014	乳糖醇(又名 4-β-D 吡喃半乳糖-D-山梨醇)	966	lactitol	966	Lactitol
00.023	乳糖酶	–	lactase		
19.016	三氯蔗糖(又名蔗糖素)	955	sucralose	955	Sucralose (Trichlorogalactosucrose)

CNS 号	中国名	INS 号	英名	（備考） INS No.	英名
08.129	桑椹红	–	mulberry red		
20.037	沙蒿胶	–	rtemisia gum (sa-hao seed gum)		
08.124	沙棘黄	–	hippophae rhamnoides yellow		
10.024	山梨醇酐单月桂酸酯(又名司盘 20)	493	sorbitan monolaurate	493	Sorbitan monolaurate
10.008	山梨醇酐单棕榈酸酯(又名司盘 40)	495	sorbitan monopalmitate	495	Sorbitan monopalmitate
10.003	山梨醇酐单硬脂酸酯(又名司盘 60)	491	sorbitan monostearate	491	Sorbitan monostearate
10.004	山梨醇酐三硬脂酸酯(又名司盘 65)	492	sorbitan tristearate	492	Sorbitan tristearate
10.005	山梨醇酐单油酸酯(又名司盘 80)	494	sorbitan monooleate	494	Sorbitan monooleate
17.003	山梨酸	200	sorbic acid	200	Sorbic acid
17.004	山梨酸钾盐	202	potassium sorbate	202	Potassium sorbate
19.006	山梨糖醇	420(i)	sorbitol	420(i)	Sorbitol
19.023	山梨糖醇液	420(ii)	sorbitol syrup	420(ii)	Sorbitol syrup
17.013	双乙酸钠(又名二醋酸钠)	262ii	sodium diacetate	262(ii)	Sodium diacetate
10.010	双乙酰酒石酸单双甘油酯	472e	diacetyl tartaric acid ester of mono (di) glycerides (DATEM)	472e	Diacetyltartaric and fatty acid esters of glycerol
14.005	松香季戊四醇酯	–	pentaerythritol ester of wood rosin		
08.013	酸性红(又名偶氮玉红)	122	carmoisine (azorubine)	122	Azorubine (Carmoisine)
08.133	酸枣色	–	jujube pigment		
20.012	羧甲基淀粉钠	–	sodium carboxy methyl starch		
20.003	羧甲基纤维素钠	466	sodium carboxy methyl cellulose	466	Sodium carboxymethyl cellulose (Cellulose gum)
19.020	索马甜	957	thaumatin	957	Thaumatin
13.006	碳酸钙	170i	calcium carbonate	170(i)	Calcium carbonate
01.301	碳酸钾	501i	potassium carbonate	501(i)	Potassium carbonate
13.005	碳酸镁	504i	magnesium carbonate	504(i)	Magnesium carbonate
01.302	碳酸钠	500i	sodium carbonate	500(i)	Sodium carbonate
06.002	碳酸氢铵	503ii	ammonium hydrogen carbonate	503(ii)	Ammonium hydrogen carbonate
01.307	碳酸氢钾	501ii	potassium hydrogen carbonate	501(ii)	Potassium hydrogen carbonate
06.001	碳酸氢钠	500ii	sodium hydrogen carbonate	500(ii)	Sodium hydrogen carbonate
01.305	碳酸氢三钠(又名倍半碳酸钠)	500iii	sodium sesquicarbonate	500(iii)	Sodium sesquicarbonate
19.001	糖精钠	954	sodium saccharin	954(iv)	Sodium saccharin
04.007	特丁基对苯二酚(TBHQ)	319	tertiary butylhydroquinone (TBHQ)	319	Tertiary butylhydroquinone (TBHQ)

CNS 号	中国名	INS 号	英名	(備考) INS No.	英名
19.013	L-α-天冬氨酰-N-(2,2,4,4-四甲基-3-硫化三亚午基)-D-丙氨酰胺(又名阿力甜)	956	alitame	956	Alitame
19.004	天门冬酰苯丙氨酸甲酯(又名阿斯巴甜)	951	aspartame	951	Aspartame
19.021	天门冬酰苯丙氨酸甲酯乙酰磺胺酸	962	aspartame-acesulfame salt	962	Aspartame-acesulfame salt
08.130	天然苋菜红	–	natural amaranthus red		
20.021	田菁胶	–	sesbania gum		
19.008	甜菊糖苷	960	steviol glycosides	960	Steviol glycosides
17.009(i)	脱氢乙酸(又名脱氢醋酸)	265	dehydroacetic acid	265	Dehydroacetic acid
17.009(ii)	脱氢乙酸钠盐(又名脱氢醋酸钠盐)	266	sodium dehydroacetate	266	Sodium dehydroacetate
20.026	脱乙酰甲壳素(又名壳聚糖)	–	deacetylated chitin (chitosan)		
02.005	微晶纤维素	460i	microcrystalline cellulose	460(i)	Microcrystalline cellulose (Cellulose gel)
04.016	维生素 E(dl-α-生育酚,d-α-生育酚,混合生育酚浓缩物)	307	vitamine E (dl-α-tocopherol, d-α-tocopherol, mixed tocopherol concentrate)	307	Tocopherols
17.028	稳定态二氧化氯	926	stabilized chlorine dioxide	926	Chlorine dioxide
08.001	苋菜红及其铝色淀	123	amaranth, amaranth aluminum lake	123	Amaranth
08.126	橡子壳棕	–	acorn shell brown		
09.001	硝酸钠	251	sodium nitrate	251	Sodium nitrate
09.003	硝酸钾	252	potassium nitrate	252	Potassium nitrate
10.018	辛,癸酸甘油酯	–	octyl and decyl glycerate		
10.030	辛烯基琥珀酸淀粉钠	1450	starch sodium octenyl succinate (sodium starch octenyl succinate)	1450	Starch sodium octenyl succinate
08.004	新红及其铝色淀	–	new red, new red aluminum lake		
20.020	亚麻籽胶(又名富兰克胶)	–	linseed gum		
02.001	亚铁氰化钾	536	potassium ferrocyanide	536	Potassium ferrocyanide
02.008	亚铁氰化钠	535	sodium ferrocyanide	535	Sodium ferrocyanide
09.002	亚硝酸钠	250	sodium nitrite	250	Sodium nitrite
09.004	亚硝酸钾	249	potassium nitrite	249	Potassium nitrite
08.145	胭脂虫红	120	carmine cochineal	120	Carmines
08.002	胭脂红及其铝色淀	124	ponceau 4R, ponceau 4R aluminum lake	124	Ponceau 4R (Cochineal red A)
08.144	胭脂树橙(又名红木素,降红木素)	160b	annatto extract	160b	Annatto extracts
01.108	盐酸	507	hydrochloric acid	507	Hydrochloric acid
08.149	杨梅红	–	mynica red		

CNS 号	中国名	INS 号	英名	(備考) INS No.	英名
08.014	氧化铁黑	172i	iron oxide black	172(i)	Iron oxide, black
08.015	氧化铁红	172ii	iron oxide red	172(ii)	Iron oxide, red
08.146	叶黄素	161b	lutein	161b	Luteins
08.153	叶绿素铜	141i	copper chlorophyll	141(i)	Chlorophylls, copper complexes
08.009	叶绿素铜钠盐,叶绿素铜钾盐	141ii	chlorophyllin copper complex, sodium and potassium salts	141(ii)	Chlorophyllins, copper complexes, potassium and sodium salts
17.034	液体二氧化碳(煤气化法)	–	carbon dioxide		
18.005	乙二胺四乙酸二钠	386	disodium ethylene-di-amine-tetra-acetate	386	Disodium ethylenediaminetet-raacetate
04.020	乙二胺四乙酸二钠钙	385	calcium disodium ethylene-di-amine-tetra-acetate	385	Calcium disodium ethylene-diaminetetraacetate
00.013	乙酸钠(又名醋酸钠)	262i	sodium acetate	262(i)	Sodium acetate
19.011	乙酰磺胺酸钾(又名安赛蜜)	950	acesulfame potassium	950	Acesulfame potassium
17.010	乙氧基喹	–	ethoxy quin		
00.003	异构化乳糖液	–	isomerized lactose syrup		
04.004	D-异抗坏血酸	315	D-isoascorbic acid (erythorbic acid)	315	Erythorbic acid (Isoascorbic acid)
04.018	D-异抗坏血酸钠盐	316	sodium D-isoascorbate	316	Sodium erythorbate (Sodium isoascorbate)
19.003	异麦芽酮糖	–	isomaltulose (palatinose)		
14.009	硬脂酸(又名十八烷酸)	570	stearic acid (octadecanoic acid)	570	Fatty acids
10.039	硬脂酸钙	470	calcium stearate	470(i)	Salts of myristic, palmitic and stearic acids with ammonia, calcium, potassium and sodium
10.028	硬脂酸钾	470	potassium stearate	470(i)	Salts of myristic, palmitic and stearic acids with ammonia, calcium, potassium and sodium
02.006	硬脂酸镁	470	magnesium stearate	470(iii)	Magnesium stearate
10.011	硬脂酰乳酸钠	481i	sodium stearoyl lactylate	481(i)	Sodium stearoyl lactylate
10.009	硬脂酰乳酸钙	482i	calcium stearoyl lactylate	482(i)	Calcium stearoyl lactylate
08.012	诱惑红及其铝色淀	129	allura red, allura aluminum lake	129	Allura red AC
08.116	玉米黄	–	corn yellow		
08.105	越橘红	–	cowberry red		
08.137	藻蓝(淡,海水)	–	spirulina blue (algae blue, lina blue)		
20.029	皂荚糖胶	–	gleditsia sinenis lam gum		
10.001	蔗糖脂肪酸酯	473	sucrose esters of fatty acid	473	Sucrose esters of fatty acids
08.112	栀子黄	–	gardenia yellow		

CNS 号	中国名	INS 号	英名	（備考） INS No.	英名
08.123	栀子蓝	–	gardenia blue		
04.006	植酸（又名肌醇六磷酸），植酸钠	–	phytic acid（inositol hexaphosphoric acid），Sodium phytate		
08.138	植物炭黑	153	vegetable carbon	153	Vegetable carbon
04.019	竹叶抗氧化物	–	antioxidant of bamboo leaves		
08.140	紫草红	–	gromwell red		
08.154	紫甘薯色素	–	purple sweet potato colour		
14.001	紫胶（又名虫胶）	904	shellac	904	Shellac, bleached
08.104	紫胶红（又名虫胶红）	–	lac dye red（lac red）		
12.004	5'–呈味核苷酸二钠（又名呈味核苷酸二钠）	635	disodium 5'–ribonucleotide	635	Disodium 5'–ribonucleotides
12.003	5'–肌苷酸二钠	631	disodium 5'–inosinate	631	Disodium 5'–inosinate
12.002	5'–鸟苷酸二钠	627	disodium 5'–guanylate	627	Disodium 5'–guanylate
01.309	DL–苹果酸钠	–	DL–disodium malate		
01.104	L–苹果酸	–	L–malic acid		
01.309	DL–苹果酸	–	DL–malic acid		
18.011	α–环状糊精	457	alpha –cyclodextrin	457	Cyclodextrin, *alpha–*
18.012	γ–环状糊精	458	gamma –cyclodextrin	458	Cyclodextrin, *gamma–*
20.008	阿拉伯胶	414	arabic gum	414	Gum arabic（Acacia gum）
00.014	半乳甘露聚糖	–	galactomannan		
01.107	冰乙酸（又名冰醋酸）	260	acetic acid	260	Acetic acid, glacial
01.112	冰乙酸（低压羰基化法）	–	acetic acid		
19.018	赤藓糖醇	968	erythritol	968	Erythritol
10.019	改性大豆磷脂	–	modified soybean phospholipid		
15.014	甘油（又名丙三醇）	422	glycerine（glycerol）	422	Glycerol
08.115	高粱红	–	sorghum red		
12.001	谷氨酸钠	621	monosodium glutamate	621	Monosodium L–glutamate
20.005	海藻酸钾（又名褐藻酸钾）	402	potassium alginate	402	Potassium alginate
20.043	甲基纤维素	461	methyl cellulose	461	Methyl cellulose
20.027	结冷胶	418	gellan gum	418	Gellan gum
20.036	聚丙烯酸钠	–	sodium polyacrylate		
20.034	磷酸酯双淀粉	1412	distarch phosphate	1412	Distarch phosphate
19.015	罗汉果甜苷	–	lo–han–kuo extract		
10.040	酶解大豆磷脂	–	enzymatically decomposed soybean phospholipid		
20.002	明胶	–	gelatin		
19.007	木糖醇	967	xylitol	967	Xylitol
01.306	柠檬酸一钠	331i	sodium dihydrogen citrate	331(i)	Sodium dihydrogen citrate
18.007	葡萄糖酸–δ–内酯	575	glucono delta–lactone	575	Glucono delta–lactone
01.312	葡萄糖酸钠	576	sodium gluconate	576	Sodium gluconate

CNS 号	中国名	INS 号	英名	（備考） INS No.	英名
20.014	羟丙基淀粉	1440	hydroxypropyl starch	1440	Hydroxypropyl starch
20.028	羟丙基甲基纤维素（HPMC）	464	hydroxypropyl methyl cellulose	464	Hydroxypropyl methyl cellulose
20.001	琼脂	406	agar	406	Agar
15.011	乳酸钾	326	potassium lactate	326	Potassium lactate
20.032	酸处理淀粉	1401	acid treated starch	1401	Acid treated starch
08.147	天然胡萝卜素	–	natural carotene		
08.101	甜菜红	162	beet red	162	Beet red
20.030	氧化淀粉	1404	oxidized starch	1404	Oxidized starch
20.033	氧化羟丙基淀粉	–	oxidized hydroxypropyl starch		
10.027	乙酰化单，双甘油脂肪酸酯	472a	acetylated mono- and diglyceride（acetic and fatty acid esters of glycerol）	472a	Acetic and fatty acid esters of glycerol
20.015	乙酰化二淀粉磷酸酯	1414	acetylated distarch phosphate	1414	Acetylated distarch phosphate
20.031	乙酰化双淀粉己二酸酯	1422	acetylated distarch adipate	1422	Acetylated distarch adipate

4-b 中国食品添加物／CNS 号順

CNS 号	中国名	INS 号	英名	（備考）INS No.	英名
00.001	高锰酸钾	–	potassium permanganate		
00.003	异构化乳糖液	–	isomerized lactose syrup		
00.007	咖啡因	–	caffeine		
00.008	氯化钾	508	potassium chloride	508	Potassium chloride
00.012	辣椒油树脂	160c	paprika oleoresin	160c(i)	Paprika oleoresin
00.013	乙酸钠(又名醋酸钠)	262i	sodium acetate	262(i)	Sodium acetate
00.014	半乳甘露聚糖	–	galactomannan		
00.017	羟基硬脂精(又名氧化硬脂精)	387	oxystearin	387	Oxystearin
00.018	硫酸锌	–	zinc sulfate		
00.020	冰结构蛋白	–	ice structuring protein		
00.021	硫酸镁	518	magnesium sulfate	518	Magnesium sulfate
00.022	硫酸亚铁	–	ferrous sulfate		
00.023	乳糖酶	–	lactase		
01.101	柠檬酸	330	citric acid	330	Citric acid
01.102	乳酸	270	lactic acid	270	Lactic acid L-, D-, and DL
01.104	L-苹果酸	–	L-malic acid		
01.105	偏酒石酸	353	metatartaric acid	353	Metatartaric acid
01.106	磷酸	338	phosphoric acid	338	Phosphoric acid
01.107	冰乙酸(又名冰醋酸)	260	acetic acid	260	Acetic acid, glacial
01.108	盐酸	507	hydrochloric acid	507	Hydrochloric acid
01.109	己二酸	355	adipic acid	355	Adipic acid
01.110	富马酸	297	fumaric acid	297	Fumaric acid
01.111	L (+)-酒石酸	334	L (+) -tartaric acid	334	Tartaric acid, L(+)-
01.112	冰乙酸(低压羰基化法)	–	acetic acid		
01.202	氢氧化钙	526	calcium hydroxide	526	Calcium hydroxide
01.203	氢氧化钾	525	potassium hydroxide	525	Potassium hydroxide
01.301	碳酸钾	501i	potassium carbonate	501(i)	Potassium carbonate
01.302	碳酸钠	500i	sodium carbonate	500(i)	Sodium carbonate
01.303	柠檬酸钠盐	331iii	trisodium citrate	331(iii)	Trisodium citrate
01.304	柠檬酸钾盐	332ii	tripotassium citrate	332(ii)	Tripotassium citrate
01.305	碳酸氢三钠(又名倍半碳酸钠)	500iii	sodium sesquicarbonate	500(iii)	Sodium sesquicarbonate
01.306	柠檬酸一钠	331i	sodium dihydrogen citrate	331(i)	Sodium dihydrogen citrate
01.307	碳酸氢钾	501ii	potassium hydrogen carbonate	501(ii)	Potassium hydrogen carbonate
01.308	磷酸三钾	340iii	tripotassium orthophosphate	340(iii)	Tripotassium phosphate
01.309	DL-苹果酸钠	–	DL-disodium malate		
01.309	DL-苹果酸	–	DL-malic acid		
01.310	乳酸钙	327	calcium lactate	327	Calcium lactate
01.311	富马酸一钠	365	monosodium fumarate	365	Sodium fumarates
01.312	葡萄糖酸钠	576	sodium gluconate	576	Sodium gluconate

CNS 号	中国名	INS 号	英名	(備考) INS No.	英名
01.313	dl-酒石酸	–	dl-tartaric acid		
02.001	亚铁氰化钾	536	potassium ferrocyanide	536	Potassium ferrocyanide
02.003	磷酸三钙	341iii	tricalcium orthophosphate (calcium phosphate)	341 (iii)	Tricalcium phosphate
02.004	二氧化硅	551	silicon dioxide	551	Silicon dioxide, amorphous
02.005	微晶纤维素	460i	microcrystalline cellulose	460 (i)	Microcrystalline cellulose (Cellulose gel)
02.006	硬脂酸镁	470	magnesium stearate	470 (iii)	Magnesium stearate
02.007	滑石粉	553iii	talc	553 (iii)	Talc
02.008	亚铁氰化钠	535	sodium ferrocyanide	535	Sodium ferrocyanide
02.009	硅酸钙	552	calcium silicate	552	Calcium silicate
02.010	柠檬酸铁铵	381	ferric ammonium citrate	381	Ferric ammonium citrate
03.007	聚二甲基硅氧烷及其乳液	900a	polydimethyl siloxane and emulsion	900a	Polydimethylsiloxane
04.001	丁基羟基茴香醚(BHA)	320	butylated hydroxyanisole (BHA)	320	Butylated hydroxyanisole (BHA)
04.002	二丁基羟基甲苯(BHT)	321	butylated hydroxytoluene (BHT)	321	Butylated hydroxytoluene (BHT)
04.003	没食子酸丙酯(PG)	310	propyl gallate (PG)	310	Propyl gallate
04.004	D-异抗坏血酸	315	D-isoascorbic acid (erythorbic acid)	315	Erythorbic acid (Isoascorbic acid)
04.005	茶多酚(又名维多酚)	–	tea polyphenol (TP)		
04.006	植酸(又名肌醇六磷酸),植酸钠	–	phytic acid (inositol hexaphosphoric acid), Sodium phytate		
04.007	特丁基对苯二酚(TBHQ)	319	tertiary butylhydroquinone (TBHQ)	319	Tertiary butylhydroquinone (TBHQ)
04.008	甘草抗氧化物	–	antioxidant of glycyrrhiza		
04.009	抗坏血酸钙	302	calcium ascorbate	302	Calcium ascorbate
04.010	磷脂	322	phospholipid	322	Lecithins
04.011	抗坏血酸棕榈酸酯	304	ascorbyl palmitate	304	Ascorbyl palmitate
04.012	硫代二丙酸二月桂酯	389	dilauryl thiodipropionate	389	Dilauryl thiodipropionate
04.013	4-已基间苯二酚	586	4-hexylresorcinol	586	Hexylresorcinol, 4-
04.014	抗坏血酸(又名维生素 C)	300	ascorbic acid (vitamin C)	300	Ascorbic acid, L
04.015	抗坏血酸钠	301	sodium ascorbate	301	Sodium ascorbate
04.016	维生素 E(dl-α-生育酚,d-α-生育酚,混合生育酚浓缩物)	307	vitamine E (dl-α-tocopherol, d-α-tocopherol, mixed tocopherol concentrate)	307	Tocopherols
04.017	迷迭香提取物	–	rosemary extract		
04.018	D-异抗坏血酸钠盐	316	sodium D-isoascorbate	316	Sodium erythorbate (Sodium isoascorbate)
04.019	竹叶抗氧化物	–	antioxidant of bamboo leaves		
04.020	乙二胺四乙酸二钠钙	385	calcium disodium ethylene-diamine-tetra-acetate	385	Calcium disodium ethylenediaminetetraacetate

CNS 号	中国名	INS 号	英名	(備考) INS No.	英名
04.021	茶多酚棕榈酸酯	–	tea polyphenol palmitate		
04.022	迷迭香提取物(超临界二氧化碳萃取法)	–	rosemary extract		
05.001	二氧化硫	220	sulfur dioxide	220	Sulfur dioxide
05.002	焦亚硫酸钾	224	potassium metabisulphite	224	Potassium metabisulfite
05.003	焦亚硫酸钠	223	sodium metabisulphite	223	Sodium metabisulfite
05.004	亚硫酸钠	221	sodium sulfite	221	Sodium sulfite
05.005	亚硫酸氢钠	222	sodium hydrogen sulfite	222	Sodium hydrogen sulfite
05.006	低亚硫酸钠	–	sodium hyposulfite		
05.007	硫磺	–	sulfur (sulphur)		
06.001	碳酸氢钠	500ii	sodium hydrogen carbonate	500(ii)	Sodium hydrogen carbonate
06.002	碳酸氢铵	503ii	ammonium hydrogen carbonate	503(ii)	Ammonium hydrogen carbonate
06.004	硫酸铝钾(又名钾明矾)	522	aluminium potassium sulfate	522	Aluminium potassium sulfate
06.005	硫酸铝铵(又名铵明矾)	523	aluminium ammonium sulfate	523	Aluminium ammonium sulfate
06.006	磷酸氢钙	341ii	calcium hydrogen phosphate (dicalcium orthophosphate)	341(ii)	Calcium hydrogen phosphate
06.007	酒石酸氢钾	336	potassium bitartarate	336	Potassium tartrates
06.008	磷酸氢二铵	342ii	diammonium hydrogen phosphate	342(ii)	Diammonium hydrogen phosphate
08.001	苋菜红及其铝色淀	123	amaranth, amaranth aluminum lake	123	Amaranth
08.002	胭脂红及其铝色淀	124	ponceau 4R, ponceau 4R aluminum lake	124	Ponceau 4R (Cochineal red A)
08.003	赤藓红及其铝色淀	127	erythrosine, erythrosine aluminum lake	127	Erythrosine
08.004	新红及其铝色淀	–	new red, new red aluminum lake		
08.005	柠檬黄及其铝色淀	102	tartrazine, tartrazine aluminum lake	102	Tartrazine
08.006	日落黄及其铝色淀	110	sunset yellow, sunset yellow aluminum lake	110	Sunset yellow FCF
08.007	亮蓝及其铝色淀	133	brilliant blue, brilliant blue aluminum lake	133	Brilliant blue FCF
08.008	靛蓝及其铝色淀	132	indigotine, indigotine aluminum lake	132	Indigotine (Indigo carmine)
08.009	叶绿素铜钠盐,叶绿素铜钾盐	141ii	chlorophyllin copper complex, sodium and potassium salts	141(ii)	Chlorophyllins, copper complexes, potassium and sodium salts
08.010	β-胡萝卜素	160(a)	beta-carotene	160a	Carotenes
08.011	二氧化钛	171	titanium dioxide	171	Titanium dioxide
08.012	诱惑红及其铝色淀	129	allura red, allura aluminum lake	129	Allura red AC

CNS 号	中国名	INS 号	英名	（備考） INS No.	英名
08.013	酸性红(又名偶氮玉红)	122	carmoisine (azorubine)	122	Azorubine (Carmoisine)
08.014	氧化铁黑	172i	iron oxide black	172(i)	Iron oxide, black
08.015	氧化铁红	172ii	iron oxide red	172(ii)	Iron oxide, red
08.016	喹啉黄	104	quinoline yellow	104	Quinoline yellow
08.017	番茄红素	160d(i)	lycopene	160d(i)	Lycopene, synthetic
08.018	β-阿朴-8'-胡萝卜素醛	160e	β-apo-8'-carotenal	160e	Carotenal, beta-apo-8'-
08.101	甜菜红	162	beet red	162	Beet red
08.102	姜黄	100ii	turmeric	100(ii)	Turmeric
08.103	红花黄	–	carthamins yellow		
08.104	紫胶红(又名虫胶红)	–	lac dye red (lac red)		
08.105	越橘红	–	cowberry red		
08.106	辣椒红	–	paprika red		
08.107	辣椒橙	–	paprika orange		
08.108	焦糖色(普通法)	150a	caramel colour class I – plain	150a	Caramel I – plain caramel
08.109	焦糖色(亚硫酸铵法)	150d	caramel colour class IV – ammonia sulphite process	150d	Caramel IV – sulfite ammonia caramel
08.110	焦糖色(加氨生产)	150c	caramel colour class III – ammonia process	150c	Caramel III – ammonia caramel
08.111	红米红	–	red rice red		
08.112	栀子黄	–	gardenia yellow		
08.113	菊花黄浸膏	–	coreopsis yellow		
08.114	黑豆红	–	black bean red		
08.115	高粱红	–	sorghum red		
08.116	玉米黄	–	corn yellow		
08.117	萝卜红	–	radish red		
08.118	可可壳色	–	cacao husk pigment		
08.119	红曲米	–	red kojic rice		
08.120	红曲红	–	monascus red		
08.121	落葵红	–	basella rubra red		
08.122	黑加仑红	–	black currant red		
08.123	栀子蓝	–	gardenia blue		
08.124	沙棘黄	–	hippophae rhamnoides yellow		
08.125	玫瑰茄红	–	roselle red		
08.126	橡子壳棕	–	acorn shell brown		
08.129	桑椹红	–	mulberry red		
08.130	天然苋菜红	–	natural amaranthus red		
08.131	金樱子棕	–	rose laevigata michx brown		
08.132	姜黄素	100i	curcumin	100(i)	Curcumin
08.133	酸枣色	–	jujube pigment		
08.134	花生衣红	–	peanut skin red		
08.135	葡萄皮红	163ii	grape skin extract	163(ii)	Grape skin extract

CNS 号	中国名	INS 号	英名	（備考） INS No.	英名
08.136	蓝锭果红	–	uguisukagura red		
08.137	藻蓝(淡,海水)	–	spirulina blue (algae blue, lina blue)		
08.138	植物炭黑	153	vegetable carbon	153	Vegetable carbon
08.139	密蒙黄	–	buddleia yellow		
08.140	紫草红	–	gromwell red		
08.143	柑橘黄	–	orange yellow		
08.144	胭脂树橙(又名红木素,降红木素)	160b	annatto extract	160b	Annatto extracts
08.145	胭脂虫红	120	carmine cochineal	120	Carmines
08.146	叶黄素	161b	lutein	161b	Luteins
08.147	天然胡萝卜素	–	natural carotene		
08.148	核黄素	101(i)	riboflavin	101(i)	Riboflavin, synthetic
08.149	杨梅红	–	mynica red		
08.150	番茄红	–	tomato red		
08.151	焦糖色(苛性硫酸盐)	150b	caramel colour class II – caustic sulfite	150b	Caramel II – sulfite caramel
08.152	红曲黄色素	–	monascus yellow pigment		
08.153	叶绿素铜	141i	copper chlorophyll	141(i)	Chlorophylls, copper complexes
08.154	紫甘薯色素	–	purple sweet potato colour		
09.001	硝酸钠	251	sodium nitrate	251	Sodium nitrate
09.002	亚硝酸钠	250	sodium nitrite	250	Sodium nitrite
09.003	硝酸钾	252	potassium nitrate	252	Potassium nitrate
09.004	亚硝酸钾	249	potassium nitrite	249	Potassium nitrite
09.005	葡萄糖酸亚铁	579	ferrous gluconate	579	Ferrous gluconate
10.001	蔗糖脂肪酸酯	473	sucrose esters of fatty acid	473	Sucrose esters of fatty acids
10.002	酪蛋白酸钠(又名酪朊酸钠)	–	sodium caseinate		
10.003	山梨醇酐单硬脂酸酯(又名司盘 60)	491	sorbitan monostearate	491	Sorbitan monostearate
10.004	山梨醇酐三硬脂酸酯(又名司盘 65)	492	sorbitan tristearate	492	Sorbitan tristearate
10.005	山梨醇酐单油酸酯(又名司盘 80)	494	sorbitan monooleate	494	Sorbitan monooleate
10.006	单,双甘油脂肪酸酯(油酸,亚油酸,棕榈酸,山嵛酸,硬脂酸,月桂酸,亚麻酸)	471	mono-and diglycerides of fatty acids	471	Mono- and di-glycerides of fatty acids
10.007	木糖醇酐单硬脂酸酯	–	xylitan monostearate		
10.008	山梨醇酐单棕榈酸酯(又名司盘 40)	495	sorbitan monopalmitate	495	Sorbitan monopalmitate
10.009	硬脂酰乳酸钙	482i	calcium stearoyl lactylate	482(i)	Calcium stearoyl lactylate

CNS 号	中国名	INS 号	英名	（備考） INS No.	英名
10.010	双乙酰酒石酸单双甘油酯	472e	diacetyl tartaric acid ester of mono (di) glycerides (DATEM)	472e	Diacetyltartaric and fatty acid esters of glycerol
10.011	硬脂酰乳酸钠	481i	sodium stearoyl lactylate	481(i)	Sodium stearoyl lactylate
10.013	氢化松香甘油酯	–	glycerol ester of hydrogenated rosin		
10.015	聚氧乙烯(20)山梨醇酐单硬脂酸酯(又名吐温 60)	435	polyoxyethylene (20) sorbitan monostearate	435	Polyoxyethylene (20) sorbitan monostearate
10.016	聚氧乙烯(20)山梨醇酐单油酸酯(又名吐温 80)	433	polyoxyethylene (20) sorbitan monooleat	433	Polyoxyethylene (20) sorbitan monooleate
10.017	聚氧乙烯木糖醇酐单硬脂酸酯	–	polyoxyethylene xylitan monostearate		
10.018	辛,癸酸甘油酯	–	octyl and decyl glycerate		
10.019	改性大豆磷脂	–	modified soybean phospholipid		
10.020	丙二醇脂肪酸酯	477	propylene glycol esters of fatty acid	477	Propylene glycol esters of fatty acids
10.022	聚甘油脂肪酸酯	475	polyglycerol esters of fatty acids (polyglycerol fatty acid esters)	475	Polyglycerol esters of fatty acids
10.024	山梨醇酐单月桂酸酯(又名司盘 20)	493	sorbitan monolaurate	493	Sorbitan monolaurate
10.025	聚氧乙烯(20)山梨醇酐单月桂酸酯(又名吐温 20)	432	polyoxyethylene (20) sorbitan monolaurate	432	Polyoxyethylene (20) sorbitan monolaurate
10.026	聚氧乙烯(20)山梨醇酐单棕榈酸酯(又名吐温 40)	434	polyoxyethylene (20) sorbitan monopalmitate	434	Polyoxyethylene (20) sorbitan monopalmitate
10.027	乙酰化单,双甘油脂肪酸酯	472a	acetylated mono- and diglyceride (acetic and fatty acid esters of glycerol)	472a	Acetic and fatty acid esters of glycerol
10.028	硬脂酸钾	470	potassium stearate	470(i)	Salts of myristic, palmitic and stearic acids with ammonia, calcium, potassium and sodium
10.029	聚甘油蓖麻醇酸酯(PGPR)	476	polyglycerol polyricinoleate (polyglycerol esters of interesterified ricinoleic acid) (PGPR)	476	Polyglycerol esters of interesterified ricinoleic acid
10.030	辛烯基琥珀酸淀粉钠	1450	starch sodium octenyl succinate (sodium starch octenyl succinate)	1450	Starch sodium octenyl succinate
10.031	乳酸脂肪酸甘油酯	472b	lactic and fatty acid esters of glycerol	472b	Lactic and fatty acid esters of glycerol
10.032	柠檬酸脂肪酸甘油酯	472c	Citric and fatty acid esters of glycerol	472c	Citric and fatty acid esters of glycerol
10.033	铵磷脂	442	ammonium phosphatide	442	Ammonium saltsof phosphatidic acid
10.038	琥珀酸单甘油酯	472g	succinylated monoglycerides	472g	Succinylated monoglycerides

CNS 号	中国名	INS 号	英名	（備考）INS No.	英名
10.039	硬脂酸钙	470	calcium stearate	470(i)	Salts of myristic, palmitic and stearic acids with ammonia, calcium, potassium and sodium
10.040	酶解大豆磷脂	–	enzymatically decomposed soybean phospholipid		
12.001	谷氨酸钠	621	monosodium glutamate	621	Monosodium L-glutamate
12.002	5'-鸟苷酸二钠	627	disodium 5'-guanylate	627	Disodium 5'-guanylate
12.003	5'-肌苷酸二钠	631	disodium 5'-inosinate	631	Disodium 5'-inosinate
12.004	5'-呈味核苷酸二钠(又名呈味核苷酸二钠)	635	disodium 5'-ribonucleotide	635	Disodium 5'-ribonucleotides
12.005	琥珀酸二钠	–	disodium succinate		
12.006	L-丙氨酸	–	L-alanine		
12.007	氨基乙酸(又名甘氨酸)	640	glycine	640	Glycine
13.003	L-半胱氨酸盐酸盐	920	L-cysteine and its hydrochlorides sodium and potassium salts	920	Cysteine, L-and its hydrochlorides sodium and potassium salts
13.004	偶氮甲酰胺	927a	azodicarbonamide	927a	Azodicarbonamide
13.005	碳酸镁	504i	magnesium carbonate	504(i)	Magnesium carbonate
13.006	碳酸钙	170i	calcium carbonate	170(i)	Calcium carbonate
14.001	紫胶(又名虫胶)	904	shellac	904	Shellac, bleached
14.003	白油(又名液体石蜡)	905a	mineral oil, white (liquid paraffin)	905a	Mineral oil, food grade
14.004	吗啉脂肪酸盐(又名果蜡)	–	morpholine fatty acid salt (fruit wax)		
14.005	松香季戊四醇酯	–	pentaerythritol ester of wood rosin		
14.008	巴西棕榈蜡	903	carnauba wax	903	Carnauba wax
14.009	硬脂酸(又名十八烷酸)	570	stearic acid (octadecanoic acid)	570	Fatty acids
14.010	聚乙烯醇	1203	polyvinyl alcohol	1203	Polyvinyl alcohol
14.011	普鲁兰多糖	1204	pullulan	1204	Pullulan
14.012	聚乙二醇	1521	polyethylene glycol	1521	Polyethylene glycol
14.013	蜂蜡	901	beeswax	901	Beeswax
15.001	磷酸三钠	339iii	trisodium orthophosphate	339(iii)	Trisodium phosphate
15.002	六偏磷酸钠	452i	sodium polyphosphate	452(i)	Sodium polyphosphate
15.003	三聚磷酸钠	451i	sodium tripolyphosphate	451(i)	Pentasodium triphosphate
15.004	焦磷酸钠	450iii	tetrasodium pyrophosphate	450(iii)	Tetrasodium diphosphate
15.005	磷酸二氢钠	339i	sodium dihydrogen phosphate	339(i)	Sodium dihydrogen phosphate
15.006	磷酸氢二钠	339ii	sodium phosphatedibasic	339(ii)	Disodium hydrogen phosphate
15.007	磷酸二氢钙	341i	calcium dihydrogen phosphate	341(i)	Calcium dihydrogen phosphate

CNS 号	中国名	INS 号	英名	（備考） INS No.	英名
15.008	焦磷酸二氢二钠	450i	disodium dihydrogen pyrophosphate	450(i)	Disodium diphosphate
15.009	磷酸氢二钾	340ii	dipotassium hydrogen phosphate	340(ii)	Dipotassium hydrogen phosphate
15.010	磷酸二氢钾	340i	potassium dihydrogen phosphate	340(i)	Potassium dihydrogen phosphate
15.011	乳酸钾	326	potassium lactate	326	Potassium lactate
15.012	乳酸钠	325	sodium lactate	325	Sodium lactate
15.013	焦磷酸一氢三钠	450(ii)	trisodium monohydrogen diphosphate	450(ii)	Trisodium diphosphate
15.014	甘油(又名丙三醇)	422	glycerine (glycerol)	422	Glycerol
15.015	聚偏磷酸钾	452(ii)	potassium polymetaphosphate	452(ii)	Potassium polyphosphate
15.016	酸式焦磷酸钙	450(vii)	calcium acid pyrophosphate	450(vii)	Calcium dihydrogen diphosphate
15.017	焦磷酸四钾	450(v)	tetrapotassium pyrophosphate	450(v)	Tetrapotassium diphosphate
17.001	苯甲酸	210	benzoic acid	210	Benzoic acid
17.002	苯甲酸钠盐	211	sodium benzoate	211	Sodium benzoate
17.003	山梨酸	200	sorbic acid	200	Sorbic acid
17.004	山梨酸钾盐	202	potassium sorbate	202	Potassium sorbate
17.005	丙酸钙盐	282	calcium propionate	282	Calcium propionate
17.006	丙酸钠盐	281	sodium propionate	281	Sodium propionate
17.007	对羟基苯甲酸乙酯	214	ethyl p-hydroxy benzoate	214	Ethyl para-hydroxybenzoate
17.009(i)	脱氢乙酸(又名脱氢醋酸)	265	dehydroacetic acid	265	Dehydroacetic acid
17.009(ii)	脱氢乙酸钠盐(又名脱氢醋酸钠盐)	266	sodium dehydroacetate	266	Sodium dehydroacetate
17.010	乙氧基喹	–	ethoxy quin		
17.012	肉桂醛	–	Cinnamaldehyde		
17.013	双乙酸钠(又名二醋酸钠)	262ii	sodium diacetate	262(ii)	Sodium diacetate
17.014	二氧化碳	290	carbon dioxide	290	Carbon dioxide
17.019	乳酸链球菌素	234	nisin	234	Nisin
17.022	联苯醚(又名二苯醚)	–	diphenyl ether (diphenyl oxide)		
17.027	2,4-二氯苯氧乙酸	–	2, 4-dichlorophenoxy acetic acid		
17.028	稳定态二氧化氯	926	stabilized chlorine dioxide	926	Chlorine dioxide
17.029	丙酸	280	propionic acid	280	Propionic acid
17.030	纳他霉素	235	natamycin	235	Natamycin (Pimaricin)
17.031	单辛酸甘油酯	–	capryl monoglyceride		
17.032	对羟基苯甲酸甲酯钠	219	sodium methyl p-hydroxy benzoate	219	Sodium methyl para-hydroxybenzoate
17.033	二甲基二碳酸盐(又名维果灵)	242	dimethyl dicarbonate	242	Dimethyl dicarbonate

CNS 号	中国名	INS 号	英名	（備考）INS No.	英名
17.034	液体二氧化碳(煤气化法)	–	carbon dioxide		
17.035	溶菌酶	1105	lysozyme	1105	Lysozyme
17.036	对羟基苯甲酸乙酯钠盐	215	sodium ethyl p-hydroxy benzoate	215	Sodium ethyl para-hydroxy-benzoate
17.037	ε-聚赖氨酸	–	ε-polylysine		
17.038	ε-聚赖氨酸盐酸盐	–	ε-polylysine hydrochloride		
18.001	硫酸钙(又名石膏)	516	calcium sulfate	516	Calcium sulfate
18.002	氯化钙	509	calcium chloride	509	Calcium chloride
18.003	氯化镁	511	magnesium chloride	511	Magnesium chloride
18.004	丙二醇	1520	propylene glycol	1520	Propylene glycol
18.005	乙二胺四乙酸二钠	386	disodium ethylene-di-amine-tetra-acetate	386	Disodium ethylenediaminetet-raacetate
18.006	柠檬酸亚锡二钠	–	disodium stannous citrate		
18.007	葡萄糖酸-δ-内酯	575	glucono delta-lactone	575	Glucono delta-lactone
18.010	刺梧桐胶	416	karaya gum	416	Karaya gum
18.011	α-环状糊精	457	alpha -cyclodextrin	457	Cyclodextrin, *alpha-*
18.012	γ-环状糊精	458	gamma -cyclodextrin	458	Cyclodextrin, *gamma-*
18.013	谷氨酰胺转氨酶	–	glutamine transaminase		
19.001	糖精钠	954	sodium saccharin	954(iv)	Sodium saccharin
19.002	环己基氨基磺酸钠(又名甜蜜素),环己基氨基磺酸钙	952	sodium cyclamate, calcium cyclamate	952(ii) 925(iv)	Calcium cyclamate Sodium cyclamate
19.003	异麦芽酮糖	–	isomaltulose (palatinose)		
19.004	天门冬酰苯丙氨酸甲酯(又名阿斯巴甜)	951	aspartame	951	Aspartame
19.005	麦芽糖醇	965(i)	maltitol	965(i)	Maltitol
19.006	山梨糖醇	420(i)	sorbitol	420(i)	Sorbitol
19.007	木糖醇	967	xylitol	967	Xylitol
19.008	甜菊糖苷	960	steviol glycosides	960	Steviol glycosides
19.010	甘草酸一钾及三钾	958	monopotassium and tripotassium glycyrrhizinate	958	Glycyrrhizin
19.011	乙酰磺胺酸钾(又名安赛蜜)	950	acesulfame potassium	950	Acesulfame potassium
19.012	甘草酸铵	958	ammonium glycyrrhizinate	958	Glycyrrhizin
19.013	L-α-天冬氨酰-N-(2,2,4,4-四甲基-3-硫化三亚甲基)-D-丙氨酰胺(又名阿力甜)	956	alitame	956	Alitame
19.014	乳糖醇(又名4-β-D吡喃半乳糖-D-山梨醇)	966	lactitol	966	Lactitol
19.015	罗汉果甜苷	–	lo-han-kuo extract		
19.016	三氯蔗糖(又名蔗糖素)	955	sucralose	955	Sucralose (Trichlorogalacto-sucrose)
19.017	D-甘露糖醇	421	D-mannitol	421	Mannitol
19.018	赤藓糖醇	968	erythritol	968	Erythritol

CNS 号	中国名	INS 号	英名	（備考） INS No.	英名
19.019	N-[N-(3,3-二甲基丁基)]-L-α-天门冬氨-L-苯丙氨酸 1-甲酯(又名纽甜)	961	neotame	961	Neotame
19.020	索马甜	957	thaumatin	957	Thaumatin
19.021	天门冬酰苯丙氨酸甲酯乙酰磺胺酸	962	aspartame-acesulfame salt	962	Aspartame-acesulfame salt
19.022	麦芽糖醇液	965(ii)	maltitol syrup	965(ii)	Maltiol syrup
19.023	山梨糖醇液	420(ii)	sorbitol syrup	420(ii)	Sorbitol syrup
20.001	琼脂	406	agar	406	Agar
20.002	明胶	–	gelatin		
20.003	羧甲基纤维素钠	466	sodium carboxy methyl cellulose	466	Sodium carboxymethyl cellulose (Cellulose gum)
20.004	海藻酸钠(又名褐藻酸钠)	401	sodium alginate	401	Sodium alginate
20.005	海藻酸钾(又名褐藻酸钾)	402	potassium alginate	402	Potassium alginate
20.006	果胶	440	pectins	440	Pectins
20.007	卡拉胶	407	carrageenan	407	Carrageenan
20.008	阿拉伯胶	414	arabic gum	414	Gum arabic (Acacia gum)
20.009	黄原胶(又名汉生胶)	415	xanthan gum	415	Xanthan gum
20.010	海藻酸丙二醇酯	405	propylene glycol alginate	405	Propylene glycol alginate
20.011	罗望子多糖胶	–	tamarind polysaccharide gum		
20.012	羧甲基淀粉钠	–	sodium carboxy methyl starch		
20.013	淀粉磷酸酯钠	–	sodium starch phosphate		
20.014	羟丙基淀粉	1440	hydroxypropyl starch	1440	Hydroxypropyl starch
20.015	乙酰化二淀粉磷酸酯	1414	acetylated distarch phosphate	1414	Acetylated distarch phosphate
20.016	羟丙基二淀粉磷酸酯	1442	hydroxypropyl distarch phosphate	1442	Hydroxypropyl distarch phosphate
20.017	磷酸化二淀粉磷酸酯	1413	phosphated distarch phosphate	1413	Phosphated distarch phosphate
20.018	甲壳素(又名几丁质)	–	chitin		
20.020	亚麻籽胶(又名富兰克胶)	–	linseed gum		
20.021	田菁胶	–	sesbania gum		
20.022	聚葡萄糖	1200	polydextrose	1200	Polydextroses
20.023	槐豆胶(又名刺槐豆胶)	410	carob bean gum	410	Carob bean gum
20.024	β-环状糊精	459	beta-cyclodextrin	459	Cyclodextrin, *beta-*
20.025	瓜尔胶	412	guar gum	412	Guar gum
20.026	脱乙酰甲壳素(又名壳聚糖)	–	deacetylated chitin (chitosan)		
20.027	结冷胶	418	gellan gum	418	Gellan gum
20.028	羟丙基甲基纤维素(HPMC)	464	hydroxypropyl methyl cellulose	464	Hydroxypropyl methyl cellulose
20.029	皂荚糖胶	–	gleditsia sinenis lam gum		

CNS 号	中国名	INS 号	英名	(備考) INS No.	英名
20.030	氧化淀粉	1404	oxidized starch	1404	Oxidized starch
20.031	乙酰化双淀粉己二酸酯	1422	acetylated distarch adipate	1422	Acetylated distarch adipate
20.032	酸处理淀粉	1401	acid treated starch	1401	Acid treated starch
20.033	氧化羟丙基淀粉	–	oxidized hydroxypropyl starch		
20.034	磷酸酯双淀粉	1412	distarch phosphate	1412	Distarch phosphate
20.036	聚丙烯酸钠	–	sodium polyacrylate		
20.037	沙蒿胶	–	rtemisia gum (sa-hao seed gum)		
20.039	醋酸酯淀粉	1420	starch acetate	1420	Starch acetate
20.040	海萝胶	–	funoran (gloiopeltis furcata)		
20.041	刺云实胶	417	tara gum	417	Tara gum
20.042	可得然胶	424	curdlan	424	Curdlan
20.043	甲基纤维素	461	methyl cellulose	461	Methyl cellulose
20.044	可溶性大豆多糖	–	soluble soybean polysaccharide		
20.045	决明胶	427	cassia gum	427	Cassia gum

4-c (i) 中国食品添加物／INS 号順

CNS 号	中国名	INS 号	英名	（備考） INS No.	英名
08.132	姜黄素	100i	curcumin	100(i)	Curcumin
08.102	姜黄	100ii	turmeric	100(ii)	Turmeric
08.148	核黄素	101(i)	riboflavin	101(i)	Riboflavin, synthetic
08.005	柠檬黄及其铝色淀	102	tartrazine, tartrazine aluminum lake	102	Tartrazine
08.016	喹啉黄	104	quinoline yellow	104	Quinoline yellow
08.006	日落黄及其铝色淀	110	sunset yellow, sunset yellow aluminum lake	110	Sunset yellow FCF
08.145	胭脂虫红	120	carmine cochineal	120	Carmines
08.013	酸性红(又名偶氮玉红)	122	carmoisine (azorubine)	122	Azorubine (Carmoisine)
08.001	苋菜红及其铝色淀	123	amaranth, amaranth aluminum lake	123	Amaranth
08.002	胭脂红及其铝色淀	124	ponceau 4R, ponceau 4R aluminum lake	124	Ponceau 4R (Cochineal red A)
08.003	赤藓红及其铝色淀	127	erythrosine, erythrosine aluminum lake	127	Erythrosine
08.012	诱惑红及其铝色淀	129	allura red, allura aluminum lake	129	Allura red AC
08.008	靛蓝及其铝色淀	132	indigotine, indigotine aluminum lake	132	Indigotine (Indigo carmine)
08.007	亮蓝及其铝色淀	133	brilliant blue, brilliant blue aluminum lake	133	Brilliant blue FCF
08.153	叶绿素铜	141i	copper chlorophyll	141(i)	Chlorophylls, copper complexes
08.009	叶绿素铜钠盐,叶绿素铜钾盐	141ii	chlorophyllin copper complex, sodium and potassium salts	141(ii)	Chlorophyllins, copper complexes, potassium and sodium salts
08.108	焦糖色(普通法)	150a	caramel colour class I – plain	150a	Caramel I – plain caramel
08.151	焦糖色(苛性硫酸盐)	150b	caramel colour class II – caustic sulfite	150b	Caramel II – sulfite caramel
08.110	焦糖色(加氨生产)	150c	caramel colour class III – ammonia process	150c	Caramel III – ammonia caramel
08.109	焦糖色(亚硫酸铵法)	150d	caramel colour class IV – ammonia sulphite process	150d	Caramel IV – sulfite ammonia caramel
08.138	植物炭黑	153	vegetable carbon	153	Vegetable carbon
08.010	β-胡萝卜素	160(a)	beta-carotene	160a	Carotenes
08.144	胭脂树橙(又名红木素,降红木素)	160b	annatto extract	160b	Annatto extracts
00.012	辣椒油树脂	160c	paprika oleoresin	160c(i)	Paprika oleoresin
08.017	番茄红素	160d(i)	lycopene	160d(i)	Lycopene, synthetic
08.018	β-阿朴-8'-胡萝卜素醛	160e	β-apo-8'-carotenal	160e	Carotenal, beta-apo-8'-
08.146	叶黄素	161b	lutein	161b	Luteins
08.101	甜菜红	162	beet red	162	Beet red

CNS 号	中国名	INS 号	英名	（備考） INS No.	英名
08.135	葡萄皮红	163ii	grape skin extract	163(ii)	Grape skin extract
13.006	碳酸钙	170i	calcium carbonate	170(i)	Calcium carbonate
08.011	二氧化钛	171	titanium dioxide	171	Titanium dioxide
08.014	氧化铁黑	172i	iron oxide black	172(i)	Iron oxide, black
08.015	氧化铁红	172ii	iron oxide red	172(ii)	Iron oxide, red
17.003	山梨酸	200	sorbic acid	200	Sorbic acid
17.004	山梨酸钾盐	202	potassium sorbate	202	Potassium sorbate
17.001	苯甲酸	210	benzoic acid	210	Benzoic acid
17.002	苯甲酸钠盐	211	sodium benzoate	211	Sodium benzoate
17.007	对羟基苯甲酸乙酯	214	ethyl p-hydroxy benzoate	214	Ethyl para-hydroxybenzoate
17.036	对羟基苯甲酸乙酯钠盐	215	sodium ethyl p-hydroxy benzoate	215	Sodium ethyl para-hydroxy-benzoate
17.032	对羟基苯甲酸甲酯钠	219	sodium methyl p-hydroxy benzoate	219	Sodium methyl para-hyd-roxybenzoate
05.001	二氧化硫	220	sulfur dioxide	220	Sulfur dioxide
05.004	亚硫酸钠	221	sodium sulfite	221	Sodium sulfite
05.005	亚硫酸氢钠	222	sodium hydrogen sulfite	222	Sodium hydrogen sulfite
05.003	焦亚硫酸钠	223	sodium metabisulphite	223	Sodium metabisulfite
05.002	焦亚硫酸钾	224	potassium metabisulphite	224	Potassium metabisulfite
17.019	乳酸链球菌素	234	nisin	234	Nisin
17.030	纳他霉素	235	natamycin	235	Natamycin (Pimaricin)
17.033	二甲基二碳酸盐(又名维果灵)	242	dimethyl dicarbonate	242	Dimethyl dicarbonate
09.004	亚硝酸钾	249	potassium nitrite	249	Potassium nitrite
09.002	亚硝酸钠	250	sodium nitrite	250	Sodium nitrite
09.001	硝酸钠	251	sodium nitrate	251	Sodium nitrate
09.003	硝酸钾	252	potassium nitrate	252	Potassium nitrate
01.107	冰乙酸(又名冰醋酸)	260	acetic acid	260	Acetic acid, glacial
00.013	乙酸钠(又名醋酸钠)	262i	sodium acetate	262(i)	Sodium acetate
17.013	双乙酸钠(又名二醋酸钠)	262ii	sodium diacetate	262(ii)	Sodium diacetate
17.009(i)	脱氢乙酸(又名脱氢醋酸)	265	dehydroacetic acid	265	Dehydroacetic acid
17.009(ii)	脱氢乙酸钠盐(又名脱氢醋酸钠盐)	266	sodium dehydroacetate	266	Sodium dehydroacetate
01.102	乳酸	270	lactic acid	270	Lactic acid L-, D-, and DL
17.029	丙酸	280	propionic acid	280	Propionic acid
17.006	丙酸钠盐	281	sodium propionate	281	Sodium propionate
17.005	丙酸钙盐	282	calcium propionate	282	Calcium propionate
17.014	二氧化碳	290	carbon dioxide	290	Carbon dioxide
01.110	富马酸	297	fumaric acid	297	Fumaric acid
04.014	抗坏血酸(又名维生素 C)	300	ascorbic acid (vitamin C)	300	Ascorbic acid, L
04.015	抗坏血酸钠	301	sodium ascorbate	301	Sodium ascorbate
04.009	抗坏血酸钙	302	calcium ascorbate	302	Calcium ascorbate

CNS 号	中国名	INS 号	英名	（備考） INS No.	英名
04.011	抗坏血酸棕榈酸酯	304	ascorbyl palmitate	304	Ascorbyl palmitate
04.016	维生素 E(dl-α-生育酚,d-α-生育酚,混合生育酚浓缩物)	307	vitamine E（dl-α-tocopherol, d-α-tocopherol, mixed tocopherol concentrate）	307	Tocopherols
04.003	没食子酸丙酯(PG)	310	propyl gallate（PG）	310	Propyl gallate
04.004	D-异抗坏血酸	315	D-isoascorbic acid（erythorbic acid）	315	Erythorbic acid（Isoascorbic acid）
04.018	D-异抗坏血酸钠盐	316	sodium D-isoascorbate	316	Sodium erythorbate（Sodium isoascorbate）
04.007	特丁基对苯二酚(TBHQ)	319	tertiary butylhydroquinone（TBHQ）	319	Tertiary butylhydroquinone（TBHQ）
04.001	丁基羟基茴香醚(BHA)	320	butylated hydroxyanisole（BHA）	320	Butylated hydroxyanisole（BHA）
04.002	二丁基羟基甲苯(BHT)	321	butylated hydroxytoluene（BHT）	321	Butylated hydroxytoluene（BHT）
04.010	磷脂	322	phospholipid	322	Lecithins
15.012	乳酸钠	325	sodium lactate	325	Sodium lactate
15.011	乳酸钾	326	potassium lactate	326	Potassium lactate
01.310	乳酸钙	327	calcium lactate	327	Calcium lactate
01.101	柠檬酸	330	citric acid	330	Citric acid
01.306	柠檬酸一钠	331i	sodium dihydrogen citrate	331(i)	Sodium dihydrogen citrate
01.303	柠檬酸钠盐	331iii	trisodium citrate	331(iii)	Trisodium citrate
01.304	柠檬酸钾盐	332ii	tripotassium citrate	332(ii)	Tripotassium citrate
01.111	L（+）-酒石酸	334	L（+）-tartaric acid	334	Tartaric acid, L(+)-
06.007	酒石酸氢钾	336	potassium bitartarate	336	Potassium tartrates
01.106	磷酸	338	phosphoric acid	338	Phosphoric acid
15.005	磷酸二氢钠	339i	sodium dihydrogen phosphate	339(i)	Sodium dihydrogen phosphate
15.006	磷酸氢二钠	339ii	sodium phosphatedibasic	339(ii)	Disodium hydrogen phosphate
15.001	磷酸三钠	339iii	trisodium orthophosphate	339(iii)	Trisodium phosphate
15.010	磷酸二氢钾	340i	potassium dihydrogen phosphate	340(i)	Potassium dihydrogen phosphate
15.009	磷酸氢二钾	340ii	dipotassium hydrogen phosphate	340(ii)	Dipotassium hydrogen phosphate
01.308	磷酸三钾	340iii	tripotassium orthophosphate	340(iii)	Tripotassium phosphate
15.007	磷酸二氢钙	341i	calcium dihydrogen phosphate	341(i)	Calcium dihydrogen phosphate
06.006	磷酸氢钙	341ii	calcium hydrogen phosphate（dicalcium orthophosphate）	341(ii)	Calcium hydrogen phosphate
02.003	磷酸三钙	341iii	tricalcium orthophosphate（calcium phosphate）	341(iii)	Tricalcium phosphate
06.008	磷酸氢二铵	342ii	diammonium hydrogen phosphate	342(ii)	Diammonium hydrogen phosphate
01.105	偏酒石酸	353	metatartaric acid	353	Metatartaric acid

CNS 号	中国名	INS 号	英名	(備考) INS No.	英名
01.109	己二酸	355	adipic acid	355	Adipic acid
01.311	富马酸一钠	365	monosodium fumarate	365	Sodium fumarates
02.010	柠檬酸铁铵	381	ferric ammonium citrate	381	Ferric ammonium citrate
04.020	乙二胺四乙酸二钠钙	385	calcium disodium ethylene-diamine-tetra-acetate	385	Calcium disodium ethylenediaminetetraacetate
18.005	乙二胺四乙酸二钠	386	disodium ethylene-diamine-tetra-acetate	386	Disodium ethylenediaminetetraacetate
00.017	羟基硬脂精(又名氧化硬脂精)	387	oxystearin	387	Oxystearin
04.012	硫代二丙酸二月桂酯	389	dilauryl thiodipropionate	389	Dilauryl thiodipropionate
20.004	海藻酸钠(又名褐藻酸钠)	401	sodium alginate	401	Sodium alginate
20.005	海藻酸钾(又名褐藻酸钾)	402	potassium alginate	402	Potassium alginate
20.010	海藻酸丙二醇酯	405	propylene glycol alginate	405	Propylene glycol alginate
20.001	琼脂	406	agar	406	Agar
20.007	卡拉胶	407	carrageenan	407	Carrageenan
20.023	槐豆胶(又名刺槐豆胶)	410	carob bean gum	410	Carob bean gum
20.025	瓜尔胶	412	guar gum	412	Guar gum
20.008	阿拉伯胶	414	arabic gum	414	Gum arabic (Acacia gum)
20.009	黄原胶(又名汉生胶)	415	xanthan gum	415	Xanthan gum
18.010	刺梧桐胶	416	karaya gum	416	Karaya gum
20.041	刺云实胶	417	tara gum	417	Tara gum
20.027	结冷胶	418	gellan gum	418	Gellan gum
19.006	山梨糖醇	420(i)	sorbitol	420(i)	Sorbitol
19.023	山梨糖醇液	420(ii)	sorbitol syrup	420(ii)	Sorbitol syrup
19.017	D-甘露糖醇	421	D-mannitol	421	Mannitol
15.014	甘油(又名丙三醇)	422	glycerine (glycerol)	422	Glycerol
20.042	可得然胶	424	curdlan	424	Curdlan
20.045	决明胶	427	cassia gum	427	Cassia gum
10.025	聚氧乙烯(20)山梨醇酐单月桂酸酯(又名吐温 20)	432	polyoxyethylene (20) sorbitan monolaurate	432	Polyoxyethylene (20) sorbitan monolaurate
10.016	聚氧乙烯(20)山梨醇酐单油酸酯(又名吐温 80)	433	polyoxyethylene (20) sorbitan monooleat	433	Polyoxyethylene (20) sorbitan monooleate
10.026	聚氧乙烯(20)山梨醇酐单棕榈酸酯(又名吐温 40)	434	polyoxyethylene (20) sorbitan monopalmitate	434	Polyoxyethylene (20) sorbitan monopalmitate
10.015	聚氧乙烯(20)山梨醇酐单硬脂酸酯(又名吐温 60)	435	polyoxyethylene (20) sorbitan monostearate	435	Polyoxyethylene (20) sorbitan monostearate
20.006	果胶	440	pectins	440	Pectins
10.033	铵磷脂	442	ammonium phosphatide	442	Ammonium saltsof phosphatidic acid
15.008	焦磷酸二氢二钠	450i	disodium dihydrogen pyrophosphate	450(i)	Disodium diphosphate
15.013	焦磷酸一氢三钠	450(ii)	trisodium monohydrogen diphosphate	450(ii)	Trisodium diphosphate
15.004	焦磷酸钠	450iii	tetrasodium pyrophosphate	450(iii)	Tetrasodium diphosphate

CNS 号	中国名	INS 号	英名	(備考) INS No.	英名
15.017	焦磷酸四钾	450(v)	tetrapotassium pyrophos-phate	450(v)	Tetrapotassium diphosphate
15.016	酸式焦磷酸钙	450(vii)	calcium acid pyrophosphate	450(vii)	Calcium dihydrogen diphos-phate
15.003	三聚磷酸钠	451i	sodium tripolyphosphate	451(i)	Pentasodium triphosphate
15.002	六偏磷酸钠	452i	sodium polyphosphate	452(i)	Sodium polyphosphate
15.015	聚偏磷酸钾	452(ii)	potassium polymetaphos-phate	452(ii)	Potassium polyphosphate
18.011	α-环状糊精	457	alpha -cyclodextrin	457	Cyclodextrin, *alpha-*
18.012	γ-环状糊精	458	gamma -cyclodextrin	458	Cyclodextrin, *gamma-*
20.024	β-环状糊精	459	beta-cyclodextrin	459	Cyclodextrin, *beta-*
02.005	微晶纤维素	460i	microcrystalline cellulose	460(i)	Microcrystalline cellulose (Cellulose gel)
20.043	甲基纤维素	461	methyl cellulose	461	Methyl cellulose
20.028	羟丙基甲基纤维素(HPMC)	464	hydroxypropyl methyl cellu-lose	464	Hydroxypropyl methyl cellu-lose
20.003	羧甲基纤维素钠	466	sodium carboxy methyl cellu-lose	466	Sodium carboxymethyl cellu-lose (Cellulose gum)
10.028	硬脂酸钾	470	potassium stearate	470(i)	Salts of myristic, palmitic and stearic acids with ammonia, calcium, potassium and sodium
10.039	硬脂酸钙	470	calcium stearate	470(i)	Salts of myristic, palmitic and stearic acids with ammonia, calcium, potassium and sodium
02.006	硬脂酸镁	470	magnesium stearate	470(iii)	Magnesium stearate
10.006	单,双甘油脂肪酸酯(油酸,亚油酸,棕榈酸,山嵛酸,硬脂酸,月桂酸,亚麻酸)	471	mono-and diglycerides of fat-ty acids	471	Mono- and di-glycerides of fatty acids
10.027	乙酰化单,双甘油脂肪酸酯	472a	acetylated mono- and dig-lyceride (acetic and fatty acid esters of glycerol)	472a	Acetic and fatty acid esters of glycerol
10.031	乳酸脂肪酸甘油酯	472b	lactic and fatty acid esters of glycerol	472b	Lactic and fatty acid esters of glycerol
10.032	柠檬酸脂肪酸甘油酯	472c	Citric and fatty acid esters of glycerol	472c	Citric and fatty acid esters of glycerol
10.010	双乙酰酒石酸单双甘油酯	472e	diacetyl tartaric acid ester of mono (di) glycerides (DATEM)	472e	Diacetyltartaric and fatty acid esters of glycerol
10.038	琥珀酸单甘油酯	472g	succinylated monoglycerides	472g	Succinylated monoglycerides
10.001	蔗糖脂肪酸酯	473	sucrose esters of fatty acid	473	Sucrose esters of fatty acids
10.022	聚甘油脂肪酸酯	475	polyglycerol esters of fatty acids (polyglycerol fatty acid esters)	475	Polyglycerol esters of fatty acids

CNS 号	中国名	INS 号	英名	(備考) INS No.	英名
10.029	聚甘油蓖麻醇酸酯(PGPR)	476	polyglycerol polyricinoleate (polyglycerol esters of interesterified ricinoleic acid) (PGPR)	476	Polyglycerol esters of interesterified ricinoleic acid
10.020	丙二醇脂肪酸酯	477	propylene glycol esters of fatty acid	477	Propylene glycol esters of fatty acids
10.011	硬脂酰乳酸钠	481i	sodium stearoyl lactylate	481(i)	Sodium stearoyl lactylate
10.009	硬脂酰乳酸钙	482i	calcium stearoyl lactylate	482(i)	Calcium stearoyl lactylate
10.003	山梨醇酐单硬脂酸酯(又名司盘 60)	491	sorbitan monostearate	491	Sorbitan monostearate
10.004	山梨醇酐三硬脂酸酯(又名司盘 65)	492	sorbitan tristearate	492	Sorbitan tristearate
10.024	山梨醇酐单月桂酸酯(又名司盘 20)	493	sorbitan monolaurate	493	Sorbitan monolaurate
10.005	山梨醇酐单油酸酯(又名司盘 80)	494	sorbitan monooleate	494	Sorbitan monooleate
10.008	山梨醇酐单棕榈酸酯(又名司盘 40)	495	sorbitan monopalmitate	495	Sorbitan monopalmitate
01.302	碳酸钠	500i	sodium carbonate	500(i)	Sodium carbonate
06.001	碳酸氢钠	500ii	sodium hydrogen carbonate	500(ii)	Sodium hydrogen carbonate
01.305	碳酸氢三钠(又名倍半碳酸钠)	500iii	sodium sesquicarbonate	500(iii)	Sodium sesquicarbonate
01.301	碳酸钾	501i	potassium carbonate	501(i)	Potassium carbonate
01.307	碳酸氢钾	501ii	potassium hydrogen carbonate	501(ii)	Potassium hydrogen carbonate
06.002	碳酸氢铵	503ii	ammonium hydrogen carbonate	503(ii)	Ammonium hydrogen carbonate
13.005	碳酸镁	504i	magnesium carbonate	504(i)	Magnesium carbonate
01.108	盐酸	507	hydrochloric acid	507	Hydrochloric acid
00.008	氯化钾	508	potassium chloride	508	Potassium chloride
18.002	氯化钙	509	calcium chloride	509	Calcium chloride
18.003	氯化镁	511	magnesium chloride	511	Magnesium chloride
18.001	硫酸钙(又名石膏)	516	calcium sulfate	516	Calcium sulfate
00.021	硫酸镁	518	magnesium sulfate	518	Magnesium sulfate
06.004	硫酸铝钾(又名钾明矾)	522	aluminium potassium sulfate	522	Aluminium potassium sulfate
06.005	硫酸铝铵(又名铵明矾)	523	aluminium ammonium sulfate	523	Aluminium ammonium sulfate
01.203	氢氧化钾	525	potassium hydroxide	525	Potassium hydroxide
01.202	氢氧化钙	526	calcium hydroxide	526	Calcium hydroxide
02.008	亚铁氰化钠	535	sodium ferrocyanide	535	Sodium ferrocyanide
02.001	亚铁氰化钾	536	potassium ferrocyanide	536	Potassium ferrocyanide
02.004	二氧化硅	551	silicon dioxide	551	Silicon dioxide, amorphous
02.009	硅酸钙	552	calcium silicate	552	Calcium silicate
02.007	滑石粉	553iii	talc	553(iii)	Talc

CNS 号	中国名	INS 号	英名	（備考） INS No.	英名
14.009	硬脂酸(又名十八烷酸)	570	stearic acid (octadecanoic acid)	570	Fatty acids
18.007	葡萄糖酸-δ-内酯	575	glucono delta-lactone	575	Glucono delta-lactone
01.312	葡萄糖酸钠	576	sodium gluconate	576	Sodium gluconate
09.005	葡萄糖酸亚铁	579	ferrous gluconate	579	Ferrous gluconate
04.013	4-己基间苯二酚	586	4-hexylresorcinol	586	Hexylresorcinol, 4-
12.001	谷氨酸钠	621	monosodium glutamate	621	Monosodium L-glutamate
12.002	5'-鸟苷酸二钠	627	disodium 5'-guanylate	627	Disodium 5'-guanylate
12.003	5'-肌苷酸二钠	631	disodium 5'-inosinate	631	Disodium 5'-inosinate
12.004	5'-呈味核苷酸二钠(又名呈味核苷酸二钠)	635	disodium 5'-ribonucleotide	635	Disodium 5'-ribonucleotides
12.007	氨基乙酸(又名甘氨酸)	640	glycine	640	Glycine
03.007	聚二甲基硅氧烷及其乳液	900a	polydimethyl siloxane and emulsion	900a	Polydimethylsiloxane
14.013	蜂蜡	901	beeswax	901	Beeswax
14.008	巴西棕榈蜡	903	carnauba wax	903	Carnauba wax
14.001	紫胶(又名虫胶)	904	shellac	904	Shellac, bleached
14.003	白油(又名液体石蜡)	905a	mineral oil, white (liquid paraffin)	905a	Mineral oil, food grade
13.003	L-半胱氨酸盐酸盐	920	L-cysteine and its hydrochlorides sodium and potassium salts	920	Cysteine, L-and its hydrochlorides sodium and potassium salts
17.028	稳定态二氧化氯	926	stabilized chlorine dioxide	926	Chlorine dioxide
13.004	偶氮甲酰胺	927a	azodicarbonamide	927a	Azodicarbonamide
19.011	乙酰磺胺酸钾(又名安赛蜜)	950	acesulfame potassium	950	Acesulfame potassium
19.004	天门冬酰苯丙氨酸甲酯(又名阿斯巴甜)	951	aspartame	951	Aspartame
19.002	环己基氨基磺酸钠(又名甜蜜素),环己基氨基磺酸钙	952	sodium cyclamate, calcium cyclamate	952(ii) 925(iv)	Calcium cyclamate Sodium cyclamate
19.001	糖精钠	954	sodium saccharin	954(iv)	Sodium saccharin
19.016	三氯蔗糖(又名蔗糖素)	955	sucralose	955	Sucralose (Trichlorogalactosucrose)
19.013	L-α-天冬氨酰-N-(2,2,4,4-四甲基-3-硫化三亚甲基)-D-丙氨酰胺(又名阿力甜)	956	alitame	956	Alitame
19.020	索马甜	957	thaumatin	957	Thaumatin
19.010	甘草酸一钾及三钾	958	monopotassium and tripotassium glycyrrhizinate	958	Glycyrrhizin
19.012	甘草酸铵	958	ammonium glycyrrhizinate	958	Glycyrrhizin
19.008	甜菊糖苷	960	steviol glycosides	960	Steviol glycosides
19.019	N-[N-(3,3-二甲基丁基)]-L-α-天门冬氨-L-苯丙氨酸 1-甲酯(又名纽甜)	961	neotame	961	Neotame

CNS 号	中国名	INS 号	英名	（備考） INS No.	英名
19.021	天门冬酰苯丙氨酸甲酯乙酰磺胺酸	962	aspartame-acesulfame salt	962	Aspartame-acesulfame salt
19.005	麦芽糖醇	965(i)	maltitol	965(i)	Maltitol
19.022	麦芽糖醇液	965(ii)	maltitol syrup	965(ii)	Maltiol syrup
19.014	乳糖醇(又名 4-β-D 吡喃半乳糖-D-山梨醇)	966	lactitol	966	Lactitol
19.007	木糖醇	967	xylitol	967	Xylitol
19.018	赤藓糖醇	968	erythritol	968	Erythritol
17.035	溶菌酶	1105	lysozyme	1105	Lysozyme
20.022	聚葡萄糖	1200	polydextrose	1200	Polydextroses
14.010	聚乙烯醇	1203	polyvinyl alcohol	1203	Polyvinyl alcohol
14.011	普鲁兰多糖	1204	pullulan	1204	Pullulan
20.032	酸处理淀粉	1401	acid treated starch	1401	Acid treated starch
20.030	氧化淀粉	1404	oxidized starch	1404	Oxidized starch
20.034	磷酸酯双淀粉	1412	distarch phosphate	1412	Distarch phosphate
20.017	磷酸化二淀粉磷酸酯	1413	phosphated distarch phosphate	1413	Phosphated distarch phosphate
20.015	乙酰化二淀粉磷酸酯	1414	acetylated distarch phosphate	1414	Acetylated distarch phosphate
20.039	醋酸酯淀粉	1420	starch acetate	1420	Starch acetate
20.031	乙酰化双淀粉己二酸酯	1422	acetylated distarch adipate	1422	Acetylated distarch adipate
20.014	羟丙基淀粉	1440	hydroxypropyl starch	1440	Hydroxypropyl starch
20.016	羟丙基二淀粉磷酸酯	1442	hydroxypropyl distarch phosphate	1442	Hydroxypropyl distarch phosphate
10.030	辛烯基琥珀酸淀粉钠	1450	starch sodium octenyl succinate (sodium starch octenyl succinate)	1450	Starch sodium octenyl succinate
18.004	丙二醇	1520	propylene glycol	1520	Propylene glycol
14.012	聚乙二醇	1521	polyethylene glycol	1521	Polyethylene glycol

4-c (ii) 中国食品添加物／INS 号なし（CNS 号順）

CNS 号	中国名	INS 号	英名	（参考） 本書の取扱い
00.001	高锰酸钾	–	potassium permanganate	過マンガン酸カリウム*[1]
00.003	异构化乳糖液	–	isomerized lactose syrup	–
00.007	咖啡因	–	caffeine	カフェイン（抽出物）
00.014	半乳甘露聚糖	–	galactomannan	–
00.018	硫酸锌	–	zinc sulfate	硫酸亜鉛
00.020	冰结构蛋白	–	ice structuring protein	–
00.022	硫酸亚铁	–	ferrous sulfate	硫酸第一鉄
00.023	乳糖酶	–	lactase	β-ガラクトシダーゼ
01.104	L-苹果酸	–	L-malic acid	–
01.112	冰乙酸(低压羰基化法)	–	acetic acid	氷酢酸
01.309	DL-苹果酸钠	–	DL-disodium malate	–
01.309	DL-苹果酸	–	DL-malic acid	DL-リンゴ酸
01.313	dl-酒石酸	–	dl-tartaric acid	DL-酒石酸
04.005	茶多酚(又名维多酚)	–	tea polyphenol (TP)	–
04.006	植酸(又名肌醇六磷酸), 植酸钠	–	phytic acid (inositol hexaphosphoric acid), Sodium phytate	フィッチン酸
04.008	甘草抗氧化物	–	antioxidant of glycyrrhiza	カンゾウ油性抽出物
04.017	迷迭香提取物	–	rosemary extract	ローズマリー抽出物
04.019	竹叶抗氧化物	–	antioxidant of bamboo leaves	–
04.021	茶多酚棕榈酸酯	–	tea polyphenol palmitate	–
04.022	迷迭香提取物(超临界二氧化碳萃取法)	–	rosemary extract	ローズマリー抽出物
05.006	低亚硫酸钠	–	sodium hyposulfite	次亜硫酸ナトリウム
05.007	硫磺	–	sulfur (sulphur)	イオウ
08.004	新红及其铝色淀	–	new red, new red aluminum lake	–
08.103	红花黄	–	carthamins yellow	ベニバナ黄色素
08.104	紫胶红(又名虫胶红)	–	lac dye red (lac red)	–
08.105	越橘红	–	cowberry red	カウベリー色素
08.106	辣椒红	–	paprika red	トウガラシ色素
08.107	辣椒橙	–	paprika orange	トウガラシ色素
08.111	红米红	–	red rice red	アカゴメ色素
08.112	栀子黄	–	gardenia yellow	クチナシ黄色素
08.113	菊花黄浸膏	–	coreopsis yellow	–
08.114	黑豆红	–	black bean red	–
08.115	高粱红	–	sorghum red	–
08.116	玉米黄	–	corn yellow	–
08.117	萝卜红	–	radish red	アカダイコン色素
08.118	可可壳色	–	cacao husk pigment	–
08.119	红曲米	–	red kojic rice	–

CNS 号	中国名	INS 号	英名	（参考） 本書の取扱い
08.120	红曲红	–	monascus red	ベニコウジ色素
08.121	落葵红	–	basella rubra red	–
08.122	黑加仑红	–	black currant red	ブラックカーラント色素
08.123	栀子蓝	–	gardenia blue	クチナシ青色素
08.124	沙棘黄	–	hippophae rhamnoides yellow	–
08.125	玫瑰茄红	–	roselle red	–
08.126	橡子壳棕	–	acorn shell brown	–
08.129	桑椹红	–	mulberry red	マルベリー色素
08.130	天然苋菜红	–	natural amaranthus red	食用赤色 2 号
08.131	金樱子棕	–	rose laevigata michx brown	–
08.133	酸枣色	–	jujube pigment	–
08.134	花生衣红	–	peanut skin red	–
08.136	蓝锭果红	–	uguisukagura red	ウグイスカグラ色素
08.137	藻蓝(淡,海水)	–	spirulina blue (algae blue, lina blue)	スピルリナ色素
08.139	密蒙黄	–	buddleia yellow	–
08.140	紫草红	–	gromwell red	–
08.143	柑橘黄	–	orange yellow	オレンジ色素
08.147	天然胡萝卜素	–	natural carotene	–
08.149	杨梅红	–	mynica red	–
08.150	番茄红	–	tomato red	トマト色素
08.152	红曲黄色素	–	monascus yellow pigment	ベニコウジ黄色素
08.154	紫甘薯色素	–	purple sweet potato colour	ムラサキイモ色素
10.002	酪蛋白酸钠(又名酪朊酸钠)	–	sodium caseinate	カゼインナトリウム
10.007	木糖醇酐单硬脂酸酯	–	xylitan monostearate	–
10.013	氢化松香甘油酯	–	glycerol ester of hydrogenated rosin	エステルガム
10.017	聚氧乙烯木糖醇酐单硬脂酸酯	–	polyoxyethylene xylitan monostearate	–
10.018	辛,癸酸甘油酯	–	octyl and decyl glycerate	–
10.019	改性大豆磷脂	–	modified soybean phospholipid	–
10.040	酶解大豆磷脂	–	enzymatically decomposed soybean phospholipid	–
12.005	琥珀酸二钠	–	disodium succinate	コハク酸二ナトリウム
12.006	L-丙氨酸	–	L-alanine	L-アラニン
14.004	吗啉脂肪酸盐(又名果蜡)	–	morpholine fatty acid salt (fruit wax)	モルホリン脂肪酸塩
14.005	松香季戊四醇酯	–	pentaerythritol ester of wood rosin	–
17.010	乙氧基喹	–	ethoxy quin	1,2-ジヒドロ-6-エトキシ-2,2,4-トリメチルキノリン*[1]

CNS 号	中国名	INS 号	英名	（参考） 本書の取扱い
17.012	肉桂醛	–	Cinnamaldehyde	シンナムアルデヒド
17.022	联苯醚（又名二苯醚）	–	diphenyl ether (diphenyl oxide)	–
17.027	2,4-二氯苯氧乙酸	–	2, 4-dichlorophenoxy acetic acid	–
17.031	单辛酸甘油酯	–	capryl monoglyceride	–
17.034	液体二氧化碳（煤气化法）	–	carbon dioxide	二酸化炭素
17.037	ε-聚赖氨酸	–	ε-polylysine	ε-ポリリシン
17.038	ε-聚赖氨酸盐酸盐	–	ε-polylysine hydrochloride	–
18.006	柠檬酸亚锡二钠	–	disodium stannous citrate	–
18.013	谷氨酰胺转氨酶	–	glutamine transaminase	トランスグルタミナーゼ
19.003	异麦芽酮糖	–	isomaltulose (palatinose)	–
19.015	罗汉果甜苷	–	lo-han-kuo extract	–
20.002	明胶	–	gelatin	ゼラチン
20.011	罗望子多糖胶	–	tamarind polysaccharide gum	タマリンドシードガム
20.012	羧甲基淀粉钠	–	sodium carboxy methyl starch	デンプングリコール酸ナトリウム
20.013	淀粉磷酸酯钠	–	sodium starch phosphate	デンプンリン酸エステルナトリウム*1
20.018	甲壳素（又名几丁质）	–	chitin	キチン
20.020	亚麻籽胶（又名富兰克胶）	–	linseed gum	アマシードガム
20.021	田菁胶	–	sesbania gum	–
20.026	脱乙酰甲壳素（又名壳聚糖）	–	deacetylated chitin (chitosan)	キトサン
20.029	皂荚糖胶	–	gleditsia sinenis lam gum	–
20.033	氧化羟丙基淀粉	–	oxidized hydroxypropyl starch	–
20.036	聚丙烯酸钠	–	sodium polyacrylate	ポリアクリル酸ナトリウム
20.037	沙蒿胶	–	rtemisia gum (sa-hao seed gum)	サバクヨモギシードガム*2
20.040	海萝胶	–	funoran (gloiopeltis furcata)	–
20.044	可溶性大豆多糖	–	soluble soybean polysaccharide	ダイズ多糖類

–：本書に収録なし
＊1：本書の許可状況×
＊2：artemisia gum (sa-hao seed gum) として判断

MEMO

MEMO

食品添加物インデックス PLUS 第6版
――和名・英名・E No. 検索便覧

発 行…… ……2023年11月15日

編 著…… ……公益社団法人 日本輸入食品安全推進協会

発行者……………荘村明彦

発行所……………中央法規出版株式会社

〒110-0016 東京都台東区台東3-29-1 中央法規ビル
TEL 03-6387-3196
https://www.chuohoki.co.jp/

印刷・製本………株式会社太洋社

装 幀……………ケイ・アイ・エス

ISBN 978-4-8058-8955-8
定価はカバーに表示してあります。
乱丁本・落丁本はお取り替えいたします。

本書の内容に関するご質問については、下記URLから「お問い合わせフォーム」にご入力いただきますようお願いいたします。
https://www.chuohoki.co.jp/contact/